Klassische und molekulare Genetik

C. Bresch · R. Hausmann

Klassische und molekulare
GENETIK

Dritte, erweiterte Auflage

Mit zahlreichen Abbildungen und 32 Tafeln

Springer-Verlag
Berlin Heidelberg New York 1972

1964 erstes Erscheinen
1965 erster, veränderter Neudruck
1966 spanische Ausgabe
1967 zweiter, unveränderter Nachdruck
1968 italienische Ausgabe
1969 bulgarische Ausgabe
1970 zweite, erweiterte Auflage
1971 portugiesische Ausgabe
1972 dritte, erweiterte Auflage
(25. bis 39. Tausend der deutschen Ausgabe)

ISBN 3–540–05802–8 Springer-Verlag Berlin · Heidelberg · New York
ISBN 0–387–05802–8 Springer-Verlag New York · Heidelberg · Berlin

ISBN 3–540–04778–6 2. Auflage Springer Verlag Berlin · Heidelberg · New York
ISBN 0–387–04778–6 2nd edition Springer Verlag New York · Heidelberg · Berlin

Vorwort zur dritten Auflage

Wieder gilt unser Dank vielen Kollegen — diesmal speziell den Freiburger Humangenetikern U. WOLF und W. KRONE — für Anregungen und überlassenes Bildmaterial, weiter vielen jungen Lesern für ihre kritischen Briefe und schließlich Fräulein U. NIESERT für die Korrektur und Erweiterung des Sachverzeichnisses.

Die fotografischen Tafeln wurden nochmals verdoppelt, neue Abschnitte über cyclisches AMP, über Polymorphismen, Zellkulturen, pränatale genetische Diagnose und über Krebs hinzugefügt sowie vorrangig die Paragraphen über DNA-Replikation, Proteinsynthese und plasmatische Vererbung auf den neuesten Stand gebracht.

Bitte schreiben Sie uns weiter, was Sie beanstanden und was Ihnen unverständlich erscheint. Besonders dankbar sind wir stets für Hinweise auf interessantes Bildmaterial.

Institut Biologie III
7800 Freiburg
Schänzlestraße 9—11

C. BRESCH   R. HAUSMANN
im Mai 1972

Vorwort zur zweiten Auflage

Die doppelte Zielsetzung des Buches ist unverändert: es soll dem Studenten der Biologie und den Kollegen aus anderen Fachgebieten als Einführung in die Genetik dienen und zugleich Lehrern und Medizinern die wissenschaftlichen Entwicklungen der letzten 10 Jahre nahebringen.

Die ursprünglich erst für 1971 geplante Neuauflage mußte sehr beschleunigt abgeschlossen werden, da weder Verlag noch Autor einen unveränderten Nachdruck der 1965er Auflage dem Käufer des Buches gegenüber verantworten konnten. Zu viel neues Wissen wurde seitdem erworben. Wir haben uns bemüht, diesen Fortschritt zu berücksichtigen.

Dazu war es nötig, etwa die Hälfte des Buches neu zu bearbeiten, nämlich die Abschnitte über Bakterien-Genetik und Episomen, Chromosomen-Struktur und -Replikation, über Rekombination, DNA- und Protein-Synthese, über den genetischen Code, Regulation und Differenzierung.

Neu aufgenommen wurden weiter eine Behandlung menschlicher Chromosomen-Aberrationen, der Lyon-Hypothese, der Reparatur von DNA, ihrer Modifikation und Restriktion, eine Zusammenstellung der wichtigsten auf DNA einwirkenden Enzyme sowie kurze Abschnitte über die Möglichkeit, Gene zu synthetisieren und über positive Kontrolle von Genaktivitäten.

Das Sachverzeichnis wurde wesentlich erweitert.

Der Bildteil wurde verdoppelt. Dies war möglich durch das freundliche Entgegenkommen zahlreicher Verlage und Kollegen aus aller Welt, die ihre Originalfotos zur Verfügung stellten. Ihnen sei hier besonders gedankt.

Der Dank der Autoren gilt weiter vielen Kollegen und Studenten, die Fehler fanden und Verbesserungsvorschläge machten, vor allem R. HERTEL, G. HOBOM, R. FRIEDRICH und R. EGEL sowie Fräulein BARBARA VOLHARD, die den Autoren alle technische Hilfe gab.

Freiburg, den 8. April 1970   C. BRESCH   R. HAUSMANN

Vorwort zur ersten Auflage

Als der Autor den Plan faßte, ein Lehrbuch der Genetik zu schreiben, war er unerfahren genug zu glauben, das Buch könne auf dem neuesten Stand der Forschung und zugleich gründlich durchgearbeitet, d.h. frei von wesentlichen Fehlern und Lücken sein. Inzwischen ist er eines Besseren belehrt.

Vor die Frage gestellt, entweder auf wichtige Ergebnisse und Forschungsgebiete zu verzichten oder den Stoff in möglichst gedrängter Form darzustellen, entschied sich der Autor weitgehend für den zweiten Weg. Ausschlaggebend hierfür war der Gesichtspunkt, daß das Buch eine doppelte Aufgabe erfüllen sollte: Es sollte einerseits ein Lehrbuch für Studenten werden, d.h. den Grundstock an Wissen enthalten, der nach Meinung des Autors an den Studenten der Biologie herangetragen werden müßte; andererseits sollte es den Kollegen aus Nachbargebieten wie Medizin, Chemie und Physik, die sich heute in steigendem Maße biologischer Forschung zuwenden, einen Überblick geben und den Zugang zu Fragen der Genetik erleichtern. Nur das Bedürfnis nach zusammenfassenden Darstellungen von klassischer und molekularer Genetik rechtfertigt diesen Versuch.

*

Genetik ist eine abstrahierende Wissenschaft und hervorragend geeignet — auch auf dem Schulniveau — das logische Denken zu fördern. Soweit als möglich wurde in diesem Buch daher versucht, die zwingende Logik von Schlußfolgerungen aus experimentellen Daten darzustellen und den Leser an der Erarbeitung dieser Erkenntnisse teilhaben zu lassen. Dieser Weg ist — besonders in den ersten Schritten — mühevoll, doch der anfänglich investierte Aufwand macht sich später durch ein tieferes Verständnis bezahlt.

Aus didaktischen Gründen beginnt das Buch mit der Rekombinationsgenetik *haploider* Organismen. Dieser Weg birgt die Gefahr einer anfänglichen Verwirrung bei ,,vorbelasteten" Lesern, die sich aber im Laufe der Lektüre klären wird.

An einigen Stellen des Buches werden wichtige, aber noch ungelöste Fragen diskutiert. Es ist zwar die Meinung vorherrschend, ein Lehrbuch dürfe nur den gesicherten Bereich eines Fachgebietes enthalten, da sonst die Gefahr bestünde, die Probleme in subjektiver und falscher Sicht darzustellen, doch fördert eine Erörterung noch offener Fragen die kritische Selbständigkeit des Lernenden und gibt ein besseres Verständnis für den augenblicklichen Stand und die zukünftige Entwicklung des Gebietes. Weiter wird nur auf diese Weise das Lesen aktueller Originalarbeiten ermöglicht. Vor allem aber wird der blinde Glauben an wissenschaftliche Dogmen verhütet und der falsche Eindruck vermieden, die Grundphänomene des dargestellten Gebietes seien bereits geklärt. Der Autor hofft, an den fraglichen Stellen den hypothetischen Charakter der Interpretation genügend betont zu haben.

Literaturzitate sollen dem Leser den Zugang zu Originalarbeiten öffnen und das Auffinden von weiterer Literatur erleichtern. Es wurde daher häufiger nicht die erste Beobachtung eines Phänomens zitiert, sondern spätere Arbeiten — auch anderer Autoren —, aus der die Literatur zurückverfolgt werden kann.

Die Fertigstellung des Buches ist der Hilfsbereitschaft vieler Kollegen zu verdanken, die Teile des Manuskriptes kritisch durchsahen, Abbildungen, Daten oder Sonderdrucke zur Verfügung stellten. Ihnen allen — voran MAX DELBRÜCK, PETER STARLINGER, WALTER HARM und RAINER HERTEL — sowie dem Verlag, der in jeder Weise größtes Entgegenkommen zeigte und sich speziell bemühte, den Preis des Buches in erträglichem Rahmen zu halten, gilt der Dank des Autors.

Köln, im Juni 1963 C. BRESCH

Inhalt

MENDELs Kreuzungsversuche an
Erbsen legten den Grundstein für
das Verständnis des Vererbungsvorgangs

AVERYs Nachweis der DNA als
materielle Basis genetischer Information leitete die Epoche der
molekularen Genetik ein

OSWALD THEODORE AVERY
um 1943

Tafel 1

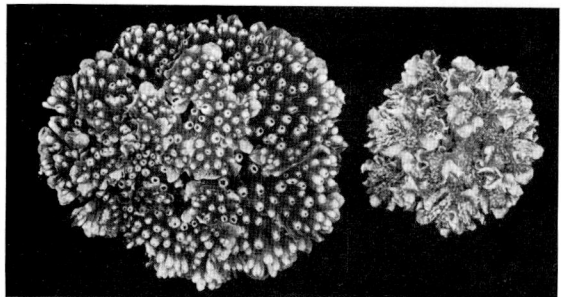

Links: weibliche und rechts davon die kleinere männliche Pflanze von Sphaero-carpus. Vergr. 2 ×

Rechts: männliche und *unten:* weibliche Pflanze. Zwischen den „Blät-tern" befinden sich viele Geschlechtsorgane. Vergr. 10 ×

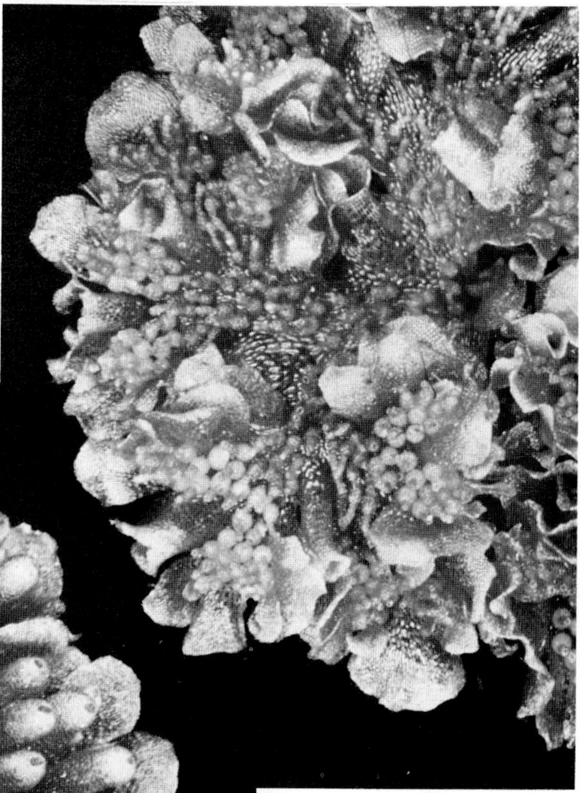

Fotos: W. O. ABEL

Sphaerocarpus donnellii

Rechts: Schnitt durch ein weibliches Geschlechtsorgan. Die befruchtungsbereite Eizelle fällt durch Größe und den großen dunklen Zellkern auf. Vergr. 300 ×

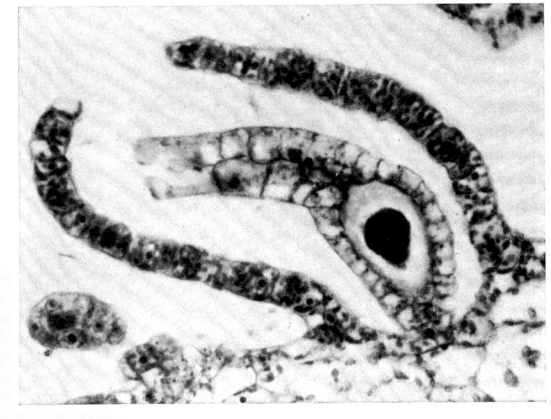

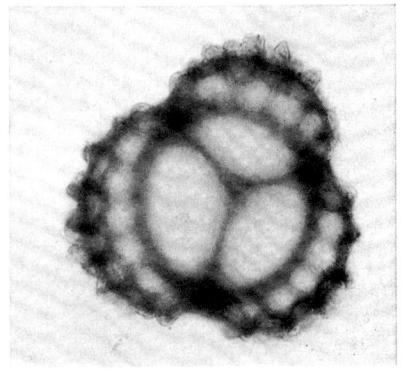

Links: Die befruchtete Eizelle hat viele Zellteilungen durchlaufen. Jede dieser (diploiden) Zellen wird in eine Meiose eintreten und eine Sporentetrade bilden. Beachtenswert ist die ungewöhnliche Synchronisierung der Zellteilungen. Alle Zellen des rechten unteren Quadranten sind im Teilungs-Stadium. Vergr. 300 ×. Fotos: A. REITBERGER

Rechts: Sporentetrade. Die Durchsichtigkeit erlaubt die Erkennung der Tetraeder-Anordnung der 4 Sporen. Vergr. 3000 ×. Foto: W. O. ABEL

Tafel 3

Sporenentwicklung von Sphaerocarpus

Links: Das einzige verbliebene Notizblatt in MENDELs Handschrift, das sich auf seine Kreuzungsversuche bezieht. Man beachte die kryptische Bemerkung:
„wer durch die Welt will rücken Der ... sich hübsch bücken" — bücken nach Erbsen?

Rechts: Teil des Klostergartens zu Brünn, in dem MENDEL seine historischen Versuche durchführte.
Über dem Tor und rechts davon, im 1. Stock, die beiden Fenster von MENDELs Räumen zur Zeit der Versuche.

Links vor dem Gebäude das MENDEL-Denkmal, das 1962 in den Garten geholt wurde. Aus: BOYES, B. C.: Bio-Sci. 16, 85 (1966).

Dieses Denkmal war 1910 auf einem öffentlichen Platz in Brünn enthüllt worden, wie das zeitgenössische Foto der Feier zeigt (Fotograf unbekannt). Das Denkmal wurde in Auftrag gegeben von einem eigens dazu 1906 ins Leben gerufenen internationalen Komitee, ein Zeugnis der schnellen Anerkennung MENDELs nach der Wiederentdeckung seiner Arbeit.
Aus: Iconographia Mendeliana, Mährisches Museum Brünn, Tschechoslowakei, 1965

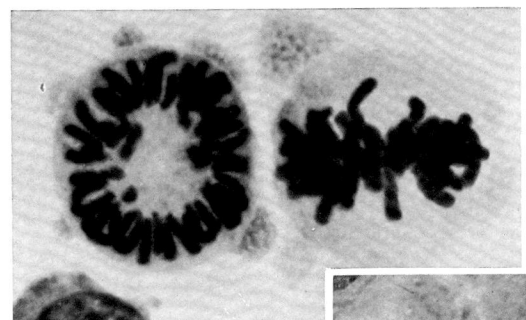

Links: Mitotische Metaphase in Ehrlich - Ascites-Carcinom - Zellen der Maus. Links: Aufsicht, rechts: Seitenansicht einer Äquatorialplatte. Links unten: Interphasekern.
Vergr. 1300 ×.
Foto: H. U. KOECKE

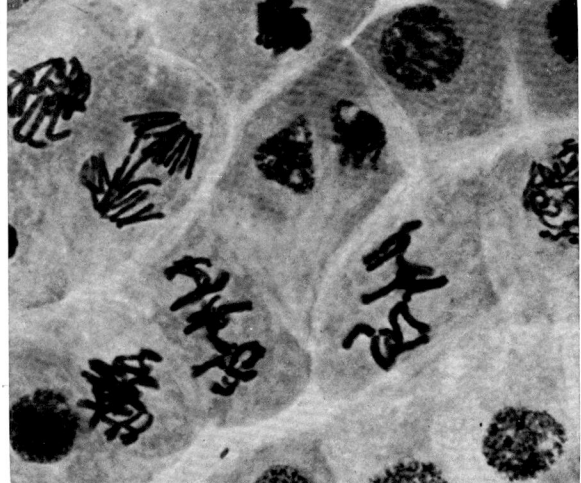

Rechts: Wurzel-Meristem von Vicia faba mit Zellen in verschiedenen Phasen der mitotischen Teilung.
Foto: J. STRAUB

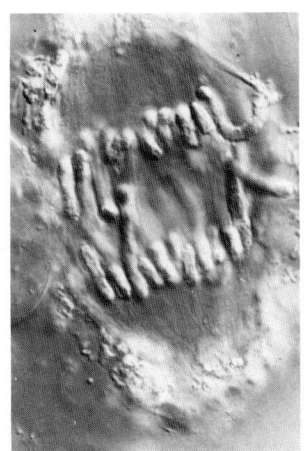 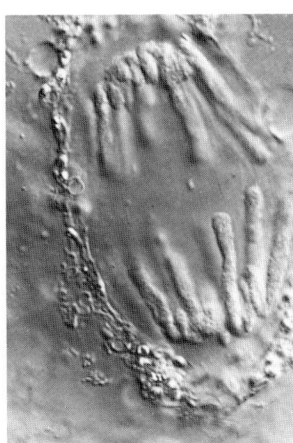 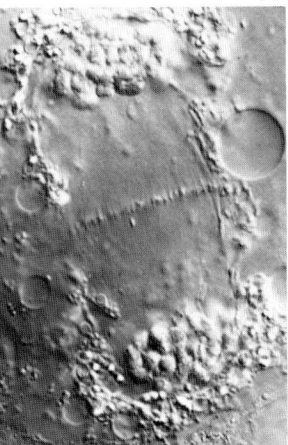

Chromosomen aus Endospermzellen einer höheren Pflanze (Haemanthus katherinae) während der Zellteilung: frühe *(links)* und späte Anaphase *(Mitte)* sowie Telophase *(rechts).* Lebendpräparat in NOMARSKI-Technik (Phasenkontrast-Mikroskopie mit polarisiertem Licht).
Fotos: A. BAJER aus SITTE, P. (Hrgb.): Probleme der biologischen Reduplikation. Berlin-Heidelberg-New York: Springer 1966

Mitose

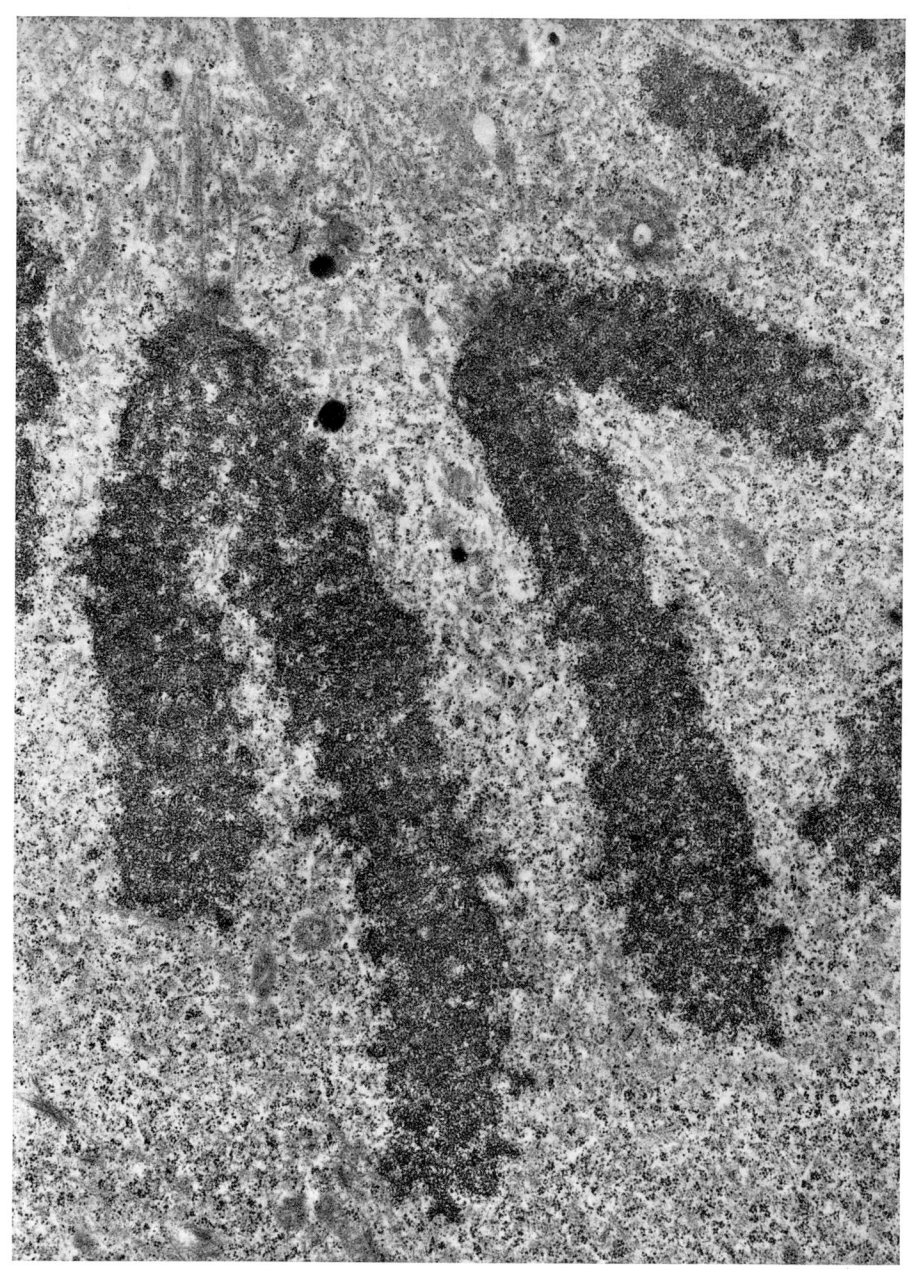

Anaphase-Chromosomen eines Kleinkänguruhs (Tasmanian Wallaby). Ansatz
der Spindelfasern am Centromer erkennbar (vgl. auch Tafel 7). Dünnschnitt-
Präparat, fixiert mit Glutaraldehyd-Osmium. Kontraste durch „Färbung" mit
Uran- und Bleisalzen. Vergr. 17000×.
Präparat und Foto: B. R. BRINKLEY, aus W. A. JENSEN and R. B. PARK: Cell
Ultrastructure. Belmont: Wadsworth Publ. 1967

Rechts: Zellteilung (gleiches Aussehen von Mitose und Meiose) beim Pilz Ascobulus. Die Chromosomen sind deutlich an den Spindelfasern hängend zu erkennen. Anstelle der Zentriolen tierischer Zellen gibt es bei Pflanzen zwei „Zentralplatten" (eine davon im Schnittpräparat oben rechts sichtbar), die verstärkte Bereiche der Kernmembran sind.
Aus D. ZICKLER: Chromosoma (Berl.) **30**, 287 (1970)

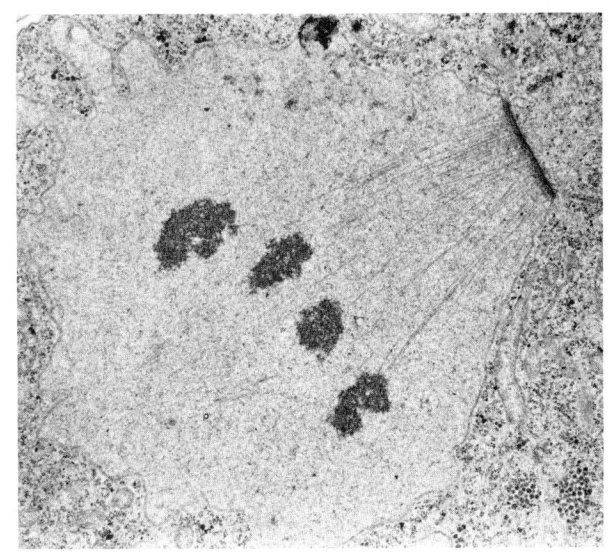

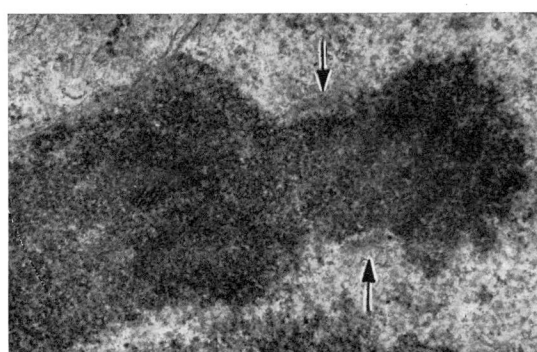

Links: Ungeteiltes Centromer (Pfeile) eines Prophasen-Chromosoms (Hamsterzellkultur), Schnittpräparat, 23000×.
Aus B. R. BRINKLEY and E. STUBBLEFIELD: Chromosoma (Berl.) **19**, 28 (1966)

Rechts: dito, mit angesetzten Spindelfasern. Das Chromosom lag diesmal etwa senkrecht zur Bild-(Schnitt-)Ebene Vergr. 56000×

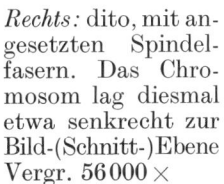

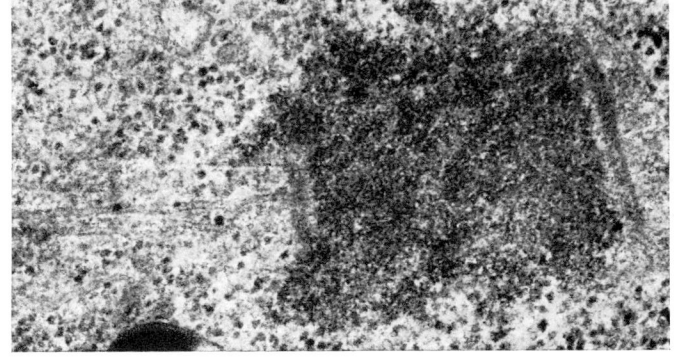

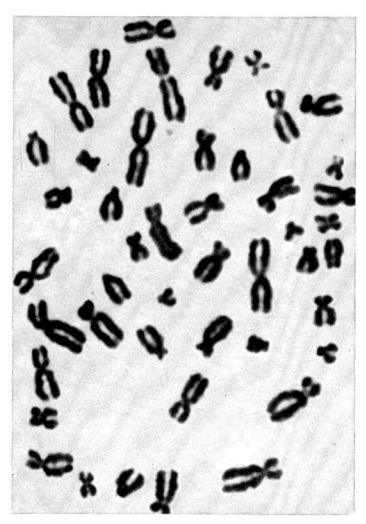
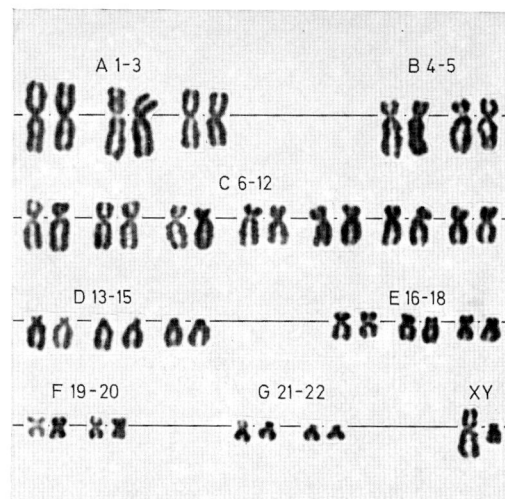

A 1-3   B 4-5

C 6-12

D 13-15   E 16-18

F 19-20   G 21-22   XY

Die 2 × 23 Chromosomen des Menschen. (Präparat und Foto: T. LÜERS)

Menschliche Zellen in Gewebekultur werden mit Colchizin, dem Gift der Herbstzeitlose, in der mitotischen Metaphase blockiert. (Die Äquatorialplatten sind
dann kaum zu unterscheiden von denen der Mäusezellen in Tafel 5 oben.) Da die
Zählung der Chromosomen in solchen Präparaten sehr schwierig ist, hat man
jahrzehntelang für den Menschen 2 Chromosomen zuviel angenommen. Erst die
Quetschtechnik erlaubte, die Chromosomen einzeln zu erkennen. Diese sind bereits
verdoppelt, aber noch durch das Centromer verbunden und daher X- oder V-
förmig (*oben links:* bisherige einfache, *unten:* neuere Präpariertechnik).
Aus solchen Bildern ausgeschnittene Chromosomen können dann nach Größe und
Lage des Centromers in 7 autosomale Gruppen (A—G) und die beiden Geschlechts-
Chromosomen geordnet werden *(oben rechts)*. Während die einfache Methode nicht
für alle Chromosomenpaare eine eindeutige Zuordnung ermöglichte, erlauben
neuartige Techniken die Identifizierung aller Chromosomen. Aktives und inakti-
viertes X-Chromosom des weiblichen Genoms (vgl. § 10/13.5) zeigen keine Unterschiede.

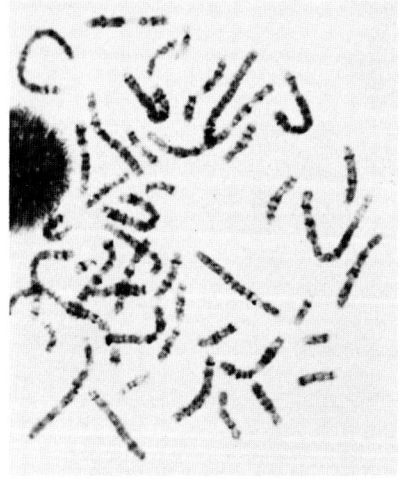

Die für die Abbildung links benutzte Technik z. B. beruht auf dem Denaturieren
(schonendes Erhitzen oder kurze Alkali-
Behandlung) der Chromosomen-DNA, was
zum Verlust der Färbbarkeit der Chromosomen führt. Gestattet man anschließende
Renaturierung (stundenlanges Warmhal-
ten bei neutralem pH), so kehrt die An-
färbbarkeit in — für jedes Chromosom
charakteristischen — Bereichen zurück.

Foto unten und Abb. von Tafel 9 aus:
SCHNEDL, W.: Chromosoma (Berl.) **34**, 448
(1971)

Menschliche Chromosomen   Tafel 8

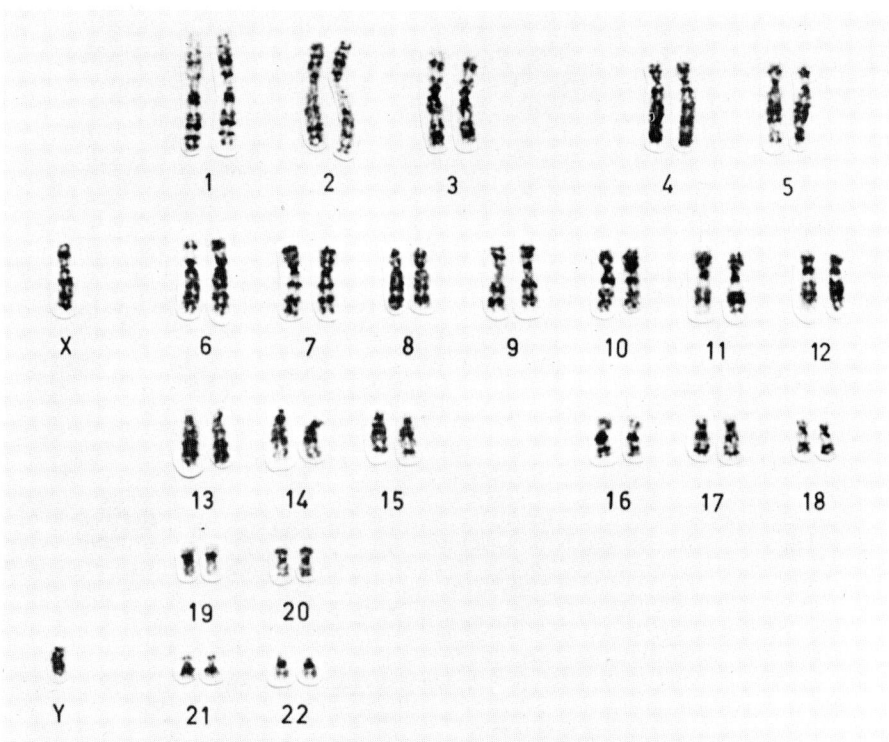

Oben: Geordnete menschliche Chromosomenbilder des Präparats auf Tafel 8 unten

Unten: Das „Ideogramm" (schematische Darstellung des Bandenmusters), das aus dem Vergleich vieler Einzelpräparate gewonnen wurde. Die Klammern geben Bereiche an, in denen bei längerem Renaturieren Einzelbanden zusammenfließen

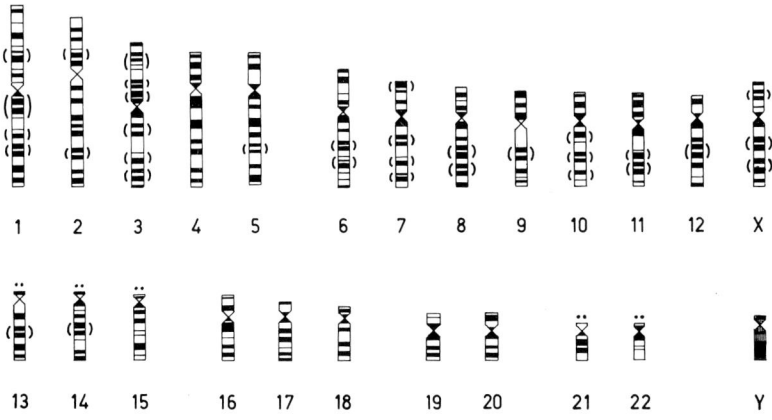

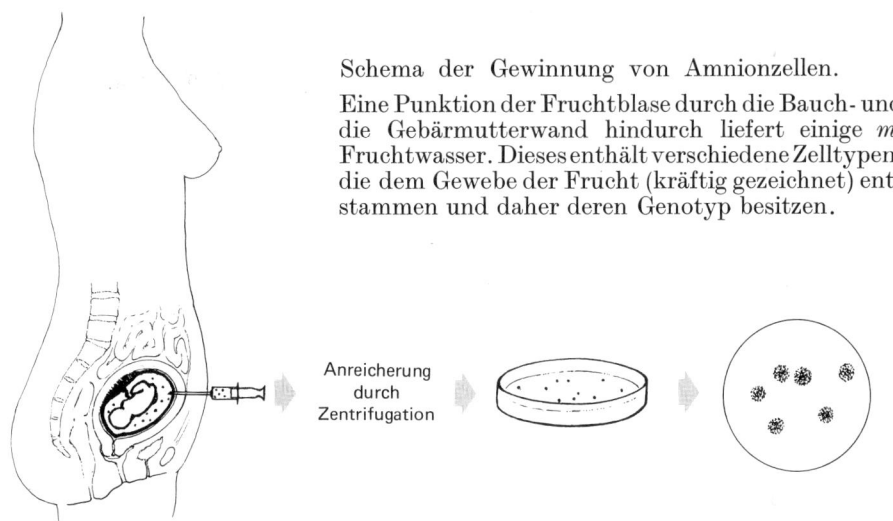

Schema der Gewinnung von Amnionzellen.

Eine Punktion der Fruchtblase durch die Bauch- und die Gebärmutterwand hindurch liefert einige *ml* Fruchtwasser. Dieses enthält verschiedene Zelltypen, die dem Gewebe der Frucht (kräftig gezeichnet) entstammen und daher deren Genotyp besitzen.

Nach Anreicherung durch Zentrifugation erhält man Zellen wie im Bild unten rechts. Die roten Blutkörperchen im Präparat sind mütterlichen Ursprungs (vom Durchstechen der Gewebe), die großen Zellen mit dunklem Zellkern sind genetisch vom Foeten hergeleitet (dieser selbst bleibt unverletzt, da er in der Amnionflüssigkeit schwimmend der Nadel ausweicht).

Nur wenige Zellen wachsen zu Klonen heran (ganz unten eine solche Zellkolonie). An diesen werden dann zytologische und biochemische Untersuchungen durchgeführt. Vgl. hierzu § 12/5.

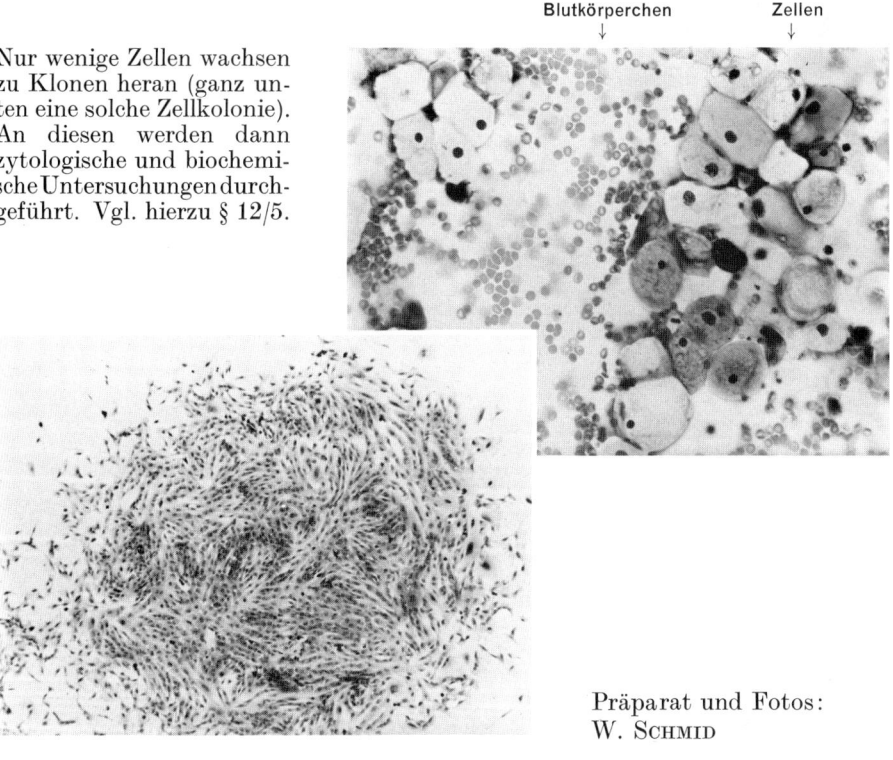

Blutkörperchen   Zellen

Präparat und Fotos:
W. Schmid

Amniocentese

Tafel 10

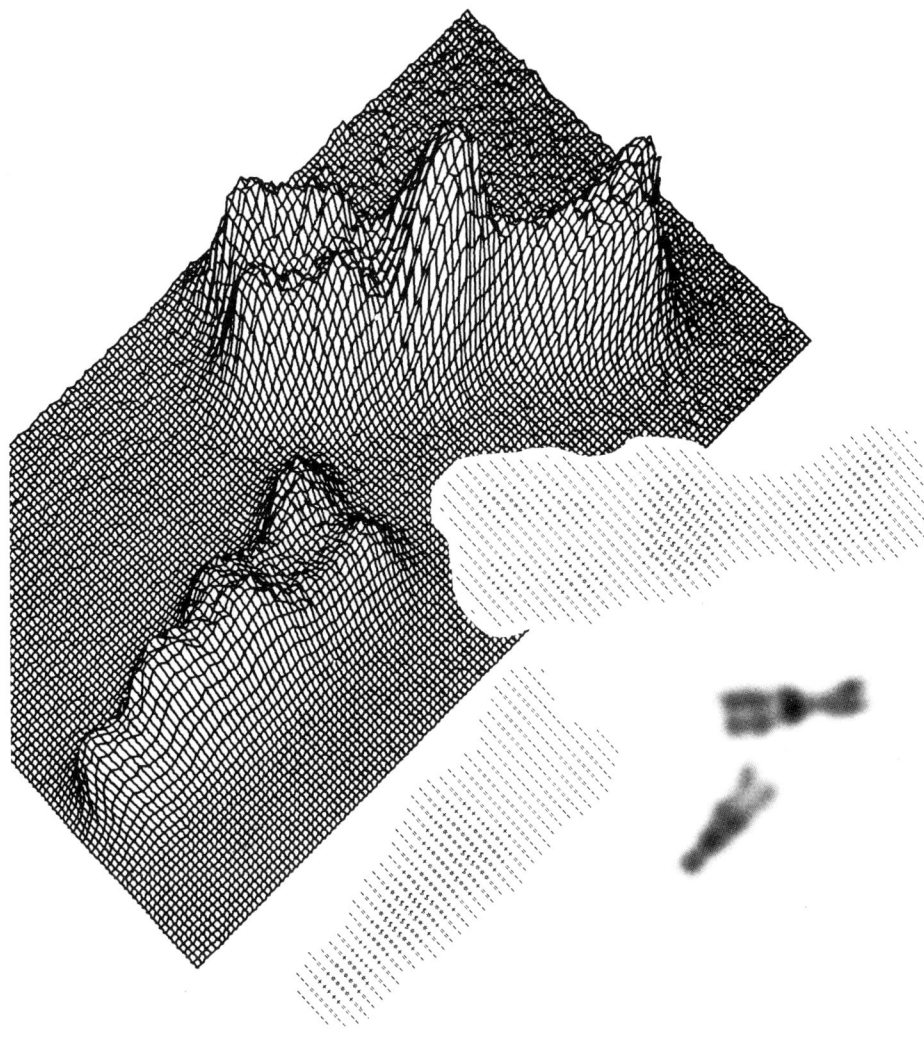

Die Erkennung von Chromosomen-Anomalien ist ein wichtiger Teil der pränatalen Diagnose (Tafel 10). In Zukunft wird diese Aufgabe sicher von Computern wahrgenommen werden. Der erste Schritt dazu ist die automatische Punkt-für-Punkt-Abtastung eines Fotonegativs und die Speicherung dieser Meßdaten im Computer. Hier sind zwei menschliche Chromosomen als Foto (unten rechts), als dessen Computer-Ausdruck (Mitte) und als räumlich wirkende Computerzeichnung (links oben) wiedergegeben. Die Höhe der „Berge" ist ein Maß für die entsprechende Schwärzung auf dem Chromosomenbild, also nur indirekt mit der Morphologie des Chromosoms korreliert. Chromosomen-Präparat und Foto: W. VOGEL. Abtastung und Programmierung: M. NEUMANN und M. ULLMANN

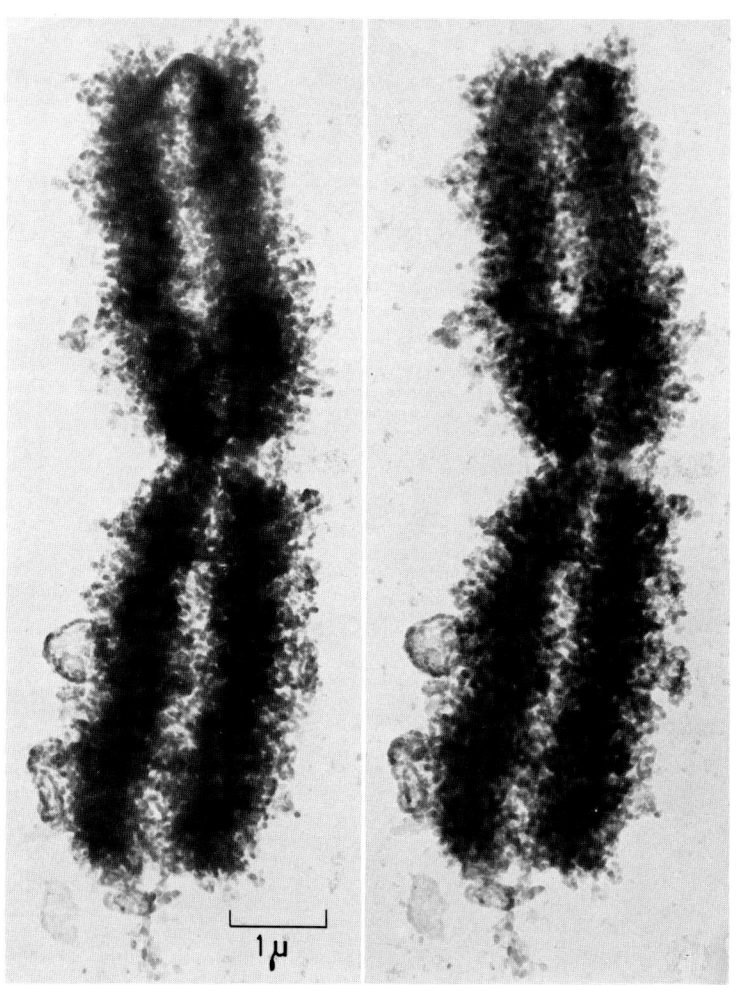

Elektronenoptische Stereoaufnahme eines Metaphasen-Chromosoms des Hamsters. Man betrachte die Tafel mit einem Abstand von etwa 30 cm und lasse die Augenmuskeln entspannen, so daß man 3 Bilder sieht (notfalls Gesichtsfelder der Augen durch eine Pappe trennen). Das mittlere Bild erweckt dann den Eindruck einer räumlichen Anordnung der Chromosomenschleifen (Fasern), die aus dem anscheinend ordnungslosen Knäuel der Chromosomenmasse herausragen. Die Fasern bestehen aus von Histonen umgebenen DNA-Fäden und haben einen Durchmesser von etwa 250 Å (vgl. § 10/13,3).

Bevorzugt an den Enden des Chromosoms sind oft noch Reste der sich vor der Metaphase auflösenden Kernmembran sichtbar. Von solchen Resten aus formieren sich später offenbar die Membranen der Tochterkerne.

Aus STUBBLEFIELD, E., and WRAY, W.: Chromosoma (Berl.) **32**, 262 (1971)

Hamster-Chromosom   Tafel 12

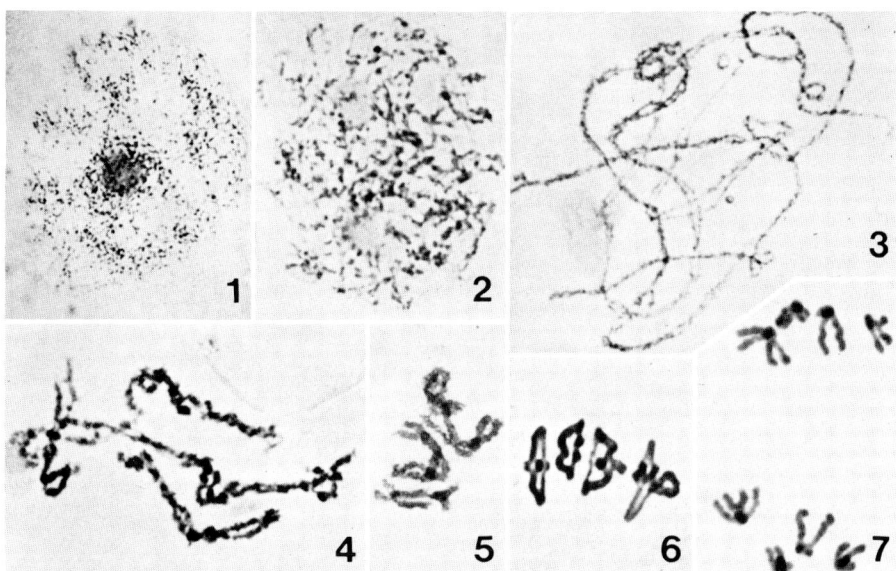

Meiosis aus den Antheren von Bellevalia romana. *1* Prämeiotischer Interphase-kern; *2* Ende des Leptotäns, Beginn der Synapsis; *3* Zygotän, die Chromosomen sind fast vollständig gepaart; *4* spätes Pachytän bzw. beginnendes Diplotän; *5* spätes Diplotän mit deutlich sichtbaren Chiasmata; *6* beginnende, *7* späte Anaphase I. Aus: F. OEHLKERS, Das Leben der Gewächse. Berlin-Göttingen-Heidelberg: Springer 1956

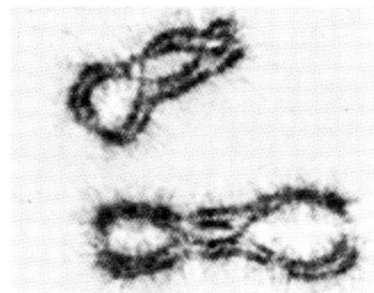

Gepaarte Bivalente von Heuschrecken zeigen im Diplotän schöne, z.T. terminalisierte Chiasmata. In diesem Stadium stoßen sich Nicht-Schwesterstränge ab, was zu charakte-ristischen räumlichen Gebilden führt, die bei der Präparation flachgedrückt werden. Vergr. 1100×. Aus: HEWITT, G. M., and B. JOHN: Chromosoma (Berl.) 25, 319 (1971)

Weiter verdichtete Chromosomen der meiotischen Anaphase I bei einer Heu-schrecke mit einer Inversions-Hetero-zygotie (Quetschpräparat). Durch Crossover im invertierten Bereich ent-stand ein als Anaphasenbrücke zu er-kennendes, dizentrisches Chromosom (2 Centromere) und ein sehr kleines azentrisches Fragment, das liegen bleibt (Schema dazu zeigt Abb. 4, 16 in § 4/3). Man identifiziere die homologen Biva-lente und das eine X-Chromosom. Prä-parat und Foto: R. EGEL. Vergr. 1000×.

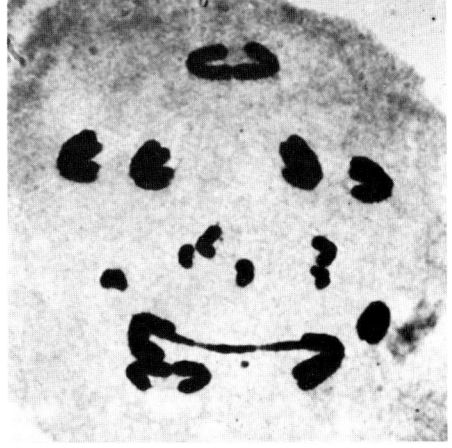

Schnitt durch 2 synaptische Komplexe eines Liliengewächses, einer in besonders glücklicher Längslage. *F* Fibrillen, *L* Lateralstruktur, *M* Mittelstruktur, *N* Nucleolus. Das dunkel gefärbte Material zu beiden Seiten des Komplexes entspricht den Schleifen des Chromosoms. Uranylacetatfärbung.

Aus: PARCHMAN, L. G., and T. F. ROTH: Chromosoma (Berl.) **33**, 129 (1971)

Synaptischer Komplex   Tafel 14

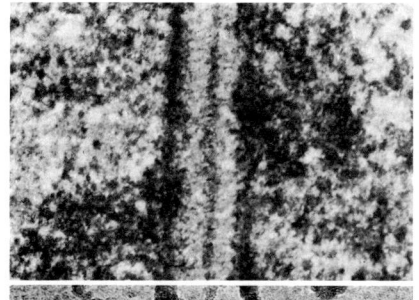

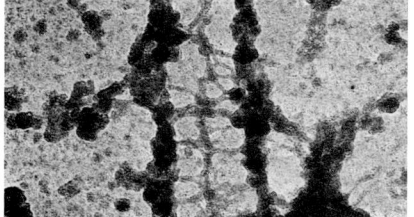

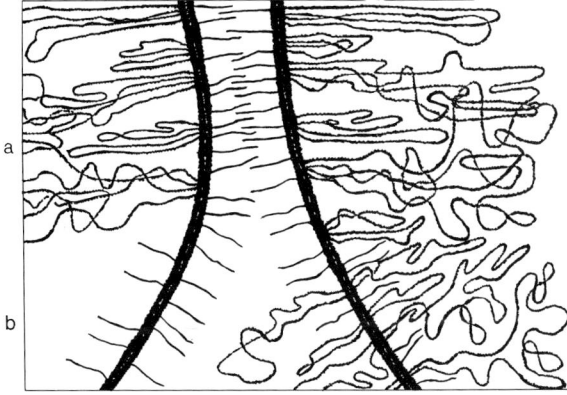

Struktur des synaptischen Komplexes
Links oben: Längsschnitt ähnlich wie Tafel 14 (aber aus Maus-Hoden).

Links Mitte: Durch DNase-Behandlung eines Präparates — hier Wachtel — erkennt man, daß wesentliche Strukturelemente des Komplexes nicht aus DNA bestehen, sondern aus RNA und Proteinen. Welche Rolle diese und welche die DNA für das Zustandekommen des Komplexes spielt, ist noch unbekannt. Fibrillen werden besonders deutlich sichtbar. Aus: COMINGS, D. E., and T. A. OKADA, Chromosoma (Berl.) **30**, 269 (1970).

Links unten: Schematische Darstellung der Synapsis. Von der Zentralachse der paarungsbereiten Chromosomen gehen 2 Arten von Strukturen aus: a) Chromosomenschleifen (je doppelt, da Chromosomen-DNA schon repliziert) und b) 600 Å lange Fibrillen. Um diese hervorzuheben, sind links unten die Schleifen weggelassen. Vielleicht verkleben diese Fibrillen der paarenden Chromosomen an ihren Enden und tragen so dazu bei, die Mittelstruktur zu bilden, während die Zentralachsen der paarenden Chromosomen zu den Lateralstrukturen des Komplexes werden (s. auch Elementarfibrille in Fig. 10,24).

Unten: Meiose im Embryosack einer Lilie. Das *linke* Bild zeigt die Äquatorialplatten (Metaphase II) in Seitenansicht und Aufsicht (verschiedene Teilungsebenen), das *rechte* die synchrone Anaphase II (vgl. S. 29). Präparat: J. LIEDER. Foto: H. STREBLE aus W. BOTSCH: Morsealphabet des Lebens, Kosmos Band 245, Franck'sche Verlagsbuchhandlung, Stuttgart 1965.

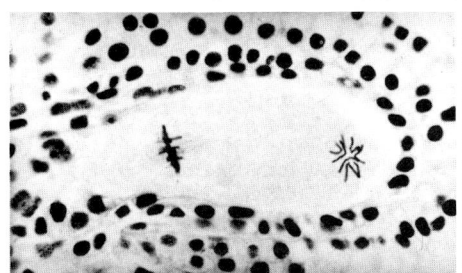 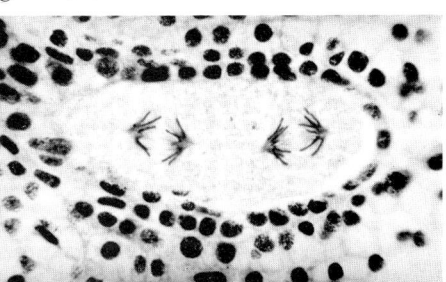

Bei allen Säugern beginnt die weibliche Meiose bereits während der Embryonalentwicklung und endet erst — beim Menschen Jahrzehnte später — nach der Befruchtung der Eizelle. Die halbschematische Zeichnung von Querschnitten durch foetale Eierstöcke [aus S. OHNO et al.: Cytogenetics 1, 42 (1962)] und die schematische Tafel 17 erläutern diesen Vorgang. Etwa bis zum 3. Monat der Embryonalentwicklung finden in der Keimbahn nur mitotische Zellteilungen statt (*A* Interphase, *B* Metaphase, *C* Anaphase), dann tauchen die ersten meiotischen Kerne auf (*D* Leptotän, *E* Zygotän). Noch bis zum 7. Monat beginnen immer neue Oozyten die Meiose. Die ersten Pachytäne und Diplotäne werden im 7. Monat beobachtet. Pachytän-Chromosomen (*F*) sind verdickt, im Diplotän (*G*) stoßen sich Nicht-Schwesterstränge maximal ab. Nach diesem Stadium entwickelt sich die Meiose nicht wie üblich weiter: statt in die Äquatorialebene zu wandern, strecken und lockern sich die Chromosomen-Tetraden wieder; eine Kernmembran und ein Nucleolus wird gebildet. Der Oozytenkern geht über in das Wartestadium des „Diktyotäns" (*H*). Insgesamt hat ein Mädchen bei der Geburt etwa 500 000 Oozyten, alle in diesem Wartestadium. Die langgestreckten Zellen (*I*), von denen die Oozyten umgeben sind, dienen zu deren Ernährung; sie werden später die Follikel bilden, in denen je eine Oozyte eingebettet liegt.

Meiotische Prophase bei der Frau   Tafel 16

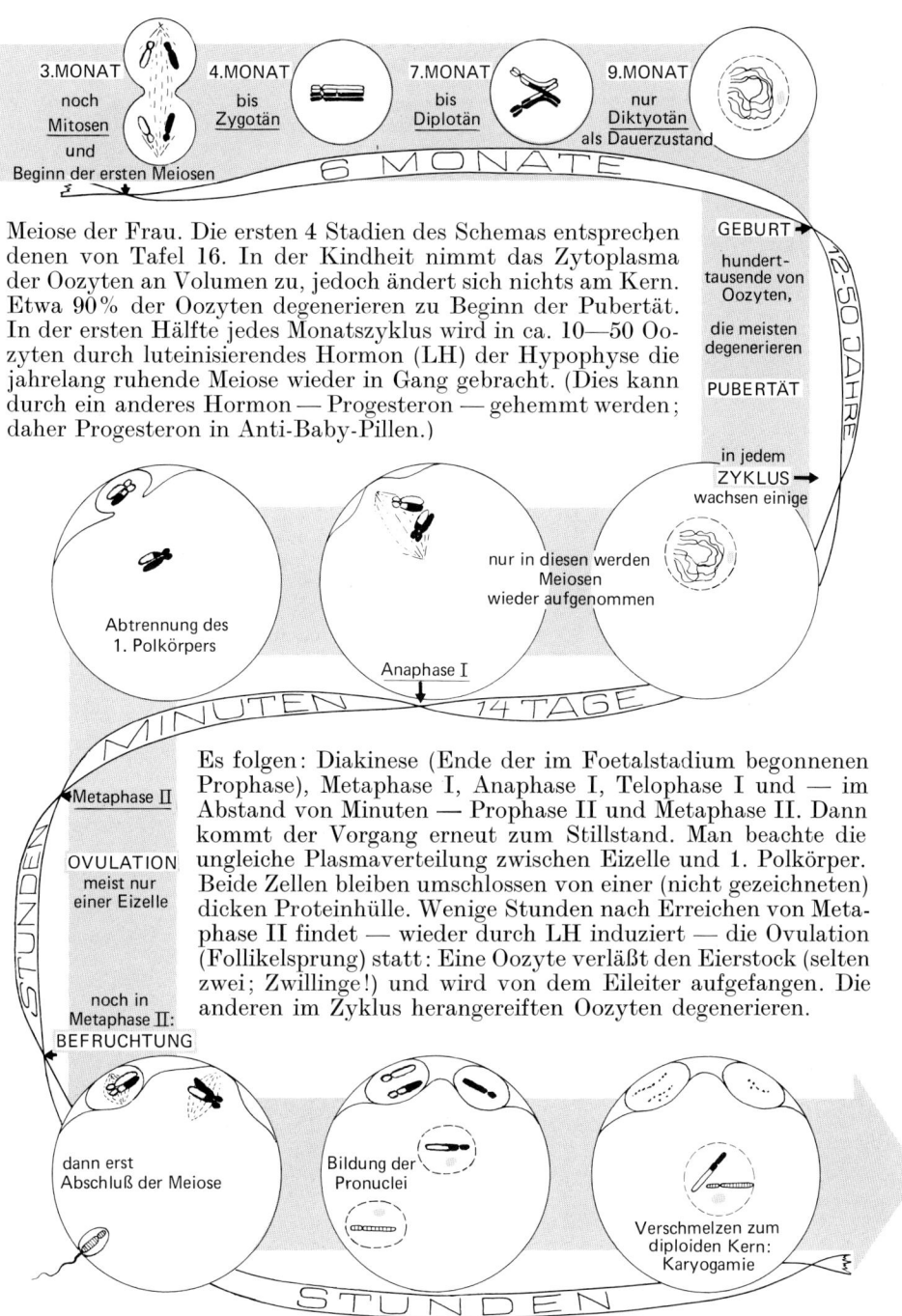

3.MONAT noch Mitosen und Beginn der ersten Meiosen — **4.MONAT** bis Zygotän — **7.MONAT** bis Diplotän — **9.MONAT** nur Diktyotän als Dauerzustand

6 MONATE

GEBURT → hunderttausende von Oozyten, die meisten degenerieren

12-50 JAHRE

PUBERTÄT

Meiose der Frau. Die ersten 4 Stadien des Schemas entsprechen denen von Tafel 16. In der Kindheit nimmt das Zytoplasma der Oozyten an Volumen zu, jedoch ändert sich nichts am Kern. Etwa 90% der Oozyten degenerieren zu Beginn der Pubertät. In der ersten Hälfte jedes Monatszyklus wird in ca. 10—50 Oozyten durch luteinisierendes Hormon (LH) der Hypophyse die jahrelang ruhende Meiose wieder in Gang gebracht. (Dies kann durch ein anderes Hormon — Progesteron — gehemmt werden; daher Progesteron in Anti-Baby-Pillen.)

in jedem ZYKLUS → wachsen einige

Abtrennung des 1. Polkörpers

Anaphase I

nur in diesen werden Meiosen wieder aufgenommen

MINUTEN — 14 TAGE

Metaphase II

OVULATION meist nur einer Eizelle

noch in Metaphase II: BEFRUCHTUNG

Es folgen: Diakinese (Ende der im Foetalstadium begonnenen Prophase), Metaphase I, Anaphase I, Telophase I und — im Abstand von Minuten — Prophase II und Metaphase II. Dann kommt der Vorgang erneut zum Stillstand. Man beachte die ungleiche Plasmaverteilung zwischen Eizelle und 1. Polkörper. Beide Zellen bleiben umschlossen von einer (nicht gezeichneten) dicken Proteinhülle. Wenige Stunden nach Erreichen von Metaphase II findet — wieder durch LH induziert — die Ovulation (Follikelsprung) statt: Eine Oozyte verläßt den Eierstock (selten zwei; Zwillinge!) und wird von dem Eileiter aufgefangen. Die anderen im Zyklus herangereiften Oozyten degenerieren.

dann erst Abschluß der Meiose

Bildung der Pronuclei

Verschmelzen zum diploiden Kern: Karyogamie

STUNDEN

Im Eileiter findet die Befruchtung statt. Erst dann wird die Meiose zu Ende geführt. Um den jetzt haploiden Chromosomensatz der Eizelle und um den des Spermas bildet sich nun je eine Kernmembran. Dann verschmelzen beide „Pronuclei" zum diploiden Kern der Zygote, die sich in schneller Folge mitotisch teilen wird. (Die einfachere, männliche Meiose ist auf S. 28 behandelt.)

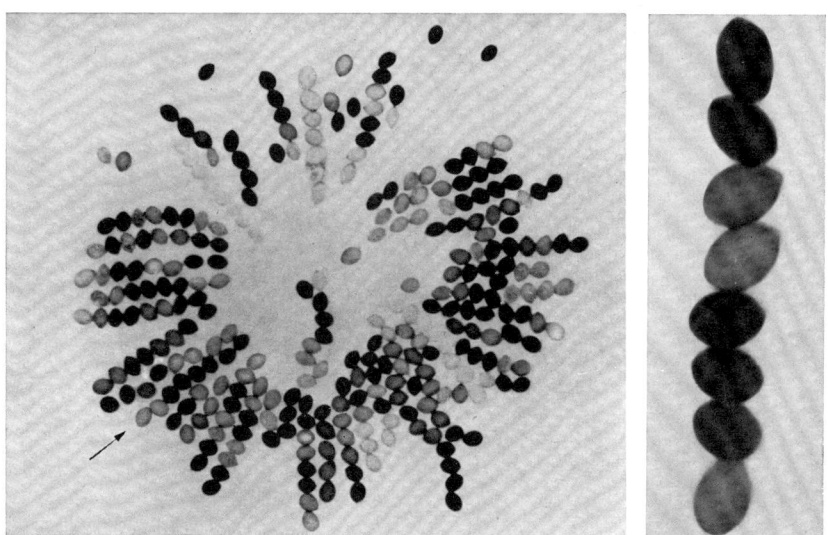

Links: Inhalt eines Peritheciums von Sordaria (Quetschpräparat). Kreuzung: schwarzsporig (wild) × grausporig. Ein Ascus (Pfeil) zeigt 6:2-Verhältnis. Foto: E. u. K. ESSER. *Rechts:* Ascus mit 5:3-Verhältnis. Foto: L. S. OLIVE
Gene für Sporenmerkmale eignen sich besonders gut zur Tetraden-Analyse, da die Aufspaltung der entsprechenden Allele direkt und schon im Ascus erkennbar ist

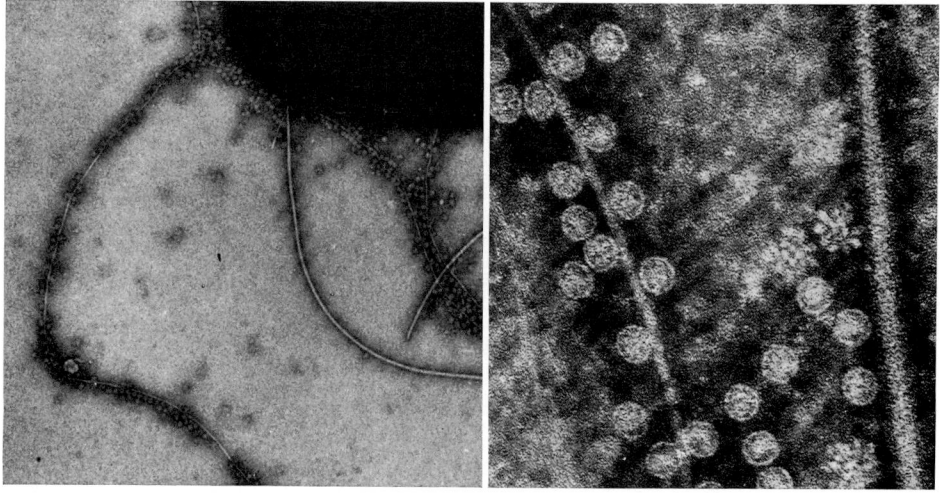

Links: Teil einer Colizelle (schwarzer Bereich) mit einigen F-Pili, an denen RNA-Phagen adsorbiert sind. Die Phagen-freien Strukturen sind Flagellen. Die viel kürzeren Normalpili sind nicht erkennbar (Vergr. 15000 ×)
Rechts: Dito, Vergr. 190000 ×. Rechts im Bild wieder ein Flagellum und einige bei der Präparation disintegrierte Phagenpartikel, die den Aufbau der Phagen-hülle aus Untereinheiten demonstrieren. Präparat: C. HAUSMANN, Fotos: D. LANG

Tafel 18

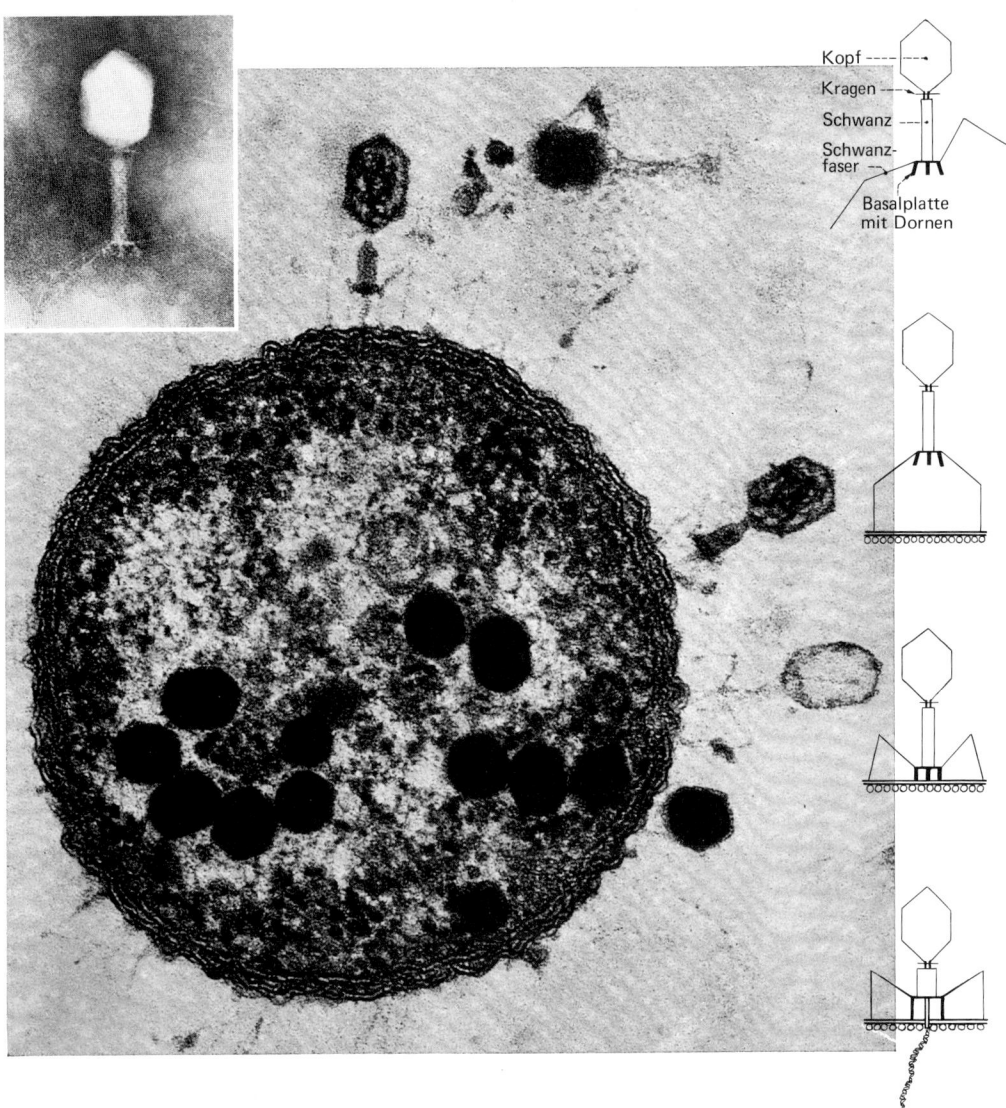

Querschnitt durch eine vom Phagen T2 infizierte Coli-Zelle (Dünnschnittpräparat). Die Zellwand (außen) und Zellmembran (innen) sind erkennbar. Die großen schwarzen Flecken sind neue, schon mit DNA gefüllte Phagenköpfe. Außerhalb der Zelle sind adsorbierte Phagen sichtbar. Ein einzelner Phage (nicht als Schnitt!) ist links oben eingesetzt.

Zur Adsorption heften sich die Phagen zunächst mit ihren Schwanzfasern (im Bild an Mückenbeine erinnernd), dann mit den Dornen der Basalplatte an die Zellwand an. Durch Kontraktion des äußeren muskelartigen Organells des Schwanzes („sheath") wird die innere Proteinröhre zur Injektionsnadel, durch die das Phagen-Genom in die Zelle gelangt. Die fast leeren Phagenköpfe erscheinen im Schnitt als Sechsecke. In Wirklichkeit sind sie Ikosaeder mit verlängerten Seitenwänden.

Vergr. ca. 130000 × Präparat und Foto: L. Simon

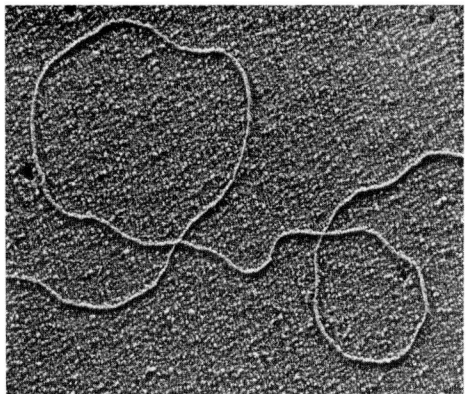

DNA ist ein Fadenmolekül!
Foto: D. Lang

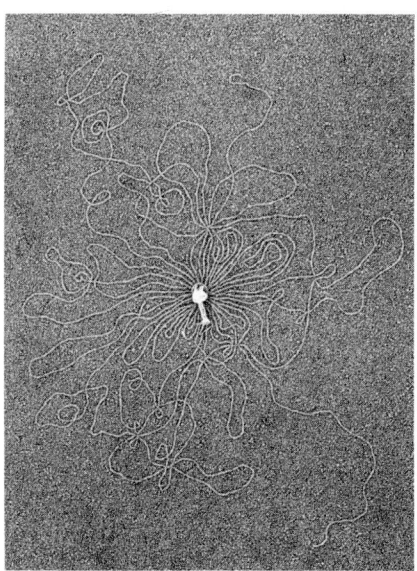

T2-Phage nach osmotischem Schock und Platinkegelbedampfung (Vergr. 20000 ×). Die im Innern des „Kopfes" enggepackte DNA ist ausgetreten und als ein langes Fadenmolekül mit zwei Enden sichtbar. Aus: A. K. Klein-schmidt et al., Biochim. biophys. Acta (Amst.) **61**, 857 (1962)

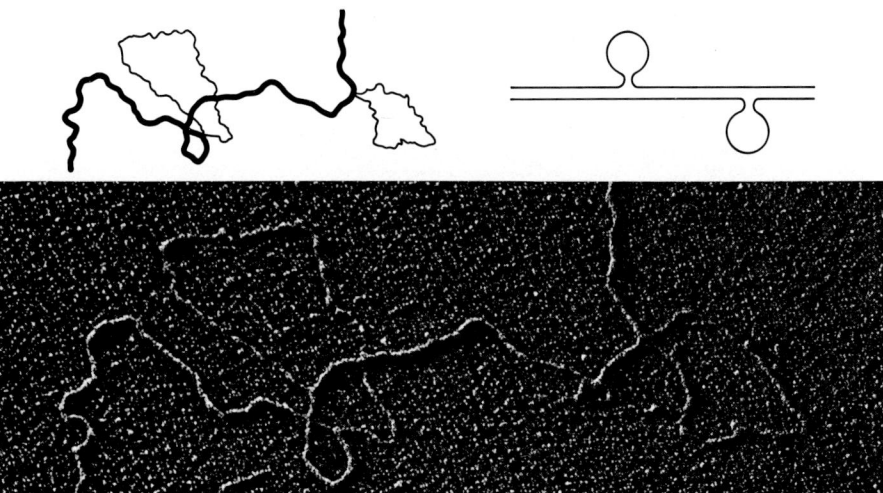

„Hybride" DNA: Denaturierte DNA-Präparate von 2 verschiedenen r II Deletionsmutanten des Phagen T4 wurden zusammengebracht. Nach (zufallsmäßiger) Renaturierung entstehen Heteroduplices mit einzelsträngigen Schleifen (Bereich der Deletion auf dem Partnerstrang). Derartige Versuche erlauben die Messung physikalischer Markenabstände. Über dem Foto: Nachzeichnung und Schema Präparat und Foto: H. Bujard.

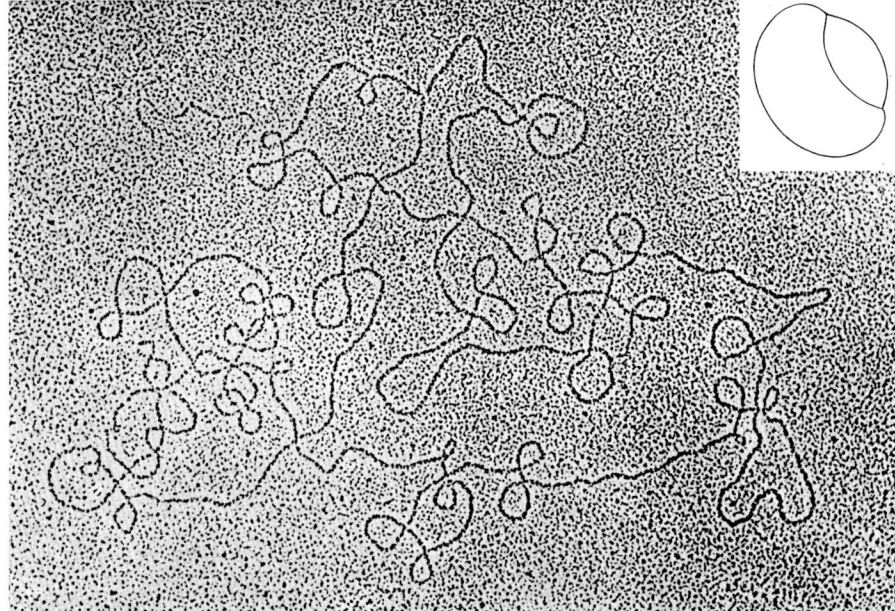

Replizierendes Ring-Genom des Phagen λ, rechts oben als Schema. (Genauso sehen replizierende Episomen, z.B. der F-Faktor, aus.) Man suche die beiden Y-artigen Vergabelungen (Replikationspunkte) und markiere die beiden Replikationsarme mit Farbstiften. Foto: M. Fuke, aus J. Tomizawa and T. Ogawa: Cold Spring Harbor Symposia Q. B. **33**, 533 (1968)

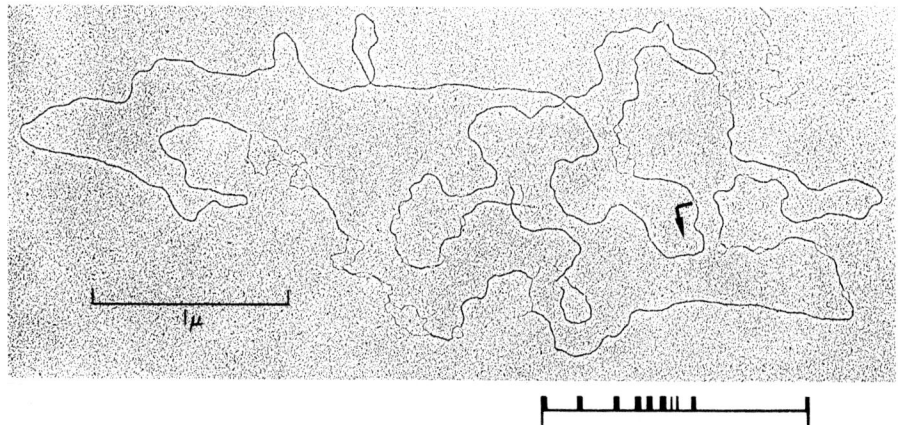

Wird replizierende λ-DNA vorsichtiger Denaturierung (hohem pH) ausgesetzt, so öffnen sich die Doppelstränge der DNA in den AT-reichen Abschnitten. Das Muster dieser Öffnungsstellen ist für alle λ-Phagen-DNA's gleich. Das Schema unter dem Foto gibt die ausgestreckte, teilweise replizierte λ-DNA und dieses Muster (Querstriche) wieder. Replizierte Abschnitte zeigen ähnliche Profile von Öffnungsstellen, an denen der replizierte Bereich identifiziert werden kann. Aus der Analyse vieler solcher Bilder erkennt man den Replikations-Startpunkt (Pfeil) (vgl. § 6/10).
Aus: Schnös, M. and R. B. Inman: J. molec. Biol. **51**, 61 (1970)

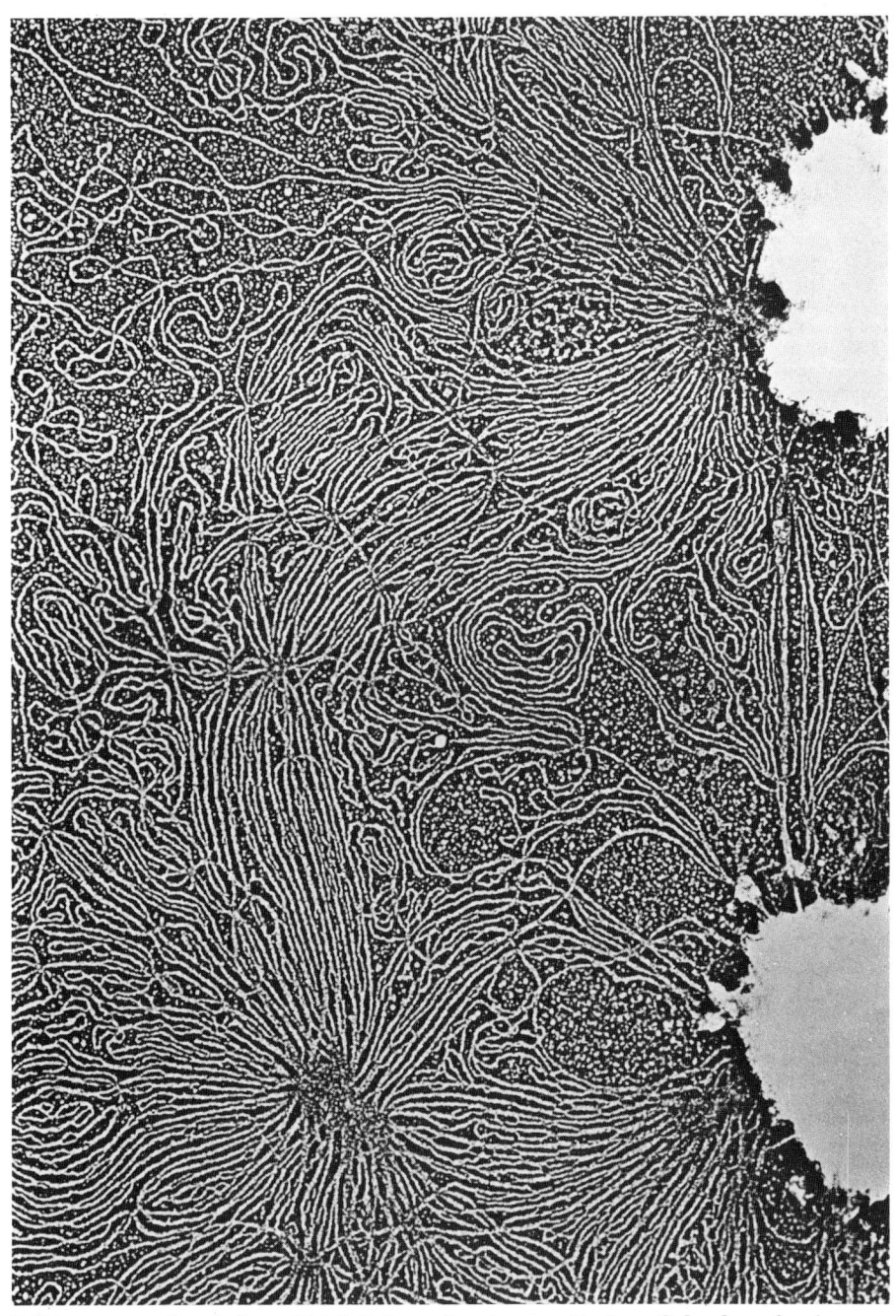

DNA von zwei auf dem Objektträger durch osmotischen Schock aufgerissenen Protoplasten des Bakteriums Micrococcus lysodeikticus. Als Protoplast wird eine Bakterienzelle bezeichnet, deren Zellwand enzymatisch abgebaut wurde und die somit nur noch durch die Zellmembran zusammengehalten wird. So beschädigte Zellen platzen in einem hypotonischen Medium.
Vergr. 52000×.   Foto: KLEINSCHMIDT, A. K. und D. LANG

Tafel 22

Rechts: Replikation menschlicher Chromosomen. Einer Zellkultur wird kurzzeitig Tritium-markiertes Thymidin zugesetzt. Diese radioaktive Markierung wird dort in Interphase-Chromosomen eingebaut, wo sich diese replizieren. Das etwas später hergestellte Präparat von den Zellen wird mit einer fotografischen Emulsion überschichtet, einige Wochen im Dunkeln aufbewahrt und dann entwickelt. Die Orte der Radioaktivität werden durch Silberkörner (schwarze Punkte) sichtbar. Es ist deutlich, daß in einem bestimmten

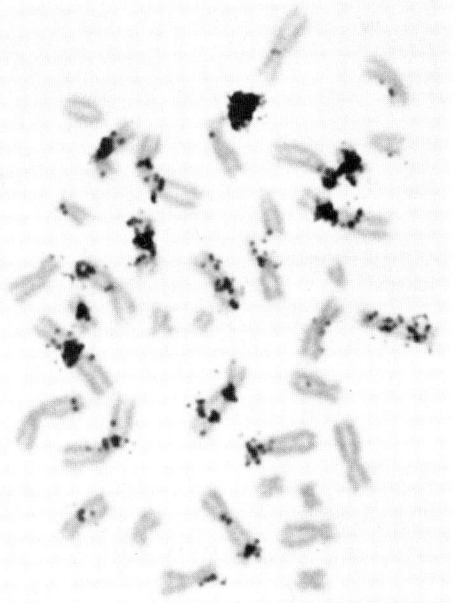

Zeitintervall nur bei einigen Chromosomen und auch bei diesen nur in bestimmten Abschnitten DNA synthetisiert wurde. Viele solcher Bilder erlauben die Aufstellung eines „Replikations-Zeitplans" für das menschliche Genom. Mit Ausnahme des inaktivierten X-Chromosoms (vgl. § 10/13,5) replizieren homologe Abschnitte homologer Chromosomen immer zur gleichen Zeit des Zellzyklus. (Die Untersuchung der Feinstruktur dieser Replikation auf dem DNA-Niveau wird unten erläutert.)

Präparat und Foto: U. WOLF

Links: Autoradiographie replizierender chromosomaler DNA. Hamsterzellen in Gewebekultur wird Tritium-markiertes Thymidin angeboten, das in neusynthetisierte DNA eingebaut wird. Die Radioaktivität wird dann durch Zugabe unmarkierten Thymidins verdünnt. Dies bewirkt intrazellulär ein langsames Absinken der Radioaktivität im Thymidin-Pool — und dementsprechend auch in der neusynthetisierten DNA. Danach werden die Zellen lysiert und die DNA zur Autoradiographie präpariert. Die Richtung der Replikation innerhalb einzelner Abschnitte eines DNA-Moleküls ist an der abnehmenden Dichte der Silberkörner erkennbar (vgl. auch Abb. 6, 20). Replikation in gegenläufigen Richtungen ist deutlich.
Aus J. A. HUBERMAN and A. D. RIGGS: J. Molec. Biol. **32**, 327 (1968)

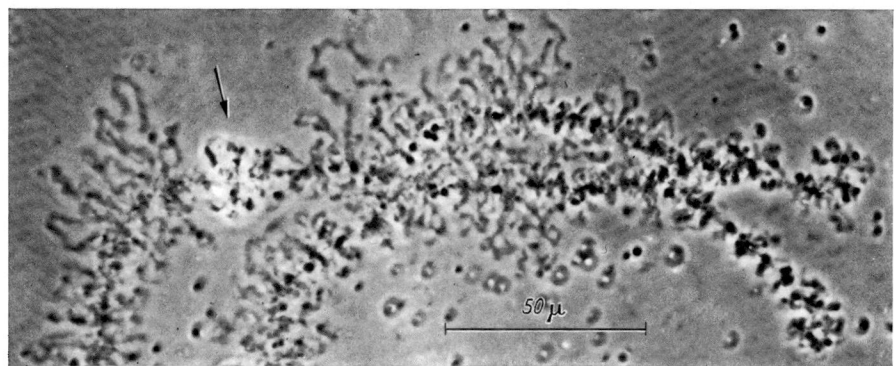

Lampenbürsten-Chromosomen eines Molches mit sichtbarer Heterozygotie (Pfeil) in den beiden gepaarten Chromosomen eines Bivalents mit zwei Chiasmata (vgl. § 10/13,2). Foto: H. G. CALLAN

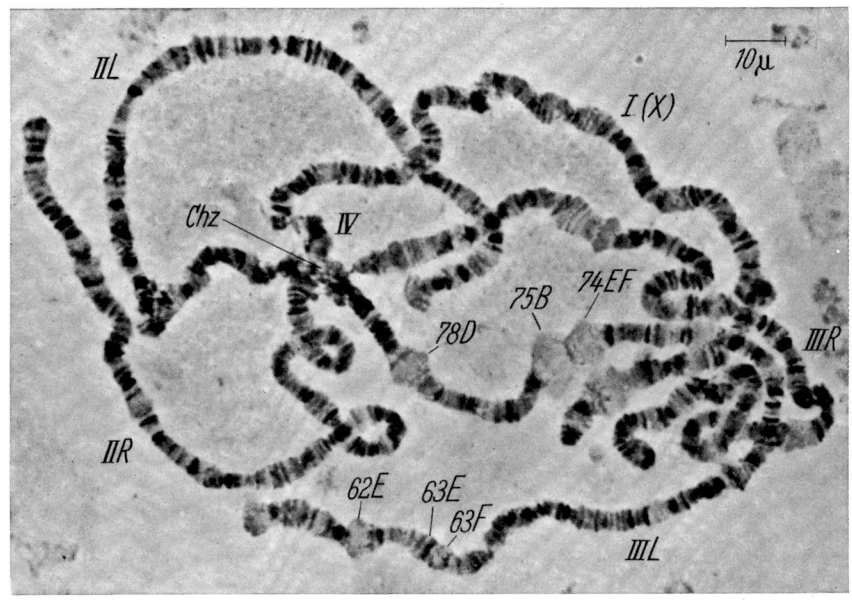

Riesenchromosomen aus einer Zelle der Speicheldrüsen einer weiblichen Larve von Drosophila melanogaster (gefärbtes Quetschpräparat). Chromosomen bzw. Chromosomenarme gekennzeichnet: *I (X)*; *II L*, *II R*; *III L*, *III R*; *IV*. *Chz* = Chromozentrum. Die weiteren Bezeichnungen markieren bestimmte Puffs (vgl. § 10/13). Aus H. J. BECKER, Chromosoma (Berl.) **13**, 341 (1962) Die homologen Chromosomen aus mütterlicher und väterlicher Linie sind in einer Art von permanenter Synapsis zu einem dicken Strang vereinigt. Bei einer männlichen Larve (hier nicht abgebildet) ist daher auch der polytäne Strang des X-Chromosoms nur von halber Dicke. Das Y-Chromosom ist dann vollständig im Chromozentrum enthalten

Rechts daneben im Kreis der normale Chromosomen-Satz in gleichem Maßstab

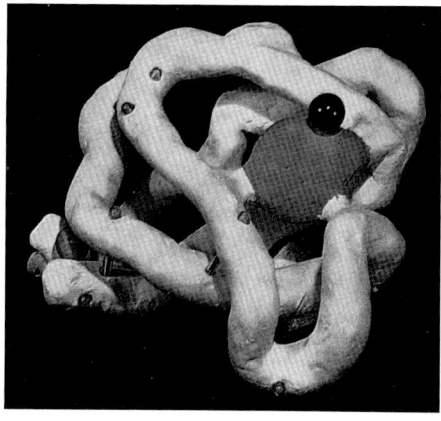

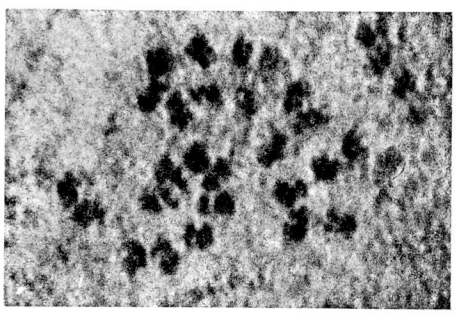

Links: Gips-Modell eines Myoglobin-Moleküls (Sauerstoffträger im Muskel). Die graue Scheibe ist die Häm-Gruppe, die Kugeln sind Metallatome, die angeheftet wurden, um die Röntgen-Struktur-Analyse zu erleichtern. Modell und Foto: J. C. KENDREW

Rechts: Polysomen-Verband aus Mäuseleberzellen (Vergr. 180 000 ×). Ribosomen-Untereinheiten sind erkennbar. Aus N. T. FLORENDO, J. Cell. Biol. **41**, 355 (1969)

Unten: Schnitt durch Zelle einer Rettichwurzel (Vergr. 60 000 ×). Polysomen-Verbände sind deutlich bei Tangential-Schnitt des endoplasmatischen Reticulums. Aus H. T. BONNET, JR., and E. H. NEWCOMB, J. Cell. Biol. **27**, 427 (1965)

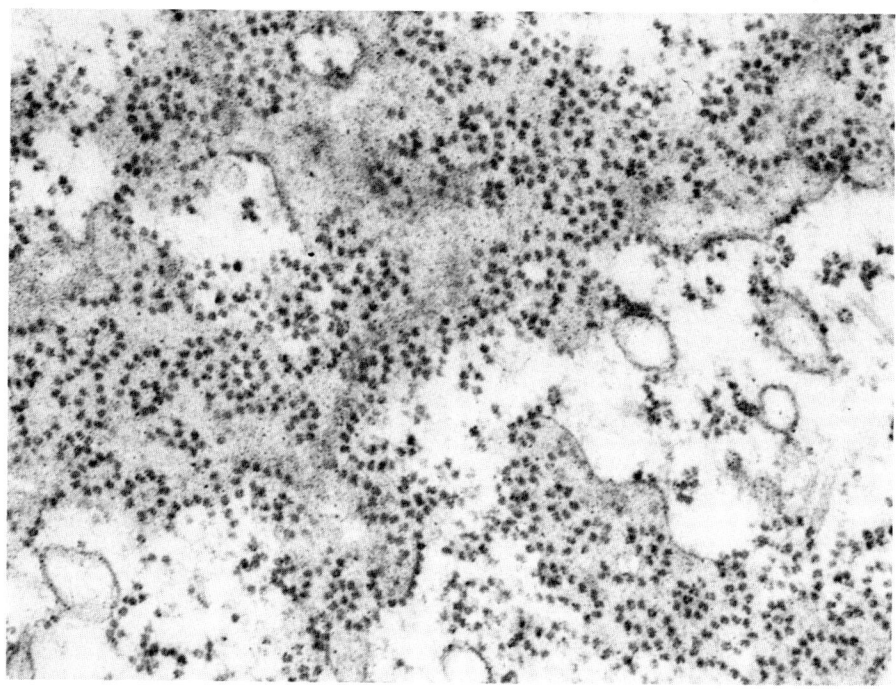

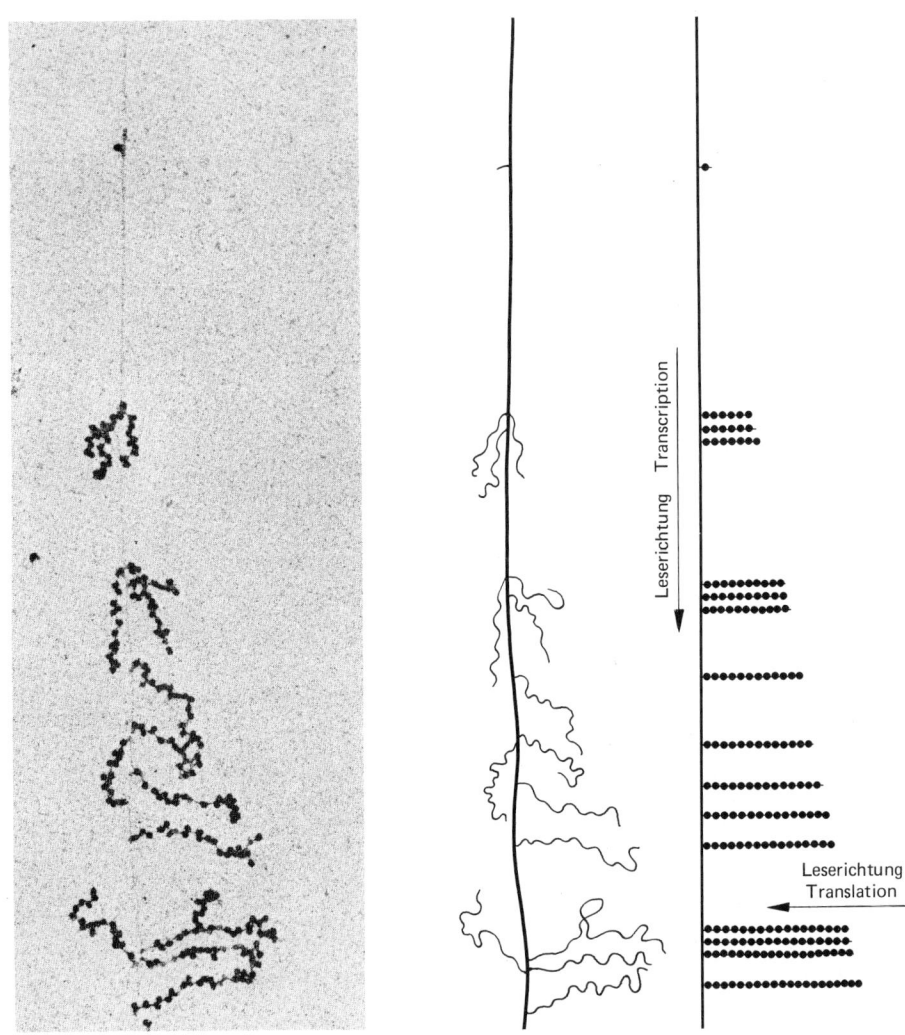

Genablesung an einem Operon von E. coli: Foto und in 2 Stufen schematisiert. Als Zentralachse ist ein DNA-Faden sichtbar, der von oben nach unten durch mehrere RNA-Polymerase-Moleküle transcribiert wird. Die Leserichtung ist erkennbar an der Länge der mRNA's, die als seitliche Fransen erscheinen. An ihnen hängen jeweils eine Reihe von Ribosomen, die auf die DNA zuwandern und die die an der DNA ständig weiterwachsende mRNA ablesen, wobei Polypeptide synthetisiert werden (Translation). Obwohl die Länge der mRNA-Fransen proportional ist zur bereits transcribierten Strecke, sind diese Fransen kürzer als die Länge der entsprechenden DNA, offenbar weil die mRNA nicht als langgezogener Faden, sondern mit den Ribosomen geknäuelt vorliegt (Vergr. 48 000 ×).
Zur Herstellung dieses Präparates wurden Zellen einer Coli-Mutante mit fragiler Zellwand benutzt, die in hypotonischem Medium (Wasser) platzen, so daß der makromolekulare Inhalt dieser Zellen teilweise ausläuft. Aus: MILLER, O. L., JR., B. A. HAMKALO and C. A. THOMAS, JR., Nature 169, 392 (1970)

Genablesung   Tafel 26

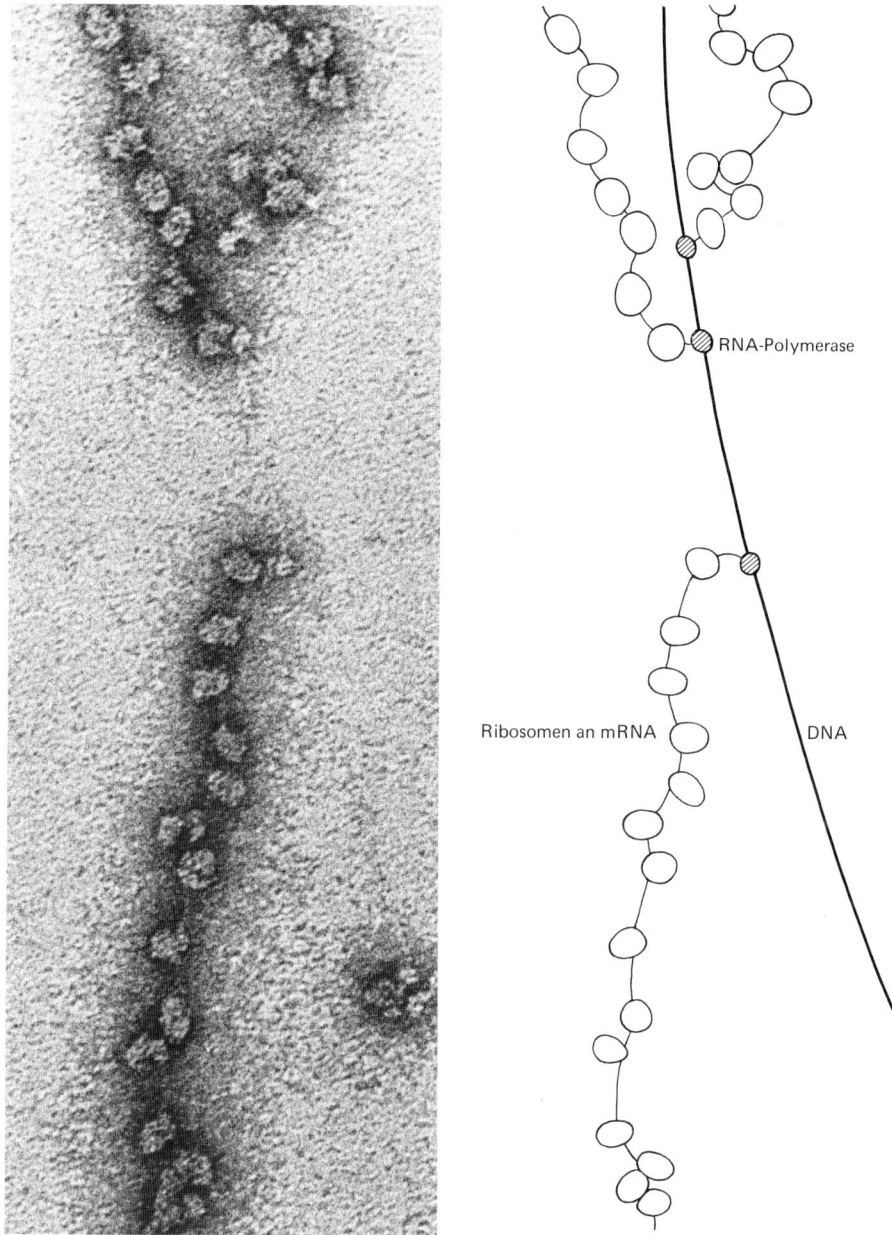

RNA-Polymerase

Ribosomen an mRNA

DNA

Gleiche Präparation wie Tafel 26, jedoch Vergr. 230000 ×. An dem DNA-Faden sind deutlich RNA-Polymerase-Moleküle sichtbar. Mit etwas Phantasie sind in einigen Fällen auch die 30s- und 50s-Untereinheiten von Ribosomen erkennbar. Präparat und Foto: MILLER, O. L., JR., and B. A. HAMKALO

Tafel 27   Genablesung

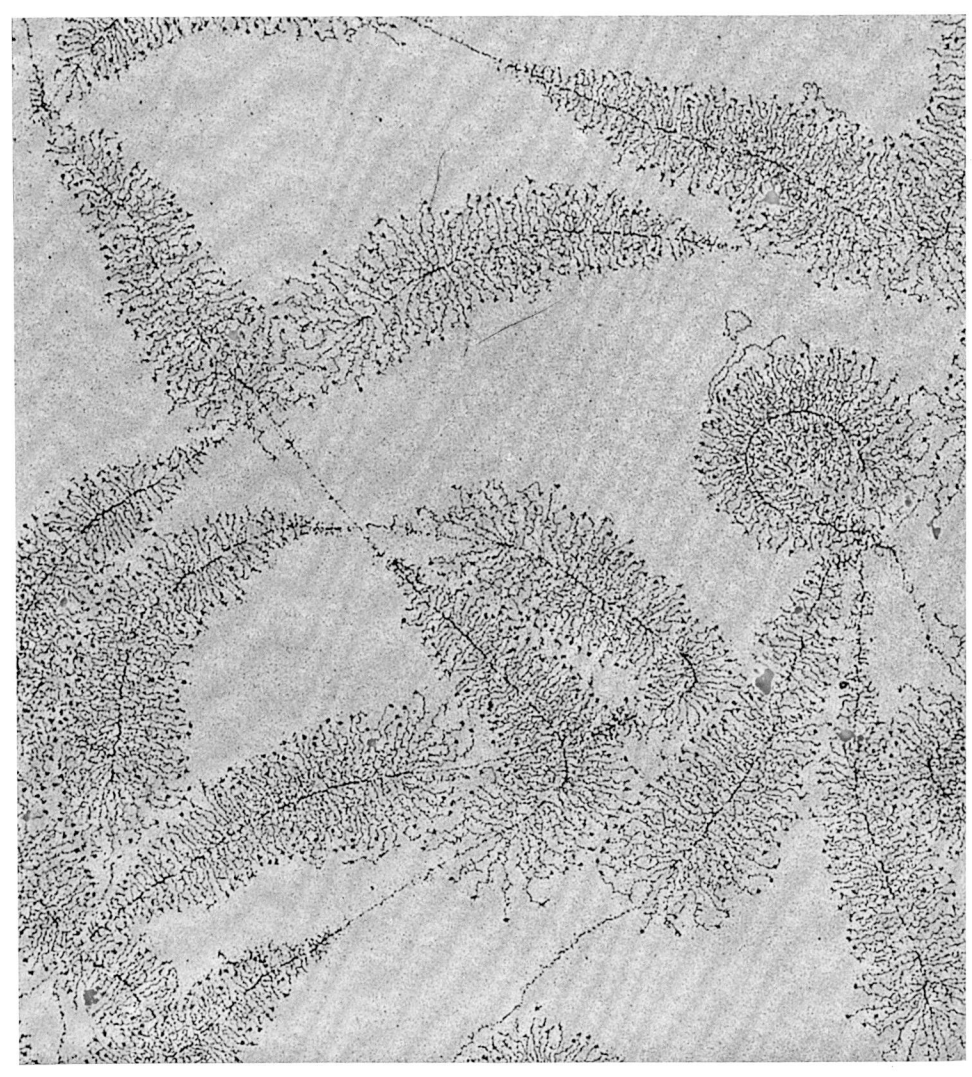

Transcription an DNA aus Nucleoli einer Oozyte des Krallenfrosches. Im Gegensatz zu den Tafeln 26 und 27 handelt es sich hier um die Transcription von Genen für ribosomale RNA, die nicht von Ribosomen abgelesen, sondern zur Montage neuer Ribosomen gebraucht wird. Die naszente RNA ist bereits mit Proteinen assoziiert; die Pünktchen am Ende jeder Franse deuten auf eine sich entwickelnde Superstruktur hin (entstehende Ribosomen?). Auch hier ist die Transcriptionsrichtung an der ansteigenden Länge der Fransen erkennbar. Durch Genverstärkung (vgl. § 10/13) liegen viele identische Kopien der rRNA-Gene vor. An jeder Kopie erfolgen gleichzeitig etwa 100 Ablesungen. Aus: MILLER, O. L., JR., and B. R. BEATTY, J. Cell. Physiol. 74, Suppl. I, 225 (1969)

rRNA-Synthese

Links unten: Wie Tafel 28, jedoch ein seltener Spezialfall (Inversion eines Gens ?), der beweist, daß Genablesung in gegenläufigen Richtungen möglich ist. Dieser hier optisch dokumentierte Sachverhalt wurde bereits früher aus genetischen Daten an Salmonella erschlossen (vgl. § 10/13,4). [Strichlänge = 1 μ]

Rechts unten: Zwei Autoradiographien von Tritium-markierten E. coli Chromosomen. Links ist etwa ein Drittel, rechts etwa die Hälfte des Chromosoms repliziert (vgl. § 6/10). Jedes Chromosom besitzt zwei Y-artige Vergabelungen [Strichlänge = 0,1 mm]. Aus S. BLEECKEN et al.: Z. Allg. Mikrobiol. 6, 121 (1966)

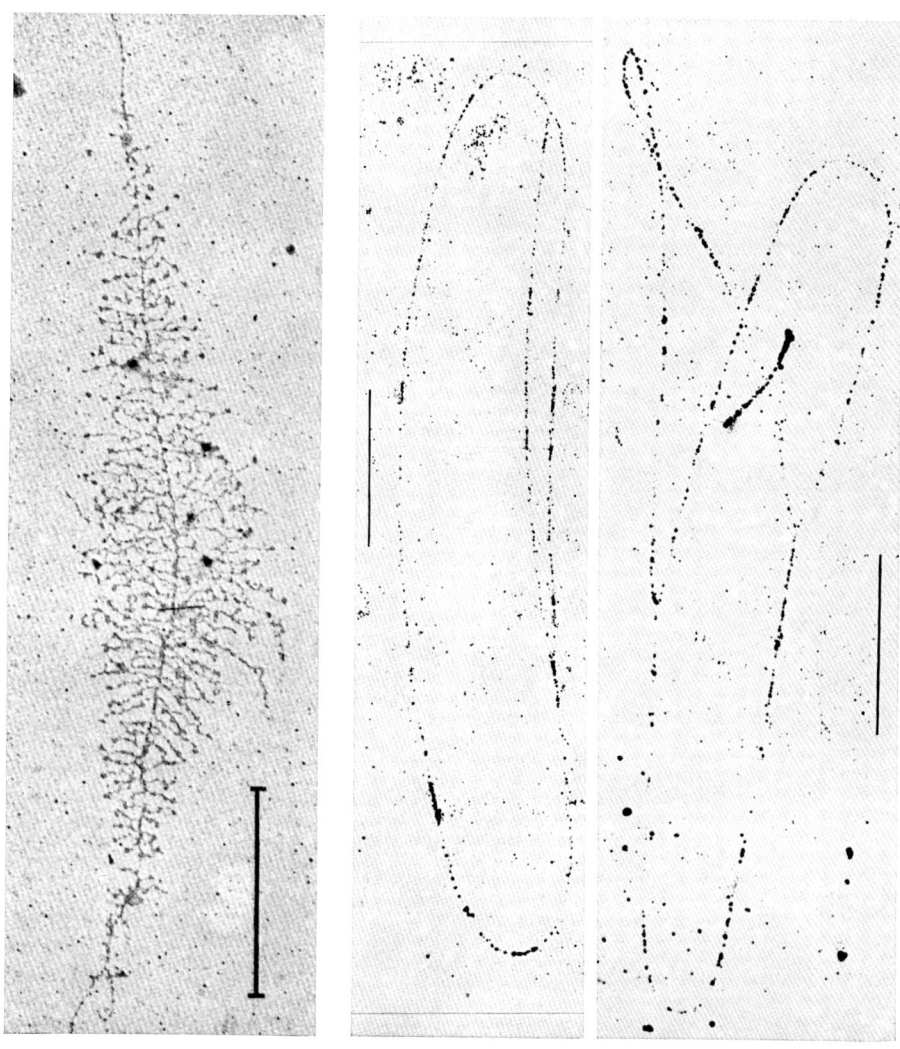

Tafel 29

Die Trisomie 21 des Menschen (vgl. § 4/6) führt zu Idiotie, kurzen Gliedmaßen, Herzfehler, großer Infektionsanfälligkeit und einer Reihe weiterer Schäden, die in ihrer Summe so schwerwiegend sind, daß Individuen mit diesem Syndrom meist relativ früh sterben. Typisch für diese Chromosomen-Anomalie ist der offenstehende Mund mit etwas vorgestreckter Zunge *(unten)*.
Foto: W. HIRSCH aus F. VOGEL: Lehrbuch der allgemeinen Humangenetik. Berlin-Göttingen-Heidelberg: Springer 1961.

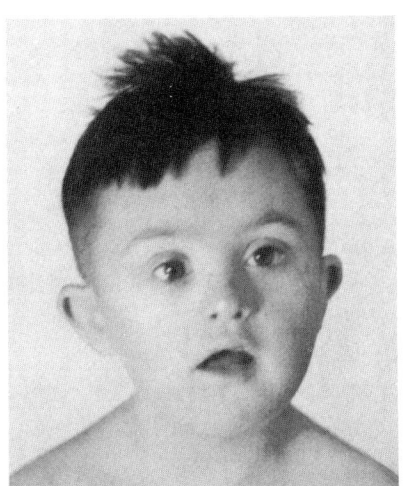

Eine völlig parallele Beobachtung wurde 1969 an einer Schimpansin namens Jama gemacht, die im Primatenzentrum in Atlanta, Georgia, geboren wurde. Mit 9 Monaten konnte Jama *(Mitte)* weder sitzen noch sich umherbewegen. Zum Vergleich des Gesichtsausdrucks ist oben ein gleichaltriges normales Tier gezeigt. Der Chromosomensatz von Jama *(unten)* zeigt 3 Exemplare des kleinen Chromosoms 22, das als Homolog des menschlichen Chromosoms 21 betrachtet werden muß

(Schimpansen haben 48 Chromosomen — vgl. dazu den menschlichen Satz auf Tafel 8). Aus McCLURE, H. et al.: Science **165**, 1010 (1969).
Fotos: McCLURE, Yerkes Regional Primate Research Center, Atlanta, Georgia

Trisomie bei Mensch und Schimpanse   Tafel 30

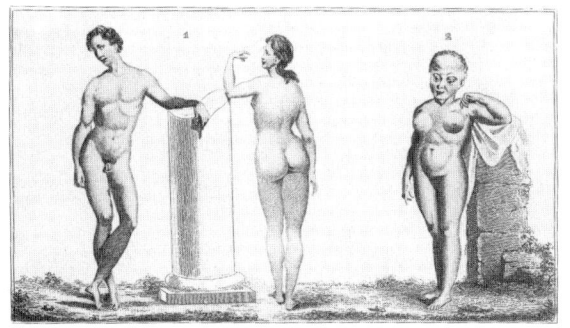

Links: BUFFON publizierte 1776 diese Abbildung eines gesunden menschlichen Paares — sich auf eine Marmorsäule stützend — und eines sexuellen Außenseiters, an der unansehnlichen Säule. Offensichtlich handelt es sich dabei um ein TURNER-Syndrom (vgl. § 11/1)

Normal ♂	Normal ♀	TURNER (♀)	KLINEFELTER (♂)	Triple-X ♀
X Y	X X	X O	X X Y	X X X
○	○ ●	○	○ ●	○ ● ●

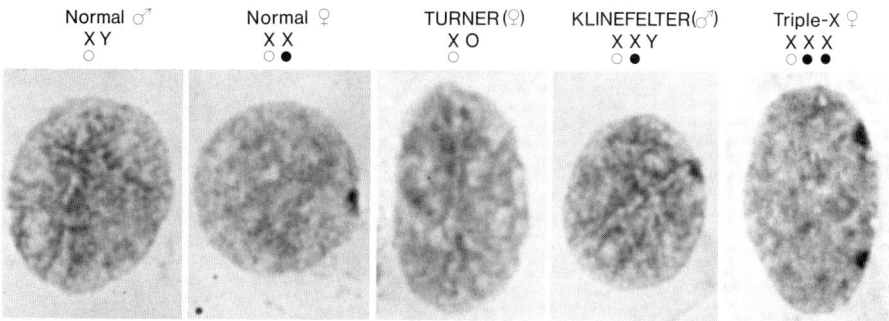

Oben: eine Reihe menschlicher Interphase-Zellkerne. Da jeweils nur *ein* X-Chromosom physiologisch aktiv bleibt (○), alle weiteren inaktiviert (●) und dann als BARR-Körper (Sex-Chromatin) sichtbar werden (vgl. § 10/13,5), zeigt der Zellkern von normalen Männern *(links)* und der von TURNER-Individuen *(Mitte)* kein Sex-Chromatin, der von normalen Frauen *(halb links)* und der von KLINE-FELTER-Fällen *(halb rechts)* einen BARR-Körper, der von Triplo-X-Frauen *(rechts)* — oder XXXY-KLINEFELTER-artigen — dagegen *zwei*. Fotos: U. WOLF

Rechts: TURNER-Individuen (XO) haben weibliche Geschlechtsorgane, sind jedoch steril. Charakteristisch sind auch kleine Statur, schwach entwickelte Brüste und Hautfalten am Hals (Flügelhals). Die geistige Entwicklung ist meistens normal. Nach V. A. MCKUSICK, J. Chronic Diseases **12**, 1 (1960) KLINEFELTER-Individuen (XXY) sind eunuchoid und steril. Ihre Geschlechtsorgane sind oft unterentwickelt. Die Begrenzung der Schamhaare ist feminin und ein Ansatz von Brüsten ist erkennbar (Gynäkomastie). Geistig sind XXY-Individuen meist unterdurchschnittlich begabt. Foto: U. WOLF Bei beiden Gruppen ist der Sexualtrieb abwesend oder stark reduziert

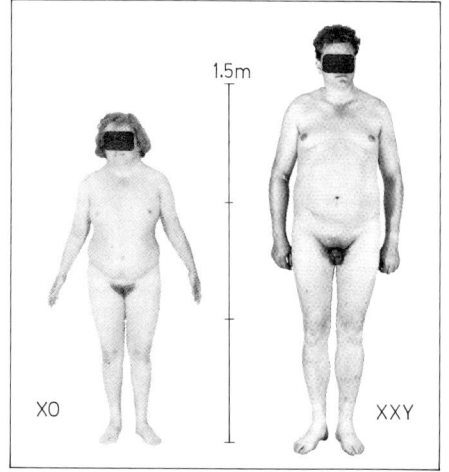

Anomalien menschlicher Geschlechts-Chromosomen

Gleiches Erbgut, gleiche Umwelt. Aus R. Lotze: Zwillinge; Oehringen, Verlag Hohenlohesche Buchhandlung (1937)

„Schneeflöckchen", der erste bekannte Albino-Gorilla. Er hat blaue (nicht rote) Augen; die Pigmentsynthese ist also nicht völlig blockiert. Es liegt wahrscheinlich Homozygotie für ein rezessives Allel vor. [Diese wird durch die in Menschenaffen-Horden häufige Inzucht begünstigt.] Ein analog mutiertes rezessives Allel wird bei bestimmten Indianerstämmen angetroffen („Mondkinder"). Der junge Gorilla wurde am 1. Oktober 1966 zweijährig in Spanisch Äquatorial Guinea gefunden, angeklammert an seine erschossene Mutter, eine schwarze Äffin. Er lebt jetzt im Zoo von Barcelona. [Vgl. Natl. Geogr. **131**, 443 (1967)]. Foto: Jorge Sabater Pí (c) 1967 National Geographic Society

Tafel 32

Das Erstaunen bleibt unverändert —
nur unser Mut wächst, das Erstaunliche zu verstehen.

Niels Bohr

1 Grundlagen der Vererbung und Kreuzungsanalyse haploider Organismen

1/1 Die Reproduktion des Lebendigen

Das wichtigste Charakteristikum des Lebendigen ist die Fähigkeit, Nachkommen zu produzieren. Fortpflanzung, d. h. die Entstehung eines neuen Organismus aus Strukturen seiner Eltern, kann auf zweierlei Weise stattfinden: vegetativ oder sexuell.

Vegetative Fortpflanzung erfolgt bei einzelligen Organismen durch Teilung oder Sprossung, bei Vielzellern durch natürliche oder gewaltsame Abtrennung einer Zelle oder eines Zellverbandes. Bei Pflanzen und einigen niederen Tieren (z. B. Süßwasserpolypen) ist vegetative Vermehrung möglich.

Sexuelle Fortpflanzung höherer Organismen basiert auf der Bildung bestimmter Geschlechtszellen (Gameten), deren Verschmelzung (Befruchtung) zur Entstehung neuer Individuen führt. An einigen Einzellern (z. B. Paramecium, E. coli) werden Sexualvorgänge beobachtet, bei denen gewisse Strukturen von Zelle zu Zelle übergehen. Noch primitivere Prozesse findet man bei Viren.

Welche Fortpflanzungsart im Einzelfall auch vorliegt, immer beobachtet man in der sich ständig erneuernden Individualität eine Konstanz von Eigenschaften. Offensichtlich wird von Generation zu Generation eine Information weitergegeben, eine Anweisung, in der die Eigenschaften der Nachkommen festgelegt sind. Diese Anweisung bezeichnen wir als Erbgut des Organismus. Aus der geistigen Grundhaltung unserer Naturwissenschaft heraus erwarten wir, daß diese „genetische Information" eine materielle Basis besitzt, d. h. in Form von Molekülen niedergelegt ist. Im Verlauf des Buches wird sich die Berechtigung dieser Erwartung erweisen.

Andererseits besteht kein Zweifel an einer zusätzlichen Einwirkung der Umwelt: Ernährung und Klima beeinflussen den Wuchs von Pflanzen und Tieren, und auch das Vorkommen bestimmter Enzyme in Bakterien hängt von dem Medium ab, in dem die Zellen leben. Wir wollen uns derartigen Einflüssen der Umwelt erst später widmen und vorerst bei allen Versuchen und Betrachtungen eine konstante Umwelt voraussetzen.

1/2 Das erste Versuchsobjekt

Das Phänomen der Vererbung bietet sich überall in der belebten Natur. Wir können daher mit irgendeinem Objekt unsere Betrachtung beginnen und wählen einen kleinen Organismus, der billig im Labor zu halten ist (konstante Umwelt), z. B. das Lebermoos Sphaerocarpus donnellii*. Dieses Objekt hat vom historischen Standpunkt keine Bedeutung. Es bietet jedoch einige didaktische Vorteile.

Sphaerocarpus läßt sich in Glasschalen züchten auf einem gelatineartigen Agar-Nährboden, der verschiedene Mineralsalze enthalten muß. Der Generationszyklus beträgt 4—5 Monate. Sphaerocarpus ist „diözisch", d. h. es gibt männliche (♂) und weibliche (♀) Pflanzen. Aus einer Spore entwickelt sich der sog. „Thallus", die eigentliche Pflanze, die einem Blatt gekräuselter Petersilie ähnlich sieht (vgl. photographische Tafel 2) und schließlich zu einer buschigen Kugel von wenigen Zentimetern Durchmesser wächst. Weibchen werden größer als männliche Pflanzen. Auf den Thalli bilden sich flaschenförmige Fortpflanzungsorgane, die beim Männchen „Antheridien", beim Weibchen „Archegonien" genannt werden (Abb. 1,1 und Tafel 2).

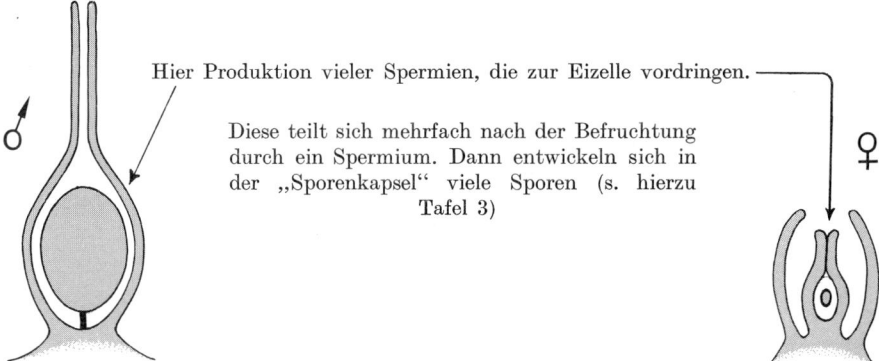

Hier Produktion vieler Spermien, die zur Eizelle vordringen.

Diese teilt sich mehrfach nach der Befruchtung durch ein Spermium. Dann entwickeln sich in der „Sporenkapsel" viele Sporen (s. hierzu Tafel 3)

Abb. 1,1. Schematische Darstellung der Fortpflanzungsorgane von Sphaerocarpus

Die aus der Befruchtung hervorgehenden Sporen haben eine Besonderheit: Es bilden jeweils vier von ihnen einen Verband, eine „Tetrade" (Tafel 3), die man zunächst auskeimen läßt und von der man nach etwa 4 Wochen die vier einzelnen Pflanzen isoliert. Wir werden sehen, daß die Existenz solcher Tetraden sehr bedeutungsvoll ist.

Setzen wir solche Sporentetraden auf einen Nährboden, so erhalten wir bereits ein wichtiges Ergebnis: Bei allen Tetraden liefern je zwei Sporen weibliche, die anderen beiden männliche Pflanzen. (Tetraden, bei denen nicht alle vier Sporen auskeimen, werden nicht berücksichtigt.) Das Geschlecht wird offenbar nach einem wohlgeordneten Prozeß auf die Sporen einer Tetrade verteilt. Wir wollen diesen Befund im Gedächtnis behalten.

---

* Vorkommen: südliches Nordamerika. — Die Genetik von Sphaerocarpus donnellii wurde zuerst von C. E. ALLEN, später ausführlich von E. KNAPP u. Mitarb., untersucht.

1/3 Die Konstanz von Merkmalen

Nehmen wir an, wir hätten viele tausend Individuen zum Studium des Objekts gezüchtet und unter ihnen eine abnorme weibliche Pflanze gefunden. Bei ihr fehle die äußere Hülle um die Geschlechtsorgane. Man hat diesen Typ „nuda" (nackt) genannt. Auch ein abnormes Männchen sei aufgetreten mit einem blaß-grünen Thallus im Gegensatz zu den kräftig grünen der anderen Pflanzen. Dieser Typ erhielt die Bezeichnung „pallida" (blaß).

Wir nehmen diese beiden besonderen sowie normale Pflanzen und schneiden sie in Stücke. Jedes der Stücke wird wieder zu einem ganzen Thallus heran-wachsen (vegetative Vermehrung). Alle Stücke von Weibchen werden dabei weibliche und alle männlichen Stücke männliche Pflanzen bilden. Ebenso werden die Eigenschaften nuda bzw. pallida von den Stücken auf die sich daraus ent-wickelnden Pflanzen übergehen.

Der beliebig fortführbare Versuch zeigt, daß bei vegetativer Fortpflanzung Eigenschaften der Mutterpflanze auf alle Nachkommen unverändert übertragen werden. Diese Erfahrung wird bei der Vermehrung vieler Zier- und Nutzpflanzen schon seit Jahrtausenden angewandt.

Wie verhalten sich aber Merkmals-Alternativen bei sexueller Fortpflanzung? Um diese Frage zu beantworten, legen wir unser erstes Kreuzungsexperiment an: Wir bringen Spermien des pallida-Männchens auf Archegonien eines normalen Weibchens. In symbolischer Schreibweise:

$$\text{normal } \female \times \text{ pallida } \male.$$

Die dadurch erhaltenen Sporen säen wir aus. Die spätere Musterung der Tochter-generation zeigt männliche und weibliche Individuen. Alle Nachkommen sind entweder blaß wie ihr Vater oder normalgrün wie ihre Mutter. Es treten nicht — wie man vielleicht erwartet hätte — mittlere Thallusfärbungen auf. Nicht nur das Geschlecht, sondern auch die Thallusfarbe ist unvermischt geblieben und nach einem „Entweder-Oder-Gesetz" auf die Nachkommen weitergegeben worden. [Kompliziertere Fälle (Diploidie), die eine mittlere Erscheinungsform der elterlichen Merkmale zeigen können, werden in Kapitel 3 behandelt.] Diese **Erhaltung unvermischter Merkmale in einem Entweder-Oder-Prinzip** ist eine der Mendelschen Grundregeln der Vererbung.

Wir können jetzt die Frage aufwerfen, ob vielleicht „innerlich" in den Nach-kommen noch eine „Erinnerung" an *beide* Eltern vorhanden ist, obwohl jeder einzelne äußerlich ganz dem Typ nur dieses oder jenes Elters entspricht? Um dies zu prüfen, nehmen wir aus der Nachkommenschaft der Kreuzung ein pallida $\male$ und ein pallida$\female$ und kreuzen sie weiter. Ihre gesamten Nachkommen, auch die späterer Generationen, tragen den pallida-Charakter. Es besteht folglich kein Einfluß der normalgrünen Farbe ihrer Großmutter. Das gleiche Ergebnis erhalten wir bei einer Weiterkreuzung von grünen Nachkommen der Ausgangs-kreuzung. Sie sind sämtlich normal, haben also keine „Erinnerung" an ihren blassen Großvater.

In den Nachkommen einer Kreuzung sind demnach die äußerlich nicht er-kennbaren Merkmale des anderen Elterntyps völlig verlorengegangen, sie sind auch nicht mehr latent „innerlich" vorhanden [gegenteilige Beobachtungen (Diploidie) werden in Kapitel 3 besprochen].

1/4   Die Kombinierbarkeit von Merkmalen

Man kann aus der Kreuzung normal ♀ × pallida ♂ noch weitere Schlüsse ziehen. Nebenbei wurde eben erwähnt, daß unter den Nachkommen außer pallida ♂ und normal ♀ (den Eltern entsprechend) auch normal ♂ und pallida ♀ auftreten. Es gleichen also nicht alle Söhne ihren Vätern und alle Töchter ihren Müttern, sondern es kommen auch die beiden neuen Kombinationen zwischen dem Merkmal des Geschlechts und dem Merkmal der Thallusfarbe vor.

Wir sehen, daß die genetische Information der Eltern nicht als geschlossener Block weitergeleitet wird, sondern daß sog. *Rekombinanten* auftreten, die in einem Merkmal dem Vater, in einem anderen der Mutter entsprechen. Diese Unabhängigkeit in der Vererbung einzelner Merkmale zwingt zu einer gedanklichen Aufteilung der genetischen Information in einzelne Teilinformationen, die voneinander unabhängig auf die Nachkommen übertragen werden können. Es erhebt sich die Frage, wie für eine individuelle Spore einzelne Merkmale, den väterlichen oder mütterlichen Eigenschaften entsprechend, festgelegt werden.

Wir erinnern uns, daß Sporen von Sphaerocarpus als Viererverband vorliegen. Das Studium von vollständig gekeimten Tetraden unserer Kreuzung zeigt, daß drei verschiedene Typen von Viererverbänden auftreten, nämlich

	I		II		III
	♂ pallida		♂ pallida		♂ normal
	♂ pallida		♂ normal		♂ normal
	♀ normal		♀ pallida		♀ pallida
	♀ normal		♀ normal		♀ pallida
	nur Elterntypen		Elterntypen und Rekombinanten		nur Rekombinanten

In all diesen Tetraden aber spaltet nicht nur das Geschlecht im Verhältnis 2:2 auf, sondern es sind stets auch je zwei pallida und zwei normalgrüne Individuen vorhanden.

Diese Ordnung beweist, daß nicht etwa vier zufällige Sporen zusammenkleben, sondern daß diese in enger Beziehung zueinander stehen. Wir können auf einen gemeinsamen Bildungsprozeß für je vier Sporen einer Tetrade schließen, dem jeweils ein „Topf" zugrunde liegt, zu dem zunächst beide Eltern in symmetrischer Weise Erbinformation beisteuern (Abb. 1,2). Jeder Topf einer späteren Tetrade muß alle Merkmals-Alternativen gerade 2+2 mal enthalten. In unserem Beispiel verfolgen wir die Teilinformation des Geschlechts (2 ♀ + 2 ♂) und die der Thallusfarbe (2 pallida + 2 normal).

Diese Anlagen werden dann — wie das Auftreten von Rekombinanten beweist — voneinander unabhängig so auf die vier Sporen verteilt, daß jede Spore je eine Anlage aus jeder Gruppe erhält. Bei freier Kombinierbarkeit der Anlagen sollte auf eine mit „pallida" versehene Spore ebensogut ein ♂ wie ein ♀ fallen, d. h. bei Betrachtung vieler Sporen sollte die Hälfte aller pallida-Sporen ♂, die

andere Hälfte ♀ sein. Das gleiche gilt für Sporen mit dem Merkmal „grün".
Andererseits wären sowohl die Weibchen als auch die Männchen zu 50% pallida
und zu 50% normalgrün. Insgesamt müßte freie Kombinierbarkeit also zu
ebenso vielen

pallida ♂   wie   normal ♂   wie   pallida ♀   wie   normal ♀

führen, d. h. diese vier möglichen Kombinationen müßten im Verhältnis 1:1:1:1
auftreten. Die Auszählung der Nachkommenschaft bestätigt diese Erwartung.

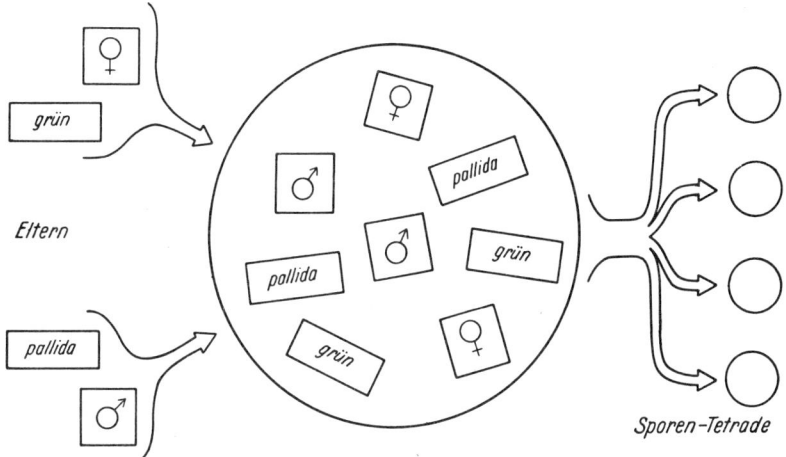

Abb. 1,2. Modell der Bildung einer Tetrade

Auch die Kreuzung nuda ♀ × normal ♂ führt zu den vier möglichen Kombinationen

nuda ♀   :   normal ♂   :   normal ♀   :   nuda ♂
(Elterntypen)   (Rekombinantentypen)

in einem Verhältnis von 1:1:1:1.

Wir haben damit folgende Erkenntnisse gewonnen:

Das Erbgut besteht aus einzelnen Teilinformationen.

**Beide Eltern übertragen diese gleichberechtigt auf die Gesamtnachkommen-
schaft.**

**Elterliche Teilinformationen bleiben unvermischt erhalten und können in
freier Kombination auf Nachkommen übertragen werden (Zufallsmechanismus).**

Diese Befunde gehören zu den von MENDEL aufgestellten Grundregeln
der Vererbung. Es ist fast überflüssig zu erwähnen, daß sie sich an anderen
Merkmalen und an anderen Versuchsobjekten bestätigen lassen. Das erst natürlich berechtigt zu der Behauptung, allgemeine Gesetze der Vererbung ermittelt
zu haben.

1/5   Gen und Mutation

Wir hatten das Phänomen der Vererbung generell erklärt durch die Weitergabe eines „Erbguts" von Generation zu Generation. Inzwischen haben wir gesehen, daß dieses Erbgut aus einzelnen voneinander unabhängig vererbbaren Teilinformationen besteht. Je mehr Merkmale wir untersuchen, desto mehr voneinander trennbare Teilinformationen treten auf. Wir erkennen immer deutlicher die Notwendigkeit, die Aufteilung des Erbguts bis zur letzten Konsequenz zu führen, d. h. für jedes einzelne Merkmal eine eigene Teilinformation anzunehmen. Nach dieser Hypothese besteht die genetische Information eines Organismus also aus vielen einzelnen Faktoren, die für die Ausbildung je eines Merkmals verantwortlich und untereinander kombinierbar sind. Diese einzelnen Erbfaktoren bezeichnet man als „*Gene*". Ein Gen enthält also jeweils die Teilinformation für ein bestimmtes Merkmal. Die Gesamtheit aller Gene bildet das Erbgut, die genetische Information oder das *Genom* des Organismus.

Diese gedankliche Zerlegung des Erbguts in einzelne Faktoren und die Erkennung von deren freier Kombinierbarkeit ist die Leistung des Augustinermönchs GREGOR JOHANN MENDEL (1822—1884), der in einer Brünner Realschule Biologie, Physik und Mathematik unterrichtete. MENDELs Erfolg wurde möglich durch Kreuzungen von Individuen, die sich nur in sehr wenigen Merkmals-Alternativen unterschieden, und durch eine quantitative Auswertung der Nachkommenschaft. Man muß andere biologische Arbeiten des 19. Jahrhunderts lesen[1]*, um die überragende analytische und abstrahierende Denkweise MENDELs würdigen zu können. Dabei ist zu bedenken, daß MENDELs Versuchsobjekt nicht — wie in unserer Darstellung — ein haploider Organismus war, sondern Erbsen, bei denen die Grundregeln der Vererbung durch Diploidie kompliziert werden (vgl. Kapitel 3).

MENDELs Zeitgenossen erschien daher die geniale Lösung des Problems als Zahlenmystik. Wie konnte man glauben, daß dem so komplizierten biologischen Problem der Vererbung einfache Zufallsvorgänge zugrunde lagen! So wurde MENDELs Arbeit[2] erst um die Jahrhundertwende von DE VRIES, CORRENS und TSCHERMAK wiederentdeckt[3] und in ihrer fundamentalen Bedeutung gewürdigt.

Wir haben den § 1/3 über die Konstanz von Merkmalen eingeleitet mit dem Auftreten „abnormer" Individuen, die sich vom Normaltyp unterschieden. Mit diesem Widerspruch müssen wir uns jetzt beschäftigen. Im allgemeinen ist die Behauptung der Konstanz von Merkmalen bei vegetativer und sexueller Fortpflanzung berechtigt. Ganz selten jedoch treten völlig unmotiviert Veränderungen auf. Sprunghaft erscheint unter Tausenden von gleichen Geschwistern ein abnormes Individuum, dessen neues Merkmal sich unverändert weitervererbt. Man bezeichnet eine solche sprunghafte Änderung der genetischen Information als *Mutation* und Individuen, die eine mutierte Information tragen, als *Mutanten*. Derartige Mutationen werden bei allen Organismen beobachtet.

Da eine Mutation die übrigen Eigenschaften unberührt läßt, muß die Veränderung nur in *dem* Gen eingetreten sein, das für das veränderte Merkmal

---

* Sämtliche Literaturangaben finden sich jeweils am Ende der Paragraphen.

verantwortlich ist. Bei unserem Sphaerocarpus war z. B. das Gen der Thallus-farbe mutiert. Statt zu normalgrüner Farbe zu führen, bringt das mutierte Gen einen blassen Thallus hervor. Man sagt, das pallida-Gen (korrekter wäre: das Gen der Thallusfarbe) ist von normal zu pallida mutiert, das nuda-Gen von normal zu nuda.

Ein Gen ist einem Schalter vergleichbar. Das pallida-Gen kann von der Schalterstellung „normal" umspringen in die Schalterstellung „pallida", das nuda-Gen von Schalterstellung „normal" in Schalterstellung „nuda". Das Um-legen des Schalters ist dem Mutationsereignis analog. Das Erbgut eines Indivi-duums kann also mit einer großen Zahl einzelner Schalter verglichen werden, die jeweils in ihrer augenblicklichen Stellung an die Nachkommenschaft weiter-gegeben werden.

Für den Begriff „Schalterstellung" benutzt man in der Genetik den Fach-ausdruck „Allel". Wir haben also bisher zwei Allele des Gens pallida kennen-gelernt, nämlich das Allel normal und das Allel pallida. Das Gen nuda ist uns als Allel normal und als Allel nuda begegnet. Alle anderen nicht mutierten Gene sind bisher nur in ihrem normal-Allel aufgetreten. (Der Begriff des Allels hat nichts mit Diploidie zu tun, wird aber in manchen Lehrbüchern an diploiden Organismen eingeführt und in diesem Zusammenhang oft mißverständlich defi-niert.)

Wir müssen uns über folgende Gesichtspunkte klar sein:

1. Wir bezeichnen willkürlich alle Schalterstellungen (Allele) in dem aus der Natur isolierten „Wildtyp" als „normal". Hätten wir als Ausgangsobjekt eine männliche und eine weibliche pallida-Mutante ins Labor genommen, so wäre das pallida-Allel des Gens der Thallusfarbe als „normal" bezeichnet worden.

2. Die Existenz eines bestimmten Gens tritt erst durch seine Mutation in Erscheinung. Solange das pallida-Gen nicht von normal zu pallida mutierte, konnten wir es nicht erfassen. Es war untergetaucht in der Anonymität des gesamten Genoms.

3. Es ist denkbar, daß ein Gen in mehr als zwei Schalterstellungen vorkommen kann (multiple Allelie). Wir werden diese Vermutung später (§ 4/1) bestätigt finden.

4. Man kann nicht entscheiden, ob nur das eine (mutierte) Gen für das be-troffene Merkmal verantwortlich ist. Es ist zweifellos an der Ausbildung des Merkmals beteiligt, aber vielleicht neben anderen, noch nicht erfaßten Genen. Vielgenige Kontrolle eines Merkmals wird als *Polygenie* bezeichnet. Wir werden solche Fälle in § 3/7 behandeln.

5. Ebenso bleibt offen, ob ein (mutiertes) Gen tatsächlich nur das eine sicht-bar veränderte Merkmal beeinflußt. Vielleicht sind noch andere Eigenschaften verändert, die nur nicht bemerkt werden, z. B. die Unfähigkeit bei höheren Temperaturen zu wachsen. Wir halten die Umwelt ja bewußt konstant! Die Auswirkung der Mutation eines Gens auf mehrere Eigenschaften nennt man *Pleiotropie* oder *Polyphänie* (vgl. § 11/4).

Die Punkte 4 und 5 scheinen zunächst der oben gegebenen Definition des Gens zu widersprechen. Diese Schwierigkeit liegt in unserem Unvermögen korrekt zu sagen, was ein Merkmal sein soll. Betrachten wir z. B. als Merkmal die Augenfarbe eines Insekts, so wird diese durch Pigmente bestimmt, die aus einem Eiweiß-Körper und einem angelagerten Farbstoffmolekül bestehen. Diese Bestandteile werden unter der Kontrolle verschiedener Gene stehen, von denen jedes die Augenfarbe beeinflussen kann. Lagern sich andererseits solche Pigmente in verschiedenen Organen des Insekts ab, so können auch mehrere „Merkmale" durch die Mutation eines einzigen Gens betroffen werden.

Wir wollen die neuen Begriffe noch einmal zusammenfassen:

Ein Gen   **ist ein Teilstück der Erbinformation, das auf die Ausbildung eines bestimmten Merkmals wirkt. Es wird erst durch Mutation erkennbar.**

Das Genom **ist die Summe aller Gene eines Organismus, also ein Synonym von Erbgut. (Es ist oft in zytologischem Sinne zu verstehen und bezeichnet dann den haploiden Chromosomensatz, vgl. § 2/2).**

Mutation   **ist die sprunghafte Veränderung eines Gens von einem Zustand in einen anderen. Dieser führt zur Ausbildung eines abweichenden Merkmals. Individuen, die ein mutiertes Gen tragen, nennt man Mutanten.**

Ein Allel   **ist eine bestimmte Konfiguration (ein bestimmter Zustand) eines Gens. Durch Mutation wird ein Allel in ein anderes Allel überführt.**

Literatur zu § 1/5:
[1] Zusammenfassung: STUBBE, H.: Kurze Geschichte der Genetik bis zur Wiederentdeckung der Vererbungsregeln GREGOR MENDELs. Jena: Fischer 1963.
[2] MENDEL, G. J.: Verh. naturf. Verein Brünn **4**, 1 (1865).
[3] Geschichte der Wiederentdeckung: BOYES, B. C.: Bio-Sci. **16**, 85 (1966).

1/6   Genetische Schreibweise und andere Ergänzungen

Es ist zweckmäßig, jedem erkannten Gen eine symbolische Abkürzung zu geben. Meist werden daher Gene mit einem, zwei oder drei Buchstaben bezeichnet. Unser Gen nuda z. B. kann durch den Buchstaben „n" wiedergegeben werden. Der Einfachheit halber versteht man darunter zugleich das Allel „nuda" dieses Gens. Das Wildallel des nuda-Gens wird dagegen durch n^+ symbolisiert. Entsprechend bezeichnet p das Allel pallida und p^+ das Allel normal des pallida-Gens. Das hinter die Genabkürzung hochgesetzte Pluszeichen charakterisiert also stets das Wildallel des betreffenden Gens.

Unsere erste Kreuzung normal ♀ × pallida ♂ kann jetzt als p^+ ♀ × p ♂ wiedergegeben werden. Entsprechend bedeutet n ♀ × n^+ ♂ die Kreuzung zwischen nuda-Weibchen und normalem Männchen. Kreuzen wir ein pallida ♀ mit einem nuda ♂, so müssen wir vollständig schreiben:

$$p \; n^+ \; ♀ \times p^+ \; n \; ♂.$$

Hierin wird zum Ausdruck gebracht, daß das pallida ♀ in bezug auf das nuda-Gen normal ist und auch das nuda ♂ in seinem pallida-Gen das Allel „normal" trägt. Will man das Geschlecht in dieser Kreuzung nicht berücksichtigen, so genügt die Schreibweise

$$p \; n^+ \times p^+ \; n.$$

(Meistens richtet man sich nach der Konvention, das Weibchen zuerst zu nennen.)

Zur Vereinfachung schreibt man häufig statt dessen

$$p + \times + n.$$

Das auf die Zeile gesetzte größere Pluszeichen ist hierbei eine Abkürzung für n^+ bzw. p^+. Aus der Stellung des Pluszeichens in der ganzen Formel geht seine Bedeutung hervor.

Man kann ohne die Gefahr von Mißverständnissen auch diese Pluszeichen noch fortlassen:

$$p \times n.$$

All diese Ausdrücke symbolisieren die gleiche Kreuzung und werden nach Belieben benutzt.

Es ist üblich zwei Kreuzungen als *reziprok* zu bezeichnen, wenn das Geschlecht der Eltern vertauscht ist. Die Kreuzungen

$$p\, n^+ \female \times p^+ n\, \male \qquad \text{und} \qquad p^+ n \female \times p\, n^+ \male$$

sind also einander reziprok.

Unter *äquivalenten* Kreuzungen sollen dagegen solche verstanden werden, bei denen irgendwelche Merkmale vertauscht sind. Zum Beispiel sind

$$p\, n^+ \times p^+ n \qquad \text{und} \qquad p\, n \times p^+ n^+$$

einander äquivalent. (In manchen Lehrbüchern werden solche Paare als „Kopplungs- und Repulsions-Kreuzung" unterschieden. Diese Bezeichnung ist irreführend und basiert auf überholten Vorstellungen des Erbvorgangs.)

Legt man Paare von reziproken oder anderen äquivalenten Kreuzungen an, so erhält man gleiche Resultate in Übereinstimmung mit dem Schema der Bildung und Verteilung des Topfes. Diverse Abweichungen von dieser Grundregel werden später beschrieben.

Wir haben eine Kreuzung angeführt, deren Ergebnis uns noch nicht bekannt ist, nämlich die „2-Faktor-Kreuzung" (das Geschlecht wird meist nicht mitgezählt):

$$n \times p \qquad (\text{oder} \quad n\, p^+ \times n^+ p).$$

Wenn die nuda- und pallida-Gene unabhängig segregieren wie in den früheren Kreuzungen, sollten vier verschiedene Nachkommen auftreten, nämlich

die Elterntypen: $n\, p^+$ und $n^+ p$ sowie
die Rekombinanten: $n^+ p^+$ (Wildtyp) und $n\, p$ (doppelte Mutante).

Diese Typen werden gefunden, und zwar wieder in einem Zahlenverhältnis von $1:1:1:1$, was die freie Kombinierbarkeit von nuda- und pallida-Genen bei der Aufteilung des „Topfes" bestätigt.

Auch hier wieder sind in allen Tetraden je zwei Sporen nuda und zwei nuda$^+$, zwei sind pallida und zwei pallida$^+$.

Wenn das Geschlecht der Tochtergeneration (man bezeichnet sie als F1, d. h. Filialgeneration 1) mitberücksichtigt wird, verdoppelt sich die Zahl der möglichen Nachkommentypen, denn jeder der bisherigen Typen kann sowohl $\male$ als auch $\female$ sein. Alle acht Möglichkeiten sind gleich häufig verwirklicht.

1/7 Kopplungsgruppen

Wir wollen jetzt prüfen, ob die Regel der freien Kombinierbarkeit einzelner Merkmale generelle Gültigkeit besitzt. Dazu brauchen wir eine größere Zahl von Mutanten. Unter anderen seien folgende Veränderungen aufgetreten:

variabilis: kleinere, oft trichterförmige Hüllen der Geschlechtsorgane
atra: schmalere, kürzere Hüllen, dunkler
squamifera: Schuppen statt Hüllen
crispa: sehr krause Thalli.

Zwischen diesen und anderen gewonnenen Mutanten führen wir 2-Faktor-Kreuzungen vom allgemeinen Typ

$$ab^+ \times a^+b$$

durch (Geschlechtsunterschied nicht berücksichtigt). Die F 1 enthält immer vier verschiedene Typen:

$$ab^+ \quad , \quad a^+b \quad , \quad ab \quad , \quad a^+b^+$$
Parentaltypen   und   Rekombinanten.

Entsprechend unserer bisherigen Erfahrung liefert eine Reihe von Genpaaren hierfür ein Zahlenverhältnis von 1:1:1:1. Zu unserer Verwirrung gibt es aber auch Kreuzungen, die mehr Parentaltypen als Rekombinanten hervorbringen. Wie ist das zu verstehen? Ist unsere bisherige Vorstellung falsch?

[Möglicherweise hat MENDEL selbst vor dieser Frage gestanden. Keine Überlieferung oder Veröffentlichung gibt uns darüber Auskunft. MENDEL beschrieb immerhin sieben unabhängig segregierende Gene, und es wäre wahrscheinlich, daß weitere Merkmale Kopplung von Genen offenbart hätten. Wie dem auch sei, Genkopplung und ihre Durchbrechung durch das Crossover wurde erst 50 Jahre nach MENDELs Arbeiten durch T. H. MORGAN und seine Schule aufgeklärt. Die Wahl der Taufliege als besonders geeignetes Versuchsobjekt hat entscheidend zu diesem Erfolg beigetragen. Vgl. auch Fußnote auf S. 33.]

Aber zurück zu Sphaerocarpus. Wir haben Gen-Paare gefunden, deren Kreuzungen weniger als 50% Rekombinanten aufweisen. Kreuzungen

atra × crispa

liefern z. B. stets rund 14% Rekombinanten, d. h. ein Typenverhältnis von etwa 1:1:0,16:0,16. Ein anderes Mutantenpaar

atra × variabilis   oder   atra variabilis × Wildtyp
                                        (Doppelmutante)

zeigt in allen Kreuzungen eine F 1-Aufspaltung von etwa 1:1:0,045:0,045, was nur 4,3% Rekombinanten entspricht.

Der Rekombinantenprozentsatz ist dabei charakteristisch für ein bestimmtes Paar von Genen, d. h. äquivalente Kreuzungen liefern Rekombinanten in gleicher Häufigkeit.

Aus der Gesamtheit der durchgeführten 2-Faktor-Kreuzungen erkennen wir mit der „Methode des scharfen Ansehens", daß bestimmte Gene *Gruppen* bilden.

Diese Gruppen sind dadurch definiert, daß Kreuzungen mit zwei Genen aus der *gleichen* Gruppe weniger als 50% Rekombinanten liefern, während Gene aus *verschiedenen* Gruppen stets zu 50% Rekombinanten führen.

Eine solche Gruppe umfaßt z. B. die Mutanten variabilis, atra, squamifera und crispa. Die Rekombinantenprozentsätze ihrer 2-Faktor-Kreuzungen zeigt das Schema 1,3.

Schema 1,3. Prozentsätze von Rekombinanten
in verschiedenen 2-Faktor-Kreuzungen
(Daten nach E. KNAPP und Mitarbeitern,
z. T. unveröffentlicht)

♀	♂			
	squamifera	atra	crispa	variabilis
squamifera	—	15,2	2,6	16,9
atra	reziproke	—	13,8	4,3
crispa	Kreuzungen mit		—	16,1
variabilis	den gleichen Ergebnissen			—

Was bedeutet diese Gruppeneinteilung? Die freie Kombinierbarkeit ist nur so lange gewährleistet, als es sich um Gene verschiedener Gruppen handelt. Gene der gleichen Gruppe dagegen haben die Tendenz zusammenzubleiben. Sie „hängen irgendwie aneinander". Erhält ein Nachkomme das väterliche Allel eines Gens, so wird bevorzugt auch von einem anderen damit „gekoppelten" Gen das väterliche Allel erscheinen. Unsere Gruppen sind Kopplungsgruppen von nicht unabhängig segregierenden Genen.

Diese Vorstellung wäre sehr befriedigend, wenn zwischen gekoppelten Genen überhaupt keine Rekombination möglich wäre. Dann würde bei der Aufteilung des Topfes nicht jedes Gen einzeln verteilt, sondern ganze Gengruppen gingen als Verband von Eltern zu Nachkommen über.

Tatsächlich kann die Kopplung aber durchbrochen werden, und zwar verschieden häufig für verschiedene Paare gekoppelter Gene. Das Modell scheint nur in erster Näherung richtig zu sein. Das ist eine häufige Situation in der Wissenschaft und oft stellt sich heraus, daß der Grundgedanke wohl richtig ist, nur der Erklärung noch ein wesentlicher Gesichtspunkt fehlt.

Da wir glauben, daß Erbanlagen in materiellen Strukturen verankert sind, ist es plausibel anzunehmen, daß gekoppelte Gene eine gemeinsame Struktur bilden, in der jedem Gen ein bestimmter Platz zugeordnet ist. Je weiter Gene in dieser Struktur voneinander entfernt liegen, desto größer wäre die Wahrscheinlichkeit ihrer Trennung bei einem Zerbrechen der „Kopplungsstruktur". Die unterschiedlichen Kopplungsstärken, d. h. die verschieden häufige Rekombination zwischen gekoppelten Genen wäre ein Maß für diesen Abstand. Wir können unter dieser Annahme mit Hilfe der Rekombinations-Häufigkeit einen schematischen Plan der Genanordnung in einer Kopplungsgruppe zeichnen. Als Beispiel benutzen wir die Rekombinanten-Prozentsätze der 2-Faktor-Kreuzungen aus Schema 1,3.

Der Plan der Kopp-
lungsgruppe hat etwa
diese Gestalt:

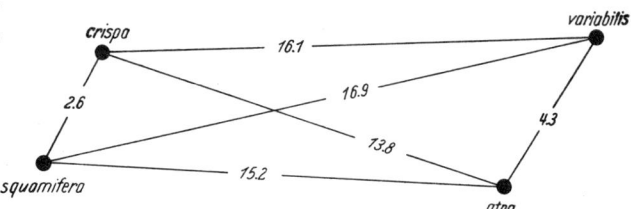

Wir können vereinfachend jedoch auch versuchen, die Kopplungsgruppe *ein*-dimensional darzustellen:

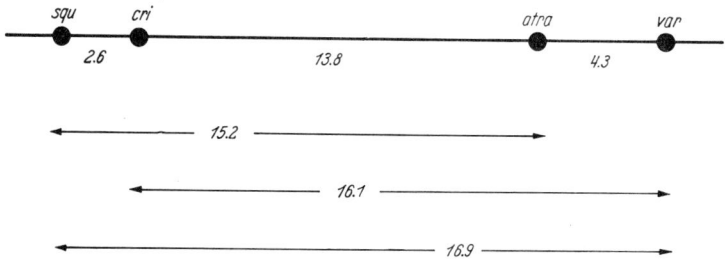

Diese Anordnung wäre voll gerechtfertigt, wenn die Abstände (gemessen als Rekombinanten-Prozentsätze) genau additiv wären. Der Vergleich der Zahlwerte zeigt aber, daß stets der aus zwei kleineren Abständen zusammengesetzte Wert etwas größer als der direkt gemessene Abstand ist. Dies ist eine allgemeine Regel, die man bei allen Organismen findet, vom Säugetier bis zum Virus.

Dennoch führt eine eindimensionale Anordnung gekoppelter Gene nie zu Widersprüchen für die Reihenfolge der Gene in einer Kopplungsgruppe. Ein Widerspruch läge z. B. in unserer „Genkarte" vor, wenn sich aus Kreuzungen mit squamifera die Reihenfolge

squ — cri — atra — var

ergäbe, aber aus Kreuzungen mit variabilis die Sequenz

cri — squ — atra — var

zu folgern wäre. Wegen dieser Freiheit von Widersprüchen werden alle Kopplungsgruppen durch eindimensionale Genkarten wiedergegeben, obwohl zumindest für höhere Organismen bis heute noch kein allgemeiner Beweis für eine vollkommene Eindimensionalität erbracht werden konnte.

Die Abweichung von der genauen Additivität von Rekombinanten-Prozentsätzen könnte bedeuten, daß die Gene doch nicht *ein*dimensionale Kopplungsgruppen bilden. Tatsächlich hat sie andere Ursachen, die in § 1/9 diskutiert werden.

Insgesamt haben wir erkannt, daß das Genom eines Organismus in Kopplungsgruppen aufteilbar ist, in denen sich Gene widerspruchsfrei eindimensional — wie Perlen an einer Kette — anordnen lassen, und daß nur untereinander nichtgekoppelte Gene zufallsgemäß segregieren (aufspalten).

1/8   Das Crossover

In der bisherigen Diskussion der Kopplung wurde außer acht gelassen, daß Sphaerocarpus Sporen*tetraden* bildet. Eine Tetrade aber war das Ergebnis einer Topfaufteilung.

Wir betrachten Tetraden einer 2-Faktor-Kreuzung mit gekoppelten Genen

ab × a⁺b⁺

in graphischer Darstellung:

Wir wissen, daß beide Eltern zunächst den Topf füllen mit gleichen Mengen ihrer genetischen Information:

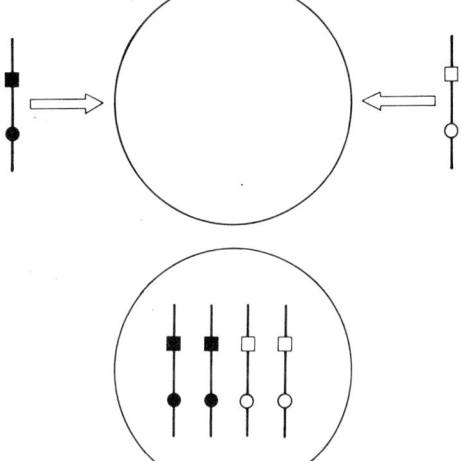

(Es ist möglich, daß beide Eltern all ihre Gene in doppelter Ausfertigung beisteuern oder daß sie nur *eine* Kopie jedes Gens liefern und dann alle Strukturen verdoppelt werden. Aus Kreuzungsergebnissen läßt sich diese Frage nicht beantworten.)

Vor der Verteilung liegen jedenfalls zwei Kopien der Information beider Eltern vor:

Für die meisten Tetraden werden dann diese vier Strukturen jeder Kopplungsgruppe als Einheit auf die Sporen verteilt:

Sie enthalten keine Rekombinanten.

$a\,b$ $a\,b$ a^+b^+ a^+b^+

Einige Tetraden aber entsprechen dem Schema:

$a\,b$ $a\,b^+$ a^+b a^+b^+

Solche Rekombinations-Tetraden können nur durch Zerbrechen von Kopplungs-strukturen erklärt werden, und zwar muß von *jedem* Elter *eine* Struktur der Kopplungsgruppe zerbrochen sein. Wir können noch zwei weitere Erkenntnisse gewinnen:

1. Die Teilstücke der Kopplungsstrukturen fügen sich wieder zusammen. Benutzen wir nämlich die Rekombinanten-Nachkommen einer Kreuzung mit gekoppelten Genen für eine F1-Kreuzung, so sind die beiden Teile der Kopplungs-gruppe keineswegs unabhängig segregierende Untereinheiten geworden, sondern die neue Kombination von Merkmalen zeigt wiederum Kopplung in der für das Genpaar charakteristischen Stärke. Wir können allerdings nicht entscheiden, ob die neue Verbindung bereits vor oder erst nach der Verteilung des Topfinhalts erfolgt. Ersteres ist richtig wie wir später sehen werden.

2. Die Brüche der beiden Kopplungsstrukturen sollten an *homologen* Stellen eintreten. Wir betrachten zwar in der Kreuzung nur zwei bestimmte Gene, doch wissen wir, daß noch viel mehr nicht mutierte (d. h. in beiden Eltern gleiche) Gene in der Kopplungsgruppe liegen müssen. Bei genügend langem Suchen würden wir Mutanten für diese Gene finden. Würden nun die Kopplungsstruk-turen an verschiedenen Stellen zerbrechen:

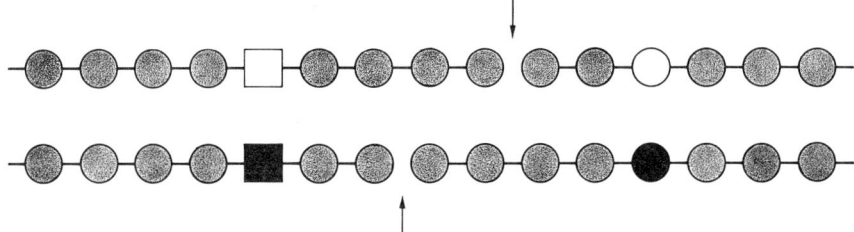

so müßten die beiden rekombinanten Sporen die zwischen den Brüchen liegenden Gene gar nicht bzw. doppelt erhalten. Das würde zu Unregelmäßigkeiten führen, die experimentell nur in Ausnahmefällen beobachtet werden.

Die Auftrennung von Kopplungsstrukturen an genau gleichen Stellen, die dem Austausch homologer Stücke vorausgeht, läßt vermuten, daß eine Paarung, d. h. ein Aneinanderlegen, der beteiligten Strukturen beider Eltern erfolgt. In den schematischen Zeichnungen ergibt sich solche Ordnung zwangsläufig. Der genaue Mechanismus dieser Paarung und der Auftrennung der beteiligten Stränge an homologen Punkten ist bis heute noch nicht wirklich verstanden (vgl. § 7/4 und 7/2). Der Gesamtprozeß wird als „Crossing-over" oder „Crossover" be-zeichnet und ist in Abb. 1,4 noch einmal schematisch dargestellt.

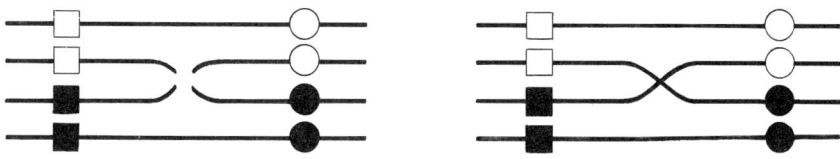

Brüche in zwei homologen Kopplungsstrukturen   „verheilen" über Kreuz

Abb. 1,4. Das Crossover
[aufgeklärt durch T. H. Morgan, Science **34**, 384 (1911) und J. exp. Zool. **11**, 365 (1911)]

Das Crossover ist also ein Zufallsereignis, das mit einer bestimmten Wahrscheinlichkeit an allen Punkten einer Kopplungsgruppe eintreten kann. Es liegt in individuellen Tetraden an zufälligen Stellen und ist ein materieller Stückaustausch zwischen homologen Kopplungsgruppen.

Große Rekombinanten-Häufigkeiten werden durch weite Genabstände erklärt, in denen mit großer Wahrscheinlichkeit Crossover stattfindet. Mit anderen Worten: Je weiter zwei Gene einer Kopplungsgruppe auseinanderliegen, desto wahrscheinlicher wird zwischen ihnen Crossover (d. h. Rekombination) auftreten. Die angenäherte Additivität der Genabstände beruht damit auf einer Additivität von Crossover-Wahrscheinlichkeiten. Damit ist das Modell der Segregation von elterlichen Genen vollständig geworden. Es beschreibt sämtliche Kreuzungsdaten gekoppelter und nicht-gekoppelter Gene.

Zusammenfassend lassen sich die Paragraphen 1/7 und 1/8 folgendermaßen formulieren:

Gene sind zu Kopplungsgruppen zusammengeschlossen.

Bei der Segregation des elterlichen Erbguts werden nicht einzelne Gene, sondern solche Kopplungsgruppen verteilt.

Zwischen mütterlichen und väterlichen Strängen einer Kopplungsgruppe können homologe Stücke durch Crossover ausgetauscht werden (reziproker Prozeß).

Die Crossover-Wahrscheinlichkeiten innerhalb einer Kopplungsgruppe sind additiv.

Daraus ergibt sich eine eindimensionale Anordnung der Gene in den Kopplungsgruppen.

1/9   Drei-Faktor-Kreuzungen und mehrfaches Crossover

Unter Mitberücksichtigung des Geschlechts haben wir bereits in § 1/6 eine 3-Faktor-Kreuzung, nämlich

$$p\,n^+\,\female \times p^+\,n\,\male$$

kennengelernt. Vernachlässigt man das Geschlecht, so wäre eine andere 3-FK:

$$a\,b\,c \times a^+\,b^+\,c^+.$$

Mit den gleichen drei Allel-Alternativen können noch drei weitere, äquivalente Kreuzungen angelegt werden, nämlich

$$a^+\,b\,c \times a\,b^+\,c^+$$
$$a\,b^+\,c \times a^+\,b\,c^+$$
$$a\,b\,c^+ \times a^+\,b^+\,c$$

Da diese vier Kreuzungen analoge Resultate liefern, können wir eine beliebige 3-FK auch durch

$$1\,1\,1 \times 2\,2\,2$$

symbolisieren. Die Zahlen 1 und 2 charakterisieren hierbei jeweils Allel-Paare, wobei die mütterlichen Allele durchweg als 1, die väterlichen als 2 bezeichnet werden. Die Stellung der Ziffer gibt an, um welches Gen es sich handelt. Welche

Kombination von Allelen, d. h. welche der vier äquivalenten 3-Faktor-Kreuzungen gemeint ist, spielt keine Rolle. Nur wechselt im Einzelfall natürlich die Bedeutung der Allelbezeichnung 1 und 2. Der Vorteil dieser Darstellung liegt darin, daß man der Schreibweise einer Rekombinante (z. B. 122) sofort ansehen kann, an welcher Stelle Rekombination erfolgt ist.

Die F1 einer 3-Faktor-Kreuzung enthält dann folgende acht Allel-Kombinationen:

die beiden Parentaltypen	P	111	222	
das reziproke (d. h. sich in allen Allelen unterscheidende) Rekombinantenpaar	R I	211	122	das erste Gen ist ausgetauscht
das reziproke Rekombinantenpaar	R II	121	212	Austausch des mittleren Gens
und das reziproke Rekombinantenpaar	R III	112	221	Austausch des dritten Gens

Bei drei ungekoppelten, d. h. in verschiedenen Kopplungsgruppen liegenden Genen, sind diese acht Typen gleich häufig (vgl. § 1/6). Zum Studium der Situation bei drei gekoppelten Genen legen wir eine 3-Faktor-Kreuzung an mit Genen, deren Reihenfolge uns aus 2-FK bereits bekannt ist. Wir wollen uns zunächst einige einzelne Tetraden ansehen, in denen Rekombinanten auftreten.

Manche sind leicht durch die danebengestellten Crossover-Bilder zu deuten, z. B.

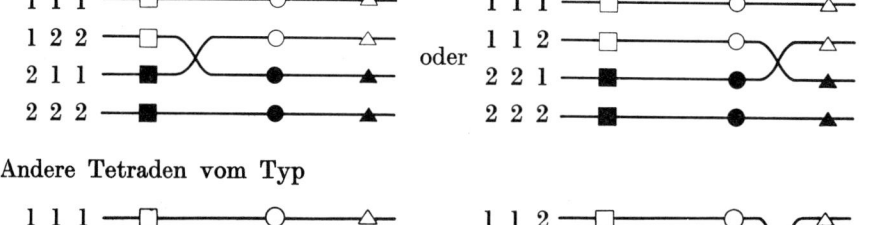

Andere Tetraden vom Typ

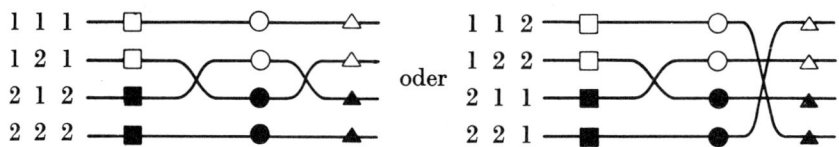

zeigen, daß in einer Kopplungsgruppe auch mehr als ein Crossover möglich sind.

Man findet auch Tetraden, die drei Rekombinanten und nur einen Elterntyp enthalten, z. B.

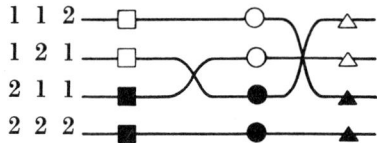

doch sind auch hier an jedem einzelnen Crossover zwei der vier Stränge beteiligt. Die 2:2-Aufspaltung gilt für jedes Gen.

Wir erkennen, daß Crossover und Doppelcrossover zwischen beliebigen Strängen auftreten können. Dabei sollte man beachten, daß Crossover außerhalb von untersuchten Genen nicht bemerkt werden:

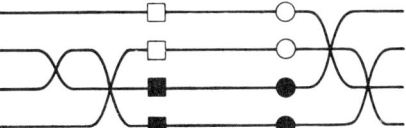

Ebenso führt eine gerade Zahl von Crossovern zwischen den gleichen Strängen zu keiner Rekombination:

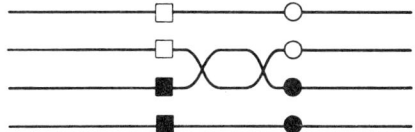

Mit dieser Erkenntnis können wir einen bisher unklar gebliebenen Befund verstehen: Im § 1/7 hatten wir bei der Aufstellung von eindimensionalen Kopplungsgruppen eine störende Abweichung von der Additivität beobachtet. Bei einer Genreihenfolge abc fanden wir mehr Rekombination, d. h. mehr Crossover, wenn wir die Rekombinanten der Kreuzungen a × b und b × c addierten als in der Kreuzung a × c. Dies ist jetzt verständlich, da in der 2-Faktor-Kreuzung a × c Doppelcrossover zwischen a und c keine Rekombinanten bilden (Bild rechts);

die gleichen Crossover aber in a × b und b × c Rekombinanten beisteuern:

Die Additivität wird also gestört durch das Vorkommen von Doppelcrossovern. Je geringer die Genabstände sind, desto besser wird die Additivität, da unbemerkte Doppelcrossover zwischen zwei Genen immer seltener werden. Damit entfallen die in § 1/7 verbliebenen Bedenken gegen eine eindimensionale Anordnung von Genen.

Aus den Tetraden der 3-Faktor-Kreuzung haben wir gesehen, daß Crossover — auch mehrere Crossover — zwischen allen vier homologen Strängen einer Kopplungsgruppe möglich sind. Eine seit 1925 geführte Diskussion geht um die Frage, ob auch zwischen sog. „Schwesteresträngen", d. h. den beiden vom gleichen Elter herstammenden Kopien einer Kopplungsgruppe, Crossover stattfinden:

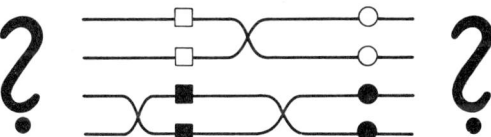

Ein solches *Schwesterstrang-Crossover* wäre durch Tetradenanalyse nicht zu er-kennen, da ja Schwesterstränge stets gleiche genetische Information tragen. Viele Jahre lang glaubte man allgemein an das sog. Schwesterstrang-Crossover-Verbot. Diese Auffassung wurde in den 50er Jahren wieder angezweifelt. Eine Klärung steht noch aus.

1/10 Genkartierung durch Drei-Faktor-Kreuzungen

In § 1/7 wurde eine Genkarte, d. h. die Gruppierung von Genen in einem eindimensionalen Schema, auf Grund von 2-Faktor-Kreuzungen aufgestellt. Eine sicherere und schnellere Methode ist die Durchführung von 3-Faktor-Kreuzungen. Eine 3-FK liefert sogleich die Ergebnisse von drei 2-FK. Man kann nämlich das erste, zweite oder dritte Gen unberücksichtigt lassen und die Einstufung der Nachkommen nur nach zwei Genen vornehmen wie das bei einer 2-FK geschieht.

Wir wollen jetzt am Beispiel der Sphaerocarpus-Kreuzung

(1)   crassa squamifera × virescens
     abgekürzt   c s v$^+$ ×   c$^+$s$^+$v

eine Genkartierung durchführen. Man beachte, daß die Reihenfolge der Gene noch willkürlich ist. Diese soll ja erst durch den Versuch ermittelt werden. (Die Mutante crassa hat kürzere und breitere Hüllen der Geschlechtsorgane. Virescens ist im Jugendstadium hellgrün und wächst langsamer.)

Wir mustern ohne Berücksichtigung des (Tetradenverbandes und des Geschlechts) 1000 einzelne Nachkommen und ermitteln die Häufigkeiten von Tabelle 1,5.

Da Crossover relativ seltene Ereignisse sind und der Austausch eines mittleren Gens *zwei* Crossover benötigt, der von außen liegenden Genen aber nur eines, wird das mittlere Gen die geringste Austauschhäufigkeit aufweisen. (Der Gewinn in einer Tombola ist selten, noch viel seltener ein Doppelgewinn mit zwei Losen.) Folglich muß das Gen virescens, das den kleinsten Austauschwert hat, in der Mitte liegen. Auf welche Seiten wir c und s legen, ist willkürlich. Die Reihenfolge der Gene steht damit bereits fest. Die durchgeführte Kreuzung entspricht also dem Schema:

Tabelle 1,5. Ergebnis der Kreuzung
crassa squamifera × virescens
(in Anlehnung an Daten von W. O. Abel)

Typ	Anzahl	%	Gruppe	
c s v$^+$ = 111 c$^+$s$^+$v = 222	259 279	} 53,8	Elterntypen	
c$^+$s v$^+$ = 211 c s$^+$v = 122	132 119	} 25,1	Austausch von c	Rekombinanten
c s$^+$v$^+$ = 121 c$^+$s v = 212	92 97	} 18,9	Austausch von s	
c s v = 112 c$^+$s$^+$v$^+$ = 221	13 9	} 2,2	Austausch von v	
insgesamt	1000	100,0		

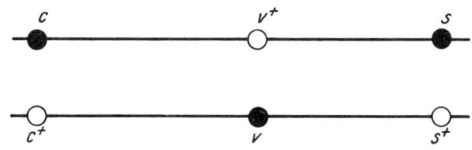

Wie groß aber sind die Genabstände, d. h. die Crossover-Wahrscheinlichkeiten?
Mit anderen Worten: Wie viele Rekombinanten zeigen Crossover zwischen c und v?

Zunächst sind es die Individuen
mit Austausch in c:
also 25,1 %.

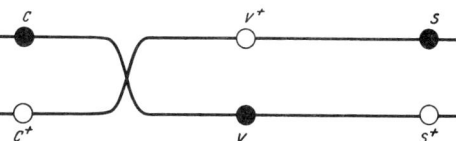

Hinzu kommen aber noch die
2,2% Rekombinanten mit dem Austausch des mittleren Gens, denn
auch sie haben ein Crossover zwischen c und v:

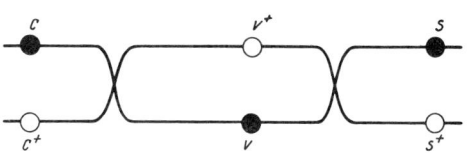

Daß sich außerdem ein Crossover auf der anderen Seite ereignet hat, ist ohne
Belang. (Diese Addition der Doppelaustauschindividuen wird von Anfängern
gerne vergessen!)

Insgesamt zeigen also 25,1 + 2,2 = 27,3% der Nachkommen ein Crossover
zwischen crassa und virescens. Man benutzt diesen Prozentsatz direkt als Angabe
des Genabstands und sagt: c und v sind 27,3 Rekombinations- oder MORGAN-
Einheiten (engl. map units) voneinander entfernt.

Auf der anderen Seite ergibt sich der Abstand zwischen virescens und squamifera aus den Individuen mit Austausch in s plus wiederum denen mit Doppel-
Crossover, d. h. 18,9 + 2,2 = 21,1 %.

Das Kreuzungsergebnis ist schematisch also

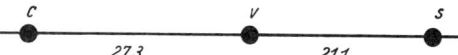

Um die Additivität zu prüfen, stellen wir uns vor, wir hätten die Allel-Alter-
native des Gens virescens gar nicht in der Kreuzung gehabt, also die Kreuzung

crassa squamifera × normal

durchgeführt. Wir leiten das Ergebnis aus der angelegten 3-FK her, indem wir
nicht berücksichtigen, ob ein Nachkomme v oder v^+ ist. Wir gewinnen so aus
unseren 1000 Nachkommen die Tabelle 1,6.

Tabelle 1,6. Gewinnung von Daten einer 2-FK
aus denen einer 3-FK (aus Tabelle 1,5)

Typ	Anzahl	%	Gruppe
c s	259 + 13 = 272	56,0	Elterntypen
c^+s^+	279 + 9 = 288		
c^+s	132 + 97 = 229	44,0	Rekombinanten
c s^+	119 + 92 = 211		

Damit haben wir für die Gene c und s einen Abstand von 44,0 bestimmt
im Gegensatz zum addierten Wert von 27,3 + 21,1 = 48,4 Rekombinations-
einheiten.

Tabelle 1,7. Ergebnis der Kreuzung
crassa squamifera × minuta (in Anlehnung
an Daten von E. KNAPP, 1937)

Typ	Anzahl	%	Gruppe
c s m⁺	205	39,4	Elterntypen
c⁺s⁺m	189		
c⁺s m⁺	159	32,6	Austausch von c
c s⁺m	167		
c s⁺m⁺	54	11,8	Austausch von s
c⁺s m	64		
c s m	85	16,2	Austausch von m
c⁺s⁺m⁺	77		
insgesamt	1000	100,0	

Wir wollen jetzt feststellen, ob eine Mutante „minuta" (kleinere Wuchsform) ebenfalls in diese Kopplungsgruppe gehört. Die Kreuzung

(2)   crassa squamifera × minuta
$$(csm^+ \times c^+s^+m)$$

führt zu Tabelle 1,7.

Da die Anteile aller vier Gruppen verschieden groß sind, gehört also auch minuta in die gleiche Kopplungsgruppe. Dieses Mal zeigt das Gen squamifera den kleinsten Austausch, es muß also zwischen c und m liegen, mit anderen Worten: m liegt noch jenseits von s in unserer bisherigen Kopplungsgruppe.

Die Tabelle 1,7 liefert folgende Genabstände:

c — s : 44,4 Rekombinationseinheiten
s — m : 28,0 Rekombinationseinheiten
c — m : 48,8 Rekombinationseinheiten

Insgesamt ergibt sich also eine Kopplungsgruppe:

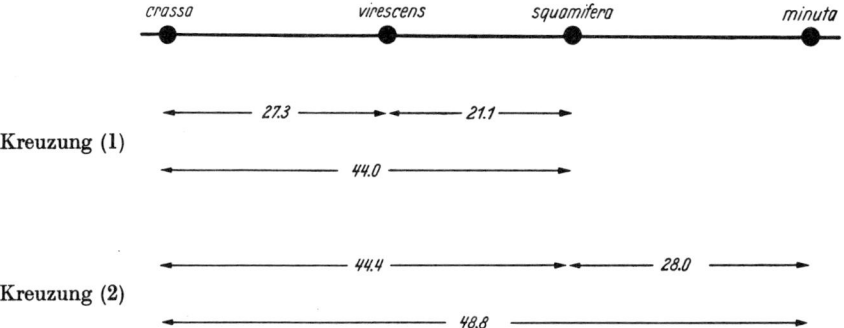

Wir sehen aus dem Abstand crassa — minuta, daß auch Gene der gleichen Kopplungsgruppe annähernd 50% Rekombinanten hervorbringen können, wenn sie weit voneinander entfernt liegen, d. h. wenn viele Crossover zwischen ihnen stattfinden. Dann nämlich ist es etwa gleich wahrscheinlich, daß die beiden betrachteten Gene zusammenbleiben (0, 2, 4, 6 usw. Crossover) oder auseinandergerissen werden (1, 3, 5, 7 usw. Crossover). Mathematisch formuliert: Gekoppelte Gene erscheinen dann ungekoppelt, wenn die Wahrscheinlichkeiten für eine gerade Zahl von Crossovern (kein Austausch) und für eine ungerade Zahl von Crossovern (Austausch) praktisch gleich werden. Das ist um so besser erfüllt, je höher die Crossover-Zahl wird. Im Rahmen der üblichen Meßgenauigkeit (Auswertung von nicht mehr als 1000 Nachkommen der Kreuzung) genügt aber schon ein Mittelwert von etwa zwei Crossovern zwischen zwei gekoppelten Genen, um freie

Kombinierbarkeit vorzutäuschen. Hierbei ist die Frage wichtig, ob Crossover völlig zufällig auftreten oder sich gegenseitig beeinflussen (vgl. § 2/5). Daß zwei derartig weit entfernte Gene dennoch zur gleichen Kopplungsgruppe gehören, wird erst dann erkennbar, wenn Gene bekannt sind, die zwischen beiden liegen und zu beiden Kopplung zeigen. Kopplung zwischen crassa und minuta z. B. wird durch die Gene virescens und squamifera offenbart.

Die Analyse der Rekombinations-Wahrscheinlichkeiten bedarf nicht der Auswertung von kompletten Tetraden. Es kommt lediglich auf die Zahl der Einzelindividuen der verschiedenen Typen an. Daher ist der Weg der Genkartierung bei anderen Organismen, die ja zumeist keine Tetraden aufweisen, genau der gleiche. Man kann an ihnen die Phänomene von Genkopplung, Additivität, Crossover usw. in analoger Weise zeigen. Der wesentliche Vorteil der Tetrade liegt darin, die Gensegregation und das Crossover direkt widerzuspiegeln.

1/11 Statistischer Seitenblick

Beim Studium der Tabellen der Kreuzungsergebnisse ist dem Leser vielleicht die Frage aufgetaucht, wieso die jeweils reziproken Rekombinantentypen nicht in gleichen Häufigkeiten auftreten, obwohl der Prozeß des Crossovers doch strikt reziprok sein soll [z. B. in Tabelle 1,5, Austausch von v: Typ csv = 13, Typ $c^+s^+v^+ = 9$ Individuen].

Die Ursachen hierfür sind teils genetisch (a), teils mathematisch (b).

a) Die einzelnen Stränge können mit verschiedenen anderen Strängen in Crossover verwickelt sein, so daß bei einer 3-FK (!) selbst in einer einzelnen Tetrade nicht immer reziproke Typen auftreten (vgl. die letzte Tetrade von S. 16). Einen zweiten Grund bildet die Tatsache, daß häufig nicht alle vier Sporen einer Tetrade auskeimen.

b) Wir haben nur eine beschränkte Zahl von Individuen untersucht. Eine zufällige Auswahl von Individuen wird aber immer nur Näherungswerte der wirklichen Zahlenverhältnisse liefern.

Dieses mathematische Problem der Probenentnahme wurde bisher völlig übergangen, um die Aufmerksamkeit nicht von der eigentlichen Fragestellung abzulenken. Wir müssen das Versäumte jetzt nachholen.

Wenn wir einen riesigen Sack haben, in dem gut durchmischt sehr viele schwarze und weiße Kugeln sind, z. B. 1 Million schwarze und 4 Millionen weiße, und aus diesem Sack nur wenige, z. B. 25 Kugeln entnehmen, so werden wir nur selten, dem wahren Mischungsverhältnis entsprechend, 5 schwarze und 20 weiße Kugeln ziehen. Es ist möglich, daß wir 7 schwarze und 18 weiße oder 4 schwarze und 21 weiße greifen. Es ist sogar nicht ausgeschlossen, daß alle 25 Kugeln weiß sind. Die Wahrscheinlichkeit für all diese Möglichkeiten gibt die Binomialformel wieder:

$$\text{Wahrscheinlichkeit für} \begin{cases} x \text{ schwarze} \\ \text{und} \\ y \text{ weiße} \end{cases} = W(x, y) = \frac{(x + y)!}{x! \cdot y!} \cdot p^x \cdot q^y$$

wobei $n! = 1 \cdot 2 \cdot 3 \cdots n$ und $p = 1 - q$ die Wahrscheinlichkeit für eine schwarze, q die für eine weiße Kugel ist (im Beispiel $p = 0,2$; $q = 0,8$).

Ein Kreuzungsexperiment ist diesem Modell sehr ähnlich. Es existiert ein theoretischer Rekombinanten-Prozentsatz, der dem Zahlenverhältnis der (sehr vielen!) Kugeln im Sack entspricht. Der Genetiker kann aber nur eine beschränkte Zahl von Nachkommen auszählen (dem Sack als zufällige Probe entnehmen).

Unser Gefühl sagt, daß der ermittelte Wert dem „Erwartungswert", d. h. dem „wahren" Wert, um so näher kommt, je größer die Probe ist. Dieser Erwartungswert ist $(x+y) \cdot p$. In unserem Beispiel: $25 \cdot 0{,}2 = 5$ schwarze Kugeln. Die mathematische Statistik hat Formeln entwickelt, die für verschiedene Größen von Proben angeben, wie groß die Wahrscheinlichkeiten für bestimmte Abweichungen vom Erwartungswert sind.

Wenn wir dem Sack 100 Kugeln entnehmen, so ist der Erwartungswert für schwarze Kugeln 20. Tatsächlich finden wir im Einzelfall 26 oder 23 oder 16 oder dergleichen. Die Mathematik zeigt nun, daß etwa 68% solcher Probenentnahmen einen Wert liefern würden zwischen

$$(x+y)\, p - \sqrt{(x+y) \cdot p \cdot q} \quad \text{und} \quad (x+y)\, p + \sqrt{(x+y) \cdot p \cdot q},$$

in Zahlen

$$\text{zwischen} \quad 100 \cdot 0{,}2 - \sqrt{100 \cdot 0{,}2 \cdot 0{,}8} \quad \text{und} \quad 100 \cdot 0{,}2 + \sqrt{100 \cdot 0{,}2 \cdot 0{,}8},$$

d. h. zwischen 16 und 24   oder 20 ± 4.

Der relative Fehler wäre also in 68% der Proben kleiner als $\pm 20\%$.

32% der Proben hätten einen größeren Fehler. Die Statistik lehrt weiter, daß 5% der Proben sogar mehr als den doppelt so großen Fehler hätten, also außerhalb der Grenzen 12 und 28 lägen.

Nehmen wir statt Proben von 100 solche von 400 Kugeln, so ist der Erwartungswert 80, und 68% dieser Proben liefern Werte im Bereich von $80 \pm \sqrt{80 \cdot 0{,}8}$ $= 80 \pm 8$. Der relative Fehler beträgt noch $\pm 10\%$. An diesem Beispiel erkennen wir eine fundamentale Regel der Statistik, die jeder ökonomisch denkende Naturwissenschaftler stets vor Augen haben sollte: Um den *relativen* Fehler einer statistischen Messung auf die Hälfte zu senken, muß man *viermal*, nicht etwa doppelt so viele Individuen auswerten. Diese Regel wird als $\sqrt{n}$-Gesetz der Statistik bezeichnet.

Anwendungsbeispiel. Wir haben in § 1/10 den Genabstand crassa — virescens zu 27,3 Rekombinations-Einheiten angegeben. Wie groß ist der mögliche Fehler dieser Messung? Der ermittelte Wert folgte aus 251 Individuen mit Austausch von c und 22 Individuen mit Austausch von v. Er beruhte also auf $x = 273$ Individuen unter insgesamt 1000 Nachkommen. Da wir die wahren Werte von p (Wahrscheinlichkeit für Individuum mit Rekombination zwischen crassa und virescens) und q (Wahrscheinlichkeit, daß dort keine Rekombination) nicht kennen, müssen wir einen kleinen Fehler machen und statt ihrer die gemessenen Werte benutzen. p ist also $= 273/1000$ und $q = 727/1000$.

Etwa 68% von Tausender-Proben aus der Nachkommenschaft lägen also im Bereich:

$$(x+y) \cdot p \pm \sqrt{(x+y) \cdot p \cdot q} = 273 \pm \sqrt{1000 \cdot \frac{273}{1000} \cdot \frac{727}{1000}}$$
$$= 273 \pm 14.$$

Der wirkliche Genabstand liegt also mit einer Wahrscheinlichkeit von 0,68 im Bereich von 25,9 und 28,7 Rekombinations-Einheiten und mit 0,95 Wahrscheinlichkeit in dem doppelt so großen Bereich, d. h. zwischen 24,5 und 30,1 Rekombinations-Einheiten.

Man hat die Vereinbarung getroffen, den 0,68-Wert als „einfachen mittleren" Fehler anzugeben und würde sagen, der Genabstand crassa — virescens beträgt 27,3 ± 1,4 Rekombinations-Einheiten. Man beachte, daß die Grenzen dieser Angabe in 32% der Fälle überschritten werden und im Einzelfall nie ein „ganz richtiger" Wert ermittelbar ist. Durch Untersuchung von mehr und mehr Individuen ist lediglich eine immer genauere Annäherung möglich.

Wir wollen im weiteren Verlauf diese statistische Unsicherheit, die allen Meßwerten anhaftet, außer acht lassen und stets voraussetzen, die untersuchte Individuenzahl sei groß genug, um eine genügende Annäherung an den Erwartungswert zu garantieren.

Als *Faustregel* merken wir uns:

Jede Auszählung von n einzelnen Individuen repräsentiert den wirklichen Wert mit einer Ungenauigkeit von ungefähr $\pm \sqrt{n}$.

Zusammenfassung des Kapitels

Wir haben gesehen, daß einzelnen Merkmals-Alternativen von Organismen einzelne Erbfaktoren (Gene) zugeordnet werden können. Solche Gene werden erfaßbar durch eine Änderung ihres Zustandes (Mutation), d. h. durch den Übergang von einem Allel in ein anderes, was an der Veränderung des betreffenden Merkmals sichtbar wird. Von dem seltenen Ereignis der Mutation abgesehen, erweisen sich alle Allele und damit in konstanter Umwelt auch alle Merkmale bei vegetativer und sexueller Vermehrung als konstant.

Die Gesamtheit der Gene, das Genom, ist unterteilbar in Kopplungsgruppen. Jede von diesen enthält viele Gene in einer eindimensionalen Anordnung. Die Analyse von Tetraden zeigt, daß bei einer Befruchtung beide Eltern in symmetrischer Weise ihr Genom einem gemeinsamen Topf beisteuern. Aus diesem werden die einzelnen Kopplungsgruppen der Gene voneinander unabhängig an die Nachkommen verteilt, so daß neue Merkmalskombinationen auftreten. Einzelne Nachkommen gleichen in jeder Merkmals-Alternative nur einem der beiden Eltern und enthalten das Merkmal des anderen Elter auch nicht mehr in einem verborgenen Zustand.

Die Kopplungsgruppen werden jedoch nicht immer als geschlossener Verband zur nächsten Generation weitergereicht. Zwischen homologen Kopplungsstrukturen der beiden Eltern können nämlich reziproke Austauschprozesse (Crossover) stattfinden. Auf diese Weise entstehen auch in bezug auf gekoppelte Gene rekombinante Nachkommen.

Damit haben wir die Grundprinzipien der Vererbung — wie MENDEL vor 100 Jahren — auf einem analytischen Wege gewonnen. So wie einst in der Physik aus dem Auftreten von konstanten und multiplen Proportionen auf die Existenz von Atomen geschlossen wurde, folgerte MENDEL aus dem Auftreten konstanter Spaltungsverhältnisse die Existenz von Genen und erfaßte die Gesetzmäßigkeit ihrer Segregation. Kopplung und Crossover wurden allerdings erst 50 Jahre später durch MORGAN aufgeklärt, d. h. zu einer Zeit, als bereits zytologische Beobachtungen über das Verhalten der Erbsubstanz vorlagen.

Der von uns begangene Weg war durch die Analyse von Tetraden und die Benutzung eines haploiden Versuchsobjektes erleichtert. Wir könnten jetzt folgerichtig an einem diploiden Objekt ebenso abstrakt die Komplikationen kennenlernen, die sich aus dem Vorhandensein einer doppelten genetischen Information ergeben und diese selbst aus Kreuzungsanalysen erschließen. Da sich aber die Genetik aus einer ständigen Zusammenarbeit von Zytologie und Nachkommen-Analyse entwickelt hat, wollen wir diesem Prozeß auch im Aufbau des Buches gerecht werden und zunächst den gewonnenen Ergebnissen ihre zytologische Parallele an die Seite stellen.

2 Die zytologischen Grundphänomene der Vererbung

2/1 Zellteilung (Mitose)

In der bisherigen Darstellung waren Gene und Kopplungsgruppen abstrakte Begriffe. Wir wollen jetzt nach morphologischen Strukturen suchen, die als Träger der Erbinformation in Betracht kommen.

Bei vegetativer Fortpflanzung von vielzelligen Organismen findet man (§ 1/3) Übertragung aller Merkmale auf sämtliche Tochterindividuen. Daraus läßt sich schließen, daß die gesuchten Erbanlagen in allen abgetrennten Teilen des Organismus und nicht in nur einem „steuernden Zentrum" vorhanden sind. Es liegt nahe, die Orte der Erbinformation in den Zellen und nicht in der Interzellularsubstanz zu vermuten. Sie sollte dann bei Zellteilungen verdoppelt und an beide Tochterzellen weitergegeben werden.

Zellteilungen (Mitosen) lassen sich unter dem Mikroskop verfolgen. Während das Plasma dabei ohne erkennbare Systematik durchgetrennt wird, laufen in den Zell*kernen* regelmäßig geordnete Prozesse ab (Abb. 2,1 und Tafeln 5—7):

Interphase. Zwischen zwei Teilungen ist der Zellkern (Nucleus) relativ homogen. Die irreführende Bezeichnung „Ruhestadium" bezieht sich auf das Fehlen sichtbarer Bewegungen. Biochemisch ist dies die Phase größter Aktivität.

Prophase. Es werden fädige Strukturen sichtbar, die häufig knotenartige Verdickungen („Chromomere") zeigen. Die Fäden werden deutlicher, verkürzen sich, und an geeigneten Objekten erkennt man, daß es sich um eng zusammenliegende Doppelfäden handelt. Während nun die Kernmembran zerfällt [und bei tierischen Zellen sich außerhalb des Kerns das „Zentriol" (Zentralkörperchen) teilt], verdicken und verkürzen sich die Doppelfäden zu kompakten Gebilden. Man nennt sie „Chromosomen", die beiden Einzelfäden „Chromatiden".

An den Chromosomen ist oft eine Einschnürung sichtbar, das sog. „Centromer"* (Tafel 7), das die beiden Chromatiden verbindet.

Metaphase. Die Chromatiden sind maximal verkürzt und in die Teilungsebene der Zelle gewandert (Bildung der Äquatorialplatte, vgl. Tafel 5). Die Centromere haben sich ebenfalls gespalten.

Anaphase. Zusammengehörige Chromatiden trennen sich, und von jedem Paar bewegt sich je eines zu einem der Pole hin, voran die Centromere, die offenbar durch strahlenförmig von den Polen (bei tierischen Zellen befindet sich dort das geteilte Zentriol) ausgehende „Spindelfasern" geführt werden (Tafeln 6 und 7).

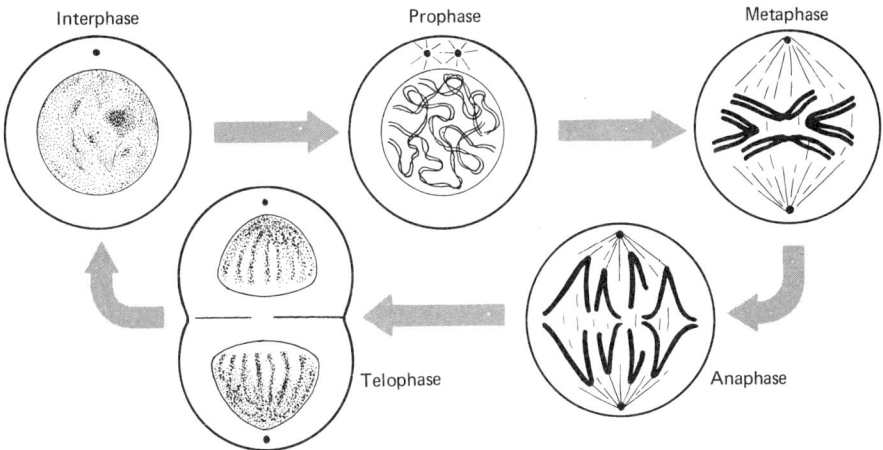

Abb. 2,1. Mitose

Telophase. Die getrennten Chromatiden strecken sich und verlieren ihre deutliche Gestalt. Es bilden sich neue Kernmembranen, das Plasma wird durchteilt. Die Kerne gehen wieder in den Interphasezustand über.

Man vergesse über dieser Beschreibung der sichtbaren Vorgänge nicht, daß die molekularen Mechanismen, die dem Ablauf der Ereignisse zugrunde liegen, noch weitgehend ungeklärt sind.

Während die Mitose in Zellen verschiedener Organismen recht gleich verläuft, offenbart jede Spezies in all ihren Zellen (Ausnahmen § 4/5) eine typische und konstante Zahl von Chromosomen. Auch deren Form und Größe ist charakteristisch, so daß bestimmte Chromosomen in verschiedenen Zellteilungen wiedererkannt werden können. Auf jedem Chromosom befindet sich auch das Centromer in charakteristischer Lage.

Chromosomen werden nicht aus einer homogenen Masse des Interphasekerns für jede Zellteilung neu gebildet, sondern bleiben als sehr aufgelockerte, individuelle Strukturen in der Interphase erhalten. Ihre Neubildung erfolgt nur durch Verdopplung eines bereits vorhandenen Exemplars. Diese Behauptung

---

* Die Neigung, Fachausdrücke zu prägen, hat dazu geführt, daß das Centromer auch als Kinetochor, Kinomer, Bewegungszentrum, Spindelfaseransatz (SFA), primäre Konstriktion, Insertionsstelle usw. bezeichnet wird. Für dieses Buch wurde der international meistgebrauchte Ausdruck gewählt.

läßt sich durch Sonderfälle beweisen, in denen z. B. ein zusätzliches Chromosom vorhanden ist, das in jeder Mitose wieder auftritt, oder einem Chromosom ausnahmsweise ein Teilstück fehlt, was ebenfalls von Zellgeneration zu Zellgeneration beobachtbar ist.

Die Chromosomenzahl verschiedener Organismen (Tabelle 2,2) ist offensichtlich nicht von deren phylogenetischer Entwicklungshöhe abhängig.

Tabelle 2,2. Chromosomenzahlen einiger Organismen

Pferdespulwurm (Ascaris)	*2 × 1 = 2
Mücke (Culex pipiens).	2 × 3 = 6
Roter Brotschimmelpilz (Neurospora crassa).	7
Lebermoos (Sphaerocarpus donnellii)	8
Taufliege (Drosophila melanogaster).	2 × 4 = 8
Erbse (Pisum sativum)	2 × 7 = 14
Mais (Zea mays)	2 × 10 = 20
Raubnasobem (Tyrannonasus imperator)	2 × 12 = 24
Tomate (Solanum lycopersicum)	2 × 12 = 24
Frosch (Rana esculenta).	2 × 13 = 26
Honigbiene (Apis mellifica) ♀	2 × 16 = 32
Weizen (Triticum, verschiedene Spezies)	2 × 7 = 14
	4 × 7 = 28
	6 × 7 = 42
Mensch (Homo sapiens)	2 × 23 = 46
Schimpanse (Pan troglodytes)	2 × 24 = 48
Kartoffel (Solanum tuberosum).	2 × 24 = 48
Rind (Bos taurus)	2 × 30 = 60
Hund (Canis familiaris)	2 × 39 = 78
Einsiedlerkrebs (Eupagurus ochotensis)	2 × 127 = 254
Farn (Ophioglossum vulgatum).	500—520

* Bekanntermaßen diploide (§ 2/2) und polyploide (§ 4/5) Chromosomensätze sind entsprechend gekennzeichnet.

Die Chromosomen des Menschen sind in Tafeln 8 und 9, die von Sphaerocarpus in Abb. 2,3 wiedergegeben.

Bei Sphaerocarpus stimmen sieben der acht Chromosomen im ♂ und ♀ überein. Als achtes treten jedoch bei Männchen und Weibchen unterschiedliche Chromosomen auf. Diese hängen offensichtlich mit dem Geschlecht zusammen (§ 11/1) und werden deshalb als Geschlechts-Chromosomen (oder Heterosomen) bezeichnet, auch als X-Chromosom (♀) und Y-Chromosom (♂). Alle anderen Chromosomen nennt man Autosomen.

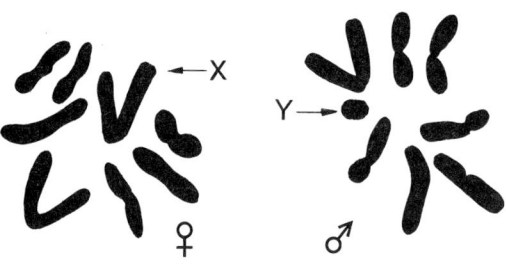

Abb. 2,3. Chromosomen von Sphaerocarpus donnellii, mitotische Metaphasen, Vergr. 6000 × (schematisch nach REITBERGER)

Die bedeutsamste Erscheinung der Mitose ist das Auftreten von Chromosomen-*Doppel*strukturen, deren Hälften sich geordnet auf die späteren Tochterkerne so verteilen, daß jede Zelle eine Spalthälfte jedes Chromosoms erhält. Diese müssen dann in der Interphase wieder verdoppelt werden, denn bei der nächsten Teilung wird jede von ihnen erneut als Doppelgestalt sichtbar.

Ein solches Verhalten entspricht genau den Erwartungen für eine Erbinformation-tragende Struktur. Auch diese muß laufend repliziert und weitergegeben werden. Hinzu kommt, daß Chromosomen eine fadenförmige, d. h. im wesentlichen eindimensionale Struktur besitzen, die aus Kreuzungsergebnissen auch für die abstrakten Kopplungsgruppen erschlossen wurde. Wir können daher vermuten, daß Kopplungsgruppen schematische Darstellungen von Chromosomen sind. Diese Annahme wird sich bis in alle Einzelheiten bestätigen (§ 4/4). Die Beziehung zwischen Erbgut und Chromosomen wurde zuerst von WEISMANN (1885) erschlossen, aber erst durch W. S. SUTTON und T. BOVERI (nach Wiederentdeckung der Mendelschen Arbeit) zur allgemeinen Anerkennung gebracht.

2/2   Reduktion des Chromosomenbestandes und Kernphasenwechsel

Durch zytologische Beobachtung weiß man, daß in mehrzelligen Organismen geschlechtlich differenzierte Keimzellen (Gameten) gebildet werden, die zur Befruchtung paarweise — je ein weiblicher und ein männlicher Gamet — verschmelzen. Die Kreuzungsversuche (Kapitel 1) haben gezeigt, daß in einem Gameten von Sphaerocarpus *alle* (väterlichen bzw. mütterlichen) Gene enthalten sind, denn unter den aus *einer* Befruchtung hervorgehenden vielen Nachkommen einer Sporenkapsel traten alle Merkmale beider Eltern auf.

Da wir Kopplungsgruppen mit Chromosomen identifizieren wollen, muß jede elterliche Keimzelle mindestens einen kompletten Chromosomensatz enthalten. Die Befruchtung führt dann zu einer Zelle (Zygote) mit doppeltem Chromosomensatz, deren Teilung bei der Entwicklung des Organismus weitere derartige Zellen hervorbringt. Würden auch die Gameten dieser Generation den doppelten Chromosomensatz übernehmen, so würde sich bei jeder Befruchtung die Chromosomenzahl verdoppeln. Diese Betrachtung (WEISMANN) zwingt zu dem Schluß, daß irgendwann im Laufe des Generationszyklus der Chromosomenbestand auf die Hälfte reduziert werden muß.

Die Tetradenanalyse von Sphaerocarpus (§ 1/4) hatte gezeigt, daß Tochterindividuen in jedem Merkmal entweder ganz ihrem Vater oder ganz ihrer Mutter entsprachen und nicht die Allele beider Eltern trugen. Jede Spore hatte bei der Topfaufteilung von jedem Gen nur das Allel *eines* Elter erhalten. Die Zufallsverteilung der Faktoren des Topfes reduzierte also die durch die Befruchtung verdoppelte genetische Information wieder auf ihren ursprünglichen Wert. Sie ist der gesuchte Mechanismus der Reduktion des Chromosomenbestandes.

Eine derartige „Reduktionsteilung" muß bei allen sexuellen Fortpflanzungen einmal im Generationszyklus stattfinden. Sie könnte sofort nach der Befruchtung, irgendwann später oder unmittelbar vor der Gametenbildung eintreten. Tatsächlich sind in der Natur all diese Möglichkeiten realisiert, wie die folgenden Beispiele zeigen:

A. Reine Haploidie. Organismen, die sofort nach der Zygotenbildung reduzieren, haben abgesehen von der Zygote selbst in allen Zellen (bzw. bei Einzellern: in allen Individuen) einen „haploiden", d. h. einfachen Chromosomensatz. Hierhin gehören die Sporozoen und manche niedere Pflanzen.

Beispiel. Die einzellige Alge Chlamydomonas vermehrt sich im allgemeinen vegetativ. Bei einer Zellteilung werden unterscheidbare Chromosomen sichtbar. Zur gelegentlichen sexuellen Fortpflanzung vereinigen sich zwei Individuen unter Verschmelzung ihrer Zellkerne. Aus dieser Zygote entstehen vier neue Algen, von denen jede wieder die ursprüngliche Zahl von Chromosomen aufweist. Dieser Vorgang entspricht völlig der Topfaufteilung von Abb. 1,2.

B. Reine Diploidie. Bei allen höheren Tieren findet die Reduktion erst unmittelbar vor der Bildung der Gameten statt. Von diesen abgesehen sind sämtliche Zellen der Tiere „diploid", d. h. mit je einem väterlichen und mütterlichen Chromosomensatz versehen. Bei günstigen Objekten ist die paarweise Identität von Chromosomen an deren Gestalt erkennbar (Tafeln 8, 9 und 30).

Beispiel. Menschliche Keimzellenbildung. Die viele Jahre dauernde Reduktionsteilung bei der Gametenbildung der Frau ist ausführlich in Tafeln 16 und 17 wiedergegeben. Trotz aller Besonderheiten des Prozesses entspricht dieser genetisch den Vorgängen der in wenigen Stunden abgeschlossenen Meiose des Mannes: in beiden Geschlechtern werden Gameten gebildet, die als haploide Zellen nicht weiter teilungsfähig sind. Im Gegensatz zur Frau aber beginnen beim geschlechtsreifen Mann in jeder Sekunde etwa 1000 diploide „Spermatozyten" ihre Reduktionsteilung, die zu je vier „Spermatiden" (runde Zellen mit Plasma) führt. Jede von diesen differenziert sich schnell unter Ablösung fast allen Zytoplasmas und Bildung eines Schwanzes zu einem „Spermatozoid", wovon jedes Ejakulat etwa eine halbe Milliarde enthält.

C. Diplo-Haploidie. Bei vielen Algen, Pilzen und höheren Pflanzen erfolgt die Reduktion weder direkt nach noch unmittelbar vor der Zygotenbildung, sondern mitten im Generationszyklus. Man muß daher eine diploide Phase der Zellgeneration („Sporophyt", Befruchtung bis Reduktionsteilung) von einer haploiden („Gametophyt", Reduktion bis Befruchtung) unterscheiden. Wechseln dabei tatsächlich zwei sich verschiedenartig fortpflanzende Generationen ab, so spricht man von Generationswechsel.

Beispiel 1. Sphaerocarpus. Die „eigentliche" Pflanze, der Thallus, ist haploid. Nur der Inhalt der Sporenkapsel stellt den wenige Zellgenerationen umfassenden diploiden Sporophyten dar, der vom weiblichen Gametophyten ernährt wird und durch Reduktionsteilung (Topfverteilung) haploide Sporen bildet.

Beispiel 2. Bei Farnen entwickelt das diploide Farnkraut (Sporophyt) durch Reduktion haploide, meist nicht geschlechtlich unterschiedene Sporen, aus denen als Gametophyten selbständige kleine Gebilde (Prothallien) mit zwei Arten von Geschlechtsorganen wachsen. Deren Gameten führen durch Befruchtung wieder zum diploiden Sporophyten.

Beispiel 3. Zea mays gehört zu den höheren Pflanzen, bei denen der „eigentliche" Organismus der diploide Sporophyt ist, der die wenigen Zellgenerationen der Gametophyten ernährt. Der Sporophyt hat männliche und weibliche Blüten, in denen viele „Sporenmutterzellen" die Reduktionsteilung durchlaufen. Die weibliche Blüte bildet dabei Makrosporen (vgl. Abb. 2,4) mit je einem haploiden Nucleus, dem primären Embryosackkern, und mit je drei verkümmernden Nebenprodukten. Die Makrosporen durchlaufen als Gametophyten drei Mitosen und werden je zu einem Embryosack, in dem zwei der gebildeten acht (haploiden) Kerne zum „sekundären Embryosackkern" verschmelzen, je drei andere ordnen sich polar an. Ein Kern bildet die Eizelle, während die fünf übrigen Kerne physiologische Aufgaben haben und nach der Befruchtung absterben. Nach diesen Vorgängen ist der weibliche Gametophyt befruchtungsbereit.

Die Reduktion in der ♂ Blüte führt zu haploiden Mikrosporen, die durch eine weitere Mitose zu je einem Pollenkorn werden, das aus einer kleinen generativen und einer großen vegetativen Zelle besteht. Nach Kontakt mit der Narbe der weiblichen Blüte wächst die vegetative Zelle zum langen Pollenschlauch aus, in den die generative Zelle wandert, um dort nochmals eine Mitose zu durchlaufen (männlicher Gametophyt). Einer der beiden Tochterkerne verschmilzt bei der

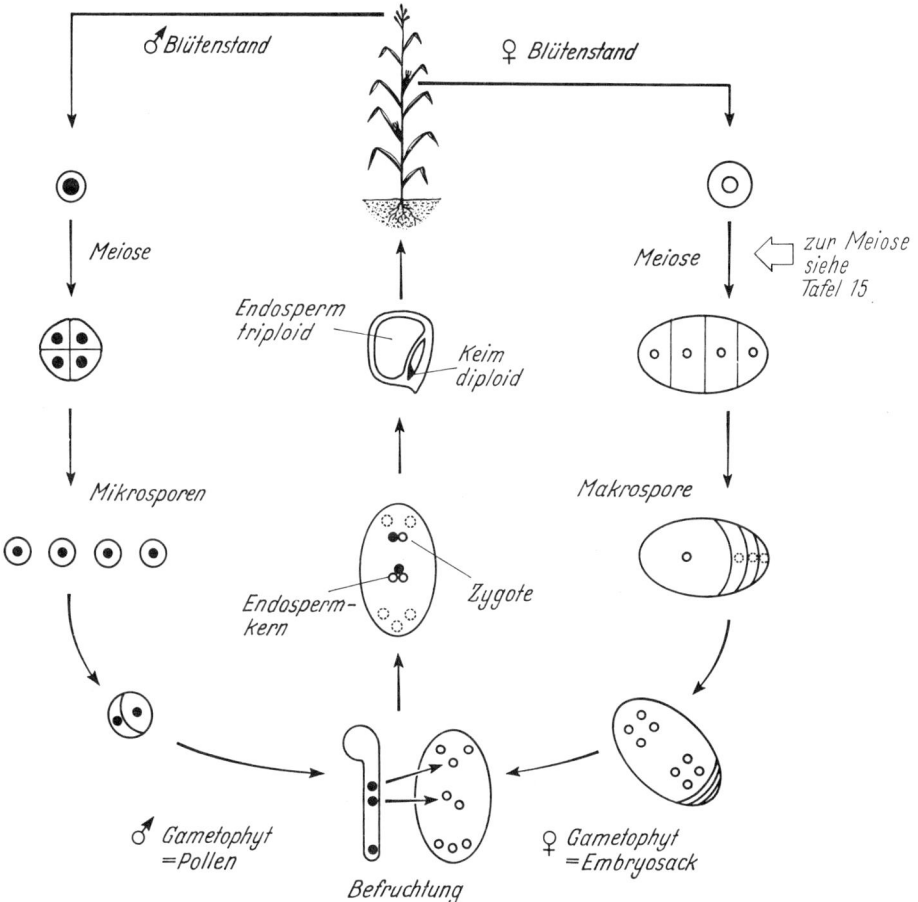

Abb. 2,4. Generationszyklus beim Mais

Befruchtung mit dem bereits diploiden sekundären Embryosackkern zum „triploiden" Endospermkern, der durch Teilung das völlig triploide Endosperm (Nährgewebe für den heranwachsenden Embryo) bildet. Der andere generative Tochterkern vereinigt sich mit der Eizelle zur Zygote aus der sich die diploide Keimpflanze entwickelt (Abb. 2,4).

2/3   Reduktionsteilung (Meiose)

In der bisherigen Betrachtung der Reduktion des Chromosomenbestandes wurde der wesentlichste Punkt dieses Geschehens nicht näher erörtert:

Während für die gewöhnliche Zellteilung (Mitose) nur die geordnete *Aufteilung* der beiden Tochterstrukturen jedes verdoppelten Chromosoms erforderlich ist, verlangt die Reduktionsteilung zunächst die *Erkennung* von homologen väterlichen und mütterlichen Chromosomen. Nur wenn diese zuvor sortiert sind, können sie wohlgeordnet verteilt werden, so daß jede Tochterzelle ein und nur ein Exemplar von jedem homologen Chromosom erhält. Die Meiose muß einen Mechanismus solcher Vorsortierung offenbaren.

Die meiotischen Zellen von Organismen können gefunden und ihre Reduktionsteilung mikroskopisch verfolgt werden. Dabei stellt sich heraus, daß die Reduktion zum einfachen Chromosomensatz bei keinem Organismus (außer angeblich bei wenigen Protozoen) zu *zwei* haploiden Tochterzellen führt.

Überall treten *vier* Produkte der Meiose auf (Tetrade). Das heißt der Vorgang der Erkennung und der geordneten Aufteilung ist immer mit einer Replikation der beteiligten Chromosomen verbunden, so daß zu Beginn der Reduktion stets vier homologe Chromatiden (zwei väterliche und zwei mütterliche) jedes Chromosoms vorliegen. Der tiefere Grund dieses Verhaltens ist noch unverstanden.

Die *Meiose* (Abb. 2,5 und Tafel 13) entwickelt sich aus einem äußerlich gewöhnlichen Interphasekern. Bisher ist nicht entschieden, ob diese Interphase den üblichen Verlauf hat oder ob schon hier entscheidende Abweichungen gegenüber der Mitose auftreten, d. h. Zeitpunkt und Art der Determination zur meiotischen Teilung einer Zelle sind noch ungeklärt.

Prophase I. Lange Chromosomenfäden werden sichtbar, die im Gegensatz zur Mitose mikroskopisch noch keine Doppelstruktur erkennen lassen (Leptotän-Stadium). Darauf setzt eine (oft von den Enden her fortschreitende) Paarung zwischen homologen Chromosomen ein (Zygotän), die als „Synapsis" bezeichnet wird und den entscheidenden ordnenden Vorgang der Meiose darstellt (ausführlich diskutiert in § 7/4). Paarende Chromosomen stimmen in ihrer Länge, dem Ort und der Größe ihrer Chromomere und der Lage ihres Centromers überein und offenbaren sich dadurch als homologe väterliche und mütterliche Strukturen.

Nach vollständiger Paarung verkürzen sich die Chromosomen (Pachytän). Sie lassen dann eine Längsspaltung erkennen, so daß vier parallele Stränge vorliegen, die sich paarweise umeinanderwinden (Diplotän). Dies bedeutet keineswegs, daß zu diesem Zeitpunkt eine Replikation der Erbinformation stattgefunden hätte. Aus zytochemischen Daten weiß man, daß diese in den Interphasen erfolgt (vgl. § 6/10). Jetzt rücken Nichtschwester-Chromatiden auseinander (Diakinese), während Schwesterstränge noch gepaart bleiben. Dabei erkennt man Chromatid-Überkreuzungen, sog. „Chiasmata" (sing. Chiasma).

(Auch verschiedene Geschlechts-Chromosomen ordnen sich bei der Synapsis [oft in einigem Abstand] nebeneinander an. Sie zeigen jedoch keine Chiasmata und wandern häufig als erste zu den Polen.)

Metaphase I. Die Chromosomen formieren sich in der Äquatorialplatte, Nichtschwester-Stränge streben maximal auseinander, werden aber an Chiasmata und häufig auch an den Enden zusammengehalten (Tafel 13). Die noch ungeteilten Centromere sind polwärts orientiert, die Kernmembran ist zerfallen.

Anaphase I. Die gepaarten Chromosomen trennen sich und wandern, das Centromer voraus, polwärts. Bei der Bildung der Tochterkerne büßen sie an Deutlichkeit ein, bleiben aber bei den meisten Arten noch sichtbar. Diese Periode als „Interphase" zu bezeichnen, wäre inkorrekt, da sie sich fundamental von gewöhnlichen Interphasen unterscheidet, besser ist „Interkinese".

Reduktionsteilung II verläuft Mitose-artig, d. h. die sich verkürzenden Chromatid-Doppelfäden formieren sich erneut in den Äquatorialplatten, die Spalthälften streben nach Teilung der Centromere als getrennte Einzelchromatiden zu den Polen. Während die Kernstrukturen verschwimmen, bilden sich neue Kern- und Zellmembranen (Telophase).

Die Reduktionsteilung beginnt also mit einer Replikation des Erbgutes, das dann in zweimal doppelter Ausfertigung vorliegt und nach einer Ordnung homo-

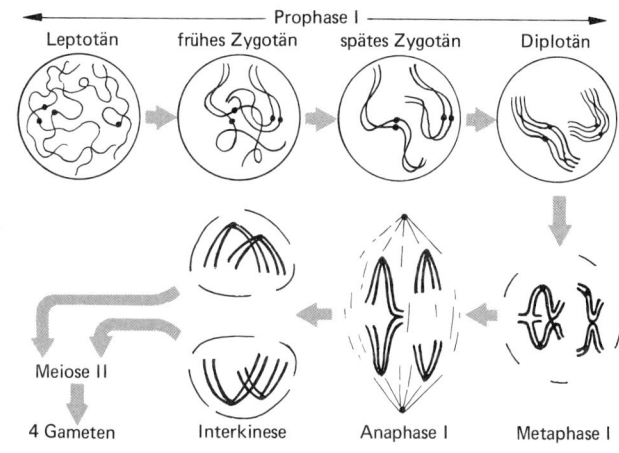

Abb. 2,5. Chromosomen-Verhalten im Zellkern während der ersten meiotischen Teilung

loger Strukturen (Synapsis) auf vier (haploide) Meioseprodukte aufgeteilt wird. Die Parallele dieses Vorganges mit der aus Kreuzungsdaten erschlossenen abstrakten „Topfverteilung" ist evident. Man kann daher aus den Kreuzungsdaten folgern, daß es dem Zufall überlassen bleibt, aus welchen Chromosomen (der väterlichen oder mütterlichen Linie) die vier haploiden Chromosomensätze zusammengestellt werden. Dieser Schluß kann auch zytologisch bestätigt werden, wenn an zwei verschiedenen elterlichen Chromosomen morphologische Abnormitäten vorhanden sind, die eine Unterscheidung von väterlichen und mütterlichen homologen Chromosomen gestatten.

Nicht nur in der Mitose, sondern auch in der Meiose findet man also zytologische Vorgänge, die in Analogie zu genetischen Ergebnissen stehen. Wir wollen jetzt prüfen, ob auch das aus Kreuzungsdaten erschlossene Crossover zytologische Parallelen hat.

2/4 Chiasmata und Crossover

An den gepaarten Meiose-Chromatiden treten in der späten Prophase I Überkreuzungen auf. Es liegt nahe, diese Chiasmata zu den aus Kreuzungsdaten erschlossenen Crossovern in Beziehung zu setzen. Welche Argumente sprechen neben der offensichtlichen Analogie für einen solchen Zusammenhang?

1. Man kann genetisch und zytologisch Crossover- bzw. Chiasmata-Zahlen eines bestimmten Chromosoms ermitteln und gelangt zu ähnlichen Zahlwerten (zur Identifizierung von Kopplungsgruppen mit bestimmten Chromosomen, vgl. § 4/4).

2. Es besteht eine parallele Änderung von Crossover- und Chiasmata-Häufigkeit in Abhängigkeit von der Temperatur, der Feuchtigkeit und anderen physiologischen Faktoren.

Diese Ergebnisse rechtfertigen die Auffassung, daß Crossover und Chiasmata verschiedene Aspekte des gleichen Phänomens sind, d. h. in notwendiger Konsequenz, daß jedem Crossover ein Chiasma und jedem Chiasma ein Crossover

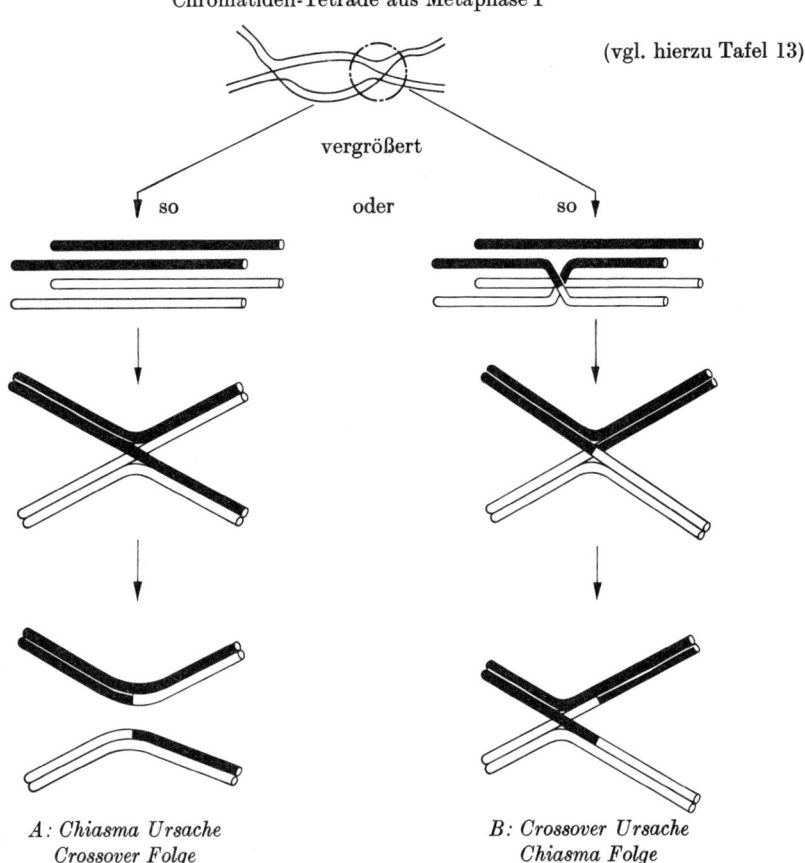

Chromatiden-Tetrade aus Metaphase I

(vgl. hierzu Tafel 13)

vergrößert

so   oder   so

A: *Chiasma Ursache*
Crossover Folge

B: *Crossover Ursache*
Chiasma Folge

Abb. 2,6. Schema zur Kausalbeziehung zwischen Crossover und Chiasma

zuzuordnen ist. Damit ergibt sich eine neue Frage: Erfolgt die genetische Rekombination vor oder nach dem Auftreten sichtbarer Überkreuzungen, d. h. ist das Crossover Ursache oder Folge eines Chiasma? Oder anders formuliert: Sind in der Metaphase I immer Schwesterchromatiden gepaart (wie bei der Beschreibung der Meiose behauptet) oder von Chiasma zu Chiasma alternierend Schwester- und Nichtschwester-Stränge (vgl. Abb. 2,6)? Im Falle A trennen sich die vier Chromatiden unter Bildung von Überkreuzungen, die dann durch Crossover aufgelöst werden. Im Falle B finden zuerst Crossover im Stadium der Paarung aller vier Stränge statt, die bei der nachfolgenden Trennung von Nicht-Schwistersträngen zu Chiasmata führen.

Diese Fragestellung wurde in den dreißiger Jahren lange diskutiert. Die sog. „klassische Theorie" (Crossover ist Folge eines Chiasma) wurde schließlich zugunsten JANSSENS' gegenteiliger Auffassung aufgegeben. JANSSENS[1] schloß (bereits vor MORGANs Entdeckung und Erklärung des Crossovers) aus der Beobachtung von Chiasmata auf ein „genetisch noch nicht bekanntes" Verhalten der Erbsubstanz *. Die Entscheidung zugunsten des Crossovers als Ursache des Chiasmas wurde vor allem von DARLINGTON erbracht durch eine Reihe von Beobachtungen zytologischer Details, zumeist an abnormen Chromosomen. Das überzeugendste Argument liefern Paare von homologen Chromosomen, von denen eines morphologisch anomal ist. Gepaarte Chromatiden zeigen dann stets *beide* diese Anomalie (Abb. 2,7) in Übereinstimmung mit einer ausschließlichen Paarung von Schwester-Strängen. Chiasmata sind also Folgen früher eingetretener Crossover.

beobachtet   nie beobachtet

Abb. 2,7.
Schema einer Paarung homologer Chromosomen, von denen eines verkürzt ist

Ein experimenteller Befund hatte diesen Schluß erschwert: Während des Diplotäns verringert sich oft (z. B. bei Campanula) die Zahl der Chiasmata. Das ist aber gerade nach der „klassischen Theorie" zu erwarten, weil dort das zytologische Chiasma durch ein Crossover aufgelöst wird (Abb. 2,6A). DARLINGTON konnte diesen Befund jedoch durch „Terminalisation" der Chiasmata erklären, d. h. durch die Annahme, daß Chiasmata sich im Laufe des Diplotäns bis zu den Chromosomen-Enden hin verschieben (angedeutet in Abb. 2,6B). Diese Interpretation hat allgemeine Zustimmung gefunden.

Eine andere Frage ist, einfach aber falsch formuliert, folgende: Welche der beiden meiotischen Teilungen ist die eigentliche Reduktion, d. h. wann werden die eventuell unterschiedlichen Erbinformationen aus väterlicher und mütterlicher Linie getrennt? Man spricht von „Präreduktion", wenn das in Anaphase I

---

* Das Phänomen der Genkopplung wurde zuerst von W. BATESON und R. C. PUNNETT [Evol. Comm. R. Soc. Report 3 (1906)] an der Wicke (Lathyrus odoratus), das zytologische Chiasma von J. RÜCKERT [Anat. Anz. 7, 107 (1892)] bei der Oogenese von Selachiern beobachtet.

geschieht, und von „Postreduktion", wenn die Trennung erst in Anaphase II erfolgt (Abb. 2,8).

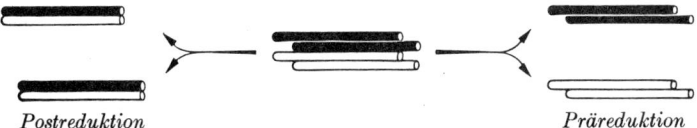

Postreduktion   *Präreduktion*

Abb. 2,8. Alternative Möglichkeiten für einen Chromosomenabschnitt in Anaphase I

Da die Centromere homologer Chromosomen in Anaphase I noch ungeteilt sind, werden diese stets präreduziert. Mit ihnen segregieren die Chromatidabschnitte bis zum ersten Crossover (vgl. Abb. 2,9). Während der folgende Abschnitt immer postreduziert wird, erfährt der Chromatidabschnitt hinter dem zweiten Crossover Prä- oder Postreduktion, je nachdem welche Stränge an den Crossovern beteiligt sind.

Abb. 2,9. Einfluß der Crossover auf Prä- und Postreduktion einzelner Chromosomenabschnitte

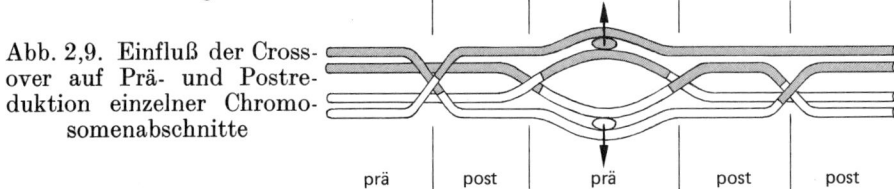

prä | post | prä | post | post

Man kann also keiner der meiotischen Teilungen die „eigentliche" Reduktion zuschreiben. Diese hängt von dem betrachteten Genpaar und der Crossover-Situation der individuellen Tetrade ab. Lediglich die unterschiedlichen Geschlechtschromosomen werden regelmäßig in Anaphase I getrennt, da sich zwischen ihnen keine Crossover ausbilden.

Literatur zu § 2/4:
[1] JANSSENS, F. A.: Cellule **25**, 389 (1909).

2/5   Interferenz

Wir wollen uns jetzt der Frage zuwenden, ob genetische Crossover bzw. zytologische Chiasmata zufallsgemäß auftreten, d. h. ob die Wahrscheinlichkeit für ein zweites Ereignis unabhängig ist von einem ersten, bereits stattgefundenen. Ohne den Ort der Ereignisse in der Tetrade zu berücksichtigen, fragen wir nach der Zahl der Crossover zwischen zwei bestimmten Genen in individuellen Tetraden bzw. nach der Zahl der Chiasmata eines wiedererkennbaren Chromosoms in verschiedenen Meiosen.

Eine zufallsgemäße Verteilung von Ereignissen kann durch folgendes Bild veranschaulicht werden:

Auf ein Pflaster aus gleich großen Steinen sind einige Regentropfen gefallen. Ein Teil der Steine hat überhaupt keinen Tropfen abbekommen. Diesen Anteil nennen wir $p(0)$. Er sei z. B. 0,3, d. h. 30% der Steine blieben ungetroffen. Ein anderer Anteil $p(1)$ hat einen und nur einen Tropfen erhalten. Ebenso können wir den Anteil der Steine mit zwei Tropfen [$p(2)$], drei Tropfen [$p(3)$] usw. auszählen. Die Werte $p(0)$, $p(1)$, $p(2)$ usw. geben zugleich die Wahrscheinlichkeiten an, mit denen ein bestimmter Stein keinmal, einmal, zweimal usw. getroffen wurde. Die Summe aller $p(n)$ ist gleich 1.

Der Zusammenhang zwischen den Werten für $p(0)$, $p(1)$ usw. wird durch die Formel von POISSON gegeben:

$$p(n) = \frac{e^{-m} \cdot m^n}{n!},$$

hierin ist $e = 2{,}71 \ldots$ die Basis der natürlichen Logarithmen, $n! = 1 \cdot 2 \cdot 3 \cdot 4 \cdot 5 \cdots n$, m die mittlere Zahl von Tropfen/Stein. Den Anteil mit z. B. vier Tropfen erhält man, indem in der Formel $n = 4$ gesetzt wird:

$$p(4) = \frac{e^{-m} \cdot m^4}{4!}$$

Für einen bestimmten Mittelwert von Tropfen pro Stein liegt also die ganze Verteilung fest. Dieses m gewinnt man durch Zählung aller Tropfen und Steine oder aus dem Anteil der ungetroffenen Steine, der $p(0) = e^{-m}$ ist.

Die Poisson-Formel ist eine Näherungsgleichung (für kleine Werte von m) der korrekten aber umständlichen Binomialverteilung und ist nur anwendbar, wenn

1. alle Pflastersteine gleich groß sind und
2. alle einzelnen Tropfen voneinander unabhängig, d. h. zufällig verteilt werden.

Wenn man kontrollieren will, ob Ereignisse zufallsverteilt sind, prüft man, ob die gemessene Verteilung der einer Poisson-Verteilung entspricht.

Hat man z. B. den Mittelwert m der Crossover in einer bestimmten Kopplungsgruppe aus Kreuzungsdaten gewonnen, lassen sich mit Hilfe der Poisson-Formel die Wahrscheinlichkeiten errechnen, mit denen bei zufälliger Verteilung 0, 1, 2 usw. Crossover auftreten sollten. Aus einer Drosophila-Kreuzung[1] mit sieben gekoppelten Genen im X-Chromosom berechnete LUDWIG[2] die Crossover-Häufigkeiten bezogen auf einzelne Tetra-den und verglich sie mit den zu erwar-tenden Werten aus der Poisson-Verteilung (Tabelle 2,10).

Dieser Vergleich offenbart eine deut-liche Bevorzugung von Tetraden mit einem und zwei Crossovern gegenüber solchen mit gar keinem oder mehr als zwei Crossovern, d. h. Crossover treten nicht zufallsgemäß auf, sondern sind gleichmäßiger als Zufall über die Tetraden verteilt. Man findet zu wenige Tetraden ohne Crossover und zu wenige mit mehre-ren Crossovern. In den einzelnen Tetraden kommen dann nahe zusammenliegende Crossover seltener als Zufallserwartung vor. Crossover sind so verteilt, als ob ein Crossover andere Crossover in der Nachbarschaft verhindern würde. Dieses Phänomen wird als *Interferenz* bezeichnet.

Tabelle 2,10. Vergleich von tatsächlicher und zufallstheoretischer Verteilung der Crossover-Häufigkeiten

Crossoverzahl pro Tetrade	In Kreuzungen gefundene Häufigkeit (%)	Nach POISSON zu erwartende Häufigkeit (%)
0	7	29
1	64	36
2	28	22
3	1	9
4	0,2	3
5	0	1

Man kann die gleiche Analyse für Chiasmata durchführen und in vielen Meiosen die Chiasmata in einem bestimmten Chromosomenpaar zählen[3]. Man erhält ein analoges Resultat, d. h. fast immer haben Chromosomen ein, zwei oder auch drei Chiasmata, selten keines und selten mehr. (Die Mittelwerte hängen natürlich vom Organismus und der Länge des Chromosoms ab.) Chiasmata sind also ebenso wie Crossover zu gleichmäßig verteilt. Dieser Befund ist eine weitere wichtige Stütze für die Annahme, daß jedem Crossover ein Chiasma entspricht.

Man hat versucht, die Interferenz, also das zu seltene Auftreten relativ eng benachbarter Crossover, durch eine Steifigkeit von Chromosomen zu deuten, die zu nahe Umschlingungen verhindert. Eine biochemische Ursache unter zeitlicher Regulation ist jedoch als Erklärung vorzuziehen.

Interferenz wurde speziell an dem genetisch am besten untersuchten Objekt, nämlich der Fliege Drosophila melanogaster, aber auch an vielen anderen Organismen gefunden. Schwache Interferenz beobachtet man gelegentlich auch über das Centromer hinweg.

Interferenz kann nicht durch einen einzigen Zahlwert völlig charakterisiert werden (ihre Stärke könnte z. B. verschieden über die Entfernung hin abklingen), dennoch vermittelt ein solcher Zahlwert, der sog. *Koinzidenzfaktor*[4], eine ungefähre Vorstellung über die Stärke der Interferenz. Er ist folgendermaßen definiert: In einer 3-FK mit gekoppelten Genen besteht die Wahrscheinlichkeit W_I für Rekombination zwischen den Genen a und b, und W_{II} für Rekombination zwischen b und c.

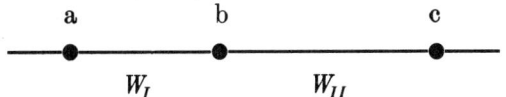

Wären Crossover-Ereignisse zufällig, d. h. voneinander unabhängig verteilt, dann sollte $W_I \cdot W_{II}$ die Wahrscheinlichkeit für den Alleinaustausch des Mittelgens wiedergeben:

$$W_I \cdot W_{II} = W_{\text{doppel}}$$

Der Wahrscheinlichkeit W_I entspricht der Anteil von Nachkommen mit Austausch im Gen a *oder* b (im Beispiel der ersten Kreuzung des § 1/10 waren das $0{,}251 + 0{,}022 = 0{,}273$). Analog wird W_{II} durch Austausch von b oder c repräsentiert ($0{,}189 + 0{,}022 = 0{,}211$). In dieser Kreuzung war aber $W_{\text{doppel}} = 0{,}022$. Da nun aber $0{,}273 \cdot 0{,}211 \neq 0{,}022$ ist, entsteht eine Gleichung erst, wenn wir eine Konstante K einfügen: $0{,}273 \cdot 0{,}211 \cdot K = 0{,}022$, die sich daraus zu $K = 0{,}382$ berechnet.

Diese Konstante

$$K = \frac{W_{\text{doppel}}}{W_I \cdot W_{II}}$$

ist der sog. Koinzidenzfaktor. Ist $K < 1$, so treten zuwenig Doppelrekombinanten auf, d. h. Crossover sind zu gleichmäßig verteilt, bei $K > 1$ dagegen liegen häufiger als Zufallserwartung eng benachbarte Crossover vor. Man spricht dann von „negativer Interferenz" (vgl. § 7/3). Zufallsgemäßes, d. h. voneinander unabhängiges Auftreten von Crossovern entspräche einem Wert von $K = 1$.

Bei der Berechnung von Koinzidenzfaktoren beachte man, daß der K-Wert ganz entscheidend von dem kleinen Anteil der Doppelaustausch-Rekombinanten bestimmt wird. Diese Zahl ist oft nicht groß genug, um entscheiden zu können, ob tatsächlich Interferenz vorliegt oder nicht ($\sqrt{n}$-Gesetz!, vgl. § 1/11). K ist keine allgemeine Größe des Chromosoms oder gar des Organismus, sondern bezieht sich nur auf jeweils 3 Gene einer Kreuzung.

Es sollte erwähnt werden, daß die Problematik der Interferenz aus zwei Teilfragen besteht. Außer der bisher diskutierten Frage nämlich, ob einzelne

Crossover zufallsgemäß auftreten oder nicht (Chromosomen-Interferenz), ist zu klären, welche der vier Chromatidstränge beteiligt sind, wenn zwei Crossover in einer Tetrade stattfinden. Sind das zufällige Stränge oder bevorzugt in beiden Crossovern dieselben bzw. gerade verschiedene Stränge? In dieser noch ungeklärten Frage (Chromatiden-Interferenz) ist das Problem des Schwesterstrang-Austauschs (vgl. § 1/9) von großer Bedeutung.

Literatur zu § 2/5:

[1] BRIDGES, C. B., and R. M. OLBRYCHT: Genetics 11, 41 (1926).
[2] LUDWIG, W.: Faktorenkopplung und Faktorenaustausch, S. 142. Leipzig: Georg Thieme 1938.
[3] HALDANE, J. B. S.: Cytologia (Tokyo) 3, 54 (1931).
[4] Eingeführt durch H. J. MULLER: Amer. Naturalist 50 (1916).

2/6   Chromosomen

Wir haben gesehen, daß der Zyklus der Zellteilungen von einem Zyklus der Gestaltänderung und Bewegung von Chromosomen begleitet ist. Ein kompakter und stark spiralisierter Chromosomen-Zustand während der Zellteilung alterniert mit einem aufgelockerten Gefüge in der Interphase, bei dem keine Beobachtung individueller Chromosomen mehr möglich ist. Zu Beginn der Prophase kondensieren sich die Strukturen zu lichtmikroskopisch erkennbaren Strängen, auf denen kleine Knoten (Chromomere) sichtbar werden. Diese Chromomere sind ein Beginn weiterer Gefügeverdichtung. An günstigen Objekten sind licht- und elektronenmikroskopisch kondensierte Chromosomen schließlich als kompakte Schraubenstrukturen zu erkennen (vgl. Abb. 10,24).

Jedes Chromosom hat einen weniger spiralisierten Bereich, das Centromer. Einige Chromosomen zeigen außerdem eine weitere Einschnürung, so daß ein Teil des Chromosoms als Anhängsel erscheint (Satelliten-Chromosom). Die Chromosomenform wird vornehmlich durch die Lage des Centromers bestimmt, die eine I-, J- oder V-Gestalt in der Anaphase hervorbringt. Ringförmige Chromosomen treten bei höheren Organismen nur als Abnormität auf (z. B. Mais, vgl. § 4/3). Die Größenordnung der Länge von normalen kondensierten Mitose-Chromosomen liegt zwischen 1 und 30 μ (der Größe von Bakterien vergleichbar). Sie kann für entsprechende Chromosomen selbst innerhalb einer Spezies beachtlich schwanken, was aber durch den Grad der Gefügeverdichtung und nicht durch unterschiedliche Mengen genetischen Materials bedingt ist. Solche Schwankungen und andere Unterschiede in Morphologie und Verhalten von Chromosomen verschiedener Organismen, Gewebe und Entwicklungsstadien sind zu vielseitig, um im einzelnen erörtert zu werden. Wir haben uns daher auf die wesentlichen, allen Chromosomen gemeinsamen Charakteristika beschränkt.

Chemisch gesehen bestehen Chromosomen aus Nucleinsäuren (§ 6/4), deren Name sich von ihrem Vorkommen in Zellkernen herleitet, und aus Proteinen (§ 8/4). Wie zuerst von E. HEITZ gezeigt wurde, kann man „euchromatische" und „heterochromatische" Bereiche der Chromosomen unterscheiden. Euchromatisches Material läßt sich während der Zellteilungen gut, in der Interphase wegen seiner Auflockerung schlecht färben. Es enthält fast alle Gene und mehr Desoxyribonucleinsäure (DNA) als das Heterochromatin. Die Bedeutung des Hetero-

chromatins ist noch unklar. Es folgt einem anderen Verdichtungs- und Auflocke-
rungszyklus als das Euchromatin. Oft findet auch die DNA-Synthese von Eu-
und Heterochromatin zu verschiedenen Zeiten des Zellteilungs-Zyklus statt.

Es gibt Chromosomen, wie das Y-Chromosom von Drosophila, die fast vollständig aus Heterochromatin bestehen. Weiter sind kleinere heterochromatische
Abschnitte, in denen auch die Centromere liegen, auf verschiedene Chromosomen
verteilt. An diesen oder nur einem solchen Bereich entwickeln sich in der Interphase ein oder mehrere stark angeschwollene färbbare Gebilde, die sog. Nucleoli
(sing. Nucleolus). Vor der Zellteilung bilden sich diese jedoch wieder zurück
und schrumpfen auf kleine heterochromatische Chromosomenabschnitte zusammen, die oft sogar gegenüber euchromatischen Bereichen als Einschnürung erscheinen.

Wir werden weitere Einzelheiten der Struktur und Funktion von Chromosomen später diskutieren (§ 6/10, 10/13) und wollen uns jetzt noch einem speziellen
Phänomen zuwenden, nämlich dem Auftreten von

Riesenchromosomen

Diese werden bei Dipteren in Zellkernen bestimmter Gewebe beobachtet.
Es war ein glücklicher Zufall, daß sie gerade bei Drosophila vorkommen,
einem Versuchsobjekt, das schon zur Zeit der Wiederentdeckung* der Riesenchromosomen genetisch am besten erforscht war.

Die Kerne der Speicheldrüsenzellen von Drosophila-Larven sind wesentlich
größer als normale Zellkerne und haben einen Verband ungewöhnlich großer
Chromosomen, der ohne Zellteilung als deutliche Dauerstruktur sichtbar ist.
Das X-Chromosom z. B. hat eine Länge von etwa $200\,\mu$ gegenüber einer normalen
Metaphase-Länge von etwa $1,5\,\mu$. Im gleichen Maßstab sind auch die Autosomen vergrößert. Alle Chromosomen zeigen ein färbbares charakteristisches
,,Querscheiben-Muster", das in Abb. 2,11 und in Tafel 24 wiedergegeben ist.
Besonders beeindruckend ist die Konstanz dieses Musters, wenn man Kerne
aus gleichen Zellarten und gleichen Entwicklungsstadien vergleicht. BRIDGES
ordnete den einzelnen Querbanden Zahlen und Buchstaben zu und stellte Karten
dieser Muster auf, die eine Wiedererkennung individueller Querscheiben erleichtern (vgl. § 4/4).

In manchen Fällen, z. B. bei Drosophila, sind alle Chromosomen zu *einem*
vielarmigen Gebilde vereinigt (Tafel 24). Sie werden durch das ,,Chromozentrum"
zusammengehalten, das aus den heterochromatischen Bereichen, d. h. aus den
Centromeren aller Chromosomen und dem Nucleolus gebildet wird. Hervorzuheben ist, daß homologe Chromosomenpaare (von beiden Eltern) in dauernder
Paarung sind, d. h. gemeinsam einen Strang des Riesenchromosoms bilden. Das
wird besonders in Larven späterer Männchen deutlich, bei denen das Riesen-
X-Chromosom nur die halbe Dicke der anderen Chromosomen hat. (Auch bei
Dipteren hat das Weibchen zwei X-, das Männchen ein X- und ein Y-Chromosom,
vgl. § 3/5). Das heterochromatische Y-Chromosom ist fast vollständig im Chromozentrum aufgegangen.

---

* Ursprünglich von E. G. BALBIANI [Zool. Anz. 4, 637 (1881)] beschrieben, wurde die
Bedeutung der Riesenchromosomen erst von E. HEITZ und H. BAUER [Z. Zellforsch. 17,
67 (1933)] und T. S. PAINTER [Science 78, 585 (1933)] erkannt.

Riesenchromosomen werden auch polytäne Chromosomen genannt. Ihre Größe rührt nämlich daher, daß sie wie ein Kabel aus hunderten einzelner Chromatidfäden bestehen (vgl. den schematischen Schnitt von Abb. 2,11), die zu einem

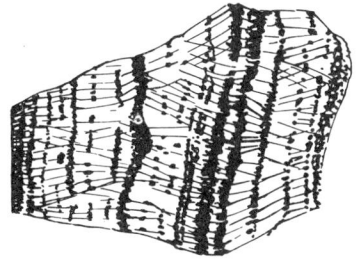 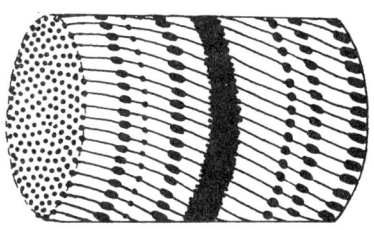

Abb. 2,11.
   A: Stück eines Riesenchromosoms   B: Schematischer Schnitt
      nach H. BAUER, Z. Zellforsch.   nach A. KÜHN
      23, 280 (1935)

dicken Bündel assoziiert sind wie BEERMANN überzeugend an Chironomus zeigen konnte[1]. Offensichtlich entstehen diese Chromatidbündel durch vielfache Verdopplung ohne mitotische Trennung der Stränge, was sich auch an den steigenden Kernvolumina manifestiert (vgl. § 4/5 über Endopolyploidie). Dieser Prozeß konnte durch Messung des DNA-Gehalts von Zellen (Feulgenfärbung und spektrophotometrische Auswertung) verfolgt werden, wobei sich maximal eine neun- bis zehnmalige Verdopplung der DNA-Menge/Kern ergab, d. h. größenordnungsmäßig eine Vertausendfachung der Chromatide. Die Chromomere der einzelnen Stränge bilden dabei offenbar die Querscheiben der Struktur (Abb. 2,11).

Literatur zu § 2/6:
[1] BEERMANN, W.: Chromosoma (Berl.) 4, 630 (1952).

Zusammenfassung des Kapitels

Die zytologische Beobachtung der Kernvorgänge in Mitosen und Meiosen offenbarte fädige Strukturen (Chromosomen), die im Verlauf der Zellteilungen bestimmte Form- und Bewegungszyklen durchlaufen und sich dabei zu individuell an Gestalt und Größe unterscheidbaren Gebilden verdichten. Jede Organismenart zeigt eine charakteristische Zahl solcher Chromosomen. In Diplonten (Reduktionsteilung kurz vor der Gametenbildung) haben alle Zellkerne (außer denen der Geschlechtszellen) einen doppelten Chromosomensatz, einen aus väterlicher und einen aus mütterlicher Linie. Haplonten reduzieren dagegen bald nach der Befruchtung und haben daher nur ein Exemplar jedes Chromosoms.

Während in der Mitose je eine Spalthälfte eines jeden Chromosoms geordnet auf die eine und die andere Tochterzelle aufgeteilt wird, verlangt die Meiose zunächst eine Erkennung und Ordnung der aus väterlicher und mütterlicher Linie stammenden homologen Chromosomen. Die Meiose ist stets mit einer Replikation verbunden, so daß Chromatid-Tetraden entstehen, deren Aufteilung zu vier Meioseprodukten, d. h. zu vier haploiden Kernen führt.

Die Parallele zu den aus Kreuzungsdaten erschlossenen Vorgängen und Strukturen gestattet eine Identifizierung von Chromosomen mit Kopplungsgruppen und der Meiose mit dem Prozeß der Topfaufteilung. Weiter zeigten sich Crossover als Ursache von Chiasmata. Crossover und Chiasmata treten im allgemeinen nicht zufallsgemäß auf (Interferenz), so daß meist ein oder zwei Chiasmata pro Chromosom erscheinen.

In bestimmten Zellen von Dipteren findet man abnorm große Chromosomen, die aus vielen assoziierten einzelnen Strängen bestehen und durch Replikation der Chromatiden ohne folgende Mitose zu erklären sind.

Nachdem in diesem Kapitel die zytologische Basis der genetischen Information und der wesentlichen Erbvorgänge dargestellt wurde, wollen wir uns jetzt den Komplikationen der Kreuzungsanalyse zuwenden, die aus dem Vorhandensein einer doppelten genetischen Information bei Diplonten erwachsen.

Weitergehende Literatur:

BEERMANN, W.: Riesenchromosomen. Wien: Springer 1962.

LUDWIG, W.: Faktorenkopplung und Faktorenaustausch. Leipzig: Georg Thieme 1938.

SWANSON, C. P.: Cytology and Cytogenetics. New York: Prentice-Hall, Inc. 1957. Deutsche Ausgabe: Gustav Fischer Verlag, Stuttgart 1960.

SWANSON, C. P., T. MERZ and W. YOUNG: Cytogenetics. New York: Prentice-Hall, Inc. 1967.

3 Kreuzungsanalyse bei diploiden Organismen

3/1 Die zusätzliche Komplikation

Ein haploider Zellkern besitzt nur *ein* Exemplar jedes einzelnen Gens, das entweder aus der väterlichen oder mütterlichen Linie stammt. Die Ausbildung des Merkmals steht unter der Kontrolle nur dieses Allels. Bei Diplonten dagegen ist jedes Gen zweimal vorhanden, einmal als mütterliches, einmal als väterliches Allel. Haben diese beiden homologen Gene die gleiche Information (gleiche Allele), so wird natürlich das dadurch festgelegte Merkmal auftreten. Liegen dagegen verschiedene Allele vor, so sollten beide auf das Merkmal einwirken:

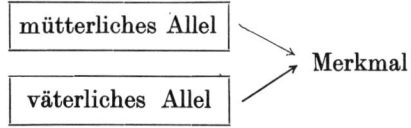

Nach welchem Allel richtet sich das Merkmal?

Kreuzungsversuche zeigen zunächst, daß die Herkunft der Allele ohne Einfluß ist, d. h. reziproke Kreuzungen (Geschlecht vertauscht) liefern gleiche Ergebnisse (Ausnahmen siehe § 3/5). Das Verhalten verschiedener Allelpaare ist jedoch unterschiedlich:

Oft entspricht das Merkmal dem Charakter des einen Allels, ohne die Anwesenheit des anderen zu berücksichtigen, z. B.

Allel für hohen Wuchs

Allel für niedrigen Wuchs $\longrightarrow$ Wuchs hoch (bei Pisum sativum)

oder

Allel für weiße Augen

Allel für rote Augen $\longrightarrow$ Augen rot (Drosophila melanogaster).

Das Merkmal-bestimmende Allel wird in solchen Fällen „dominant", das unterlegene „rezessiv" genannt. Diese Bezeichnung wurde schon durch MENDEL eingeführt.

Manchmal aber nimmt das Merkmal eine mittlere Erscheinungsform an, z. B.

Allel für weiße Blüte

Allel für rote Blüte $\longrightarrow$ Blüte rosa (Mirabilis jalapa).

Solche Situation bezeichnet man als „intermediäres" Verhalten des Allelpaares.

Es muß betont werden, daß intermediäre und dominante Merkmalsausbildung ideale Grenzfälle darstellen. Fast immer ist ein Allel zwar unterlegen, aber bei gründlicher Merkmalsprüfung ist seine Anwesenheit an kleinen Unterschieden erkennbar. Es gibt so alle Abstufungen zwischen intermediärem und dominantem Verhalten. Die Bezeichnung eines bestimmten Allels als „dominant" ist also in gewissem Maße willkürlich und von der Gründlichkeit der Merkmalsuntersuchung abhängig. Trotzdem ist es praktisch, mit diesem Begriff zu operieren, wobei man sich nur klar darüber sein muß, daß ein Allelpaar dann als dominant/rezessiv bezeichnet wird, wenn auf den ersten Blick hin die Wirkung des einen Allels durch die des anderen überdeckt wird.

Zur Nomenklatur. Bei Diplonten muß der „Genotyp", d. h. die Erbanlagen, vom „Phänotyp", den sichtbaren Merkmalen, unterschieden werden. Verschiedene Genotypen können wegen der Dominanz praktisch gleiche Phänotypen hervorbringen, z. B. kann die schwarze Fellfarbe des Rindes durch das Allelpaar schwarz/rotbraun oder durch schwarz/schwarz bedingt sein.

Ein Organismus mit zwei gleichen Allelen eines Gens wird als „homozygot" für dieses Gen bezeichnet („reine Rasse" in bezug auf dieses Gen). Entsprechend charakterisiert „Heterozygotie" das Vorliegen unterschiedlicher Allele. Ein solches Individuum wird auch „mischerbig" oder ein „Bastard" oder eine „Hybride" genannt. Man unterscheidet die monohybride Situation (Heterozygotie in *einem* Gen) von dihybrider, trihybrider usw.

Dominante Mutationen werden meist durch große Buchstaben gekennzeichnet. So ist z. B. bei Drosophila das mutierte Allel B (Bar eyes = schmale Augen) dominant über das Wildallel B⁺. Hingegen ist vg (vestigial wings = verkrüppelte Flügel, Abb. 3,2) rezessiv gegenüber dem Wildallel vg⁺. Oft werden zwei Allele auch durch Groß- und Kleinbuchstaben (A und a) unterschieden. Hierbei wird zwar die Dominanz erkennbar, aber keine Zuordnung des Wildtyps. Das ist erwünscht, wenn die beiden Allele in verschiedenen Wildrassen gefunden werden.

Die genetische Schreibweise eines diploiden Organismus ist z. B., wenn Homozygotie für vestigial und Heterozygotie für Bar vorliegt:

$$\frac{vg\ B}{vg\ +} \quad oder \quad \frac{vg\ B}{vg\ +} \quad oder \quad vg\ B/vg\ + \quad oder \quad vgvg\ BB^+$$

Auch hier nennt man meist die aus der mütterlichen Linie stammenden Allele zuerst.

Kreuzungen. Kreuzt man „reine" Rassen (d. h. homozygote Stämme), die sich nur in einem Gen unterscheiden:

Eltern $a^+a^+ \times a\,a$,

so haben diese in jedem Elter unter sich gleiche

Gameten a^+ bzw. a.

Die Individuen der Tochtergeneration sind dann eine

einheitliche F 1 a^+a.

Das steht im Gegensatz zu dem analogen Ergebnis bei Haplonten. Bei diesen ist ja die Reduktion bereits wieder erfolgt, die bei Diplonten erst zur Gametenbildung der F 1 stattfindet. Erst dann entstehen in jedem Individuum

verschiedene Gameten der F 1 a^+ und a.

Bei einer Weiterkreuzung der Tochtergeneration treten in den F 2-Zygoten verschiedene Allelkombinationen entsprechend folgendem Schema auf:

		männliche Gameten	
		a^+	a
weibliche	a^+	$a^+\ a^+$	$a^+\ a$
Gameten	a	$a\ \ a^+$	$a\ \ a$

Da a^+- und a-Gameten gleich häufig sind, erhält man in der F 2 eine

genotypische Aufspaltung von a^+a^+ : a^+a : aa
in den Häufigkeiten   1   :   2   :   1.

Das *phänotypische* Ergebnis hängt von der Art der Merkmalsausbildung ab:

| *Intermediäres Allelpaar*
Beispiel: Kaninchen-Fellfarbe | *Dominant/rezessives Allelpaar*
Beispiel: Rind-Fellfarbe |

Bei intermediärer Situation wird jeder Genotyp auch phänotypisch erkennbar. Bei Dominanz gleicht die (in jedem Fall einheitliche) F1 äußerlich einem Elter. Ihre Heterozygotie wird jedoch in der F2 sichtbar, wobei die genotypische Aufspaltung von 1:2:1 zu einem phänotypischen Verhältnis von 3:1 wird. Zwei Drittel der schwarzen Tiere der F2 sind mischerbig wie ihre F1-Eltern.

3/2   Kreuzungen mit zwei ungekoppelten Genen

Wir gehen wieder von einer Kreuzung zwischen homozygoten Eltern aus:

$$\begin{matrix} a\,b \\ a\,b \end{matrix} \times \begin{matrix} +\,+ \\ +\,+ \end{matrix}$$

Deren Gameten sind einheitlich   a b bzw. + +

Aus ihnen entsteht eine uniforme F1: $\begin{matrix} a\,b \\ +\,+ \end{matrix}$

Der Phänotyp dieser Nachkommen hängt in seinem a-Merkmal von dem Dominanzverhältnis zwischen a und a^+, in seinem b-Merkmal von dem des Allelpaares b und b^+ ab.

Die bei der Gametenbildung der F1 erfolgende Reduktion entspricht völlig der zufallsgemäßen Tetradensegregation (Topfverteilung) von haploiden Organismen. Für die Gameten, nicht für die diploiden Organismen selbst, gilt die freie Kombinierbarkeit von Merkmalen und die Entweder-Oder-Regel der Vererbung. Infolgedessen bilden alle F1-Individuen vier Typen von Gameten:

$$a\,b, \quad a\,b^+, \quad a^+b, \quad a^+b^+$$

in gleichen Häufigkeiten (vgl. § 1/4).

Bei Weiterkreuzung der F1 verschmelzen zwei zufällige dieser Gameten zur wieder diploiden Zygote. Die möglichen Zygoten zeigt das folgende Schema:

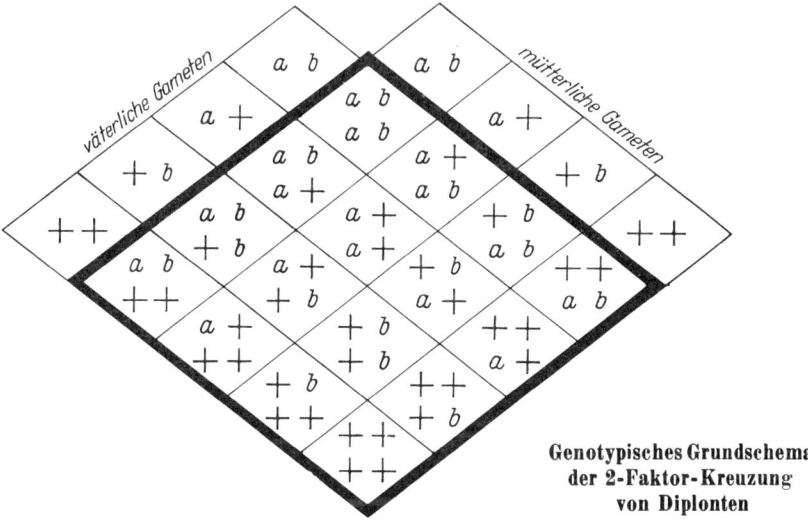

**Genotypisches Grundschema
der 2-Faktor-Kreuzung
von Diplonten**

Da die vier Gameten gleich wahrscheinlich sind, werden auch die 16 Kombinationsmöglichkeiten gleich häufig realisiert.

Vier von 16 Nachkommen (senkrechte Diagonale) sind homozygot für beide Gene und nur jeweils einer ist den großelterlichen Ausgangsrassen der Kreuzung identisch. Die vier Individuen der waagerechten Diagonale haben den gleichen doppelt-heterozygoten Genotyp $a\,a^+\,b\,b^+$. Insgesamt treten $3^2 = 9$ verschiedene Genotypen in der F2 auf. (Für jedes Gen gibt es drei Möglichkeiten: homozygot Allel 1, homozygot Allel 2 und heterozygot.) Mit diesem Grundschema können wir leicht bestimmte Fälle von intermediären und dominant/rezessiven Allelpaaren betrachten.

Beispiel. Das Allel für schwarze Fellfarbe von Rindern ist dominant über das für rotbraunes Fell, das Allel für Ganzfarbigkeit dominant über das für Scheckung. Eine derartige Kreuzung zwischen reinen Rassen führt zu folgendem phänotypischen Schema (vgl. dieses mit dem genotypischen Schema):

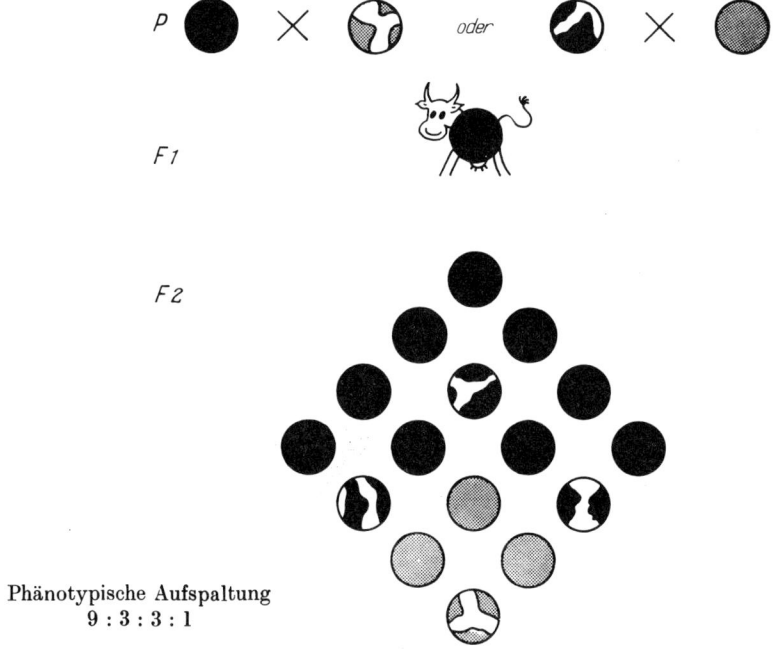

Phänotypische Aufspaltung
9 : 3 : 3 : 1

Wir wollen die Situation grundsätzlich an einem hypothetischen Faktorenpaar diskutieren:

Das Gen A kontrolliere die Farbe   AA = schwarz
                                      Aa = grau
                                      aa = weiß

Das Gen B die Stachligkeit   BB = stachlig
                                      Bb = wenig stachlig
                                      bb = glatt

Gehen wir von einer Kreuzung homozygoter Rassen

aus, so erhält man als phänotypisches Grundschema der F2:

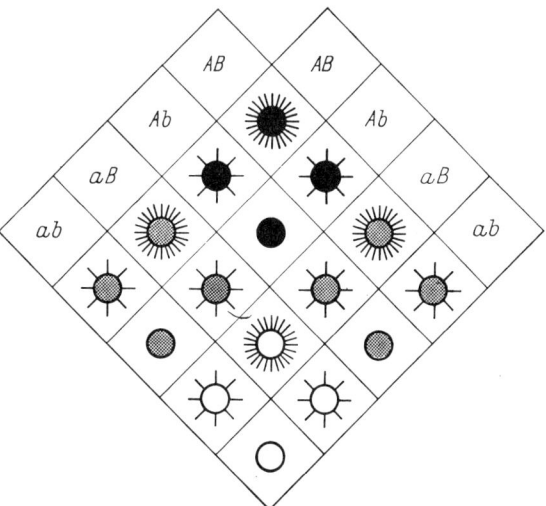

Wir finden eine Aufspaltung in neun (genotypische und phänotypische) Gruppen:

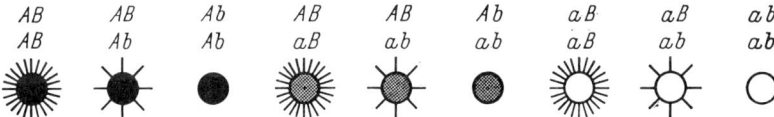

in einem Häufigkeitsverhältnis:

$$1 \ : \ 2 \ : \ 1 \ : \ 2 \ : \ 4 \ : \ 2 \ : \ 1 \ : \ 2 \ : \ 1$$

Läge in einem der Allelpaare Dominanz vor, z. B. stachlig dominant über glatt, würde sich die Zahl der phänotypischen Gruppen auf sechs reduzieren:

$$3 \ : \ 1 \ : \ 6 \ : \ 2 \ : \ 3 \ : \ 1$$

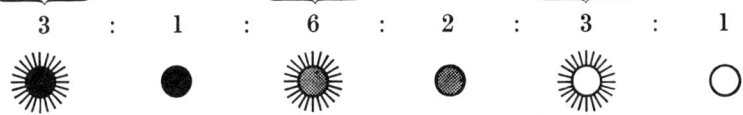

Zeigt auch das zweite Merkmal Dominanz (a rezessiv gegen A), so ergeben sich nur vier Phänotypen:

$$9 \ : \ 3 \ : \ 3 \ : \ 1$$

entsprechend dem eben beschriebenen Rinderbeispiel.

MENDEL erhielt ein derartiges Aufspaltungsverhältnis für zwei Merkmals-alternativen des Erbsensamens, nämlich grün/gelb und rund/eckig. Er fand folgende Zahlenwerte:

$$
\begin{array}{lll}
\text{gelb} & \text{rund} & 315 \\
\text{gelb} & \text{eckig} & 101 \\
\text{grün} & \text{rund} & 108 \\
\text{grün} & \text{eckig} & 32 \\
\end{array}
$$

3/3   Testkreuzung

Es ergibt sich bei dominant/rezessiven Allelpaaren die Notwendigkeit, phäno-typisch gleiche, aber genetisch verschiedene Individuen zu unterscheiden. Zu diesem Zweck kreuzt man das fragliche Individuum mit einem in allen Genen homozygot rezessiven Typ. Diese Art von Kreuzung wird als Testkreuzung bezeichnet. Im Beispiel der Scheckung und Farbe von Rindern also:

$$\frac{AB}{??} \quad \bullet \quad \times \quad \bigcirc \frac{ab}{ab} \qquad A = \text{schwarz}, \quad a = \text{rotbraun}, \quad B = \text{ganzfarbig}, \quad b = \text{gescheckt}$$

In dem homozygoten Testpartner werden nur Gameten des Typs a b gebildet, in dem zu prüfenden Individuum außer AB eventuell auch Ab, aB und ab. Die bei Reifeteilung des fraglichen Individuums entstehenden Gameten be-stimmen allein den Phänotyp der Nachkommenschaft, da der Testpartner stets nur die rezessiven Allele a und b beisteuert. Die Nachkommenschaft solcher Testkreuzung offenbart also — wie bei Haplonten schon die direkte Kreuzung — die Meiosevorgänge und die genetische Konstitution des zu prüfenden Individuums.

Die Nachkommenschaft ist entweder

(a) uniform   ●   es lag doppelte Homozygotie vor $\left\{ \begin{array}{l} AB \\ AB \end{array} \right.$

oder

(b)   ● + ◉   Homozygotie des Farbgens / Heterozygotie des Scheckungsgens $\left\{ \begin{array}{l} AB \\ A\,b \end{array} \right.$

oder

(c)   ● + ◯   Heterozygotie des Farbgens / Homozygotie für Ganzfarbigkeit $\left\{ \begin{array}{l} AB \\ a\,B \end{array} \right.$

oder

(d)   ● + ◉ + ◯ + ◉   Heterozygotie für beide Gene $\left\{ \begin{array}{l} AB \\ a\,b \end{array} \right.$

(Linke untere Reihe des 16er Schemas)

Liegt in dem zu prüfenden Individuum doppelte Heterozygotie vor, so liefert eine Testkreuzung völlig unabhängig von den Dominanz-Verhältnissen *immer* vier verschiedene Phänotypen, wie an dem Beispiel des hypothetischen Gen-paars Farbe (Gen A) und Stachligkeit (Gen B) demonstriert werden soll:

Die Testkreuzung sei $\dfrac{AB}{ab} \times \dfrac{ab}{ab}$

Die vier möglichen Genotypen der Tochtergeneration sind dann

$$\frac{AB}{ab} \quad \frac{Ab}{ab} \quad \frac{aB}{ab} \quad \frac{ab}{ab}$$

deren Phänotypen sind

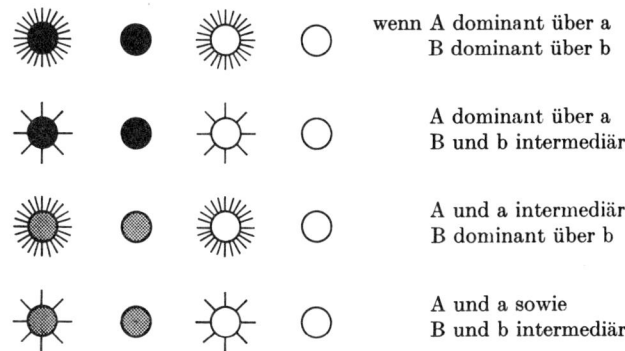

wenn A dominant über a
B dominant über b

A dominant über a
B und b intermediär

A und a intermediär
B dominant über b

A und a sowie
B und b intermediär

Hierin zeigt sich die Segregation einzelner Gene. Wie schon betont, entspricht die Gametensegregation bei Diplonten dem Kreuzungsergebnis von Haplonten. Durch den Trick der Testkreuzung wird die Konstitution aller Gameten sichtbar und somit die Komplikation der Diploidie umgangen. Dies gilt für Kreuzungen mit beliebig vielen — auch gekoppelten — Genen.

3/4   Kreuzungen mit gekoppelten Genen

Zur Prüfung der Genkopplung bei Diplonten sind stets mindestens zwei Kreuzungen erforderlich, wenn man von homozygoten Stämmen ausgeht.

Die erste Kreuzung $\qquad \frac{AB}{AB} \times \frac{ab}{ab}$

liefert die doppelt heterozygote F1: $\qquad \frac{AB}{ab}$

Die anschließende Testkreuzung $\qquad \frac{AB}{ab} \times \frac{ab}{ab}$

offenbart das Meiosegeschehen in dem heterozygoten Individuum. Treten weniger als 50% Rekombinanten auf, so liegt Kopplung vor (vgl. § 1/7).

Zur Aufstellung von Genkarten dienen wieder 3-Faktor-Kreuzungen des allgemeinen Typs

$$\frac{ABC}{a\,b\,c} \times \frac{abc}{abc}$$

Die Häufigkeiten der vier Paare von Nachkommentypen (P, RI, RII, RIII) gestatten in Analogie zu Haplonten (§ 1/10) die Bestimmung der Austauschwahrscheinlichkeiten und damit der Kopplungsgruppen. Dabei stellt sich bei allen gut untersuchten Objekten heraus, daß ebenso viele Kopplungsgruppen wie

Chromosomen im haploiden Satz existieren. Dieser Befund bestätigt überzeugend die Identität von abstrakter Kopplungsgruppe und Chromosom. In § 4/4 werden hierfür noch deutlichere Beweise erbracht. Jetzt soll die Kopplung an Beispielen demonstriert werden.

Der *Mais* ist eines der genetisch bestuntersuchten Objekte. Er verbindet die Eignung zur Grundlagenforschung mit großer landwirtschaftlicher Bedeutung. Mais bildet (vgl. § 2/2) getrennte männliche und weibliche Blüten, wodurch Kreuzungen sehr erleichtert werden. Zur Vermeidung von ungewollter Bestäubung bzw. zur Sammlung nicht verunreinigten Pollens werden die Blüten in Plastikbeutel gebunden.

An diesem Pollen läßt sich in günstigen Fällen die 1:1-Segregation eines Allelpaars in der männlichen Meiose *direkt* (wie bei haploiden Organismen) nachweisen. Die Merkmalsalternative „waxy"/normal betrifft die Bildung von Stärkevorräten (w^+) bzw. von Dextrin anstelle von Stärke (w) und kann am haploiden Pollen heterozygoter Pflanzen bereits erkannt werden. Durch Jodbehandlung färben sich waxy-Pollen rot, normale Pollen blau. DEMEREC konnte so 3482 waxy und 3437 normale Pollenkörner in einer Probe auszählen.

Die weibliche Blüte enthält viele Eizellen (jede das Produkt einer individuellen Meiose), die nach Bestäubung zu je einem Maiskorn heranwachsen. Für eine Testkreuzung benutzt man dazu einheitlichen rezessiven Pollen. Kreuzungsergebnisse sind ohne erneute Aussaat abzulesen, wenn die beteiligten Merkmale Farbe oder Form der Maiskörner selbst betreffen. [Reziproke Kreuzungen von *Korn*merkmalen verlaufen nicht immer gleich, da im triploiden Endosperm der mütterliche Chromosomensatz doppelt, der väterliche nur einmal enthalten ist (vgl. § 2/2).] Reziproke Kreuzungen mit Merkmalen der *Pflanze*, die aus dem diploiden Keim entsteht, führen wie üblich immer zu identischen Resultaten.

Im neunten Chromosom von Mais liegen zwei Faktoren, die das Maiskorn betreffen: Das dominante Allel „coloured aleurone" (C) bildet im Gegensatz zum Normaltyp farbige Körner, das rezessive Allel „shrunken" (sh) führt zu einem durch Trocknung einschrumpfenden Korn.

Das Ergebnis einer Testkreuzung

$$\frac{C+}{+sh} \times \frac{+sh}{+sh}$$

zeigt Abb. 3,1. Die Mehrzahl der Körner entspricht dabei den Genotypen C+/+sh und +sh/+sh. Nur in wenigen Fällen (Pfeile) tritt C sh/+sh bzw. die reziproke Rekombinante ++/+sh auf. Insgesamt findet man ein Verhältnis von 1:1:0,03:0,03, das enge Kopplung zwischen den Genen C und sh anzeigt.

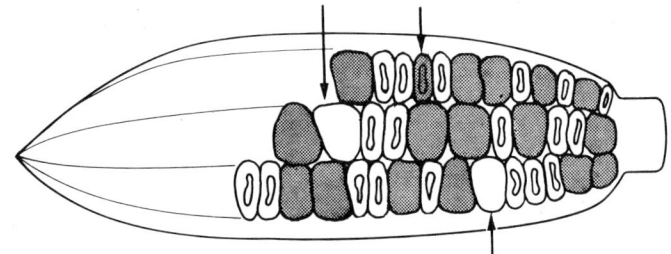

Abb. 3,1. Direkte Ablesung eines Kreuzungsergebnisses am Maiskolben

Das zweite klassische Versuchsobjekt* der Genetik aber ist *Drosophila melanogaster* (Abb. 3,2). Viele grundlegende Erkenntnisse wurden an dieser etwa 3 mm großen Fliege, speziell von T. H. MORGAN und seiner Schule, gewonnen. Drosophila wird in Gläsern gezüchtet, deren Boden mit einer dicken Schicht aus Maismehl, Hefe-Extrakt, Zucker und Agar gefüllt wird, die als Futter, zur Eiablage und Larvenentwicklung dient. Der Generationszyklus beträgt bei 25⁰ C etwa 2 Wochen. Zur Züchtung können nur frischgeschlüpfte Weibchen benutzt werden, da nach einer Kopulation das männliche Sperma zur Befruchtung späterer Eier in einem „Receptaculum seminis" aufbewahrt wird. An Drosophila wurden Hunderte von verschiedenen Mutationen untersucht und auf vier Kopplungsgruppen lokalisiert (vgl. Tabelle S. 51).

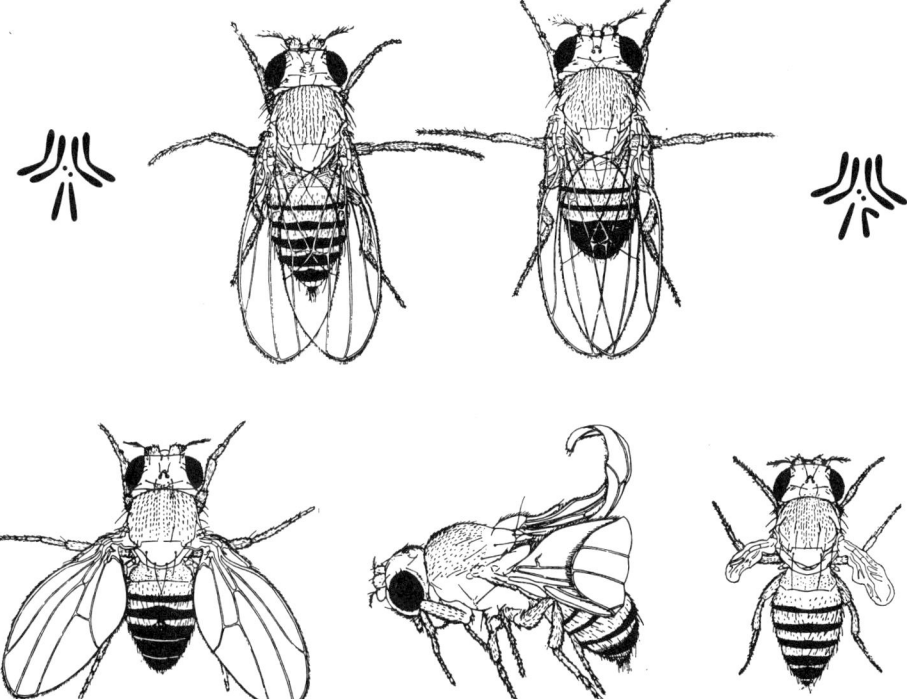

Abb. 3,2. Drosophila melanogaster, oben links: Wildtyp-Weibchen, rechts: Wildtyp-Männchen mit ihren Chromosomensätzen, unten: 3 Flügelmutanten: Dichaete, curled und vestigial [aus T. H. MORGAN, C. B. BRIDGES and A. H. STURTEVANT: The genetics of Drosophila (Bibliographia Genetica II). Martinus Nijhoff 1925]

Wir wollen drei gekoppelte Gene von Drosophila melanogaster betrachten. Im dritten Chromosom liegen

se (sepia, rezessiv): braune statt roter Augen,
D (Dichaete, dominant): Borstenveränderung und gespreizte Flügel (Abb. 3,2),
H (Hairless, dominant): an einigen Körperstellen fehlen Borsten.

---

* Für genetische Versuche zuerst von W. E. CASTLE, F. W. CARPENTER et al., Proc. Amer. Acad. Arts and Sci. 41, 729 (1906), benutzt.

Die beiden dominanten Mutationen sind homozygot letal (§ 3/7). Infolgedessen beginnen wir mit einer Kreuzung

$$\frac{+++}{+++} \times \frac{se\,D\,H}{se\,+\,+}.$$

Aus der Nachkommenschaft suchen wir ein Dichaete-Hairless-Weibchen. Es muß den Genotyp $+++/seDH$ besitzen. Die Testkreuzung gegen ein in allen Genen homozygot rezessives Männchen

$$\frac{+++}{se\,D\,H} \times \frac{se\,+\,+}{se\,+\,+}$$

führt zu acht möglichen Typen, deren Häufigkeiten unter 2000 Nachkommen in Tabelle 3,3 wiedergegeben sind.

Tabelle 3,3. Aufspaltung der F2 in einer Testkreuzung mit gekoppelten Genen. Verändert nach C. B. BRIDGES and T. H. MORGAN: Carn. Inst. Publ. 327 (1923)

	Genotyp	Phänotyp	Individuenzahl	
Ohne Austausch (P)	+ + + se + +	wild	633	} 64,5%
	se D H se + +	se D H	657	
Austausch von se (RI)	se + + se + +	se	99	} 10,4%
	+ D H se + +	D H	109	
Austausch von D (RII)	+ D + se + +	D	39	} 3,6%
	se + H se + +	se H	33	
Austausch von H (RIII)	+ + H se + +	H	224	} 21,5%
	se D + se + +	se D	206	

Die sich daraus ergebende Genkopplung ist:

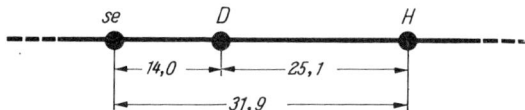

Wie bei Sphaerocarpus geschildert (§ 1/9) würden auch hier die Abstandswerte noch etwas anwachsen durch Kreuzungen mit dazwischenliegenden Genen.

Für die Testkreuzung haben wir ein DH-*Weibchen* gewählt, dessen Meiosegeschehen sich in den Häufigkeitsverhältnissen der Nachkommen widerspiegelt. Nehmen wir statt dessen ein DH-*Männchen* und kreuzen

$$\frac{se++}{se++} \times \frac{+++}{se\,D\,H},$$

so erleben wir eine Überraschung. Wir erwarten ein völlig analoges Kreuzungsergebnis, finden aber 50% Wildnachkommen und 50% braunäugige mit gespreizten Flügeln ohne Borsten, d. h.

$$\text{nur} \quad \frac{se++}{+++} \text{ und } \frac{se++}{se\,D\,H}$$

Es hat überhaupt keine Rekombination stattgefunden. Andere Paare von reziproken Kreuzungen mit gekoppelten Genen führen zu dem gleichen Unterschied. Ist die heterozygote Fliege für die Testkreuzung ein Männchen, so treten keine Rekombinanten auf. Das heißt, bei der Meiose im Drosophila-Männchen gibt es kein Crossover und infolgedessen keine Gameten mit Austausch zwischen gekoppelten Genen. (Seltene Ausnahmen wurden gefunden.)

I. oder X-Chromosom			*II. Chromosom*			*III. Chromosom*		
0,0	Hw	Hairy wing	0,0	al	aristaless	0,0	ru	roughoid
*0,0	y	yellow	0,±	net	net	0,2	ve	veinlet
0,0	sc	scute	0,1	ex	expanded	1,4	R	Roughened
0,±	sta	stubarista	0,3	ds	dachsous	15,±	a-3	abnormal-3
0,6	br	broad	1,3	S	Star	19,2	jv	javelin
0,8	pn	prune	4,0	ho	heldout	20,0	dv	divergent
*1,5	w	white	7,±	Cy	Curly	20,±	Mé	Moiré
2,9	spl	split	8,2	lgl	lethal(2)gl	23,0	Hn	Henna
3,0	fa	facet	11,0	ed	echinoid	*26,0	se	sepia
3,0	N	Notch	12,0	ft	fat	26,5	h	hairy
3,1	Ax	Abruptex	12,±	G	Gull	30,±	cur	curvoid
4,5	A	Abnormal	*13,0	dp	dumpy	35,±	rs	rose
4,6	dm	diminutive	13,0	Mz	Minute-z	37,0	rt	rotated
5,5	ec	echinus	16,5	cl	clot	39,3	app	approximated
6,9	bi	bifid	17,5	pi	pi	40,2	tt	tilt
7,3	peb	pebbled	22,0	Sp	Sternopleurals	40,4	D	Dichaete
7,5	rb	ruby	24,±	spd	spade	40,4	Mh	Minute-h
11,0	rg	rugose	24,5	gt-4	giant-4	40,5	Ly	Lyra
13,6	cx	curlex	30,±	fp	flipper	41,0	G	Glued
13,7	cv	crossveinless	31,0	d	dachs	43,2	th	thread
15,0	rux	roughex	36,±	Si	Ski	43,4	mb	minusbar
16,3	vs	vesiculated	40,±	tkd	thickoid	*44,0	st	scarlet
16,5	cl	club	41,0	J	Jammed	44,±	dh	dihedral
17,8	shf	shifted	44,0	ab	abrupt	45,7	pb	proboscipedia
18,0	ptg	pentagon	*48,5	b	black	46,0		CENTROMER
18,9	cm	carmine	48,7	j	jaunty	46,±	eg	eagle
20,0	ct	cut	51,0	rd	reduced	46,8	ri	radius
21,0	sn	singed	51,±	pu	pupal			incompletus
23,0	oc	ocelliless	53,±	rn	rotund	47,5	Dfd	Deformed
23,8	cro	crown	53,9	hk	hook	48,0	p	pink
24,3	dd	displaced	54,5	pr	purple	48,+	Bd	Bubble
27,5	t	tan	54,8	Bl	Bristle	48,+	Hu	Humeral
27,7	lz	lozenge	54,9	Jg	Jagged	48,7	by	blistery
32,8	ras	raspberry	55,0	lt	light	49,7	ma	maroon
33,0	v	vermilion	55,0		CENTROMER	*50,0	cu	curled
35,8	tb	tiny bristle	55,1	rl	rolled	56,±	sh	short wing
*36,1	m	miniature	55,1	stw	straw	58,2	Sb	Stubble
36,2	dy	dusky	55,3	tk	thick	58,3	cvc	crossveinless-c
36,2	Mk	Minute-k	56,±	Rw	Rough wing	*58,5	ss	spineless (und
38,3	fw	furrowed	57,5	cn	cinnabar			aristapedia)
41,9	wy	wavy	58,±	std	staroid	58,7	bx	bithorax
*43,0	s	sable	58,5	blo	bloated	62,0	sr	stripe
44,4	g	garnet	61,±	Np	Notopleural	63,0	gl	glass
44,5	ty	tiny	62,0	en	engrailed	64,5	sed	sepiaoid
45,2	na	narrow abd.	63,0	chl	chaetelle	66,2	Dl	Delta
45,6	cx-b	curlex-b	66,7	sca	scabrous	68,8	M-B	Minute-B
51,5	scd	scalloped	*67,0	vg	vestigial	69,5	H	Hairless
53,5	sl	small wing	71,1	cg	comb gap	*70,7	e	ebony
54,1	mc	microchaete	72,0	L	Lobe	75,7	cd	cardinal
54,4	un	uneven	72,3	kn	knot	76,2	wo	white ocelli
54,5	r	rudimentary	74,0	gp	gap	77,±	obt	obtuse
55,±	if	inflated	*75,5	c	curved	79,7	M124	Minute-124
56,6	Mo	Minute-o	79,±	pwc	pink-wing-c	80,±	Mw	Minute-w
*56,7	f	forked	80,±	trm	trimmed	80,±	MFla	Minute-Fla
*57,0	B	Bar	82,0	fj	four jointed	83,5	la	lethal-a
59,±	vb	vibrissae	83,±	nw	narrow	84,5	M36e	Minute 36e
59,2	od	outstretched	87,5	Mb	Minute-b	87,±	Mbe	Minute-beta
59,2	sy	small eye	89,±	sm	smooth	88,±	mah	mahogani
59,4	Bx	Beadex	91,9	M-173	Minute-173	90,0	Pr	Prickly
59,5	fu	fused	93,3	hy	humpy	90,2	Mj	Minute-j
59,7	Tn	Thin wing	99,2	a	arc	91,1	ro	rough
62,5	sw	short wing	100,5	px	plexus	93,±	cmp	crumpled
62,5	car	carnation	101,2	Ml²	Minute-l²	93,8	Bd	Beaded
62,7	Mn	Minute-n	*104,5	bw	brown	94,1	Pt	Pointed
63,±	fo	folded	104,7	mi	minus	95,5	su-pr	suppressor-pr
65,6	cf	cleft	106,4	pd	purpleoid	98,0	ra	rasé
66,0	bb	bobbed	106,7	ll	lanceolate	100,7	ca	claret
70,±		CENTROMER	106,7	mr	morula	101,0	M	Minute
			107,0	sp	speck	105,0	Mg	Minute-g
			107,3	bs	blistered			
			108,±	Df-M33a	Df-Minute 33a			

IV. Chromosom		
0,0		CENTROMER
0,0	bt	bent
0,0	DfM4	Df Minute-4
0,0	ci	cubitus
		interruptus
0,0	ar	abdom. rot.
0,2	gvl	grooveless
2,0	ey	eyeless
3,0	sv	shaven
?	Scn	Scutenick
?	spa	sparkling

* Leicht zu handhabende und phänotypisch gut erkennbare Mutanten, die sich für einfache Kursversuche eignen.

Kopplungsgruppen von Drosophila melanogaster nach TIMOFÉEFF-RESSOVSKY

Dieses Phänomen ist eine Durchbrechung der Reziprozitätsregel, die auch bei anderen Dipteren beobachtet wird. Beim Seidenspinner gibt es umgekehrt in der weiblichen Meiose keine Crossover. Geringe Unterschiede der Crossover-Häufigkeiten beider Geschlechter wurden auch bei Ratten, Mäusen (die genetisch am besten erforschten Säugetiere), Heuschrecken und anderen gefunden. (Solche Unterschiede beruhen vielleicht auf verschiedenen Konzentrationen von Rekombinations-Enzymen, vgl. § 7/2.) Bei Pflanzen scheinen im allgemeinen Crossover in männlichen und weiblichen Meiosen gleich häufig zu sein.

Auch andere Faktoren, wie das Alter der Organismen, Temperatur, Feuchtigkeit und Chromosomen-Aberrationen (vgl. § 4/3) beeinflussen die Crossover-Wahrscheinlichkeit in bestimmten Chromosomenabschnitten oder im gesamten Genom.

Literatur zu § 3/4:

LINDSLEY, D. N., and E. H. GRELL: Genetic Variation of Drosophila melanogaster. (Ein Katalog aller bekannten Mutanten.) Carnegie Inst. of Washington, Publ. Nr. 627 (1968).

3/5 Segregation von Genen des X-Chromosoms

In diesem Paragraphen soll eine andere Ausnahme der Regel von der Gleichwertigkeit reziproker Kreuzungen behandelt werden. Wir hatten gesehen (§ 2/1), daß sich die Chromosomensätze von männlichen und weiblichen Organismen in ihren Geschlechts-Chromosomen unterscheiden können. Bei vielen Organismen besitzt das Weibchen zwei X, das Männchen ein X- und ein Y-Chromosom (§ 2/1). Bei der Meiose bilden dann Weibchen nur Gameten mit je einem X-Chromosom, Männchen dagegen zwei Gametenarten mit einem X- bzw. einem Y-Chromosom. Die männlichen Gameten legen das Geschlecht der Nachkommen fest. (Das beim Menschen etwas häufigere Auftreten von Knabengeburten hat sekundäre, physiologische Gründe.)

Beim Menschen, bei Drosophila und anderen Organismen hat sich gezeigt, daß auf den X-Chromosomen viele Gene lokalisiert sind, die nichts mit der Ausbildung von Geschlechtsmerkmalen zu tun haben. Dieser Schluß kann aus folgenden Kreuzungen gezogen werden:

Eine eindrucksvolle Mutation bei Drosophila führt zu pigmentlosen weißen Augen (white = w). Das Wildallel w^+ (rote Augen) ist dominant. Die Kreuzung eines Männchens aus rein weißäugiger Linie ($\male$) mit einem Weibchen aus reinem rotäugigen Wildtyp-Stamm ($\female$)

(1) $\female \times \male$

liefert erwartungsgemäß nur rotäugige Nachkommen:

$$50\% \ \female \quad \text{und} \quad 50\% \ \male$$

Die reziproke Kreuzung

(2) $\female \times \male$

führt jedoch zu einer merkwürdigen F 1: alle Männchen sind weiß-, alle Weibchen rotäugig (umgekehrt wie ihre Eltern):

$$50\% \ \female \quad \text{und} \quad 50\% \ \male$$

Als Erklärung[1] nehmen wir an, das Gen w liege auf dem X-Chromosom und das Y-Chromosom enthielte kein homologes Wildallel. Genotypisch entsprechen die beiden Kreuzungen dann folgendem Schema:

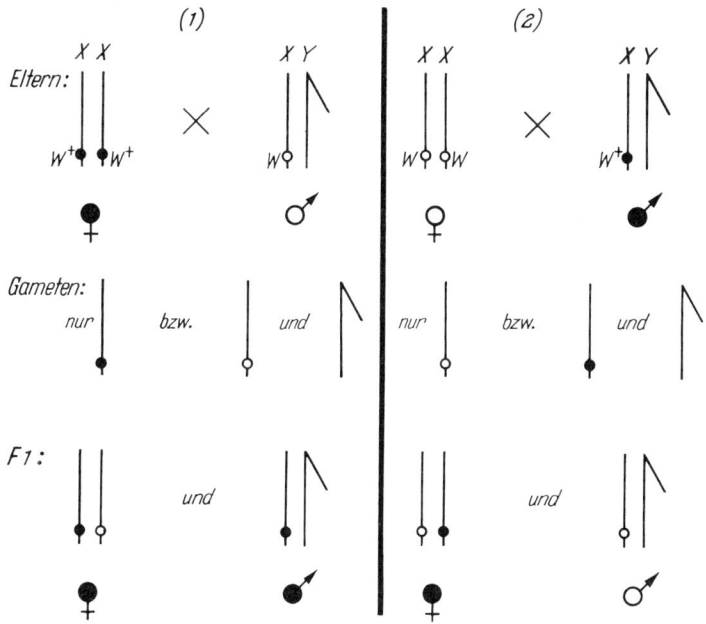

Zur Prüfung unserer Annahme können wir die F1 aus beiden Kreuzungen unter sich weiterkreuzen und erhalten in Übereinstimmung mit der Erwartung:

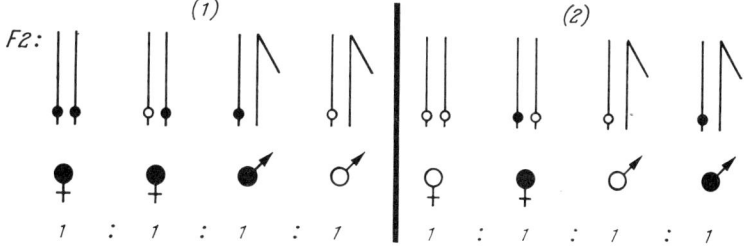

Die Geschlechts-Chromosom-gebundene Vererbung (vielfach kürzer, aber inkorrekt, geschlechtsgebundene Vererbung genannt) durchbricht die Mendelsche Regel der Eltern-Symmetrie. Der entscheidende Gesichtspunkt für das abnorme Segregationsschema ist das Sichtbarwerden eines rezessiven Allels in männlichen Individuen, da diesem kein dominantes Allel, sondern ein nicht homologes Chromosom gegenübersteht. Diese Situation wird als „hemizygot" bezeichnet. Hemizygotie liegt ebenfalls in allen haploiden Zellen vor.

Der Erbgang von Genen auf dem X-Chromosom sei noch an Beispielen der Humangenetik veranschaulicht. Auf dem menschlichen X-Chromosom liegen Gene für Farbblindheit, Muskeldystrophie und Bluterkrankheit. Es ist geschichtlich interessant, daß der Talmud bereits im 2. Jahrhundert nach Christus vorschreibt, daß Söhne von Frauen, die bereits zwei Söhne durch Blutung nach der Beschneidung verloren haben, nicht beschnitten werden dürften. Auch für Söhne von Schwestern der Mutter gilt diese Vorschrift, die jedoch nicht auf Söhne des gleichen Vaters mit einer anderen Frau angewandt werden soll[2]. Diese Verordnung offenbart eine genaue Kenntnis des Erbgangs der Bluterkrankheit, die von einem Bluter-Vater auf keinen seiner Söhne, aber auf sämtliche Töchter vererbt wird. Die Töchter sind heterozygot und übertragen daher an 50% ihrer Söhne die Krankheit und an 50% ihrer Töchter die Anlage zur Weitervererbung der Krankheit.

Die gleiche Situation findet man bei der Farbblindheit. Horner hat dazu bereits 1876 einen Familienstammbaum beschrieben, der mit einigen Änderungen der Abb. 3,4 zugrunde liegt.

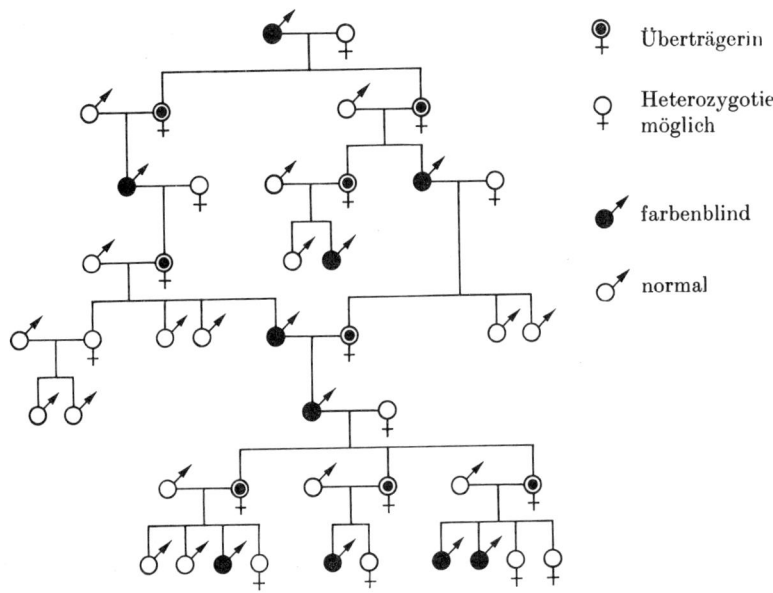

Abb. 3,4. Stammbaum einer Familie mit Farbblindheit

Gene der X-Chromosomen haben große Bedeutung wegen der Erkennbarkeit auch rezessiver Allele in männlichen Individuen. So konnten z. B. Crossover in menschlichen Chromosomen durch Stammbäume erschlossen werden, in denen Farbblindheit und Bluterkrankheit, ursprünglich auf dem gleichen X-Chromosom, in einigen Fällen segregierten.

Literatur zu § 3/5:

[1] Morgan, T. H.: Science **32**, 120 (1910).

[2] Stern, C., in: Principles of Human Genetics. San Francisco: W. H. Freeman, 2. Aufl. 1960. Deutsche Ausgabe bei Musterschmidt Verlag, Göttingen.

3/6   Attached-X-Chromosomen

In der Genetik können Einzelindividuen mit seltenen Abnormitäten große Bedeutung erlangen, wie das folgende Beispiel zeigt. In den Drosophila-Zuchten von Frau L. V. Morgan (Mrs. T. H. Morgan) tauchte eines Tages ein merkwürdiges Weibchen auf.

Kreuzt man ein solches abnormes rotäugiges Tier mit einem white-Männchen, so sind alle Töchter rotäugig wie die abnorme Mutter, alle Söhne weißäugig wie der Vater[1]. Dies widerspricht der Erwartung. Die gleiche Kreuzung mit einem normalen rotäugigen Weibchen hatte (§ 3/5) zu nur rotäugigen Nachkommen geführt. Die zytologische Untersuchung abnormer Weibchen offenbarte einen außergewöhnlichen Chromosomensatz. Die Tiere hatten zwei am Centromerende zusammengeklebte (attached) X-Chromosomen ($\widehat{\mathrm{XX}}$) und dazu ein Y-Chromosom. Das Geschlecht wird bei Drosophila (nicht beim Menschen) also nicht vom Y-Chromosom bestimmt, sondern von der Alternative XX oder X (genauer im § 11/1). Mit dieser Kenntnis wird das Kreuzungsergebnis verständlich:

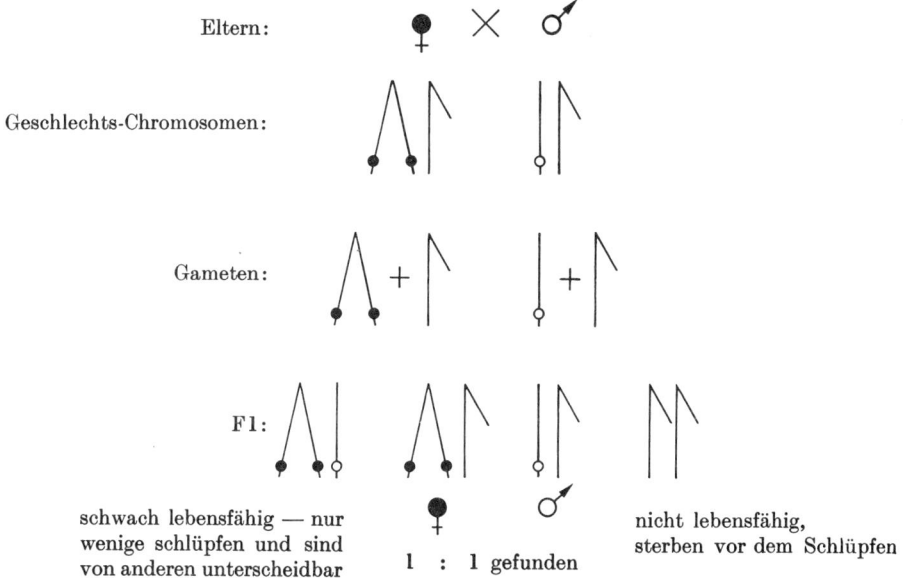

schwach lebensfähig — nur wenige schlüpfen und sind von anderen unterscheidbar

1 : 1 gefunden

nicht lebensfähig, sterben vor dem Schlüpfen

Der attached-X-Stamm hat nicht nur Aufschlüsse über die Geschlechtsbestimmung gebracht, sondern auch als technisches Hilfsmittel zu Erfolgen geführt. So läßt sich mit seiner Hilfe zeigen, daß auch bei Drosophila (zumindest ein Teil der) Crossover auf dem Vierstrang-Stadium eintreten und jeweils nur zwei der vier Stränge daran beteiligt sind. Wir hatten dieses Ergebnis an den Tetraden von Sphaerocarpus gewonnen. Dort blieben alle vier zusammengehörigen Stränge in einer Tetrade vereint. Beim $\widehat{\mathrm{XX}}$-Stamm sind es jeweils zwei der vier Stränge (Dyade).

Es gelingt nämlich, $\widehat{\mathrm{XX}}$ herzustellen, die verschiedene Allele auf den beiden Armen tragen. In der Meiose sind nun Crossover zwischen diesen beiden X-Chromosomen möglich. Crossover, die sich im Zweistrang-Stadium, d.h. *vor* der

Verdopplung (oder im Vierstrang-Stadium gleichzeitig zwischen zwei und zwei Strängen) ereignen würden, könnten niemals das heterozygote $\widehat{XX}$ homozygot werden lassen (Abb. 3,5 A). Dieser Effekt ist jedoch bei Crossovern zwischen nur zwei von vier Strängen möglich (Abb. 3,5 B).

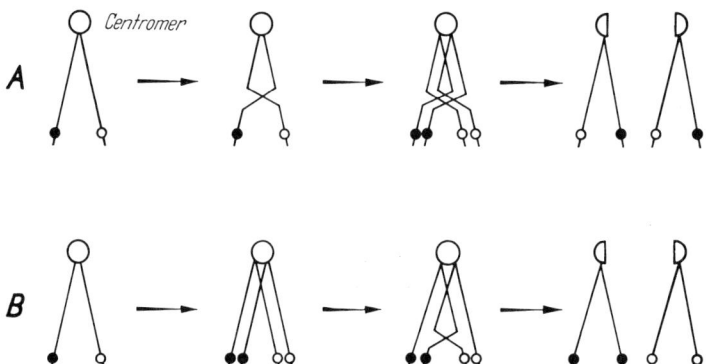

Abb. 3,5. Crossover und meiotische Produkte bei $\widehat{XX}$.
A: falsche Annahme, B: richtige Annahme, daß nur zwei von vier Strängen am Crossover beteiligt sind (bzw. daß Crossover *nach* der Verdopplung erfolgt)

So führt eine Kreuzung zwischen heterozygoten w/w⁺-Weibchen mit $\widehat{XX}$ und hemizygoten w⁺-Männchen:

unter den überlebenden Nachkommen zu:

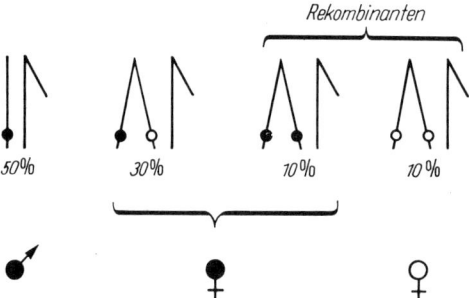

Das Auftreten weißäugiger Weibchen beweist Crossover zwischen nur zwei Chromatiden im Vierstrang-Stadium. Daß *alle* Crossover so verlaufen, kann allerdings nur aus einer Tetradenanalyse erschlossen werden (z. B. Sphaerocarpus), bei der alle vier Meioseprodukte erfaßt werden.

Das Y-Chromosom ist normalerweise nur in männlichen Individuen vorhanden. Es ist arm an Genen, was sich daran zeigt, daß praktisch keine Mutationen im Y-Chromosom gefunden werden. Bei Drosophila ist jedoch offenbar ein kleiner Abschnitt unmittelbar am Centromer den X- und Y-Chromosomen gemeinsam. Auch dies wird durch attached-X-Weibchen erkennbar, bei denen seltene (1:2000) Crossover zwischen X und Y auftreten:

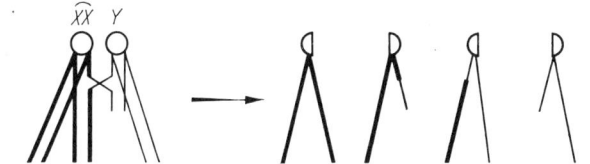

Abb. 3,6. Crossover zwischen X- und Y-Chromosomen

Es entstehen X-Chromosomen, die zusätzlich den langen oder kurzen Arm des Y-Chromosoms tragen und je nach Befruchtung mit X- oder Y-Spermien zu Weibchen oder Männchen führen. Die Homologie eines kleinen Abschnitts von X- und Y-Chromosomen am Centromer zeigt auch das Gen bobbed (gestutzte Borsten), das in beiden Chromosomen lokalisierbar ist. Auch bei anderen Tieren (z. B. Ratten) konnte zytologisch eine Homologie von Centromer-nahen Abschnitten der X- und Y-Chromosomen nachgewiesen werden.

Literatur zu § 3/6:
[1] MORGAN, L. V.: Biol. Bull. **42**, 267 (1922).

3/7   Letal-Allele und polygene Merkmalsausbildung

In $\widehat{XX}$-Kreuzungen hatten außergewöhnliche Chromosomen-Kombinationen Letalität zur Folge. Auch bei normalen zytologischen Situationen treten Letalität und damit abnorme Aufspaltungsverhältnisse auf, wenn bestimmte Allele homozygot vorliegen. Solche Letalfaktoren führen zum Absterben des Embryos auf einem bestimmten Punkt seiner Entwicklung (oder kurz nach der Geburt). Letalität tritt bei Homozygotie der meisten dominanten Mutationen auf. Auch unter den rezessiven Mutationen kommen mehr homozygot letale als lebensfähige vor (§ 4/1). Beim Menschen führen vermutlich ca. ein Viertel aller Befruchtungen nicht zur normalen Embryonalentwicklung. In vielen Fällen wird dafür Homozygotie von Letalfaktoren verantwortlich sein.

Heterozygot sind dominante Letalallele stets an einem veränderten Phänotyp erkennbar, wie in den bereits erwähnten Fällen von Dichaete und Hairless. Rezessive sind lediglich aus einer herabgesetzten Fertilität von Kreuzungen zwischen zwei für das Allel heterozygoten Eltern (Inzucht) zu erschließen. (Die Bezeichnung „Dominanz" bei einem Letalallel bezieht sich nicht auf dessen Letalität, sondern auf den *Phänotyp* bei Heterozygotie. Naturgemäß würde ein heterozygot letales Allel niemals genetisch untersucht werden können. Es wird aber angenommen, daß auch solche Mutationen vorkommen.)

Ein bekanntes Beispiel eines dominanten Letalfaktors ist die kurzbeinige Dexter-Rasse des irländischen Kerry-Rindes. Die Kreuzung Dexter × Kerry führt zu 50% kurzbeinigen und 50% Normaltieren. Dies beruht auf der Heterozygotie (D+D) des Dexter-Typs, denn Kerry-Tiere zeigen unter sich keinerlei Aufspaltung. Kreuzt man aber den kurzbeinigen Dexter-Typ untereinander

$$+D \quad \times \quad +D,$$

so erhält man 50% kurzbeinige Tiere, 25% normale und 25% Mißgeburten, die spätestens im 5. Trachtmonat ausgestoßen werden. Die homozygote Situation DD ist also letal. Die Untersuchung derartiger Letalfaktoren ist für die Entwicklungsphysiologie von großer Bedeutung.

Ein Beispiel rezessiver Letalität sind Chlorophylldefekte bei Pflanzen. Beim Mais z. B. können bestimmte Individuen in Selbstbestäubung („Selbstung") eine reduzierte Fertilität besitzen, deren Ursache offenbar wird, wenn man die Keimung der einzelnen Sämlinge verfolgt. 25% von ihnen, nämlich die homozygot defekten, zeigen einen weißen, d. h. chlorophyllosen Keim (Albino), der nach Verbrauch der Vorräte des Endosperms zugrunde geht, da er nicht zur eigenen Photosynthese befähigt ist. Ist ein solches Letalallel mit anderen Genen gekoppelt, können auch für diese abnorme Spaltungsverhältnisse auftreten. Analoge Chlorophylldefekte wurden bei vielen Pflanzen, der erste derartige Fall an einer Antirrhinum-Mutante „aurea" von BAUR beschrieben.

Es werden aber, z. B. beim Mais, auch Pflanzen gefunden, die nach Selbstung nicht 25%, sondern etwa 44% chlorophylldefekte Keimlinge liefern. Wie kommt dieses Spaltungsverhältnis zustande? Die Nicht-Albinos der F1 sind äußerlich alle normale Pflanzen, sie unterscheiden sich aber in ihrer F2 nach nochmaliger Selbstung. Auf Grund dieses Unterschiedes kann die F1 folgendermaßen eingeteilt werden:

	Anteil an der F1	F2 nach Selbstung der betreffenden F1-Gruppe
Letale Albinos	$\frac{7}{16} \approx 44\%$	—
grün	$\frac{4}{16} = 25\%$	$^7/_{16}$ letale Albinos wie in F1
grün	$\frac{4}{16} = 25\%$	$^1/_4$ letale Albinos, $^3/_4$ grün
grün	$\frac{1}{16} \approx 6\%$	sämtlich grün

Die letzte, voll vitale Gruppe ist am aufschlußreichsten. Ihre Häufigkeit von $^1/_{16}$ ist uns bei der generellen Besprechung von 2-Faktor-Kreuzungen begegnet (§ 3/2) als der Anteil, mit dem einzelne homozygote Genotypen in der F2 auftreten. Es scheinen an der Chlorophyllbildung zwei Gene, a und b, beteiligt zu sein. Wir können daher folgende Annahmen treffen:

Zur Chlorophyllbildung muß sowohl vom Gen a als auch vom Gen b mindestens ein Wildallel vorliegen. Unsere geselbstete Ausgangspflanze hatte den Genotyp a^+ab^+b.

Dann sind $^1/_{16}$ ihrer Nachkommen $a^+a^+b^+b^+$ (vgl. § 3/2). Deren F2 ist völlig normal.

Weitere $^7/_{16}$, nämlich $^1/_{16}$ aabb plus $^2/_{16}$ a^+abb plus $^2/_{16}$ aab^+b plus $^1/_{16}$ aab^+b^+ plus $^1/_{16}$ a^+a^+bb (vgl. Schema S. 43), sind letale Albinos.

Doppelt heterozygot a^+ab^+b wie die Ausgangspflanze selbst sind $^4/_{16}$ ihrer Nachkommen. Sie geben wiederum die Aufspaltung $^7/_{16}$ Albinos : $^9/_{16}$ grün.

Schließlich sind $^4/_{16}$, nämlich $^2/_{16}$ $a^+a^+b^+b$ plus $^2/_{16}$ $a^+ab^+b^+$, nur noch für eines der beiden Albinogene heterozygot. Sie spalten daher in der F2 nur 25% Albinos heraus.

Alle Daten stimmen mit der Annahme überein, daß zwei Allele a^+ und b^+ zur Chlorophyllbildung erforderlich sind („Polygenie"). Man bedenke, wieviel schwieriger diese Schlußfolgerung bei Kopplung zwischen a und b gewesen wäre. Tatsächlich hat sich beim Mais gezeigt, daß nicht nur zwei, sondern etwa 20 Gene an der Chlorophyllsynthese beteiligt sind. Entsprechendes gilt sicher auch für andere Pflanzen.

Das Beispiel sollte die Schwierigkeiten veranschaulichen, die entstehen, wenn die untersuchten Merkmale unter der Kontrolle mehrerer an der Kreuzung beteiligter Gene sind. Schon ganz einfache Fälle von Polygenie führen zu ungewohnten Segregationsverhältnissen.

Während bei der Chlorophyllsynthese die Gene a und b — zumindest für den Formalismus der Kreuzungsgenetik — gleichberechtigte, d.h. symmetrische Rollen haben, gibt es Fälle von Polygenie, bei denen komplizierte Wechselbeziehungen zwischen den Allelen der beteiligten Gene gefunden werden, so daß z.B. eines der Gene zu seiner Ausprägung gewisse Allele des anderen Gens voraussetzt.

In derartigen Situationen beeinflußt ein dominanter Faktor einen anderen in seiner Merkmalsausbildung. So gibt es z.B. beim Hafer reine Linien AAbb (schwarzes Korn) und aaBB (graues Korn). Die F1 dieser Kreuzung (AaBb) hat schwarze Körner. Die F2 besteht aus

$^1/_{16}$ aabb (weißes Korn),
$^3/_{16}$ aaBb oder aaBB (graues Korn),
$^{12}/_{16}$ mit mindestens einem Allel A (schwarzes Korn).

Man bezeichnet in solchen Fällen das Allel A als „epistatisch" über das Gen B, d.h. die Merkmalsausbildung von B oder b wird durch A (nicht durch a) überdeckt. Epistasie und Dominanz sind sehr ähnlich. Bei Epistasie wird jedoch die Merkmalsausbildung eines anderen Gens, bei Dominanz die eines anderen Allels des gleichen Gens überdeckt.

Als drittes Beispiel von Polygenie sei die Form des Hahnenkammes diskutiert. Die normale Form (Abb. 3,7,0) entsteht bei einem Genotyp aabb. Dagegen führt A*bb zum sog. Erbsenkamm (Abb. 3,7 A) [der * zeigt an, daß an dieser Stelle ein beliebiges Allel stehen kann] und aaB* zum Rosenkamm (Abb. 3,7 B). Treffen A und B jedoch zusammen (A*B*), entsteht eine neue Kammform (Walnußkamm, Abb. 3,7 AB). Es ist dies eine Art intermediärer Kooperation von Allelen verschiedener Gene.

0   *A*   *B*   *AB*

Abb. 3,7. Vererbung des Hahnenkammes

Beim Menschen werden z. B. Körpergröße und Hautfarbe polygen bestimmt. Man weiß, daß ca. 5 additiv wirkende Allelpaare zur Ausprägung der vielfältigen Farbtöne der Haut beisteuern (vgl. § 11/2). Auch die sich dem überlagernde Intensität der Pigmentbildung unter Sonnenbestrahlung steht vermutlich unter polygener Kontrolle.

Zusammenfassung des Kapitels

Bei Diplonten sind die elementaren Vererbungsregeln dadurch verschleiert, daß zwei Exemplare jedes Gens vorliegen, was die einfache Beziehung zwischen Allel und Merkmal kompliziert. Dies führt zur Unterscheidung von intermediären und dominant/rezessiven Allelpaaren.

Das Analogon zur F1-Segregation von haploiden Organismen findet man in der Bildung haploider Gameten. Vereinigen sich diese Gameten bei einer Testkreuzung mit einem in allen Genen rezessiven Partner, so wird auch bei diploiden Organismen das Meiosegeschehen an der F2 direkt sichtbar. Es gelingt so, die Zufallsaufteilung und Kopplung von Genen und das Crossover in Analogie zu Haplonten zu bestätigen. Man findet dabei ebenso viele Kopplungsgruppen wie Chromosomen im haploiden Satz.

Unter dem gemeinsamen Gesichtspunkt der Störung normaler Segregationsverhältnisse wurden dann eine Reihe von Befunden dargestellt:

1. Gene des X-Chromosoms werden auch als rezessive Allele in männlichen Individuen sichtbar (Hemizygotie). Sie werden über alle Töchter als Zwischenträger auf 50% der Enkelsöhne übertragen.

2. Abnorme zytologische Situationen ($\widehat{XX}$ bei Drosophila) können zu letalen Chromosomen-Kombinationen und abnormen Spaltungsverhältnissen führen.

3. Letalität tritt auch bei Homozygotie gewisser Mutationen auf, von denen manche heterozygot einen veränderten Phänotyp hervorbringen (Beispiele Dichaete und Hairless).

4. Wird ein Merkmal von mehreren Genen kontrolliert (Polygenie), so ist auch zwischen Allelen verschiedener Gene ein Zusammenwirken ähnlich der Dominanz oder dem intermediären Verhalten von Allelpaaren möglich (Epistasie).

Allgemein sind Fälle komplizierter Segregationsverhältnisse eher Norm als Ausnahme. Da in einem Lehrbuch das Phänomen der Spaltung an einfachen Beispielen gezeigt werden muß, entsteht leicht der falsche Eindruck, bei den meisten Kreuzungen ergäben sich einfache Situationen. Speziell die Tier- und Pflanzenzüchtung hat meist mit sehr komplex-kontrollierten quantitativen Merkmalen zu tun (vgl. auch § 4/5 und 11/2).

Damit wurden in den ersten drei Kapiteln die wesentlichen Gesichtspunkte der Kreuzungsanalyse (Rekombinatorik) von haploiden und diploiden Organismen dargestellt. In dem folgenden Kapitel sollen verschiedene Veränderungen des Erbgutes behandelt und dabei die Parallele von Zytologie und Kreuzungsanalyse vertieft werden.

4 Veränderungen des Erbguts

4/1 Spontane und induzierte Mutationen

Mutationen können bei allen Organismen und in allen Zellen auftreten, bei Vielzellern sowohl im „Soma" (Körperzellen) als auch in der „Keimbahn", d. h. in der Generationsfolge von Zellen, an deren Ende die Meiose steht. Somatische Mutationen während der Embryonalentwicklung können zu „Mosaiken" führen, d. h. zu Individuen mit einem veränderten Zellverband, dessen Größe vom Zeitpunkt der Mutation abhängt. Mutationen in frühen Stadien der Keimbahn bringen viele gleichartig mutierte Gameten hervor, so daß mehrere gleiche Mutanten in der Tochtergeneration auftreten können. Die meisten Mutationen sind rezessiv.

Bisher wurden nur Beispiele erwähnt, in denen *ein* mutiertes Allel außer dem Wildallel eines Gens auftrat. Sammelt man aber z. B. Drosophila-Mutanten mit veränderten Augenfarben, so findet man in Kreuzungen, daß *mehrere* verschiedene Mutationen am Ort (Locus, sprich: Lokkus, kurzes o) des white-Gens liegen. Das Gen (Schalter) kommt in mehreren Allelen (Schalterstellungen) vor. Man fand im „white-locus" folgende Allele:

w^+ :	Wildtyp	w^{ch} :	cherry	w^{bf} :	buff
w :	white	w^b :	blood	w^{co} :	coral
w^i :	ivory	w^a :	apricot	w^t :	tinged
w^e :	eosin	w^h :	honey	w^p :	pearl

Derartige Reihen verschiedener Mutationen treten bei allen gut untersuchten Genen auf, doch lassen sich nur in wenigen Fällen mehrere Phänotypen unterscheiden. Es gibt kein allgemeines Kriterium für die Identität unabhängig entstandener Mutationen (vgl. § 6/1 und 6/2).

Ebenso wie mutierte Individuen in Wildstämmen auftreten, können auch in Mutantenstämmen wieder vereinzelte Wildtypen erscheinen. Solche Rückmutationen kommen zwar nicht bei allen, aber doch bei vielen Mutanten vor. Ihre Häufigkeit ist nicht korreliert mit der Häufigkeit der jeweiligen „Vorwärts"-Mutation. Die Frage der Rückmutation ist sehr viel komplexer, als es zunächst den Anschein hat. Wir kommen darauf in § 9/6 zurück.

In diploiden Organismen können heterozygot nur dominante oder intermediäre Mutationen phänotypisch erkannt werden. Für Mutationsuntersuchungen an Diplonten sind daher Veränderungen im X-Chromosom besonders geeignet, da diese auch rezessiv an Männchen erkennbar sind (Hemizygotie). MULLER hat spezielle Kreuzungsmethoden eingeführt, die eine quantitative Erfassung von

Mutationen — unabhängig von der Person des Experimentators — ermöglichen. Am bekanntesten ist die sog. ClB-Methode.

Für diese benutzt man Drosophila-Weibchen, mit einem normalen und einem dreifach genetisch markierten X-Chromosom:

C: eine dominante Markierung, die Crossover mit dem homologen Chromosom verhindert (Inversion, vgl. § 4/3).

l: ein rezessives Letalallel, das heterozygot ohne Einfluß ist.

B: die Bar-Mutation (schmale Augen) (vgl. § 4/3) dient zur phänotypischen Erkennung des markierten Chromosoms.

Um die Mutations-Häufigkeit in den X-Chromosomen der Gameten eines Männchens zu prüfen, wird dieses mit ClB-Weibchen gekreuzt. In Abb. 4,1 sind die zu prüfenden Chromosomen grau gekennzeichnet.

Wenn im X-Chromosom eines väterlichen Gameten eine rezessive Mutation aufgetreten ist, wird ein Weibchen der F 1-Generation diese genotypisch tragen. Hat dieses F 1-Weibchen als zweites X-Chromosom ein ClB, wird kein Crossover eintreten und unveränderte Kopien des zu testenden X-Chromosoms werden an die Hälfte der F 2-Nachkommen weitergereicht. Da die ClB-Söhne absterben, werden *sämtliche* überlebenden F 2-Männchen das zu testende X-Chromosom

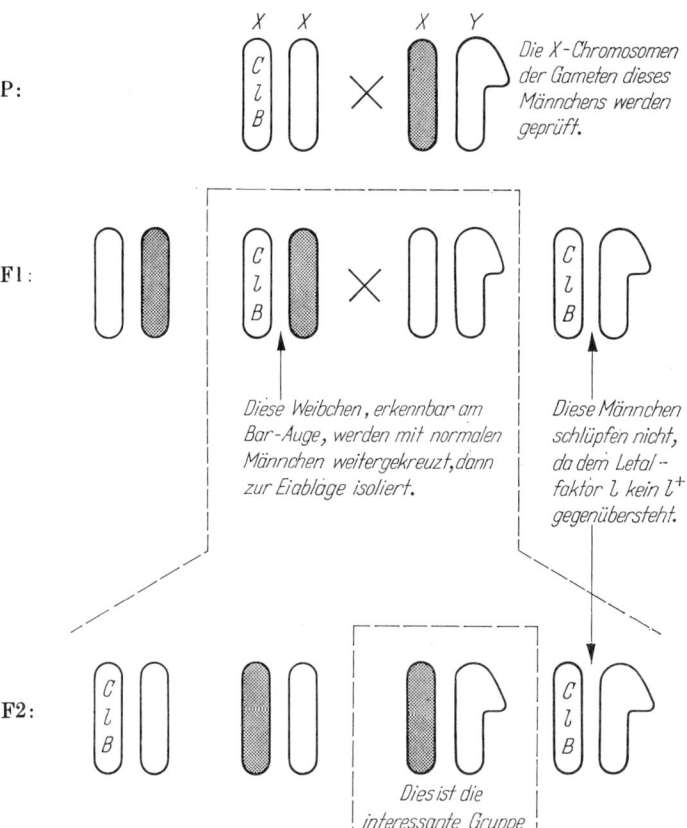

Abb. 4,1. Schema der ClB-Methode

besitzen und dessen eventuelle Mutationen phänotypisch zeigen. Liegt eine Letalmutation vor, werden überhaupt keine F2-Männchen auftreten. Bei „subletalen" Mutationen, die die Fertilität vermindern, werden weniger als $1/3$ der F2-Nachkommen männlich sein. Durch isolierte Eiablage von vielen einzelnen befruchteten ClB-Weibchen der F1 (erkennbar am Bar-Auge) lassen sich dann die Häufigkeiten von letalen und nicht-letalen Mutationen in den X-Chromosomen der männlichen Ausgangsgameten ermitteln.

Statt dieser klassischen ClB-Methode wird heute meist die sog. Muller-5-Technik angewandt[1]. Man kreuzt das zu testende Wild-Männchen mit einem Muller-5-Weibchen. Dieses besitzt homozygot spezielle X-Chromosomen (M5), die zwei Inversionen (vgl. § 4/3) tragen (eine kleine innerhalb einer großen) und außerdem mit w^a (aprikosenfarbige Augen) und B (Bar), aber nicht mit einem Letalfaktor markiert sind. In den wieder einzeln gehaltenen befruchteten F1-Weibchen finden wegen der Inversionen keine Crossover statt, so daß diese wiederum unveränderte Kopien des zu testenden X-Chromosoms an die Hälfte ihrer Söhne geben, die an roten normal großen Augen kenntlich sind. Diese Gruppe fehlt bzw. zeigt sämtlich einen mutierten Typ, wenn letale oder andere Mutationen aufgetreten sind. Die andere Hälfte der Söhne ist durch w^a- und B-Augen gekennzeichnet.

Eine ähnliche Bestimmung nicht-letaler Mutationen im X-Chromosom ist auch mit attached-X-Weibchen möglich. Hier entstehen F1-Söhne aus der Zygote des väterlichen X-Gameten mit dem abnormerweise von der $\widehat{XX}$-Mutter gelieferten Y-Chromosom. Alle nicht-letalen Mutationen in den X-Chromosomen der väterlichen Gameten sind direkt an je einem Sohn erkennbar.

Durch diese Techniken zeigt sich, daß die Mehrheit aller deutlich erkennbaren Mutationen homozygot bzw. hemizygot letal sind. Von den nicht-letalen Mutationen führen viele zu nur kaum erkennbaren Veränderungen. Das muß betont werden, da die illustrativen Mutations-Beispiele von Lehrbüchern leicht den falschen Eindruck erwecken, daß Mutationen stets beachtliche Abweichungen verursachen. Selten findet man aber auch tiefgreifende Veränderungen, wie z. B. bei Drosophila die anomale Entwicklung eines zweiten Flügelpaares anstelle der Halteren, was vom Standpunkt der Systematik einen Sprung aus der Ordnung der Dipteren bedeutet.

Auch nicht-letale Mutationen haben meist nachteilige Folgen. Sie setzen die Vitalität (Überlebens- und Vermehrungsaussicht) der Mutante herab. Die durch viele Generationen wirkende Selektion (DARWIN) hat bereits im Wildtyp eine optimale Auswahl des Erbguts für die bestehende Umwelt erreicht. Fast jede Änderung bedeutet dann eine Verschlechterung. [Eine Verbesserung durch eine Mutation ist etwa ebenso unwahrscheinlich wie die Verschönerung eines guten Gedichtes durch einen Druckfehler.] Deswegen werden Mutationen in der Natur ständig wieder eliminiert, so daß man phänotypisch eine relativ uniforme Wildpopulation jeder Spezies findet. Wegen des Gleichgewichts von Neumutation und Selektion besitzt jede diploide Population genotypisch allerdings ein beachtliches Reservoir rezessiver Mutationen, das zugleich eine größere Flexibilität der Population sichert (vgl. § 12/3).

In allen Organismen gibt es relativ häufige (etwa 1:10000 Individuen) und seltene Mutationen. Viele wurden überhaupt nur einmal beobachtet, so daß keine Angabe ihrer Wahrscheinlichkeit möglich ist. Ebenso hat die Angabe einer Gesamt-Mutationshäufigkeit wenig Sinn, da es schwierig ist, alle kleinen Veränderungen zu erfassen. Die Mutationsanalyse ist beschränkt auf Letalfaktoren und gut erkennbare Veränderungen. Klarer definierbar ist die Häufigkeit für einen ganz speziellen Mutationsschritt $a^+ \to a$ oder $a \to a^+$ (Rückmutation) oder für die Gesamtheit der Letalmutationen eines Chromosoms (ClB oder Muller-5-Methode).

Die Mutationsrate ist definiert als Anteil der in einem Generationszyklus im haploiden Genom neu mutierten Gameten bzw. bei vegetativer Vermehrung von Einzellern als der Anteil der pro Verdopplung mutierten Individuen. Diese Mutationsrate ist durch Umweltfaktoren zu beeinflussen:

1. Alter. 20 Tage alte Drosophila-Männchen führen zu etwa doppelt so vielen mutierten Nachkommen als frisch geschlüpfte Tiere. Mutationen reichern sich also im Laufe der Zeit in den Chromosomen an. Dies geschieht auch ohne Zellteilungen, denn älteres Saatgut zeigt ebenfalls eine gesteigerte Zahl von Mutanten.

2. Temperatur. Im allgemeinen wächst die Mutationsrate mit steigender Temperatur. TIMOFÉEFF-RESSOVSKY[2] erhielt z. B. bei Drosophila einen Anstieg zwischen etwa 0,09% bei 14° über 0,19% bei 22° auf 0,33% bei 28° C (ClB-Methode).

3. Chemische Agenzien. Schon 1914 versuchte T. H. MORGAN durch Äther und Alkohol Mutationen in Drosophila auszulösen. 1932 erzielte SACHAROFF die ersten positiven Ergebnisse[3] durch Jodbehandlung von Drosophila-Eiern. Eindeutige Effekte chemischer Mutationsauslösung wurden in den vierziger Jahren unabhängig durch AUERBACH, OEHLKERS und RAPPOPORT[4] beschrieben. Mutationserzeugend wirken eine große Zahl sehr verschiedener Substanzen, nämlich unter anderem alkylierende Agenzien (z. B. Senfgas), Urethan, Formaldehyd, Peroxyde, salpetrige Säure, Analoga der Nucleotidbasen etc.

Die Wirkungsmechanismen der einzelnen Substanzen sind unterschiedlich und in vielen Fällen noch unverstanden. Manche führen zu groben Veränderungen an den Chromosomen (vgl. § 4/3), andere verursachen nur geringe Änderungen der Erbsubstanz. Der Wirkungsmechanismus der letzten Gruppe wird in § 6/11 ausführlich behandelt.

Im wesentlichen führen spontane und „induzierte" Mutationen zu gleichen oder vergleichbaren Veränderungen. Durch die einzelnen Agenzien werden jedoch Mutationen in verschiedenen Organismen und in verschiedenen Genen unterschiedlich gesteigert (vgl. § 6/12).

Diese Elektivität der Mutationsauslösung darf nicht mit dem Wunschtraum von „gerichteten" Mutationen verwechselt werden, bestimmte Gene in bestimmter Richtung zu verändern. Dies könnte nach allem, was man heute über die materielle Struktur der Erbinformation weiß (vgl. Kapitel 6), nur mit Agenzien möglich werden, die selbst eine genetische Information tragen.

4. Strahlungen. Diesem wichtigen Agens der Mutationsauslösung ist der folgende Paragraph gewidmet.

Literatur zu § 4/1:
[1] SPENCER, W. P., and C. STERN: Genetics **33**, 43 (1948).
[2] TIMOFÉEFF-RESSOWSKY, N. W.: Z. indukt. Abstamm.- u. Vererb.-Lehre **70** (1935).
[3] SACHAROFF, W.: Biol. Zhur. **1**, 3, 1 (1932).
[4] AUERBACH, C. (1942), kriegsbedingt verspätet veröffentlicht: Nature (Lond.) **157**, 302 (1946).
OEHLKERS, F.: Z. indukt. Abstamm.- u. Vererb.-Lehre **81**, 313 (1943).
RAPPOPORT, J. A.: Dokl. Akad. Nauk SSSR **59**, 119 (1948).
VOGEL, F., and G. RÖHRBORN, edts.: Chemical Mutagenesis in Mammals and Man. Berlin-Heidelberg-New York: Springer 1970.

4/2 Strahlung und Mutation

Ultraviolettes Licht und ionisierende Strahlungen, wie α-, β-, γ-, Röntgen- oder Neutronen-Strahlung, haben schädigende Wirkungen auf Organismen, die bis zum Tod des bestrahlten Individuums führen können.

Bestrahlt man eine größere Population von Individuen und trägt man den Anteil der Überlebenden gegen die applizierte Strahlendosis auf, so erhält man meist Kurven wie die von Abb. 4,2. Kleine Strahlungsdosen haben keinen tödlichen Effekt. Erst die Ansammlung vieler Ionisierungen führt zur physiologischen Abtötung. Die Überlebenskurven sehr einfacher Organismen, wie Bakterien oder Viren (vgl. Kapitel 5), sind häufig anders gekrümmt (Abb. 4,3). Sie zeigen den Verlauf einer Exponentialkurve, d. h. bereits die kleinsten Dosen haben Effekte. Werden in der ersten Zeiteinheit $1/5$ aller Individuen abgetötet, so werden in der zweiten Zeiteinheit von den verbliebenen 80% wiederum $1/5$ getötet, so daß die Überlebenden auf 64% absinken usw. Unabhängig von der vorangegangenen Bestrahlungsdauer besteht für alle noch Überlebenden eine konstante Wahrscheinlichkeit, getötet zu werden.

Der Effekt beruht also nicht auf der Ansammlung vieler Ionisationen, sondern auf einzelnen „Treffern". So wie Regentropfen auf Pflastersteine fallen und diesen oder jenen treffen und immer weniger noch ungetroffene Steine übrigbleiben, fallen die Strahlungstreffer in eine Population aus vielen gleichen Individuen. Auf diese werden die Treffer zufallsverteilt (POISSON).

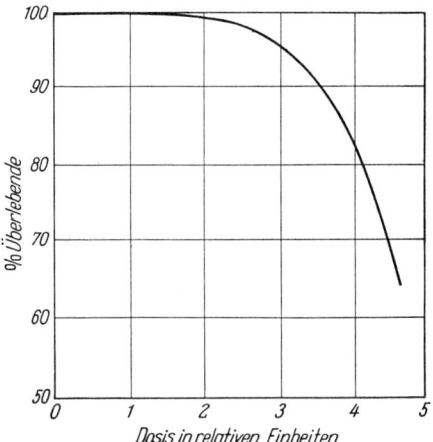

Abb. 4,2. Überlebenskurve von Bohnenkeimlingen bei Röntgenbestrahlung

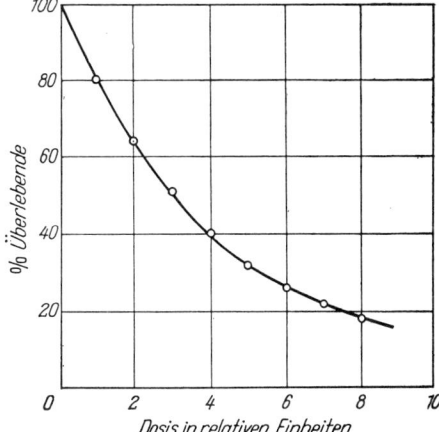

Abb. 4,3. Inaktivierung des Bakteriophagen T1 (vgl. § 5/5) durch UV-Bestrahlung in linearem Diagramm

Ein einziger Treffer genügt zur Inaktivierung. Dieser Mechanismus führt zu der Exponentialkurve von Abb. 4,3. Man spricht daher von einem Ein-Treffer-Mechanismus. Offenbar werden lebenswichtige Strukturen geschädigt, die nur einmal vorhanden sind. Es ist naheliegend, die Erbsubstanz mit diesen Strukturen zu identifizieren.

Man könnte diese Inaktivierung als induzierte „Letalmutation" ansehen, doch ist zu bedenken, daß Veränderungen der Erbsubstanz in zweifacher Weise letal sein können. Erstens durch Treffer, die eine Replikation der Erbinformation und damit jegliche Vermehrung verhindern (letale Blockierung), zweitens durch Erzeugung eines Allels, dessen Funktion die spätere Physiologie des Organismus letal verändert. Nur der zweite Typ ist eine Letalmutation im eigentlichen Sinne. Eine letale Blockierung würde bei mehrzelligen Organismen nicht bemerkt werden, da die überlebenden Zellen das Absterben der getroffenen Zellen überdecken. Ein-Treffer-Mechanismen werden also nur bei solchen Organismen auftreten, die lebenswichtige Strukturen in nur einem Exemplar enthalten.

Die Exponentialkurve ist mathematisch leicht herzuleiten aus der Differential-Gleichung:

$$-d\,U/dt = U \cdot c,$$

d. h. Verlust an Überlebenden pro Zeiteinheit = Zahl der noch Überlebenden mal einer Konstanten c, die die Intensität der Strahlung und die Empfindlichkeit der Organismen enthält. Die Gleichung hat die Lösung

$$U/U_0 = e^{-ct},$$

wobei U_0 die Zahl der Individuen vor der Bestrahlung, d. h. für $t = 0$, ist.

Meist wird für die Überlebenden ein logarithmischer Maßstab benutzt, wodurch Exponentialkurven zu Geraden werden. Diese Darstellung wurde für

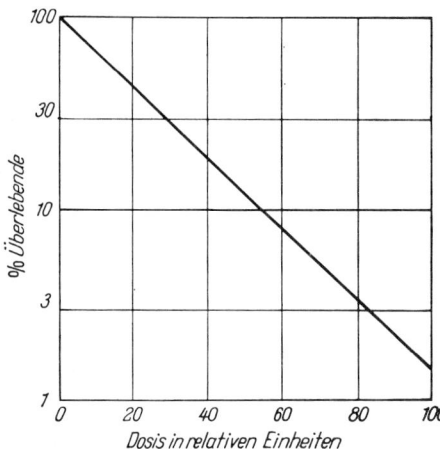

Abb. 4,4 gewählt und zeigt durch den geraden Verlauf der Inaktivierungskurve (entsprechend dem exponentiellen Abfall im linearen Maßstab) einen Ein-Treffer-Vorgang bei der Abtötung der Bakteriophagen.

Wichtiger als Abtötung und physiologische Schäden ist für die Genetik jedoch die mutagene Wirkung von Strahlen. H. J. MULLER gelang 1927 der Nachweis der Mutationsauslösung durch Röntgenstrahlen bei Drosophila[1]. Diese Versuche bilden den Beginn der heutigen Mutationsforschung. Sie wurden kurz darauf von GAGER und BLAKESLEE an Datura und von STADLER am Mais bestätigt. Auch α-, β-, γ-Strahlen, Neutronen und ultraviolettes Licht erwiesen sich als mutationserzeugend. Hierbei kann entweder eine bestimmte Mutation oder die Summe aller Mutationen betrachtet werden. Im

Abb. 4,4. Abtötung von T4-Bakteriophagen durch Röntgenstrahlen in halblogarithmischem Diagramm

X-Chromosom von Drosophila erhält man z. B. eine Steigerung der Mutationsrate von 0,2% (spontan) auf über 13%.

Bei Röntgen- und anderen energiereichen Strahlen kann man einen ,,direkten"
Effekt auf die Gensubstanz von einem ,,indirekten" unterscheiden, bei dem
zunächst kurzlebige Radikale und aus diesen Peroxyde gebildet werden, die
dann ihrerseits mutationsauslösend wirken. Bei der energiearmen UV-Bestrahlung dagegen tritt wohl im wesentlichen nur eine direkte Wirkung auf. Zur
Mutationsauslösung durch UV eignen sich nur Organismen, deren Erbstruktur
nicht durch UV-undurchlässige Schichten
geschützt ist.

Die Dosisabhängigkeit der Mutations-
auslösung wird von Abb. 4,5 illustriert.
Dieses Diagramm zeigt, daß verschiedene
Strahlung mit der gleichen Zahl von
Ionisierungen (diese werden in Röntgen-
einheiten [r] gemessen) auch gleich starke
Induktionswirkungen haben.

Auch die Mutationserzeugung ist ein
Ein-Treffer-Mechanismus, denn jede Do-
siseinheit ruft — unabhängig von der
bereits eingestrahlten Dosis — einen konstanten zusätzlichen Anteil von Mutanten
hervor. Da wir aber nicht überlebende
Individuen, sondern mutativ getroffene
zählen, ist die Exponentialkurve umge-
dreht (statt e^{-ct} jetzt $1-e^{-ct}$). In Abb. 4,5
wird die Krümmung dieser Exponential-
kurve kaum sichtbar, da nur der Anfang
der Kurve gemessen werden kann, der ja
auch in Abb. 4,3 praktisch linear ist. Bei
zu hoher Strahlendosis werden nämlich
die Fliegen abgetötet.

Im Zeitalter der Atomenergie sollte
nicht von Strahlengenetik gesprochen
werden, ohne auf die Bedeutung hinzu-

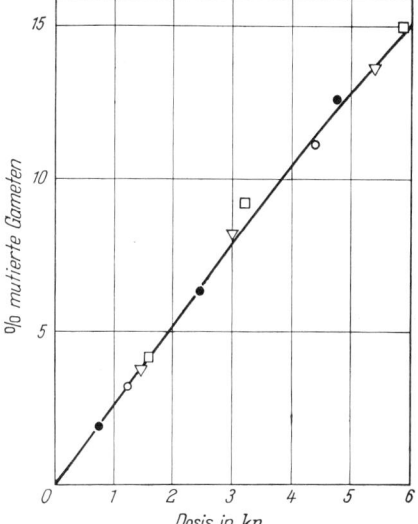

Abb. 4,5.
Mutationsauslösung im X-Chromosom von Drosophila durch ionisierende Strahlung (ClB-Methode).
   o 10 kV Röntgenstrahlen;
   • 160 kV Röntgenstrahlen;
   ▽ γ-Strahlen;
   □ β-Strahlen.
[Nach ZIMMER u. TIMOFÉEFF-RES-
SOVSKY: Z. indukt. Abstamm.- u.
Vererb.-Lehre 80, 353 (1942)]

weisen, die diesem Problem in einer hoch-
technisierten Gesellschaft zukommt. Die Gefahr übermäßiger Strahlenbelastung
und mehr noch die der chemischen Schadstoffe liegt sicher nicht nur in deren
physiologischen Wirkungen. Diese erlöschen mit dem Tode des Einzelindividuums
und sind Sorge des Arztes. Für den Genetiker ist das wichtigere Problem die
Möglichkeit einer ständigen, unmerklichen Akkumulation von Mutationen im
Erbgut der Bevölkerung.

Auch scheinbar ungeschädigte Individuen können große Mengen von rezessiven Mutationen ansammeln, die sich erst nach Generationen (bei einem Zusammentreffen gleicher oder ähnlicher Schäden in beiden Eltern) durch eine
gesteigerte Häufigkeit von Miß- oder Fehlgeburten sowie von Erbkrankheiten
aller Art auswirken würden.

Es ist eine höchst wichtige Aufgabe heutiger genetischer Forschung, Techniken zu entwickeln, um die Effekte mutagener Agentien rechtzeitig quantitativ zu erfassen. Weiter sollte nach Möglichkeiten gesucht werden, durch umfangreiche kontinuierliche Stichproben ein plötzliches Ansteigen menschlicher Mutationsraten zu erkennen. Bisher sind noch manche Grundfragen hierzu ungelöst. So wissen wir nur, daß die Zahl der menschlichen Gene irgendwo zwischen 10000 und 3 Millionen liegt. Mutationsraten sind nur für sehr wenige — vielleicht gar nicht repräsentative — Gene bekannt.

Genetiker werden oft gefragt, welche Strahlendosis toleriert werden könnte. Die Antworten sind unterschiedlich und werden meist nur widerstrebend gegeben, denn es gibt auf diese Frage keine objektive Antwort. Abgesehen davon, daß das heute vorliegende Versuchsmaterial zwar eindeutig Erzeugung schädlicher Mutationen durch Strahlung beweist, aber für quantitative Angaben den Menschen betreffend noch recht unvollkommen ist, müßte für eine solche Antwort festgelegt sein, ob wir eine Steigerung von 1%, von 10%, eine Verdopplung, Verzehnfachung oder Verhundertfachung der heute auftretenden Fehlgeburten, Mißbildungen und Erbkrankheiten für „tragbar" halten.

Literatur zu § 4/2:

[1] MULLER, H. J.: Science **66**, 84 (1927).

4/3 Chromosomen-Mutationen

Wir haben bisher nicht gefragt, ob Mutationen von mikroskopisch sichtbaren Veränderungen an den Chromosomen begleitet sind. Das ist zuweilen der Fall. Man hat daher Mutationen eingeteilt in Kleinmutationen (ohne mikroskopisch sichtbare Veränderung) und Chromosomen-Mutationen, die besonders nach Bestrahlung auftreten und strukturelle Abweichungen zeigen. Eine dritte Gruppe besteht in numerischen Veränderungen der Chromosomen (fehlende oder zusätzliche Chromosomen, Verdopplung ganzer Chromosomensätze usw.). Diese werden als Genom-Mutationen bezeichnet und im § 4/5 behandelt.

Wir wissen heute, daß sich Kleinmutationen nicht klar von Chromosomen-Mutationen abgrenzen lassen sondern daß ein kontinuierlicher Übergang zwischen beiden besteht. Wir werden jedoch in § 9/5 sehen, daß es wirkliche „Punktmutationen" gibt, die trotz winziger Änderung der Erbinformation tief in die Genfunktion eingreifen.

Es sollen jetzt die strukturellen Veränderungen (Chromosomen-Mutationen) beschrieben werden, die speziell am Mais und an den Speicheldrüsen-Chromosomen (Tafel 24) von Drosophila untersucht werden konnten, die aber analog auch bei allen anderen Organismen einschließlich des Menschen gefunden werden.

Die Entstehung der Chromosomen-Mutationen oder Chromosomen-„Aberrationen" kann durch „illegitimes", d. h. an nicht-homologen Stellen erfolgendes Crossover erklärt werden, das sich spontan nur selten ereignet, aber induzierbar ist durch Bestrahlung oder chemische Mutagene. In Abb. 4,6 sind die entsprechenden Ereignisse schematisch dargestellt. Zur besseren Übersicht wurde dabei die möglicherweise erforderliche Verdopplung der Chromosomen in zwei Chromatidstränge vernachlässigt. Chromosomenstücke ohne Centromer gehen verloren.

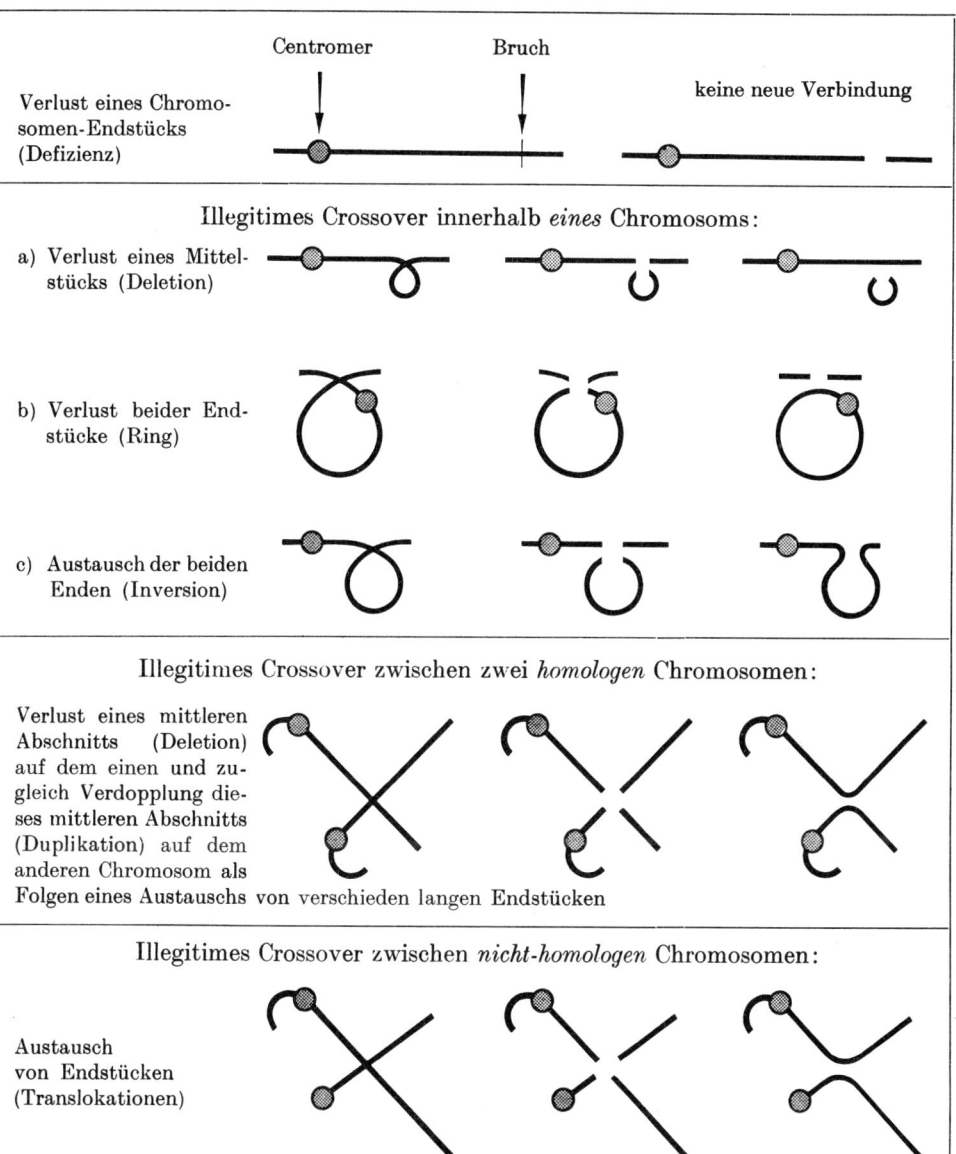

Abb. 4,6. Vereinfachtes Schema zur Entstehung von Chromosomen-Aberrationen

1. Endstückverlust

Normalerweise wird das Fehlen eines Chromosomenstücks im Pachytän der
Meiose erkennbar, wenn die Synapsis homologer Chromosomen einen direkten
Vergleich ermöglicht. Besonders deutlich manifestiert sich eine Defizienz in den
polytänen Riesenchromosomen von Drosophila (Abb. 4,7), die sich in dauernder „Paarung" befinden.

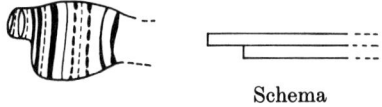

Schema

Abb. 4,7. Speicheldrüsen-Chromo-
somen-Endstück mit einer heterozygoten Defizienz

Die beiden Chromatiden eines abgebro-
chenen Chromosoms zeigen manchmal, z. B.
im Gametophyten und Endosperm von Mais,
in Mitosen ein Verkleben der Bruchenden[1].
Die Chromatiden sind so fest verbunden, daß
sie sich in der Anaphase nicht trennen können und schließlich irgendwo zwischen den
beiden Centromeren zerreißen (Abb. 4,8).
Dadurch entstehen neue Bruchstellen, die in der nächsten Mitose wieder zu
Verklebung, Anaphasebrücke und neuem Bruch führen. Dieser Zyklus wird in
sporophytischen Zellen nach der Befruchtung nicht fortgesetzt. Die Bruchenden
„verheilen". Eine Erklärung dieses Phänomens konnte bisher nicht gegeben
werden.

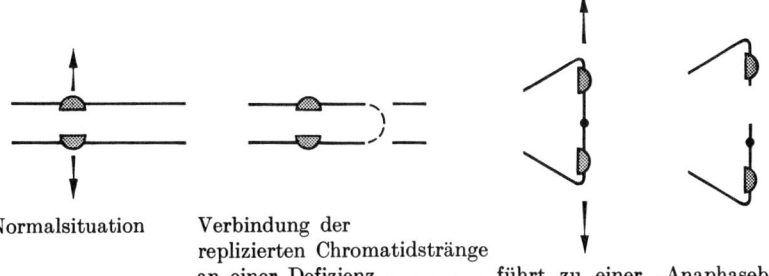

Normalsituation　　　Verbindung der
repliziertem Chromatidstränge
an einer Defizienz . . . . . führt zu einer „Anaphasebrücke"
und zu neuem Bruch

Abb. 4,8. Bruch-Fusions-Brücken-Zyklus in der Mitose beim Mais

Eine Tendenz zur Verklebung der Enden auch von normalen Chromosomen
findet man nach der Synapsis in den Meiosen vieler Organismen. Doch verläuft
die Anaphasetrennung schließlich fehlerfrei.

2. Deletionen

Heterozygote Deletionen sind an polytänen Chromosomen an Ausbeulungen
zu erkennen (Abb. 4,9). Das vollständige Chromosom findet im Bereich der
Deletion keine Partner-Struktur und wird ausgestülpt. Derartige Bilder sind
ein Beweis für die Genauigkeit
der Assoziation homologer Abschnitte.

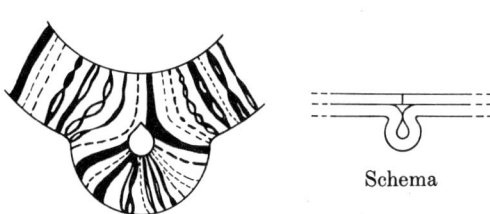

Schema

Abb. 4,9.
Schleifenbildung als Folge einer Deletion

Lange Stückverluste (End-
stück oder Deletion) sind fast
immer auch heterozygot letal,
obwohl bei Diplonten die fehlenden Gene im homologen Chromosom vorhanden sind. Anscheinend ist die Gesamtfunktion der
Chromosomen durch den Verlust zu weit aus dem quantitativen Gleichgewicht
geraten. Homozygot sind auch kleine Verluste fast immer letal, was anzeigt,
daß jedes Chromosomenstück unentbehrliche Funktionen erfüllt.

Defizienzen können zur phänotypischen Ausprägung eines rezessiven Allels führen, wenn das dominante Allel auf dem verlorenen Chromosomenteil lokalisiert war (Pseudodominanz). Sie ermöglichen so die Lokalisierung von Genen in den Chromosomen (§ 4/4). Darüber hinaus lassen sich Chromosomen-Struktur-, Replikations- und Rekombinations-Modelle an Chromosomen-Aberrationen prüfen.

3. Ringchromosomen

Für die Verdopplung von Chromosomen sind speziell Ringchromosomen interessant, die u.a. bei Mais, Drosophila und Menschen[1A] gefunden wurden.

Ringförmige Chromosomen haben in der Mitose keinerlei Trennungsschwierigkeiten (Abb. 4,10). Diese glatte Trennung zeigt an, daß bei der Verdopplung

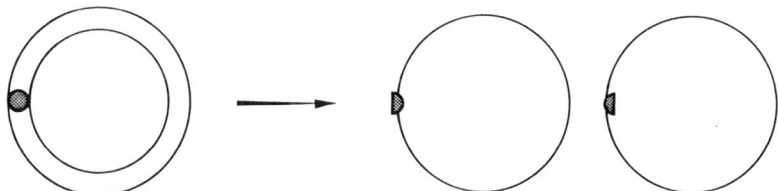

Abb. 4,10. Schema der Mitose eines Ringchromosoms

die beiden Chromatidstränge ohne Verdrillung entstehen. Ebenso darf kein Schwesterstrang-Austausch erfolgt sein. Letzterer wäre eine Erklärung der gelegentlich beim Mais von McCLINTOCK[2] beobachteten dizentrischen (zwei Centromere), doppelt großen Ringe (Abb. 4,11). Diese führen zu einem dem Bruch-Fusions-Brücken-Zyklus ähnlichen Phänomen: Als Folge eines Zerreißens an zwei zufälligen Stellen treten Ringe verschiedener Größe auf.

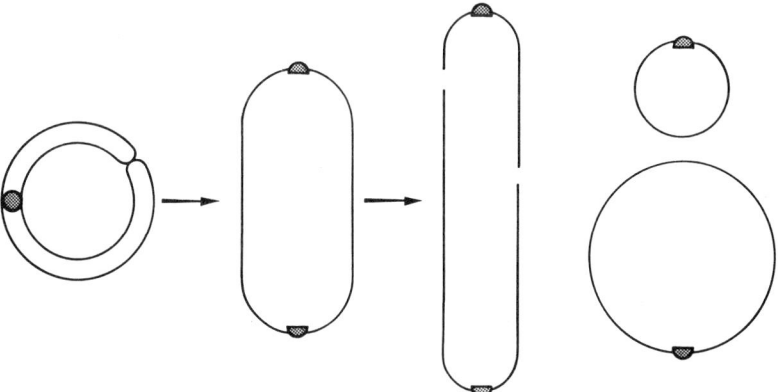

Abb. 4,11. Schema einer ungewöhnlichen Mitose eines Ringchromosoms beim Mais

4. Duplikationen

Findet Crossover zwischen homologen Chromosomen an nicht homologen Stellen statt, so resultiert neben einer Deletion die Duplikation eines Chromosomenabschnitts. Die zytologischen Bilder der Synapsis von heterozygoten Duplikationen entsprechen denen von Stückverlusten, nur daß jetzt das aberrante Chromosom den zusätzlichen Bereich ausstülpt.

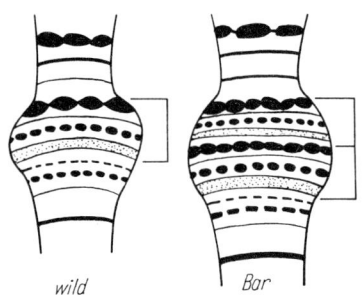

wild   *Bar*

Abb. 4,12.
Duplikation der Bar-Mutante

Ein Duplikationsbeispiel ist besonders bekannt, nämlich die Bar-Mutation von Drosophila, die zur ClB-Methode benutzt wird. An den Riesenchromosomen erkannte BRIDGES[3], daß die Mutation in der Verdopplung eines kurzen Segments des X-Chromosoms besteht (Abb. 4,12). Die phänotypischen Effekte der Bar-Mutation sind in Abb. 4,13 wiedergegeben (vgl. auch § 11/8).

Bei der Meiose von homozygoten Bar-Weibchen kommt es gelegentlich (etwa 1:1600) zu einem nicht reziproken Crossover[4], das zu einem normalen und einem X-Chromosom mit dreifachem Bar-Segment führt (Abb. 4,14). Dieser Typ heißt Ultrabar und hat noch kleinere Augen.

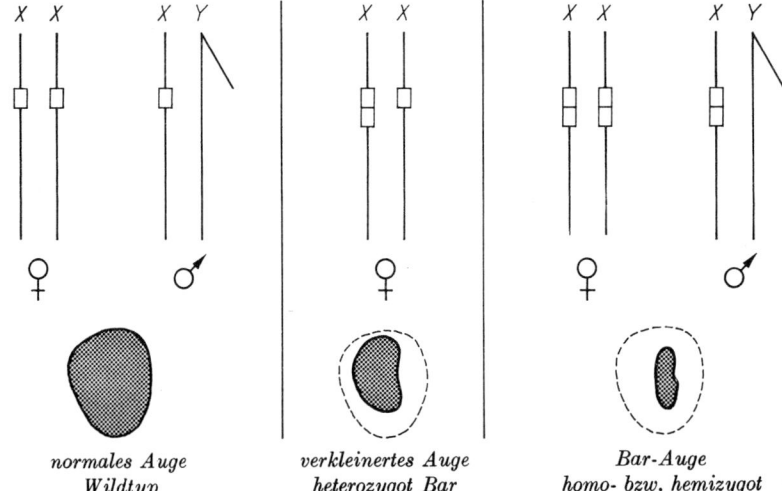

normales Auge   verkleinertes Auge   Bar-Auge
Wildtyp   heterozygot Bar   homo- bzw. hemizygot

Abb. 4,13. Augenformen der Drosophila bei verschiedenen Allelkombinationen des Bar-Gens

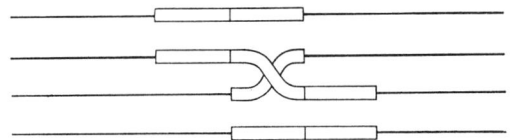

Abb. 4,14. Ungleiches Crossover in homozygoten Bar-Weibchen

Die Tatsache, daß nicht-homologer Austausch sonst sehr selten, aber bei einer Duplikation relativ häufig auftritt, ist ein Beweis für die Genauigkeit der Crossover-Orte in den homologen Chromosomen.

Bei Stückverlust und Duplikationen ändert sich die Gesamt*menge* des genetischen Materials. Die folgenden Chromosomen-Mutationen (Inversion und Translokation) zeigen dagegen eine veränderte *Anordnung* einzelner Chromosomenabschnitte.

5. Inversionen

In einem Chromosom kann durch Austausch der beiden Endstücke ein Abschnitt mit umgekehrter Genanordnung auftreten, d. h. aus einer Kopplungsgruppe

$$A \quad B \quad C^{\downarrow}D \quad E \quad F^{\downarrow}G \quad H \quad I$$

wird z. B.   A   B   C   Ⅎ   Ǝ   ᗡ   G   H   I

STURTEVANT konnte 1921 den ersten Fall einer solchen Inversion bei Drosophila aus Kreuzungsdaten erschließen, die eine veränderte Genreihenfolge zeigten[5]. Seitdem wurden Inversionen bei vielen Pflanzen und Tieren gefunden.

Die Synapsis einer Inversions-Heterozygote, d. h. die Paarung zweier homologer Chromosomen, von denen eines ein invertiertes Segment hat, gibt Abb. 4,15. wieder.

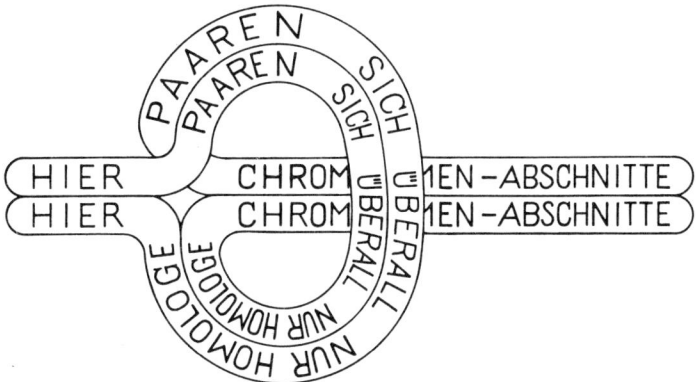

Abb. 4,15. Synapsis in einer Inversions-Heterozygote

Derartige Bilder werden im Pachytän und wieder besonders deutlich an Riesenchromosomen gefunden.

Bei Organismen mit kleineren Chromosomen, deren Beobachtung schwierig ist, können Inversionen an Anaphasebrücken erkannt werden. Diese Brücken entstehen durch Crossover im invertierten Segment (Abb. 4,16) und führen zu dizentrischen Chromatiden und azentrischen Fragmenten. Andere Crossover bilden andere Konfigurationen, z. B. Brücken in Anaphase II. Derartige Brücken werden irgendwo zerrissen, wodurch Stückverlust und Verdopplung eintreten.

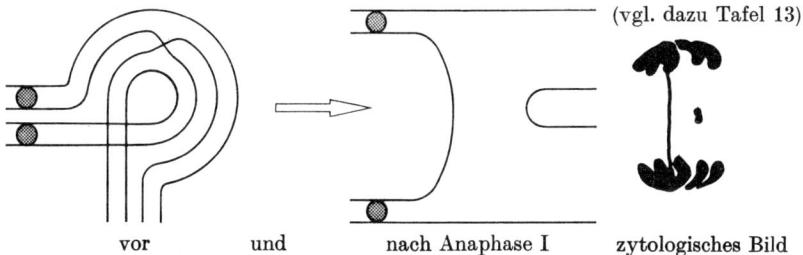

(vgl. dazu Tafel 13)

vor   und   nach Anaphase I   zytologisches Bild

Abb. 4,16. Beispiel einer Austausch-Tetrade einer Inversions-Heterozygote

Dies erklärt die partielle Sterilität von Inversions-Heterozygoten. Bei Weibchen werden dizentrische Chromatiden meist in die Polkörper (vgl. Tafel 17) abgeschoben[6], es gibt daher keinen Fertilitätsverlust, und alle Eizellen sind im invertierten Bereich frei von einfachen Crossovern. Lediglich doppelte Crossover, die beide im invertierten Bereich und zwischen den gleichen Chromatidsträngen stattfinden, sind möglich. Doch sind diese Ereignisse selten. Inversionen werden daher meist an ihrer Crossover-„verhindernden" Eigenschaft erkannt.

Die Markierung C der ClB-Methode ist eine solche Inversion. Sie verhindert also nicht im eigentlichen Sinne Crossover, sondern sorgt dafür, daß in die Eizellen nur Crossover-freie Chromatiden des X-Chromosoms gelangen.

Homozygot verhalten sich Inversionen, Stückverluste und Duplikationen in der Meiose völlig normal.

6. Translokationen

Bei dieser Gruppe sind Endstücke zwischen nicht homologen Chromosomen ausgetauscht. Bei der Synapsis von Translokations-Heterozygoten entstehen kreuzförmige Gebilde (Abb. 4,17).

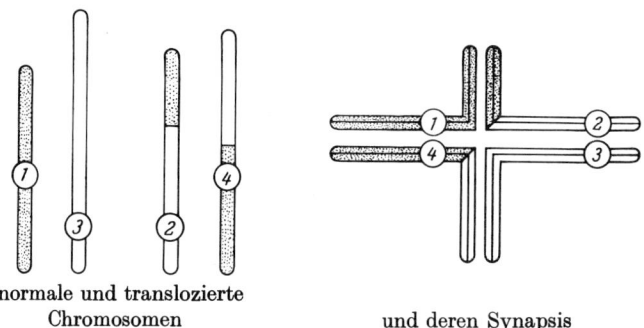

normale und translozierte
Chromosomen   und deren Synapsis

Abb. 4,17. Translokations-Heterozygote

Soll die Reduktion zu Chromosomen-Sätzen führen, die alle Gene einmal und nur einmal enthalten, so dürfen in der Anaphase I nicht beliebige Centromere zu gemeinsamen Polen wandern. Nur wenn Centromer 1 mit 3 und Centromer 2 mit 4 geht, kommen komplette Chromosomen-Sätze zustande. Diese Einschränkung verursacht partielle Sterilität, an der Translokationen erkannt werden können. (Allerdings kann diese auch andere Gründe haben, z. B. Letalgene.)

Crossover auf den Centromer-freien Armen bringen keine zusätzliche Schwierigkeit. Bei der

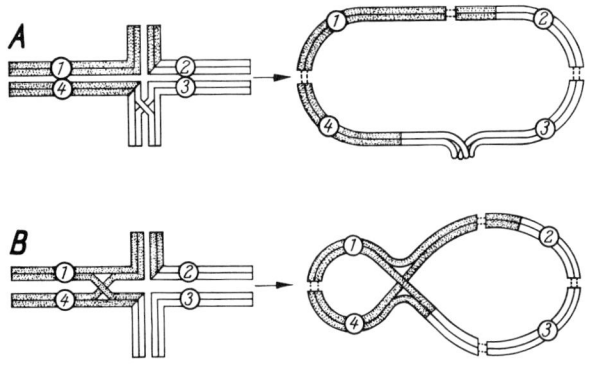

Abb. 4,18.
Crossover in Translokations-Heterozygoten

Abstoßung von Nichtschwester-Chromatiden werden Chiasmata terminalisiert
(§ 2/4), und die Kreuze öffnen sich zu
Chromosomen-Ringen (Abb. 4,18 A).

Dagegen hindern Crossover zwischen
einem Centromer und dem Translokations-
punkt eine Trennung (Abb. 4,18 B). Aus
diesem Grunde haben fast alle fertilen
Translokations-Heterozygoten den Trans-
lokationspunkt nahe am Centromer, oder
es sind nur kleine Endstücke ausgetauscht,
die nicht zur Synapsis kommen (keine
Kreuzbildung).

Es gibt Pflanzen, z.B. Oenotheren[7], die
immer Translokationen aufweisen und
die durch eine stets richtige Sortierung
der Centromere genetisch stabil bleiben.
Oft sind mehrere Chromosomen in Translokationen verwickelt, so daß noch kompliziertere Pachytän-Konfigurationen entstehen (Abb. 4,19 A). Zur Metaphase der
Meiose öffnen sich derartige Vielfachkreuze
zu wellenförmigen Chromosomen-Ringen
(Abb. 4,19 B). Es ist dabei noch unverstanden, warum die Enden verschiedener
Chromosomen verbunden bleiben. Ebenso
ungeklärt ist der Mechanismus, mit dem
solche Systeme eine korrekte Aufteilung
erreichen, bei der die Centromere sich
stets *alternierend* auf die Tochterkerne verteilen (Abb. 4,19 C).

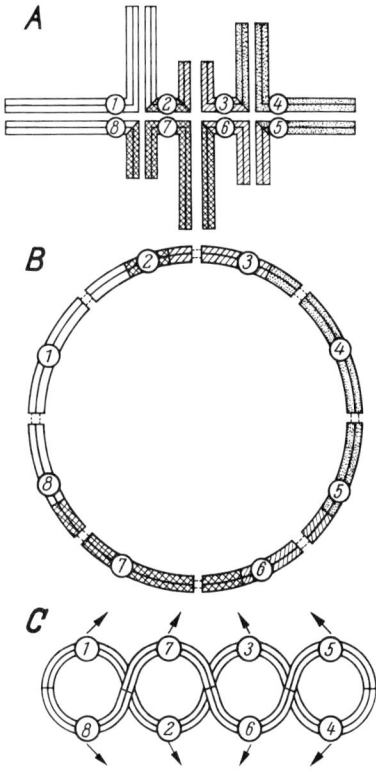

Abb. 4,19. Meiose bei mehrfacher
Translokation und geordneter
Centromer-Verteilung (Oenothera).
A Synapsis;
B Metaphase, Aufsicht;
C Metaphase, Seitenansicht

Es ist evident, daß eine derartige Chromosomen-Situation auch in kreuzungs-
genetische Daten beachtliche Komplikationen bringt. Es genüge die Feststellung, daß
die vom Chromosomen-Verhalten her zu erwartenden Resultate angetroffen werden.

Literatur zu § 4/3:

[1] McClintock, B.: Genetics **26**, 235 (1941).
[1A] Gosse, K.-P. et al.: Humangenetik **12**, 142 (1971).
[2] McClintock, B.: Genetics **23**, 315—376 (1938).
[3] Bridges, C. B.: Science **83**, 210 (1936);
ein anderes Beispiel einer Duplikation:
Demerec and Hoover: Genetics **24**, 271 (1938).
[4] Sturtevant, A. H.: Genetics **10**, 117 (1925).
[5] Sturtevant, A. H.: Genetics **5**, 488 (1921).
[6] Sturtevant, A. H., and G. W. Beadle: Genetics **21**, 554 (1936).
[7] Review: Cleland, R. E.: Advanc. Genet. **11**, 147 (1962).

4/4　Lokalisation von Genen in Chromosomen

Chromosomen-Aberrationen können benutzt werden, um den Ort bestimmter Gene auf morphologisch unterscheidbaren Chromosomen festzulegen. Durch Translokationen und Inversionen entstehen neue Kopplungsgruppen, die kreuzungsgenetisch und zytologisch erforscht werden können. Stückverluste lassen rezessive Allele zur Auswirkung kommen (Pseudodominanz) und sind auch zytologisch erkennbar. Man kann bei Drosophila z.B. folgende Kreuzung mit mehrfacher Markierung des X-Chromosoms durchführen:

$$\begin{matrix} a\ b\ c\ d\ e\ f \\ a\ b\ c\ d\ e\ f \end{matrix} \times \begin{matrix} A\ B\ C\ D\ E\ F \\ Y\text{-Chromosom} \end{matrix}$$

Alle weiblichen Nachkommen sind phänotypisch ABCDEF. Benutzt man zur Kreuzung bestrahlte Männchen, so können deren Gameten X-Chromosomen mit Stückverlusten enthalten. Ist so z. B. das Stück mit den Genen B und C verlorengegangen, wird das F1-Weibchen (falls lebensfähig)

den Genotyp $\dfrac{A\text{———}D\ E\ F}{a\ b\ c\ d\ e\ f}$ und den Phänotyp A b c D E F

haben. Durch zytologische Untersuchung der Nachkommen solcher Weibchen läßt sich feststellen, welcher Abschnitt an den Riesenchromosomen fehlt. In diesem Bereich müssen die Gene lokalisiert sein. Durch Weibchen mit anderen Deletionen können die Genorte mehr und mehr präzisiert werden (Abb. 4,20). Man findet sie fast immer in euchromatischen Banden. In ähnlicher Weise lassen sich auch Translokationen zur zytologischen Genortung benutzen.

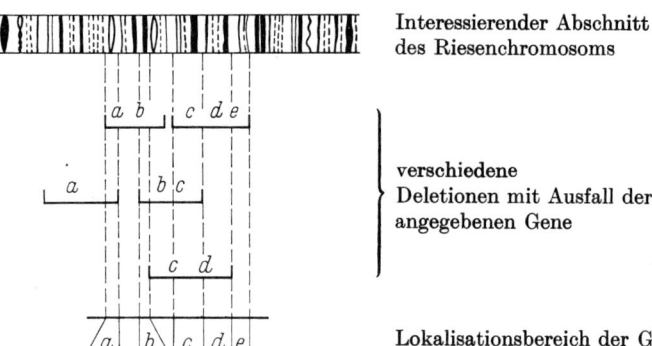

Interessierender Abschnitt des Riesenchromosoms

verschiedene Deletionen mit Ausfall der angegebenen Gene

Lokalisationsbereich der Gene

Abb. 4,20. Zytologische Lokalisierung von Genen durch Deletionen

Damit wird ein Vergleich von genetischen und zytologischen Genkarten möglich. Hierbei (Abb. 4,21) stimmen die Genreihenfolgen überein, die Genabstände zeigen jedoch systematische Abweichungen. Die auf den genetischen Karten in einigen Abschnitten (in Centromernähe und an den Enden von Kopplungsgruppen) recht gedrängten Gene sind in zytologischen Karten weiter gespreizt. Man beachte, daß Genabstände auf kreuzungsgenetischen Karten ein Maß für die Crossover-Häufigkeit zwischen den Genen sind. Wir können also schließen, daß Chiasmata und Crossover nicht überall mit gleicher Wahrscheinlichkeit auftreten, sondern in bestimmten Chromosomenabschnitten häufiger, in anderen (nah am Ende oder am Centromer) seltener (vgl. § 2/5). Dies führt zu einer Verzerrung der kreuzungsgenetischen Karte (Abb. 4,21).

Auch das Ergebnis eines Crossovers konnte an Drosophila[1] und Mais[2] kreuzungsgenetisch und zytologisch verglichen werden. STERN benutzte hierzu Drosophila-Weibchen, deren beide X-Chromosomen durch zytologische Markie-

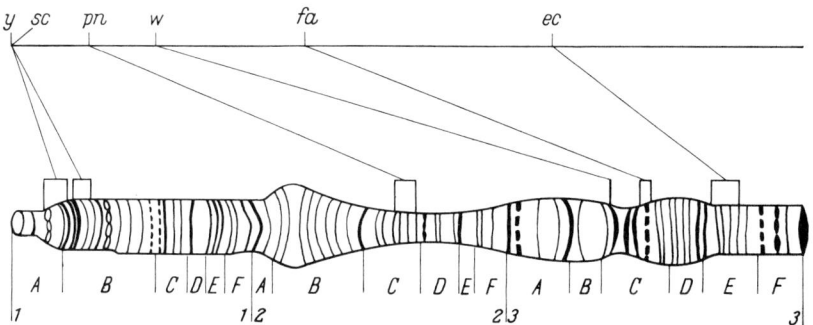

Abb. 4,21.   Genkarte und Speicheldrüsenchromosom, Drosophila, Centromerfernes Ende des X-Chromosoms [nach C. B. BRIDGES: J. Hered. 26, 60 (1935)]. *y* yellow body (gelbe Körperfarbe); *sc* scute bristles (fehlende Borsten); *pn* prune (braune Augen); *w* white (weiße Augen); *fa* facet eyes (unregelmäßige Ommatidien); *ec* echinus (rauhe Augen)

rungen an verschiedenen Enden gekennzeichnet waren (einerseits ein fehlendes Stück, das an Chromosom IV transloziert war, andererseits ein angehängtes Stück eines Y-Chromosoms). Außerdem waren zwei genetische Markierungen in der Kreuzung, nämlich das Bar-Gen und eine Mutation car (carnation = dunklere Augen). Die Nachkommen der Kreuzung zeigten in allen genetischen Rekombinanten auch eine zytologische Rekombination der Chromosomen-Abnormitäten, wogegen alle Nachkommen ohne genetischen Austausch auch die Morphologie der elterlichen Chromosomen besaßen. (Crossover zwischen den genetischen Markierungen und den Chromosomenenden sind vernachlässigbar selten.)

$$car \mp \frac{\mp +}{\mp} \quad car \mp \quad$$
$$\times \qquad Y$$
$$B \mp \mp + \qquad + \mp$$

Die in diesem Paragraphen geschilderten Versuchsergebnisse liefern den Beweis für die Lokalisation von Erbanlagen in den Chromosomen der Zellkerne. Auch die Analogien zwischen Kopplungsgruppe und Chromosom, zwischen Crossover und Austausch von Chromosomenteilen haben sich bestätigt. Diese zytogenetischen Versuche bilden den Abschluß und die Krönung der ersten Periode der Vererbungsforschung, die von zwei Richtungen her (Kreuzungsanalyse und zytologische Beobachtung) die Grundlagen des Phänomens der Vererbung aufklärte.

Literatur zu § 4/4:
[1] STERN, C.: Biol. Zbl. **51**, 586 (1931).
[2] CREIGHTON, H. B., and B. MCCLINTOCK: Proc. nat. Acad. Sci. (Wash.) **17**, 492 (1931).

4/5   Polyploidie und abnorme Chromosomensätze

Wir haben uns mit strukturellen Veränderungen der Chromosomen beschäftigt und wollen uns jetzt den numerischen Veränderungen (Genom-Mutationen) zuwenden, bei denen Genanordnung und Einzelchromosomen erhalten bleiben, aber Abweichungen im Gesamtbestand der Chromosomen eines Zellkerns auftreten. Man unterscheidet hierbei:

Aneuploidie: Einzelne Chromosomen sind überzählig oder fehlen.

  (bei Diplonten)   monosom: ein Chromosom fehlt in einem Exemplar

                        nullisom: ein Chromosom fehlt in beiden Exemplaren

                        trisom: eines ist zuviel

                        tetrasom: eines ist zweimal zuviel

                        doppelt trisom: zwei Chromosomen sind je einmal zuviel

Euploidie: Vervielfachung kompletter Chromosomensätze in allen Zellen des Organismus.

                       a) Auto(poly)ploidie: gleiche Chromosomensätze

                       b) Allo(poly)ploidie: verschiedene Chromosomensätze

Endopolyploidie: Somatische Vervielfachung des Chromosomensatzes in bestimmten Geweben.

1. Aneuploidie

Individuen mit fehlenden oder überzähligen Chromosomen entstehen durch fehlerhafte Meiosen, z. B. durch Nicht-Trennung eines homologen Chromosomenpaares (non-disjunction). Der Verlust eines Chromosoms ist meist letal, obwohl bei Diplonten das homologe Chromosom noch vorhanden ist[1]. Bei Drosophila kann das sehr kleine vierte Chromosom in einem Exemplar fehlen, doch ist damit (neben Änderungen in einigen Merkmalen) geringe Fertilität und hohe Sterblichkeit verbunden.

Als Musterbeispiel überzähliger Chromosomen gilt der Stechapfel (Datura) mit normalerweise 2×12 Chromosomen. BLAKESLEE[2] konnte alle 12 möglichen trisomen Fälle finden und phänotypisch unterscheiden. Auch beim Menschen wird Trisomie beobachtet (vgl. § 4/6). Während die Mitose bei Aneuploidie normal verläuft, treten in der Meiose Anomalien auf. In monosomen Fällen gibt es normale und defekte (n—1 Chromosomen) Gameten. Letztere sind häufiger, da das partnerlose Chromosom in der Anaphase oft liegenbleibt.

Bei einem überzähligen Chromosom ist die Synapsis interessant. Es lagern sich nämlich nicht alle drei Homologe parallel zusammen, sondern jeweils nur zwei von ihnen, wobei Partnerwechsel möglich sind (Abb. 4,22). Bei der Synapsis ist offenbar die Paarung von zwei Strukturen bereits „abgesättigt" und nicht mehr fähig, eine dritte homologe Struktur zu binden (vgl. § 7/4). Kürzlich wurde bei triploiden Hühnern erstmalig eine Dreierpaarung beobachtet[2A].

Wird ein „Trivalent" gebildet, so entstehen (n)- und (n+1)-Gameten. Führt die Paarung aber zu einem „Bivalent", so bleibt das „Univalent" in der Anaphase meist liegen. Lange Chromosomen des Mais bilden bevorzugt Trivalente, kürzere Bi- und Univalente.

Trivalent   oder   Bivalent und Univalent

Abb. 4,22. Mögliche Paarung von Trisomen

2. Euploidie

Abgesehen von Aneuploidie gilt für jede Art eine feste spezifische Chromosomenzahl. Bei Pflanzen — und speziell bei solchen, die seit langem in menschlicher Kultur sind — kommen jedoch häufiger Serien von Chromosomenzahlen vor, die Vielfache einer Grundzahl sind. So hat Weizen 2×7, 4×7 oder 6×7 Chromosomen, Tabak und Kartoffeln 24, 48 oder 72. (Roggen und Gerste dagegen haben stets 2×7 Chromosomen.) Diese Situation eines vielfachen Chromosomensatzes heißt „Polyploidie". Polyploide Pflanzen haben eine gesteigerte Möglichkeit zur Heterozygotie und sind somit anpassungsfähiger. In klimatisch schwierigen Gebieten herrscht daher Polyploidie vor. So sind in Spitzbergen mehr als 90% der Pflanzen polyploid.

a) Autopolyploidie. Verdopplung ganzer Chromosomensätze erfolgt zuweilen spontan, kann aber auch durch Temperaturschocks (40—45^0 C) oder durch Drogen, speziell durch Colchizin (Alkaloid der Herbstzeitlose) induziert werden. Colchizin ist ein Gift für die Ausbildung des Spindelmechanismus und hemmt daher die Mitose oder Meiose, so daß Chromosomen zwar verdoppelt, aber nicht aufgeteilt werden. Man bezeichnet den haploiden Chromosomensatz des normalen Gameten mit einem Großbuchstaben (A), AA symbolisiert Diploidie und entsprechend AAA und AAAA Tri- bzw. Tetraploidie.

Polyploide Pflanzen haben größere Zellkerne und größere Zellen als die entsprechenden Diploiden. Auch Blüte, Blätter, Samen, ja die ganze Pflanze sind oft größer. Das Wachstumsoptimum liegt aber nicht immer bei höchsten Ploidiewerten, so ist bei Zuckerrüben der landwirtschaftliche Ertrag von triploiden am höchsten. Tetraploide sind sogar diploiden unterlegen.

Triploide sind fast völlig steril, da die Aufteilung der Chromosomen nur äußerst selten zu normalen Gameten führt. Tetraploide können genetisch stabil sein, besonders wenn in der Synapsis bevorzugt Bivalente entstehen oder Quadrivalente, die geregelt verteilt werden. Oft ist aber die Fertilität herabgesetzt. Gameten mit $2n$-Chromosomen sind meist funktionstüchtig und vereinigen sich bei einer Befruchtung zu wieder tetraploiden Zygoten.

Kreuzungen zwischen Di- und Tetraploiden ($AA \times AAAA$) sind meist nicht fertil. Eine landwirtschaftlich wichtige Ausnahme ist die Zuckerrübe, bei der so das Saatgut für triploide (sterile) Nutzpflanzen gewonnen wird. Auch diverse Apfelsorten (z. B. der Grafensteiner) sind triploid. Da ihre Vermehrung vegetativ erfolgt, stören die Meiose-Schwierigkeiten nicht.

Bei Tieren ist Polyploidie selten. Sie wird z. B. bei kleinen Krebsen beobachtet, die sich sexuell oder parthenogenetisch (unbefruchtete Eizelle wird zum Embryo) fortpflanzen. So hat eine Rasse von Artemia salina $168 = 8 \times 21$ Chromosomen. Bei Amphibien wurden voll vitale und sogar fertile Triplonten gefunden, bei Hühnern wurde ein triploides Individuum an seiner Zwittrigkeit erkannt[3].

b) Allopolyploidie. Kreuzungen zwischen verschiedenen Arten ($AA \times BB$) gelingen nur in wenigen Fällen und führen dann fast immer zu sterilen Bastarden (AB) wegen der Schwierigkeiten der Meiose. Gelegentlich aber endet die Anaphase der ersten meiotischen Teilung der Bastarde mit der Bildung eines „Restitutionskerns", d. h. einer Wiedervereinigung der schwer zu trennenden Chromosomen in einem Kern. Das Endprodukt der Meiose ist dann statt einer Tetrade eine „Dyade" aus zwei diploiden Zellen (AB) (AB). Treffen zwei solcher Gameten zusammen (AB + AB), kann ein tetraploides Individuum AABB entstehen. Auch in der ersten Teilung nach der Befruchtung von normalen Gameten oder später kann eine mitotische Verdopplung der Chromosomensätze ohne Aufteilung erfolgen.

Ist ein tetraploides Individuum erst einmal gebildet, so verlaufen weitere Meiosen reibungslos, da sich die Homologen jedes Doppelsatzes als Bivalente zusammenfinden und so stets Gameten produziert werden, die je ein Chromosom jedes Satzes enthalten (AB) und nach Befruchtung wieder zu AABB-Individuen führen. Derartige „Additionsbastarde" oder „amphidiploide Bastarde" bilden dann eine neue Art. Als Beispiel sei der Kohl-Rettich-Bastard angeführt, der aus Brassica oleracea und Raphanus sativus (beide mit 2×9 Chromosomen) erhalten wurde[4]. Der „Raphanobrassica"-Bastard besitzt 2×18 Chromosomen, hat also die Konstitution AABB. Auch Bastarde zwischen Weizen (AABBCC) und Roggen (DD) konnten vielfach erzeugt werden. Sie besitzen $42 + 14 = 56$ Chromosomen (AABBCCDD).

Bei den züchterisch wichtigen Kreuzungen von polyploiden Pflanzen ergeben sich wesentlich kompliziertere Erbgänge als bei Diplonten, da verschiedene Kombinationen von Allelen bereits in den Gameten möglich sind. Für deren Wahrscheinlichkeiten ist die Lage der betrachteten Gene in bezug auf die Centromere bedeutungsvoll. Da viele züchterisch interessante Merkmale dazu noch polygen kontrolliert werden (vgl. § 3/7), d. h. mehrere Gene auf ein Merkmal einwirken, sind in der polyploiden Pflanzenzüchtung die Mendelschen Regeln fast nur von theoretischem Interesse.

c) **Haploidie.** Normalerweise diploide Pflanzen können auch haploid existieren. Man gewinnt sie z. B. durch Bestäubung mit röntgenbestrahlten Pollen oder in jüngerer Zeit mit zunehmendem Erfolg direkt aus unreifen Pollenkörnern durch Stimulation der Zellteilung. Die Zellen und auch der Gesamtwuchs solcher Haploiden sind kleiner als bei den entsprechenden Diploiden. Besonders bei Fremdbefruchtern (z. B. Roggen) werden schädliche rezessive Gene bemerkbar (geringe Vitalität). Die Meiose führt höchstens über einen Restitutionskern zu normalen haploiden Gameten.

Haploide Pflanzen gewinnen rasch wachsendes Interesse in der Pflanzenzüchtung. Gewünschte rezessive Mutationen können nach künstlicher Induktion leicht erkannt werden. Ebenso ist es möglich, schnell in allen Genen homozygote normale Pflanzen zu erhalten durch Diploidisierung, z. B. mit Colchizin. Wenn auch heute noch der allgemeinen Anwendung dieses Verfahrens[5] manche technische Schwierigkeit im Wege steht, so ist seine Bedeutung für die Zukunft der Welternährung kaum zu überschätzen.

3. Endopolyploidie (Endomitose[6])

Die Vervielfachung von Chromosomensätzen in bestimmten Geweben ist eine Erscheinung der Differenzierung und gehört zum Problemkreis der Entwicklungsphysiologie. In vielen Arten von Insektengeweben wird Polyploidie beobachtet. Die Speicheldrüsenchromosomen von Dipteren wurden schon in § 2/6 beschrieben. In Speicheldrüsen von Wasserwanzen konnte die hundert-, ja tausendfache Zahl *einzelner* Chromosomen gefunden werden[7], die sich auch in steigenden Kernvolumina deutlich manifestiert. In Darmzellen von Mückenlarven (normal 2×3 Chromosomen) wurden 12, 24, 48 oder auch 96 Chromosomen gezählt.

Auch bei Pflanzen findet man Endopolyploidie. Zum Beispiel sind in Wurzelzellen des Spinats statt der normalen 2×6 Chromosomen jeweils verdoppelte Werte bis zur achtfachen Zahl anzutreffen[8]. Ebenso ist die Leber von Säugetieren oft tetraploid (z. B. bei Ratten). Die betroffenen Zellen haben als Gemeinsamkeit eine besonders hohe Protein-Produktion (Enzyme). Dieser Zusammenhang wird später verständlich (Kapitel 8 und 10).

Gelegentlich kann auch eine somatische *Reduktion* des Chromosomenbestandes beobachtet werden. Ebenso kommt somatische Segregation vor, d. h. Mitosen, die zu Tochterzellen mit verschiedenen Chromosomensätzen führen (vgl. § 5/3).

Literatur zu § 4/5:

[1] Monosomie bei Pflanzen: KHUSH, G. S., and C. M. RICK: Chromosoma (Berl.) 18, 407 (1966)·

[2] BLAKESLEE, A. F.: J. Hered. 25, 80 (1934), ein Übersichtsreferat.

[2A] COMMINGS, D. E., and T. A. OKADA: Nature (Lond.) 231, 119 (1971).

[3] OHNO, S., et al.: Cytogenetics 2, 42 (1963).

[4] KARPECHENKO G. D.: Z. indukt. Abstamm.- u. Vererb.-Lehre 39, 1 (1928).

[5] MELCHERS, G.: Z. Pflanzenzüchtg. 67, 19 (1972). — MASATOSHI, NEI: Heredity 18, 95 (1963). — NITSCH, J. P., and C. NITSCH: Science 163, 85 (1969).

[6] Review: TSCHERMAK-WOESS, E.: In Handb. d. allg. Path., Bd. II/2. Springer 1971.

[7] GEITLER, L.: Ergebn. Biol. 18, 1 (1941).

[8] BERGER, C. A.: Cold Spr. Harb. Symp. quant. Biol. 9, 19 (1941).

4/6   Chromosomen-Anomalien des Menschen

Trisomien. E. SÉGUIN beschrieb 1844 einen Komplex klinisch erkennbarer Defekte (Syndrom), dem J. L. H. DOWN (1866) den unglücklichen Namen „Mongolismus" gab und der jetzt als „Trisomie-G-Syndrom" oder „Trisomie 21" bezeichnet wird. Die Ursache dieser Krankheit blieb ungeklärt, bis LEJEUNE (1959) zeigen konnte[1], daß das Syndrom die Folge eines überzähligen Chromosoms war. Es war der erste Fall nachgewiesener Trisomie des Menschen. Patienten hatten 5 statt der normalen 4 Chromosomen von Gruppe G (vgl. Tafel 8) und zeigten neben gedrungenem Wuchs, rundlichen Gesichtszügen, vorhängender Zunge und ungewöhnlichen Handlinien einen geistigen Defekt[2]. Etwa 10% aller Geisteskranken haben solche Trisomie G. Eine ganz analoge Chromosomen-Anomalie mit vergleichbarem Krankheitsbild wurde kürzlich an einem Menschenaffen gefunden[3] (vgl. Tafel 30).

Es ist beeindruckend, welch tiefgreifende Folgen eine Stückchen zusätzlicher Erbmasse (weniger als 2% des haploiden Genoms) hat, obwohl die zusätzlichen Gene ja sowieso zweimal im normalen Chromosomensatz vorkommen. Das Gleichgewicht unter den Genen muß sehr empfindlich sein. Wir haben bis heute noch kein richtiges Verständnis hierfür, doch ist zu hoffen, daß biochemische und zellphysiologische Untersuchungen an trisomen Zellkulturen[4] eine Erklärung liefern. Wegen der Empfindlichkeit des genetischen Gleichgewichts ist es auch nicht überraschend, daß Trisomie größerer Chromosomen letal ist und daher Trisomie des Menschen nur für kleine Chromosomen gefunden wird. Beobachtet wurde Trisomie auch für Chromosom 18. Solche Patienten leben meist nur wenige Wochen und zeigen ebenso wie die seltenen Fälle von Trisomie der D-Gruppe einen ganzen Komplex von Defekten, zu denen immer geistige Unterentwicklung gehört.

Viele Chromosomen-Anomalien führen zu spontanem Frühabort und sind auf diese Weise letal. Die zytologische Untersuchung solcher Embryonen zeigt, daß ca. 20% von diesen chromosomale Abweichungen aufweisen. Trisomien sind der häufigste Defekt (etwa 10% der Frühaborte) und werden für praktisch alle Chromosomen gefunden. Auch Polyploidie (Tri- und seltener Tetraploidie) wird in ca. 5% der spontanen Aborte des Menschen beobachtet. Weiter kommen Deletionen und Translokationen vor. Die Besonderheiten bei abnormen Situationen der Geschlechts-Chromosomen werden in § 11/1 behandelt.

Die Ursache der Trisomien ist die sog. Non-disjunction in einer elterlichen Meiose. Die tieferen Gründe dieser fehlerhaften Aufteilung der Chromosomen sind aber noch unverstanden. Da in manchen Familien Trisomie für verschiedene Chromosomen häufiger als zufallsbedingt vorkommt, vermutet man eine erbliche Tendenz zu fehlerhafter Meiose.

Sicher ist jedoch, daß die Wahrscheinlichkeit für Trisomie sehr vom Alter der Schwangeren abhängt. Zum Beispiel ist die Häufigkeit von Trisomie 21 kleiner als 0,1 % bei jungen, ca. 0,15 % bei 30—34jährigen, ca. 0,4 % bei 35- bis 39jährigen, ca. 1 % bei 40—44jährigen und ca. 2 % bei 45jährigen und älteren Müttern[5] (Mittelwert über alle Geburten 1:600).

Insgesamt zeigt *eine* von etwa 200 Geburten eine deutliche Chromosomen-Anomalie. Der Durchschnittswert für Mütter über 40 liegt dagegen bei 1:70 Geburten[5A].

Auch eine Röteln-Infektion (Erreger ist das Rubella-Virus) der Mutter in den ersten Monaten der Schwangerschaft führt zu einer starken Erhöhung der Mißbildungshäufigkeit. Doch scheint die Infektion nicht — wie erst berichtet[6] — mit Chromosomen-Anomalien der Neugeborenen einherzugehen.

In vielen Fällen von Schwangerschaft älterer Frauen, ebenso wie bei vielen in einer Familie erkannten Erbschäden, wird in Zukunft die neue Technik der Amniocentese (vgl. Tafel 10 und § 12/5) eine seelische Entlastung von der Angst vor der Geburt eines anomalen Kindes bringen.

Chromosomen-Mutationen. Auch Chromosomen-Stückverluste bzw. Translokationen kommen beim Menschen gelegentlich vor und führen zu Syndromen. Bekannt ist das seltene „cri du chat"-Syndrom, das 1963 entdeckt wurde[7]. Helles katzenartiges Schreien des Säuglings und weit auseinanderstehende Augen sind mit geistigem Defekt verbunden. Zytologisch findet man stets einen Stückverlust am kurzen Arm des 5. Chromosoms. LEJEUNE berichtete[7] über die zytologische Untersuchung der Mutter eines solchen cri-du-chat-Kindes. In diesem Fall war das fehlende Stück an ein Chromosom 13 transloziert. Die Mutter zeigte keinerlei Krankheitssymptome, doch war auch ein zweites ihrer Kinder von einer Chromosomen-Aberration betroffen: Es hatte normale Chromosomen 5, doch das mütterliche Chromosom 13 mit dem zusätzlichen Stück von Chromosom 5, was ebenfalls in geistigem Defekt resultierte und — vielleicht nur ein Zufall — in rauhem Schreien. Andere Kinder dieser Frau sind zwar klinisch normal, haben aber beide an der Translokation beteiligte Chromosomen geerbt. Sie sind also Überträger der chromosomalen Krankheit. Auch bei Trisomie G ist manchmal das überzählige Chromosom an irgendein anderes transloziert.

Mosaike. Non-disjunction kann auch in Mitosen auftreten und führt dann zu Mosaiken. Bei einer Zellteilung entstehen zwei Tochterzellen mit einem überzähligen bzw. fehlenden Chromosom oder auch nur eine mit fehlendem Chromosom. Diese entwickeln sich zu ganzen Zellinien mit dem gleichen Defekt. Man hat Gewebe-Mosaike mit XX, XO* und XXX oder nur mit XX und XO gefunden. Auch Mosaike für Autosomen, z. B. G-Trisomie/normal, wurden beschrieben. Bedeutungsvoll sind Fehlsortierungen von Chromosomen aber nur, wenn diese früh in der Embryonalentwicklung vorkommen. Monosome Zellinien sterben oft ab, weil offenbar das Fehlen eines Chromosoms das genetische Gleichgewicht der Zelle mehr stört als eine Trisomie.

---

* Sprich: X-Null, d.h. die Zelle enthält ein X als einziges Geschlechts-Chromosom.

Interessant sind wenige Fälle von triploiden Genomen (69 Chromosomen). Das erste Beispiel dieser Art (ein schwedischer Junge) wurde zunächst für völlig triploid gehalten, dann stellte man fest, daß die meisten seiner Zellgewebe triploide sowie normal diploide Zellen enthielten. Drei weitere Fälle von Triploidie waren auch solche Mosaike.

Die recht mühsame Suche nach Chromosomen-Defekten im menschlichen Genom kann vermutlich bald durch Computer ausgeführt werden[8]. Dabei wird zunächst die Lichtabsorption der Chromosomen eines zytologischen Präparats abgetastet und gespeichert. (Tafel 11 zeigt einen Kontrollausdruck.) Dann muß durch den Rechner ein Vergleich der erhaltenen Muster mit denen normaler Chromosomensätze erfolgen. Während noch intensiv an der Programmierung solcher Mustererkennung gearbeitet wird, ist durch verbesserte zytologische Techniken (vgl. Tafeln 8 und 9) ein hoffnungsvoller Fortschritt gelungen.

Literatur zu § 4/6:

[1] LEJEUNE, J. M., et al.: C. R. Acad. Sci. (Paris) **248**, 602 (1959); **250**, 2468 (1960). — FORD, C. E., et al.: Lancet **1959** I, 709 (1959).
[2] Review: MIKKELSEN, M.: Humangenetik **12**, 1 (1971).
[3] McCLURE, H. et al.: Science **165**, 1010 (1969).
[4] SPARKES, R. S., and M. A. BAUGHAN: Amer. J. hum. Genet. **21**, 430 (1969).
[5] CARTER, C. O., and K. A. EVANS: Lancet **1961** II, 785 (1961).
[5A] LUBS, H. A., and F. H. RUDDLE: Science **169**, 495 (1970).
[6] STOLLER, A., and R. D. COLLMAN: — Nature (Lond.) **208**, 903 (1965).
[7] LEJEUNE, J. M.: 3rd Internatl. Congr. Human Genetics (1966).
[8] MENDELSOHN, M. L., et al.: Cytogenetics **5**, 223 (1966). — LEDLEY, R. S., and F. H. RUDDLE: Sci. Amer., April 1966. — NEURATH, P. W. et al.: Cytogenetics **9**, 424 (1970) und GELDERMANN, H. et al.: Humangenetik **9**, 325 (1970).

Zusammenfassung des Kapitels

Morphologische Anomalien der Chromosomen (Stückverluste, Inversionen usw.) lieferten in Verbindung mit kreuzungsanalytischen Daten den Beweis für die Lokalisierung der Erbinformation in den Chromosomen.

Derartige Veränderungen (Chromosomen-Mutationen) treten spontan relativ selten auf, können aber durch Strahlung oder chemisch induziert werden. Ihre Existenz ist an abnormen Paarungsbildern der Chromosomen zu erkennen. Die Induktion dieser und zytologisch nicht sichtbarer Veränderungen (Punktmutationen) durch Strahlung erfolgt durch einzelne Treffer.

Die Mehrzahl aller Mutationen ist homozygot letal, heterozygot oft nicht sichtbar, aber vitalitätsmindernd.

Selten stößt man auf zusätzliche oder fehlende Chromosomen. Die daraus resultierende Meiose-Störung führt zu verringerter Fertilität. Vervielfachung ganzer Chromosomensätze (Polyploidie) hat vor allem bei Kulturpflanzen Bedeutung und bedingt eine wesentliche Komplizierung der Kreuzungsanalysen.

Chromosomen-Anomalien des Menschen sind die Ursache für viele klinisch wichtige Syndrome und gewinnen große Bedeutung in der modernen Medizin.

Weitergehende Literatur:

HADORN, E.: Letalfaktoren. Stuttgart: Georg Thieme 1955.
SCHWARZACHER, H. G. und U. WOLF (Hrsg.): Methoden in der medizinischen Cytogenetik. Berlin-Heidelberg-New York: Springer 1970.
SWANSON, C. P.: Cytology and Cytogenetics. New York: Prentice-Hall, Inc. 1957; deutsche Ausgabe: Gustav Fischer Verlag, Stuttgart 1960.

5 Systeme der Sexualität

5/1 Meiotische Systeme

Sexualprozesse bieten einen wesentlichen Selektionsvorteil für die Evolution. Sie gestatten mit Hilfe der Rekombination, in wenigen Generationen eine große Zahl von Allelkombinationen herzustellen und ihrem biologischen Wert entsprechend zu selektieren. Die Erzeugung all dieser Kombinationen durch Mutation würde bei ausschließlich vegetativer Vermehrung unvergleichlich viel länger dauern. Zur Rekombination ist ein Mechanismus erforderlich, der Erbgut verschiedener Individuen zusammenführt und wieder auf die normale Menge reduziert, wobei neue Kombinationen entstehen. Die Natur bietet eine verwirrende Fülle von Mechanismen, die diesem Zweck dienen.

Wir können zunächst die Gruppe all jener Prozesse absondern, bei denen in einem Befruchtungsprozeß zwei komplette Sätze genetischer Information vereinigt und nach erfolgter Rekombination in dem wohlgeordneten Prozeß der Meiose wieder reduziert werden. Dieses Geschehen soll als eigentliche Sexualität bezeichnet werden. Von diesen „meiotischen" Systemen unterscheidet man „parameiotische", bei denen zwar eine Vereinigung und Reduktion von Information erfolgt, die aber nicht den Gesetzen der Meiose unterliegt. PONTECORVO[1] hat solche Vorgänge „Parasexualität" genannt.

Es wird in der Biologie oft von höheren und niederen Organismen gesprochen, wobei die Abgrenzung je nach Fachgebiet verschieden gewählt wird. Vom Standpunkt der Genetik aus sollte diese Grenze durch die Meiose gegeben sein, d. h. alle Arten mit geordneter Karyogamie (Verschmelzung zweier gleichwertiger Kerne) und zu einem festgelegten Zeitpunkt folgender geordneter Reduktionsteilung sollten als höhere Organismen angesehen werden.

In meiotischen Systemen können entweder spezielle Zellen (Gameten) gebildet werden, die sich im Prozeß der Befruchtung vereinigen, oder es wird nur ein haploider Kern von einer Zelle zur anderen übergeben.

Wir haben Beispiele solcher Systeme bereits im § 2/2 behandelt. Das Wesentliche soll an zwei weiteren Beispielen wiederholt werden, die zugleich die Vielgestaltigkeit der Details des im Grunde gleichen Prozesses veranschaulichen:

1. Beim Ascomycet *Neurospora crassa* (roter Brotschimmel) sind mehr als 200 Loci auf 7 Chromosomen bekannt[2]. Er wird auf Agar, meist in Reagenzgläsern, gezüchtet und hat einen Lebenszyklus von 3—4 Wochen.

Aus einer haploiden Ascospore wachsen segmentierte Fäden, die Hyphen (Abb. 5,1 rechts oben). Diese verzweigen sich und bilden das Mycel, die Pilzkolonie. Die einzelnen Segmente enthalten meist mehrere haploide Kerne. An den Hyphen werden vegetative, haploide Sporen gebildet, an deren Enden sog. Makrosporen (auch Konidien genannt), in der Mitte von Hyphen sog. Mikrosporen. Beide Arten wachsen auf geeigneten Nährböden zu einem eigenen Mycel aus (vegetative Vermehrung, in unserem Zusammenhang ohne Bedeutung).

Andererseits bilden sich an den Hyphen weibliche Geschlechtsorgane, aus denen feine Härchen (Trichogynen) wachsen. Bei Kontakt mit einer Makro- oder Mikrospore wandert ein Kern von diesen durch die Trichogyne in das Ascogon, die „Eizelle". Der zugewanderte und die ursprünglich vorhandenen Kerne ver-

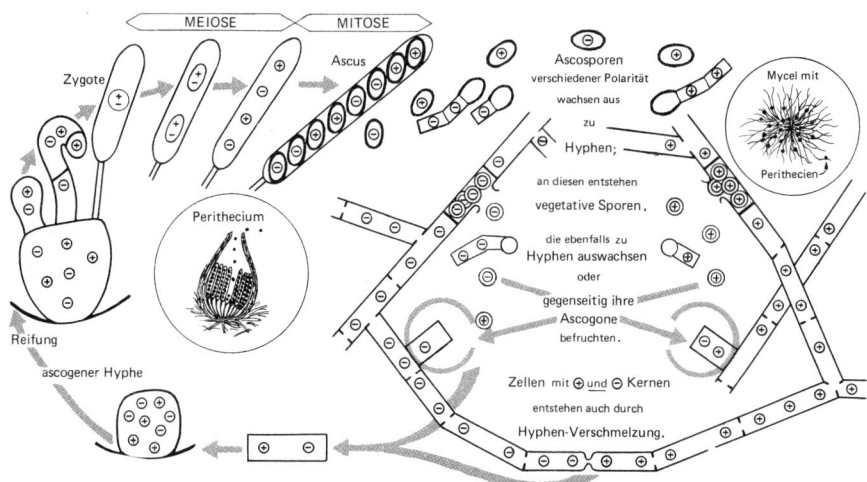

Abb. 5,1. Lebenszyklus von Neurospora

mehren sich gemeinsam, wobei schließlich mehrfach Zellen abgesondert werden, die je zwei Kerne — und zwar von jeder Art einen — erhalten. Diese verschmelzen („Karyogamie") und durchlaufen sogleich anschließend eine Meiose. Die vier wieder haploid gewordenen Kerne bilden nach einer folgenden Mitose einen Ascus, d. h. ein langgestrecktes Säckchen mit acht haploiden Sporen. 50—100 Asci liegen in einem von einer festen Hülle umgebenen Fruchtkörper, dem Perithecium (vgl. Tafel 18). Außer durch Sporenbefruchtung kann die Bildung von Perithecien aber auch durch Hyphenverschmelzung ausgelöst werden.

Wichtig für beide Sexualprozesse ist die Existenz von zwei „Kreuzungstypen" (+ und —), die vermutlich durch zwei verschiedene Allele des gleichen Gens festgelegt werden. Der entsprechende Locus liegt im linken Arm von Kopplungs-gruppe I. Die wechselseitig mögliche Befruchtung kann nur stattfinden, wenn die beteiligten Mycelien bzw. Spore und Ascogon verschiedenem Kreuzungstyp angehören. Wir kommen auf dieses Problem im § 5/2 zurück.

2. Das Protozoon *Paramecium aurelia*[3] besitzt zwei diploide „Mikrokerne" und einen physiologisch aktiven, hochgradig polyploiden „Makrokern". Jeder vegetativen Zellteilung geht eine Teilung aller Kerne voraus. Unter bestimmten Bedingungen kommt es zu einem Sexualvorgang (Konjugation), zu dem wiederum nur Individuen verschiedenen Kreuzungstyps fähig sind:

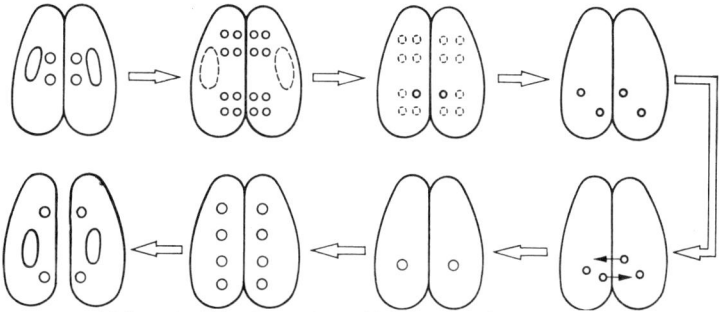

Abb. 5,2. Konjugations-Zyklus bei Paramecium

Zwei Zellen legen sich zusammen (Abb. 5,2), in beiden zerfällt der Makrokern, die Mikrokerne durchlaufen je eine Meiose, so daß acht haploide Mikrokerne entstehen. Sieben von diesen zerfallen ebenfalls, während der achte sich mitotisch teilt. Jetzt tauschen die Konjugationspartner je einen der haploiden Kerne aus, die mit dem verbleibenden Kern verschmelzen. Die diploiden Kerne durchlaufen zwei konsekutive Mitosen. Je zwei der Produkte bilden die neuen Mikrokerne, während sich die beiden anderen zu neuen Makrokernen entwickeln, die bei der ersten Teilung auf die Tochtertiere verteilt werden.

Merkwürdigerweise besteht neben diesem Sexualprozeß noch ein ähnlicher Vorgang, den eine einzelne Zelle ausführen kann, die „Autogamie" (Abb. 5,3).

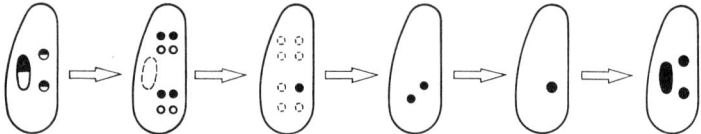

Abb. 5,3. Autogamie-Zyklus bei Paramecium

Analog zur Konjugation durchlaufen die Mikrokerne je eine Meiose, von der nur eines der acht Produkte erhalten bleibt. Dieser haploide Kern teilt sich. Statt des Kernaustausches verschmelzen aber die identischen Schwesterkerne zum neuen diploiden Nucleus. Dieser bildet dann nach zwei konsekutiven Mitosen schließlich wiederum einen Makro- und zwei Mikrokerne.

Die genetische Konsequenz der Autogamie ist evident. Eine ursprünglich heterozygote Zelle wird homozygot, wobei für ein Allelpaar Aa die gleiche Wahrscheinlichkeit besteht, in AA oder aa überzugehen.

Literatur zu § 5/1:

[1] PONTECORVO, G.: Trends in genetic analysis. New York: Columbia University Press 1958.
[2] BARRAT, R. W. et al.: Advanc. Genetics **6**, 1 (1954) und BARRY, E. G.: Genetics **55**, 21 (1967).
[3] SONNEBORN, T. M.: Advanc. Genetics **1**, 263—358 (1947).
— Advanc. Virus Res. **6**, 231 (1959).
BEALE, G. H.: The genetics of Paramecium aurelia. Cambridge: University Press 1954.

5/2 Polarität und Geschlecht

Nachdem wir verschiedene Mechanismen der meiotischen Sexualität besprochen haben, soll jetzt diskutiert werden, ob diese Prozesse zwischen beliebigen Individuen einer Art stattfinden können bzw. welche Sperren der Sexualität vorkommen.

Die Vielfalt der Möglichkeiten ist verwirrend und korrespondiert keineswegs mit der systematischen Gliederung des Tier- und Pflanzenreichs. Wir werden als leitenden Gesichtspunkt die Frage stellen, welche Bedingungen des Genoms für eventuelle Sexualsperren verantwortlich sind.

I. a) Unpolare, selbstfertile Systeme

Bei diesen existiert in bezug auf Sexualität nur eine Art von Genom, d. h. Sexualität kann zwischen beliebigen Individuen einer Art stattfinden. Als logische Konsequenz ergibt sich die Möglichkeit der Selbstbefruchtung (Autogamie), wenn

das Individuum gleichzeitig geschlechtsreife Organe beiderlei Geschlechts aus-
bildet und Befruchtung zwischen diesen aus mechanischen Gründen möglich ist.

Speziell im Pflanzenreich sind solche selbstfertilen Systeme weit verbreitet.
Wir haben als Beispiel den Mais bereits kennengelernt. Aber auch im Tierreich
kommt Selbstbefruchtung vor. Beim Bandwurm z. B. sind sämtliche Körper-
segmente potentiell zwittrig. Sie durchlaufen zunächst als kopfnahe Glieder
eine männliche Phase und können die älteren, weiblich differenzierten, vom Kopf
weiter entfernten Glieder befruchten.

Auf einer ganz anderen Ebene gehören auch Rekombinationsprozesse zwischen
Bakteriophagen oder die Transformation und Transduktion bei Bakterien zur
unpolaren — allerdings nicht meiotischen — Sexualität (vgl. § 5/5 und 5/6).

I. b) Unpolare, selbststerile Systeme

Auch hier existiert in bezug auf Sexualität nur *ein* möglicher Genotyp.
Genetisch identische Individuen sind also miteinander fertil. Dennoch ist Selbstbefruchtung eines einzelnen Individuums durch sekundäre Maßnahmen blockiert.

Beispiele solcher Systeme findet man bei Würmern (z. B. Bonellia oder
Ophryotrocha). Bei diesen entscheidet nicht das Genom, sondern die Umwelts-
bedingung über die Entwicklung zum Weibchen oder Männchen (vgl. § 11/3).
Bei den zwittrigen Weinbergschnecken erfolgt eine wechselseitige Befruchtung
zwischen beliebigen Individuen. Autogamie ist jedoch mechanisch verhindert.
Ähnlich gibt es viele Pflanzen, z. B. Gerbera, bei denen weibliche und männliche
Gameten nicht zur gleichen Zeit in einer Blüte reifen (Dichogamie). In all diesen
unpolaren, selbststerilen Systemen richtet sich die Sexualsperre nur gegen das
Individuum selbst und nicht gegen eine ihm genetisch gleiche Gruppe von In-
dividuen.

II. Bipolare Systeme

Hier existieren *zwei* Typen von Genomen, von denen jedes Individuum alternativ das eine oder andere besitzt. Der Genomunterschied kann in einem ganzen
Chromosom liegen (z. B. X- und Y-Chromosomen beim Sphaerocarpus oder XX
und XY beim Menschen) oder auch nur in einem kleinen Chromosomenabschnitt
(ein einziges Gen?) wie z. B. bei Neurospora in dem Merkmal des Kreuzungstyps + oder —.

Diese genetischen Unterschiede lassen Sexualprozesse nur zwischen Individuen
entgegengesetzter Polarität zu. Das kann auf verschiedenen Wegen erreicht
werden. In vielen Systemen führen die polar unterschiedenen Genome zu verschiedenen Geschlechtern, d. h. zu einer Differenzierung von Fortpflanzungs-
organen und deren Keimzellen, die nur Gameten unterschiedlichen Geschlechts
eine Befruchtung gestattet.

In anderen Systemen schaffen die polaren Genome physiologisch-chemische
Bedingungen, die auf noch ungeklärte Weise garantieren, daß nur polar entgegengesetzte Individuen zur Sexualität gelangen. Dies gilt z. B. für die beiden Kreuzungstypen von Neurospora, die nur wechselseitig, nicht zwischen Individuen
gleichen Kreuzungstyps, fertil sind. Man sagt, Individuen gleichen Kreuzungstyps sind „inkompatibel". *Beide* Kreuzungstypen bilden jedoch *beide* Arten von
Geschlechtszellen aus, so daß jedes Mycel jedes andere entgegengesetzten

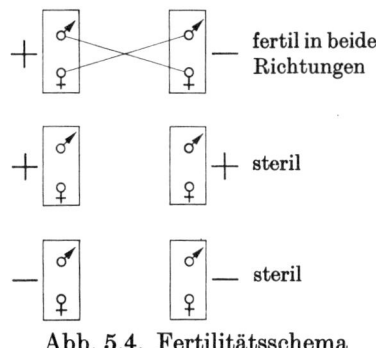

+ ⚥ ✕ ⚥ — fertil in beiden Richtungen

+ ⚥   ⚥ + steril

− ⚥   ⚥ − steril

Abb. 5,4. Fertilitätsschema
bei Neurospora crassa

Kreuzungstyps zugleich befruchten und von diesem befruchtet werden kann (Abb. 5,4). In diesem Fall hat die Differenzierung von Sexualorganen nichts mit der genetischen Polarität zu tun.

Besonders hervorgehoben werden sollte der Unterschied zwischen den genetisch bedingten Polaritätsverhältnissen und dem Dualismus des Geschlechts. Polarität ist der genetische, Geschlecht der morphologische Aspekt der Sexualität. Die Schwierigkeit der logischen Trennung der beiden Begriffe erwächst aus dem üblichen Ausgangspunkt der Sexualitätsbetrachtung, den höheren Tieren, bei denen Geschlecht und Polarität zusammenfallen (d. h. verschiedene Genome bilden verschiedenes Geschlecht aus).

Die Polaritätsverhältnisse der Genome legen die Sexualsperren fest. Das Geschlecht tritt in der Asymmetrie des Befruchtungsvorgangs in Erscheinung, wobei ein „migratorischer", d. h. wandernder Gamet (♂) von einem „stationären" (♀) unterschieden werden kann. Der männliche Gamet (bzw. Zellkern) verläßt seinen Produktionsort und gelangt zum weiblichen Gameten (bzw. Zellkern). Weiter kennzeichnet den weiblichen Gameten oft eine größere Menge von Zellplasma, das in die Zygotenbildung eingebracht wird. Da immer die plasmaärmere Zelle zur plasmareicheren wandert, führt diese doppelte Definition des Geschlechts nicht zu Widersprüchen.

Die Ausbildung von geschlechtlich unterschiedenen Individuen ist aber nur *einer* der Wege, mit denen ein bipolares System die Sexualität zwischen Individuen einschränken kann. Unabhängig vom Geschlecht können — wie schon gesagt — auch physiologische Sperren anderer Art beim Befruchtungsvorgang auftreten.

Die Feststellung, Sexualität beruhe stets auf einem Dualismus, ist trivial. Sexualität bedeutet ja, daß Geninformation aus verschiedenen Individuen neu gemischt wird. Ein System, bei dem drei oder mehr Sexualpartner erforderlich wären, böte der Evolution keinen Gewinn, es wäre durch Selektion schnell verdrängt.

III. Multipolare Systeme

Während auch bei Zwittrigkeit für *haploide* Organismen ein bipolares System ausreicht, um Befruchtung durch einen genetisch identischen Partner zu verhindern (Beispiel Neurospora), ist dieses einfache System bei *Diplonten* nicht möglich, da alle Individuen dann zugleich + und — wären. Diplonten müssen andere Mechanismen entwickeln. Sie können entweder die Zwittrigkeit aufgeben und durch zwei Typen von Genomen (Beispiel XX und XY) verschiedene Geschlechter ausbilden oder durch sekundäre Tricks wenigstens selbststeril werden (vgl. I b), wenn auch dadurch nicht die Befruchtung durch genetisch identische andere Partner verhindert wird. Beibehaltung von Zwittrigkeit und gleichzeitiger Zwang zur Befruchtung durch einen genetisch verschiedenen Partner ist aber auch für Diplonten durch ein multipolares Sexualsystem möglich:

Hierbei treten nun mehr als zwei alternative Genomtypen (+ oder −) auf, meist eine ganze Serie von Typen. Es existiert ein kontrollierender Faktor (ein einziges Gen?), der in vielen Allelen s_1, s_2, s_3, s_4 usw. vorliegen kann. Befruchtung erfolgt zwischen beliebigen Individuen, soweit diese verschiedene Allele tragen. Sie ist unmöglich zwischen Individuen mit gleichen Allelen. Die „Inkompatibilität" vieler Blütenpflanzen[1] ist ein Beispiel solcher Multipolarität bei Diplonten:

Eine diploide Pflanze habe die Kontrollfaktoren s_1 und s_2. Sie bildet zweierlei Pollen (s_1 und s_2), die beide kein Pollenschlauchwachstum auf dem Griffelgewebe $s_1 s_2$ der Pflanze zeigen. Beide wachsen jedoch auf anderen Pflanzen mit der Konstitution $s_3 s_4$ oder $s_3 s_5$. Dadurch führt jede Befruchtung zu wiederum heterozygoten Pflanzen. Besonders instruktiv ist die Kreuzung $s_1 s_3 \times s_1 s_2$, bei der 50% aller Pollen (nämlich die heterologen s_2) wachsen, nicht dagegen die 50% homologen s_1-Pollen. Der Mechanismus dieser interessanten Sexualsperre ist noch nicht aufgeklärt.

Die Inkompatibilität hat wirtschaftliche Bedeutung z. B. bei der Anlage von Apfelplantagen. Befruchtung, d. h. Ertrag, ist nur gewährleistet, wenn nicht alle Bäume vegetativ von der gleichen Stammutter hergeleitet werden. Ebenso wird ein einsam stehender Süßkirschenbaum niemals Früchte tragen.

IV. Antipolare Systeme

Die eben beschriebene bipolare und multipolare Situation verlangt zur Fertilität *verschiedene* Allele des Kreuzungsfaktors in beiden Eltern. Es gibt aber auch Systeme, bei denen verschiedene Allele zu einer Sexual*sperre* führen, während gleiche Allele in beiden Individuen eine Befruchtung gestatten. In dem am besten analysierten System solcher „Antipolarität" wirkt sich die Sexualsperre jeweils nur in *einer* Richtung der Befruchtung aus[2]: Der haploide Pilz Podospora anserina bildet in jedem Mycel weibliche und männliche Organe. Die Kompatibilität wird kontrolliert durch zwei ungekoppelte Loci, von denen je zwei Allele bekannt sind.

Kreuzungen $a_1 b_1 \times a_2 b_2$ sind in *einer* Befruchtungsrichtung steril, in der anderen fertil. Kreuzungen $a_1 b_1 \times a_1 b_1$ oder $a_2 b_2 \times a_2 b_2$ zeigen keine Sexualsperre. Die Unverträglichkeit besteht zwischen einem Allel des a-Locus (a_2) und einem Allel des b-Locus (b_1), denn auch Kreuzungen $a_1 b_1 \times a_1 b_2$ oder $a_1 b_2 \times a_2 b_2$ sind in beiden Richtungen fertil.

Die Allele a_2 und b_1 führen aber zur Sperre nur *einer* Befruchtungsrichtung (Semi-Inkompatibilität). Ein zweites Genpaar (c und v) kann in völlig analoger Weise die andere Befruchtungsrichtung blockieren. Beidseitige Inkompatibilität liegt demnach nur in einer Kreuzung $a_1 b_1 c_2 v_2 \times a_2 b_2 c_1 v_1$ vor, bei der a_2 und b_1 die eine, c_2 und v_1 die andere Befruchtungsrichtung blockieren. Podospora verfügt also über ein doppeltes antipolares System.

V. Komplexe Systeme

Die Frage der verschiedenen Sexualsperren wird besonders unübersichtlich durch das Vorkommen komplexer Systeme, bei denen verschiedene Mechanismen nebeneinander wirken. Beim Pilz Aleurodiscus z. B. liegt ein doppelt bipolares (tetrapolares) System vor. Es gibt vier mögliche Mycelien: a_1b_1, a_1b_2, a_2b_1 und a_2b_2, die nur in den Kreuzungen

$$a_1b_1 \times a_2b_2$$

oder $a_1b_2 \times a_2b_1$ fertil sind.

Bei Podospora besteht neben der eben beschriebenen doppelten Antipolarität noch ein bipolarer Mechanismus, d. h. eine $+--$-Alternative ist Grundvoraussetzung aller Fertilität, die durch die Antipolarität noch eingeschränkt werden kann. $+$-Mycele sind untereinander von vornherein in beiden Richtungen steril. Das gleiche gilt für $-$-Mycele untereinander.

In früheren Jahren haben derartige Sexualsperren für die genetische Forschung nur eine geringe Rolle gespielt. Die Untersuchungen erstreckten sich hauptsächlich auf Organismen, die entweder unpolar waren (z. B. Mais) oder bipolar mit getrennten Geschlechtern (z. B. Drosophila). Durch die heutigen Arbeiten an vielen Pilzen und Protozoen haben aber die Sexualsperren steigende Bedeutung gewonnen. Besonderes Interesse verdienen dabei die möglichen Molekularmechanismen, die solchen Sperren zugrunde liegen.

Vom Standpunkt der Evolution haben bi- und multipolare Systeme einerseits und antipolare andererseits völlig verschiedene Wirkungen. ESSER faßt daher die beiden ersten als Systeme „homogenischer" Inkompatibilität zusammen (gleiche Allele sind unverträglich). Sie begünstigen Sexualität zwischen genetisch verschiedenen Individuen.

Bi- und multipolare Systeme haben durch diese ständige Mischung der Gene innerhalb einer Population zwar eine größere Chance für evolutionistische Weiterentwicklung und eine größere Anpassungsfähigkeit an Umweltsänderungen, sie haben jedoch den Nachteil, daß zu einem erfolgreichen Überleben mindestens zwei Individuen erforderlich sind. Daraus wird verständlich, daß hochentwickelte Tiere (großer Aktionsradius durch Bewegungsfähigkeit) stets bipolar sind, während speziell im Pflanzenreich viele unpolare Arten mit Selbstfertilität vorkommen. Man sollte annehmen, daß diese in früheren Evolutionsstufen ebenfalls Sperren gegen Selbstbefruchtung gehabt hatten (die später verloren wurden), da ständige Autogamie die evolutionistische Entwicklung extrem verlangsamt hätte.

Auf der anderen Seite steht die „heterogenische" Inkompatibilität, d. h. Antipolarität, bei der umgekehrt die Existenz von verschiedenen Allelen in den Kreuzungspartnern zu Sexualsperren führen kann. Diese begünstigt Inzucht und ist daher ein Mechanismus, der zur Entstehung isolierter Arten führt.

Vom molekularen Mechanismus her sind aber vermutlich mindestens drei Prinzipien zu unterscheiden:

1. die physiologisch zur Fertilität notwendige $+--$-Alternative in zwittrigen bipolaren Systemen,
2. die Sexualsperre bei Allelgleichheit in multipolaren Systemen,
3. die Unverträglichkeit zwischen bestimmten Allelen *zweier* Gene in antipolaren Systemen.

Literatur zu § 5/2:

[1] Review: LEWIS, D.: Advanc. Genetics **6**, 235 (1954).
[2] ESSER, K.: Biol. Zbl. **81**, 161 (1962).

5/3   Heterokaryon und somatische Rekombination

Es gibt eine Reihe von Parasexualvorgängen, d. h. von nicht-meiotischer Verschmelzung, Neukombination und Segregation von Erbgut. In diesem und den folgenden Paragraphen sollen solche Prozesse beschrieben werden.

Diploidie bietet sicher Vorteile für einen Organismus, denn alle hochent-wickelten Arten sind Diplonten. Dieser Vorteil wird allerdings nur ausgenutzt, wenn Heterozygotie vorliegt. Dann nämlich besitzt der Organismus eine gewisse Reserve-Information. Unter gewissen Umweltsbedingungen mag das eine, unter anderen das andere Allel eines Gens vorteilhafter sein. Auch können schädliche Allele als rezessive Allele wirkungslos bleiben.

Manche Haplonten haben einen Ersatz für die Diploidie entwickelt. So können z. B. bei Neurospora Hyphen zweier Mycelien (verschiedener oder gleicher Polarität) zusammenwachsen. Es werden dann Segmente gebildet, die neben-einander haploide Kerne verschiedener Herkunft tragen. Diese vermehren sich mitotisch weiter, ohne miteinander zu verschmelzen. Man nennt solche Hyphen heterokaryotisch und ein solches Mycel, das zwei genetisch verschiedene, nach wie vor haploide Kerne enthält, ein Heterokaryon. Nur in Mycelien mit Kernen verschiedener Polarität können sich dann Fruchtkörper bilden, in denen für je einen Ascus (je eine Meiose) zwei haploide Kerne (+ und −) zu einem diploiden Kern verschmelzen (vgl. Abb. 5,1).

PONTECORVO u. Mitarb.[1] fanden, daß einige Schimmelpilze wie Aspergillus oder Penicillium nach Bildung eines Heterokaryons in sehr wenigen ($2 \cdot 10^{-6}$) Zellen Kernverschmelzungen zu echter Diploidie zeigen. Der diploide Kern ver-mehrt sich weiter und kehrt nur gelegentlich (10^{-3}) zur Haploidie zurück. Diese Haploidisierung ist keine Meiose. Sie erfolgt willkürlich und offenbar nicht für alle Chromosomen gleichzeitig, d. h. es werden anscheinend bei einer Mitose einzelne Chromosomen nicht mitverdoppelt oder nicht gleich verteilt. Diese Schlußfolgerung stammt allerdings nur aus Versuchen mit Genmarkierungen. Zytologische Beobachtungen sind kaum möglich. Es ist evident, daß auf diese Weise haploide Kerne entstehen, die ihre Chromosomen von ursprünglich ver-schiedenen Elternkernen hergeleitet haben.

Rekombination tritt sogar zwischen gekoppelten Genen auf. Gelegentlich kommt es in solchem diploiden Kern zu somatischem Crossover, d. h. im Laufe mitotischer Teilungen tauschen homologe Chromosomen reziproke Stücke aus. Es werden praktisch nur einfache und keine doppelten Crossover beobachtet. Da zwar nicht für Penicillium, aber für Aspergillus nidulans neben dieser somati-schen Rekombination auch meiotische Sexualität besteht, können mitotisch und meiotisch gewonnene Chromosomenkarten verglichen werden. Sie zeigen gute Übereinstimmung.

Somatisches Crossover wurde auch in streng diploiden Organismen gefunden. In Gewebezellen von Dipteren (z. B. Drosophila) ordnen sich bei der Mitose homologe Chromosomen paarweise an (vgl. § 7/4). Dabei kommt es gelegentlich zu einem Crossover. Dieses somatische Crossover wurde von STERN[2] folgender-maßen nachgewiesen:

Die Mutation yellow (y) führt zu gelber (statt grau-brauner) Körperfarbe der Drosophila, während gekrümmte statt glatter Borsten durch das Allel sn (singed) hervorgebracht werden. Beide Mutationen liegen im X-Chromosom und beide sind rezessiv, so daß ein doppelt heterozygotes Weibchen y+/+sn dunkel mit normalen Borsten ist. Kommt es im Körpergewebe solcher Tiere zu einem Crossover wie in Abb. 5,5, so führt die folgende Mitose zu unterschiedlichen Tochterzellen und damit zu sog. ,,Zwillingsflecken'', von denen der eine gelb ist, der andere gekrümmte Borsten zeigt.

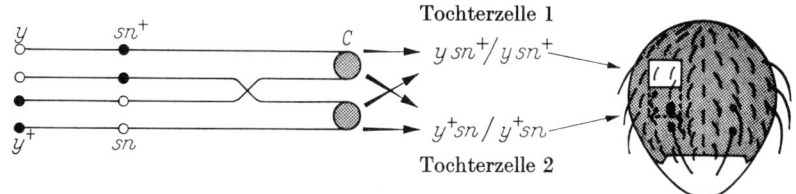

Schematisches Bild eines
Thorax mit Zwillingsfleck

Abb. 5,5   Zwillingsfleck-Entstehung durch somatisches Crossover bei Drosophila

Ein Crossover zwischen den Genen y und sn dagegen führt zu Tochterzellen y sn+/y sn und y+ sn+/y+ sn, d. h. nur zu einem gelben Fleck. Das Auftreten derartiger Flecken beweist das Vorkommen somatischen Crossovers. Die Häufigkeiten der verschiedenen Flecken stimmen mit der Erwartung aus den Genabständen und der Lage der Gene in bezug auf das Centromer überein.

Somatisches Crossover konnte auch beim Mais an analogen Gewebeflecken nachgewiesen werden.

Literatur zu § 5/3:

[1] Einzelheiten bei G. PONTECORVO, Trends in genetic analysis, p. 101 ff New York: Columbia University Press 1958.
[2] STERN, C.: Genetics **21**, 625 (1936).

5/4   Fluktuationstest und Selektionstechnik bei Bakterien

Andere Mechanismen von Parasexualität werden an *Bakterien* beobachtet. Bevor wir uns diesen Ergebnissen zuwenden, müssen wir aber Techniken und die allgemeine Biologie von Bakterien diskutieren.

Bakterien züchtet man in flüssigen Medien, z. B. in Bouillon oder in einer Lösung von Salzen, der Glucose oder dergleichen als Energiequelle zugesetzt ist. Bakterien sind einzellige Organismen ohne richtigen Zellkern, aber mit kernähnlichen Strukturen. Sie vermehren sich durch Teilung (Coli-Bakterien etwa alle 20 min bei 37° C) und erreichen so in exponentiellem Anstieg (2—4—8—16—32 usw.) in wenigen Stunden enorme Zellzahlen, die das ursprünglich klare Medium trüben. Der Titer (Bakterienzahl pro Milliliter) stagniert bei etwa 10^9 (menschliche Erdbevölkerung fast $4 \cdot 10^9$). Bei diesem Titer werden die Nährstoffe knapp, und zuviel wachstumshemmende Stoffwechselprodukte sind ins Medium ausgeschieden. In dieser ,,stationären'' Phase finden nur noch wenige Zellteilungen statt, die durch das Absterben anderer Zellen kompensiert werden.

Bei Überimpfung einer kleinen Menge von Bakterien in frisches Medium beginnt die schnelle Vermehrung aufs neue, allerdings erst nach einer gewissen Anlaufzeit (engl. „lag-phase"). Die Phase exponentieller Vermehrung wird meist als logarithmische Phase bezeichnet (Logarithmus der Zellzahl wächst linear mit der Zeit). Unterscheide also zwischen Bakterien aus log- und lag-Phase.

Andererseits können sich Bakterien auf festen Agarnährböden vermehren. Verdünnen wir eine flüssige Bakterienkultur bis zum Titer von einigen hundert Zellen/ml und verstreichen davon einige Tropfen auf der Agaroberfläche, so finden wir am nächsten Tag (Bebrütung bei 37° C) auf der Platte einzelne Bakterienkolonien (Durchmesser 1—5 mm). Jedes Bakterium hat sich zu einer Kolonie vermehrt. Eine solche Bakterienkolonie stellt einen „Klon" dar, d. h. eine Nachkommengruppe, die sich durch vegetative Fortpflanzung von *einer* Mutterzelle herleitet. Streichen wir 10 000 oder mehr Bakterien aus, so wachsen die vielen Kolonien zu einer dünnen Schicht („Rasen") zusammen.

Bakterien bildeten nicht nur die letzte Bastion für die Vorstellung einer dauernden Urzeugung aus nicht lebender Substanz (widerlegt durch PASTEUR), sondern galten bis vor wenigen Jahrzehnten auch noch als Beispiel einer Anpassung im Sinne LAMARCKs. Dieser hatte die Ansicht vertreten, daß Organismen in der Lage wären, sich verändernden Umweltsbedingungen *gerichtet* anzupassen und diese aus den Bedürfnissen geborene Veränderung auf ihre Nachkommen zu vererben. Im Gegensatz dazu hatte DARWIN die Evolution durch eine zufällige, *ungerichtete* Variation der Organismen erklärt, von denen jeweils die geeignetsten selektiert würden. Wir setzen heute anstelle der Variation DARWINs die Veränderung durch zufällige Mutation und Rekombination, die gemeinsam mit der Selektion die Weiterentwicklung einer Population ermöglichen.

Naturgemäß war es in der Bakteriologie nicht üblich, Bakterien als Einzelindividuen zu betrachten. Abgesehen von der Beobachtung einzelner Zellen im Mikroskop, hantierte man stets mit enormen Individuenzahlen. Der Aspekt der Bakterien-*Population*, die einen experimentellen Effekt hervorbrachte, z. B. Erkrankungen auslöste oder Sauerstoff verbrauchte, stand stets im Vordergrund.

So war noch in den vierziger Jahren eine Lamarckistische Anpassung (Adaptation) der Bakterien die verbreitete Erklärung für die Veränderung eines Bakterienstammes. Gab man z. B. zu einer täglich überimpften Bakterienkultur von Tag zu Tag steigende Mengen von Sulfonamiden, so konnte man Stämme gewinnen, die Konzentrationen dieses Therapeutikums vertrugen, die für den Ausgangsstamm tödlich waren. Die Bakterien hatten eine Resistenz entwickelt, sie hatten sich „adaptiert". Gerade dieses Problem der Resistenz spielt in der medizinischen Bakteriologie eine wichtige Rolle.

Der Beweis, daß Resistenzausbildung eine Folge zufälliger Mutationen ist, deren Auftreten nichts mit der Gegenwart des nur selektierenden Mittels zu tun hat, wurde von LURIA und DELBRÜCK[1] erbracht. Dieser Beweis hat entscheidend dazu beigetragen, Bakterien als Objekte genetischer Forschung zu benutzen und basierte auf folgender Argumentation:

In einer sich exponentiell vermehrenden Bakterienkultur kann in jeder Zelle mit sehr kleiner Wahrscheinlichkeit eine Mutation zur Resistenz eintreten. Sind erst wenige Bakterien vorhanden, ist auch die Gesamtwahrscheinlichkeit klein, daß irgendeine Zelle der Bakterienkultur mutiert. Diese Gesamtwahrscheinlichkeit wächst mit steigender Zellzahl. Das heißt, die meisten Mutationen werden erst spät im Wachstum der Kultur stattfinden. Je nachdem, ob ein Bakterium aber früh oder spät mutiert ist, wird sich durch Vermehrung der mutierten Zelle ein großer oder kleiner Klon von resistenten Nachkommen in der sonst sensiblen Kultur entwickeln. Insgesamt besteht also eine kleine Chance für einen großen Klon resistenter Zellen in einer Kultur (frühe Mutation) und eine relativ große für einen kleinen Klon (späte Mutation). Es wird aber auch Kulturen ohne Mutation geben, in denen gar keine resistenten Zellen sind.

Luria und Delbrück beimpften viele parallele Kulturröhrchen mit einer kleinen, etwa gleichen Zahl von sensiblen Zellen und brachten nach einigen Stunden Proben dieser Kulturen auf verschiedene Agarplatten, denen das selektierende Mittel (hier Phagen, vgl. § 5/5) zugesetzt war. Nur die resistenten Bakterien konnten sich zu Kolonien vermehren und so gezählt werden.

Tatsächlich zeigten viele der Kulturen gar keine resistenten Kolonien, andere nur einige und nur in sehr wenigen Kulturen hatte sich eine resistent gewordene Zelle schon zu vielen Nachkommen vermehrt. Legte man aus einer Kultur mehrere Platten an, so stimmten diese überein, d. h. entweder hatten alle Platten keine, oder wenige oder viele Kolonien (Abb. 5,6). Insgesamt entsprachen die experimentellen Daten den Erwartungswerten der mathematischen Behandlung des Problems[2].

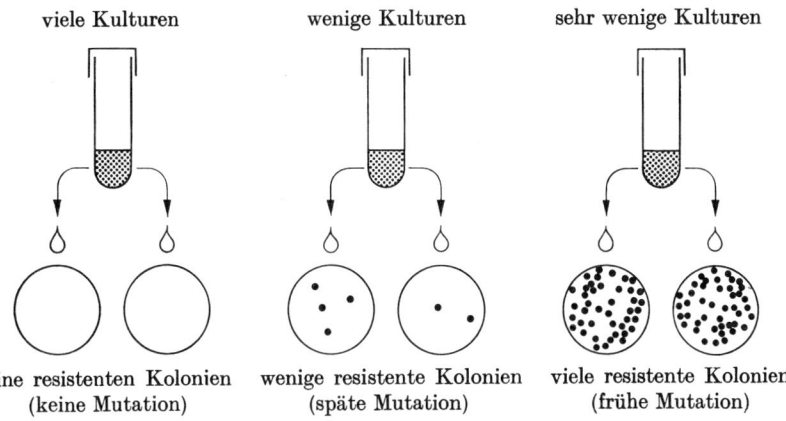

viele Kulturen   wenige Kulturen   sehr wenige Kulturen

keine resistenten Kolonien   wenige resistente Kolonien   viele resistente Kolonien
(keine Mutation)   (späte Mutation)   (frühe Mutation)

Abb. 5,6. Schema des Fluktuationstests von Luria und Delbrück
(das selektionierende Agens ist nur dem Nährboden der Platten zugesetzt)

Wir müssen das Versuchsergebnis aber noch der Erwartung einer Anpassungsvorstellung gegenüberstellen. Diese Erklärung nimmt an, daß einige Bakterien beim Zusammentreffen mit dem schädigenden Mittel zur Anpassung, d. h. zum Resistentwerden fähig sind. Da aber aus jeder der gleichen Kulturen eine etwa gleiche Bakterienzahl auf eine Platte gebracht wird, müßten immer etwa gleich viele resistente Kolonien gefunden werden. Die große Fluktuation der Zahlen im Luria-Delbrückschen „Fluktuationstest" widerlegt diese Deutung und ist nur auf der Basis von zufälligen Mutationsereignissen zu verstehen, die sich bereits *vor* dem Kontakt mit dem selektierenden Agens ereignet haben. Die Wahl der Resistenz als Merkmal ermöglicht dabei die Erfassung auch sehr weniger (10^{-6}) Mutanten unter vielen unverändert gebliebenen Normalindividuen.

Das Luria-Delbrück-Experiment wurde mit einer etwas anderen Versuchsanordnung durch NEWCOMBE bestätigt[3]. Eine Reihe von Platten wurden mit je $2 \cdot 10^4$ Bakterien (E. coli) beimpft und mehrere Stunden bebrütet. Es waren dann etwa 10^9 Bakterienzellen verteilt auf 20000 Mikrokolonien auf jeder Platte. Bei einem Teil der Platten wurden dann mit einem Glasstab die Bakterien neu und möglichst gleichmäßig auf der Platte verteilt (Aufteilung der Mikrokolonien) und anschließend alle Platten mit vielen T1-Phagen besprüht und weiterbebrütet. Am nächsten Tag wurden die resistenten Kolonien gezählt. Platten mit auseinandergerissenen Kolonien hatten im Mittel etwa 1000 resistente Kolonien, Kontrollplatten etwa 20.

Im ersten Fall waren die Nachkommen einer T1-resistenten Bakterienmutante *verteilt* worden und führten alle zu je einer resistenten Kolonie, bei den Kontrollplatten dagegen blieben die resistenten Nachkommen in einer Mikrokolonie zusammen und brachten alle gemeinsam nur *eine* resistente Kolonie hervor. Die Anpassungshypothese hätte dagegen gleiche Zahlen von resistenten Kolonien erwarten lassen, da in beiden Fällen insgesamt 10^9 Bakterienzellen dem Agens ausgesetzt waren und sich jede Zelle mit einer gewissen kleinen Wahrscheinlichkeit angepaßt haben sollte.

In diesen und ähnlichen Versuchen spielt die selektive Erfassung seltener Ereignisse eine entscheidende Rolle. Hätte man nicht ein Resistenzmerkmal benutzt und damit die mutierten Zellen selektiert, wären die wenigen Mutanten in der Masse der übrigen Zellen unauffindbar gewesen. Selektive Methoden sind ein wichtiges Element in der modernen genetischen Forschung, und speziell wegen der technisch so leicht zu handhabenden Selektion werden heute oft Mikroorganismen als Versuchsobjekte benutzt.

Viele Mikroorganismen brauchen zum Wachstum — außer einer Energiequelle (Zucker) — keine organischen Substanzen im Medium. Sie sind also in der Lage, sämtliche organischen Moleküle selbst zu synthetisieren. Solche Synthesen sind, wie wir in § 8/2 ausführlich diskutieren werden, an genetische Kontrollen, d. h. an bestimmte Erbinformationen, gebunden. Verliert ein Bakterium infolge einer Mutation die Fähigkeit, eine der etwa 20 verschiedenen Aminosäuren (oder einen anderen wesentlichen Zellbaustein, z. B. ein Vitamin) zu synthetisieren, so ist es nicht mehr vermehrungsfähig, es sei denn, der fehlende Baustein wäre im Nährmedium vorhanden. Eine Bakterienmutante, die z. B. selbst nicht mehr die Aminosäure Histidin bilden kann, braucht zur Vermehrung ein Histidin-haltiges Medium. Reicht die Histidinmenge aus, so findet normale Zellteilung statt.

Es ist das Verdienst von BEADLE und TATUM, derartige biochemische Mutanten (von Neurospora) in die Genetik eingeführt zu haben. J. LEDERBERG gelang es, diese Technik auf Bakterien auszudehnen und dort Sexualprozesse nachzuweisen.

Wie findet man solche „Mangelmutanten" bei Bakterien? Zunächst induziert man durch Bestrahlung oder chemische Behandlung eine große Zahl verschiedener Mutationen in einer Wildpopulation. Dann werden die Bakterien in ein

flüssiges Medium ohne Aminosäuren gebracht, dem Penicillin zugesetzt ist[4].
Da Penicillin nur sich teilende Zellen abtötet, werden alle Bakterien, die sich
ohne Supplementierung von Aminosäuren vermehren können (Wildtyp), dem
Penicillin zum Opfer fallen. Mutanten jedoch, die Aminosäure-bedürftig geworden
sind, können sich nicht teilen und bleiben daher am Leben. Jetzt wird das
Penicillin herausverdünnt und die Zellen in geeigneter Konzentration auf ein
festes ,,Komplett''-Medium plattiert, das nicht nur die minimalen Bedürfnisse
des Wildtyps befriedigt, sondern supplementiert ist mit einer Mischung aller inter-
essierenden Aminosäuren. Daher sind auch Aminosäure-Mangelmutanten in der
Lage, sich zu je einer Kolonie zu vermehren. Da die Penicillinmethode jedoch
nicht vollkommen ist, sind diese Kolonien nicht sämtlich Mangelmutanten. Man
erzielt aber eine beträchtliche Anreicherung der Mutanten.

Am nächsten Tag nimmt man einen Stempel, der mit einem sterilen Samttuch
überzogen ist, drückt ihn auf die Komplettplatte, dann auf eine neue ,,Replica''-
Platte, bei der *eine* Aminosäure im Nährboden fehlt. An den Samthaaren bleiben
Bakterien aus den Kolonien hängen und werden so überimpft. Man kann die
Ausgangsplatte mehrmals auf verschiedene Replica-Platten überstempeln. Das
Ergebnis eines solchen Versuchs nach Bebrütung der Platten gibt Abb. 5,7 wieder.

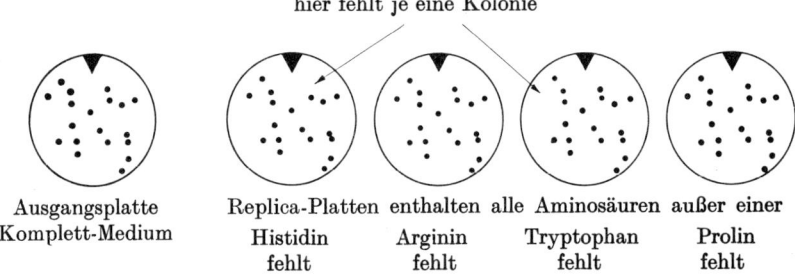

hier fehlt je eine Kolonie

Ausgangsplatte Komplett-Medium	Replica-Platten enthalten alle Aminosäuren außer einer			
	Histidin fehlt	Arginin fehlt	Tryptophan fehlt	Prolin fehlt

Abb. 5,7. Schema der Stempeltechnik zur Suche von Mangelmutanten,
eingeführt durch J. und E. LEDERBERG, J. Bact. 63, 399 (1952)

Die Abstempelung zeigt, daß unter den ursprünglich plattierten Zellen eine
die Eigensynthese von Histidin, eine andere die für Tryptophan verloren hat.
Wir bezeichnen sie als *his* und *trp*. Diese Bezeichnungsweise (ohne Minuszeichen)
hat sich jetzt allgemein durchgesetzt, nachdem zunächst (wie auch in früheren
Auflagen dieses Buches) der Defekt einer solchen Mutante durch ein hochgesetztes
Minuszeichen charakterisiert wurde. Der Wildtyp wird auch bei Bakterien durch
ein +-Zeichen (z. B. *his+*, *trp+*) gekennzeichnet.

Man kann nun von der Ausgangsplatte die beiden Mutanten abimpfen und
unter Zugabe der entsprechenden Aminosäuren weiter kultivieren. Solche Stämme
nennt man ,,auxotroph'' weil sie die Hilfe einer Substanz des Mediums brauchen,
die der ,,prototrophe'' (oder anauxotrophe) Wildstamm nicht benötigt.

Mangelmutanten sind nützlich als selektive Systeme. Wir können z. B. die
Rückmutation zur Prototrophie messen, indem wir viele *his*-Bakterien auf eine
Platte ohne Histidin bringen. Nur Rückmutanten, wieder fähig zur Eigen-
synthese von Histidin, können Kolonien bilden.

Oder wir „kreuzen" (Einzelheiten in § 5/6 und 5/7) einen *his*-Stamm mit einem *trp*-Stamm. Plattieren wir die Nachkommenschaft der Kreuzung auf ein Medium, dem sowohl Histidin als auch Tryptophan fehlt, so kann keiner der Elterntypen wachsen, da ihm eine der beiden Eigensynthesen fehlt. Rekombinanten aber, die das Wildallel für Tryptophansynthese vom ersten und das für Histidinsynthese vom zweiten Elter geerbt haben, werden auf dem doppelten Mangelmedium Kolonien bilden. So können seltene Rekombinanten unter vielen Elterntypen selektiv erfaßt werden.

Ebenso geeignet sind dafür Resistenzmerkmale der Bakterien. Ist z. B. ein Stamm resistent gegen Substanz A, ein anderer gegen eine Substanz B, so können durch Zugabe von A *und* B die doppelt resistenten Bakterienrekombinanten selektiert werden. Man bezeichnet z. B. einen Streptomycin-resistenten Stamm mit *str*^{r}, den sensiblen Wildtyp mit *str*^{s}.

Literatur zu § 5/4:

[1] LURIA, S. E., and M. DELBRÜCK: Genetics **28**, 491 (1943).
[2] Spätere ausführliche Behandlung bei P. ARMITAGE, J. Hyg. (Lond.) **51**, 162 (1953).
[3] NEWCOMBE, H. B.: Nature (Lond) **164**, 150 (1949).
[4] DAVIS, B. D.: Experientia (Basel) **6**, 41 (1950).
LEDERBERG, J., and N. ZINDER: J. Amer. chem. Soc. **70**, 4267 (1948).

5/5   Viren und Bakteriophagen

Bevor wir uns den Parasexualprozessen von Bakterien zuwenden, sollen genetische Phänomene an Viren besprochen werden.

Viren (sing.: das Virus) sind winzige Partikel, die vorwiegend aus Proteinen und Nucleinsäuren bestehen. Die Partikel eines bestimmten Stammes haben uniforme Größe und Gestalt. Die kleinen Viren, z. B. die Erreger der Kinderlähmung, sind kugelförmig und haben einen Durchmesser von rund 25 mμ (etwa 250 aneinandergereihte Wasserstoffatome). In einem cm^3 haben rund 10^{17} solcher Partikel Platz.

Viren vermehren sich parasitisch in Zellen anderer Organismen. Sie haben außerhalb dieser Wirtszellen keinen eigenen Stoffwechsel. Viren können als wandernde Kleingenome betrachtet werden, die ihre Wirkung in fremden Zellen ausüben. Diese Wirkung besteht vor allem darin, neue Viruspartikel zu produzieren, wodurch die Wirtszelle geschädigt oder zerstört wird. Viren sind also „Parasiten auf genetischem Niveau" (LURIA). Sie sind Piraten vergleichbar, die ein Kauffahrteischiff (Wirtszelle) entern und unter ihr Kommando nehmen, so daß alle Einrichtungen des Schiffes für sie arbeiten müssen.

Jede Virusgruppe ist auf ganz bestimmte Wirtszellen spezialisiert. Die Vakzineviren vermehren sich in der Haut von Tieren und Menschen (Pockenkrankheit). Bestimmte ihrer Stämme sind für bestimmte Tiere gefährlich, für andere harmlos (Schutzimpfung des Menschen durch Kuhpocken). Auch Poliomyelitisviren vermehren sich in verschiedenen menschlichen Zellarten, das Kartoffel-X-Virus in Blättern der Kartoffel, das Tabakmosaikvirus (TMV) in denen von Tabakpflanzen usw.

Manche Viren sind gefährliche Krankheitserreger für den Menschen. Kinderlähmung, Mumps, Masern, Pocken, Grippe, Encephalitis, Herpes u. a. sind Virusinfektionen. In der Landwirtschaft gehen jährlich Riesensummen durch Viren verloren. Die meisten Nutzpflanzen können von Viruserkrankungen befallen werden, und unser Viehbestand ist durch Maul- und Klauenseuche, Geflügelpest u. a. gefährdet. Weiter setzt sich zunehmend die Auffassung durch, daß bestimmte Viren die Ursache für — zumindest — viele Arten von Krebs sind (vgl. § 12/6).

Es hat lange unfruchtbare Streitgespräche gegeben, ob Viren Lebewesen oder Moleküle sind. Die Entscheidung hängt lediglich von der Definition des Lebens ab. Da Viren erbliche Merkmale besitzen, muß man sie als lebende Materie bezeichnen, auch wenn man sie wegen des Fehlens von Stoffwechsel und Reizbarkeit nicht als selbständige Organismen ansehen will.

Für die Genetik sind Bakteriophagen von besonderem Interesse. Dies sind Viren, die sich in Bakterien vermehren. Der „Wirtsbereich" eines Phagenstammes ist dabei sehr beschränkt. So können z. B. Coliphagen nur wenige Stämme von Colibakterien angreifen. Besonders bekannt ist die Gruppe der sieben Coliphagen T1 bis T7, die sich alle auf dem Bakterienstamm Escherichia coli B vermehren können[1]. Sie haben alle eine Proteinhülle, die einen „Kopf" bildet, in dem sich Nucleinsäure befindet, und einen kurzen oder längeren „Schwanz" oder besser „Rüssel", mit dessen Hilfe sie in die Bakterien gelangen. Insgesamt hat man beim Phagen T4 mindestens sechs verschiedene Proteinbausteine in der recht komplizierten Hülle gefunden[2] (vgl. Tafel 19). Der Lebenszyklus der verschiedenen Phagen ist im wesentlichen gleich und verläuft folgendermaßen:

Phage und Bakterium stoßen durch Brownsche Bewegung zusammen. Dabei heftet sich der Phage (bei T2 mit seinen Schwanzfasern) an die Bakterien-Zellwand. Dann dringt er in das Bakterium ein (dieses Geschehen wird ausführlich in § 6/4 behandelt) und geht dabei — wie man sagt — in seinen „vegetativen Zustand" über. Wenn man die infizierten Bakterien aufbricht, z. B. durch Ultraschall, sind keine infektiösen Partikel mehr zu finden. Im vegetativen Zustand vermehrt sich der Phage jedoch, und nach etwa 10 min kehren die ersten Nachkommen in den infektiösen Zustand zurück. Diesen Übergang bezeichnet man als „Reifung". Das gereifte Partikel hat wieder die Gestalt von freien, d. h. extrazellulären Phagen und kann in Schnitten von infizierten Bakterien elektronenmikroskopisch gefunden werden (vgl. Tafel 19). Die Zahl der gereiften Partikel wächst auf etwa 30—200 pro Bakterium. Zu diesem Zeitpunkt (rund 20 min nach der Infektion) platzt das Bakterium auf, es „lysiert" und läßt dabei den Zellinhalt, darunter die neue Phagengeneration frei. Diese bleibt stoffwechsellos, bis sich ein neues Bakterienopfer findet.

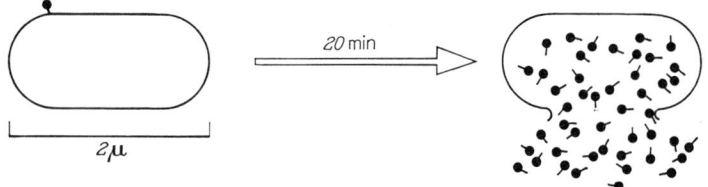

Da Phagen sich weit schneller vermehren als Bakterien, genügt schon ein Phage, um eine ganze Bakterienkultur zu lysieren. Die ursprünglich trübe Kultur klart auf. Da pro ml rund 10^8 Bakterien je etwa 100 Phagen freilassen, beträgt der Phagentiter in solchem „Lysat" etwa 10^{10}. Man kann es sehr verdünnt zu neuen Bakterienkulturen geben, die ebenfalls aufgelöst werden.

Wenn einige Phagen mit vielen Bakterien auf eine Agarplatte gebracht werden, entwickelt sich ein Bakterienrasen, in dem einige Löcher entstehen. Jeder einzelne Phage hat sich vermehrt und die Bakterien in seinem Bereich (Durchmesser 1—5 mm) lysiert. Wie Kolonien von Bakterien sind die Löcher (engl. plaques) durch ein einziges Partikel hervorgerufen. Die Größe und Randbreite der Phagenlöcher ist charakteristisch für einen bestimmten Stamm. Zuweilen beobachtet man jedoch eine abweichende Phagenkolonie. Impft man ein solches Loch ab, so erhält man einen neuen Phagenstamm, der ausschließlich Löcher des neuen Typs hervorbringt. Man hat eine Mutante gewonnen.

Bringt man *viele* Phagen mit Bakterien auf eine Agarplatte, so wachsen vereinzelte resistente Bakterienkolonien. Alle sensiblen Zellen werden lysiert. Man kann so phagenresistente Bakterienmutanten isolieren. Plattiert man andererseits diese resistenten Bakterien mit sehr vielen (z. B. 10^8) Phagen, so findet man in dem resistenten Bakterienrasen manchmal einzelne Phagenlöcher. Diese werden von seltenen Phagenmutanten gebildet, die auch den gegen den Ausgangsphagen resistenten Bakterienstamm lysieren können (Wirtsbereich-Mutanten, engl. host range). Schematisch:

Bakterien mutieren zur Resistenz gegen beispielsweise T2:

$$B \xrightarrow[\text{selektiert durch T2}]{} B/2$$

Phagen mutieren ihrerseits zum erweiterten Wirtsbereich:

$$T2 \xrightarrow[\text{selektiert durch B/2}]{} T2h$$

Auch diese Host-range (h)-Mutanten können abgeimpft werden. Man erhält einen Mutantenstamm (T2 h), der auf einem Mischrasen aus B- und B/2-Bakterien *klare* Löcher bildet, da er beide Bakterienstämme lysiert, während der Wildphage T2 nur B angreift und zu *trüben* (von B/2-Bakterien überwachsenen) Löchern führt.

Liegen zwei verschiedene Mutanten des Phagen vor, so kann eine Kreuzung angelegt werden. Die Kreuzbarkeit von Phagen wurde 1946 durch DELBRÜCK und BAILEY entdeckt und durch HERSHEY und ROTMAN[3] näher untersucht. Zur Kreuzung mischt man die beiden Phagenstämme und sensible Bakterien in solchen Konzentrationen, daß die einzelnen Wirtszellen von beiden Phagentypen infiziert werden. Nach der Lyse zeigt sich, daß außer den beiden Elterntypen auch rekombinante Phagenpartikel in Freiheit gesetzt werden (vgl. Abb. 5,8). Im vegetativen Zustand haben die Phagen Rekombinationsprozesse durchlaufen.

Genetische Rekombination wurde bei den meisten gut untersuchten Phagen, aber erst bei wenigen anderen Viren[4] sicher nachgewiesen. Mutationen werden bei allen Viren gefunden.

Man beschreibt eine Phagen-Kreuzung wie bei höheren Organismen durch

$$ab^+ \times a^+b$$

Die beiden reziproken Rekombinanten, a^+b^+ (Wildtyp) und $a\,b$ (Doppelmutante), treten statistisch in gleicher Häufigkeit auf. Ihr Prozentsatz ist charakteristisch für ein bestimmtes Genpaar. Auch die äquivalente Kreuzung $a^+b^+ \times a\,b$ liefert gleiche Prozentsätze.

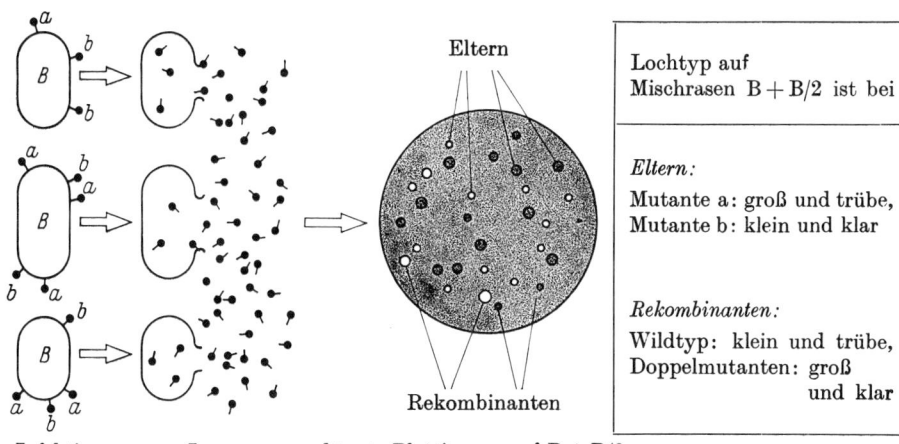

Lochtyp auf Mischrasen B + B/2 ist bei
Eltern: Mutante a: groß und trübe, Mutante b: klein und klar
Rekombinanten: Wildtyp: klein und trübe, Doppelmutanten: groß und klar

Infektion   Lyse   verdünnte Plattierung auf B + B/2

Abb. 5,8. Schema einer Phagenkreuzung Mutante a × Mutante b

Auch 3-Faktor-Kreuzungen führen zu entsprechenden Ergebnissen. Wir können eine Karte des Phagengenoms aufstellen. Hierbei zeigt sich, daß nur *eine* Kopplungsgruppe auftritt. Abb. 5,9 gibt eine so gewonnene Genkarte wieder.

Den eigentlichen Prozeß dieser Parasexualität, d. h. den Mechanismus der Vermehrung und Rekombination von Phagen haben wir damit noch nicht verstanden. Daß dieser Prozeß sich von Kreuzungen anderer Organismen jedoch grundsätzlich unterscheidet, erkennt man an der Möglichkeit einer *3-Eltern-3-Faktor-Kreuzung*: Infiziert man Bakterien gleichzeitig mit drei verschiedenen Phagentypen

$$2 \ 1 \ 1 \ \times \ 1 \ 2 \ 1 \ \times \ 1 \ 1 \ 2,$$

so treten in der Nachkommenschaft einige 222 Rekombinanten auf. Das sind Partikel, die von drei verschiedenen Eltern je ein Merkmal geerbt haben.

Bei höheren Organismen ist dieses Resultat nur in konsekutiven Kreuzungen zu erreichen, d. h. dadurch, daß z. B. mehrere Typen von Drosophila-Fliegen in ein Kulturglas gesetzt werden und ihnen mindestens zwei Generationen lang beliebige Paarung gestattet wird. Es ist möglich, aber nicht erwiesen, daß der Rekombinationsmechanismus von Phagen auf einer analogen Populationsgenetik innerhalb einer Zelle beruht.

Technisch wichtig für die Phagengenetik ist noch der sog. „Einzelwurf"-Versuch (engl. single burst). Hierbei werden phageninfizierte Bakterien sehr

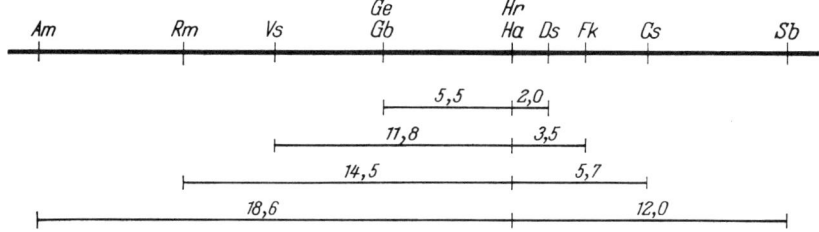

Abb. 5,9. Genkarte des Coliphagen T 1
mit Abstandsangabe in Rekombinationseinheiten (nach BRESCH und Mitarb.)

Wenige infizierte Bakterien und einige noch nicht adsorbierte Elternphagen
werden zufallsverteilt (je 1 Tropfen in jedes Röhrchen)

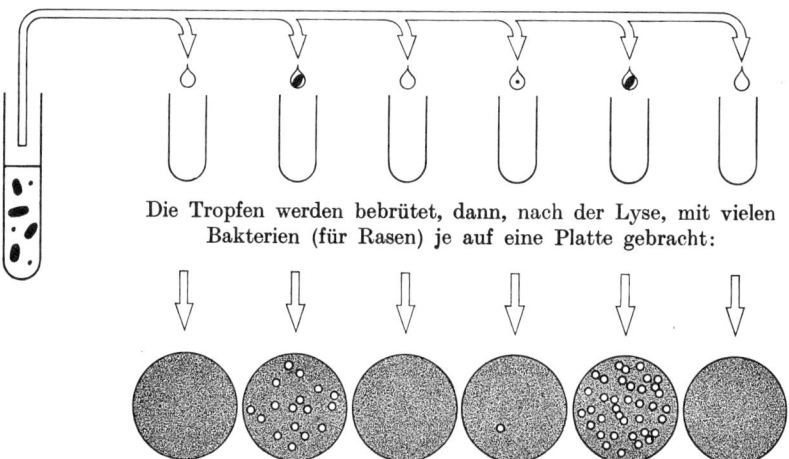

Die Tropfen werden bebrütet, dann, nach der Lyse, mit vielen
Bakterien (für Rasen) je auf eine Platte gebracht:

Abb. 5,10. Einzelwurf-Technik nach ELLIS und DELBRÜCK

weit verdünnt und dann in einzelne Röhrchen ausgetropft, bevor sie lysieren
(Abb. 5,10). Eine Stunde später (nach der Lyse) wird der ganze Inhalt je eines
Röhrchens auf je eine Platte gebracht. Die Elterntypen und Rekombinanten
der Phagenpopulation *einer* Wirtszelle sind dann an den Löchern auszählbar.

Nachgesetztes Motto:
„Das Loch ist der Grundpfeiler dieser Gesellschaftsordnung,
und so ist sie auch.“
       TUCHOLSKY

Temperente Phagen und Lysogenie

Der oben beschriebene Ablauf der Phageninfektion bezieht sich nur auf die
Gruppe der „virulenten“ Phagen. Außer ihnen gibt es eine andere Gruppe,
die „temperenten“ Phagenstämme.

Infiziert ein temperenter Phage ein Bakterium, so gibt es zwei Möglichkeiten,
von denen je nach Medium und physiologischem Zustand der Wirtszelle die
eine oder andere häufiger ist. Der erste Weg ist der von virulenten Phagen,
d. h. unter Phagenvermehrung wird nach einer bestimmten Zeit (Latenzperiode)
das Bakterium lysiert. Andererseits kann aber der infizierende Phage in einen
„friedlichen“ Zustand übergehen („Prophage“), wobei er in das Genom des Bakteriums eingebaut wird (vgl. § 5/8) und sich koordiniert mit diesem 1:1 repliziert.
Die „Seeräuber“ sind bekehrt worden und als friedliche Matrosen in die Mann-
schaft des geenterten Schiffes aufgenommen. Man weiß, daß ein Wettlauf zweier
Mechanismen die Entscheidung zwischen den beiden Möglichkeiten bringt.

Das so veränderte Bakterium wird „lysogen“ genannt. Es vererbt den Prophagen an sämtliche Tochterzellen. Man charakterisiert einen lysogenen Bakterienstamm dadurch, daß die Bezeichnung des Phagen in Klammern hinter

die des Bakteriums gesetzt wird, z. B. K12(λ) ist ein Colistamm K12, der den Phagen λ als Prophagen trägt.

Völlig harmonisch ist die Beziehung zwischen Wirt und Prophage jedoch nicht. Aus noch nicht ganz verstandenen Gründen befreit sich nämlich der Prophage in einzelnen Zellen plötzlich von der Kontrolle, er kehrt in den lytischen Zustand zurück, vermehrt sich und lysiert die Zelle, wobei wieder Phagen des Ausgangstyps freiwerden (Meuterei der ehemaligen Piraten). Dies erklärt die Bezeichnung „lysogen" für einen Bakterienstamm, dessen Zellen Prophagen enthalten.

Manche, aber nicht alle temperenten Phagenstämme können „induziert" werden, d. h. der Übergang des Prophagen in den lytischen Zustand kann erzwungen werden, z. B. durch UV-Bestrahlung oder chemische Einwirkungen. In günstigen Fällen können praktisch alle Zellen einer lysogenen Kultur induziert werden. Andererseits können lysogene Bakterien ihren Prophagen spontan oder durch bestimmte Behandlung verlieren („Heilung"). Das Schema von Abb. 5,11 faßt die verschiedenen Möglichkeiten zusammen.

Das Tragen eines Prophagen hat noch eine wichtige Konsequenz: lysogene Bakterien werden „immun" gegen andere Phagen des gleichen Typs. Das heißt wenn normalerweise die Infektion mit einem temperenten Phagen zur Lyse führt und nur wenige Zellen lysogenisiert werden, so sind diese geschützt gegen weitere Infektionen. Infiziert ein neuer Phage das lysogene Bakterium, so wird er unterdrückt und geht verloren. Gelegentlich kann auch er noch zusätzlich stabil in das Bakterium aufgenommen werden. Um dies zu zeigen, wird die lysogene Zelle mit einer Phagenmutante infiziert. Die Nachkommen der doppelt lysogenen Zelle können dann den einen oder anderen oder gar beide Phagen wieder freilassen. Es kann sogar zu genetischer Rekombination unter den beiden Prophagen kommen.

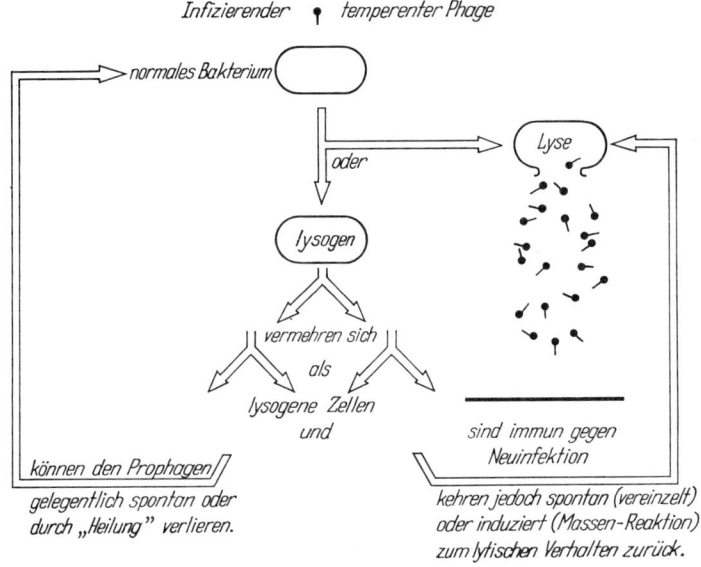

Abb. 5,11. Schema der Lysogenie

Es wurde viele Jahre lang diskutiert, ob tatsächlich lysogene Bakterien existieren oder ob die plötzlich in einer Bakterienkultur aufgetretenen Phagen nur durch unsteriles Arbeiten hineingeraten wären. Erst LWOFF u. Mitarb. gelang es, einen endgültigen Nachweis der Lysogenität zu führen. Dieser Gruppe des Pasteur-Instituts in Paris verdanken wir viele Erkenntnisse zum Verhältnis von temperenten Phagen zu ihren Wirtsbakterien[5].

Literatur zu § 5/5:

[1] DEMEREC, M., and U. FANO: Genetics **30**, 119 (1945).
[2] BRENNER, S. et al.: J. molec. Biol. **1**, 281 (1959).
[3] HERSHEY, A. D., and R. ROTMAN: Genetics **34**, 44 (1949).
[4] Zum Beispiel Vakzine-Virus: GEMMELL, A., and J. CAIRNS: Virology **8**, 381 (1959).
[5] Weitere Einzelheiten in F. JACOB and E. L. WOLLMAN: Sexuality and the Genetics of Bacteria. New York: Academic Press 1961.

5/6   Transformation und Transduktion

Es sind im wesentlichen drei verschiedene Mechanismen der Parasexualität von Bakterien bekannt: Transformation, Transduktion und Konjugation.

1. Transformation[1]

Krankheitserregende (virulente) Pneumokokken sind von Kapseln umgeben (S-Stämme). Die Kapseln bestehen aus Polysacchariden, die stammspezifisch sind und sich serologisch in Typen aufgliedern. Durch Mutation kann die Fähigkeit zur Kapselbildung — und damit die Virulenz — verlorengehen (R-Stämme). Nie ist aber die Mutation von einem Kapseltyp zum anderen beobachtet worden. 1928 injizierte GRIFFITH[2] Mäusen gleichzeitig lebende (harmlose) R-Zellen, die von einem S-Stamm Typ II hergeleitet waren, und hitzegetötete (dadurch harmlos gemachte) S-Zellen vom Typ III. Die Mäuse starben an Infektionen, die von lebenden Zellen des Kapseltyps III verursacht worden waren. Die toten Zellen hatten ihre Eigenschaft übertragen, die lebenden Zellen waren zum anderen Typ „transformiert" worden. 3 Jahre später gelang Transformation auch im Reagensglas[3], und 1932 konnte ALLOWAY[4] zeigen, daß auch zellfreie Extrakte von S-Zellen die Umwandlung hervorbringen. Obwohl diese Experimente größte Bedeutung für die Genetik gewinnen sollten, wurden sie damals wenig beachtet und als bakteriologisches Kuriosum angesehen. Erst als AVERY u. Mitarb. die chemische Natur des „transformierenden Prinzips" identifizierten (ausführlich dargestellt in § 6/4), wurde die Transformation zu einem Grundpfeiler unserer Kenntnis. Diese Versuche bilden nämlich den Kernbeweis für die Behauptung, das genetische Material sei Desoxyribonucleinsäure (abgekürzt DNA oder DNS).

Es zeigte sich, daß Transformation nicht auf die Eigenschaft des Kapseltyps (R → S) beschränkt ist, sondern daß auch viele andere Merkmale wie Resistenz gegen Antibiotika oder biochemische Fähigkeiten durch zellfreie Extrakte übertragen werden können. Weiter gelang Transformation auch bei einigen anderen — aber keineswegs bei allen — Bakterienarten. Wichtig sind neben Pneumokokken speziell Haemophilus influenzae und Bacillus subtilis.

Versuchsbeispiel. Präpariert man einen Extrakt aus einem Mannit-vergärenden, Streptomycin-resistenten Pneumokokkenstamm und gibt diesen zur Kultur eines Mannit-nicht-vergärenden, Streptomycin-empfindlichen Stammes, so treten bald

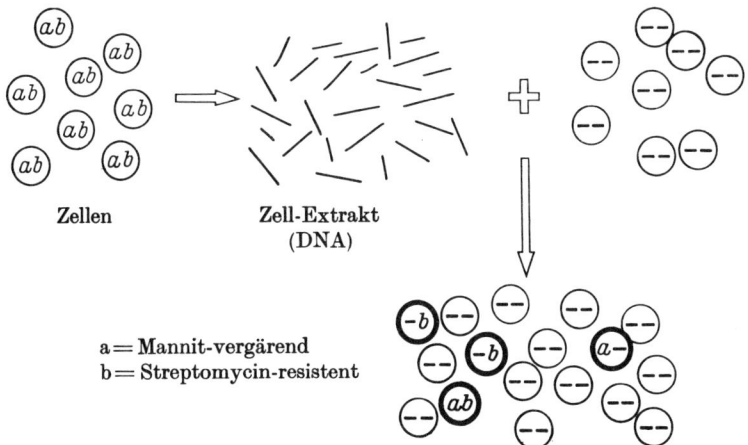

Zellen   Zell-Extrakt
(DNA)

a = Mannit-vergärend
b = Streptomycin-resistent

Abb. 5,12. Schematische Darstellung eines Transformationsexperiments

einige Zellen auf (Größenordnung bestenfalls 10^{-2}), die Mannit verarbeiten können und solche, die gegen das Antibiotikum resistent sind. Auch Zellen, die in beiden Merkmalen verändert sind, werden beobachtet (vgl. schematische Abb. 5,12).

Man nimmt an, daß die DNA-Moleküle des Extrakts von den Pneumokokkenzellen aufgenommen werden und daß es dann zu einer Rekombination zwischen dem aufgenommenen DNA-Fragment und dem Genom der Zelle kommt, wodurch die übertragenen Merkmalsanlagen erblich verankert werden.

In dem oben angegebenen Beispiel[5] treten — im Gegensatz zu einer großen Zahl anderer Merkmalskombinationen — die beiden benutzten Eigenschaften häufiger gemeinsam in einer transformierten Zelle auf als der Zufallserwartung bei unabhängiger Übertragung entspräche. Man schließt daraus, daß bei der Präparation, die die genetische Struktur der Donorzellen zerlegt, auch größere Stücke entstehen, die gleichzeitig zwei benachbarte Merkmale, wie die im Beispiel benutzten, übertragen können.

2. Transduktion

Der zweite mögliche Sexualprozeß bei Bakterien ist die 1952 von ZINDER und J. LEDERBERG entdeckte Transduktion[6]. Der temperente Phage P22 vermehrt sich auf Salmonella typhimurium. Von diesen Wirtsbakterien kann man biochemische und andere Mutanten gewinnen. Ihr Verhalten dem Phagen gegenüber wird dadurch nicht verändert.

Infiziert man nun z. B. einen Arginin-bedürftigen, Streptomycin-sensiblen ($arg\ str^s$) Mutantenstamm mit Phagen, die sich auf $arg^+ str^r$-Zellen vermehrt hatten, so wird ein Teil der infizierten Bakterien lysiert, ein anderer lysogenisiert. Plattiert man die infizierten $arg\ str^s$-Zellen auf Agar ohne Arginin oder Komplettagar mit Streptomycinzusatz, so wachsen einige Kolonien. Wiederholt man den Versuch mit Phagen, die sich auf $arg\ str^s$-Zellen vermehrt hatten, oder plattiert man nicht-infizierte $arg\ str^s$-Zellen, so treten keine arg^+ bzw. str^r-Kolonien auf. Das heißt, die Phagen übertragen Merkmale von ihrem letzten Wirt auf das infizierte Bakterium. Alle Merkmale können so transduziert werden, wobei unter optimalen Bedingungen der Wirkungsgrad 10^{-5} pro Phage und Merkmal ist.

In unserem Versuchsbeispiel gibt es daher praktisch keine Zellen, die beide Merkmale gleichzeitig erhalten hätten. Wie bei der Transformation werden also nur kleine Stücke des Bakteriengenoms überführt, was nicht überrascht, wenn man an die Kleinheit des Phagen denkt. Wie bei der Transformation können jedoch manche Gene auch gemeinsam transduziert werden. Man schließt daraus wieder, daß solche Gene im Bakterienchromosom eng benachbart sind. Aus der Häufigkeit gemeinsamer Transduktion lassen sich Genkarten aufstellen. DEMEREC u. Mitarb.[7] haben diese Frage intensiv bearbeitet. Der Prozeß der Transduktion ist in Abb. 5,13 schematisiert. (*Spezielle* Transduktion siehe § 5/8,1.)

Wenn man durch passende Verdünnung dafür sorgt, daß immer nur *ein* Phage ein Bakterium infiziert, stellt man fest, daß die transduzierten Zellen nicht lysogen geworden sind. Phagen, die ein Bakterienfragment enthalten, haben ihr eigenes Genom mindestens teilweise eingebüßt[8].

Bei Transformation und Transduktion wird in der Regel nicht einfach das Fragment dem kompletten Genom der Zelle hinzugefügt, sondern durch Crossover werden Gene *ersetzt*. Die transduzierte Zelle ist stabil und segregiert den ursprünglichen Typ nicht mehr heraus. Der eigentliche Rekombinationsvorgang ist noch in vielen Punkten ungeklärt (vgl. Kapitel 7).

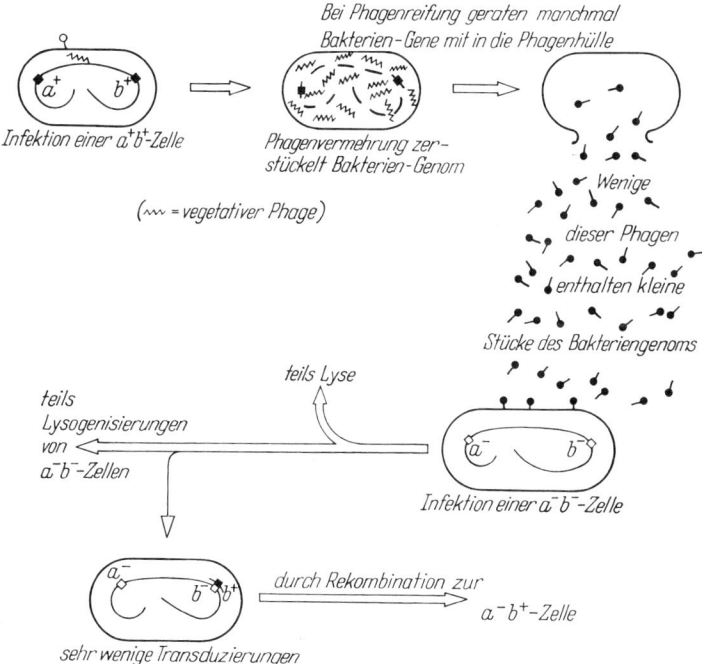

Abb. 5,13. Schema der Transduktion bei Salmonella durch den Phagen P 22

Nur ein kleiner Teil (Größenordnung $^1/_{10}$) der injizierten Fragmente kommt aber zum stabilen Einbau in das Bakteriengenom. Meist bleibt das Fragment ohne sich zu vermehren in der Zelle liegen, so daß es auch nach vielen Zellteilungen nur in einer einzigen Zelle des Klons vorhanden ist. Diese Situation wird „*abortive*" Transduktion genannt.

Man erkennt die Anwesenheit des Fragments nur an seiner funktionellen Wirkung. Diese wurde entdeckt an dem eindrucksvollen Beispiel der Begeißelung[9]. Trägt das Fragment das Merkmal für Geißeln und befindet es sich in einem unbegeißelten, d. h. unbeweglichen Bakterium, so wird es an diesem Geißeln ausbilden (Genwirkung). Bei Teilungen bilden jedoch die Tochterzellen, die das Fragment nicht enthalten, keine Geißeln. Sie sind unbeweglich. Auf einer Agarplatte kann sich nun das begeißelte Bakterium bewegen. Alle geißellosen Tochterzellen liegen dagegen fest. Man kann so den Weg des Geißelbakteriums verfolgen, da an allen Orten, wo eine Teilung stattfindet, eine unbewegliche Zelle liegen bleibt, die zu einer Kolonie führt. Auch bei biochemischen Mutanten läßt sich abortive Transduktion beobachten[10]. Sie führt zu winzigen Kolonien, weil es im wesentlichen nur eine vermehrungsfähige Zelle gibt, nämlich die mit dem zum Wachstum erforderlichen Fragment.

Man verwechsele Transduktion nicht mit dem Phänomen der sog. *lysogenen Konversion*. In diesem Fall üben Gene, die zum Prophagen selbst gehören, bestimmte Wirkungen in der Bakterienzelle aus. Bei Diphtheriebakterien werden z. B. die Toxine durch die Gene eines Prophagen produziert[11]. Nur lysogene Zellen dieser Bakterien sind also krankheitserregend. Wird der Prophage verloren, kann das Bakterium keine Toxine mehr produzieren.

Literatur zu § 5/6:

[1] Review: RAVIN, A. W.: Advanc. Genet. **10**, 61—163 (1961).
[2] GRIFFITH, F.: J. Hyg. (Lond.) **27**, 113 (1928).
[3] DAWSON, M. H., and R. H. P. SIA: J. exp. Med. **54**, 681 (1931).
[4] ALLOWAY, J. L.: J. exp. Med. **55**, 91 (1932); **57**, 265 (1933).
[5] HOTCHKISS, R. D., and J. MARMUR: Proc. nat. Acad. Sci. (Wash.) **40**, 55 (1954).
[6] ZINDER, N. D., and J. LEDERBERG: J. Bact. **64**, 679 (1952).
[7] DEMEREC, M. et al.: Genetic studies with bacteria. Carnegie Inst. Wash., Publ. **612** (1956) (eine zusammenfassende Darstellung).
[8] STARLINGER, P.: Z. Naturforsch. **13**b, 489 (1958).
[9] STOCKER, B. A. D., N. D. ZINDER and J. LEDERBERG: J. gen. Microbiol. **9**, 410 (1953).
[10] OZEKI, H.: Carnegie Inst. Wash. Publ. **612**, 97 (1956).
[11] BARKSDALE, L.: Bact. Rev. **23**, 202 (1959).

5/7   Konjugation von Bakterien

Der dritte parasexuelle Mechanismus von Bakterien wurde durch J. LEDER-BERG und TATUM entdeckt[1] und durch eine Reihe wichtiger Arbeiten des Ehepaars LEDERBERG, von HAYES und von JACOB und WOLLMAN in seinen wesentlichen Grundlagen geklärt. Aus didaktischen Gründen soll jedoch nicht dem historischen Gang der Entwicklung gefolgt werden. Dieser wurde in ausführlichen Monographien berücksichtigt[2, 7].

Im § 5/4 wurde die Gewinnung von auxotrophen Bakterienmutanten beschrieben. Mit dieser Technik können nacheinander verschiedene Mangelmutationen in einem Bakterienstamm aufgebaut werden, z. B. indem man eine schon für Threonin auxotrophe Mutante (*thr*) bestrahlt und unter ständiger Supplementierung mit Threonin eine zusätzliche Mutation für Leucin (*leu*) sucht. Viele solcher Mutationen wurden in Abkömmlinge des Colistammes K12 eingebaut. Aus ihm wurden im Laufe der Jahre Hunderte von Unterstämmen hergeleitet. Wir wollen mit zweien von ihnen beginnen. Einer der beiden Stämme kann den

Phagen T1 nicht adsorbieren, der andere ist T1-sensibel. Außerdem tragen die Stämme eine Reihe anderer genetischer Markierungen.

Wir wollen sehen, ob diese beiden Stämme miteinander Konjugation zeigen. Dazu mischen wir gewaschene (d. h. zentrifugierte und in frischem Medium aufgenommene) Zellen aus exponentiell wachsenden Kulturen (log-Phase-Zellen) beider Stämme. Nach etwa 20 min geben wir viele stark UV-bestrahlte T1-Phagen hinzu, die zwar an den sensiblen Stamm noch adsorbieren, aber sonst keine Wirkung mehr auf die Bakterien haben. Dann betrachten wir die Kultur im Elektronenmikroskop: Wir können die beiden Bakterientypen dadurch unterscheiden, daß nur der eine Stamm Phagen adsorbiert hat und finden Paarbildungen zwischen Zellen verschiedener Typs.

Führt eine solche Konjugation zur genetischen Rekombination? Genetische Markierungen beantworten diese Frage. Einer der beiden Stämme (*bio*) sei auxotroph für Biotin, der andere für Threonin (*thr*). Die Kreuzungsmischung mit den Bakterienpaaren plattieren wir auf einen „Minimalagar", der außer einer Energiequelle nur anorganische Salze enthält. Keine der Elternzellen kann wachsen. Dennoch entstehen wenige Bakterienkolonien, die von prototrophen Rekombinanten gebildet werden (*thr+bio+*). Die Konjugation ermöglicht also genetische Rekombination. Diese wurde mit vielen Merkmalen nachgewiesen[1].

Einige Jahre später erkannte man[3], daß unter den vielen Unterstämmen von Coli K12 eine Gruppe existiert, die nicht untereinander konjugiert, und daher auch keine Rekombinanten bildet. Stämmen dieser Gruppe gab man das Kennzeichen [F−] (Fertilität negativ). Diese Eigenschaft war unabhängig von allen anderen genetischen Markierungen. Die übrigen Stämme waren dagegen mit allen [F−]-Stämmen konjugierbar und zeigten auch untereinander schwache Konjugation. Stämme dieser fertilen Gruppe erhielten die Bezeichnung [F+]. HAYES führte nun mit [F+]- und [F−]-Stämmen äquivalente Kreuzungen durch, wobei jeweils ein Elter Streptomycin-resistent war, z. B.

$$[F^-] \; thr \; leu \; bio^+ \; str^r \; \times \; [F^+] \; thr^+ \; leu^+ \; bio \; str^s \quad \text{und}$$
$$[F^-] \; thr \; leu \; bio^+ \; str^s \; \times \; [F^+] \; thr^+ \; leu^+ \; bio \; str^r$$

Diese Kreuzungen lieferten verschiedene Resultate, wenn auf Streptomycinhaltigem Nährboden selektiert wurde. War der [F−]-Stamm Streptomycinresistent, so fand man die erwarteten Rekombinanten, war er sensibel, traten keine Rekombinanten auf. Dieser Befund bewies eine Asymmetrie der Kreuzungspartner, die sich in vielen anderen Kreuzungen bestätigte. Um Rekombinanten zu erhalten, mußte immer die [F−]-Zelle überleben. Man konnte daraus schließen, daß die Rekombination nur in [F−]-Zellen, nicht aber in [F+]-Zellen erfolgt. Mit anderen Worten: Die [F+]-Zelle liefert genetisches Material an den [F−]-Partner, aber nicht umgekehrt. [F+] sind „Donor"-Zellen, [F−] sind „Receptor"-Zellen. Es gibt also „männliche" und „weibliche" Bakterienstämme.

Der F-Faktor

Zur Erklärung der Asymmetrie in der Bakterienkonjugation postulierte man einen „Sexualfaktor", den F-Faktor, der für den Unterschied von [F+]- und [F−]-Zellen verantwortlich gemacht wurde. Diese Hypothese konnte mehr als 10 Jahre später glänzend bestätigt werden. Tatsächlich existiert ein kleines ringförmiges Stück genetischen Materials (DNA), das in [F⁺]-Zellen, aber nicht in [F⁻]-Zellen gefunden werden kann. Dieser Ring ist der F-Faktor (vgl. Tafel 21). Man könnte ihn als das Geschlechtschromosom der Colizelle bezeichnen. Er repliziert sich koordiniert mit dem übrigen Genom der Zelle, so daß alle Nachkommen einer [F⁺]-Zelle einen F-Faktor pro Kernäquivalent tragen. (Die geordnete Aufteilung erfolgt vermutlich durch Anheftung der Chromosomen an die Bakterien-Membran.)

Auf dem F-Faktor befinden sich Gene, unter deren Kontrolle außen am Bakterium wenige Spezialpili entstehen. Dies sind kleine Proteinröhren von 85 Å Durchmesser und 1—20 μ Länge. Auch ohne F-Faktor haben die Zellen meist viele Pili (oder Fimbrien), die wie feine Härchen die Oberfläche der Zelle bedecken. Der Sexualpilus ist jedoch deutlich dicker und wesentlich länger und besteht aus anderem Protein. Dies ist daran erkennbar, daß bestimmte sehr kleine Phagen (z.B. f2) an diesen Pilus, aber nicht an andere Pili adsorbieren (vgl. Tafel 18 und Abb. 5,14). Durch diese Adsorption gelingt den Phagen offenbar die Infektion der Colizellen, denn sie können nur [F⁺]-Zellen, nicht dagegen [F⁻]-Zellen infizieren und lysieren. Der Test auf Vermehrung solcher [F⁺]-spezifischen Phagen ist ein einfacher technischer Trick, um [F⁺]- und [F⁻]-Stämme zu unterscheiden.

Abb. 5,14. Konjugation von Colizellen. Beide haben Fimbrien, eine 2 Sexualpili, an die (zugesetzte) kleine Phagen adsorbiert sind. Die größeren (ebenfalls zugesetzten) T1-Phagen adsorbieren an der Zellwand. Die weibliche Zelle ist durch eine Mutation T1-resistent. (Männliche und weibliche Colizellen können sensibel oder resistent gegen T1 sein, dagegen kann der Kleinphage über den Pilus immer nur männliche Zellen infizieren!)

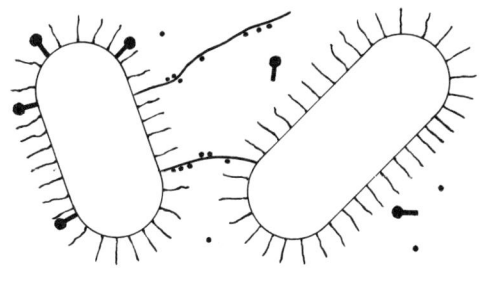

Der F-Pilus ist offenbar auch für den Sexualkontakt mit der [F⁻]-Zelle verantwortlich. Man nimmt an, daß bei der Konjugation das genetische Material direkt durch die Pilus-Röhre in die Rezeptor-Zelle transportiert wird.

Bringt man wenige [F⁺]-Zellen in eine [F⁻]-Kultur, so findet man nach einiger Zeit die ganze Kultur in [F⁺]-Zellen umgewandelt. Der Sexualkontakt zwischen [F⁺] und [F⁻] führt also asymmetrisch zu einer Änderung des Geschlechts. (Erfreulicherweise hat die Evolution zum Menschen diese primitive Stufe der Sexualität überwunden.) Die Umwandlung der Rezeptorzelle in einen normalen [F⁺]-Typ resultiert aus dem Transfer einer Kopie des F-Faktors[3A]. Der Ring des F-Faktors hat eine spezielle Öffnungsstelle (Pfeilspitze in Abb. 5,15), die den Transport des Faktors ermöglicht.

Sind die [F⁺]- und die [F⁻]-Zellen auch durch andere genetische Markierungen unterschieden und untersucht man nach der Konjugation einzelne Rezeptorzellen, so stellt man zur Überraschung fest, daß zwar weitaus die meisten [F⁻]-Zellen zu [F⁺] wurden, also den F-Faktor erhielten, aber keine anderen Gene aus dem [F⁺]-Donor übernahmen. Die vorhin geschilderte Rekombination zwischen den Genen *thr*, *leu* und *bio* beruht nur auf wenigen Rezeptorzellen, die zwar Teile des Genoms der [F+]-Zelle, nicht aber den F-Faktor erhielten. Solche Rekombinanten sind nämlich weiterhin [F−]-Zellen (sofern keine zweite Konjugation mit einem [F+] eingetreten ist). Wie ist dieser Befund zu erklären?

Die Antwort auf diese Frage liefern einige spezielle Bakterienstämme, die gelegentlich von den gewöhnlichen [F+]-Stämmen isoliert wurden und sich von diesen dadurch unterscheiden, daß sie in einem Konjugationsexperiment einen enorm erhöhten Anteil an Rekombinanten hervorbringen (z. B. 10% Rekombinanten statt 10^{-5}). Diese abnormen Stämme bezeichnete man als [Hfr], eine Abkürzung für **H**igh **f**requency of **r**ecombination.

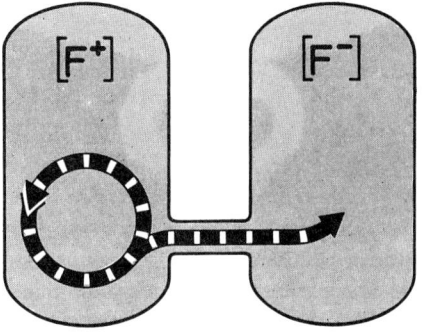

Abb. 5,15.
Transfer eines F-Faktors (Der besseren Übersichtlichkeit wegen ist im Schema die relative Länge des F-Ringes wesentlich reduziert und das übrige Bakteriengenom fortgelassen)

Bringt man nun einen genetisch markierten [Hfr]-Stamm mit [F−]-Zellen zusammen und untersucht wieder die einzelnen Rezeptorzellen dieser Konjugation, so sind alle Rekombinanten [F−] geblieben, man findet also (im Gegensatz zum Versuch mit [F+]) keine Zellen, die nur die [Hfr]-Eigenschaft, aber sonst keine anderen Gene übernommen hätten. Dieses Ergebnis wird erklärt durch die ursprünglich recht spekulative, aber inzwischen fest fundierte Vorstellung von JACOB und WOLLMAN, nach der der F-Faktor in zweierlei Zuständen in der Bakterienzelle vorkommen kann: Entweder — wie bisher diskutiert — als unabhängiges kleines Ringchromosom oder aber integriert in das Hauptchromosom der Zelle. (Wir werden in § 6/10 sehen, daß die normale Colizelle nur ein — und zwar ebenfalls ringförmiges — Chromosom besitzt).

Der heute akzeptierte Mechanismus der Integration eines solchen kleinen Ringes in einen großen Ring wurde durch CAMPBELL vorgeschlagen. Das Crossover-artige Geschehen ist in Abb. 5,16 schematisiert. Zunächst glaubte man, daß in jedem Fall eine genetische Homologie (gleiche Gene) vorliegen müßte, die die korrekte Paarung ermöglichen und so ein ganz normales Crossover bewerkstelligen würde. Heute ist jedoch das einwandfreie Beispiel des ähnlichen Einbaus des ebenfalls ringförmigen Phagen λ (Tafel 21) in das Bakteriengenom bekannt, bei dem ein spezielles Enzym die Spezifitäten auf beiden Seiten erkennt und so ein spezifisches Crossover immer an den gleichen Stellen der beiden Genome bewirkt[4]. Ob die Integration des F-Faktors spezifisch ist, ist noch nicht geklärt.

Sicher ist jedoch, daß dieser in das Bakterienchromosom aufgenommen und mit diesem repliziert werden kann und zwar an verschiedenen Stellen, die in Abb. 5,22 durch Dreiecke gekennzeichnet sind. Mehr noch, die Pfeilspitze der

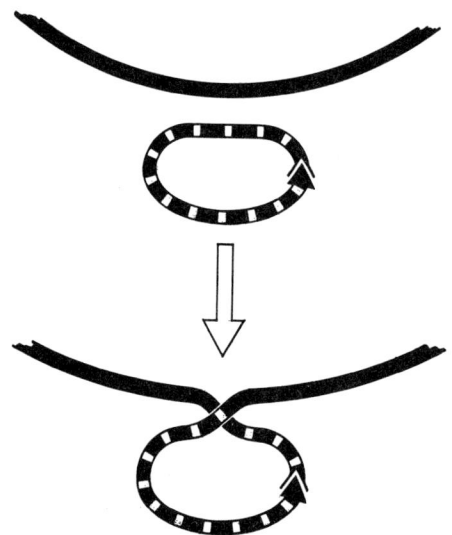

Abb. 5,16.
Integration des F-Faktors in das Bakterienchromosom (davon hier nur ein kurzer Abschnitt dargestellt) durch spezifisches Crossover

Öffnungsstelle des F-Faktors kann nach der Integration in diese oder jene Richtung weisen, je nachdem wie die Paarung und das Crossover erfolgte. Diese Behauptungen werden durch die folgenden Versuche bewiesen:

Fragen wir zunächst, was bei der Konjugation einer [Hfr] mit einer [F⁻]-Zelle passiert. Der Sexualkontakt wird ebenfalls durch einen F-Pilus eingeleitet ([Hfr]-Zellen sind infizierbar durch [F⁺]-spezifische Phagen, müssen also den F-Pilus besitzen). Dann geschieht offenbar das gleiche wie bei einer [F⁺]-Zelle, d. h. die Öffnungsstelle des F-Faktors löst sich und die „Spitze" wird in die Rezeptorzelle hinübergebracht. Diesmal hängt aber an dieser Spitze nicht nur der Ring des F-Faktors, sondern das ganze Bakterienchromosom (Abb. 5,17). Dessen Gene werden also mit dem Anfang des F-Faktors in die [F⁻]-Zelle überführt. Man beachte dabei, daß der andere Teil des F-Faktors erst dann in die Rezeptorzelle gelangt, wenn bereits das gesamte Bakterienchromosom überführt ist. Da die Konjugation fast immer vorher unterbrochen wird, kann die Rezeptorzelle * keine [Hfr]-Eigenschaften übernehmen.

Die genetische Rekombination, die sich an den Transfer anschließt, ist ein unabhängiger zweiter Vorgang (§ 5/8). Hierbei werden offenbar Gene der Rezeptorzelle durch solche der Donorzelle ersetzt. Die rausgeworfenen Gene des Rezeptors gehen verloren.

Wir wollen jetzt eine Kreuzung mit mehreren Genmarkierungen im einzelnen verfolgen. Wir benutzen dazu als Donor den von HAYES isolierten Stamm [HfrH], der Wildallele in allen Genen trägt, und als Rezeptor den vielfach mutierten Stamm

$$[F^-] \quad \textit{thr leu azi}^r \textit{ tonA}^r \textit{ lac tsx}^r \textit{ gal str}^r$$

---

* Man nennt solche Rezeptorzellen mit einem Genomfragment des Donors unvollständige Zygoten oder nach dem Vorschlag von WOLLMAN, JACOB und HAYES [Cold Spr. Harb. Symp. quant. Biol. **21**, 141 (1956)] „Merozygoten" im Gegensatz zu „Holozygoten", bei denen zwei komplette Genome vereinigt sind.

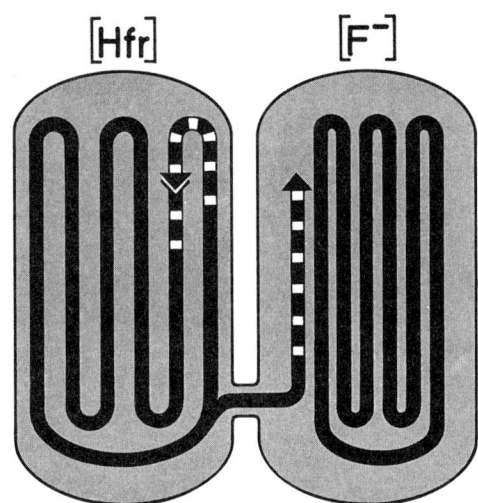

Abb. 5,17.
Konjugation einer [Hfr]- mit einer [F⁻]-Zelle. Der F-Faktor (unterbrochene Linie) zieht das Bakterienchromosom (durchgezogene Linie) mit sich. Das Bakterienchromosom ist im Schema wesentlich verkürzt. Tatsächlich ist es ca. 500mal länger als die Zelle selbst

Hierbei bedeutet:

thr	Bedürfnis für Threonin,
leu	Bedürfnis für Leucin,
lac	Unfähigkeit, den Zucker Lactose als Energiequelle zu benutzen,
gal	Unfähigkeit, den Zucker Galactose als Energiequelle zu benutzen,
azi^r	Resistenz gegen Natriumazid,
str^r	Resistenz gegen Streptomycin,
tonA^r	Resistenz gegen Phagen T1
tsx^r	Resistenz gegen Phagen T6.

Zur Kreuzung mischen wir wieder gewaschene log-Zellen und zwar $2 \cdot 10^7$ [Hfr H]- und $4 \cdot 10^8$ [F⁻]-Zellen/ml. Bei diesen Konzentrationen sollten alle [Hfr H]-Zellen schnell einen [F⁻]-Partner finden. Die Mischung lassen wir eine Stunde bei 37° C. Dann plattieren wir auf Minimalagar mit Glucose und Streptomycin.

Die Elterntypen des [Hfr H]-Stammes wachsen nicht, da sie sensibel gegen Streptomycin sind, die des [F⁻]-Stammes wachsen nicht wegen des Fehlens von Threonin und Leucin. Da Glucose geboten wird, haben alle Zellen (Eltern und Rekombinanten) eine zugängliche Energiequelle. Diese Technik selektiert Rekombinanten *thr*⁺*leu*⁺∗∗∗∗∗*str*^{r}. In allen übrigen Genen sind Allele beider Eltern möglich [Symbol ∗]. Man findet etwa $2 \cdot 10^6$ rekombinierende Paarungen pro ml des Kreuzungsgemisches. (Man kann natürlich auch auf andere Nährböden plattieren und so für andere Rekombinanten selektieren.)

Wir wollen die aufgetretenen Rekombinanten in bezug auf ihre nicht selektierten Gene prüfen. Dazu impfen wir alle Rekombinanten ab und setzen sie (jede an eine andere Stelle) in geordnetem Muster auf eine frische Agarplatte (Minimalagar + Glucose + Streptomycin, d. h. auf die gleiche Plattenart, die zur Selektion benutzt wurde) (Abb. 5,18). Alle Überimpfungen wachsen über Nacht zu Kolonien.

Am nächsten Tag überstempeln wir diese Rekombinantenplatte auf eine Reihe anderer Platten, die so zusammengesetzt sind, daß sie jeweils Aufschluß über ein nicht-selektiertes Gen der Rekombinanten geben. Alle diese Platten müssen eine Energiequelle (Zucker) enthalten. Sie können — müssen aber nicht — Threonin, Leucin und Streptomycin enthalten. Wieder einen Tag später können wir an diesen Platten die Allele der überstempelten Kolonien ablesen und auszählen. In den Beispielen von Abb. 5,18 sind 6 von 20 Rekombinanten resistent gegen T1, sie tragen das Allel $tonA^r$. Weiter haben 9 von 20 Rekombinanten das Allel lac^+ und entsprechend die restlichen 11 das Allel lac.

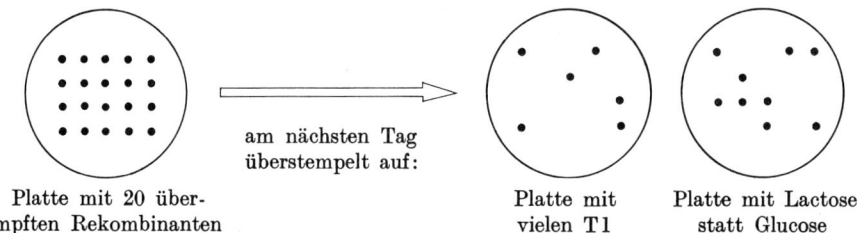

Platte mit 20 über-   am nächsten Tag   Platte mit   Platte mit Lactose
impften Rekombinanten   überstempelt auf: vielen T1   statt Glucose

Abb. 5,18. Prüfung der selektierten Rekombinanten auf nicht-selektierte Allele durch Überstempeln. Zwei von mehreren Replica-Plattierungen sind als Beispiele gegeben

Auf diese Weise kann die ganze genetische Konstitution jeder Rekombinante ermittelt werden. Wir können zusammenstellen, wieviel Prozent der Rekombinanten die jeweiligen Allele des [HfrH]-Elters tragen, und die beteiligten Gene in eine Reihenfolge bringen:

← Übertragungsrichtung

Erster Teil des F-Faktors	thr^+	leu^+	azi^s	$tonA^s$	lac^+	tsx^s	gal^+	str^s
	100*	100*	90	70	40	35	25	0*

* Diese Werte sind durch die Selektion der Rekombinanten erzwungen, was auch im Schema der folgenden Zeichnung durch verstärkte Striche hervorgehoben ist.

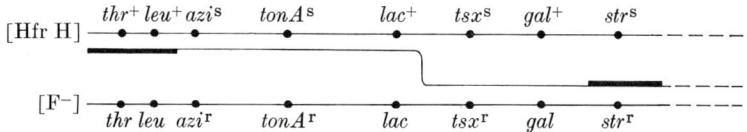

Für jede Rekombinante thr^+leu^+*****str^r kann das Crossover an beliebiger Stelle zwischen den Genen leu und str erfolgen. Unterschiede der Rekombinantenprozentsätze für die einzelnen Gene sind ein Maß für deren Abstand auf dem Bakterienchromosom. WOLLMAN und JACOB[5] haben diesen Versuch durch einen zusätzlichen Trick wesentlich aufschlußreicher gemacht: Zu verschiedenen Zeiten nach der Mischung der beiden Kreuzungspartner werden der Konjugationsmischung Proben entnommen. In diesen werden durch ein hochtouriges Mixgerät die Zellpaare sogleich auseinandergerissen. Danach wird jede Probe plattiert und für schon gebildete Rekombinanten des Typs thr^+leu^+*****str^r selektiert. Schließlich wird die genetische Zusammensetzung der Rekombinanten aus den verschiedenen Proben — wie vorhin — bestimmt. Das Resultat dieses Versuches zeigt Abb. 5,19.

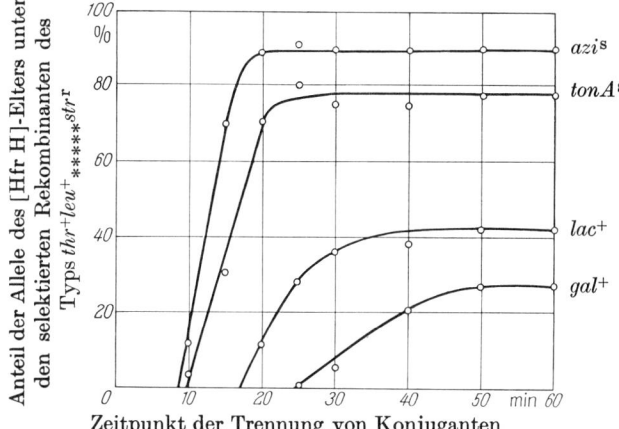

Abb. 5,19. Auftreten von verschiedenen Allelen des [Hfr H]-Elters in selektierten thr^+leu^+*****str^r-Rekombinanten nach verschieden langer Konjugation (nach WOLLMAN und JACOB)

Man erkennt, daß die Gene des [Hfr H]-Elters erst von einem bestimmten, für die einzelnen Gene verschiedenen Zeitpunkt ab für die Rekombination zur Verfügung stehen (Anfangspunkte der Kurven). Dies bestätigt unsere Vorstellung, daß mit Hilfe des integrierten F-Faktors das Chromosom des Bakteriums langsam in die [F⁻]-Zelle überführt wird (Abb. 5,17), wobei in allen Paarungen die gleiche Reihenfolge der Gene eingehalten wird.

Die Sättigungswerte der Kurven von Abb. 5,19 werden zu dem Zeitpunkt erreicht, bei dem in allen Rezeptorzellen die betreffenden Gene des [Hfr]-Stammes angelangt sind. Die Höhe der Sättigungswerte ist eine Folge der Selektion für thr^+leu^+*****str^r-Rekombinanten, die ja nur eine Auswahl der bei dieser Kreuzung entstehenden Rekombinantentypen darstellen.

Tabelle 5,20 gibt einen Vergleich der Minimalzeiten der Genübertragung einerseits mit den Kopplungsergebnissen des ohne Konjugations-Unterbrechung durchgeführten Versuchs andererseits. Deren Übereinstimmung ist eine weitere Bestätigung des dargelegten Modells der Genübertragung zwischen Colizellen.

Tabelle 5,20. Vergleich von Minimalzeiten und Kopplungsdaten einzelner Gene

	Gen							
	thr	*leu*	*azi*	*tonA*	*lac*	*tsx*	*gal*	*str*
Minimalzeit der Übertragung [min] . . .	8	$8^1/_2$	9	10	18	20	24	—
Maximal erreichbarer Anteil der Allele des [Hfr H]-Elters in den Rekombinanten [%]	100*	100*	90	70	40	35	25	0*

* Werte erzwungen durch Selektion der Rekombinanten.

Lange Jahre waren die Kopplungsgruppen der Bakteriengenetik unverständlich und widerspruchsvoll. JACOB und WOLLMAN gelang schließlich die

Lösung dieses Problems[5]. Sie isolierten eine Reihe verschiedener [Hfr]-Stämme und verglichen deren Kreuzungsergebnisse. Dabei ergab sich, daß die Reihenfolge, in der deren Gene transferiert wurden, von Stamm zu Stamm verschieden war. Zur besseren Übersicht bezeichnen wir die Gene schematisch mit a, b, c, d usw. Man erhält dann folgendes Resultat:

Hfr-Stamm	Reihenfolge des Transfers
H	a b c d e f g ....
1	b a z y x w v u .....
2	e d c b a z y x .....
3	g f e d c b a z .....
AB 311*	m l k j i h g f e ..
AB 312*	s t u v w x y z a ..
AB 313*	t s r q p o n m ....

(* = Stämme von Taylor und Adelberg).

Dieser Befund ist durch eine *ring*förmige Genkarte zu verstehen. Jeder individuelle [Hfr]-Stamm hat den F-Faktor an anderer Stelle eingebaut und sich dabei für die eine oder andere Richtung der Übertragung entschieden (Abb. 5,21).

Die meisten [Hfr]-Stämme injizieren nur ein relativ kleines Fragment (Größenordnung $1/10$ bis $1/5$), bevor die Paarung unterbrochen wird. Es wurden jedoch auch Stämme gefunden[6], die in relativ vielen Paarungen ihr gesamtes Genom transferieren (Vhf-Stämme = very high frequency).

Insgesamt führten diese Untersuchungen zu einer widerspruchsfreien Genkarte von E. coli (Abb. 5,22). Sie zeigte, daß die einzelnen Gene weder alle zufällig über das Chromosom verteilt sind (es gibt nämlich Gruppen zusammenhängender Gene wie *trpA*, *trpB* usw., die in § 10/2 erklärt werden) noch völlig geordnet sind,

d. h. zum Beispiel: Gene zur DNA-Synthese (vgl. § 6/7) treten verstreut in der Karte auf und sind nicht zu einem kohärenten Block vereinigt.

Im Gegensatz zu den Genkarten der meisten anderen Organismen existiert bei Coli ein absoluter, nicht nur der relative, durch Crossover-Wahrscheinlichkeiten gegebene Maßstab für den Abstand zweier Gene. Es ist dies die minimal benötigte Zeit, die bei einer Konjugation verstreicht zwischen dem Transfer von Gen 1 und dem von Gen 2. Dieser Zeitmaßstab liegt den Abstandswerten von Abb. 5,22 zugrunde.

Wir müssen jetzt als Abschluß des Paragraphen über Konjugation das

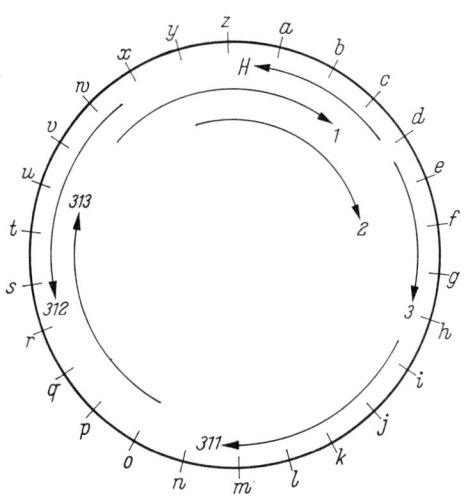

Abb. 5,21.
Schema des Genoms von E. coli K 12 mit einer Reihe verschiedener Hfr-Stämme

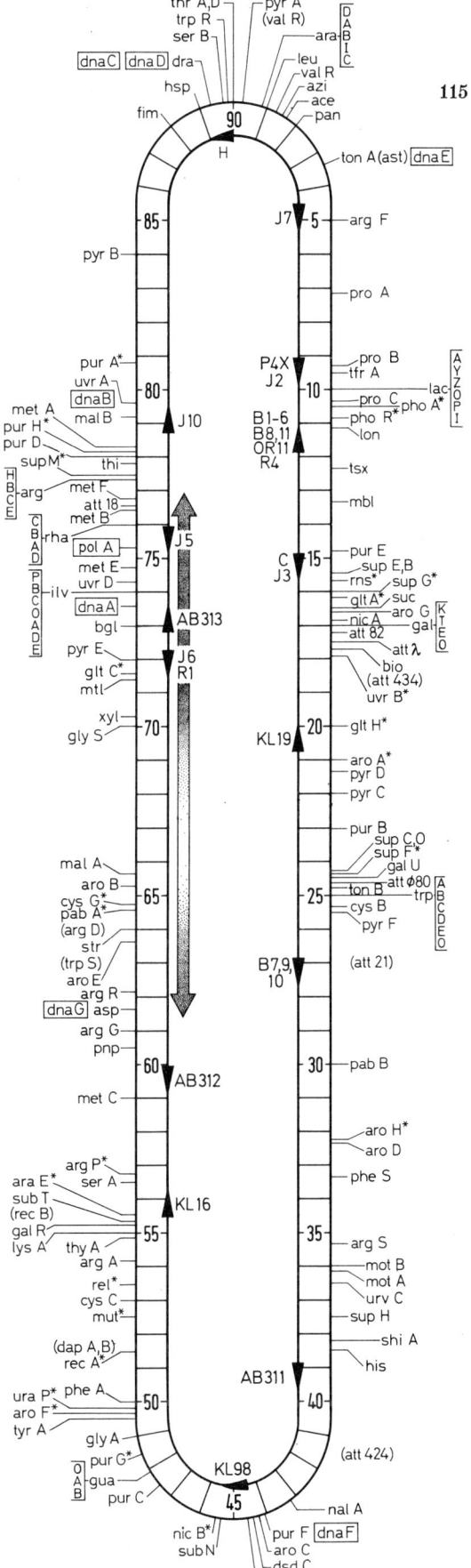

Abb. 5,22.
Genetische Karte des Ringchromosoms von E. coli K 12 (nach TAYLOR und TROTTER). Die Abstände auf der Karte entsprechen Zeitdifferenzen bei der Konjugation (in Minuten). Auf der Innenseite sind verschiedene [Hfr]-Stämme durch Anfangspunkt und Richtungssinn vermerkt. Außen sind Gene eingetragen. In Klammern gesetzte Genabkürzungen zeigen noch ungenaue Kartierung des Locus an. Sterne an benachbarten Genen weisen auf noch unsichere Reihenfolge hin. Eingerahmte Symbole heben Gene hervor, die an DNA-Synthese beteiligt sind (vgl. § 6/7). Der Ausgangspunkt der Chromosomenreplikation (vgl. § 6/10) ist durch den dicken grauen Doppelpfeil markiert. Die in dieser Karte aufgeführten Gene sind nur ein kleiner Teil der jetzt (1972) kartierten etwa 350 Gene. Viele andere sind nur in ihrer Funktion bekannt. Die vollständige Genkarte wurde von A. L. TAYLOR[7] zusammengestellt. Diese Publikation enthält auch eine alphabetische Gen-Liste, deren Abkürzungen sich an den Vorschlägen der Nomenklatur-Kommission [Genetics 54, 61 (1966)] orientiert

Bild der Integration von F-Faktoren in das Bakterienchromosom noch abrunden und die Frage stellen, ob der eingebaute F-Faktor einer [Hfr]-Zelle für immer im Bakterienchromosom verbleibt oder aus diesem auch wieder ausbrechen kann. Tatsächlich findet man, daß der F-Faktor — vermutlich wieder durch Crossover (man lese Abb. 5,16 rückwärts) — in den autonomen Zustand zurückkehren kann. Die Zelle ist damit wieder zum [F+]-Typ geworden. Nun kommt es aber gelegentlich vor, daß das befreiende Crossover an einer falschen Stelle passiert und ein etwas vergrößerter F-Faktor entsteht, der noch eines oder wenige Bakteriengene aus dem Chromosom mitgenommen hat (Abb. 5,23). Dieses Gen mag *lac*, *gal* oder *pro* (Prolin) sein, es ist aber stets ein Gen, das dem F-Faktor im Chromosom benachbart war.

Wenn der F-Faktor sein Nachbar-Gen mitnimmt (man nennt ihn dann einen F'-Faktor, sprich F-Strich), führt der daraus resultierende „ehemalige [Hfr]" in Konjugationen zu viel mehr Rekombinanten als ein gewöhnlicher [F+], doch zu vielfach weniger als ein normaler [Hfr]. Dies erklärt man durch eine erhöhte Wahrscheinlichkeit des F'-Faktors, wieder in das Bakterienchromosom hineinzugelangen und auch wieder auszuscheren. Dies ist möglich, da jetzt ein langer homologer Bereich zwischen F' und dem Bakterienchromosom besteht, in dem Crossover (in beiden Richtungen) gesteigert vorkommen. Ein F'-Faktor wechselt

Abb. 5,23. Ein F'-Faktor ist ein F-Faktor (unterbrochene Linie) mit einem Stückchen Bakterienchromosom (durchgezogene Linie)

also häufiger seinen Zustand als ein F-Faktor, er wird aber dabei wegen der mitgenommenen Gene immer wieder an der gleichen Stelle des Genoms integriert.

Der F'-Faktor kann natürlich auch auf [F−]-Zellen übertragen werden. Diese werden dadurch ebenfalls männlich, erhalten aber gleichzeitig die von F' mitgeschleppten Bakteriengene. So kann zunächst eine Zelle entstehen, die z. B. für das *lac*-Gen „heterozygot" (ein Allel im Chromosom, das andere auf dem F') ist (*lac*/*lac*+). Im Laufe der Vermehrung segregiert eine solche Zelle gelegentlich stabile *lac*+- und stabile *lac*-Tochterzellen aus. Man hat dieser Genübertragung durch F'-Faktoren den eigenen Namen Sexduktion oder auch F-Duktion gegeben.

Es bleibt der notwendige Hinweis, daß der hier diskutierte Mechanismus der Bakteriengenetik bisher nur an einer beschränkten Zahl von Enterobacteriaceen beobachtet wurde. Das, was meistens — so auch in diesem Buch — schlechthin als Bakterien-Genetik bezeichnet wird, gilt also keineswegs für alle Bakterien.

Zusammenfassend ergibt sich folgendes Bild:

Es gibt auch bei E. coli männliche ([F+]- und [Hfr]-) sowie weibliche [F−]-Stämme. Der Unterschied liegt in der Existenz des F-Faktors, der als unabhängige Einheit ([F+]) bzw. integriert im Bakterienchromosom ([Hfr]) oder überhaupt nicht ([F−]) in der Zelle vorkommt. Der Sexualfaktor F produziert einen speziellen Pilus, der den Kontakt zur Rezeptorzelle herstellt, und besorgt dann auch den Transfer genetischen Materials. Der Einbau des F-Faktors kann an vielen Stellen des Chromosoms durch ein Crossover erfolgen. Durch Konjugationsexperimente läßt sich so eine ringförmige Genkarte für Coli ermitteln.

Literatur zu § 5/7:

[1] LEDERBERG, J., and E. L. TATUM: Cold Spr. Harb. Symp. quant. Biol. 11, 113 (1946).
 — Nature (Lond.) 158, 558 (1946).
 LEDERBERG, J.: Genetics 32, 505 (1947).
[2] JACOB, F., and E. L. WOLLMAN: Sexuality and the genetics of bacteria. New York: Academic Press 1961.
[3] LEDERBERG, J. et al.: Genetics 37, 720 (1952).
[4] CAMPBELL, A. M.: Episomes. New York-Evanston-London: Harper & Row 1969.
[5] JACOB, F., et E. L. WOLLMAN: Symposion Soc. exp. Biol. 12, 75 (1958).
[6] TAYLOR, A. L., and E. A. ADELBERG: Genetics 45, 1233 (1960).
[7] TAYLOR, A. L.: Bact. Rev. 34, 155 (1970).

5/8 Episomen

Wie wir in diesem Paragraphen sehen werden, gibt es außer dem F-Faktor noch eine ganze Anzahl von anderen kleinen Ringchromosomen in Bakterien, die jedoch alle — ebenso wie der F-Faktor — für den normalen Betrieb der Zelle überflüssig sind. Ihre Größe ist meist 1—2% des Bakterienchromosoms. Man hat früher zwei Gruppen solcher Zusatzchromosomen unterschieden: die Plasmide und die Episomen. Die Plasmide waren solche Ringe, die niemals in das Chromosom integriert werden konnten und nur als autonome Plasmapartikel vorkamen, während die Episomen frei im Plasma **oder** integriert in das Chromosom auftreten konnten. Eine solche Unterscheidung ist heute nicht mehr sinnvoll und zwar aus drei Gründen:

1. Die Einbaubarkeit eines Episoms kann durch eine einzige Mutation verlorengehen. Ist es damit zum Plasmid geworden?
2. Manche Episomen werden nur sehr selten oder nur kurzzeitig eingebaut. Wo ist eine Grenze?
3. Das gleiche Ringpartikel kann in einem Wirtsstamm eingebaut werden, in einem anderen nicht. Die Unterscheidung hätte also nur Sinn unter Einbeziehung des Wirtes.

Wenn man die Trennung fortfallen läßt, bleibt nur die Frage, ob man die Bezeichnung Plasmid oder Episom vorziehen will. Den Autoren scheint das „Episom" eine bessere sprachliche Analogie zum „Chromosom" zu besitzen. Wir postulieren also:

Episomen sind Zusatzchromosomen von Bakterien, ohne Rücksicht auf ihre Einbaubarkeit.

Wir wollen im folgenden das Wichtigste über die bekannten Gruppen von Episomen[1] behandeln.

1. Prophagen

Im § 5/5 wurden die temperenten Phagen diskutiert und der Phage im kontrollierten Zustand im lysogenen Bakterium als „Prophage" bezeichnet. Viele von ihnen werden ins Bakterienchromosom integriert wie der F-Faktor. In Abb. 5,22 sind solche Stellen mit „att λ" (attachment site für den Phagen λ) und entsprechend für andere Phagen gekennzeichnet. Viele Phagen (wie z. B. λ) werden immer am gleichen Locus integriert, andere (wie P2) bevorzugen zwar eine bestimmte Stelle, können aber auch an anderen Loci aufgenommen werden, wieder andere (wie P1) wurden bisher noch nicht stabil eingebaut beobachtet.

Den Einbauort ermittelt man durch Konjugationsversuche mit lysogenen Donor-Bakterien. Die Lysogenie durch integrierte Prophagen wird dabei wie jedes andere Merkmal übertragen und läßt sich entsprechend kartieren. Bei einem solchen Transfer mancher Prophagen kommt es zu einem speziellen Phänomen, das als „zygotische Induktion" bezeichnet wird[2]. Ist die [F⁻]-Zelle nicht selbst lysogen für den betreffenden Phagen, so geht der transferierte Prophage in den lytischen Zustand über und lysiert die Receptorzelle. Offenbar existiert in dem lysogenen Bakterium eine spezielle Kontrolle, die den Prophagen am Übergang zur lytischen Reaktion hindert und die in der nicht-lysogenen [F⁻]-Zelle fehlt (vgl. § 10/5).

Die zygotische Induktion ist ein weiterer Beweis für die Asymmetrie bakterieller Konjugation und bietet eine Möglichkeit festzustellen, in welchem Anteil derjenigen Receptorbakterien, die ein Chromosomenfragment erhalten, es zur Bildung einer Rekombinante kommt. Man findet durch Messung der zygotischen Induktion, daß praktisch alle [Hfr]-Zellen eine Paarung eingehen und den Anfang ihres Chromosoms injizieren. Andererseits beobachtet man Rekombinanten nur in etwa 10—40% von Paarungen (Unterschiede bei verschiedenen Stämmen und physiologischen Bedingungen). Damit ist gezeigt, daß Transfer des Fragmentes und Rekombinantenbildung (Crossover) auseinanderzuhalten sind, und daß nicht jeder Transfer auch zur Rekombination führt.

Prophagen können ihren Platz im Chromosom (spontan oder UV-induziert) wieder verlassen und lytisch werden (Lysogenie). Wie der F′-Faktor können auch sie dabei ihrem Einbauort „att" benachbarte Gene mitnehmen. Da att λ bei 17,5 min lokalisiert ist (vgl. Abb. 5,22), kann der Phage λ entweder Gene aus der gal-Region oder das Gen für Biotin-Synthese ankoppeln. Dies sind die einzigen Gene, die λ transduzieren kann. Der Phage muß hierfür aber aus dem Prophagen-Zustand kommen. Im Gegensatz zu P22 (vgl. § 5/6) liefert nämlich eine lytisch verlaufende Infektion mit λ keine transduzierenden Partikel.

Eine solche Übertragung nur bestimmter Gene bezeichnet man als *spezielle* Transduktion. Sie führt zunächst zu einer für das mitgeschleppte Gen „heterozygoten" Zelle. Der Prophage nimmt (wie F′) das Gen zusätzlich mit in das Bakterienchromosom. Es wird also nicht wie bei normaler Transduktion als Folge der Rekombination das Allel des Rezeptors durch das des Donors ersetzt. Wie bei F′ spalten aber auch hier gelegentlich homozygote Tochterzellen für dieses oder jenes Allel heraus.

All diese Daten zeigen deutlich die vielen Parallelen zwischen Prophagen und F-Faktor.

2. Colizinogene Faktoren

Auch diese Faktoren sind kleine (DNA)-Ringe, auf denen sich meist Gene befinden, die — genau wie F — einen Sexualpilus produzieren, mit dessen Hilfe sie — genau wie F — in andere Zellen gelangen. Außerdem besitzen diese Faktoren aber Gene, die gewisse Proteine herstellen können, die andere Colibakterien abtöten. Solche Proteine nennt man Colizine. Der Besitz dieses Faktors bietet seinen Trägern also einen Selektionsvorteil bei Gegenwart anderer Colizellen.

Die Produktion des Colizins findet jedoch nicht laufend statt, sondern nur nach „Induktion" einer Zelle. Dies passiert (wie bei der Lysogenie) spontan und führt dann zur Massenproduktion von Colizin und meistens zum Tode der induzierten Zelle. Die Träger eines colizinogenen Faktors sind immun gegen das von diesem Faktor produzierte Colizin. Eine Zelle „opfert sich" also und tötet für andere Zellen ihres Klons alle nicht zum Klon gehörenden Colizellen ab.

Es gibt viele verschiedene spezifische colizinogene Faktoren, z. B. col B, col E, col V usw. Wenige sind einbaubar in das Bakterien-Chromosom, die meisten bleiben immer autonom. Manche interferieren mit dem F-Faktor (z. B. hindert col B-K 77 dessen Pilusbildung), andere nicht.

3. Resistenzfaktoren

Die Resistenzfaktoren[3] (R-Faktoren) sind von großer medizinischer Bedeutung. Sie wurden 1959 in Japan entdeckt. Sie tragen zunächst — wie der F-Faktor — Gene, die durch Bildung eines Sexualpilus die Übertragung der Faktoren in andere Zellen ermöglichen. Zusätzlich haben sie Gene, die dem Trägerbakterium eine Resistenz gegen Pharmaka (meist Antibiotika) verleihen (Abb. 5,24). Es wurde Resistenz gefunden gegen Sulfonamide, gegen Streptomycin, Chloramphenicol, Penicillin, gegen Tetracyclin, Kanamycin, Neomycin, Ampicillin, Polymyxin, Radiomycin, sogar gegen weitere noch gar nicht im Gebrauch befindliche Antibiotika und auch gegen ultraviolettes Licht.

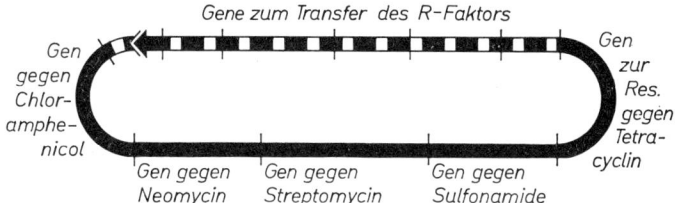

Abb. 5,24. Beispiel eines R-Faktors mit angeschlossenen Genen zur Resistenz gegen 5 verschiedene Pharmaka

Den ersten Berichten dieser neuen Art von Resistenz folgten bald Publikationen über eine steigende Zahl mehrfacher Resistenzen. Der gleiche Resistenzfaktor trägt dann mehrere Gene, je eines gegen je ein Antibiotikum. Man hat inzwischen Faktoren mit bis zu sieben Resistenzgenen gefunden.

Die Problematik der R-Faktoren veranschaulicht folgender klinischer Fall (nach LEBEK[4]):

Ein Typhuspatient hat eine Infektion mit einem sechsfach resistenten Salmonellenstamm, dem therapeutisch wegen der multiplen Resistenz nur äußerst schwierig beizukommen ist. Als die Bakterienkulturen aus Stuhlproben zu Beginn der Krankheit untersucht werden (da es ein ordentliches Krankenhaus war, hatte man sie aufgehoben), stellt sich heraus, daß der Patient ursprünglich mit einem gar nicht resistenten Salmonellenstamm infiziert war, daß aber Colizellen vorhanden waren, die das gleiche sechsfache Resistenzmuster trugen. Was war passiert?

Die Colizellen sind im Darm harmlos — ob resistent gegen Antibiotika oder nicht. Die ursprünglichen Typhuserreger wären leicht bekämpfbar gewesen, hätten sie nicht die sechsfache Resistenz gewonnen. Diese aber stammte von den Colizellen, die in einem Sexualkontakt den Salmonellen den R-Faktor transferiert hatten.

WARNUNG: Resistenzfaktoren selbst in Colizellen sollten besser von bakteriologisch ungeschulten und daher insteril arbeitenden Genetikern
oder Biochemikern gemieden werden. Sie mögen im Falle einer
Überinfektion ernste Folgen haben. Vor allem scheint die Benutzung von R-Faktoren in Praktika unangebracht.

Resistenzfaktoren können vom Menschen, dem Rind, dem Schwein und von
Geflügel isoliert werden. In Japan stieg der Prozentsatz von Shigella-Infektionen
mit R-Faktoren-tragenden Stämmen von 0,2% im Jahre 1953 bis auf 58% im
Jahre 1965. Eine wichtige Verbreitungsursache gerade für Faktoren mit mehreren
Resistenzgenen ist der Zusatz von „nutritiven" Dosen von Antibiotika zum
Tierfutter. Wird auch nur ein Antibiotikum verfüttert, so werden Bakterien
ausselektiert, die mehrfache Resistenz auch gegen andere Antibiotika tragen,
wenn nur eines der Resistenzgene die Zelle gegen das verfütterte Antibiotikum
schützt. Mehr noch vielleicht ist die Benutzung der *gleichen* Antibiotika in Tier-
und Humanmedizin eine ernste Gefahrenquelle.

Man kann die Herkunft der einzelnen Resistenzgene aus verschiedenen Spezies
verfolgen und nachweisen, daß sich R-Faktoren von Art zu Art übertragen und
eventuell dabei noch neue Resistenzgene aufnehmen[5]. (Solche Rekombinationen
sind sehr selten, doch der dauernde Selektionsdruck durch Antibiotika sorgt für
eine schnelle Verbreitung.) Zentrifugiert man nämlich im Dichtegradienten z. B.
die DNA eines Proteus Bakteriums mit einem R-Faktor, so erkennt man, daß
dieser nicht aus Proteus stammt, sondern die Resistenzgene von zwei anderen
Arten in dem R-Faktor vereinigt sind (Technik und Schlüssigkeit dieses Beweises
sind erst nach Studium von Kapitel 6 verständlich).

4. Allgemeine Betrachtung von Viren und Episomen

Episomen zeigen eine Reihe von Eigenschaften, die für die allgemeine Naturbetrachtung interessant sind:

1. Sie dokumentieren einen stetigen Übergang zwischen „plasmatischer" Erbinformation und den Chromosomen.

2. Sie beweisen, daß eine einfache Bakterienzelle ohne Spindelfaserapparat
in der Lage ist, mehr als ein Chromosom geordnet auf zwei Tochterzellen zu verteilen. Evolutionsmäßig betrachtet mag dies als ein einfacher Vorläufer des Mitosemechanismus angesehen werden.

3. Der Übertragungsmechanismus von Viren begegnet uns in einer ganzen
Stufenleiter von Möglichkeiten: An einem Ende steht die Infektion, die schnell
zur Zerstörung der Wirtszelle führt, wobei viele neue Viren, säuberlich in Proteinkapseln verpackt, freigesetzt werden. Andere Viren dagegen töten die Zelle nicht
sofort, sondern benutzen sie über lange Zeit zur Ausscheidung neu produzierter
Viren, wieder andere gehen in einen harmonischen Zustand mit der Wirtszelle
über (Provirus) und kommen nur gelegentlich zur lytischen Reaktion. Andere
virusähnliche Zellfaktoren, die Episomen, produzieren überhaupt keine Kapsel
mehr, um die Reise zur nächsten Wirtszelle zu überstehen, sondern sorgen nur
für einen Pilus an der Zellaußenwand, mit dessen Hilfe sie in eine weitere Zelle
gelangen. Gewisse Episomen bilden nur ganz gelegentlich noch einen solchen
Pilus, manche Episomen schließlich haben ganz die Fähigkeit zur Pilusbildung

eingebüßt und werden nur noch an Tochterzellen des Wirts weitergegeben — ganz wie ein Chromosom. Man erkennt, daß eine Abgrenzung nicht nur zwischen Plasmiden und Episomen, sondern auch zwischen diesen und den Viren problematisch ist.

4. Auch die „Schädlichkeit bzw. Nützlichkeit" eines Virus für seine Wirtszelle durchläuft ein ähnliches Spektrum. Das virulente Virus ist ein reiner Zellschädling, der temperente Phage aber hilft durch gelegentliche spontane Lyse und Infektion anderer Zellen schon zum Überleben des Klons seiner Träger. Als transduzierender Phage macht er sich für die genetische Rekombination seiner Wirtszellen nützlich (Evolutionsvorteil). Ähnlich sind die colizinogenen Faktoren. Die F-Faktoren schaden keiner Zelle mehr, sie haben sich ganz der Übertragung genetischen Materials verschrieben und leben nach der Devise: **MAKE LOVE, NOT WAR.** Schließlich sichern die R-Faktoren das Überleben der Wirtszellen in einer gefährlichen Antibiotika-Umwelt.

5. Der interessanteste Aspekt der Episomen ist aber zweifellos ihre besondere Stellung als Überträger von Information. Während die genetische Information sonst nur an direkte Nachkommen weitergegeben werden kann (Abb. 5,25), ist „intellektuelle" Information (vgl. § 12/9) durch Sprache, Briefe, Radio oder Bücher an jedermann übertragbar. Genetische Information wird durch Vererbung, intellektuelle Information durch Kommunikation verbreitet.

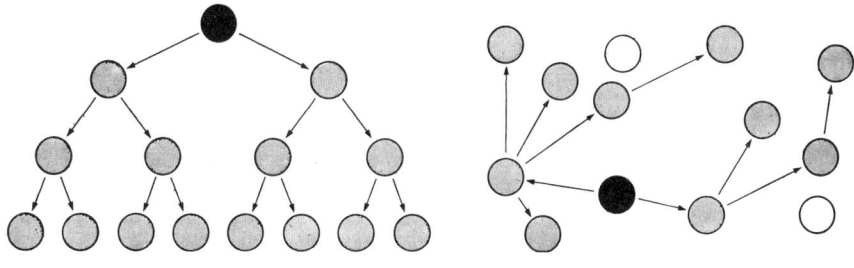

Genetisches System   Intellektuelles System
Übertragung von Informationen
durch Vererbung an Tochterzellen   durch Kommunikation an beliebige Partner
(Das Individuum, von dem die Information ausgeht, ist hervorgehoben.)
Die Ausbreitungsgeschwindigkeit durch Kommunikation ist — auch bei Episomen —
weit größer als die durch Vererbung

Abb. 5,25. Vergleich der Informationsweitergabe

Die Episomen verwischen diese Grenze zwischen dem genetischen und dem intellektuellen System. Auf der einen Seite übertragen sie Gene, also genetische Information (DNA), auf der anderen Seite verbreiten sie diese Information durch „Kommunikation" an jede andere aufnahmebereite Zelle. Die Tatsache, daß ein Bakterium dem anderen „mitteilen" kann, wie man mit dem scheußlichen Antibiotikum fertig wird, macht ja gerade die R-Faktoren zu einem solchen Problem für unsere Medizin. Als Trost bleibt uns nur die Feststellung, daß Episomen auch gelegentlich spontan verloren gehen (nicht repliziert werden), auch Bakterien sind also — vergeßlich!

Literatur zu § 5/8:

[1] Ciba Symposium: Bacterial Episomes and Plasmids (G. E. W. WOLSTENHOLME and M. O'CONNOR, editors). London: Churchill 1969.
CAMPBELL, A. M.: Episomes. New York: Harper & Row 1969.

[2] JACOB, F., et E. L. WOLLMAN: Ann. Inst. Pasteur **91**, 486 (1956).

[3] Vgl. WATANABE, T.: Sci. Amer. Dezember 1967.

[4] LEBEK, G.: Zbl. Bakt. Abt. I, Orig. **188**, 494 (1963).

[5] NISIOKA, T., M. MITANI and R. C. CLOWES: J. Bact. **97**, 376 (1969).

Zusammenfassung des Kapitels

Als Sexualität von höheren Organismen bezeichnet man die Vorgänge, die eine Karyogamie mit nachfolgender Meiose ermöglichen. Dieses Grundprinzip tritt in vielen Variationen auf. Viele Organismen haben dabei genetisch bedingte Sperren mancherlei Art, die Selbststerilität bewirken und Karyogamie nur mit bestimmten Gruppen von Partnern gestatten.

Nicht-meiotische Vorgänge, die zur Rekombination des Erbguts verschiedener Individuen führen, werden Parasexualität genannt. Bei Bakterien konnten drei verschiedene parasexuelle Mechanismen gefunden werden: Konjugation, Transformation und Transduktion. Bei diesen wird nur ein Fragment des Genoms einer Donorzelle in eine Rezeptorzelle transferiert.

Auch unter Viren kommen Parasexualprozesse, d. h. genetische Rekombinationen vor, wenn sich verschiedene Mutantenstämme in einer gemeinsamen Wirtszelle vermehren. Bei Phagen müssen virulente und temperente Stämme unterschieden werden. Die zweite Gruppe führt zur Lysogenie von Bakterien.

Viren und Bakterien mutieren wie höhere Organismen. Bei Bakterien sind speziell Mutationen zu Auxotrophie und Resistenz wichtig, da diese selektive Methoden zur Erfassung seltener Ereignisse ermöglichen. Es gibt genetische Faktoren — Episomen—, die sich einerseits im Plasma, andererseits im Chromosom einer Zelle aufhalten oder ganz abwesend sein können. Beispiele dafür sind Prophagen und der Geschlechtsfaktor F von Colibakterien. Episomen sind sicher ein wichtiges Bindeglied zum tieferen Verständnis des Virus-Problems und der Evolution.

Weitergehende Literatur:

ADAMS, M. H.: Bacteriophages. New York: Interscience Publishers, Inc. 1959.

ADELBERG, E. A.: Papers on Bacterial Genetics (Neudruck ausgewählter Originalarbeiten). — Boston and Toronto: Little, Brown & Co. 1960.

ESSER, K., u. KUENEN: Genetik der Pilze. Berlin-Heidelberg-New York: Springer 1965.

HARTMANN, M.: Die Sexualität. Stuttgart: Gustav Fischer 1956.

HAYES, W.: The Genetics of Bacteria and their Viruses. Oxford: Blackwell, 2nd ed. 1968.

LURIA, S. E., and J. E. DARNELL, JR.: General Virology, 2nd ed. New York: John Wiley and Sons, Inc. 1968.

MATHEWS, C. K.: Bacteriophage Biochemistry. Van Nostrand Reinhold Co.: New York 1971.

STENT, G. S.: Papers on Bacterial Viruses (Neudruck ausgewählter Originalarbeiten). Boston and Toronto: Little, Brown & Co. 1960.

STENT. G. S.: Molecular Biology of Bacterial Viruses. San Francisco · Freeman 1963.

WOLSTENHOLME, G. E. W., and M. O'CONNOR (edts.): Strategy of the Viral Genome. Ciba Found. Symp., Churchill Livingstone: Edinburgh and London 1971.

6 Die molekulare Grundlage der genetischen Information

6/1 Der Begriff des Gens

Mit der gedanklichen Aufteilung des Erbguts in einzelne Gene begründete MENDEL 1865 die Wissenschaft der Genetik. (Die Bezeichnung „Genetik" wurde 1906 durch BATESON, der Ausdruck „Gen" 1909 durch JOHANNSEN eingeführt.) Gene waren bei sexueller Fortpflanzung neu kombinierbar, d. h. sie verhielten sich als *Einheiten bei der Rekombination*. Jedes Gen steuerte die Ausbildung eines bestimmten Merkmals und war somit zugleich die *Einheit einer Funktion*. Später erkannte man das Vorkommen von Mutationen. Gene konnten in verschiedenen Zuständen vorliegen und wurden so auch zu *Einheiten der Mutation*.

Mehrere Jahrzehnte blieb diese dreifache Definition des Gens als Einheit der Rekombination, Funktion und Mutation widerspruchsfrei. Gene konnten in Chromosomen lokalisiert werden und waren dort wie Perlen zu einer Kette aneinandergereiht. In jüngerer Zeit traten jedoch Ergebnisse auf, die mit dieser „klassischen" Vorstellung vom Gen unvereinbar waren:

Bei einem System multipler Allele findet man eine Reihe verschiedener Veränderungen des gleichen Merkmals. Kreuzungen zeigen, daß diese Mutationen etwa am gleichen Ort der Kopplungsgruppe liegen. Wie kann man entscheiden, ob es sich wirklich um multiple Allele des gleichen Gens oder um mehrere sehr eng benachbarte Gene handelt? Benutzen wir als Beispiel wieder Allele des white-Locus bei Drosophila.

Wir kreuzen ein homozygotes „eosin"-Weibchen mit einem „blood"-Männchen:

$$\frac{w^e}{w^e} \times \frac{w^b}{Y}$$

Sind w^e und w^b echte, alternative Allele des gleichen Gens, dann haben alle F1-Weibchen den Genotyp

(A) $\qquad \dfrac{w^e}{w^b}$

Sind in Wahrheit benachbarte Gene mutiert, so ist deren Genotyp

(B) $\qquad \dfrac{w^e\; +}{+\; w^b}.$

Betrachten wir das Gen als Einheit der Funktion, so sollten diese Tiere im Falle (A) eine Augenfarbe eosin bis blood zeigen. Im Falle (B) jedoch sollten die roten Augen des Wildtyps auftreten, der sowohl über w^e als auch über w^b dominant ist.

Kreuzen wir die F1-Weibchen weiter, z. B. mit einem blood-Männchen, so sollten deren Nachkommen im Falle (A) sämtlich eosin bis blood sein, während im Falle (B) Crossover zwischen w^e und w^b möglich ist, das wenige + +-Gameten und damit Wildtiere hervorbringen würde.

In dem vorliegenden Beispiel war die Augenfarbe der F1-Weibchen verschieden von der des Wildtyps. Außerdem wurden unter den F2-Tieren keine Rekombinanten zum Wildtyp beobachtet. Diese beiden Kriterien:

1. das Fehlen der Wildtyp-Genfunktion in der Heterozygote und

2. das Fehlen von Rekombination zum Wildtyp

waren der klassische Nachweis für das Vorliegen von multipler Allelie.

Dieser doppelte Test schien lange einwandfrei. Dann stieß man auf Widersprüche[1], z. B. bei dem „lozenge"-Gen von Drosophila melanogaster[2]. Auch dieses Gen beeinflußt das Pigment und andere morphologische Merkmale des Auges. Zwischen den zunächst als multipel angesehenen Allelen lz^{BS}, lz^{46}, lz^{G} wurden seltene Rekombinationen (etwa 0,1 %) beobachtet, die sowohl zum Wildtyp als auch zu Doppelmutanten, z. B. $lz^{BS}lz^{46}$, führten. Offenbar lagen die Mutationen an etwas verschiedenen Stellen der Kopplungsgruppe. [Es wurde natürlich durch entsprechende Kreuzungen (welche?) kontrolliert, daß diese Rekombination nicht durch Mutation vorgetäuscht war.]

Wie aber verhielt sich die Genfunktion? Auf Grund der Rekombination sollte man erwarten, daß die Heterozygote

$$lz^{BS} \quad +$$
$$+ \quad lz^{46}$$

phänotypisch wild wäre. Dies war jedoch nicht der Fall, alle derartigen Tiere zeigten den lozenge-Typ. Damit stehen wir vor einem Dilemma: Die Rekombination spricht für zwei getrennte Gene, die Genfunktion dagegen für nur *ein* lozenge-Gen. Die Einheit der Funktion entspricht *nicht* der Einheit der Rekombination.

Da man durch Rekombination auch ein $lz^{BS}lz^{46}$-Chromosom erhält, kann außer der sog.

„Trans"-Heterozygote (phänotypisch lozenge)

auch die

„Cis"-Heterozygote

hergestellt werden. Diese ist phänotypisch wild.

Ein solcher Unterschied im Phänotyp von Trans- und Cis-Konfiguration zeigt, daß die Lage einzelner Mutationen in den Chromosomen für die Genfunktion von Bedeutung ist. Man hat Allele mit einem derartigen Verhalten „Pseudoallele" (oder „Heteroallele") genannt. Die Bezeichnung „Positions-Pseudoallelie" bezieht sich speziell auf die Funktionsunterschiede in Trans- und Cis-Heterozygoten.

Die dreifache Definition des Genbegriffs als Einheit der Rekombination, Funktion und Mutation hat uns in einen Widerspruch geführt. Es bieten sich zwei Erklärungen zur Deutung der Befunde an, die zugleich eine Neudefinition der Begriffe darstellen:

1. Es handelt sich „im Grunde" um zwei Gene, doch ist deren Funktion miteinander verbunden und nur möglich, wenn beide Wildallele in *einem* Chromosom vorliegen (Cis). Sind die Wildallele in verschiedenen Chromosomen (Trans), kann die zum Wildtyp gehörende Funktion nicht ablaufen. Bei dieser Deutung behalten wir das Gen als Einheit der Rekombination und Mutation. Es ist jedoch

nicht mehr Einheit der Funktion, da diese nur durch die Kooperation zweier (oder mehr) benachbarter Gene ausgeübt wird.

2. Wir können dagegen auch die Einheit der Funktion bestehen lassen und dafür auf die Definition durch Rekombination und Mutation verzichten. Dann würde die Mutation nicht das ganze Gen, sondern nur Teile des Gens betreffen. Rekombination wäre nicht nur zwischen verschiedenen Genen, sondern auch innerhalb eines Gens möglich. Die Funktion aber ist an das Vorhandensein eines völlig unversehrten Exemplars des Gens gebunden. In Trans-Konfiguration ist das Gen in *beiden* homologen Chromosomen durch (verschiedene) Mutationen verändert und daher nicht funktionstüchtig. Bei der Cis-Heterozygote liegt dagegen in einem der Chromosomen ein unversehrtes Wildallel vor, das die Funktion ausüben kann.

Im Grunde ist es gleich, welche Definition des Gens man beibehalten will. Die folgenden Paragraphen werden jedoch zeigen, daß die zweite Deutung, d. h. die Definition des Gens als Einheit der Funktion, weit zweckmäßiger ist. Wir wollen daher als ein Gen denjenigen Abschnitt eines Chromosoms bezeichnen, der zur Ausübung *einer* Funktion erforderlich ist.

Die Kritik an der mehrfachen Gendefinition wurde ausgelöst durch das Auftreten seltener Rekombinationen, die auch den Vergleich von Cis- und Trans-Konfiguration ermöglichten. Hatte man bisher in Fällen von multipler Allelie nicht genügend viele Nachkommen geprüft und dadurch sehr seltene Rekombinationen übersehen? Untersuchungen an Mikroorganismen bestätigten diesen Verdacht. Mikroorganismen boten nämlich die Möglichkeit selektiver Techniken und damit der Entdeckung seltener Rekombinanten in großen Populationen.

Geeignet für diesen Zweck sind z. B. biochemische Mangelmutanten von Neurospora. Ihre Gewinnung verläuft ähnlich wie bei Bakterien (vgl. § 5/4). Man bestrahlt z. B. Konidien des Wildtyps und führt damit eine Befruchtung aus. Die Askosporen werden auf Komplettnährboden (z. B. aus Hefeextrakt, der alle Aminosäuren, Vitamine usw. enthält) geimpft. Von den entstehenden Mycelien wird auf Minimalnährboden überimpft. Die darauf nicht mehr wachsenden Stämme werden weitergetestet auf Nährböden mit getrennten Zusätzen von Aminosäuren, Vitaminen usw. Findet der Stamm den ihm fehlenden Stoff im Medium vor, wird sich ein Mycel bilden. Es lassen sich viele verschiedene „Auxotrophe", d. h. Mangelmutanten, gewinnen. Durch Kreuzungen erhält man Chromosomenkarten, die neben einigen morphologischen Mutationen viele biochemische Genmarkierungen tragen.

Nehmen wir an, wir wollten das für die Argininsynthese verantwortliche Gen untersuchen. Der erste Schritt wäre die Gewinnung einer größeren Zahl von unabhängig entstandenen Mutanten mit einem Bedürfnis für Arginin. Wir nennen sie *arg1, arg2* usw. Wir kreuzen die Mutanten untereinander und plattieren eine Suspension der F1-Sporen einerseits auf argininhaltiges Medium (Zählung aller Nachkommen), andererseits auf Minimalagar (Zählung der argininsynthetisierenden Rekombinanten). Manche Kreuzungen zeigen höhere Rekombinantenprozentsätze, andere sehr kleine Werte. Insgesamt finden wir, daß Mutationen für Argininbedürfnis in verschiedene Gruppen eingeteilt werden können, die in verschiedenen Bereichen des Genoms lokalisiert sind. Offenbar sind mehrere Gene an der Argininsynthese beteiligt.

Betrachten wir jede Mutantengruppe für sich, d. h. jeweils Mutanten eines Gens, so treten bei fast allen Kreuzungen unter diesen wenige Rekombinanten auf. Auch hier bestätigt sich also das Vorkommen von Rekombination innerhalb von Genen. Wir können eindimensionale Karten der verschiedenen Gene aufstellen. Analoge Resultate gewinnt man auch für andere Gruppen von Mangelmutanten und bei anderen Organismen, z. B. bei Bakterien.

Auch für Drosophila gelang die Entwicklung einer selektiven Technik zur Erfassung seltener Rekombination innerhalb eines Gens[3]. Man benutzt vier Letalfaktoren, die zwei rechts und zwei links in enger Nachbarschaft von dem zu untersuchenden Gen liegen. Auf diese Weise überleben nur die wenigen Individuen der Tochtergeneration, die zwischen den Letalfaktoren spezielle Crossover aufweisen. Unter ihnen sind die sehr seltenen Rekombinanten mit Crossover innerhalb des untersuchten Gens, die durch die Letalität fast der gesamten Nachkommenschaft stark angereichert werden.

CHOVNICK u. Mitarb. gelang so der Nachweis von Rekombination innerhalb des rosy-Gens bis zu Häufigkeiten kleiner als 0,001% Rekombinanten.

In allen bisher untersuchbaren Fällen konnte also die Rekombination innerhalb von Genen nachgewiesen werden. Bei anderen „multiplen" Allelen höherer Organismen ist offenbar nur die Rekombination zu selten, um ohne selektive Techniken beobachtet zu werden. Damit scheint die Bezeichnung „Pseudoallele" überflüssig, denn ob „Pseudo"- oder „multiple" Allelie vorliegt, d. h. ob man Rekombination zwischen unabhängig entstandenen Mutanten des gleichen Gens findet oder nicht, mag in vielen Fällen vom Fleiß des Genetikers und nicht von den Mutanten abhängen.

Literatur zu § 6/1:
[1] LEWIS, E. B.: Cold Spr. Harb. Symp. quant. Biol. **16**, 159 (1951).
[2] GREEN, M. M., and K. C. GREEN: Proc. nat. Acad. Sci. (Wash.) **35**, 586 (1949).
[3] CHOVNICK, A. et al.: Amer. Naturalist **96**, 281 (1962) und Genetics **50**, 1245 (1964).

6/2   Feinstrukturanalyse eines Gens

Beim Coliphagen T4 (kleine Löcher auf Coli B) tritt eine häufige Mutation zu einem Typ T4r (rapid, wegen einer schnelleren Lyse größere Löcher als Wildtyp) auf. Es ist relativ leicht, eine größere Zahl unabhängig entstandener Rapid-Mutanten zu sammeln. Offenbar sind mindestens zwei Gene an diesem Merkmal beteiligt, denn Kreuzungen zeigen, daß die Mutationen in zwei Bereichen der genetischen Karte lokalisiert sind. Der Unterschied der so erhaltenen beiden Gruppen, rI und rII, bestätigt sich auch darin, daß die rII-Gruppe im Gegensatz zum Wildtyp T4r+ und zu T4rI-Mutanten *keine* Löcher auf dem Colistamm K12(λ) [kurz: Coli K] bildet:

	T4 wild	T4rI	T4rII
auf Coli B	kleine Löcher	große Löcher	große Löcher
auf Coli K	kleine Löcher	große Löcher	nichts

Speziell mit der rII-Gruppe hat sich BENZER beschäftigt. Sie ermöglicht nämlich die selektive Erfassung seltener Rekombinanten: Kreuzt man verschiedene rII-Mutanten (rII$_1$ × rII$_2$) auf Coli B, so können bei Plattierung der Nach-

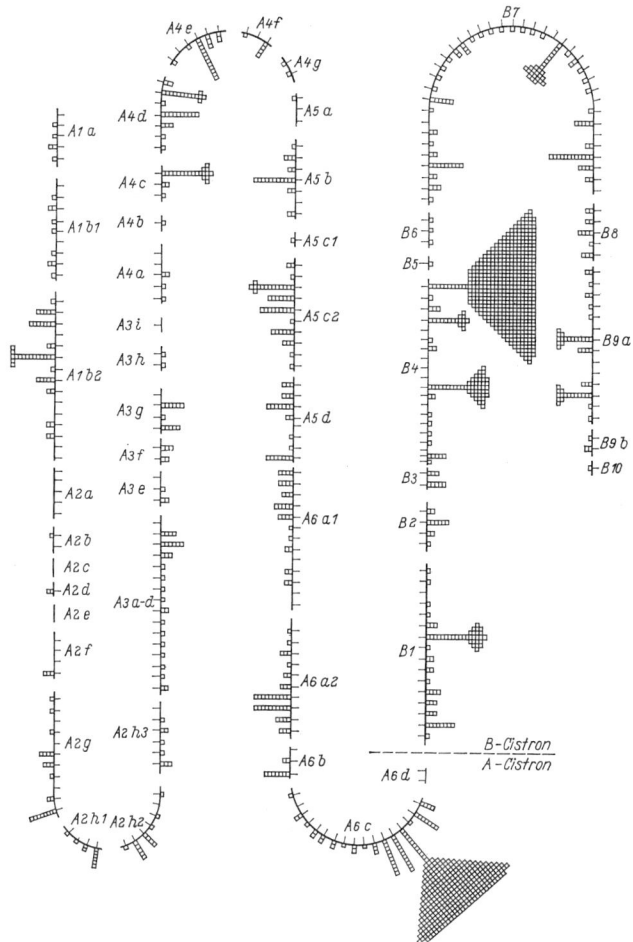

Abb. 6,1. Karte der rII-Region. Jede unabhängig entstandene Spontan-Mutation ist durch ein kleines Quadrat wiedergegeben. Mutanten an den äußersten Enden der Karte liefern etwa 6% Rekombinanten, engste Nachbarn 0,01 bis 0,02%. Nach S. BENZER, Proc. nat. Acad. Sci. (Wash.) **47**, 403 (1961)

kommenschaft auf Coli K beide Elterntypen keine Löcher bilden. Findet zwischen den Eltern aber Rekombination statt (zum Wildtyp und zur Doppelmutante), so werden die Wildtyp-Rekombinanten, und nur diese, auf Coli K zu Löchern führen. Aus der vergleichenden Plattierung auf Coli B (hier bilden alle Nachkommen Löcher) kann man den Prozentsatz solcher Rekombinanten berechnen. Auch hier muß durch zwei Kontrollversuche gezeigt werden, daß die eventuell auftretenden Wildtypen nicht schon bei Infektion mit nur rII$_1$ oder nur rII$_2$ durch Rückmutation entstehen.

Da man Tausende von unabhängigen rII-Mutanten gewinnen kann, sind sehr viele solcher Kreuzungen möglich. Bei fast allen treten tatsächlich Wildrekombinanten auf. BENZER fand deren Anteil charakteristisch für das Mutantenpaar und zwischen 0,02 und 6% liegend. Dieser Befund zeigt, daß sich Mutationen im rII-Bereich an sehr vielen verschiedenen Stellen ereignen können.

Es liegt nahe, mit Hilfe der Rekombinantenprozentsätze eine Karte der rII-Region aufzustellen, in der die verschiedenen Mutationsorte (genetische Markierungen, kurz „Marken") eingetragen sind. Hierbei findet man angenäherte Additivität der ermittelten Markenabstände. Diese ist zwar nicht vollkommen, doch erhält man, wie bei der Aufstellung der Kopplungsgruppen in § 1/7, eine widerspruchsfreie Reihenfolge der einzelnen Marken (Mutationsorte) in einer eindimensionalen Karte. In ihr sind mehr als 300 verschiedene Mutationsorte eingetragen (Abb. 6,1).

Handelt es sich bei dieser rII-Region um ein einziges Gen oder um viele Gene? Wir haben das Gen als Einheit der Funktion definiert. Gibt es eine Möglichkeit zu prüfen, ob die rII-Region eine funktionelle Einheit bildet? In den Untersuchungen an Drosophila wurde der Cis-Trans-Test dazu angewandt. Hat man etwas Äquivalentes in Phagenkreuzungen?

Phagen bilden zwar keine diploiden Partikel, aber ein mischinfiziertes Bakterium stellt eine analoge Situation dar: Infizieren wir ein Bakterium Coli K mit einer Rapid-Mutante rII_1 oder rII_2, so kommt es in keinem Fall zur Phagenvermehrung (vgl. Abb. 6,2).

Auch eine Infektion mit einer Doppelmutante rII_1rII_2 ist inaktiv. (Es gelang mit einigen technischen Tricks, solche Doppelmutanten zu erkennen und zu isolieren[1].) Die Mischinfektion von Wildphagen und Doppelmutanten (Cis-Konfiguration) gestattet dagegen stets Phagenvermehrung *beider* Typen. Wie aber verhält sich eine Mischinfektion von Coli K mit rII_1- und rII_2-Phagen (Trans-Konfiguration)? Wenn die ganze rII-Region eine Funktionseinheit darstellte, wäre in der Wirtszelle kein Wildallel vorhanden. Es dürfte also zu keiner Phagenvermehrung kommen. Liegen rII_1 und rII_2 dagegen in verschiedenen Funktionseinheiten, so sollte (da von jeder Funktionseinheit ein unversehrtes Exemplar existiert) diese Mischinfektion zur Phagenvermehrung führen. Eine solche gegenseitige Ergänzung zweier Defektmutanten durch ihre unversehrten Gene, die noch gemeinsam — und nur gemeinsam die erforderlichen Funktionen ausüben können, wird als „Komplementation", genauer als intergene Komplementation bezeichnet (vgl. § 9/8).

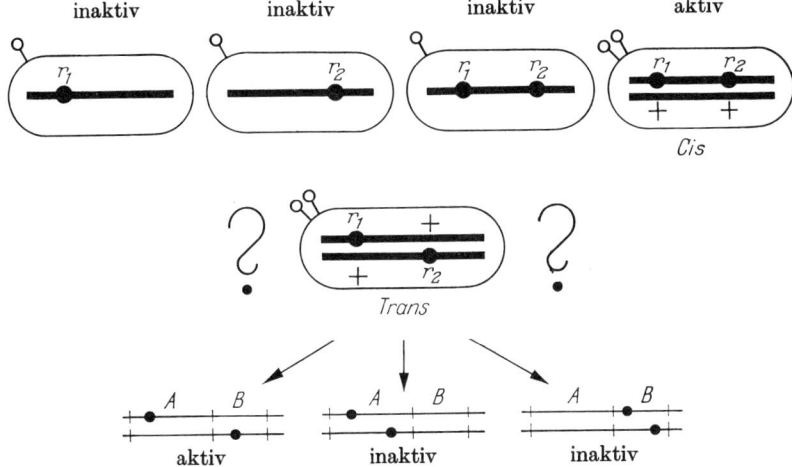

Abb. 6,2. Funktionstest durch verschiedene Infektion von Coli K mit rII-Mutanten

BENZERs Versuche mit diesem Cis-Trans-Test zeigten. daß der rII-Bereich aus *zwei* Funktionseinheiten besteht. Man kann nämlich die rII-Mutanten diesem Test folgend in zwei Untergruppen A und B so einteilen, daß Mischinfektion mit Phagenmutanten aus Untergruppen A *und* B ($r_A \times r_B$) Phagenvermehrung erlaubt, während Mischinfektion von Mutanten aus der gleichen Untergruppe ($r_{A1} \times r_{A2}$ oder $r_{B1} \times r_{B2}$) stets inaktiv bleiben (vgl. Abb. 6,2). Das mischinfizierte Bakterium muß also je einen A- und einen B-Abschnitt ohne Störungen durch Mutationen enthalten, um Phagenvermehrung auf Coli K zu ermöglichen. Die Untergruppen A und B nehmen je einen geschlossenen Abschnitt auf der Karte (Abb. 6,1) ein.

Für die Definition des Gens als Einheit der Funktion ergibt sich jetzt eine neue Schwierigkeit. Einerseits nämlich zeigt der Cis-Trans-Test die Existenz zweier Funktionseinheiten (Unterbereiche A und B), andererseits wird die Funktion (Vermehrung in Coli K) nur durch Kooperation beider Unterbereiche ausgeübt. Auf Grund dieser Situation führte BENZER das „Cistron" als neuen Begriff ein. Ein Cistron ist definiert als der Abschnitt eines Genoms, der sich im Cis-Trans-Test als funktionelle Einheit verhält. Die bisher als „rII-Bereich" bezeichnete Region des Phagen T4 besteht somit aus zwei Cistronen A und B.

Man könnte jetzt mehrere Cistronen, die zu einer Funktion kooperieren, als ein Gen bezeichnen. Man kann aber auch den klassischen Begriff des Gens mit der heute experimentell erfaßbaren Einheit des Cistrons gleichsetzen. Wir werden aus den folgenden Kapiteln sehen, daß vermutlich der zweite Weg sinnvoller ist. Wir wollen uns daher dem Sprachgebrauch von F. H. C. CRICK anschließen und von dem A-Gen und dem B-Gen des rII-Bereichs sprechen. Das heißt wir werden die Terme „Gen" und „Cistron" als synonym ansehen und die Bezeichnung Cistron benutzen, um zu betonen, daß eine genaue Analyse eines genetischen Locus erfolgt ist.

Bei dieser Definition des Gens müssen wir sagen, daß im speziellen Fall des rII-Bereiches die beiden Gene A und B zwar je eine eigene Funktion ausüben, daß aber unser Test (Vermehrung auf Coli K) nur dann positiv ausfällt, wenn *beide* Funktionen ordnungsgemäß ablaufen. Wir haben kein Kriterium für die *Einzel*funktionen von Gen A und Gen B.

Abgesehen von diesen Definitionsfragen zeigt BENZERs[2] Feinstrukturanalyse des rII-Bereichs, daß eine Mutation zumeist nur kleine Teile eines Gens betrifft und daß zwischen den verschiedenen Mutationsorten innerhalb eines Gens Rekombination stattfinden kann. Das Gen selbst erweist sich als langgestrecktes Gebilde, das durch eine eindimensionale Karte wiedergegeben werden kann. Es sind nicht nur die einzelnen Gene fadenförmig aneinandergereiht, sondern jedes Gen kann als meßbares Teilstück eines solchen Fadens angesehen werden.

Feinstruktur-Analysen wie die am A- und B-Gen der rII-Region wurden inzwischen an vielen Genen verschiedener Mikroorganismen durchgeführt, z.B. am Locus der Tryptophan-Synthetase von E. coli oder an Adenin-Loci der Hefe Schizosaccharomyces pombe[3]. In den meisten Fällen ergibt sich dabei natürlich nicht die spezielle Komplikation des historischen BENZER-Beispiels, in dem zwei benachbarte Gene nur eine *gemeinsame* und nicht für jedes Gen getrennt nachweisbare Funktion haben. Auch sind in den meisten anderen Fällen (leider nicht beim rII-Locus) die entsprechenden Genprodukte (vgl. § 8/2) isoliert worden.

Punkt- und Block-Mutationen

Wir haben vorhin gesagt, daß zwischen verschiedenen unabhängig entstandenen rII-Mutanten meist Rekombination zum Wildtyp möglich ist. Findet man keine Rekombination, so muß man schließen, daß die beiden Mutationen an identischen Stellen des Gens liegen. Die Karte von Abb. 6.1 zeigt viele solche Beispiele. Es ist hierbei offen, ob in den betreffenden beiden Mutanten auch identische Mutationen vorliegen oder ob zwar die gleiche Stelle, diese aber in verschiedener Weise verändert ist.

Neben vielen Fällen dieser Art gibt es aber auch eine Reihe besonderer Mutanten. Diese unterscheiden sich von anderen dadurch, daß sie mit mehreren nebeneinander liegenden Mutanten keine Wildtyp-Rekombinanten liefern. So führt z. B. die Mutante r_{164} zu keiner Rekombination mit r_{240}, r_{271} oder r_{596}, sie rekombiniert aber mit r_{320} oder r_{997} und allen anderen weiter außerhalb liegenden rII-Mutanten (vgl. Abb. 6.3).

Die meisten Mutanten sind offenbar nur in einem sehr kleinen Abschnitt des Gens verändert („Punktmutanten"), einige jedoch tragen eine „lange" Mutation („Blockmutanten"). In einer Kreuzung, bei der beide Eltern im gleichen Genabschnitt verändert sind, kann durch Rekombination kein Wildtyp entstehen:

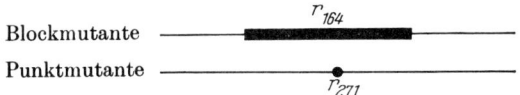

Die Länge einer Blockmutation ist erkennbar aus der Lage der Punktmutationen, die mit dieser Blockmutante keine Wildtyp-Rekombinanten liefern. Benzer konnte so der Genkarte mit den vielen Punktmutationen noch zahlreiche Blockmutanten hinzufügen, von denen einige in Abb. 6.3 wiedergegeben sind. Viele von ihnen sind relativ kurz, doch gibt es auch solche, die über das A- und das B-Gen hinweggehen und deren Enden daher noch nicht meßbar sind.

Im Lochtyp unterscheiden sich Block- und Punktmutationen nicht, alle bilden die gleiche Art von Rapid-Löchern. Blockmutanten zeigen aber keine Rückmutation, während die meisten Punktmutanten (in recht unterschiedlichen Häufigkeiten) zum Wildtyp zurückmutieren. Das entspricht der Erwartung, denn es wäre sehr unwahrscheinlich, daß sich eine größere Mutation in genau der richtigen Weise zurückverändern würde. Man weiß (vgl. § 7/5), daß Blockmutationen fast immer Deletionen sind, d. h. daß ein Stück der genetischen Information

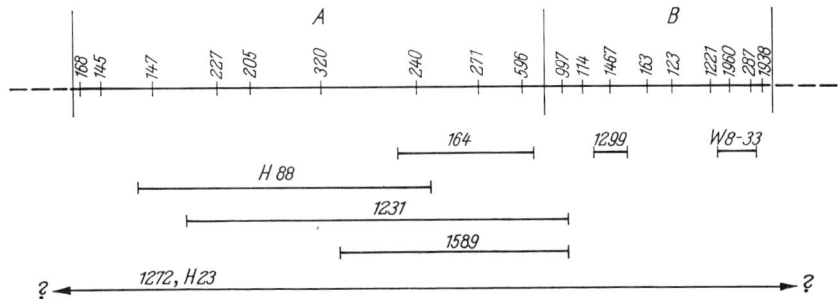

Abb. 6,3. Karte einiger Punkt- und einiger Blockmutanten im Bereich der rII-Region des Phagen T4 (zusammengestellt aus Daten von Benzer und Doermann)

des Gens fehlt[4] (vgl. auch Tafel 20). Der Ursprung von Blockmutanten ist noch nicht geklärt. Sie mögen durch falsche Rekombination entstehen oder durch Überspringen eines Abschnitts bei der Replikation.

Blockmutanten können benutzt werden, um aus einer großen Zahl anderer Mutanten schnell diejenigen zu finden, die im Bereich des Blockes, d. h. in einem bestimmten Abschnitt des Gens mutiert sind. Diese und nur diese Mutanten führen in Kreuzungen mit der Blockmutante nicht zu Wildtyp-Rekombinanten Diese Technik (BENZER) gestattet eine schnelle Grob-Einortung neuer Mutanten und hat wesentlich zur Herstellung der Gen-Karte der rII-Region beigetragen Die Abschnittseinteilung von Abb. 6,1 beruht auf dieser Technik.

Schlußfolgerungen. Wir waren ausgegangen von dem Versuch, zwischen multiplen Allelen und eng benachbarten Genen ähnlicher Funktion zu unterscheiden. Die Rekombination zwischen sehr eng benachbarten Mutanten mit gleichem oder ähnlichem Phänotyp hat uns zur Neudefinition des Genbegriffs auf ausschließlich funktioneller Grundlage geführt. Wir können die vielen verschiedenen Möglichkeiten der Konfiguration eines solchen Gens als „Allele" bezeichnen. Jedes Gen besitzt danach eine sehr große Zahl „multipler Allele". Diese können phänotypisch untereinander gleich oder verschieden sein. Von der Komplikation der Blockmutanten abgesehen, ist zwischen ihnen Rekombination möglich. Für den weiteren Text wollen wir uns an folgende Terminologie halten:

Ein *Gen* ist der Abschnitt einer genetischen Struktur, der eine Funktionseinheit bildet. Wie die Funktion selbst zu definieren ist, werden wir in den Kapiteln 8 und 9 sehen.

Ein *Cistron* ist (synonym mit dem Begriff des Gens) die speziell durch den Cis-Trans-Test bestimmbare Funktionseinheit. Diese Bezeichnung betont die experimentelle Möglichkeit der Feinstrukturanalyse eines Locus.

Ein *Locus* ist der Ort eines Gens bzw. einer zusammengehörigen Gengruppe in der genetischen Karte bzw. in der durch diese abgebildeten genetischen Struktur.

Allele sind verschiedene Konfigurationen eines Gens, unabhängig davon, ob diese zu identischen oder verschiedenen Phänotypen führen.

Marken sind Markierungen eines Gens durch Punkt- oder Blockmutationen.

Durch BENZERS Untersuchungen haben wir folgende Erkenntnisse gewonnen:

Nicht nur Kopplungsgruppen, sondern auch Gene haben eine ausgedehnte eindimensionale Struktur.

Mutationen können punktförmig oder ausgedehnt sein.

Meist betreffen sie nur sehr kleine Abschnitte eines sonst unveränderten Gens.

Innerhalb eines Gens (oder Cistrons) kann Rekombination an sehr vielen Stellen erfolgen.

Im § 9/8 werden wir eine Schwierigkeit für die Anwendung des Cis-Trans-Testes kennenlernen (eine andere Art von Komplementation) und an dieser Stelle noch einmal auf die Definitionsfragen zurückkommen.

Literatur zu § 6/2:

[1] CHASE, M., and A. H. DOERMANN: Genetics 43, 332 (1958).
[2] BENZER, S.: In: The Chemical Basis of Heredity, p. 70. Baltimore: Johns Hopkins Press 1957 und Proc. nat. Acad. Sci. (Wash.) 47, 403 (1961).
[3] LEUPOLD, U., and H. GUTZ: Genetics today (Proc. XI Intl. Congress of Genetics, The Hague) Pergamon Press (Lond.) p. 31 (1964).
[4] NOMURA, M., and S. BENZER: J. molec. Biol. 3, 684 (1961).
     BODE, W.: Z. Vererb.-Lehre 94, 190 (1963).

6/3   Information

Information ist eine Nachricht. Sie kann einen Sachverhalt beschreiben oder eine Anweisung enthalten. Das Wesen der Vererbung besteht darin, daß von einer Elterngeneration Anlagen zu allen Merkmalen auf die Tochtergeneration weitergegeben werden. Diese Anlagen müssen Informationen sein, d. h. Anweisungen oder Rezepte, wie z. B. der rote Augenfarbstoff der Drosophila synthetisiert werden soll. Durch etwas „Schriftähnliches" muß in den Anlagen festgelegt sein: man nehme diese und jene Moleküle und füge sie so und so zusammen. Dadurch entstehen neue Moleküle, die mit anderen weiter reagieren und schließlich zur Endstruktur, dem roten Augenpigment, führen.

Wenn Eltern und Nachkommen die gleichen Anweisungen für chemische Synthesen besitzen und gleiche Außenbedingungen vorfinden, werden auch die gleichen Reaktionen und Molekularprozesse ablaufen, die am Ende zu gleichen, d. h. „erblichen" Merkmalen führen. Vererbung heißt also Weitergabe von Information, Weitergabe von etwas *Schriftähnlichem*.

Betrachten wir irgendeine Information, z. B. die Anweisung:

Don't be vulgar! *

MAN BOHRT NICHT IN DER NASE

Eine solche Information ist aus verschiedenen Bauelementen zusammengesetzt, den Buchstaben unserer Schrift. Diese Elemente sind eindimensional aneinandergereiht. Der Sinn der Nachricht ergibt sich aus der Sequenz, d. h. aus der Folge, in der die verschiedenen Elemente aufgereiht sind. Hierbei ordnet unsere Sprache bestimmten Laut- bzw. Buchstabenfolgen einen bestimmten Sinn zu. Das ist eine Vereinbarung. Andere Sprachen geben denselben Sinn durch andere Buchstabenfolgen wieder.

Um Information benutzen zu können, ist immer ein System erforderlich, das diese Information „versteht". Im Falle der menschlichen Sprache oder der Schrift (intellektuelle Information) ist das verarbeitende System unser Gehirn. Im Falle der genetischen Information ist es der Gesamtapparat der Zelle, der in der Lage sein muß, die Information zu „lesen" und nutzbar zu machen.

Je mehr verschiedene Buchstaben (Symbole) in einer Schrift zur Auswahl stehen, desto kleiner kann die Zahl der Buchstaben sein, die zur Übermittlung einer Nachricht nötig ist. Geben wir die Information unseres Beispiels nicht in der normalen, sondern in einer anderen Schrift, z. B. in Morseschrift

$$-\,-\,/\,\cdot\,-\,/\,-\,\cdot\,/\,/\,-\,\cdot\,\cdot\,\cdot\,/\,-\,-\,-\,/\,\cdot\,\cdot\,\cdot\,\cdot\,/\,\cdot\,-\,\cdot\,/\,-\,/\,/\,-\,\cdot\,/\,\cdot\,\cdot\,/\,-\,-\,-\,-\,/\,-\,/\,/\,\cdot\,\cdot\,/\,\cdot\,-\,/\,/\,\cdot\,\cdot\,-\,\cdot\,/\,\cdot$$
$$\cdot\,-\,\cdot\,/\,/\,-\,\cdot\,/\,\cdot\,-\,/\,\cdot\,\cdot\,\cdot\,/\,\cdot\,/\,/$$

so benötigen wir für die gleiche Information mehr Stellen, weil statt der 24 Buchstaben hier nur drei verschiedene Symbole benutzt werden, nämlich: Punkt, Strich und Zwischenraum. In chinesischer Schrift kann eine Nachricht mit relativ wenigen Symbolen gegeben werden, weil eine sehr große Zahl verschiedener Schriftzeichen zur Auswahl steht. Die Informationsmenge, die ein Symbol enthält, wird um so größer, je größer die Anzahl der möglichen Symbole ist.

---

* Faksimile einer Kritik von MAX DELBRÜCK (1963).

Unsere Sprache bzw. Schrift ist „redundant". Das heißt, die Buchstaben-folgen in einer sinnvollen Information unserer Sprache sind nicht gleich wahr-scheinlich. Gewisse Buchstaben sind häufiger als andere und gewisse Buch-stabenfolgen, z. B. *st, ch, er, en* kehren bevorzugt wieder. Mit anderen Worten, unsere Sprache ist nicht so knapp wie möglich, sie schöpft nicht alle denkbaren Buchstabenfolgen aus. Viele ergeben keinen Sinn. Deswegen können wir eine Information oft auch dann noch verstehen, wenn Abkürzungen benutzt werden oder wenn Fehler in der Buchstabenfolge sind, z. B.

MAN BIHRT NICHT IN DFR NAGE.

Wir erkennen Druckfehler und können sie aus dem Zusammenhang verbessern, da die meisten Buchstabenfolgen *Unsinn* ergeben. Nur in seltenen Fällen ergibt sich ein *Fehlsinn*, z. B.

MAX BOHRT NICHT IN DER NASE.   *Don't be personal!*

Alle Schriften zeigen eine eindimensionale Anordnung. Auch die gesprochene Information ist eindimensional in der Zeit. Die Unterbrechung der Schrift durch Beginn einer neuen Zeile bzw. einer neuen Seite erfolgt aus Gründen der Zweckmäßigkeit. In ähnlicher Weise kann auch eine flächenhafte Information, ein Bild, beim Fernsehen in aufeinanderfolgende Streifen zerlegt werden.

Es ist umgekehrt ohne weiteres möglich, eine eindimensionale Nachricht so zu verschlüsseln, daß sich aus ihr in eindeutiger Weise ein mehrdimensionales Gebilde zusammenfalten läßt. Ein solches Prinzip soll durch das Schema von Abb. 6,4 veranschaulicht werden. Die Form des Schriftbandes ist dabei direkt durch den Text der Schrift festgelegt. Es sei dem Leser überlassen zu erkennen, nach welchen Regeln die Faltung des Bandes erfolgte.

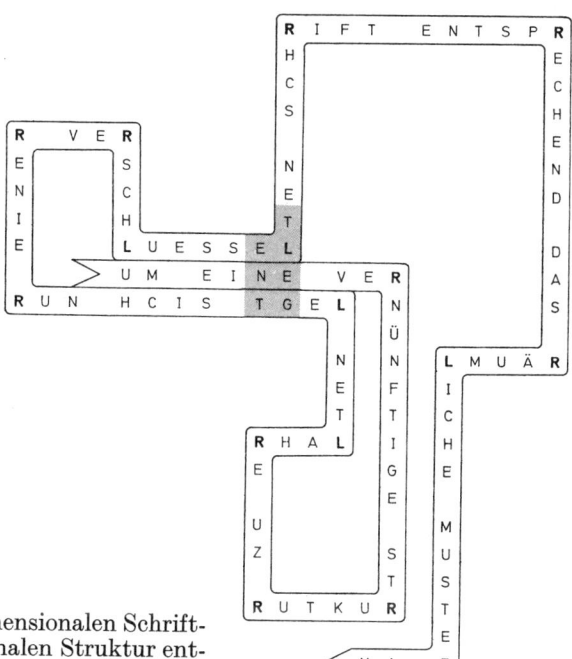

Abb. 6,4. Faltung eines eindimensionalen Schrift-bandes zu einer zweidimensionalen Struktur ent-sprechend der im Schriftband selbst enthaltenen Anweisung

Eine derartige Umwandlung eindimensionaler Schrift in räumliche Gestalt ist ein Fundamentalvorgang der Biologie. Er tritt auf bei der Synthese von Proteinen. So wie im Schema von Abb. 6,4 ein neues Wort (ENTGELT) durch die Faltung entsteht (grauer Bereich), bilden sich bei Proteinen dreidimensionale Teilreliefs, die für die Funktion des Proteins entscheidende Bedeutung haben (vgl. § 8/4).

Wir werden in den nächsten Paragraphen die Argumente für einen schriftartigen Charakter der genetischen Information behandeln und sehen, daß diese tatsächlich aus einer eindimensionalen unregelmäßigen Anordnung verschiedener Bauelemente besteht, deren Sequenz dann den Sinn der genetischen Nachricht festlegt.

Der erste Vergleich von großen, aus Bausteinen bestehenden Molekülen mit einer Schrift stammt vermutlich von ALBRECHT KOSSEL, der wesentlichen Anteil an der frühen biochemischen Arbeit an Nucleinsäuren und Proteinen hatte. KOSSEL wies in seiner Harvey-Lecture[1] auf die ungeheure Menge von Eigenschaften hin, die ein Organismus auf kleinstem Raum in Form von Makromolekülen aufbewahren könnte.

Wir haben gesehen, daß Gene eindimensionale Gebilde sind. In dieser Beziehung erfüllen sie unsere Erwartung von einer schriftähnlichen Struktur. Welche Buchstaben benutzt diese Schrift?

Literatur zu § 6/3:
[1] KOSSEL, A.: Harvey Lect. (Philad.) **7**, 33 (1911/12).

6/4 DNA als Träger der genetischen Information

Seit fast hundert Jahren wissen wir, daß die Erbinformation in den Chromosomen lokalisiert ist. Aber erst in den letzten 25 Jahren wurden Erkenntnisse über die chemische Natur von Genen gewonnen. Es liegen eine Reihe von Befunden vor, die beweisen, daß die genetische Information in Molekülen von Desoxyribonucleinsäure (DNA, leider* oft auch DNS genannt) niedergelegt ist:

1. Transformation

Bis zum Jahre 1944 galten Proteine als Hauptanwärter für das Genmaterial. Die Wende zur DNA brachten die historischen Versuche von AVERY (Tafel 1) u. Mitarb.[1], die die Epoche der molekularen Genetik einleiteten.

Im § 5/6 wurde die von GRIFFITH entdeckte Transformation von Pneumokokken beschrieben. O. T. AVERY u. Mitarb. stellten gereinigte transformierende Extrakte her und erkannten durch chemische Analyse, daß die transformierende Substanz DNA war. Sie ließen verschiedene Agenzien auf das Präparat einwirken und fanden die Transformationsfähigkeit zerstört durch DNase (ein DNA spaltendes Enzym) oder andere DNA-schädigende Agenzien. Ohne Einfluß dagegen blieben RNase oder Protein-spaltende Enzyme oder andere Behandlungen, die zur Schädigung von Eiweiß führen.

Das „transformierende Prinzip" war als DNA des Donorstammes identifiziert. DNA-Moleküle enthielten die genetische Information und übertrugen Eigenschaften vom Donorstamm auf den Rezeptorstamm.

---

* Entsprechend internationalen Vereinbarungen [J. biol. Chem. **241**, 527 (1966)] soll in allen Sprachen das Symbol (nicht die Abkürzung) DNA für Desoxyribonucleinsäure benutzt werden.

Avery beschrieb am 13. 5. 1943 diese Entdeckung — wohl die größte in der Genetik seit Mendel — in einem Brief an seinen Bruder*:

"... But at last *perhaps* we have it. The active substance is not digested by crystalline trypsin or chymotrypsin, it does not lose activity when treated with crystalline ribonuclease ... polysaccharide can be removed ... Lipids can be extracted ... without impairing biological activity. The extract can be deproteinized ... When extracts, treated and purified to this extent ... are further fractionated by the dropwise addition of absolute ethyl alcohol an interesting thing occurs. When alcohol reaches a concentration of about $^9/_{10}$ volume there separates out a fibrous substance which on stirring the mixture wraps itself about the glass rod like thread on a spool ... The fibrous material is .. highly reactive and on elementary analysis conforms *very* closely to the theoretical values of pure desoxyribose nucleic acid (thymus type). (Who could have guessed it) ... depolymerase capable of breaking down known authentic samples of desoxyribose nucleic acid has been found to destroy the activity of our substance — indirect evidence but suggestive that the transforming principle as isolated may belong to this class of chemical substances ... If we are right, and of course that is not yet proven, then it means that nucleic acids are not merely structurally important but functionally active substances in determining the biochemical activities and specific characteristics of cells ... But today it takes a lot of well documented evidence to convince anyone that the sodium salt of desoxyribose nucleic acid, protein free, could possibly be endowed with such biologically active and specific properties and that is the evidence we are now trying to get. It is lots of fun to blow bubbles but it is wiser to prick them yourself before someone else tries to."

2. Phagen-Infektion

Bakteriophagen (§ 5/5) bestehen aus einer Proteinhülle, innerhalb der sich DNA befindet. Durch Markierung der DNA mit radioaktivem Phosphor und des Proteins mit radioaktivem Schwefel konnten Hershey und Chase[2] am Phagen T2 zeigen, daß bei der Infektion der DNA- Inhalt des Phagenpartikels in die Bakterienzelle „injiziert" wird, während die Proteinhülle des Phagen an der Oberfläche des Bakteriums verbleibt. Sie kann von dort ohne Einfluß auf die Phagenvermehrung, die innerhalb der Wirtszelle abläuft, mechanisch abgeschert werden. Auf elektronenoptischen Bildern (Tafel 19) erkennt man adsorbierte Phagen, die zum Teil leere, zum Teil noch DNA-gefüllte Köpfe haben. Tafel 20 zeigt einen Phagen, der durch osmotischen Schock aufgerissen wurde und ein langes DNA-Fadenmolekül frei-

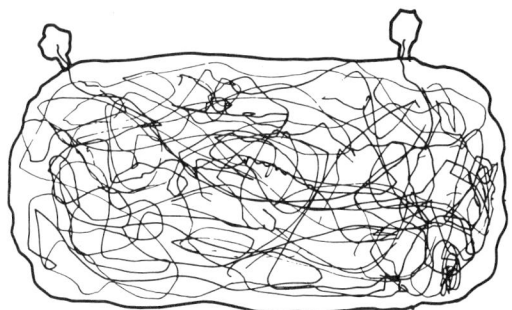

Abb. 6,5. Phagenkreuzung nach Martha Jane Benzer (5 Jahre alt) [aus S. Benzer, Harvey Lecture (1961)]

gelassen hat. Dieses dringt bei der Injektion in die Bakterienzelle ein, was in Abb. 6,5 künstlerisch dargestellt ist.

* Original im Nachlaß des 1971 verstorbenen R. C. Avery.

Der nicht-infektiöse „vegetative" Phage besteht tatsächlich aus nichts anderem als DNA. Diese ist in der Lage, allein alle Prozesse der Phagenreproduktion in die Wege zu leiten. Besonders hervorzuheben ist hierbei, daß unter der Kontrolle der Phagen-DNA auch die Synthese der phagenspezifischen Proteine (z. B. die der Hülle) abläuft, die ohne Infektion in der Bakterienzelle nicht gebildet werden. Man schließt daraus, daß die genetische Information für diese spezifischen Proteine von der infizierenden DNA getragen wird. Eine Bestätigung dieser Annahme brachten spätere Versuche, mit denen die Infektiosität proteinfreier Phagen-DNA nachgewiesen wurde („Transfektion", eine Wortrekombinante aus „Transformation" und „Infektion").

3. Die Konstanz der DNA-Menge pro Zelle

Zellkerne enthalten als wesentliche Bestandteile

1. Desoxyribonucleinsäure (DNA).
2. Ribonucleinsäure (RNA).
3. Basische Proteine (Histone bzw. Protamine).
4. Globuläre Proteine (dazu gehören die Enzyme).

Verschiedene Zellarten einer Spezies haben im allgemeinen den gleichen Gehalt an DNA pro Zellkern. Für Spermien jedoch findet man den halben Wert. Da Gameten haploid, die übrigen Zellen aber diploid sind, entspricht dieser Befund (Tabelle) der Erwartung für die Informations-tragende Substanz.

DNA in 10^{-13} g pro Zellkern. (Daten aus R. Vendrely in "TheNucleic Acids", Vol. II, ed. by Chargaff and Davidson)

	Hahn	Rind	Kröte	Forelle	Karpfen	Alse	Hecht	Schleie
Leber	25	64				20		
Thymus		64						
Niere.	24	64						
Pancreas	26	66						
Milz	26	68						
Erythrozyten . .	26		73	58	34	20	17	17
Herz	26							
Spermien	13	33	37	27	16	9	9	9

Parallel zur DNA ist aber auch der Gehalt an Histon pro Zellkern recht konstant. Dieses basische Protein tritt in allen Zellen höherer Organismen in Assoziation mit der DNA auf. Im Fischsperma ist es durch Protamin, ein noch basischeres und sehr einfaches Protein ersetzt. [Bis heute weiß man noch nichts Gewisses über die Rolle dieser zweifellos wichtigen Polypeptide. Man könnte vermuten, daß ihnen eine entscheidende Funktion in Regelprozessen zukommt (vgl. § 10/13), vielleicht haben sie aber auch nur die Aufgabe, als Polykationen die saure DNA zu neutralisieren und so eine dichte Packung der DNA zu ermöglichen.] Im Gegensatz zu DNA und Histonen schwankt der Gehalt an RNA und globulären Proteinen pro Zellkern in verschiedenen Geweben einer Spezies erheblich.

Weiter ließ sich an mehreren Objekten zeigen, daß der DNA- und Histon-Gehalt sich während eines bestimmten Zeitabschnittes der Interphase verdoppelt, so daß nach der Mitose wieder der Ausgangswert vorliegt. Dagegen nimmt der RNA-Gehalt pro Zellkern in wachsenden Geweben etwa kontinuierlich zu.

4. Stabilität der DNA im Stoffwechsel

Durch Isotopenuntersuchungen kann gezeigt werden, daß DNA sehr stabil ist und als großmolekularer Verband erhalten bleibt (vgl. § 6/8). Im Gegensatz dazu haben andere Zellbestandteile ein ausgeprägtes „turnover", d. h. sie werden im Laufe des Stoffwechsels in ihre kleinmolekularen Bausteine zerlegt, die dann in ein gemeinsames Reservoir fließen („pool"), aus dem die Zelle wieder neue Großmoleküle synthetisiert.

Die Konstanz der genetischen Information von Zellgeneration zu Zellgeneration sollte sich in einer materiellen Stabilität jener Strukturen widerspiegeln, die als Informationsträger für die phänotypischen Merkmale verantwortlich sind. Die DNA erfüllt diese Erwartung.

5. Mutationserzeugung

Wie in § 4/1 besprochen, können Mutationen durch Einwirkung physikalischer und chemischer Agenzien induziert werden. Dies ist z. B. durch Bestrahlung mit ultraviolettem Licht verschiedener Wellenlänge möglich. Das Wirkungsspektrum der einzelnen Wellenlängen fällt dabei recht gut mit dem UV-Absorptionsspektrum von DNA zusammen[3].

Einen stärkeren Hinweis auf die DNA als Informationsträger liefert die chemische Mutationsauslösung durch Basenanaloga oder salpetrige Säure. Hier führen chemisch relativ gut verstandene Änderungen an der Nucleinsäure zu Mutationen. Diese Frage wird in § 6/11 ausführlich behandelt.

Schlußfolgerung. Diese Gesichtspunkte rechtfertigen es, DNA als Träger der genetischen Information anzusehen. Speziell die Transformation und die Phageninfektion zeigen die hervorragende Rolle der Desoxyribonucleinsäure. Diese Erkenntnis schließt jedoch nicht aus, daß auch andere Strukturen Erbinformation enthalten können. Man weiß aus dem chemischen Aufbau vieler Viren, daß auch Ribonucleinsäure diese Aufgabe übernehmen kann:

RNA als Informationsträger. Wie viele andere pflanzen- und tierpathogene Viren enthält das stäbchenförmige Tabakmosaikvirus (TMV) keine DNA, sondern nur RNA, die von einer Proteinhülle umgeben ist. GIERER und SCHRAMM[4] befreiten TMV-Partikel durch Phenol von ihrem Protein und konnten dann eine Transfektion von Tabakpflanzen durch Aufbringung der reinen Virus-RNA erreichen. Ähnlich der Phagenvermehrung läuft die Produktion neuer Viren (einschließlich ihrer spezifischen Proteinhüllen) allein durch die Infektion mit RNA ab. Die RNA steuert also die Produktion virusspezifischer Proteine. Man kann sogar die RNA eines TMV-Stammes mit dem Protein eines anderen TMV-Stammes wieder umhüllen[5] und dann die Pflanze infizieren. Die neu gebildeten Viren entsprechen dabei, auch in ihrem Protein, dem RNA-liefernden Stamm, d. h. die Proteinhülle des infizierenden Partikels ist genetisch bedeutungslos. Auch bei einer Reihe anderer Viren, z. B. Polio, ist eine Transfektion mit reinen Präparaten von Virus-RNA gelungen.

Auch unter Bakteriophagen gibt es einige Stämme, die RNA statt DNA als Nucleinsäure enthalten[6]. Die bisher gefundenen, z. B. die Stämme Qβ und f2, sind sehr klein und können nur männliche Bakterien ([F+] oder [Hfr]) durch Adsorption an deren Sexpili infizieren (vgl. S. 108 und Tafel 18).

Literatur zu § 6/4:

[1] AVERY, O. T., C. M. MacLeod and M. McCarty: J. exp. Med. **79**, 137 (1944).
[2] HERSHEY, A. D., and M. CHASE: J. gen. Physiol. **36**, 39 (1952).
[3] KNAPP, E., and H. SCHREIBER: Proc. 7. Internat. Congr. Genetics 1939, p. 175 (an Sphaerocarpus).
[4] GIERER, A., and G. SCHRAMM: Nature (Lond.) **177**, 702 (1956).
[5] FRAENKEL-CONRAT, H., B. A. SINGER and R. C. WILLIAMS: The Chemical Basis of Heredity, Edit. W. D. McELROY and B. GLASS. Baltimore: Johns Hopkins Press 1957.
[6] Reviews: VALENTINE, R. C. et al.: Adv. Virus Res. **15**, 2 (1969) und STAVIS, R. L., and J. T. AUGUST: Ann. Rev. Biochem. **39**, 527 (1970).

6/5   Bausteine von Nucleinsäuren

Nucleinsäuren wurden 1871 in menschlichem Eiter von MIESCHER[1] entdeckt und 1889 von ALTMANN[2] auch in Pflanzenzellen gefunden. Bereits die frühen chemischen Untersuchungen durch KOSSEL ließen erkennen, daß Nucleinsäuren riesige Molekülgrößen haben.

Diese Makromoleküle mit Molekulargewichten in der Größenordnung von Millionen können durch gewisse Enzyme in Untereinheiten gespalten werden. Nucleinsäurespaltende Enzyme nennt man „Nucleasen" (DNase spaltet DNA und RNase RNA, vgl. § 7/7).

Als Spaltprodukte nach Nucleasewirkung findet man Untereinheiten mit Molekulargewichten von etwa 350. Man nennt sie „Nucleotide". Die Molekulargewichte zeigen, daß Tausende solcher Bausteine zu einem Nucleinsäuremolekül verbunden sind. Die einzelnen Nucleotide bestehen ihrerseits aus drei Komponenten, wie man z. B. durch Säurehydrolyse nachweisen kann:

1. eine stickstoffhaltige Base
2. ein Zuckermolekül (Pentose)
3. eine Orthophosphatgruppe.

Die Pentosen der Nucleotide von DNA und RNA sind verschieden. Auf diesen Unterschied geht die Einteilung in DNA und RNA und deren unterschiedliches chemisches Verhalten zurück.

DNA-Nucleotide haben eine 2′-Desoxyribose: RNA-Nucleotide haben eine Ribose:

Sowohl DNA als auch RNA enthalten vier verschiedene Nucleotide, die sich in ihren Basen unterscheiden. Es kommen je zwei Purin- und zwei Pyrimidinbasen vor:

	Purine	Pyrimidine
in DNA:	Guanin und Adenin	Cytosin und Thymin
in RNA:	Guanin und Adenin	Cytosin und Uracil

(Gedächtnishilfe: PY = CY und ThY)

Außer in ihren Zuckern unterscheiden sich DNA und RNA also auch in dem Auftreten von Thymin bzw. Uracil. In der DNA mancher Organismen werden außerdem in geringen Mengen abgewandelte Basen, wie z. B. 5-Methyl-Cytosin gefunden. Die DNA einiger Phagenstämme (T2, T4, T6) enthält ausschließlich 5-Hydroxymethyl-Cytosin statt Cytosin.

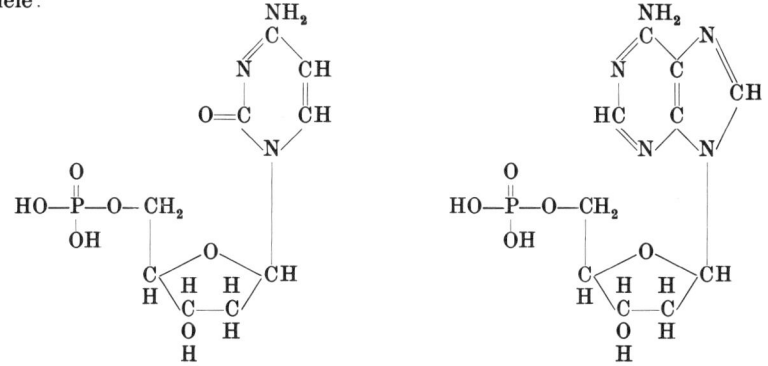

Die Verbindung der drei Komponenten eines Nucleotids zeigen die folgenden Beispiele:

DNA-Nucleotid mit Cytosin als Base   DNA-Nucleotid mit Adenin als Base

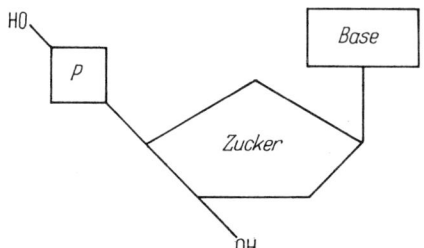

Allgemeines Bauschema eines Nucleotids

Nucleotide ohne Phosphatgruppen — also die Verbindung von nur Base und Zucker — nennt man Nucleoside. Bei der Bezeichnung von Nucleotiden und Nucleosiden muß unterschieden werden, ob sie eine Desoxyribose (aus DNA) oder eine Ribose (aus RNA) als Zucker enthalten. Dementsprechend setzt man bei DNA-Bausteinen die Vorsilben "Desoxy" vor die Nucleotid- oder Nucleosid-Bezeichnung, während RNA-Bausteine *keinen* speziellen Zusatz erhalten.

Die Nucleosid-Bezeichnungen sind wie folgt:

dT*   = Desoxy- Thymidin (Thymin + Zucker) in DNA
dC bzw. C = (Desoxy-) Cytidin   (Cytosin + Zucker) in DNA bzw. RNA
dA bzw. A = (Desoxy-) Adenosin (Adenin + Zucker) in DNA bzw. RNA
dG bzw. G = (Desoxy-) Guanosin (Guanin + Zucker) in DNA bzw. RNA
      U =   Uridin   (Uracil + Zucker)   in RNA

Entsprechend haben die Nucleotide folgende Einzelbezeichnungen

d TMP = Desoxy- Thymidin-5′-monophosphat = Desoxy- Thymidylsäure
(d) CMP = (Desoxy-) Cytidin-5′-monophosphat   = (Desoxy-) Cytidylsäure
(d) AMP = (Desoxy-) Adenosin-5′-monophosphat = (Desoxy-) Adenylsäure
(d) GMP = (Desoxy-) Guanosin-5′-monophosphat = (Desoxy-) Guanylsäure
    UMP =   Uridin-5′-monophosphat   =   Uridylsäure

Abstrahieren wir von diesen und einer Reihe weiterer chemischer Einzelheiten, so ist

DNA ein hochpolymeres Aggregat aus vielen Bausteinen (den Nucleotiden). In natürlicher DNA werden stets vier verschiedene Nucleotide gefunden. Der Unterschied der vier Bauelemente liegt lediglich in deren Basen. Auch RNA besteht aus vier Nucleotiden als Bausteinen, wobei statt des Desoxyribosezuckers Ribose und statt der Pyrimidinbase Thymin die Base Uracil auftritt.

Literatur zu § 6/5:

[1] MIESCHER, F.: Hoppe-Seyler's med.-chem. Unters. **4**, 441 (1871).
[2] ALTMANN, R.: Arch. Anat. p. 524 (1889).

---

* Leider ist es vielfach üblich, beim Thymidin das „d" fortzulassen (da ja Thymin sowieso normalerweise in RNA nicht vorkommt). Man beachte also, daß Bezeichnungen wie Adenosin, Cytidin etc. stets Ribose-Zucker voraussetzen, jedoch Thymidin hierbei eine Ausnahme macht.

6/6   Struktur der Nucleinsäuren

Die Struktur der DNA wurde 1953 durch WATSON und CRICK aufgeklärt[1]. Die Faszination dieser Entdeckung und die Problematik menschlicher Schwächen in solcher Situation hat WATSON später selbst dargestellt (,,Die Doppelhelix'', deutsch bei ROWOHLT 1971). Dieses Buch gibt einen erregenden Blick hinter die Kulissen großer Wissenschaft.

Das später in Einzelheiten von WILKINS verbesserte DNA-Modell basierte auf röntgenographischen Ergebnissen von FRANKLIN und WILKINS sowie auf chemischen Daten von CHARGAFF. Den Ausgangspunkt bildeten folgende Befunde:

1. Chemische und physiko-chemische Daten zeigen, daß DNA aus langen unverzweigten Fadenmolekülen besteht (Tafeln 20–22). Dem Aufbau aus Nucleotiden entspricht dann eine Kette, die alternierend Phosphat und Zucker enthält (3'-5'-Phosphodiesterbindung), wobei jeweils eine Base an jedem Zuckermolekül hängt (Abb. 6,6).

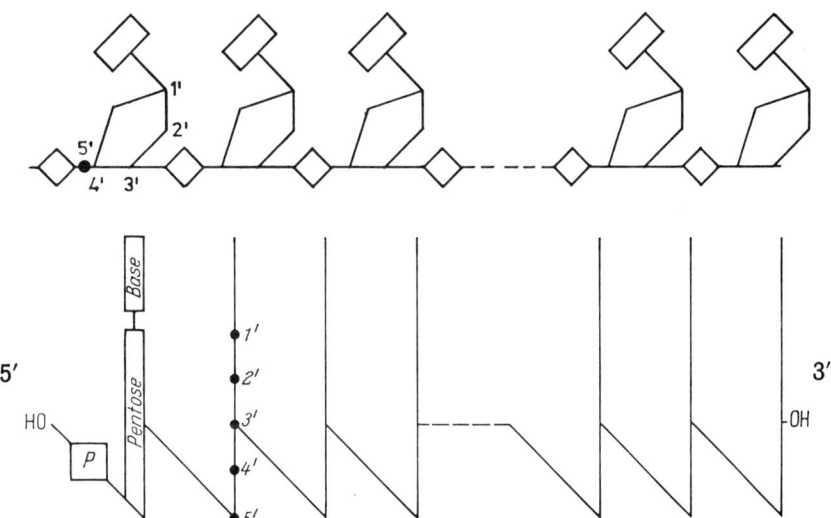

Abb. 6,6. Aufbau eines Polynucleotids, oben schematisch, unten in einer oft benutzten, vereinfachten Schreibweise

Ein solches Molekül trägt wegen der 3'- und 5'-Bindungen zwischen Zucker und Phosphat einen Richtungssinn. Das heißt, wandert man an der Zucker-Phosphatkette in Abb. 6,6 von links nach rechts, so stößt man vom Phosphor kommend stets auf das 5'-C-Atom des Zuckers, in umgekehrter Richtung auf das davon unterscheidbare 3'-C-Atom. Wegen dieser Asymmetrie kann man der Kette einen Richtungspfeil, d.h. eine Polarität, zuschreiben.

Während das eine Ende der Kette normalerweise mit einem unveresterten Zucker abschließt, steht am anderen eine Phosphatgruppe. Dies kann durch folgende Schreibweise ausgedrückt werden:

pApCp . . . CpT

Hierbei symbolisieren p die Phosphatgruppe und A, C, G, T oder U die entsprechenden Nucleoside. *Links* steht stets das 5'- und *rechts* das 3'-Hydroxylende.
Angewandt auf ein Mononucleotid bedeutet z. B.

pA : Adenosin-5'-Monophosphat
Ap : Adenosin-3'-Monophosphat
pAp : Adenosin-3'5'-Diphosphat

Sinngemäß werden für Di- oder Oligonucleotide auch Abkürzungen wie z. B. UpA,
pUpA, UpAp, pUpAp benutzt.

2. In Übereinstimmung mit dem Aufbau aus Untereinheiten liefern kristallo-
graphische Untersuchungen (Beugung von Röntgenstrahlen) in DNA beliebiger
Herkunft gewisse Periodizitäten. Die Auswertung solcher Röntgendiagramme[2]
offenbart eine Schrauben-Struktur. Die Daten für Durchmesser und Ganghöhe
der Schraube einerseits, die für Länge und Masse des Moleküls andererseits zeigen,
daß es sich um eine doppelte Schraube (Doppelhelix) handeln muß.

3. Die relativen Häufigkeiten der vier Basen in DNA aus beliebiger Herkunft
gehorchen — wie CHARGAFF[3] entdeckte — einer allgemein gültigen Regel: Adenin
und Thymin treten in gleicher Häufigkeit auf (A=T). Das gleiche gilt für Guanin
und Cytosin (G=C). Damit ist auch die Zahl der Purine (A+G) stets der der
Pyrimidine (T+C) gleich und die in 6-Stellung eine Aminogruppe tragenden
Basen (A+C) sind ebenso häufig wie die mit einer Ketogruppe am 6-C-Atom
(T+G). Die Zusammensetzung einer DNA hat also nur *einen* Freiheitsgrad, d. h.
eine variable Größe, nämlich das Verhältnis (A+T) zu (G+C).

Einige Beispiele von DNA-Analysen zeigt Tabelle 6,7. Solche Daten werden
z. B. durch Chromatographie oder Elektrophorese der durch enzymatische Spaltung gewonnenen Nucleotide bestimmt. Man beachte, daß bei Auftreten von
5-Methyl-Cytosin dieses zusammen mit Cytosin der Häufigkeit des Guanins entspricht. (Die kleinen Unterschiede liegen im Rahmen der Meßgenauigkeit.)

Tabelle 6,7. Prozentuale Häufigkeit der Basen in verschiedener DNA

Herkunft der DNA	$\frac{A+T}{G+C}$*	A	T	G	C	5 MC	5 HMC
Mensch, Milz	1,51	29,9	29,8	19,5	20,1		
Mensch, Leber	1,53	30,3	30,3	19,5	19,9		
Rind, Thymus	1,27	28,2	27,8	21,5	21,2	1,3	
Rind, Spermien	1,26	28,7	27,2	22,2	20,7	1,3	
Weizenkeim	1,14	26,9	26,5	23,2	17,6	5,9	
Grünalge Scenedesmus . .	0,64	20,2	18,8	30,8	30,2		
Hefe Saccharomyces . . .	1,79	31,3	32,9	18,7	17,1		
Mycobacterium phlei . .	0,48	16,2	16,4	33,7	33,7		
E. coli	0,92	23,9	23,9	26,0	26,2		
Clostridium perfringens .	2,24	34,1	35,0	15,8	15,1		
Phage T1	1,08	27	25	23	25		
Phage λ	1,06	25,7	25,7	24,4	24,2		
Phage T7	1,08	26,0	26,0	24,0	24,0		
Phage T2	1,86	32,5	32,5	18,2			16,8
Phage T4	1,92	32,3	33,3	18,1			16,1
Phage T6	1,92	32,4	33,4	17,7			16,5
Vakzine-Virus	1,46	29,5	29,9	20,6	20,2		

Weitere Angaben über diverse Bakterien in Tabelle 9,5.

* Methylcytosin und 5-Hydroxymethylcytosin als Cytosin gewertet.

Auf diesen Ergebnissen aufbauend, schlugen WATSON und CRICK folgendes Strukturmodell vor:

Ein DNA-Molekül besteht aus zwei Strängen, die eine gegenläufige Polarität besitzen und zu einer Doppelschraube umeinander gewunden sind. Je zwei gegenüberliegende, zueinander „komplementäre" Basen bilden dabei mit ihren Nebenvalenzen Wasserstoff-Brücken. Adenin paart stets mit Thymin, Guanin mit Cytosin.

In schematischer Darstellung:

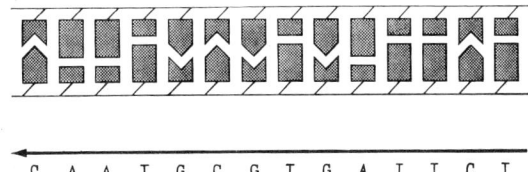

oder noch weiter schematisiert:

C	A	A	T	G	C	G	T	G	A	T	T	C	T
G	T	T	A	C	G	C	A	C	T	A	A	G	A

Die Paarung komplementärer Basen durch zwei bzw. drei Wasserstoffbrücken sieht so aus:

Thymin — Adenin (2,8 Å, 3,0 Å, 11,1 Å) — zum Zucker

Cytosin — Guanin (2,9 Å, 3,0 Å, 2,9 Å, 10,8 Å) — zum Zucker

Unter Berücksichtigung der Schraubenform ist die DNA-Struktur einer verdrillten Strickleiter vergleichbar, bei der die breiten Sprossen jeweils durch die Basenpaare, die Seile durch eine Zucker-Phosphat-Kette (mit gegenläufigem Richtungssinn) gegeben sind (Abb. 6,8).

Man beachte, daß

1. eine Schraubenwindung etwa zehn Basenpaare umfaßt;
2. die beiden Stränge weniger als eine halbe Windung versetzt sind (etwa $^3/_8$);
3. die Basenpaare wohl senkrecht zu einer gedachten Zentralachse, nicht aber senkrecht zu den Zucker-Phosphatsträngen stehen;

4. die paarenden Basen sich nicht diametral gegenüberliegen, so daß die Wasserstoffbrücken sich *seitlich* von der Zentralachse befinden;

5. zwischen den hydrophoben Seiten eng nebeneinander liegender Basen (wie in einem Stapel magnetischer Plättchen) Stapelkräfte (stacking forces) auftreten. Diese (und nicht die H-Brücken komplementärer Basen) stabilisieren die Doppelhelixstruktur der DNA.

Die Angaben 1–4 lassen sich mit Molekülmodellen prüfen, die zeigen, daß aus sterischen Gründen als Basenpaarungen nur A-T und G-C möglich sind.

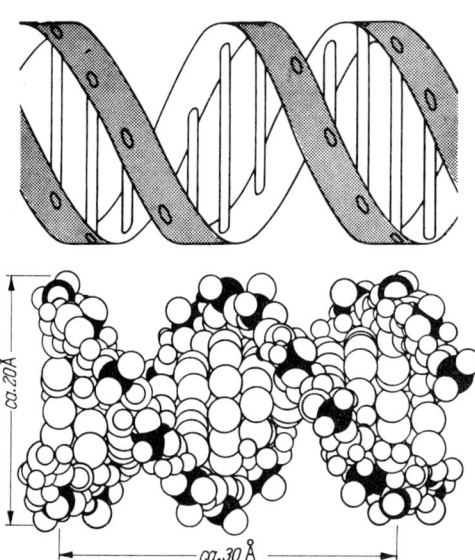

Abb. 6,8. Struktur von DNA: oben schematisch, unten als Atommodell

Bisher wurde noch nichts über die Sequenz der verschiedenen Basenpaare gesagt. Bis in die vierziger Jahre glaubte man an eine regelmäßige Anordnung, die alternierend die vier möglichen Basen umfaßte. Dann stellte sich aber heraus, daß die vier Basen nicht in gleichen Häufigkeiten in der DNA vorkommen (vgl. Tabelle 6, 7). Heute weiß man, daß die Basenanordnung schriftartig ist, d. h. in einer unregelmäßigen aber sinnvollen Folge besteht, die in einer uns jetzt verständlichen Sprache die genetische Information der Organismen wiedergibt. Diese Erkenntnis einer schriftartigen Erbsubstanz ist ebenso erregend wie MENDELs Entdeckung von Faktoren, die für die Entstehung einzelner Merkmale verantwortlich sind. Die Basensequenz stellt einen verschlüsselten Text dar mit Syntheseanweisungen für die Zelle. Die Aufklärung des entsprechenden Codes in den 60er Jahren war eines der spannendsten Kapitel biologischer Forschung (vgl. Kap. 9).

In voller Übereinstimmung mit der eindimensionalen Feinstruktur von Genen haben wir gesehen, daß ein DNA-Molekül im wesentlichen eindimensional ist. Seine Struktur ist kristallartig durch einen regelmäßigen Aufbau aus ähnlichen Elementen. Die Sequenz der Elemente jedoch ist aperiodisch. Diese Deutung der Erbinformation als (eindimensionaler) aperiodischer Kristall stammt von SCHRÖDINGER[4]. Auch die anderen wichtigen Substanzen der lebenden Materie (Proteine, RNA) sind solche eindimensionalen, aperiodischen Kristalle. Schriftartige Großmoleküle treten als das wesentlich Neue beim Schritt von der unbelebten zur lebenden Natur auf. In ihnen ist das Wesen des Lebendigen begründet.

DNA kommt auch als *einsträngiges* Fadenmolekül vor. Diese Struktur wurde allerdings bisher nur als DNA weniger Phagenstämme (z. B. ΦX 174) gefunden[5]. Die Einsträngigkeit geht z. B. aus der Basenzusammensetzung der DNA des Phagen hervor. Diese ist nicht komplementär:

A: 24,6   T: 18,5   G: 32,8   C: 24,1 %

Solche Nichtkomplementarität zeigt nicht nur Einsträngigkeit, sondern beweist, daß in den Phagenpartikeln von ΦX nicht eine 50:50-Mischung von „Watsons" und „Cricks", d. h. der komplementären Stränge einer Doppelhelix, vorliegt. Eine derartige Mischung würde wie doppelsträngige DNA zu gleichen Häufigkeiten für Adenin und Thymin sowie für Guanin und Cytosin führen. Die ΦX-Partikel sind alle von gleicher Polarität (sogenannte Plus-Stränge).

Weiter reagieren die Basen der ΦX-DNA mit Formaldehyd, was andeutet, daß die Aminogruppen reaktionsfähig und nicht, wie in der zweisträngigen DNA, durch Wasserstoffbrücken maskiert sind. Außerdem offenbart die Lichtstreuung der präparierten DNA eine bedeutend höhere Flexibilität des Moleküls als bei normaler, zweisträngiger DNA. Schließlich treten bei chemischer Mutationsauslösung, im Gegensatz zu anderen Phagen, bei ΦX keine „Heteroduplices" auf. (Dieser Befund wird erst nach Lektüre von § 6/12 verständlich.)

RNA. Die Struktur von RNA ist vielfältiger als die von DNA[6]. Man weiß, daß RNA ganz verschiedene Aufgaben in der Zelle zu erfüllen hat (vgl. Kap. 8) und man kann daher auch nicht schlechthin von *der* Struktur *der* RNA sprechen. In jedem Fall bildet auch RNA lange Nucleotidketten mit 5'-3'-Phosphodiesterbindungen zwischen den Nucleotiden.

Im Tabakmosaikvirus liegt die RNA als einzelne Kette von fast 6000 Nucleotiden vor, die als Schraube in das Hüllprotein eingebettet ist. Die Strukturformel einer solchen RNA-Kette entspricht der Abb. 6,6. Daß keine DNA-artige Basenpaarung in einer Doppelhelix vorliegt, folgt unter anderem aus den stöchiometrischen Beziehungen der einzelnen Basen, die in folgenden Prozent auftreten:

	A	U	G	C
im TMV	28	29	25	18
im Turnip yellow Mosaik-Virus	22	22,5	17,5	38

Sicher sind RNA-Moleküle aus ihrer Struktur heraus fähig, DNA-artige Doppelhelices mit Basenpaarungen zu bilden. Das natürliche Vorkommen solcher Konfiguration wurde beobachtet. In gewissen Fällen ist RNA mit Proteinen assoziiert, die ganz spezielle Strukturen der RNA festlegen, die erst aus der Gesamtkonfiguration des Aggregates verstanden werden können.

Zusammenfassung (§ 6/5 und 6/6).

Nucleinsäuren sind unverzweigte hochpolymere Kettenmoleküle.

Sie bestehen aus linear angeordneten Bauelementen, den Nucleotiden (je ein Zucker, ein Phosphat und eine Base). In DNA und RNA kommen je zwei Purin- und zwei Pyrimidinbasen vor.

Die Moleküle sind schriftartig in der unregelmäßigen aber sinnvollen Sequenz dieser vier Basen.

DNA besteht aus zwei verdrillten Strängen gegenläufiger Polarität, in denen gegenüberstehende Basen komplementär sind: Adenin paart mit Thymin, Guanin mit Cytosin.

RNA unterscheidet sich chemisch von DNA in zwei Eigenschaften:
1. Ribose- statt Desoxyribosezucker
2. Uracil statt Thymin.

Literatur zu § 6/6:
[1] WATSON, J. D., and F. H. C. CRICK: Nature (Lond.) **171**, 737 (1953).
[2] Einzelheiten bei R. LANGRIDGE et al.: J. molec. Biol. **2**, 19—64 (1960).
   Review: LUZZATI, V.: Progr. in Nucl. Ac. Res. **1**, 347 (1963).
[3] CHARGAFF, E.: Experientia (Basel) **6**, 201 (1950).
[4] SCHRÖDINGER, E.: What is Life? Cambridge: University Press 1944,
   deutsche Übersetzung Sammlung DALP.
[5] SINSHEIMER, R. L.: J. molec. Biol. **1**, 37, 43 (1959).
[6] Review: MADISON, J. T.: Ann. Rev. Biochem. **37**, 131 (1968).

6/7 Biochemie der Replikation von DNA

Erbanlagen werden von Zellgeneration zu Zellgeneration weitergegeben. Dieser Vorgang verlangt vor jeder Zellteilung eine Kopierung der genetischen Information. Mit anderen Worten, die Fähigkeit zur Replikation muß ein Charakteristikum der erbtragenden Substanz sein.

Vor der Zeit des DNA-Modells von WATSON-CRICK-WILKINS postulierte man spezifische Anziehungskräfte zwischen den im Verband befindlichen Bausteinen der Erbsubstanz und einzeln vorliegenden gleichen Molekülen. Durch solche hypothetischen Kräfte, glaubte man, würde neben der bestehenden Struktur eine Kopie gebildet. Das heute bekannte Modell der DNA bietet aber eine Lösung des Problems, die so elegant ist, „daß es kaum glaublich wäre, daß die Natur von dieser wunderbaren Erfindung der Herren WATSON und CRICK keinen Gebrauch gemacht haben sollte" (DELBRÜCK 1954).

Entscheidend ist die *Doppel*helix und die Komplementarität der Basen. Das DNA-Molekül trägt nämlich die Information zweifach, einmal in jedem Strang. Wäre die Basensequenz nur eines Stranges bekannt, so könnte man mit Hilfe der Komplementaritätsregel (A-T, G-C) ohne weiteres die Basen des anderen Stranges angeben. Diesen Weg beschreitet offenbar auch die Natur.

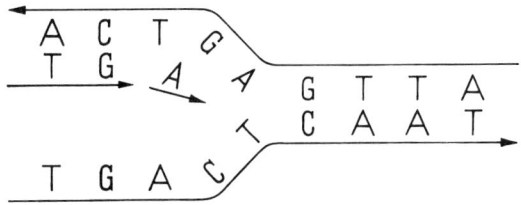

Abb. 6,9. Replikationsmodell der DNA nach WATSON und CRICK

Die Basenpaare werden nur durch Wasserstoffbrücken zusammengehalten, sind also relativ leicht zu trennen. Öffnet sich das Molekül wie ein Reißverschluß, dann könnte jede einzelne Base aus dem Vorrat einzelner Nucleotide wieder einen passenden Partner auswählen, wodurch neue Stränge mit Nucleotiden in richtiger Sequenz entstünden (Abb. 6,9).

Durch die Arbeiten von KORNBERG haben wir Einblick in einen solchen Mechanismus der DNA-Synthese gewonnen[1]:

KORNBERG u. Mitarb. gelang es, aus Colibakterien ein Enzym („Polymerase") zu isolieren, das DNA aus Desoxyribonucleosid-5'-Triphosphaten

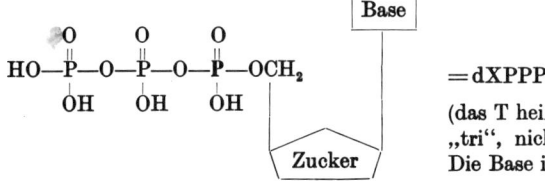

= dXPPP = dXTP

(das T heißt in diesem Zusammenhang „tri", nicht Thymin! Die Base ist als X bezeichnet)

unter Abspaltung von Pyrophosphat (die beiden äußeren Phosphorgruppen) synthetisiert. Das hervorgehobene Phosphoratom bildet dann die Brücke zwischen je zwei Zuckerringen. Eine solche Synthese gelingt aber nur, wenn zu der Mischung von Enzym und Triphosphaten neben Mg^{++} auch DNA gleich welcher Herkunft gegeben wird. Diese DNA wird als Template bezeichnet und bildet ein Muster, das vom Enzym kopiert werden kann. Das aus Colizellen gewonnene Enzym synthetisiert hierbei ebensogut mit Kalbsthymus-DNA oder DNA aus Weizenkeimlingen wie mit DNA, die aus Colibakterien gewonnen wurde.

Zur Synthese kann man Triphosphate benutzen, deren zuckernahes P-Atom radioaktiv ist (P^{32}). Nach Fällung der polymerisierten DNA, enzymatischer Spaltung in Nucleotide und deren chromatographischer Trennung kann die Zusammensetzung der neu synthetisierten DNA als Radioaktivität der einzelnen Nucleotidfraktionen bestimmt werden. Die Ergebnisse solcher Versuche (vgl. Tabelle) zeigen, daß die einzelnen Basen im Rahmen der Meßgenauigkeit in den gleichen Mengenverhältnissen eingebaut werden, in denen sie in der Muster-DNA vorliegen. Diese Mengenverhältnisse werden dagegen von dem Mischungsverhältnis der angebotenen vier Triphosphate (vier verschiedene Basen) *nicht* beeinflußt. Wenn eines der Triphosphate aber ganz fehlt, wird gar keine DNA synthetisiert.

Relative Häufigkeiten der Nucleotide in natürlicher DNA (Template) und in Syntheseprodukten des Kornberg-Enzyms. Gesamthäufigkeit der Nucleotide ist gleich 4 gesetzt. Nach A. KORNBERG, Science 131, 1507 (1960)

DNA		A	T	G	C	$\frac{A+T}{G+C}$
Mycobacterium phlei:	Template	0,65	0,66	1,35	1,34	0,49
	neu synthetisiert	0,66	0,65	1,34	1,37	0,48
E. coli:	Template	1,00	0,97	0,98	1,05	0,97
	neu synthetisiert	1,04	1,00	0,97	0,98	1,02
Kalbsthymus:	Template	1,14	1,05	0,90	0,85	1,25
	neu synthetisiert	1,12	1,08	0,85	0,85	1,29
Bakteriophage T2:	Template	1,31	1,32	0,67	0,70*	1,92
	neu synthetisiert	1,33	1,29	0,69	0,70**	1,90

* 5 HMC. ** 5 HMC oder C je nach angebotenem Triphosphat.

Diese Ergebnisse zeigen, daß mit Hilfe des Enzyms die Basenzusammensetzung der Template-DNA kopiert wird. Das Enzym hängt Nucleotid an Nucleotid und gewinnt die Energie der jeweiligen Phosphoesterbindung aus der Abspaltung des Pyrophosphats. Hierbei wählt das Enzym das jeweils zu der im Muster vorliegenden Base komplementäre Desoxyribonucleosid-Triphosphat aus. So bilden beide ursprünglichen Stränge neue DNA-Fäden, deren Basensequenz komplementär zu ihrer eigenen Sequenz ist. Als Gesamtresultat ergibt sich eine Verdopplung der ursprünglichen Doppelspirale:

Eine solche Versuchsanordnung, bei der einzelne Bestandteile der lebenden Zellen zunächst isoliert werden und dann nach Zusammenfügen im Reagenzglas biologische Funktionen ausführen, deren Ergebnisse biochemisch meßbar sind, nennt man ein „zellfreies System".

Derartige zellfreie Systeme haben in der Biochemie eine große Bedeutung. Sie gestatten, einen biochemischen Prozeß im einzelnen zu verstehen, indem man ihn aus dem übrigen Geschehen der Zelle herauslöst und kontrollierten experimentellen Einflüssen zugänglich macht.

Nun könnte der Verdacht bestehen, daß Polymerasen zwar die Gesamtbasenzusammensetzung kopieren, aber nicht die Nucleotid-Sequenz der Template-DNA. Die Untersuchung der *Nachbarschaftshäufigkeiten* von Basen widerlegt diesen Einwand[2]. In einem DNA-Stück folge z.B. Guanin zweimal auf Adenin und einmal

$$\longrightarrow$$
$$\ldots A \quad \boxed{A \quad G} \quad C \quad \boxed{T \quad G}$$
$$\ldots T \quad T \quad C \quad \boxed{G \quad A} \quad C$$
$$\longleftarrow$$

auf Thymin (Richtungssinn beachten!). Wegen der Komplementarität muß dann (jeweils im anderen Strang) auf Cytosin zweimal Thymin und einmal Adenin folgen. Wenn das KORNBERG-Enzym die Basensequenz beider Stränge der Template-DNA kopiert, müssen also in der neu synthetisierten DNA komplementäre Folgen wie z.B. ApG und CpT (nicht TpC wegen der gegenläufigen Polarität!) oder GpT und ApC gleich häufig sein.

Wie gewinnt man solche Nachbarschaftshäufigkeiten? Zu Enzym und Template-DNA gibt man die vier Triphosphate. *Eines* dieser Triphosphate ist mit radioaktivem P^{32} markiert (in der Strukturformel hervorgehoben):

$$\overset{O}{\underset{OH}{\underset{\|}{HO-P}}}-O-\overset{O}{\underset{OH}{\underset{\|}{P}}}-O-\overset{O}{\underset{OH}{\underset{\|}{P}}}-OCH_2$$

Base

Zucker

War z.B. Adenin markiert, so entstehen Polynucleotidketten, bei denen jeweils in 5′-Stellung am Adenin-Zucker ein markiertes Phosphoratom hängt:

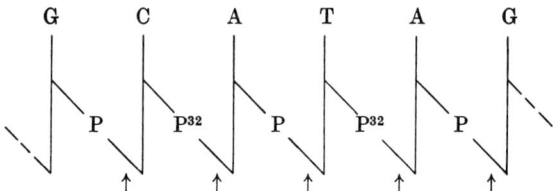

Man kann nun mit bestimmten Nucleasen die Kette jeweils zwischen dem 5′-C-Atom und dem Phosphor spalten (Pfeile). Es entstehen Nucleotide, bei denen die P^{32}-Atome in 3′-Stellung an den früheren Nachbarn des Adenins hängen.

Elektrophoretische Trennung und Messung der Radioaktivität in den vier Fraktionen zeigt daher an, in welcher Häufigkeit die einzelnen vier Basen Adenin benachbart waren.

Wiederholt man den Versuch mit einer anderen markierten Base, so gewinnt man auch für diese die Nachbarschaftshäufigkeiten. Durch eine Serie von vier Versuchen sind die statistischen Häufigkeiten aller Nachbarschaften quantitativ ermittelt.

Die Ergebnisse einer solchen Serie zeigt die Tabelle. Sie stehen in voller Übereinstimmung mit der Erwartung für eine korrekte Kopierung der Basensequenz und beweisen die gegenläufige Polarität der beiden Stränge, da z.B. CpT und nicht TpC der Häufigkeit von ApG entspricht.

Diese Tabelle und entsprechende mit anderer Template-DNA (vgl. Tabelle 8,13) offenbaren noch einen wichtigen Punkt: Die Häufigkeiten der einzelnen Nachbarschaften entsprechen nicht etwa der Zufallserwartung aus den relativen Häufigkeiten der einzelnen Basen, sondern es treten gesicherte Abweichungen von dieser Erwartung auf, z.B. sollte bei einer zufälligen Anordnung, da Adenin und Thymin

Relative Häufigkeiten der Basenfolge XpY in der neusynthetisierten DNA mit einer Template-DNA aus Mycobacterium phlei. Die zur betonten Diagonale spiegelbildlichen Werte gehören zu komplementären Folgen

X \ Y	T	A	C	G
A	12	24	63	65
T	26	31	45	60
G	63	45	139	90
C	61	64	90	122

gleich häufig sind, auch ApT=ApA=TpT=TpA sein. Die Abweichung von der Zufallserwartung zeigt, daß in der DNA bestimmte (in jeder DNA andere) Nachbarschaften bevorzugt sind, ähnlich wie in der deutschen Sprache z.B. -en- oder -ch- überzufällig häufige Buchstabenfolgen sind. Dieses Ergebnis unterstützt unsere Behauptung, daß der Basenordnung ein bestimmter Sinn innewohnt.

Mit Hilfe von Nachbarschaftsanalysen war es auch möglich nachzuweisen, daß die im zellfreien System polymerisierte DNA selbst als Template für weitere Polymerisation dienen kann. LEHMAN[3] hatte gezeigt, daß einsträngige ΦX-DNA im KORNBERG-System zweisträngig wurde. Analysiert man die ersten 20% der durch ΦX neu polymerisierten DNA auf ihre Nachbarschaften[4], so gilt für diese die Komplementaritätsregel ebensowenig wie für die Basenzusammensetzung selbst. Es wird zunächst nur die komplementäre Ergänzung zur einsträngigen Phagen-DNA gebildet. Läßt man dagegen die Polymerisation bis zu 600% der Template-DNA laufen, so findet man Spiegelsymmetrie in der Nachbarschaftstabelle, weil dann beidseitige Kopien des Doppelstranges synthetisiert werden. Der zur Phagen-DNA zunächst synthetisierte Komplementärstrang dient dabei seinerseits als Muster-DNA.

Arbeiten mit dem KORNBERG-System haben einige Jahre später einen spektakulären Höhepunkt erreicht[5]: Es gelang, mit einer raffinierten Versuchsanordnung, zuerst den zum Phagen ΦX komplementären Strang zu synthetisieren, diesen dann zu isolieren und seinerseits als Template zu benutzen. Das entstehende Polymeraseprodukt mit der Basensequenz der ursprünglichen ΦX-DNA besaß dann tatsächlich in Transfektionsversuchen die Fähigkeit zur Synthese normal lebensfähiger ΦX-Phagen. Dieses Experiment erregte als „Leben aus der Retorte" die Öffentlichkeit. Obwohl diese Schlagzeile unberechtigt war — denn das Experiment war ja von einer biologischen Struktur (der Phagen-DNA) ausgegangen —, zeigte der Versuch, daß die Polymerase auch in vitro eine Sequenz von Tausenden von Nucleotiden fehlerfrei kopieren kann.

Die Tatsache, daß mit Hilfe der DNA-Polymerase biologisch wirksames genetisches Material in vitro synthetisiert wurde, ist natürlich kein Beweis für deren in vivo Funktion. Ursprünglich war man zwar überzeugt, daß KORNBERGs Polymerase das Enzym sei, das auch in lebenden Zellen die Replikation der DNA ausführe, doch wurde diese Auffassung schon bald ernsthaft angezweifelt. Die lange Unsicherheit über die in vivo-Funktion der DNA-Polymerase ist ein amüsantes, wenn auch etwas peinliches Kapitel der Molekularbiologie; peinlich insofern, als über eine so fundamentale Frage wie die Replikationsenzyme von DNA über Jahre ein verwirrendes Hin und Her von Meinungen bestand. Hierüber soll im folgenden berichtet werden.

Die ersten Indizien, die gegen eine Rolle der KORNBERG-Polymerase bei der DNA-Replikation in vivo sprachen, sind folgende:

Erstens weiß man (vgl. § 6/10), daß in vivo die DNA-Synthese beider Stränge an einem Punkt, der sog. Replikationsgabel, stattfindet (vgl. Abb. 6,11), die an der zu replizierenden DNA entlangläuft. Daraus folgt, daß der eine Strang in der 5'-3'-Richtung, der andere aber in der 3'-5'-Richtung wächst. Dies steht im Widerspruch zu dem Verhalten der KORNBERG-Polymerase, die nur die Synthese in der 5'-3'-Richtung katalysiert. Zweitens ist die Synthesegeschwindigkeit des Enzyms in vitro zwei Größenordnungen kleiner als die der DNA-Replikation in lebenden Zellen. Drittens schließlich sind pro Colizelle einige 100 Polymerasemoleküle vorhanden, obwohl in ihrem Chromosom nur wenige Replikationspunkte zu finden sind. Diese drei Einwände wurden immerhin teilweise entkräftet durch neuere Versuche von OKAZAKI u. Mitarb.[6], die unsere Einsicht in die in vivo DNA-Synthese wesentlich vertieften:

Einer bei 20°C langsam wachsenden Coli-Kultur (Zeitlupeneffekt) wurde mit Tritium (H[3]) radioaktiv markiertes Thymidin angeboten. Die Zellen wurden nach kurzer Zeit (10—30 sec.) aufgebrochen, ihre DNA extrahiert und in Einzelstränge zerlegt (vgl. § 6/9). Dann wurden durch Sedimentationsanalyse die Molekulargewichte der neu synthetisierten (und deswegen Tritium-markierten) DNA bestimmt. Es stellte sich heraus, daß die kurz vor dem Abtöten der Zellen synthetisierte DNA in Form von mehreren relativ kurzen (nur etwa 1—2000 Nucleotide umfassenden) Fragmenten vorlag, also nicht kovalent mit dem Rest der sich replizierenden Stränge verbunden war.

Anstatt die Zellen kurz nach Zugabe von markiertem Thymidin abzutöten, kann man auch dessen Aufnahme dadurch praktisch auf Null herabdrücken, daß man einen großen Überschuß an nicht markiertem Thymidin ins Medium gibt. (Dadurch wird die spezifische Radioaktivität des Thymidins im Medium so weit verdünnt, daß sie vernachlässigt werden kann). Mit Hilfe dieses sog. „Pulsexperiments" (eine radioaktive Substanz wird nur während eines „Pulses" — einer kurzen Zeit — zur Verfügung gestellt, dann herausverdünnt) konnte man das weitere Schicksal der neu synthetisierten Fragmente verfolgen. Es zeigte sich, daß deren Selbständigkeit kurzlebig ist: Nach einigen Minuten (bei 20°) sind sie bereits kovalent mit den langen Strängen des sich replizierenden Chromosoms verbunden (Abb. 6,11). Für die Herstellung dieser kovalenten Bindung zwischen neu synthetisiertem Fragment und Hauptstrang wird ein gut untersuchtes Enzym verantwortlich gemacht: die Ligase. Diese hat die Fähigkeit, Einzelstrangbrüche zwischen unmittelbar nebeneinander liegenden Nucleotiden einer DNA-Doppelhelix durch Bildung einer Phosphoesterbindung zu schließen (Abb. 6,10).

Abb. 6,10. Ausgangs- und Endsituation bei der Ligase-Reaktion. Die Reaktion erfolgt in 3 Schritten: 1. Ligase wird (bei E. coli durch NAD) aktiviert: es bildet sich — selbst in Abwesenheit von DNA — ein kovalent verbundener Ligase-AMP-Komplex. 2. Dieser reagiert mit dem 5'-Phosphatrest der Lücke; es bildet sich Adenosyl-Pyrophosphoryl-DNA. 3. Die 3'-OH-Gruppe reagiert mit der energiereichen Adenosyl-Pyrophosphoryl-Gruppe und unter Abspaltung von AMP wird die Phosphodiesterbindung wieder hergestellt

Es ist in E. coli auch eine Mutante mit temperatursensitiver Ligase (d. h. einem Enzym, das im Gegensatz zum Wildtyp-Enzym bei etwa 40°C nicht mehr funktionsfähig ist) beschrieben worden. Bebrütet man diese Mutante bei 40°C, so sammeln sich lauter kleine neu synthetisierte DNA-Fragmente an[7]; die Zellen können bei dieser Temperatur keine langen DNA-Stränge synthetisieren und sterben ab. Dieser Befund festigte weiterhin die Vorstellung, daß die DNA-Synthese zunächst in kleinen Stücken erfolgt, die erst in einem zweiten Schritt (Ligase) zu langen Strukturen verbunden werden (Abb. 6,11).

Pulsmarkierungs-Versuche wie die eben beschriebenen wurden ebenfalls an T4-infizierten Zellen durchgeführt. Auch dabei fand man die neu synthetisierte Phagen-DNA in Form von kurzen Fragmenten, die schnell mit den Hauptsträngen der sich replizierenden DNA verbunden wurden. Man konnte sogar die neu synthetisierten DNA-Stückchen an beiden Enden unterschiedlich (mit C^{14}-Thymidin und H^3-Thymidin) markieren. Durch Anverdauen dieser Fragmente mit Enzymen, die DNA entweder nur vom 3'-Ende oder 5'-Ende her abbauen, konnte dann für beide Seiten der Replikationsgabel ein Wachsen der kurzen Stücke in 5'-3'-Richtung nachgewiesen werden[8].

Die drei anfangs dargelegten Argumente gegen die in vivo Rolle der KORNBERG-Polymerase wurden durch diese Resultate geschwächt. Es schien jetzt möglich, folgendes anzunehmen:

1. Die Synthese von DNA in der 3'-5'-Richtung wäre nur pauschal, in Wirklichkeit würden kleine Fragmente in der 5'-3'-Richtung durch Polymerase synthetisiert, die dann miteinander durch Ligase verbunden würden.

2. Die hohe in vivo Synthesegeschwindigkeit könnte wenigstens teilweise durch die gleichzeitige Synthese an den Enden vieler Einzelfragmente erklärt werden — ähnlich dem Vorgehen mehrerer Arbeitsgruppen beim Bau einer neuen Autobahnstrecke.

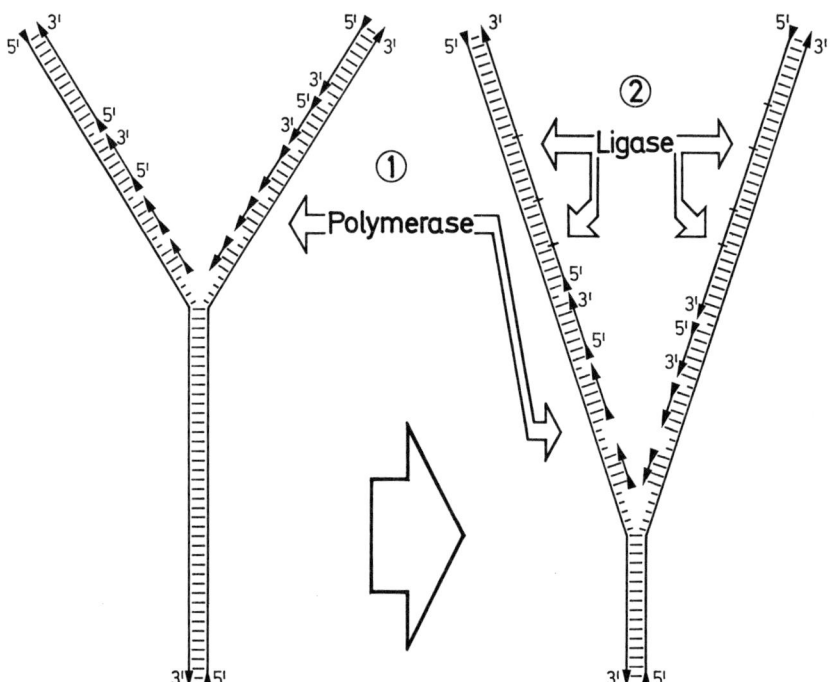

Abb. 6,11. Schema der postulierten konsekutiven Wirkung von Polymerase und Ligase bei der in vivo DNA-Replikation

3. Die Existenz vieler Polymerasemoleküle wäre erklärt durch die vielen Synthesestellen innerhalb einer Replikationsgabel.

Kaum war aber die Kornbergsche Polymerase in den Augen vieler Wissenschaftler für die in vivo DNA-Synthese erneut akzeptabel geworden, da wurde ihr diese Rolle wieder streitig gemacht.

Polymerasen und Gene für DNA-Synthese

(Der Rest des § 6/7 setzt die Kenntnis des Gen-Enzym-Zusammenhangs voraus und sollte beim ersten Lesen des Buches übergangen werden.)

Wenn die KORNBERG-Polymerase nicht das eigentliche Enzym für die Replikation des Bakterien-Chromosoms wäre, sollten E. coli-Mutanten auffindbar sein, denen dieses Enzym fehlt, die sich aber dennoch normal vermehren. Mit diesem Argument machte man sich in CAIRNS' Labor auf die Suche und testete biochemisch Tausende von Einzelklonen aus einer Mutagen-behandelten Kultur des Stammes K12 auf das Vorhandensein des KORNBERG-Enzyms. Tatsächlich fand man eine Mutante, die kein aktives KORNBERG-Enzym produzierte, aber sich wie der Wildtyp vermehren konnte[9]. Das Gen, in dem die Mutation aufgetreten war, das also für die Produktion des KORNBERG-Enzyms sorgte, wurde *polA* genannt — zu Ehren seiner Entdeckerin PaulA DE LUCIA.

Bei diesem ersten Mutanten-Klon (p3478), der empfindlich gegen UV und alkylierende Agentien war, handelte es sich um eine „amber"-Mutante [10] (vgl.

§ 9/6). p3478 und weitere, später gefundene *polA* Mutanten zeigten einen ähnlich überhöhten DNA-Abbau nach UV-Bestrahlung wie gewisse Reparatur-defekte Mutanten (*recA*). Das *polA* Gen schien ebenfalls eine Reparaturfunktion zu haben[11] (vgl. § 7/1). Für die eigentliche Replikation mußte also noch ein anderes Enzym verantwortlich sein. Eine neue Suche begann.

Man hatte jetzt die Hoffnung, im zellfreien System aus *polA* Mutanten die DNA-Synthese-Aktivität des „richtigen" Enzyms zu finden, weil diese ja nicht mehr von der Aktivität der KORNBERG-Polymerase überdeckt sein konnte. Wieder führte die Anstrengung zum Erfolg: Recht parallel wurden von der Tübinger Gruppe (BONHOEFFER, KNIPPERS, SCHALLER et al.) und in New York von GEFTER und T. KORNBERG (ARTHUR KORNBERGs Sohn) Systeme aus *polA* Mutanten entwickelt[12], die DNA-Synthese zeigten, dann ein neues Polymerase-Enzym isoliert, das für diese Aktivität verantwortlich war[13,14].

Nun konnte man das ursprüngliche KORNBERG-Enzym als DNA-Polymerase I, das neu entdeckte als Polymerase II bezeichnen (im Labor-Jargon oft — auch seines geringeren Molekular-Gewichts wegen — KORNBERG-JUNIOR-Polymerase). Hatte man — nun endlich — die richtige DNA-Replikase im Reagensglas? 1970 schien es so.

Um die entscheidende Bewährungsprobe beschreiben zu können, müssen wir ein bißchen weiter ausholen: Seit Jahren sind Bakterien-Mutanten bekannt, die bei relativ niederen Temperaturen (ca. 25°C) wie andere Stämme sich vermehren, jedoch bei höheren Temperaturen (ca. 40°C) dazu nicht mehr fähig sind. Solche Temperatur-empfindlichen Mutanten sind nur mühsam durch Abstempeln und Bebrüten bei verschiedenen Temperaturen zu isolieren. Dennoch wurden 773 derartige Mutanten gefunden. Deren Temperatur-Empfindlichkeit kann in irgendwelchen (also sehr verschiedenen) lebenswichtigen Funktionen der Zelle begründet sein. *Eine* der vielen Möglichkeiten wäre z.B. die Unfähigkeit, DNA bei höheren Temperaturen zu synthetisieren. Die DNA-Synthese aller Temperatur-empfindlichen Mutanten wurde bei 42°C geprüft und tatsächlich waren 87 Mutanten bei dieser Temperatur nicht in der Lage, DNA zu replizieren[15,16].

Die Kartierung[15] dieser Mutanten zeigte, daß *verschiedene* Gene eine solche Temperatur-Empfindlichkeit verursachen konnten. Man nannte sie *dnaA*, *dnaB*, *dnaC*, *dnaD*, *dnaE*, *dnaF* und *dnaG* (vgl. die Genkarte Abb. 5,22). Die Funktion dieser Gene mag u.a. die Synthese eines DNA-Bausteins oder eines Moleküls für die Regelung des Replikationsbeginns (vgl. § 6/10 und § 10/9) oder aber auch die Produktion der gesuchten DNA-Polymerase sein. Im letzten Fall läge die Temperatur-Empfindlichkeit der Mutante daran, daß bei höheren Temperaturen die gebildete Polymerase selbst nicht mehr richtig arbeiten würde.

Hoffend auf diese Möglichkeit untersuchten beide Gruppen[16,17] die Polymerase II-Aktivität der diversen *dna*-Mutanten. Keine lieferte eine temperaturempfindliche Polymerase II. Damit schied auch die neu entdeckte und erst so vielversprechende Polymerase II als ernstlicher Kandidat für die DNA-Replikase aus, wenn man nicht annehmen wollte, daß unter all den *dna*-Mutanten die richtige Mutante einfach noch nicht dabei war. Vielleicht hatte man durch Zufall noch keine Temperatur-sensible Mutante des Gens für Polymerase II gefunden? Wenn dem so wäre, hätte die Frage noch lange Zeit unbeantwortet bleiben können.

Wenn aber auch Polymerase II nicht die eigentliche Replikase war, mußte noch ein weiteres Enzym — Polymerase III — existieren. KORNBERG und GEFTER hatten bei der Suche nach der Polymerase II noch eine weitere kleine Proteinfraktion beobachtet[14] (Abb. 6,12 A), die ebenfalls DNA-Synthese-Aktivität zeigte, deren Bearbeitung aber zurückgestellt wurde, da es sich möglicherweise nur um ein Polymer* der Polymerase II handelte. Dieser Fraktion galt nun das Interesse: Wieder konnte man aus den diversen *dna*-Mutanten diese Fraktion gewinnen und hoffen, daß irgendeine Mutante jetzt eine Polymerase III liefern würde, die genau wie die Bakterien selbst bei höheren Temperaturen zu keiner DNA-Synthese fähig wäre.

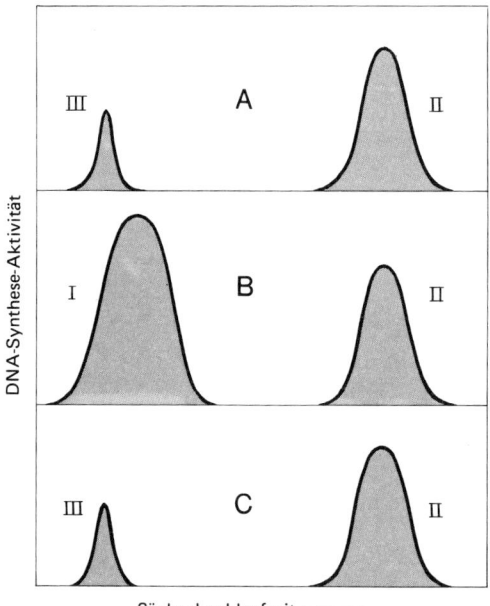

Abb. 6,12. Schema des chromatographischen Elutions-Profils der DNA-Polymerasen aus Zellextrakten von Coli in Phosphocellulose-Säulen. Die Banden I, II und III entsprechen den Aktivitäten der Polymerasen I, II und III. A: Aus *polA*-Mutanten. B: Aus E. coli Wildtyp (die starke Bande der Polymerase I überdeckt die auch vorhandene Bande der Polymerase III). C: Nach Behandlung der Wildtyp-Fraktionen (Eluatproben) mit Antikörpern gegen Polymerase I. Die Aktivität wurde gemessen durch Einbau der Radioaktivität aus ^{3}H-markiertem dTTP in säurefällbares Material[17]

Dieser neue Anlauf führte — endlich! — zum Erfolg: die aus *dnaE* isolierte Polymerase III zeigte auch in vitro die gesuchte Temperatur-Empfindlichkeit. Mehr noch, während bei erhöhten Temperaturen die Aktivität der kleinen Fraktion (Polymerase III) völlig verschwand, blieb die von Polymerase II vollständig erhalten. Polymerase III mußte ein eigenes Protein sein — es konnte sich nicht einfach um ein Polymer der DNA-Polymerase II handeln. Die Bezeichnung Polymerase III für die kleine Fraktion bestand zu Recht[17].

Auch der Tübinger Gruppe gelang unabhängig der Aufbau eines zellfreien Systems, dessen DNA-Synthese Temperatur-empfindlich war, wenn als Ausgangszellen *dnaE*-Mutanten benutzt wurden[16,18]. Die Daten beider Gruppen sind also in ausgezeichneter Übereinstimmung.

Damit wurde praktisch sicher, daß das Gen *dnaE* das Enzym Polymerase III codiert und daß dessen Temperatur-Empfindlichkeit die normale Replikation der *dna*-Zellen bei höheren Temperaturen unmöglich macht. Polymerase III ist zumindest an der wirklichen DNA-Replikation beteiligt. (Der Leser möge die vorsichtige Formulierung entschuldigen, aber gebrannte Kinder scheuen das Feuer.)

---

* Verband aus mehreren gleichen Einheiten.

Polymerase III mit einem Molekulargewicht[18] von etwa 150000 synthetisiert — ebenso wie die Polymerasen I und II — nur in 5'-3'-Richtung und benutzt hierzu ebenfalls Nucleosid-Triphosphate.

Warum hatte man Polymerase III nie vorher entdeckt? Konnte man sie wenigstens jetzt im Wildstamm neben der (KORNBERG)-Polymerase I finden? Die Trennung der Proteine auf einer Phosphocellulose-Säule zeigte (Abb. 6,12 B), daß Polymerase I normalerweise die viel kleinere Fraktion der Polymerase III überdeckt. Gibt man zu einem solchen Zellextrakt aber Antikörper (vgl. § 8/11) gegen Polymerase I, so werden all deren Moleküle inaktiviert, wodurch die Fraktion der Polymerase III deutlich zutage tritt[17] (Abb. 6,12 C).

Welche Aufgabe aber hatte nun die so hohe DNA-Synthese Aktivität der Polymerase I in der Zelle (vgl. Abb. 6,12 B)? Da eine bessere Alternative fehlte, hatte man ihr Reparatur-Aufgaben zugeschrieben. Skeptiker konnten jedoch fragen, warum polA Mutanten nie vorher bei der intensiven Suche nach Strahlenempfindlichen Stämmen gefunden worden waren. Man schob das auf die nur geringfügig erhöhte UV-Empfindlichkeit (nur vierfach, im Vergleich zu der etwa 150fachen von recA Mutanten, vgl. § 7/1). Die Reparaturleistung der Polymerase I war also minimal. Daran mußte es liegen: sie war eben ein unbedeutendes Reperaturenzym, denn für die Replikation war es ja offenbar entbehrlich!

Um dessen Rolle nun mit anderen Reparatur-Systemen vergleichen zu können, bemühte man sich, die Doppelmutante polA recA herzustellen. Man bemühte sich erfolglos: Die Doppelmutante war letal[19]. Es mußte also eine lebensentscheidende Funktion in der Zelle geben, die zwar sowohl in polA als auch in recA Mutanten noch ausgeführt wurde, in der Doppelmutante aber ausfiel, d.h. die polA und recA Funktion konnten sich gegenseitig aushelfen.

Eine Klärung und zugleich die (endgültige?) Rehabilitation der KORNBERG-Polymerase erfolgte in der Sitzung der American Academy of Science am 17. September 1971: Dort wurde eine Arbeit von OKAZAKI und Mitarbeitern präsentiert[20], die nachwies, daß die „OKAZAKI-Stückchen" (Abb. 6,11) bei polA Zellen erst mit größerer Verzögerung kovalent an das Chromosom angeschlossen werden. Offenbar ist die Polymerase I entscheidend am Zusammenschluß der OKAZAKI-Stücke beteiligt. Notfalls, nämlich in polA, kann diese Funktion vom recA Genprodukt übernommen werden. Man kann annehmen, daß die Polymerase III Abschnitte der DNA mit hoher Geschwindigkeit synthetisiert (grobe Maschinenarbeit), daß dann zwischen den OKAZAKI-Stücken verbleibende Lücken durch KORNBERGs Polymerase I ausgefüllt werden (handwerkliche Nacharbeit), bevor die Ligase den endgültigen Zusammenschluß benachbarter Nucleotide bewirkt. Polymerase I hat also doch eine entscheidende Aufgabe bei der Replikation von DNA.

Noch unverstanden bleibt in diesem Bild die Funktion der Polymerase II. Ebenso offen sind die Funktionen der übrigen dna Gene. Diese könnten — wie schon erwähnt — die Synthese von DNA-Bausteinen betreffen, aber auch stützende Funktionen (z.B. als Strukturproteine in einem „Replikationsorganell") für die Polymerase III wahrnehmen. Weiterhin sind Gene für die Kontrolle der Replikation nötig. Zwei von den bisher bekannten dna Genen (vgl. Tab. 6,13) gehören offenbar in diese Gruppe und sind an der Initiation einer Replikationsrunde des Bakterienchromosoms beteiligt. Bringt man nämlich die Temperatur-empfindlichen dna Mutanten von niederer auf höhere Temperatur, so wird bei dnaA und

Tabelle 6,13. Die an DNA-Synthese beteiligten Gene bei E. coli

Gen	Anzahl bekannter Mutanten (Jan. 72)	Funktion	Protein	Mol.-Gew.
polA	6	DNA-Replikation, Feinarbeit	DNA-Polymerase I (KORNBERG-Enzym)	109 000
?	0	? (Membran-gebunden)	DNA-Polymerase II (KORNBERG-Junior)	90 000
dnaE	7	DNA-Replikation, Grobarbeit	DNA-Polymerase III	150 000
dnaA dnaC	6 2	beide nötig für Initiation einer Replikationsrunde	?	?
dnaB dnaG	21 3	? (nicht Zulieferer von DNA-Bausteinen)	?	?
dnaD dnaF	1 1	?	?	?

Weitere Gene sind wahrscheinlich.

dnaC die schon laufende Chromosomen-Replikation noch unbeeinflußt zu Ende geführt. Temperatur-empfindlich ist also nicht die Replikation selbst sondern ihre Neu-Auslösung, wenn die Replikations-Maschinerie am „Ende" des Chromosoms aufgelaufen ist und aus „eigener Initiative" keine weitere Replikationsrunde beginnen kann (vgl. § 10/9). Über die anderen *dna* Gene von Coli ist noch nichts bekannt.

Bei B. subtilis wurde unter 9 entsprechenden Genen eines gefunden, das ausschließlich für die Synthese von Desoxynucleotiden verantwortlich, also nur Baustein-Zubringer für die DNA-Replikation ist. Solche Gene können im Prinzip leicht erkannt werden durch eine kürzlich entwickelte Technik [21], die darauf beruht, DNA-Synthese zu messen an Toluol-behandelten Zellen, die — wie sich herausstellte — durchlässig werden für die unmittelbaren Bausteine der DNA-Synthese. Falls also Zellen nach der Toluol-Behandlung und Zugabe aller DNA-Bausteine immer noch bei höheren Temperaturen keine DNA-Synthese zeigen, kann der Grund hierfür nicht in der Temperatur-Empfindlichkeit eines Baustein-Zulieferer-Enzyms liegen.

Dies also ist der augenblickliche Stand der Geschichte der DNA-Polymerasen. Fast möchte man sagen: in vielen wichtigen Punkten der endgültige Stand.

Literatur zu § 6/7:

[1] KORNBERG, A.: Enzymatic synthesis of DNA. New York: John Wiley 1961. Review: RICHARDSON, C. C.: Am. Rev. Biochem. **38**, 795 (1969).
[2] JOSSE, J., A. D. KAISER and A. KORNBERG: J. biol. Chem. **236**, 864 (1961).
[3] LEHMAN, J. R.: Ann. N.Y. Acad. Sci. **81**, 745 (1959).
[4] SWARTZ, M. N., T. A. TRAUTNER and A. KORNBERG: J. biol. Chem. **237**, 1961 (1962).
[5] GOULIAN, M. et al.: Proc. nat. Acad. Sci. (Wash.) **58**, 2321 (1967).
[6] OKAZAKI, R. et al.: Jap. J. Med. Sci. & Biol. **20**, 255 (1967).
[7] PAULING, C., and L. HAMM: Proc. nat. Acad. Sci. (Wash.) **64**, 1195 (1969).
[8] OKAZAKI, T., and R. OKAZAKI: Proc. nat. Acad. Sci. (Wash.) **64**, 1242 (1969).

[9] DE LUCIA, P., and J. CAIRNS: Nature **224**, 1164 (1969).
[10] GROSS, J., and M. GROSS: Nature **224**, 1166 (1969).
[11] BOYLE, J. M., M. C. PATERSON and R. B. SETLOW: Nature **226**, 708 (1970).
     MONK, M., M. PEACEY and J. D. GROSS: J. Mol. Biol. **58**, 623 (1971).
[12] SMITH, D. W., H. E. SCHALLER and F. J. BONHOEFFER: Nature **226**, 711 (1970).
     KNIPPERS, R., and W. STRÄTLING: Nature **226**, 714 (1970).
[13] KNIPPERS, R.: Nature **228**, 1050 (1970).
[14] KORNBERG, T., and M. L. GEFTER: Proc. Natl. Acad. Sci. (Wash.) **68**, 761 (1971).
[15] WECHSLER, J. A., and J. D. GROSS: Molec. Gen. Genetics **113**, 273 (1971).
[16] SCHALLER, H., B. OTTO, V. NÜSSLEIN, J. HUF, R. HERRMANN and F. BONHOEFFER:
     J. Mol. Biol. **63**, 183 (1972).
[17] GEFTER, M. L., Y. HIROTA, T. KORNBERG, J. A. WECHSLER and C. BARNOUX: Proc. Natl.
     Acad. Sci. (Wash.) **68**, 3150 (1971).
[18] NÜSSLEIN, V., B. OTTO, F. BONHOEFFER and H. SCHALLER: Nature (New Biology) **234**,
     285 (1971).
[19] GROSS, J. D., J. GRUNSTEIN and E. M. WITKIN: J. Mol. Biol. **58**, 631 (1971).
[20] OKAZAKI, R., M. ARISAWA and A. SUGINO: Proc. Natl. Acad. Sci. (Wash.) **68**, 2954 (1971).
[21] z.B. VOSBERG, H.-P., and H. HOFFMANN-BERLING: J. Mol. Biol. **58**, 739 (1971).

6/8   Strukturfragen bei der Replikation von DNA

Wir haben in der bisherigen Diskussion der Replikation von DNA eine wesentliche Eigenschaft der DNA-Struktur vernachlässigt: die Verdrillung.

Doppelhelices können zweierlei Art sein: plektonemisch oder paranemisch.

Plektonemische entstehen, wenn man zwei Drähte gleichzeitig um einen Stab windet. Nach Herausziehen des Stabes hängen sie in jeder Windung ineinander und müssen für eine Trennung auseinander*geschraubt* werden.

Paranemische Doppelhelices entstehen durch einfaches Aneinanderlegen von zwei getrennt gewickelten Schrauben. Diese können selbstverständlich ohne weiteres wieder getrennt werden.

Plektonemische Doppelhelix

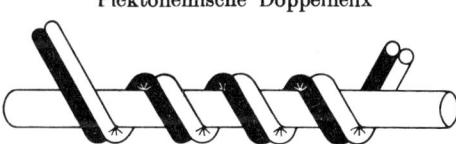

DNA ist nach den Röntgendiagrammen eine plektonemische Doppelhelix. Sollen zur Replikation die beiden Stränge getrennt werden, müßte daher

a) entweder eine Rotation des Doppelstranges um seine Zentralachse erfolgen, wobei die Enden auf der einen Seite festgehalten werden,

b) oder es müßten Brüche auftreten (einer pro Windung), die sich wieder schließen, sobald der andere Strang die Kettenöffnung passiert hat.

Das Auftreten von so häufigen Brüchen, wie diese Vorstellung es verlangt, konnte nicht nachgewiesen werden und scheint recht unwahrscheinlich. Die von LEVINTHAL und CRANE vorgeschlagene Rotation[1] ist heute allgemein akzeptiert, wenn auch ebenso unbewiesen. Dies ist nicht so zu verstehen, daß das ganze Molekül bei seiner Replikation rotieren muß: gelegentliche Einzelstrangbrüche (die tatsächlich gebildet und wieder geschlossen werden können) wirken wie drehbare, d. h. Rotation nicht weiterleitende Universalgelenke.

In der bisherigen biochemischen Darstellung der DNA-Replikation wurde stillschweigend (vgl. Abb. 6,9 und 6,11) angenommen, daß die beiden alten DNA-Einzelstränge bei der Replikation getrennt werden und je einer unversehrt in eine der beiden Tochterstrukturen aufgenommen wird. Die Tatsache der plektonemischen Verdrillung wird dadurch zu einem Problem. Dieses würde nicht existieren, wenn ein Doppelstrang so repliziert würde, daß neben ihm, seinem Muster entsprechend, ein zweiter Doppelstrang entstünde:

Ein solcher Mechanismus würde von dem Vorteil der Doppelstruktur keinen Gebrauch machen und erscheint daher unplausibel. Eine Replikation dieser Art wurde von DELBRÜCK und STENT[2] als „konservativ" bezeichnet, da die ursprüngliche Doppelstruktur erhalten bliebe. „Semi-konservativ" wurde die Replikation nach WATSON und CRICK genannt, da jeweils die beiden Einzelstränge als Verband bestehenbleiben. Dagegen wäre eine Replikation, die Teile *beider* Stränge für *beide* Tochterstrukturen benutzte und durch neu synthetisierte Stücke ergänzte, eine „dispersive" Replikation.

Zu dieser Frage wurde von MESELSON und STAHL ein wichtiges Experiment durchgeführt[3]. Wir müssen zunächst die benutzte Technik betrachten:

Zentrifugation im Dichtegradienten

Zentrifugiert man die Lösung einer kleinmolekularen Substanz sehr hochtourig, so bildet sich im Zentrifugenröhrchen ein kleines Konzentrationsgefälle (Dichtegradient), d.h. vom Boden des Röhrchens her nimmt die Konzentration und damit die Dichte der Lösung zur Oberfläche hin ständig ab. Befinden sich in einer solchen Lösung außerdem große Moleküle, z.B. DNA, so werden diese bei einer viele Stunden gleichbleibenden Zentrifugation in dem sich dann ausbildenden (zeitlich konstanten) Dichtegefälle wandern. Liegt die Dichte der Großmoleküle *über* der der Lösung, werden die Großmoleküle schließlich am Boden des Röhrchens ein Sediment bilden, liegt sie darunter, werden sie schließlich auf der Lösung schwimmen. Bei richtiger Wahl des gelösten Kleinmoleküls, richtiger Ausgangskonzentration und hoher Tourenzahl der Zentrifuge wird aber die Dichte des Großmoleküls im Bereich des Dichtegefälles der Lösung liegen. Dann werden alle Großmoleküle in *die* Schicht des Röhrchens wandern, die ihrer eigenen Dichte entspricht. Sind viele gleiche Großmoleküle vorhanden, werden diese dort eine Bande bilden. In Ultrazentrifugen kann die Lage einer solchen Bande nach Erreichen des Gleichgewichts während des Laufs der Zentrifuge durch optische Methoden gemessen werden.

Man kann jedoch auch nach der Zentrifugation in den Boden eines dünnwandigen Zentrifugen-Plastikbechers ein Loch stechen und den Inhalt vorsichtig austropfen lassen. Hierbei haben die einzelnen Tropfen eine kontinuierlich abnehmende Dichte. Es ist so möglich, die Banden verschiedener Dichte voneinander zu trennen.

Die Breite einer Bande wird nach Erreichen des Gleichgewichts bei genügend langem Lauf vor allem von zwei Faktoren bestimmt: Die Bande ist um so schärfer, je homogener die Dichte der bandenden Moleküle ist und je größer diese Moleküle sind (geringere Diffusion).

MESELSON und STAHL präparierten DNA aus Colibakterien und zentrifugierten sie in einer Caesium-Chloridlösung. Sie erhielten eine einheitliche Bande der DNA, d. h. alle DNA-Moleküle hatten etwa gleiche Dichte. Andererseits wurden Bakterien in einem Medium gezüchtet, das als Stickstoffquelle nur das schwere Isotop N^{15} in Form von Ammoniumsalzen enthielt. Die DNA solcher Bakterien ist spezifisch etwas schwerer, da sie überall N^{15} statt des normalen N^{14} eingebaut hat. Im Dichtegradienten war dieser kleine Unterschied deutlich erkennbar. Die Bande war zum Boden hin verschoben.

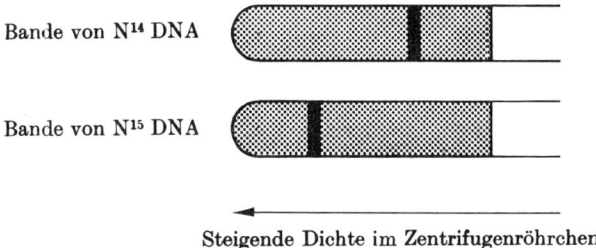

Bande von N^{14} DNA

Bande von N^{15} DNA

Steigende Dichte im Zentrifugenröhrchen

Weiter wurden solche „schweren" Bakterien in N^{14}-haltiges Medium gebracht. Die von den Zellen neu synthetisierte DNA mußte daher N^{14} einbauen und infolgedessen „leicht" sein. Nach verschieden langer Zeit (eine, zwei, drei Zellteilungen) wurden Proben von Bakterien (gleiche Volumina) entnommen und deren DNA zentrifugiert. Position und Stärke der gefundenen Banden zeigt schematisch das folgende Diagramm:

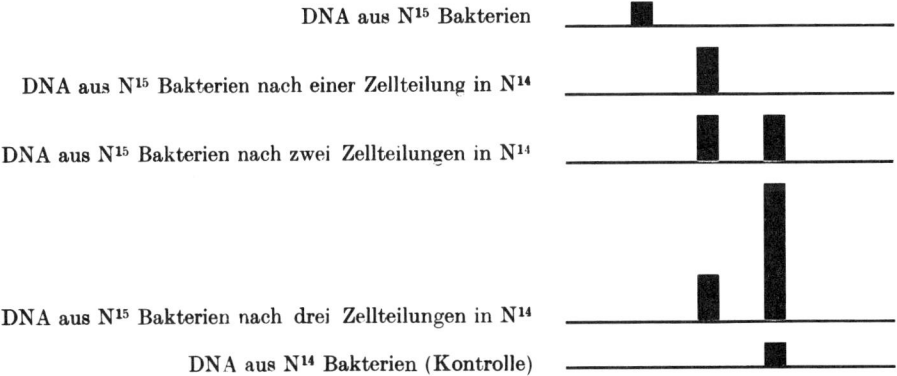

DNA aus N^{15} Bakterien

DNA aus N^{15} Bakterien nach einer Zellteilung in N^{14}

DNA aus N^{15} Bakterien nach zwei Zellteilungen in N^{14}

DNA aus N^{15} Bakterien nach drei Zellteilungen in N^{14}

DNA aus N^{14} Bakterien (Kontrolle)

Das heißt, nach einer Zellteilung war die gesamte DNA der Bakterien „halbschwer" geworden, nach zwei Teilungen war leichte und halbschwere in etwa gleicher Menge vorhanden, aber nach der dritten Teilung lag etwa dreimal mehr leichte als halbschwere DNA vor. Dieses Ergebnis entsprach genau der Erwartung des Verdoppelungsschemas von WATSON und CRICK, wonach sich die beiden Stränge der DNA-Helix trennen und jeder sich einen neuen Partner synthetisiert (Abb. 6,14). Eine weitere Bestätigung dieser semikonservativen Replikation lieferte die Erhitzung halbschwerer DNA, wodurch H-Brücken gelöst und Doppelstränge separiert werden (vgl. § 6/9). Nach dieser Behandlung war die halbschwere Bande verschwunden und durch zwei Banden ersetzt, deren Lage der von (einsträngigen) leichten und schweren DNA-Molekülen entsprach.

Weitere Beweise für die semi-konservative DNA-Replikation wurden an dem Phagen λ gewonnen[4]. Die Infektion mit einem durch Isotopen markierten Elternphagen führt unter vielen anderen Nachkommen zu einem bis zwei Partikeln, die die Hälfte ihrer DNA materiell von dem infizierenden Elternpartikel übernommen haben. Auch in Gewebekulturen menschlicher Zellen[5] (vgl. § 12/4) und an Pflanzen[6] wurde semi-konservative DNA-Vermehrung beobachtet.

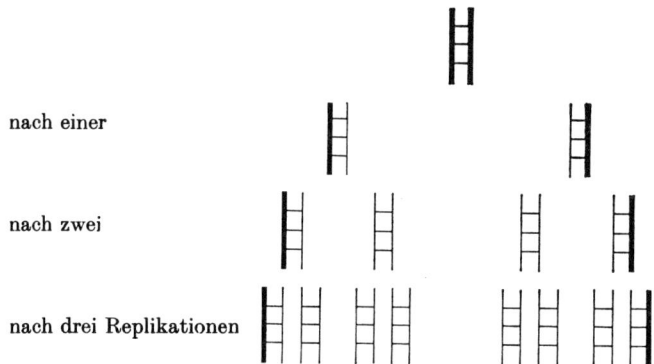

nach einer

nach zwei

nach drei Replikationen

Abb. 6,14. Schema der DNA-Replikation im Meselson-Stahl-Experiment

Literatur zu § 6/8:

[1] LEVINTHAL, C., and H. R. CRANE: Proc. nat. Acad. Sci. (Wash.) **42**, 436 (1956).

[2] DELBRÜCK, M., and G. S. STENT: In: The Chemical Basis of Heredity. Baltimore: Johns Hopkins Press 1957.

[3] MESELSON, M., and F. STAHL: Proc. nat. Acad. Sci. (Wash.) **44**, 671 (1958).
Analoge Resultate an Chlamydomonas:
SUEOKA, N.: Proc. nat. Acad. Sci. (Wash.) **46**, 83 (1960).

[4] MESELSON, M., and J. J. WEIGLE: Proc. nat. Acad. Sci. (Wash.) **47**, 857 (1961).
ARBER, W., and D. DUSSOIX: J. molec. Biol. **5**, 18 (1962).

[5] SIMON, E. H.: J. molec. Biol. **3**, 101 (1961).
CHUN, E. H. L., and J. W. LITTLEFIELD: J. molec. Biol. **3**, 668 (1961)

[6] FILNER, P.: Exptl. Cell Res. **39**, 33 (1965).

6/9   De- und Renaturierung von DNA

Die DNA-Doppelhelix ist ein relativ steifes Molekül, das seine Festigkeit durch Stapelkräfte und durch die Wasserstoffbrücken zwischen den Basen erhält. Öffnen sich diese bei erhöhter Temperatur, so geht das Molekül von der regelmäßigen Struktur in den Zustand eines ungeordneten Knäuels über (Denaturierung oder Schmelzen). Wie bei anderen Kristallen setzt dieses Schmelzen ziemlich abrupt bei einer kritischen Temperatur ein. Es kann auf verschiedene Weise gemessen werden[1], z.B. an der *Viskosität* der Lösung, die beim Erhitzen plötzlich steil abfällt.

Eine andere Technik benutzt den sog. *hypochromen Effekt:* Nucleotide haben ein Maximum der UV-Absorption bei etwa 260 mμ. Die Aggregation einzelner Nucleotide zu einer Kette reduziert die Absorption um etwa 10%. Liegen die Nucleotide in einer geordneten Doppelhelix vor, so ist die Absorption pro Nucleotid nochmals um 30—50% geringer. Die Stärke der UV-Absorption ist also ein Maß für den Unordnungsgrad der Moleküle einer Nucleinsäurelösung.

Abb. 6,15 gibt die UV-Absorption einer DNA-Lösung als Funktion der Temperatur wieder. Das scharfe Ansteigen der UV-Absorption zeigt das Schmelzen der DNA an.

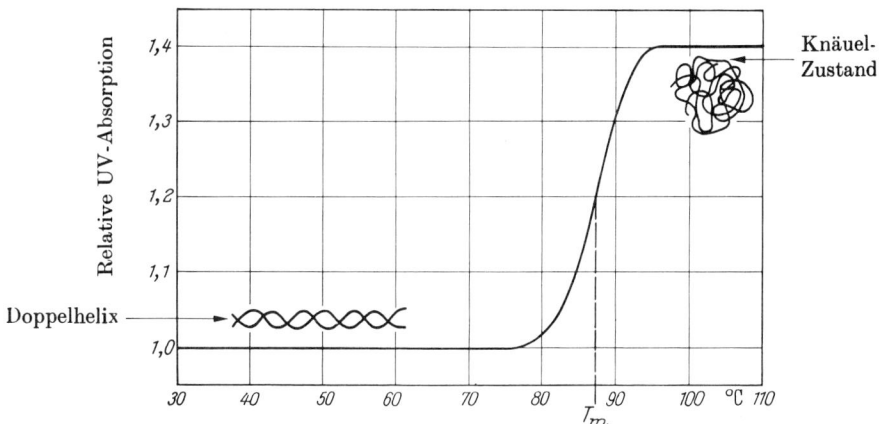

Abb. 6,15. Schmelzkurve von Kalbsthymus DNA in 0,15 mol NaCl +0,015 mol Na-Citrat [verändert nach J. Marmur and P. Doty, J. molec. Biol. 5, 109 (1962)]
$$T_m = \text{Schmelztemperatur}$$

Die Schmelztemperaturen von DNA verschiedener Herkunft zeigen beträchtliche Unterschiede. Vergleicht man diese in einem Milieu bestimmter Ionenstärke mit der chemisch ermittelten Basenzusammensetzung, so wird deutlich, daß der Schmelzpunkt von DNA um so höher liegt, je größer deren GC-Anteil ist (Abbildung 6,16).

Der GC-Anteil einer DNA wirkt sich auch auf deren Dichte im CsCl-Gradienten aus[2] (Abb. 6,17). Das Vorkommen außergewöhnlicher Basen führt dabei zu Abweichungen und kann so erkannt werden.

Kehren wir zum Schmelzen von DNA zurück. Eine Erhitzung deutlich oberhalb des Schmelzpunktes führt in verdünnten Lösungen und bei niedriger Ionenkonzentration nicht nur zu ungeordneter Knäuelkonfiguration, sondern auch zur Trennung der beiden Stränge der ursprünglichen Doppelhelices[3]. Dies ist nachweisbar mit N^{14}/N^{15}-DNA-Hybridmolekülen (vgl. § 6/8), die nach Erhitzen zwei getrennte Banden liefern.

Werden solche Lösungen von geschmolzener DNA *schnell* abgekühlt, so bilden sich

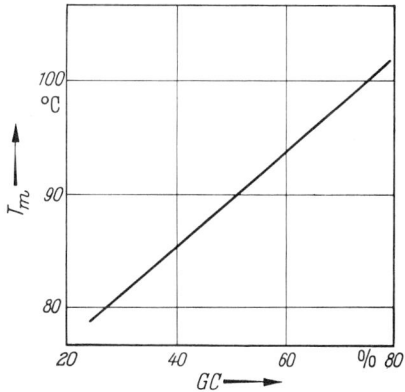

Abb. 6,16. Abhängigkeit der Schmelztemperatur T_m von der Basenzusammensetzung der DNA in 0,15 mol NaCl +0,015 mol Na-Citrat [nach J. Marmur and P. Doty, J. molec. Biol. 5, 109 (1962)]

viele zufällige Wasserstoffbrücken innerhalb eines und zwischen verschiedenen Fadenmolekülen, doch bleibt die ungeordnete Knäuelkonfiguration erhalten. Bei längerem Aufenthalt in Temperaturen von etwa 60—70° C tritt dagegen eine

Renaturierung ein, d. h. es entstehen wieder Abschnitte komplementär gepaarter Doppelhelices. Dieser Vorgang ist ähnlich dem Tempern von Metallen (engl. annealing) und stellt die Eigenschaften der ursprünglichen DNA (unter anderem deren biologische Aktivität im Transformationstest) wieder her[4]. Diese Renaturierung kann z. B. durch Messung des hypochromen Effekts verfolgt werden.

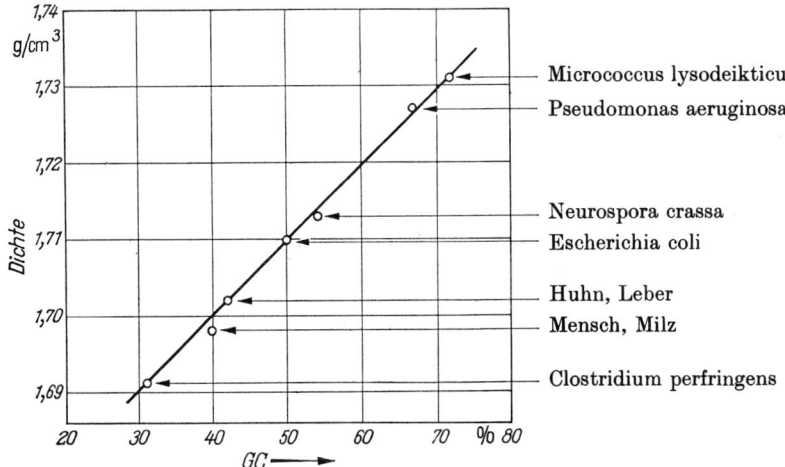

Abb. 6,17. DNA-Dichte als Funktion des GC-Gehalts [nach C. L. Schildkraut et al.: J. molec. Biol. 4, 430 (1962)]. Viele weitere Arten in dieser Originalarbeit

Wesentlich ist, daß nicht etwa die beiden ursprünglich verbundenen Stränge einer Doppelhelix wieder zusammentreffen, sondern neue Paarungen von zwei Einzelsträngen mit komplementären Basensequenzen gebildet werden. Dabei bleiben an einem oder beiden Enden der neuen Doppelhelix geknäuelte Einzelstränge überhängen. Diese entstehen dadurch, daß bei der Präparation der DNA Brüche an zufälligen Stellen auftreten, so daß zwar abschnittsweise die Basensequenzen, aber nicht die Bruchstücke selbst identisch sind (vgl. Schema 6,18).

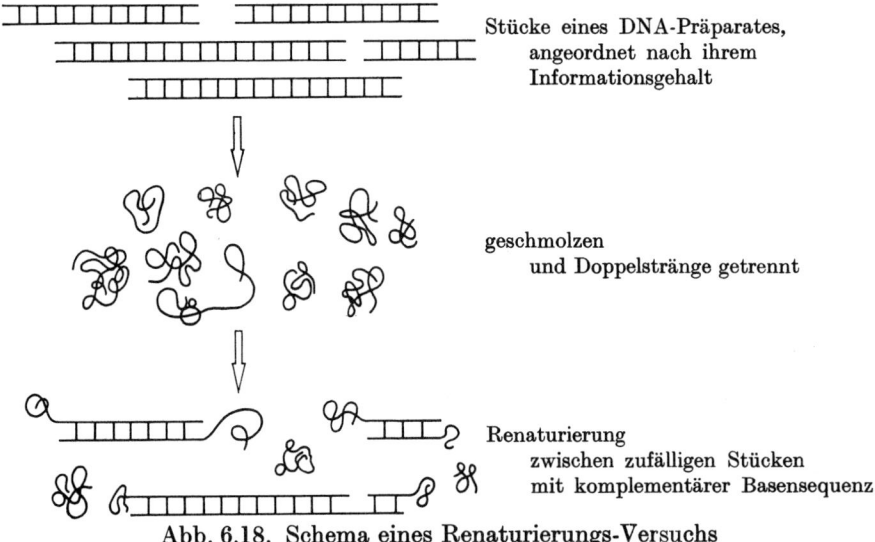

Abb. 6,18. Schema eines Renaturierungs-Versuchs

Die Bildung *neuer* Paare **aus** Einzelsträngen läßt sich wiederum im Dichtegradienten zeigen. Schmilzt man einheitlich leichte und einheitlich schwere DNA von Bakterien und läßt sie zusammen renaturieren, so entstehen drei Banden von leichten, schweren und halbschweren DNA-Doppelhelices[5], wenn die überhängenden Einzelstränge zuvor enzymatisch abgebaut wurden. Daß die ursprünglichen Paare wirklich getrennt werden und sich bei der Renaturierung zufällige Einzelstränge zusammenfinden, wird auch aus dem Befund deutlich, daß die Renaturierung um so weitgehender ist, je homogener der Informationsgehalt der benutzten DNA-Moleküle ist[6]. Das heißt mit DNA aus höheren Organismen, bei denen die einzelnen DNA-Stücke zumeist verschiedene Information (Basensequenzen) haben, wird relativ wenig Renaturierung gefunden. Dagegen zeigt DNA aus Bakteriophagen einen starken Effekt, da die relativ kurzen Phagengenome in vielen Exemplaren vorliegen. Einen mittleren Effekt findet man für DNA aus Bakterien. Daß überhaupt eine Renaturierung an DNA aus höheren Organismen beobachtet wird[7], beruht hauptsächlich auf einigen vielfach im Genom vorkommenden Genen[8] (vgl. § 10/12,4).

Neben der beschriebenen konzentrationsabhängigen und langsamen Renaturierung besteht ein schneller anderer Renaturierungsvorgang, der eine intramolekulare Reaktion ist und abläuft, wenn die Erhitzung nicht ausreichte, um die beiden Einzelstränge der DNA-Doppelhelices völlig zu trennen[9]. Hierbei wird die Ausgangsstruktur von den beiden ursprünglichen Partnern wiederhergestellt.

Literatur zu § 6/9:

Review: MARMUR, J. et al.: Progr. in Nucl. Ac. Res. 1, 232 (1963).
[1] Vgl. z. B. P. DOTY et al.: Proc. nat. Acad. Sci. (Wash.) 45, 482 (1959).
[2] ROLFE, R., and M. MESELSON: Proc. nat. Acad. Sci. (Wash.) 45, 1039 (1959); für einzelsträngige DNA: RIVA, S., et al.: J. molec. Biol. 45, 367 (1969).
[3] SPATZ, H.-CH., and CROTHERS, D. M.: J. molec. Biol. 42, 191 (1969).
[4] DOTY, P. et al.: Proc. nat. Acad. Sci. (Wash.) 46, 461 (1960).
LEVINE, L. et al.: Proc. nat. Acad. Sci. (Wash.) 46, 1038 (1960).
MARMUR, J., and D. LANE: Proc. nat. Acad. Sci. (Wash.) 46, 453 (1960).
[5] SCHILDKRAUT, C. L., J. MARMUR and P. DOTY: J. molec. Biol. 3, 595 (1961).
[6] MARMUR, J., and P. DOTY: J. molec. Biol. 3, 585 (1961).
[7] BRITTEN, J. R., and E. H. DAVIDSON: Science 165, 349 (1969).
[8] BRITTEN, R. J., and D. E. KOHNE: Sci. Amer. April 1970.
[9] GEIDUSCHEK, E. P.: J. molec. Biol. 4, 467 (1962).

6/10   Replikation und Struktur von Chromosomen

Wir haben in § 6/7 die Biochemie und in § 6/8 die Strukturfragen der DNA-Replikation behandelt. Jetzt soll die Replikation ganzer genetischer Einheiten, d.h. die von Phagen- und Bakteriengenomen sowie die von Chromosomen diskutiert werden. Beginnen wir mit einem einfachen Phagengenom:

Der Phage λ injiziert ein lineares DNA-Molekül. Dessen beide komplementär passenden, einsträngigen Enden fügen sich zusammen, dann werden die beiden Lücken durch Ligase geschlossen (vgl. § 7/2).

Wie verläuft jetzt die Replikation eines solchen DNA-Ringes? Elektronen-mikroskopische Bilder replizierender λ-DNA (Tafel 21) zeigten, daß auch bei der Replikation keine freien Enden entstehen, sondern eine Ringform mit verdoppeltem Segment erhalten bleibt. Sie gaben aber auf 2 Fragen keine Antwort:

1. Beginnt die Replikation immer an der gleichen Stelle?
2. Wird DNA an beiden Y-Punkten des Ringes repliziert oder ist das eine Y die Replikationsgabel, das andere Y der feststehende Ausgangspunkt der Replikation?

Beide Fragen wären zu beantworten, wenn man bestimmte Abschnitte der DNA auf allen Bildern wiedererkennen könnte. Eine neue Technik macht das möglich:

Wenn man nicht-replizierende λ-DNA vorsichtig durch hohen p_H denaturiert, schmelzen zunächst die AT-reichen DNA-Abschnitte (das Basenpaar AT hat nur zwei, GC hat drei Wasserstoffbrücken). An diesen Stellen beobachtet man zuerst das Auseinanderweichen der DNA in Einzelstränge. Alle Moleküle von λ-DNA zeigen dabei das gleiche Muster (Abb. 6,19 A). Nimmt man replizierende λ-Ringe aus einer Bakterienzelle (Abb. 6,19 B) und denaturiert diese vorsichtig, so erhält man je nach Stand der Replikation Bilder wie Abb. 6,19 C bis E. Mit Hilfe der Markierung durch die geöffneten einsträngigen Bereiche kann man erkennen, welcher Abschnitt des Ringes jeweils schon repliziert ist.

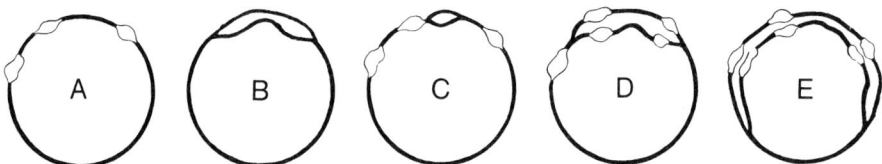

Abb. 6,19. Schonende Denaturierung replizierender λ-Genome

Hat man viele Bilder solcher replizierender Ringe, so sieht man aus deren Vergleich, daß die Replikation immer an gleicher Stelle startet und bei den meisten Ringen gleichzeitig in beide Richtungen läuft, bei einigen jedoch nur nach „links“, bei einigen anderen nur nach „rechts“[1]. Ein anderer Phage (P2) beginnt die Replikation ebenfalls an stets der gleichen Stelle seines DNA-Ringes, doch läuft diese immer nur in *eine* (die gleiche) Richtung[2].

Wie verhält sich nun das Ringchromosom von E. coli? Wir müssen zur Beantwortung dieser Frage eine andere Methode benutzen, da das Colichromosom zu lang für die Denaturierungstechnik ist (60mal länger als λ).

Wie schon in § 6/7 erwähnt, kann man wachsenden Colizellen mit Tritium radioaktiv markiertes Thymidin anbieten. Das entsprechende Nucleotid wird nur in DNA eingebaut (RNA enthält kein Thymin). Füttert man Bakterienzellen mehrere Generationen lang mit markiertem Thymidin, so wird danach praktisch die gesamte DNA dieser Zellen radioaktiv sein.

Bricht man unter diesen Bedingungen gewachsene Zellen auf und streckt deren DNA vorsichtig lang aus (sie ist mehrere hundertmal länger als das Bakterium), so kann diese mit einer feinkörnigen photographischen Emulsion übergossen werden. Da die von Tritium emittierten β-Teilchen energiearm sind, d.h. nur geringe Reichweiten haben, wird das einige Wochen im Dunkeln gehaltene, dann entwickelte Präparat eine Schwärzung nur in unmittelbarer Nähe der Tritiumatome aufweisen. Eine markierte DNA wird sich so als eine Kette von Silberkörnern abbilden.

Mit dieser Technik gelang CAIRNS der Nachweis einer Y-förmigen Replikation des Bakterienchromosoms und zugleich eine Bestätigung dessen ringförmiger Struktur[3] (Tafel 29). Die wenigen existierenden Autoradiogramme des Coli- Chromosoms beantworten jedoch nicht die beiden eingangs für λ gestellten Fragen (fester Replikationsstartpunkt, eine oder zwei replizierende Y-Gabeln ?).

Hinweise hierzu gab eine andere Technik: Man weiß, daß der Phage P1 kleine zufällige Stücke des Genoms seiner Wirtszelle aufnimmt und transduziert. Würde nun das Bakterien-Chromosom immer vom gleichen Anfangspunkt aus repliziert, so wären mehr Gene der früh replizierenden Abschnitte als solche von spät replizierenden in den Zellen und damit auch in den auf diesen gewachsenen P1-Phagen vorhanden. Die relative Häufigkeit der Transduktion vieler einzelner über das ganze Chromosom verteilter Gene sollte diesen Gradienten der Häufigkeit von Gen-Exemplaren erkennbar machen.

Tatsächlich findet man die höchsten Transduktionsraten für Gene zwischen 60 und 70 min, dann nach beiden Seiten absinkende Werte bis zu einem (nicht diametral gegenüberliegenden) Minimum zwischen 20 und 40 min[4].

Auch Coli hat also einen festen (oder mindestens bevorzugten) Punkt (evtl. auch Bereich) für den Start der Replikation. Diese scheint (zumindest in vielen Zellen) gleichzeitig nach beiden Seiten laufen zu können, wobei möglicherweise die Replikation im Uhrzeigersinn zeitlich vor der in Gegenrichtung startet.

Insgesamt wird wahrscheinlich, daß Replikation ringförmiger DNA an bestimmten Startpunkten beginnen muß, dann gleichzeitig in beide Richtungen laufen *kann*, davon aber offensichtlich nicht in allen Systemen Gebrauch macht.

Bei der Chromosomen-DNA höherer Organismen weiß man noch nicht, ob auch diese als Ringe, als viele — durch „Kupplungen" verbundene — lineare Moleküle oder als ein einziger, ununterbrochener, sich durch das ganze Chromosom ziehender Faden vorliegt. Dennoch konnte man einiges über deren Replikation erfahren. Autoradiographische Versuche[5], die mit (durch Detergenzbehandlung) schonend dissoziierten Chromosomen durchgeführt wurden, lieferten Aufnahmen von ausgestreckten (aber intakten) einzelnen DNA-Molekülen. Dabei wurden die Chromosomen-liefernden Zellen (Hamsterzellen in Gewebekulturen) so behandelt, daß die Syntheserichtung der DNA aus dem Autoradiogramm ersichtlich wurde:

Zuerst bekamen die Zellen nämlich Tritium-markiertes Thymidin angeboten, dessen ungehemmter Einbau in die DNA für kurze Zeit (30 min) erlaubt wurde. Dann wurde dem Medium nicht-radioaktives Thymidin in großem Überschuß zugegeben. Die Zellen hatten nun aber zu diesem Zeitpunkt schon einen „Vorrat" (pool) an radioaktivem Thymidintriphosphat in ihrem Cytoplasma angesammelt. Dieser wurde nun während der weiteren DNA-Synthese durch das neuaufgenommene, nichtmarkierte Thymidin immer mehr verdünnt, so daß die spezifische Radioaktivität des Thymidintriphosphat-Pools — und dementsprechend auch die der neusynthetisierten DNA — ständig abnahm. 45 min nach Zugabe des unmarkierten Thymidins wurden die Zellen aufgebrochen und die Chromosomen für die Autoradiographie präpariert. Die Richtung der Replikation wurde im linearen Autoradiogramm der DNA-Moleküle durch die abnehmende Häufigkeit der Silberkörner verraten.

Als Befund ergab sich, daß die Replikation eines individuellen DNA-Fadens im Chromosom — im Gegensatz zur E. coli-DNA — an mehreren Stellen gleichzeitig beginnt und von diesen Stellen aus — ähnlich wie bei E. coli — in entgegengesetzter Richtung verlaufen kann (Tafel 23). Dies wird so interpretiert, daß es feste Startpunkte auf einem DNA-Molekül gibt, von denen aus sich nach beiden Seiten hin Replikations-Y's bilden können, die an dem Molekül entlangwandern, bis sie sich mit entgegenkommenden Replikationspunkten treffen (Abb. 6,20).

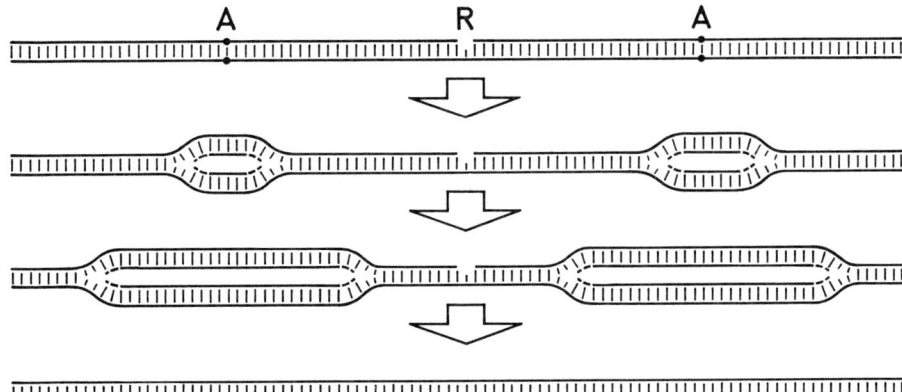

Abb. 6,20. Replikationsschema von chromosomaler DNA basiert auf der Interpretation von autoradiographischen Befunden (vgl. Tafel 23), Anfangspunkte der Replikation (A) alternieren mit Rotationspunkten (R). Nach HUBERMAN[5]

Die sich entgegenlaufenden Replikationspunkte in Abb. 6,20 bergen auch ein bisher bei den Ringchromosomen übergangenes, aber wichtiges und noch ungelöstes Problem der Replikation:

DNA-Doppelstränge müssen vermutlich ja zur Auftrennung der Doppelspirale wie ein Tachometerkabel um die eigene Längsachse frei rotierbar sein. Dazu ist eine Unterbrechung (engl. „nick") eines der beiden Stränge nötig (Punkt R in Abb. 6,20). Ein hierfür geeignetes Enzym wurde bei Coli gefunden[7A].

Andererseits bringt eine solche Unterbrechung aber die Gefahr des Auseinanderfallens der Molekülstruktur, wenn die Replikation tatsächlich bis zum „nick" durchlaufen würde. Man nimmt daher heute meistens stillschweigend an, daß die „Replikations-Maschine" ein größerer Komplex ist, der spezielle Teile zum Festhalten der DNA-Abschnitte besitzt, doch weiß noch niemand, wie das im einzelnen funktionieren soll. Auch wenn wir jetzt vermutlich das eigentliche Replikationsenzym kennen, werden uns also die Topologie und Regulation der Replikation noch einige Jahre beschäftigen.

Studiert man den zeitlichen Ablauf der Replikation eines ganzen Chromosomensatzes, z.B. durch kurzzeitige Zugabe von markiertem Thymidin zu einer Gewebekultur von Säugerzellen mit später folgender Autoradiographie von Metaphaseplatten (Tafel 23), so wird deutlich, daß zu jedem Zeitpunkt der Interphase nur einzelne Chromosomen und diese auch meist nur in einzelnen Abschnitten

DNA-Synthese zeigen. Die Replikation erfolgt also nicht gleichzeitig für alle Chromosomen und auch nicht gleichzeitig für die verschiedenen größeren Abschnitte eines Chromosoms. (*Innerhalb* eines sich gerade replizierenden Bereichs existieren jedoch — wie eben beschrieben — gleichzeitig mehrere Replikationspunkte.) Durch verschieden lang dauernde Markierung von Zellen zu verschiedenen Zeitpunkten der Interphase lassen sich Serien von Autoradiogrammen gewinnen, deren Vergleich ergibt, daß die Verdopplung der DNA einzelner Chromosomen nicht zufällig sondern nach einem wohlgeordneten „Replikationsfahrplan" abläuft.

Durch Markierung replizierender DNA mit Thymidin kann weiterhin für ganze Chromosomen eine semikonservative Replikationsweise nachgewiesen werden:

Wachsen Wurzelspitzen von Bohnen (Vicia faba) in einer Nährlösung mit markiertem Thymidin, so werden deren Chromosomen vollständig radioaktiv.

Bringt man markierte Wurzeln in nicht markiertes Medium, so ist nur die alte, nicht die neu gebildete DNA markiert. Durch mikroskopischen Vergleich von Quetsch-Präparaten und deren Autoradiogrammen läßt sich feststellen, wie die radioaktive DNA der Ausgangschromosomen verteilt wurde. Der Grundgedanke des Experiments ist analog dem Versuch von MESELSON und STAHL.

Mit dieser Methode konnte TAYLOR zeigen[6], daß nach *einer* Chromosomenteilung im unmarkierten Medium stets *beide* Tochterchromosomen etwa gleich stark markiert waren. Dieser Befund sagt lediglich, daß beide Tochterchromosomen Material des Mutterchromosoms erhalten. Nach einer zweiten Mitose jedoch sind zwei der vier Enkelchromosomen unmarkiert, während die beiden anderen den gleichen Markierungsgrad wie die Tochterchromosomen zeigen:

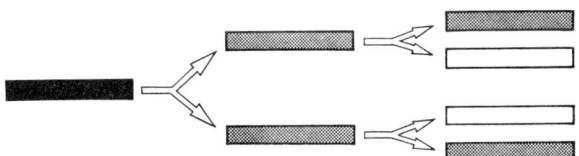

Gelegentlich werden auch reziproke Austauschprozesse beobachtet, die als Schwesterstrangaustausch gedeutet werden können. Es ist jedoch möglich, daß durch die Markierung Brüche erzeugt werden, die die Ursache dieses Austausches sind, der normalerweise nicht auftreten mag.

Von diesem Problem abgesehen zeigt der Versuch — ganz analog dem Verdoppelungsschema einzelner DNA-Moleküle (Abb. 6,14) — zwei segregierende Untereinheiten des Ausgangschromosoms. Es liegt nahe, sie mit den Einzelsträngen einer DNA-Doppelhelix zu identifizieren.

Dieser Befund spricht entschieden gegen eine immer noch nicht ganz ausgestorbene Vorstellung, nach der Chromosomen aus mehreren parallelen, identischen DNA-Doppelfäden bestünden.

Tabelle 6,21. DNA-Gehalt diploider Zellkerne verschiedener Tierarten in 10^{-13} g

Frosch	150	Lungenfisch	1000
Kröte	73	Hecht	17
Huhn	25	Schleie	17
Mensch	60	Alse	20
Rind	64	Karpfen	34
Ratte	57	Forelle	58
Hund	53		

Das stärkste Argument für eine solche Annahme ist die DNA-Menge pro Zellkern verschiedener Tierarten (Tabelle 6,21). Es ist nicht vorstellbar, daß z. B. ein Frosch doppelt soviel genetische Information besitzen sollte wie eine Kröte und sechsmal soviel wie ein Huhn. Diese Merkwürdigkeit könnte durch Polytänie erklärt werden. Sie mag aber wohl eher auf einer Polyploidie beruhen, die stammesgeschichtlich weit zurückliegen kann[7] und an dem Chromosomensatz nicht mehr erkennbar zu sein braucht, da sich Größe und Zahl der Chromosomen durch Chromosomenmutationen geändert haben kann.

Die Tatsache, daß in elektronenmikroskopischen Bildern von Chromosomen oft Bündel von parallelen Strängen gefunden werden, beweist keineswegs, daß diese Einzelstränge identische Information tragen. Die geordnete Unterbringung vieler zentimeterlanger Fäden im Zellkern verlangt eine vielfache Zusammenlegung und Spiralisierung. Für eine bestimmte Art sollte man daher bis zum Beweis des Gegenteils ein *einfaches* Chromosom annehmen, das aus den zwei *komplementären* Untereinheiten der DNA-Struktur besteht.

Literatur zu § 6/10:

[1] INMAN, R. B., and M. SCHNÖS: J. Mol. Biol. **56**, 319 (1971).

[2] SCHNÖS, M., and R. B. INMAN: J. Mol. Biol. **55**, 31 (1971).

[3] CAIRNS, J.: Cold Spr. Harb. Symp. quant. Biol. **28**, 43 (1963).
   CAIRNS, J.: Sci. Amer. Januarheft 1966.

[4] MASTERS, M., and P. BRODA: Nature New Biol. **232**, 137 (1971).

[5] HUBERMAN, J. A.: Cold Spr. Harb. Symp. quant. Biol. **33**, 509 (1968).

[6] TAYLOR, J. H.: Genetics **43**, 515 (1958).

[7] Vgl. OHNO, S.: Evolution by Gene Duplication. Berlin-Heidelberg-New York: Springer 1970.

[7A] WANG, J. C.: J. Molec. Biol. **55**, 523 (1971).

6/11   Mutation als Molekularprozeß

Im § 4/3 wurden Mutationen eingeteilt entsprechend der Größe der strukturellen Umwandlung. Die folgende Darstellung beschränkt sich auf die Gruppe der „Punktmutationen", d. h. auf die Gruppe kleinster molekularer Änderungen.

Unsere Kenntnis über Struktur und Replikationsweise von DNA gestattet eine Diskussion solcher Vorgänge auf molekularem Niveau. Da die genetische Information in der Basensequenz der Nucleinsäuren niedergelegt ist, sollten Änderungen dieser Sequenz eine Mutation darstellen. Solche Änderungen würden darin bestehen, daß ein oder mehrere Nucleotide irgendwo in der DNA-Kette hinzugefügt, herausgenommen oder durch andere ersetzt werden. Ihre Ursache mag in einem zufälligen Replikationsirrtum liegen oder in der Wirkung bestimmter Moleküle, die einen solchen Irrtum veranlassen. Naturgemäß kann die Frage, ob spontane Replikationsirrtümer ohne Einfluß von anderen Molekülen vorkommen, nicht beantwortet werden. Doch ist es gelungen, die molekulare Wirkungsweise einer Reihe mutationsauslösender Substanzen recht weitgehend zu verstehen[1].

Wir wollen zunächst Substanzen besprechen, durch die eine einzige Nucleotidbase gegen eine andere ausgetauscht wird. Zwei Mechanismen können hierbei unterschieden werden:

1. Einbau „instabiler" Basenanaloga;
2. chemische Veränderung normaler Basen

1. Basenanaloga

Man kann Organismen (speziell Mikroorganismen) in ihrem Nährboden Basenanaloga anbieten, d.h. Substanzen, deren chemische Struktur der von natürlichen Purin- bzw. Pyrimidinbasen sehr ähnlich ist. Diese können dann in die Nucleinsäuren anstelle der richtigen Basen eingebaut werden[2] und führen schließlich zu einer Mutation[3].

Der Vorgang ist jedoch komplizierter als es auf den ersten Blick erscheint. Wenn nämlich z.B. das 5-Bromuracil (BU) an die Stelle des Thymins treten kann, weil es gut mit Adenin paart, so wird es auch bei weiteren Replikationen sich wieder ein Adenin als Partner holen. Infolgedessen würde dieser Fehleinbau an sich gar keine Konsequenzen haben. Diese entstehen erst aus der Tatsache, daß Basen durch eine tautomere Umlagerung[4] bzw. eine Ionisierung[5] ihr kritisches Profil, d.h. ihre paarende Seite verändern und kurzzeitig in einen ungewöhnlichen Zustand übergehen können.

Normalerweise befindet sich 5-BU wie Thymin in der „Keto"-Form. Es paart dann mit Adenin. Kurzzeitig jedoch kann 5-BU auch in seine „Enol"-Form, bzw. in eine ionisierte Form übergehen, in der es mit Guanin paart:

Die normalen vier Basen (Adenin, Thymin, Guanin und Cytosin) scheinen gegen derartige Veränderungen an ihrem paarenden Profil sehr stabil zu sein. Dieser Umstand sichert die normalerweise korrekte Replikation der genetischen Information. Dennoch ist es möglich, daß ein Teil spontaner Mutationen auf sehr seltenen tautomeren Umlagerungen der vier natürlichen Basen beruht.

Bei der Mutationsauslösung durch Basenanaloga, z. B. 5-Bromuracil (oder durch dessen wirkungsvolleres Nucleosid 5-Bromo-Deoxyuridin), müssen zwei Möglichkeiten unterschieden werden[6]:

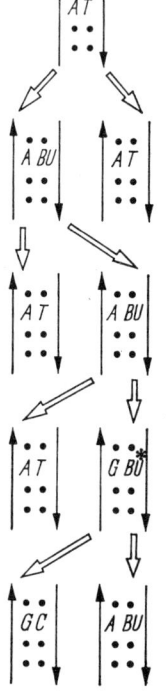

a) Das BU wird bei einer Replikation meist in seinem Normalzustand (Keto) eingebaut und ersetzt dann Thymin.

Bei späteren Replikationen wird es sich im allgemeinen wieder ein Adenin als Partner suchen (keine Mutation).

Gelegentlich jedoch wird es bei einer Replikation gerade in seiner seltenen Enolform bzw. ionisiert (*) sein und Guanin statt Adenin wählen *(Replikationsfehler)*.

Dieses Guanin sucht sich in der nächsten Replikation ein Cytosin. Insgesamt ist damit ein A-T-Paar in ein G-C-Paar übergegangen (Mutation).

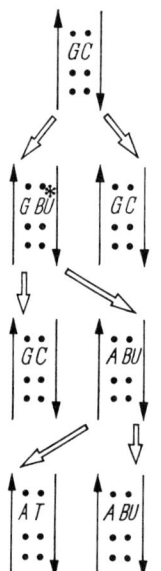

Das Bromuracil wird sich wieder normal verhalten, doch in weiteren Replikationen von Zeit zu Zeit erneut zu G-C führen. In einer Bakterienkultur z.B. würde immer wieder einmal eine mutierte Zelle aus der Linie des BU-Trägers abgespalten.

b) In seltenen Fällen dagegen wird umgekehrt BU bei seinem *Einbau* im Enolzustand bzw. ionisiert(*) vorliegen und mit Guanin paaren, d.h. ein Cytosin ersetzen *(Einbaufehler)*.

Da das eingebaute BU schnell in seinen normalen Zustand zurückkehrt, wird es bei folgenden Replikationen als Thymin wirken und ein Adenin als Partner wählen.

Insgesamt ist ein G-C-Paar zu einem A-T-Paar mutiert.

Die Konsequenzen aus dieser Vorstellung konnten unter anderem an Salmonella-Bakterien bestätigt werden[7]. Das Basenanalog 2-Aminopurin (AP) verhält sich ähnlich. Es kann sowohl mit Thymin paaren (AP ersetzt Adenin) als auch mit Cytosin (AP ersetzt Guanin). Die Wahrscheinlichkeiten für die beiden verschie-

denen Paarungen sind jedoch ausgeglichener als bei 5-Bromuracil. Dadurch ist
AP ein stärkeres Mutagen als BU, obwohl nur sehr wenig AP in DNA eingebaut
wird im Gegensatz zu BU, das unter günstigen Bedingungen Thymin vollständig
ersetzen kann. Wie aus den Paarungen ersichtlich, überführt auch 2-Aminopurin
ein A-T-Paar in ein G-C-Paar oder umgekehrt.

Bei diesen Übergängen $A:T \rightleftharpoons G:C$ wird eine Purinbase durch die andere und
eine Pyrimidinbase durch die andere ersetzt. FREESE hat diese Art von Punktmutationen „Transitionen" genannt und nimmt an, daß sämtliche mutagene
Basenanaloga Transitionen verursachen. Dagegen bezeichnet man den Austausch
einer Purinbase durch eine Pyrimidinbase oder umgekehrt als „Transversion".

Die Mutationsauslösung durch Basenanaloga erfolgt während der Replikation
der DNA. Auf nicht-replizierende DNA bleiben diese Mutagene wirkungslos.
Andere Chemikalien greifen auch ruhende DNA an und führen zu Inaktivierung
oder Mutation.

2. Chemische Veränderung normaler Basen

Das wohl bekannteste Beispiel dieser Gruppe ist die *salpetrige Säure*[8]. Diese
ruft Mutationen hervor durch Desaminierung von

Adenin zu Hypoxanthin,		mit Paarungseigenschaften wie Guanin
Cytosin zu Uracil.		Paarungseigenschaften wie Thymin

Die mutagene Wirkung der salpetrigen Säure wurde zuerst am Tabakmosaikvirus durch MUNDRY und GIERER[9] beobachtet, dann an Bakteriophagen und
Bakterien bestätigt. Sehr wahrscheinlich werden auch in diesem Fall Transitionen
ausgelöst, d.h. der Übergang $\frac{A}{T} \rightarrow \frac{G}{C}$ durch Adenin-Desaminierung und der Übergang $\frac{G}{C} \rightarrow \frac{A}{T}$ durch Desaminierung des Cytosins[10]. HNO_2 induziert jedoch auch
Blockmutationen.

Auch andere Mutagene wie Hydroxylamin, alkylierende Agenzien oder saures
Milieu greifen nicht-replizierende DNA an[11]. Hydroxylamin ist wohl das basen-
spezifischste Mutagen. Es wirkt hauptsächlich durch Veränderung von Cytosin,
so daß Adenin anstatt Guanin eingebaut wird. Für experimentelle Mutanten-
erzeugung ist heute N-methyl-N'-nitro-N-Nitrosoguanidin besonders beliebt. Da
dessen letale Effekte relativ gering sind, ist nach Behandlung einer Bakterienkultur die Ausbeute an Mutanten unter den Überlebenden besonders hoch. Die
Wirkungsweise von Nitrosoguanidin ist noch nicht genau bekannt; wahrscheinlich wirkt es nicht direkt als Mutagen, sondern wird in der Zelle in mutagene Stoffe
umgebaut. Auch Acridine (z. B. Proflavin) sind wichtige Mutagene. Obwohl der
chemische Wirkungsmechanismus dieser Agenzien noch diskutiert wird[1], kann

aus anderen Gründen geschlossen werden, daß bei DNA-Replikation unter Acridineinwirkung einzelne Nucleotide ausgelassen oder hinzugefügt werden. Wir kommen in § 9/2 auf diese Frage zurück.

Die dargestellten Hypothesen der Mutationsauslösung machen bestimmte Voraussagen über die Möglichkeit, Rückmutationen durch bestimmte Agenzien zu induzieren. Zum Beispiel sollte eine durch BU erzeugte Vorwärtsmutation auch durch BU umkehrbar sein, da 5-Bromuracil beide Richtungen der Transitionen $\frac{A}{T} \rightleftharpoons \frac{G}{C}$ induziert. Derartige Versuche wurden von FREESE durchgeführt[12] und trugen wesentlich zur Entwicklung der dargestellten Vorstellungen bei. Besonders geeignet für diesen Zweck waren die Rückmutationen von induzierten rII-Mutanten des Phagen T4 (vgl. § 6/2). Es zeigte sich, daß praktisch alle Mutationen, die durch Mutagene erzeugt waren, für die man aus chemischen Gründen Transitionen erwarten sollte, auch durch diese Gruppe von Mutagenen revertiert werden konnten. Anders verhielten sich erwartungsgemäß Proflavin-induzierte Mutanten, die weder durch Basenanaloga noch HNO_2 zur Rückmutation induzierbar waren. Ihre Reversion ist jedoch durch erneute Anwendung von Proflavin möglich. (Proflavin erzeugt Mutationen durch Hinzufügung oder Auslassung einzelner Basen.) Auch 85% der spontanen Mutationen waren nicht revertierbar durch Substanzen, die Transitionen hervorbringen.

Literatur zu § 6/11:

Allgemein: WOLSTENHOLME, G. E. W., ed.: Mutations as Cellular Processes. Ciba-Symposion London: J. & A. Churchill (1969).
[1] Übersichtsreferat: DRAKE, J. W.: Ann. Rev. Gen. 3, 247 (1969).
[2] WEYGAND, F., u. A. WACKER: Z. Naturforsch. 7b, 26 (1952).
[3] LITMAN, R. M., and A. B. PARDEE: Nature (Lond.) 178, 529 (1956).
[4] Diese Möglichkeit wurde bereits von J. D. WATSON u. F. H. C. CRICK: Cold Spr. Harb. Symp. quant. Biol. 18, 23 (1953) diskutiert.
[5] LAWLEY, P. D., and P. BROOKES: J. molec. Biol. 4, 216 (1962).
[6] FREESE, E.: J. molec. Biol. 1, 87 (1959).
    TERZAGHI, B. E. et al.: Proc. nat. Acad. Sci. (Wash.) 48, 1519 (1962).
[7] RUDNER, R.: Z. Vererb.-Lehre 92, 336, 361 (1961).
[8] SCHUSTER, H., u. G. SCHRAMM: Z. Naturforsch. 13b, 697 (1958).
[9] MUNDRY, K. W., u. A. GIERER: Z. Vererb.-Lehre 89, 614 (1958).
[10] VIELMETTER, V. W., and H. SCHUSTER: Biochem. biophys. Res. Comm. 2, 234 (1960).
[11] LERMAN, S. E.: Proc. nat. Acad. Sci. (Wash.) 49, 94 (1963).
[12] FREESE, E., and E. BAUTZ-FREESE: Rad. Res. Suppl. 6, 97 (1966).

6/12 Mutationsspektren

In § 6/2 wurde BENZERs Analyse der T4 rII-Region beschrieben. Viele hundert unabhängig entstandener Punktmutanten wurden durch Kreuzungen kartiert. Hierbei traten in manchen Kreuzungen zwischen (rückmutierenden) Punktmutanten keine Rekombinanten auf. Da die Empfindlichkeit des Kreuzungstests mit Sicherheit ausreichen würde, selbst Rekombination zwischen direkt benachbarten Nucleotiden zu messen, betrafen die Mutationsorte solcher Mutanten offenbar das gleiche Nucleotid. Diese Annahme wurde dadurch gestützt, daß derartige Mutanten häufig auch etwa gleiche Rückmutationsraten aufwiesen.

BENZERs Karte der T4 rII-Region (Abb. 6,1) zeigt, daß Punktmutationen keineswegs gleichmäßig über das Gen verteilt sind, sondern daß bevorzugte

Stellen häufiger Mutation existieren, die sog. „hot spots". Zwei von ihnen
sind besonders ausgeprägt. Mutation kann also nicht gleich wahrscheinlich sein
in z.B. allen Adeninbasen. Dann nämlich müßten die Mutationsorte viel gleich-
mäßiger verteilt sein. Es sind zweifellos besondere Einflüsse vorhanden, die zum
Auftreten von hot spots führen. Man muß annehmen, daß die Nachbarn die
Mutationsfreudigkeit einer Base mitbeeinflussen [6A]. Außerdem mögen bestimmte
Basenübergänge an vielen Stellen der Sequenz ohne phänotypisch sichtbare
Konsequenz bleiben, d.h. nur an einigen Punkten als Mutanten erfaßbar sein.
Das würde die Zahl der überhaupt auffindbaren Mutationsorte verkleinern, jedoch
nicht deren unterschiedliche Mutations-Häufigkeit erklären.

Folgen auch chemisch induzierte Mutanten dem gleichen Verteilungsspektrum?
Diese Frage wurde von BENZER und FREESE[1] beantwortet. Es stellte sich heraus,
daß sich die Mutationsspektren von spontanen, 5-Bromuracil- und HNO$_2$-indu-
zierten Mutationen unter-
scheiden. Die hot spots
liegen in den 3 Fällen an
verschiedenen Stellen des
Gens. Nur in wenigen Fäl-
len stimmen die Mutationsorte von auf verschiedene
Weise entstandenen Mutan-
ten überein (Abb. 6,22).

Auch dieses Ergebnis deu-
tet auf einen Einfluß der
Basennachbarschaften hin,
die die Wahrscheinlichkeit
des Einbaus oder/und die
tautomere Umlagerung bzw.
Ionisierung mitbeeinflussen.
Auch gewisse Einbauver-
suche im Kornberg-System
können in diesem Sinne interpretiert werden[2].

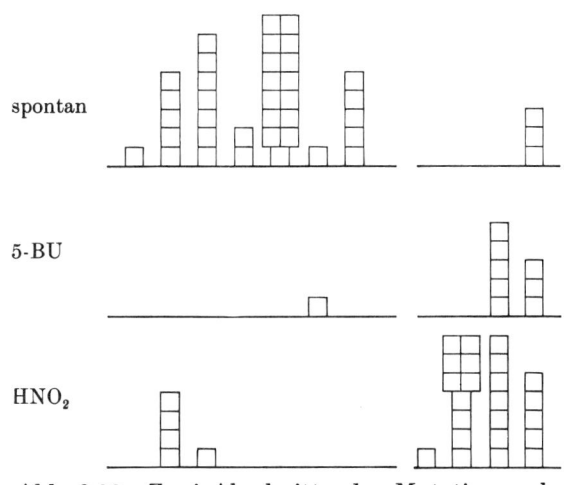

Abb. 6,22. Zwei Abschnitte der Mutationsspektren verschiedener Mutagene im T4 rIIA-Gen,
nach S. BENZER, Proc. nat. Acad. Sci. (Wash.)
47, 403 (1961)

Im Zusammenhang der chemischen Mutationsauslösung sollte noch auf folgende Punkte hingewiesen werden:

1. Jede Art eines chemischen Eingriffs in die Struktur und die normale Replikation der DNA führt natürlich nicht nur zu Mutationen, sondern in überwiegen-
dem Maße auch zu Abtötungen (Inaktivierungen). Dieser Effekt wird zweierlei
Ursachen haben: Zum einen werden außer den lebensfähigen Mutanten auch solche
auftreten, die eine letale Mutation tragen, d.h. eine Basensequenz, die aus physiologischen Gründen eine tödliche Wirkung hat; zum anderen — und diese Ursache
wird bei manchen Behandlungen der häufigere Grund einer Inaktivierung sein —
können chemische Veränderungen an der DNA so schwerwiegend sein, daß die
korrekte Replikation der Struktur unterbunden wird (letale Blockierung), z.B.
durch Hauptvalenzbindung zwischen den beiden Strängen einer Doppelhelix[3],
ganz zu schweigen von Tötungen, die durch Einwirkungen auf andere Zellbestandteile zustande kommen. Induzierte Mutationen sucht man daher unter den
wenigen Überlebenden einer kräftig behandelten größeren Population.

2. Die genetische Information liegt ja zumindest doppelt in der Form der komplementären Stränge der DNA vor. Wird *einer* dieser Stränge verändert, so entsteht ein „Heteroduplex", der normale *und* mutierte Nachkommen hervorbringen sollte. Dies wurde an Bakteriophagen tatsächlich beobachtet[4]. Die Häufigkeit von solchen Heteroduplices sinkt aber mit steigender Behandlungsdosis (und damit verbunden steigender Inaktivierung). Diesen Effekt deutet man durch zunehmende Wahrscheinlichkeit für das Überleben nur *eines* Stranges.

Bei Phagen mit *ein*strängiger DNA sollte chemische Mutationsauslösung z. B. durch salpetrige Säure keine Heteroduplices erzeugen, da in jedem Partikel die genetische Information nur einmal vorliegt. Diese Erwartung wird von der Beobachtung bestätigt.

Als Abschluß des Kapitels über Genstruktur und die chemische Grundlage der Erbinformation soll die Frage gestellt werden, ob die genetische Analyse der T4 rII-Gene bereits auf das Niveau einzelner Nucleotide vorgestoßen ist. In einfacher Formulierung:

1. Wurden bereits Punktmutationen in benachbarten Nucleotiden gefunden?
2. Ist Rekombination zwischen allen einzelnen Nucleotiden möglich oder vielleicht jeweils nur an bestimmten Stellen zwischen bestimmten Gruppen von Nucleotiden? Diese Fragen sind wichtig bei einer genauen Diskussion der Mutationsspektren.

Zur Klärung dieses Problems suchte BENZER sich die Punktmutationen heraus, die die *kleinsten* von Null verschiedenen Rekombinationshäufigkeiten zeigten. Er fand *mehrere* Fälle solcher enger Nachbarschaft, in denen sich etwa der *gleiche* kleinste Rekombinantenprozentsatz ergab: 0,01 bis 0,02% *. Ist dies die Rekombinationswahrscheinlichkeit zwischen zwei direkt benachbarten Nucleotiden? Da ein T4-Phage etwa $2 \cdot 10^5$ Nucleotidpaare besitzt, berechnet sich unter dieser Annahme die Gesamtlänge des T4-Chromosoms, gemessen in Rekombinationseinheiten, zu ca. 3000 RE. Andererseits läßt sich diese Länge aus der Gesamtheit der Kreuzungen mit anderen Mutanten des Phagen durch Addition ermitteln. Diese Abschätzung ist allerdings unsicher, da sie die (nicht vorhandene) Konstanz der Rekombinationswahrscheinlichkeit über die ganze Struktur voraussetzt und eine Addition aus Einzelabständen wegen der Interferenz stets ungenau ist. Nach einer solchen Abschätzung[5] erhält man einen Wert von ca. 2500 RE. Der Vergleich zeigt, daß vermutlich Mutationen in benachbarten Nucleotiden gefunden wurden. Einen wirklichen Beweis hierfür wird § 9/5,2 liefern.

Die Frage jedoch, ob Rekombination *überall*, d.h. zwischen *allen* Nachbarnucleotiden, stattfinden kann, bleibt noch offen. Infolgedessen bleibt auch unbeantwortet, ob sämtliche unabhängig entstandenen Mutanten an einem hot spot die gleiche Nucleotidposition betreffen oder verschiedene Nucleotide, zwischen denen jedoch keine Rekombination stattfindet[6]. Noch ist also die molekulare Feinstruktur des Gens nicht restlos aufgeklärt.

* Beachte, daß bei einer Phageninfektion in einer Wirtszelle viele Generationen von Phagen-DNA-Replikationen ablaufen. Der Wert von 0,015 % schließt dieses Populationsproblem ein. In dem einzelnen Rekombinationsprozeß ist die Wahrscheinlichkeit bedeutend kleiner. Ebenso würden in einer Meiose höherer Organismen bedeutend niedrigere minimale Rekombinanten-Prozentsätze auftreten (vgl. Daten bei G. PONTECORVO: Trends in Genetic Analysis. New York: Columbia University Press 1958).

Literatur zu § 6/12:
Review: ZAMENHOF, S.: Progr. Nucl. Acids Res. & Molec. Biol. **6**, 1 (1967).
[1] BENZER, S., and E. FREESE: Proc. nat. Acad. Sci. (Wash.) **44**, 112 (1958).
FREESE, E.: J. molec. Biol. **1**, 87 (1959).
[2] TRAUTNER, T. A. et al.: Proc. nat. Acad. Sci. (Wash.) **48**, 449 (1962).
[3] GEIDUSCHEK, E. P.: Proc. nat. Acad. Sci. (Wash.) **47**, 950 (1961).
[4] PRATT, D., and G. S. STENT: Proc. nat. Acad. Sci. (Wash.) **45**, 1507 (1959).
[5] STAHL, F. W., R. S. EDGAR, and J. STEINBERG: Genetics **50**, 539 (1964).
[6] TESSMAN, I.: Genetics **51**, 63 (1965).
[6A] Offenbar verursachen z. B. mehrere GC-Paare hintereinander einen hot spot. YOURNO, J. et al.: J. Molec. Biol. **62**, 233 (1971).

Zusammenfassung des Kapitels

Eine Reihe von experimentellen Befunden — vor allem die Transformation von Bakterien und die Virusinfektion — beweisen, daß Nucleinsäuren die Träger der genetischen Information sind.

Nucleinsäuren sind Fadenmoleküle, die aus vier verschiedenen Bauelementen (Nucleotiden) eindimensional aufgebaut sind und schriftartigen Charakter haben.

Gene sind damit langgestreckte Abschnitte solcher Fadenmoleküle. Die innerhalb von Genen mögliche Rekombination bestätigt auch kreuzungsgenetisch die eindimensionale Struktur von Genen. Mutation kann an beliebigen Stellen innerhalb von Genen erfolgen und durch Einbau von Basenanaloga oder chemische Veränderung der Basen induziert werden. Die Definition des Gens ist dabei durch die Einheit der Funktion gegeben.

Die Doppelstruktur von DNA enthält die genetische Information zweifach. Ihre Replikation erfolgt durch Trennung der komplementären Partnerstränge. Zu jedem von diesen wird aus einzelnen Nucleotiden ein neuer komplementärer Partner aufgebaut (semikonservative Replikation). Dabei werden (bei Coli durch Polymerase III) jeweils in $5'$—$3'$ Richtung kurze Stücke (OKAZAKI-Stücke) synthetisiert. Diese werden durch (KORNBERG)-Polymerase I verlängert und schließlich durch Ligasen kovalent zusammengeschlossen.

Mit Hilfe temperaturempfindlicher Mutanten von Coli konnte nachgewiesen werden, daß neben den Polymerasen III und I mindestens 5 weitere Gene an der Replikation des Chromosoms beteiligt sind.

Ringchromosomen von Mikroorganismen replizieren von einem Startpunkt aus in eine oder in beide Richtungen. Die DNA höherer Organismen hat viele Startpunkte, von denen aus in beide Richtungen repliziert werden kann.

Weitergehende Literatur:
Cold Spr. Harbor Symp. quant. Biol. New York, Band **33** (1968).
CHARGAFF, E., and J. N. DAVIDSON: The Nucleic Acids. New York: Academic Press 1955.
JORDAN, D. O.: The Chemistry of Nucleic Acids. London: Butterworths 1960.
KORNBERG, A.: Enzymatic Synthesis of DNA. New York: John Wiley 1962.
MICHELSON, A. M.: The Chemistry of Nucleosides and Nucleotides. New York: Academic Press 1963.
Molecular Genetics, vol. II, ed. by J. H. TAYLOR. New York: Academic Press 1967.
Progress in Nucleic Acid Research. New York: Academic Press, annual periodical.
HARBERS, E.: Nucleinsäuren. Stuttgart: Thieme 1969.
Chemical Mutagenesis in Mammals and Man (Ed. F. VOGEL and G. RÖHRBORN). Berlin-Heidelberg-New York: Springer 1970.
DRAKE, I. H.: The Molecular Basis of Mutation. San Francisco: Holden-Day 1970.

7 Reparatur, Rekombination und Restriktion von DNA

(Da in diesem Kapitel der erst in Kapitel 8 diskutierte Zusammenhang zwischen Gen und Enzym vorausgesetzt wird, mag es bei der ersten Lektüre des Buches für den Anfänger zweckmäßig sein, Kapitel 7 zunächst zu überspringen und erst nach Studium von Kapiteln 8 und 9 hierher zurückzukehren.)

7/1 Reparatur von Schäden in der DNA

Ihrer Funktion als Informationsträger entsprechend ist DNA im Prinzip stoffwechselstabil. Dies bedeutet, daß jeder DNA-Einzelstrang über ungezählte Generationen hinweg — theoretisch für alle Ewigkeit — in seiner physischen Identität erhalten bleiben kann. Wir haben jedoch (in §§ 4/2 und 6/11) gesehen, daß vielerlei Faktoren wie UV oder bestimmte Chemikalien die Erbsubstanz auf kritische Weise schädigen können. Es ist nun schon seit vielen Jahren bekannt, daß besonders Bakterienzellen Mechanismen entwickelt haben, um durch Strahlung oder chemisch induzierte DNA-Schäden wieder zu beheben. Hierbei geht es nicht um Letalmutationen, sondern um chemische Veränderungen, die sich als „letale Blockierung" (vgl. § 4/2) störend auf die basengepaarte Doppelstruktur der DNA und deren Replikation auswirken. Als solche wurden gefunden:

1. Pyrimidin-Dimere. Der größte Teil des UV-Schadens ist auf die Entstehung von Pyrimidin-Dimeren (zumeist Thymin-Thymin-Dimere) zurückzuführen. Diese bilden sich durch eine photochemische Reaktion, bei der zwei auf demselben Strang unmittelbar benachbarte Pyrimidine, z. B. Thymin und Thymin, oder Thymin und Cytosin, durch zwei zusätzliche kovalente Bindungen miteinander verkoppelt werden, wodurch sie, aus ihrer normalen Lage gezerrt, die Paarungsfähigkeit verlieren, d. h. keine komplementäre Base finden.

2. Chemische Veränderungen an einzelnen Basen (z. B. durch alkylierende Agenzien), die ebenfalls zur Einbuße der Paarungseigenschaften führen.

3. Einzelstrangbrüche, wie sie von ionisierenden Strahlen oder durch den Zerfall von eingebautem radioaktiven Phosphor hervorgerufen werden. Doppelstrangbrüche können nicht repariert werden.

4. Querverbindungen (crosslinks) zwischen den Strängen der Doppelhelix, die mechanisch die Trennung der Stränge bei der Replikation verhindern. Über deren Reparatur weiß man sehr wenig.

Es sind heute mehrere Mechanismen bekannt, die die Schäden einer DNA reparieren und auf der Wirkung von isolierten oder nur postulierten Enzymen beruhen. Die Analyse von Bakterien-Mutanten mit erhöhter UV-Empfindlichkeit (die in dem einen oder anderen dieser Enzyme defekt sind), hat das komplexe Bild der Reparaturvorgänge weitgehend klären helfen. Dieses Bild umfaßt auch Aspekte der DNA-Replikation und -Rekombination. Im wesentlichen sind drei voneinander unabhängige Mechanismen bekannt, die zur Behebung von UV-Schäden führen: Photoreaktivierung, Reparatur durch Ausschneiden (Excision) und Rekombinationsprozesse. Reparaturvorgänge wurden bei E. coli besonders gründlich untersucht. Wenn nicht anders vermerkt, wird im folgenden daher von diesem Organismus die Rede sein.

1. Photoreaktivierung

Die Einwirkung von blauviolettem Licht steigert die Überlebenschancen von kurz vorher UV-bestrahlten Bakterien wesentlich. Man weiß, daß dieser Effekt auf der Wirkung eines Enzyms, des photoreaktivierenden Enzyms, beruht. Dieses Enzym spaltet Thymin-Dimere in zwei Thymine und stellt so die ursprüngliche Situation wieder her. Es konnte gereinigt und seine Wirkungsweise in vitro untersucht werden:

Das photoreaktivierende Enzym hat überhaupt keine Affinität zur normalen DNA. Bei Kontakt mit UV-bestrahlter DNA aber setzt sich — auch im Dunkeln — je ein Enzymmolekül an einem Thymin-Dimer fest. Im Dunkeln bleibt dieser Zustand stabil bestehen. Wird aber der DNA-Enzym-Komplex dem Licht ausgesetzt, so springt das Enzym unter Spaltung des Thymin-Dimers von der DNA ab[1]. Es sind Mutanten bekannt (*phr*), die nicht in der Lage sind, dieses photoreaktivierende Enzym zu synthetisieren[2]. Solche Mutanten zeigen mit und ohne Lichtnachbehandlung dieselbe UV-Empfindlichkeit.

2. Excisions-Reparatur

Dieses Reparatur-System erfordert kein Licht. Es ist aber wesentlich komplexer und verlangt die Kooperation mehrerer Enzyme. Während der Erholungsperiode von Bakterienkulturen nach UV-Bestrahlung beobachtete man das Ausscheiden von Thymin-Dimeren ins Medium. Parallel dazu wurde eine beschränkte DNA-Synthese festgestellt, die sich im Gegensatz zur Replikation des Chromosoms auf viele Stellen des ganzen Genoms verteilte. Einzelstrangabschnitte, die Pyrimidin-Dimere oder auch chemisch veränderte Basen enthalten, werden offenbar kurzerhand aus dem Genom entfernt und durch neu-synthetisiertes Material ersetzt[3]. Hierfür sind mindestens vier Enzyme nötig:

Das erste ist eine „Endonuclease", die UV-Schäden erkennt, in deren Nachbarschaft den betroffenen Strang der DNA-Doppelhelix aufschneidet und somit freie Enden schafft, die

das zweite, eine „Exonuclease", als Ansatzpunkte für den Abbau von Nucleotiden erkennt. Hierbei werden außer dem eigentlichen UV-Schaden noch bis zu 100 weitere Nucleotide abgespalten (auch der Zahnarzt vergrößert das Loch im Zahn, bevor er es plombiert).

Als drittes Enzym muß eine Polymerase den von der Nuclease abgebauten Abschnitt wieder neu synthetisieren. Dazu steht als Template der dem Schaden gegenüberliegende Strang zur Verfügung. DNA-Polymerasen können aber nicht die letzte Lücke zwischen zwei benachbarten Nucleotiden auf der DNA schließen.

Ein viertes Enzym, eine Ligase, erfüllt diese Aufgabe.

Die Ähnlichkeit der letzten beiden Schritte mit entsprechenden Schritten des von OKAZAKI u. Mitarb. entworfenen Modells der DNA-Replikation (§ 6/7) ist offensichtlich. Es ist möglich, daß die Polymerase- und Ligase-Aktivität in beiden Fällen auf dieselben hypothetischen Enzyme zurückzuführen sind. Das postulierte Schneide-Enzym für Einzelstrangbrüche in UV-geschädigter DNA ist bisher zwar nicht aus E. coli, aber aus Micrococcus lysodeikticus isoliert worden[4]. Weiter wurden Schneideenzyme für alkylierte DNA in B. subtilis, M. lysodeikticus und E. coli[5] gefunden.

Einzelstrangbrüche (z. B. durch ^{32}P-Zerfall induziert) sind einfach durch Ersetzen des Phosphates mit anschließender Ligasewirkung zu beseitigen.

Es konnten UV-empfindliche Mutanten gewonnen werden (*uvr*-Mutanten), die nicht in der Lage sind, den ersten Schritt der oben beschriebenen Folge durchzuführen, d. h. den geschädigten DNA-Strang an den betroffenen Stellen aufzuschneiden. Ist auch keine Photoreaktivierung möglich, so bleiben bei diesen Mutanten die Pyrimidin-Dimere erhalten (höhere Strahlenempfindlichkeit).

3. Reparatur durch Rekombination

Man kennt einen dritten Mechanismus der Reparatur, bei dem Rekombinationsprozesse im Spiel sein müssen, weil diese Reparatur in rekombinationsdefekten Mutanten (siehe § 7/2) ausfällt. Sind Photoreaktivierung und Excisionsreparatur unmöglich, so kann der Strang mit dem nicht zu entfernenden UV-Schaden an der defekten Stelle nicht als Template dienen, da ein Dimer mit keinerlei Basen paart. Bei der Replikation verbleibt diesem Dimer gegenüber eine Lücke. Die durch das Dimer unkenntlich gemachte genetische Information existiert aber nochmals, nämlich auf dem anderen Arm der Replikationsgabel (Abb. 6,11). Mit dessen Hilfe wird auf noch recht rätselhafte Weise eine unversehrte Kopie des defekten Bereichs hergestellt und in den zu reparierenden Strang durch Rekombination eingebaut.

Dieser Mechanismus arbeitet jedoch nicht fehlerfrei. Praktisch sämtliche UV-induzierten Mutanten entstehen durch Fehler bei der Rekombinationsreparatur von UV-Schäden. Bakterien-Mutanten, die in diesem Mechanismus defekt sind (in denen also alle Reparatur über Photoreaktivierung und/oder Excision geht), sind zwar UV-empfindlicher als der Wildtyp, doch wirkt bei diesen Stämmen UV-Licht nicht als Mutagen[6].

Sind alle drei Reparaturmechanismen ausgeschaltet, so ist guter Rat teuer: nur ein Thymin-Dimer pro DNA-Strang wird der Zelle zum Verhängnis — im Gegensatz zum Wildtyp, der mit Tausenden von Dimeren fertig wird. Selbst *uvr*-Mutanten, die in Abwesenheit von Licht auf Rekombinationsreparatur angewiesen sind, können mit hunderten von (nicht ausschneidbaren) Dimeren überleben. Tatsächlich ist die UV-Resistenz des Wildtyps mehrere tausendmal größer als die von Bakterienzellen mit Defekten in allen Reparatursystemen. In Zellen mit intakten Reparatursystemen braucht die Reparatur eine gewisse Zeit, bevor die DNA-Replikation gefahrlos ablaufen kann. Deswegen ist bei Zwischenaufenthalt in einem Hungermedium („liquid holding") der Reparatureffekt größer.

Auch bei höheren Organismen spielen Reparaturprozesse eine Rolle. Dies wird durch eine menschliche Erbkrankheit (Xeroderma pigmentosum) dokumentiert[7]. Homozygote Träger dieses Defekts im Reparatursystem erleiden durch Lichteinwirkung Hautentzündungen, die zu tödlichen Carcinomen führen.

Literatur zu § 7/1:

Review: HOWARD-FLANDERS, P.: DNA-Repair, Ann. Rev. Biochem. **37**, 175 (1968).
Review: HANAWALT, P. C., and R. H. HAYNES: Sci. Amer. Februarheft 1967.
[1] SETLOW, J.: Rad. Res. Suppl. **6**, 141 (1966).
[2] KONDO, S., and J. JAGGER: Photochem. Photobiol. **5**, 189 (1966).
[3] OLIVERA, B., and I. R. LEHMANN: Proc. nat. Acad. Sci. (Wash.) **57**, 1426 (1967).
[4] KAPLAN, J. C., et al.: Proc. nat. Acad. Sci (Wash.) **63**, 144 (1969).
[5] FRIEDBERG, E. C., and D. A. GOLDTHWAIT: Proc. nat. Acad. Sci (Wash.) **62**, 934 (1969).
[6] WITKIN, E. M.: Mutation Res. 8, 9 (1969).
[7] CLEAVER, J. E.: Proc. nat. Acad. Sci. (Wash.) **63**, 428 (1969).

7/2 Das molekulare Problem des Crossovers

In Kap. 1 und 2 wurden zwei Rekombinations-Mechanismen behandelt:

1. Die Zufallsaufteilung ganzer Chromosomen in der Meiose.
2. Die Durchbrechung der Kopplung durch Crossover.

Der erste Prozeß erscheint zunächst relativ verständlich. Das zugrunde liegende Molekulargeschehen betrifft vor allem die Ausbildung der Synapsis und weiterhin die geordnete Anknüpfung der Spindelfasern an zufällige Chromosomen in der Meiose. Das heißt, die beiden Centromere eines synaptisch verbundenen Chromosomenpaars müssen stets an Spindelfasern geknüpft werden, die von verschiedenen Polen her kommen (Co-orientierung).

Es ist noch unbekannt, mit welchem Molekularmechanismus diese Forderung erfüllt wird. Eine ganz ähnliche Problematik besteht auch in der Mitose für die beiden Tochterstrukturen eines verdoppelten Chromosoms und in abgewandelter Form bei der Teilung einer Bakterienzelle. Jedenfalls sind Fehler in der Ordnung der Aufteilung äußerst selten (Non-disjunction).

Zur Diskussion des zweiten Prozesses, nämlich des Crossovers, wollen wir uns zunächst der genetischen Rekombination bei Bakterien und Phagen zuwenden, deren Gene stets in einer Kopplungsgruppe in einer kontinuierlichen DNA-Doppelhelix vorliegen.

Man hat seit mehreren Jahrzehnten zwei prinzipiell verschiedene Mechanismen des Crossovers diskutiert:

A. Die Bruch-und-Reunion Modelle, bei denen das Crossover mit einem echten Materialaustausch verbunden ist. DNA-Moleküle (die Rekombinationspartner) werden aufgeschnitten, homologe Stücke ausgetauscht und die Bruchenden wieder kovalent verbunden.

B. Copy choice Modelle, bei denen Rekombination nur während der Neusynthese von DNA möglich ist. Diese läuft für einen gewissen Abschnitt an der einen DNA-Struktur (Template) entlang und wechselt dann auf die andere über. Rekombinationspartner sind die Elternstrukturen, die die Funktion von Teil-Templates übernehmen, aber ihre physische Integrität wahren. Der neu zu synthetisierenden Struktur stehen zwei Templates zur „Auswahl".

Bei allen molekularbiologisch gut untersuchten Systemen ist bis jetzt ein Bruch-und-Reunion Mechanismus beobachtet worden. Dieser kann allerdings — wie wir sehen werden — recht komplizierte Formen annehmen und auch Copy-choice-artige Phänomene mit einbeziehen.

Hinweise darauf, daß genetische Rekombination mit Fragmentierung der Elternstrukturen einhergeht, wurden schon in den 50er Jahren wiederholt bei Phagen gewonnen. Bei Kreuzungen zwischen ^{32}P-markierten und unmarkierten Phagen wurde nämlich beobachtet, daß die Radioaktivität eines Elternpartikels in kleineren Stücken auf viele Nachkommen verstreut wurde. Aber erst im Jahre 1961 erbrachten MESELSON und WEIGLE[1] den endgültigen Beweis für die Fragmentierung von Elterngenomen bei der Rekombinantenbildung:

In einer 2-Faktor-Kreuzung ($c^+ mi^+ \times c\, mi$) mit dem Phagen λ war der Wildtyp mit den schweren Isotopen ^{13}C und ^{15}N markiert, während der andere Elterntyp $c\, mi$ von normaler Dichte war. Die Nachkommen dieser Kreuzung wurden im Caesiumchloridgradienten zentrifugiert und dann ausgetropft (siehe § 6/8). Nun wurden die Phagen in den einzelnen Tropfen titriert, d. h. die verschiedenen Genotypen gezählt. Beide genetische Markierungen lagen auf der einen Seite des Chromosoms, so daß nach Rekombination durch Bruch und Reunion eine asymmetrische Verteilung der parentalen Dichte zu erwarten war:

Folgendes wurde beobachtet:

Wildtyp-Nachkommen waren auf 3 Banden verteilt, die entsprechend der semikonservativen DNA-Replikationsweise den Partikeln mit nichtreplizierten, einmal replizierten und völlig neu synthetisierten DNA-Molekülen entsprachen (Abb. 7/1). (Beim Phagen λ ist es offenbar möglich, daß Parentalgenome, ohne sich je zu vermehren, vom Wirt wieder in neue Hüllen gepackt werden.) Der Rekombinantentyp $c^+ mi$ zeigte ebenfalls die drei Banden, wobei die zwei dichteren Banden im Vergleich zu den entsprechenden Banden des Wildtyps ein wenig zur

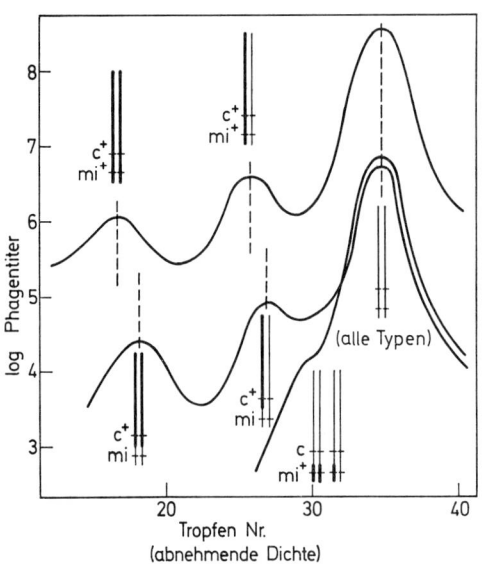

Abb. 7,1.
Darstellungen der Ergebnisse einer Dichtegradientenzentrifugation von Nachkommenphagen (komplette Partikel, nicht etwa nur deren DNA) aus der λ-Kreuzung $c^+ mi^+$ (dichtemarkiert) $\times$ $c \, mi$ (normale Dichte). Die obere dreigipfelige Kurve gibt die Verteilung des Wildtyps, die untere dreigipfelige Kurve die der Rekombinante $c^+ mi$ wieder. Man beachte die Verschiebung der Gipfelpunkte. Die dritte, im wesentlichen eingipfelige Kurve des Rekombinantentyps $c \, mi^+$ enthält theoretisch auch 3 Komponenten, die aber dichtemäßig so ähnlich sind, daß einzelne Gipfel nicht mehr erkennbar werden. Die Kurve für den leichten Elter $c \, mi$ ist der Übersichtlichkeit wegen fortgelassen. (Nach Meselson und Weigle vereinfacht und schematisiert.)

Seite der geringeren Dichte verschoben waren. Der reziproke Typ $c \, mi^+$ und der Parentaltyp $c \, mi$ waren, wie erwartet, überwiegend in der leichten Bande zu finden, doch war eine kleine Bande an der Flanke zu höheren Dichten erkennbar.

Diese Befunde stimmen also mit den Erwartungen des Bruch-und-Reunion Modells überein und lassen sich nicht anders deuten. Ähnliche Versuche an anderen Phagen haben dieses Ergebnis bestätigt. Auch bei der bakteriellen Transformation wurde mit ähnlicher Technik Bruch und Reunion als Mechanismus des Crossovers nachgewiesen. (Hier wird allerdings immer nur ein Einzelstrang eingebaut.)

Über die molekularen Einzelheiten des Bruch- und Reunionsprozesses ist
noch nichts Sicheres bekannt. Damit die Integrität des Genoms in den Rekombinanten erhalten bleibt, müssen die das Crossover einleitenden Brüche sich an
„homologen" Stellen ereignen. Für die gegenseitige „Erkennung" der richtigen
Bruchenden ist es aber wohl nötig anzunehmen, daß die Brüche in den beiden
Strängen der DNA-Doppelhelix nicht an genau gegenüberliegenden Nucleotiden
eintreten. Nur dann könnten die herausragenden Einzelstränge sich finden durch
die Paarungseigenschaften von komplementären Basensequenzen.

In vitro erfolgt zwischen solchen Enden spontanes „annealing" (vgl. § 6/9):
An den Enden des DNA-Moleküls vom Phagen λ ist nämlich je ein einzelsträngiger
Bereich von 12 Nucleotiden vorhanden, deren komplementäre Sequenz bekannt
ist[2]. Diese überstehenden Einzelstrangsegmente an den Enden des λ-DNA-Mole-
küls „verkleben" in vitro spontan. Die „Klebestellen" (engl. sticky ends) entsprechen der in Fig. 7,2 gezeigten Struktur. Durch Behandlung mit Ligase können
die verbleibenden Lücken in vitro kovalent geschlossen werden, so daß die ursprüngliche Diskontinuität nicht mehr zu erkennen ist.

Abb. 7,2.
Schema des spontanen „Verklebens" (auch
Renaturierung oder annealing genannt)
von passenden komplementären Einzel-
strang-Abschnitten und „Verheilen" der
Lücken zwischen benachbarten Nucleotiden durch Ligasewirkung

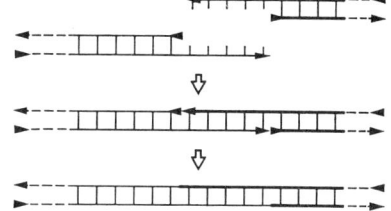

(Je nachdem, ob es sich um die beiden Enden desselben DNA-Moleküls handelt
oder nicht, entstehen kovalent geschlossene Ringmoleküle oder Ketten von mehreren Genomen.) Der gleiche Vorgang tritt offenbar auch in vivo nach der Infektion der Zelle ein, da replizierende λ-Phagen ein ringförmiges Chromosom
haben (vgl. Tafel 21 und § 6/10).

Wie aber, wird man jetzt fragen, werden die einander komplementären Einzel-
strang-Enden genau gleicher Größe an neu gebildeten λ-Phagen freigelegt? Es
wurde ein Phagen-Gen „ter" (Abkürzung für Termination) identifiziert[3], dessen
Produkt — offenbar eine spezifische Nuclease — während der Phagenreifung eine
bestimmte Sequenz in der ringförmigen DNA erkennt und dort mit 12 Nucleotiden Abstand je einen Bruch in jeden Strang setzt.

Man kann zur Freilegung von Crossover-bereiten DNA-Enden sich ähnliche,
weniger spezifische Enzyme vorstellen, die an vielen oder gar beliebigen Stellen
der Doppelhelix je einen Bruch in jedem Einzelstrang bewirken und dabei überstehende Einzelstränge erzeugen. Eine solche Rekombinase, die das Crossover
einleiten würde („Crossover-Nuclease"), müßte jedoch noch dafür sorgen, daß
in beiden Elternstrukturen solche Brüche an etwa homologen Stellen aufträten.
Da nach dem komplementären Zusammenfinden (annealing) der freien Enden
noch Korrekturen vorgenommen werden können, d. h. überstehende Enden abgebaut oder fehlende nachsynthetisiert werden können, scheinen heute Brüche an
genau homologen Stellen der Doppelhelices nicht mehr erforderlich.

Wir haben bisher — klassischen Vorstellungen folgend — den Beginn des
Crossovers so dargestellt, als ob dabei stets zwei Elternstrukturen aufgeschnitten

würden. Das ist aber weder bewiesen noch widerlegt. Denkbar ist ebenso, daß Schnitte erst in nur einer Elternstruktur erfolgen (vielleicht sogar zunächst ein Schnitt in nur einem Einzelstrang), daß dann die freien Enden der zerschnittenen DNA sich einen homologen Bereich in der zeitweise geöffneten, aber noch nicht zerschnittenen Doppelhelix des Rekombinationspartners suchen und dort eine neue Watson-Crick-Paarung eingehen. Erst dann würden (durch diesen Vorgang verursacht) Schnitte auch in der DNA dieses Partners erfolgen (Abb. 7,3). In diesem Modell entfällt das Problem, Brüche an homologen Stellen in zwei Elternstrukturen zu erzeugen.

Es ist also noch ungewiß, ob zur Einleitung des Crossovers ein oder zwei Einzelstränge des ersten sowie kein, ein oder zwei Einzelstränge des zweiten Rekombinationspartners aufgetrennt werden. Weiter ist offen, ob solche Auftrennung an zufälligen Stellen oder nur an festgelegten Punkten (spezielle Basensequenzen) erfolgen kann. Wie dem auch sei, sicher sind eine Reihe von Enzymen an diesem Vorgang beteiligt, die Schnitte setzen (Endonucleasen), überhängende Einzelstränge wegverdauen (Exonucleasen), einzelsträngige Bereiche zu Doppelsträngen ergänzen (Polymerasen) und Lücken im Phosphodiesterrückgrat schließen (Ligasen).

Die sequenzielle Wirkung von Endonuclease, Exonuclease, Polymerase und Ligase erinnert an den Mechanismus der Reparatur von Schäden in der DNA. Tatsächlich sind ja (vgl. § 7/1) an Reparatur- und Rekombinationsprozessen nicht zwei völlig unabhängige Mechanismen beteiligt. Dies wird auch an dem Befund deutlich, daß eine UV-Bestrahlung in vielen Systemen von Mikroorganismen die Rekombinationsrate erhöht[4]. Man vermutet, daß Einzelstrangbrüche, hervorgerufen von UV-Schäden-erkennenden Endonucleasen, ebenso rekombinationsfördernd sind wie die der eben postulierten Crossover-Nucleasen, die normale DNA aufschneiden würden.

Was weiß man aber nun konkret über Enzyme, die am Crossover-Vorgang beteiligt sind ?

1965 wurden die ersten Mutanten von E. coli [F$^-$] beschrieben, die nicht in der Lage waren, Rekombinanten zu bilden, obwohl sie normal konjugieren konnten. Offenbar hatten diese Mutanten die Fähigkeit verloren, ein übertragenes Genomstück in ihr Chromosom einzubauen, d. h. den eigentlichen Rekombinationsakt durchzuführen. Die spätere genetische und physiologische Analyse zeigte, daß bei E. coli mindestens 4 Gene (recA, recB, recC und lex) das Rekombinationsgeschehen direkt beeinflussen[5]; diese Gene liegen an verschiedenen Stellen des Coli-Chromosoms.

recA-Mutanten sind völlig unfähig zu rekombinieren (bei Mutanten der anderen Gene ist die Rekombinationsrate nur vermindert). recA-Mutanten sind auch wesentlich UV-empfindlicher als die anderen. Nach UV-Bestrahlung können recA-Mutanten zwar Thymin-Dimere ausschneiden, der damit verbundene Abbau von DNA ist aber übermäßig gesteigert. Dagegen sind die Ligase und Polymerase dieser Mutanten normal, so daß die eigentliche Funktion des recA-Gens unbekannt bleibt (vgl. § 6/7).

recB und recC oder auch die Doppelmutante recB recC sind phaenotypisch ununterscheidbar. Man glaubt, daß die Produkte der Gene recB$^+$ und recC$^+$ gemeinsam eine Funktion ausüben, die nicht erfüllt werden kann, wenn eines der Gene

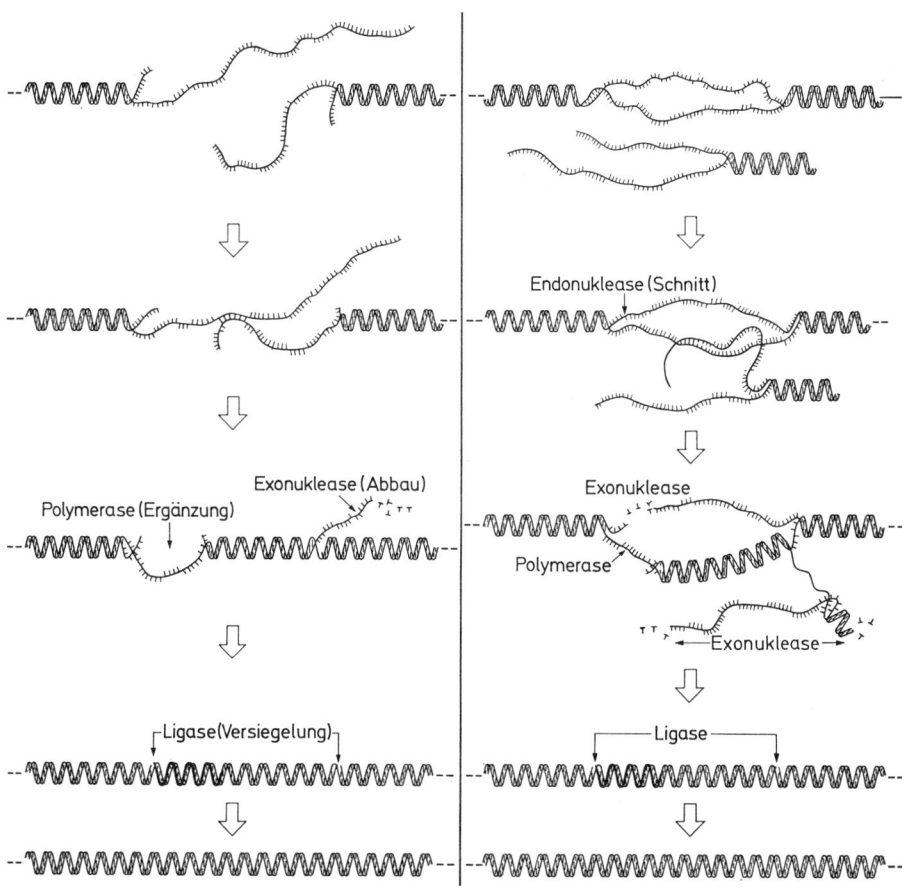

Abb. 7,3. Zwei Beispiele von möglichen Sequenzen der Schritte bei Rekombination. Links: ausgehend von doppelsträngigen Teilgenomen; rechts: Einbau eines Fragments in ein komplettes Genom (z B. Transformation)

defekt ist (vgl. T4rII Gen A und Gen B in § 6/2). Vermutlich sind die Genprodukte Untereinheiten einer Nuclease[10]. Beim Defekt dieser Funktion findet nach UV-Bestrahlung ein geringerer DNA-Abbau statt als beim Wildtyp. Dennoch werden — im Gegensatz zu *uvr* Mutanten — Thymin-Dimere ausgeschnitten. Die Funktion der *rec*-Gene ist auch für die normale Zellvermehrung wichtig, da *rec*-Mutanten häufig vermehrungsunfähige Zellen abspalten[6].

recA recB oder *recA recC* Doppelmutanten[7] zeigen den *recA* Phaenotyp, was das völlige Fehlen von Rekombination und die extreme UV-Empfindlichkeit anbelangt. Aus der Tatsache, daß *recA recB* Mutanten aber nicht UV-empfindlicher sind als die *recA* Einzelmutante, daß also kein additiver Effekt zu beobachten ist, schließt man; daß die *recA* Funktion und die *recB recC* Funktion an demselben Prozeß beteiligt sind.

lex-Mutanten zeigen Rekombinationsraten um einen Faktor 2—3 geringer als der Wildtyp. Auch sind sie UV-empfindlicher als der Wildtyp, es treten aber keine UV-induzierten Mutationen in diesen Stämmen auf. Es scheint, als ob durch die *lex*-Mutation der Reparaturmechanismus von UV-Schäden durch Mutation so verändert wird, daß er weniger wirksam, dafür aber fehlerfrei arbeitet[8]. Dies spricht für die Existenz zweier ähnlicher Enzymsysteme: ein schnelles, aber fehlerhaftes (*lex*) und ein langsames aber fehlerfreies, das genetisch noch nicht identifiziert ist.

Auch manche Phagen haben offenbar eigene Rekombinations-Enzyme, obwohl sie auch die des Wirtes benutzen können. Man kennt z.B. die *red*-Mutanten des Phagen λ, die in rekombinationsdefekten Wirten keine Rekombination zeigen, aber im normalen Wirt rekombinationsfähig sind (weil sie dessen Enzyme benutzen.) Im Gegensatz dazu kann λ-*red*+ auch in rekombinationsdefekten Wirten rekombinieren, da er dafür sein eigenes Enzym mitbringt. Umgekehrt kann sogar die Rekombinationsfunktion eines *red*+-λ-Phagen von einem *rec*-Wirt benutzt werden[9].

Literatur zu § 7/2:

[1] MESELSON, M., and J. J. WEIGLE: Proc. nat. Acad. Sci. (Wash.) **47**, 857 (1961).
[2] WU, R., and E. TAYLOR: J. molec. Biol. **57**, 491 (1971).
[3] MOUSSET, S., and R. THOMAS: Nature **221**, 242 (1969).
[4] HOWARD-FLANDERS, P. et al., in: Molecular Genetics (4. Konf. Ges. Dt. Naturf. u. Ärzte) (H. G. WITTMANN and H. SCHUSTER eds.), Berlin: Springer 1968.
[5] Review: WITKIN, E. M.: Ann. Rev. Microbiol. **23**, 487 (1969).
[6] HAEFNER, K.: J. Bact. **96**, 652 (1968).
[7] WILLETTS, N. S., and A. J. CLARK: J. Bacter. **100**, 231 (1969).
[8] WITKIN, E. M.: Brookhaven Symp. Biol. **20**, 17 (1967).
[9] MIZUUCHI, K., and T. FUKASAWA: Virology **39**, 467 (1969).
[10] OISHI, M.: Proc. nat. Acad. Sci. (Wash.) **64**, 1292 (1969).

7/3   Rekombinations-Heteroduplices und Konversion

Wir haben in § 7/1 gesehen, wie Störungen der Basenpaarung in der DNA von Reparaturenzymen erkannt, ausgeschnitten und durch komplementäre Neusynthese korrigiert werden. Wir haben weiter in § 7/2 die Möglichkeiten behandelt, im Crossoverprozeß frei gewordene komplementäre DNA-Enden in korrekter Sequenz wieder zusammenzufügen. Wir wollen uns jetzt der Frage zuwenden, welche Konsequenzen entstehen, wenn in dem „Verleimungsbereich" eines Crossovers eine Mutation lokalisiert ist, d. h. wenn die sich paarenden Einzelstrangabschnitte nicht in allen Basen komplementär sind. Mit anderen Worten: Was passiert, wenn eine z. B. durch eine einfache Basenänderung charakterisierte genetische Marke in den Einzelstrangbereich der rekombinierenden DNA-Moleküle fällt?

In diesem Fall wird an der Stelle der genetischen Marke eine Heteroduplexstruktur* (vgl. § 6/11) entstehen, in der zwischen gegenüberliegenden, nicht passenden Basen keine Wasserstoffbrücken möglich sind:

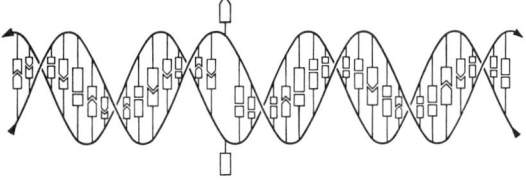

---

* Oft auch „hybride" DNA genannt.

Wird diese Struktur von Reparaturenzymen als „Schaden" betrachtet, dem-entsprechend ausgeschnitten und korrigiert? Der folgende Befund spricht dafür, daß dies tatsächlich geschehen kann (aber bei weitem nicht immer geschehen muß):

SPATZ und TRAUTNER[1] haben die beiden Stränge der DNA eines B. subtilis-Phagen und auch einer Mutante dieses Phagen durch technische Tricks getrennt und dann so zusammengebracht, daß der eine Strang des Wildtyps mit dem zu ihm komplementären Strang der Mutante renaturieren konnte. So wurden in vitro die Heteroduplices einer Rekombination simuliert.

Diese „hybride" Phagen-DNA wurde nun (in Transfektionsversuchen) von Wirtsbakterien aufgenommen. Unter den mit hybrider Phagen-DNA infizierten Zellen fanden sich viele (Einzelwurftechnik! Vgl. § 5/5), die nur Wildtyp-Phagen oder nur Mutanten produzierten. Dieses Ergebnis ist nicht zu erwarten, wenn die Heteroduplex-DNA als Template für semikonservative DNA-Synthese fungiert; in diesem Falle hätten beide Typen erscheinen sollen, wie das folgende Schema an einem Beispiel zeigt:

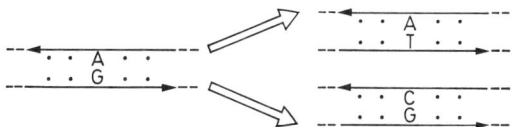

Die Tatsache, daß oft nur einer der Phagentypen gebildet wurde, kann am einfachsten durch Reparatur an der Stelle der nichtpaarenden Basen erklärt werden, die der Replikation zuvorkam. Reparatur von Rekombinations-Hetero-duplices ist auch bei der Bakterien-Transformation beobachtet worden[2]. Offenbar fahren Reparaturenzyme die DNA ab wie Polizeistreifen die Autobahn. Wo sie auf Störungen stoßen, greifen sie ein.

Nicht jede Störung wird jedoch vor der Replikation entdeckt, so daß oft aus einem solchen Heteroduplex zwei genetisch verschiedene Tochterstrukturen ent-stehen. Bei Phagenkreuzungen kann sogar Heteroduplex-DNA in Phagenhüllen verpackt werden (Reifung). Aus einem solchen Partikel entstehen nach neuer Infektion zwei genetisch verschiedene Nachkommentypen (sofern vor der Ver-mehrung keine „Reparatur" erfolgt).

Auch bei anderen Organismen, besonders bei Pilzen, sind Indizien für das Auftreten von Heteroduplex-DNA vorhanden: Schon 1955 wurden Abweichungen von der 4:4 Aufspaltung in Tetraden beschrieben. Aufspaltungen im Verhältnis 5:3 (z. B. bei Sordaria, s. Tafel 18) werden am einfachsten so erklärt, daß am Ende der Meiose ein Chromosom (aus nur einem DNA-Doppelstrang) als Heteroduplex vorliegt (s. Kasten, S. 187). Das Entstehen abnormer Segregation (6:2, 5:3, selten 7:1) wurde „Konversion" genannt. Solche Unregelmäßigkeiten in der Tetraden-aufspaltung treten größenordnungsmäßig mit einer Häufigkeit von 1% auf.

Zur Erklärung von Konversion muß beinahe zwangsläufig Abbau von DNA-Einzelsträngen in Heteroduplex-Regionen und darauffolgende Reparatursynthese — unter Benutzung des unversehrten Stranges als Template — angenommen werden.

Ein solcher Mechanismus wäre copy-choice-ähnlich, weil im Bereich des Heteroduplex der eine oder andere Strang der Doppelhelix abgebaut wird und dem verbleibenden damit die Rolle des gewählten Templates zufällt. (Es ist von sekundärer Bedeutung, ob der Abbau einer Heteroduplexseite schon „zufällig" im Prozeß des eigentlichen Crossovers erfolgt oder ob erst nachträglich in der kompletten Doppelhelix ein Heteroduplex als Fehler erkannt und durch Ausschneiden repariert wird. Beides ist möglich.) Die nach diesem Modell zu fordernde beschränkte DNA-Synthese während der Rekombination wurde von STERN und HOTTA in Pollen-Mutterzellen und von MESELSON am Phagen λ nachgewiesen [3].

Die Ereignisse innerhalb eines Rekombinationsbereichs lassen mehrfache Alternativen zu, welche Stränge wann miteinander Watson-Crick-Paarung eingehen, welche aufgeschnitten, welche nachsynthetisiert und welche abgebaut werden. Für außerhalb des Crossover-Bereichs liegende Gene braucht als Gesamtergebnis nicht zwangsläufig Rekombination zu resultieren, sie können auch in parentaler Kombination erhalten bleiben. Heteroduplices sind aber häufiger rekombinant für Außenmarken als die Gesamtnachkommenschaft. Selektiert man andererseits für Rekombination von Außengenen, so findet man zwischen ihnen überdurchschnittliche Wahrscheinlichkeit für Heteroduplices. Beides ist im Rahmen solcher Rekombinationsmodelle zu erwarten.

Diese heutige Vorstellung des Crossovers wirft neues Licht auf ältere Probleme. So kann die „hohe negative Interferenz" erklärt werden (d. h. der Befund, daß ein Crossover häufiger als der Zufallserwartung entsprechend einem anderen eng benachbart ist), da ein Konversionsereignis Doppelcrossover vortäuschen kann. Auch die alte Frage, ob zwei Rekombinationsmechanismen existieren (reziproke und nicht-reziproke Rekombination), löste sich auf in einer Vielfalt von Stufen des Geschehens mit alternativen Möglichkeiten. Zum Beispiel Reparatur oder Fortbestand eines Heteroduplex.

Die Darstellung von S. 187 ist jedoch zu einfach, um die komplexen und umfangreichen Daten der Kreuzungsanalysen von Pilzen in ihrer Gesamtheit quantitativ erklären zu können. So ist das Auftreten von 5:3 und 3:5 Aufspaltungen (am Beispiel der Sporenfarbe von Tafel 18, entweder 5 schwarze : 3 weiße oder 3 schwarze : 5 weiße Sporen) in einem gegebenen Allelpaar selten gleich häufig (wie es unser Denkmodell erwarten ließe). Dies könnte durch eine Tendenz des Reparatursystems erklärt werden, eine bestimmte Base (z. B. Guanin) bevorzugt auszuschneiden.

Weiter ist oft die Konversionshäufigkeit einer Marke abhängig von deren Lage, im Genom. Zum Beispiel bei Ascobolus gibt es Abschnitte auf der Genkarte, in denen Gradienten von Konversionshäufigkeiten zu beobachten sind.

Das Auftreten von Konversionsgradienten wird „Polarität" genannt. Da die Bereiche solcher Gradienten die Grenzen zwischen Genen überschreiten, wurde der neue Begriff „Polaron" eingeführt [4]. Ein Polaron umfaßt also eine Reihe von Mutationsorten, deren Konversionshäufigkeiten kontinuierlich abfallen.

Man könnte Polarität so erklären: je näher eine Marke an einem Einzelstrangbruch liegt, desto größer ist die Wahrscheinlichkeit, daß sie Exonucleasen zum Opfer fällt. Wenn nun Einzelstrangbrüche bei höheren Organismen nicht an zufälligen Stellen, sondern immer in bestimmten Regionen oder gar an ganz bestimmten Punkten des Chromosoms erfolgen, wird Konversion umso wahrscheinlicher, je näher die Mutation an der Bruchstelle liegt. Es ist möglich, daß spezielle Punkte für die Replikation des Chromosoms (s. § 6/10) solchen Stellen

Vereinfachtes Schema eines von Konversion begleiteten meiotischen Crossovers

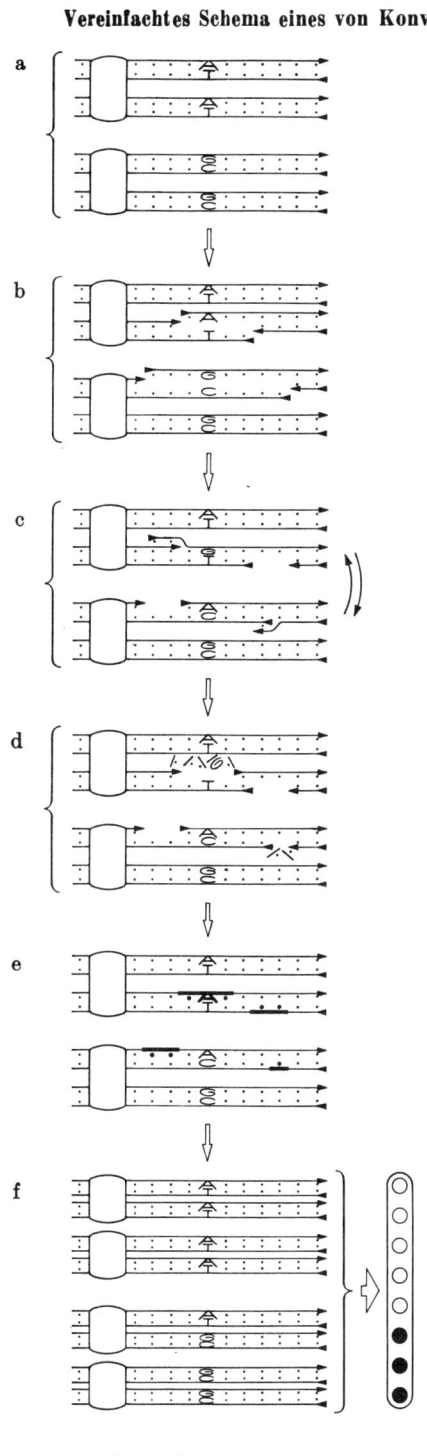

(Verdoppelte Chromosomen sind durch zwei DNA-Doppelstränge schematisiert. Die Schwesterstränge werden durch das Centromer zusammengehalten).

a) Die beiden homologen Chromosomen paaren sich (Synapsis durch Klammer links symbolisiert). Sie unterscheiden sich in einer Punktmutation. Diese ist durch unterschiedliche Basenpaare gekennzeichnet.

b) Crossover zwischen zwei DNA-Doppelhelices wird eingeleitet. In diesen entstehen Einzelstrangbrüche (Endonucleasewirkung). Vielleicht sind diese Schnitte nur an ganz bestimmten Stellen des Genoms möglich. Der Übersichtlichkeit halber sind im Schema beide DNA-Einzelstränge gleichzeitig angeschnitten worden. In Wirklichkeit wird wahrscheinlich in jeder Doppelhelix zuerst nur je ein Strang geöffnet. (Dadurch würde vermieden, daß die angeschnittenen Stücke verloren gehen). In jedem Falle aber werden komplementäre Einzelstrang-Abschnitte frei, die

c) über Kreuz miteinander renaturieren können. Die seitlichen Pfeile symbolisieren den schon erfolgten Austausch. Zur besseren Übersichtlichkeit wurde im Schema die Überkreuzung in den Bereich rechts außerhalb der Zeichnung verlegt. Fällt, wie hier, eine genetische Marke in den Bereich der Einzelstrang-DNA, so entstehen nach Renaturierung Heteroduplex-Strukturen.

d) In den homologen Chromatiden sind die Schnitte nicht an genau derselben Stelle erfolgt, so daß nach dem Crossover sowohl Lücken, als auch überzählige Einzelstrang-Abschnitte vorliegen. Letztere werden von Exonucleasen wegverdaut. Der Abbau von DNA beschränkt sich aber nicht nur auf die überzähligen Einzelstränge, sondern — und dies ist wichtig — geht darüber hinaus und wird dabei auch einige Heteroduplexstrukturen erfassen.

e) Die freien Einzelstrangbereiche dienen nun als Template für die Reparatursynthese durch DNA-Polymerasen (dicke Striche, Punkte und Buchstaben). Die Phosphodiesterbindungen werden durch Ligasewirkung wieder hergestellt. Das Crossover ist beendet und es folgt die 1. meiotische Teilung.

f) Die Centromere teilen sich, und es erfolgt die 2. meiotische Teilung. Bei vielen Pilzen wie Sordaria und Neurospora schließt sich auch gleich eine mitotische Teilung an. Die dazu erforderliche DNA-Replikation hat zur Folge, daß alle Heteroduplex-Strukturen aufgelöst werden. Auf ihre frühere Existenz kann aber anhand der 5:3 Aufspaltung (Konversionserscheinung) der Sporen im gereiften Ascus geschlossen werden (vgl. Tafel 18).

entsprechen. Diese sollten durch bestimmte Basensequenzen ausgezeichnet sein, die von spezifischen Enzymen erkannt werden.

Nach dieser Vorstellung können Rekombinationsereignisse also nur an festen Punkten des Chromosoms beginnen. In allen Fällen, bei denen Rekombinationswahrscheinlichkeiten entlang der physikalischen Struktur des Chromosoms meßbar waren (Beispiele: Phage T4, Drosophila), wurden größere Bereiche gesteigerter oder reduzierter Rekombinationshäufigkeiten gefunden. Es ist noch offen, ob dieser Befund mit gehäuftem Auftreten solcher festen Öffnungsstellen in Beziehung gebracht werden kann.

Keine der bisherigen Betrachtungen — auch nicht eine ungleichmäßige Verteilung von Öffnungsstellen — kann aber als Erklärung der Interferenz (vgl. §§2/5 und 4/4) dienen. Hierfür ist nötig zu verstehen, warum in einem Bereich mit vielen möglichen Crossoverorten fast immer ein — und nur ein Crossover mit Rekombination für Außenmarken erfolgt.

Für speziellere Fragen der Rekombination sei der Leser auf das Buch von WHITEHOUSE[5] verwiesen, der ebenso wie HOLLIDAY[6] zu vielen der hier diskutierten Ideen beigetragen hat.

Literatur zu § 7/3:

[1] SPATZ, H.-Ch., und T. A. TRAUTNER: Mol. Gen. Gen. **109**, 84 (1970).

[2] BRESLER, S. E., et al.: Molec. Gen. Gen. **102**, 257 (1968).

[3] STERN, H., and Y. HOTTA, in: The Control of Nuclear Activity (L. GOLDSTEIN ed.) p. 47, Englewood Cliffs, Prentice-Hall 1967.
MESELSON, M.: J. molec. Biol. **9**, 734 (1964).

[4] RIZET, G., et J. L. ROSSIGNOL: Comp. Rend. Hebd. Séanc. Acad. Sci. Paris **262**, 1250 (1966).

[5] WHITEHOUSE, H. L. K.: Towards an Understanding of the Mechanism of Heredity, 2nd ed. London: Edward Arnold publ. 1969.

[6] HOLLIDAY, R., in: Replication and Recombination of Genetic Material (W. J. PEACOCK and R. D. BROCK eds.). Canberra: Austr. Acad. Sci. (1968) (Ein Konferenzbericht).

7/4 Die synaptische Paarung homologer Chromosomen

Bei der Betrachtung von Rekombinationsvorgängen in höheren Organismen drängen sich z.B. aus der zytologischen Betrachtung noch ganz andere Probleme der Meiose auf, die jetzt kurz behandelt werden sollen:

Eine notwendige Voraussetzung des Crossovers ist die korrekte Paarung zweier homologer Chromosomen. Wie die zytologische Beobachtung zeigt, sind Chromosomen in der Lage, ihren homologen Partner zu erkennen. Mehr noch, die einzelnen Abschnitte finden, z. B. bei Inversionen (vgl. Abb. 4,15), passend zueinander. Bis heute haben wir keine befriedigende Erklärung für dieses Rätsel der Synapsis.

Man wehrt sich gegen die Vorstellung, daß die Basensequenz der DNA *allein* für die Erkennung ausreicht. Abgesehen davon, daß zumindest von einigem Abstand aus betrachtet die Schrift der Basen sehr gleichförmig wirkt, sind die Basen in der DNA-Doppelhelix abgesättigt und durch Überspiralisierung unzugänglich. Man möchte daher die Existenz von zusätzlichen „Grobmarkierungen" annehmen. Diese könnten aus spezifischen Proteinen oder dergleichen

bestehen, die entweder ein Teil der Chromosomenstruktur selbst sind (Abb. 7,4 A)
oder im aufgelockerten Stadium an spezifischen Stellen des Chromosoms angelagert werden (Abb. 7,4 B). In jedem Fall müssen sich diese Markierungen

paarweise absättigen, da die zytologischen Bilder von Tri- und
Quadrivalenten (§ 4/5) die abschnittsweise Paarung von nur
zwei Chromosomen zeigen, d. h.
in einem Abschnitt sich fast[1] nie
mehr als zwei Chromosomen zu-
sammenlagern.

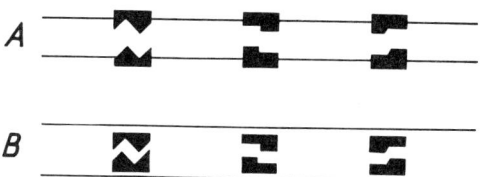

Abb. 7,4. Hypothetische Grobmarkierung
zur Erkennung in der Synapsis.
A: als Teil der Chromosomenstruktur,
B: als angelagerte Zusatzelemente

Ein zusätzliches Problem ist
die spätere Trennung gepaarter
Chromosomen im Diplotän. Paa-
rende Kräfte müssen in diesem Stadium wirkungslos werden bzw. müssen sich
dann zwischen den Schwesterchromatiden jedes Chromosoms absättigen.
Schwesterchromatiden bleiben etwa bis zur Metaphase gepaart. Es ist möglich,
daß die Beendung der ursprünglichen Synapsis auf einer allosterischen Änderung (vgl. § 10/1) der Grobmar-
kierungsproteine beruht.

Man beobachtet, daß die Synapsis homologer Chromosomen
oft von den Enden her beginnt,
die bei vielen Organismen offenbar an der Kernmembran fest-
geknüpft sind (Bukettstadium).
Abb. 7,5 veranschaulicht diese
Phase. Das diffuse Material um
die Chromosomenachsen herum
sind die Chromosomenschleifen
(vgl. § 10/13). Die paarenden Chromosomen bilden den sog. ,,synap-
tischen Komplex", eine Doppelstruktur, in der die Paarungspartner einen sehr konstanten
Abstand einhalten. Dieser ist auch
für verschiedene Organismen recht
konstant und beträgt 0,10 μ. Es
ist noch unverstanden, wie und
warum gerade eine solche Distanz-
paarung erfolgt. Tafeln 14 u. 15
geben elektronenmikroskopische
Abbildungen wieder. Dort sieht
man zwischen den Chromosomen

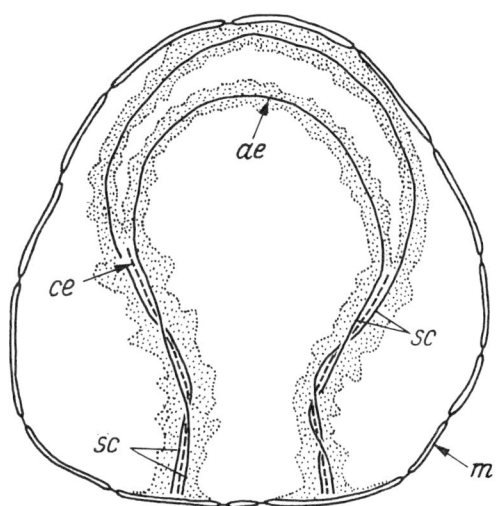

Abb. 7,5. Schema der Synapsis in einem
Spermatozytenzellkern des Salamanders für
ein Paar homologer Chromosomen. (Nach
M. J. Moses: 4. Internat. Kongr. f. Elek-
tronenmikroskopie, S. 205. Springer: Berlin-
Göttingen-Heidelberg 1960)

$m =$ Kernmembran
$ae =$ axiales Element des Chromosoms
$ce =$ zentrales Element des synaptischen Komplexes
$sc =$ synaptischer Komplex

ein zusätzliches ,,zentrales Element", dessen Ursprung und Deutung ebenfalls
noch unbekannt ist. Es ist in den Bereichen zu finden, in denen die Synapsis der
homologen Chromosomen erfolgt ist.

Die Synapsis wird ausgelöst durch noch unbekannte Kontrollmechanismen. Das Crossover verlangt noch die Erfüllung zusätzlicher Bedingungen, wie bestimmte Liliengewächse mit synaptischen Komplexen aber ohne Chiasmata beweisen [2].

Somatische Assoziation

In § 2/6 haben wir die polytänen Chromosomen von Dipteren diskutiert. Bei diesen sind viele Stränge homologer Chromosomen zu einem dicken Bündel assoziiert. Es wird meist angenommen, diese Zusammenlagerung sei von anderer Art als die Synapsis, da sich bei Trisomie (im Gegensatz zur Synapsis) auch drei homologe Chromosomen zu *einem* polytänen Bündel vereinigen. Überhaupt liegt ja keine *Paarung* von zwei Strängen, sondern eine Assoziation *vieler* Stränge vor. Dieses Argument ist nicht unbedingt stichhaltig. Es ist auch denkbar, aber ebenso unbewiesen, daß in dem Kabel viele Paarungen zwischen je zwei Strängen stattfinden, daß diese aber — wenn man das Kabel entlanggeht — manchmal ihre Paarungspartner wechseln. Auch so käme ein fester Zusammenhalt für das ganze Bündel zustande.

Dipteren haben eine weitere Besonderheit: auch in Äquatorialplatten von *Mitosen* findet man homologe Chromosomen zwar nicht gepaart, aber in offensichtlich geordneter Nachbarschaft gelegen (vgl. mitotisches Crossover, § 5/3). Man erklärt dies durch eine vorausgehende Nachbarschaft homologer Chromosomen im lockeren Interphasezustand. Welche Kräfte dieses Phänomen bewirken, ist ebenfalls noch unklar. Möglicherweise spielt die Anheftung von Chromosomen an die Kernmembran dabei eine Rolle.

Literatur zu § 7/4:
[1] COMMINGS, D. E., and T. A. OKADA: Nature (Lond.) **231**, 119 (1971).
[2] PARCHMAN, L. G., and T. F. ROTH: Chromosoma (Berl.) **33**, 129 (1971).

7/5 Rekombinationsähnliche Vorgänge im Lebenszyklus der Phagen

Im Anschluß an die Diskussion der eigentlichen Rekombination soll in diesem Paragraphen von rekombinationsähnlichen Prozessen die Rede sein, die zwangsläufig mit den Replikationsmechanismen bei Phagen verbunden sind. Der Einfachheit halber sollen also Rekombinationsprozesse im üblichen Sinne, die sich während der Phagenvermehrung natürlich auch abspielen können, im folgenden vernachlässigt werden.

Der Reproduktionszyklus der Phagen beginnt mit der Injektion der Phagen-DNA ins Wirtsbakterium. Der Phage geht in den sog. „vegetativen" Zustand über, in dem er nur aus DNA besteht. Mit der in dieser DNA codierten genetischen Information verändert der vegetative Phage die physiologischen Bedingungen im Wirtsbakterium so, daß seine Vermehrung ermöglicht wird. Dies geschieht — wie manche Phagenforscher in den letzten 10 Jahren mit Betrübnis, andere mit Freuden feststellten — bei jedem Phagen auf verschiedene Art und Weise, obwohl sich auch gemeinsame Aspekte erkennen lassen.

Zuerst muß man sich vor Augen halten, daß die intrazelluläre Phagen-DNA nicht die Form beibehält, in der sie injiziert wurde. Werden Phagen-infizierte Zellen nämlich einige Minuten nach der Infektion aufgebrochen, so läßt sich z. B.

durch Bestimmen der Sedimentationsgeschwindigkeit der intrazellulären DNA[1] oder elektronenmikroskopisch[2] nachweisen, daß DNA-Moleküle vorliegen, die wesentlich länger sein können als die eines reifen Phagenpartikels. Bei vielen Phagen, z. B. bei λ und P22, läßt sich auch die Existenz von Ringmolekülen nachweisen[3] (vgl. Tafel 21).

Es wird heute meist angenommen, daß Ringmoleküle für die Vermehrung vieler Phagenstämme genauso notwendig sind wie für die Vermehrung von Bakterienchromosomen (§ 6/10). Da bei den meisten Phagen aber im reifen Zustand (in der Phagenhülle) ein lineares DNA-Molekül mit zwei Enden vorliegt (ein Ring könnte wohl schlecht injiziert werden), werden rekombinationsähnliche Prozesse während des Replikationszyklus erforderlich:

Die Enden des parentalen Phagenmoleküls müssen nach Injektion in einem der Rekombination analogen Akt verbunden werden (Reunion).

Beim Phagen λ liegen, wie wir bereits gesehen haben (vgl. § 7/2), sog. „sticky ends" (klebrige Enden) vor, d. h. komplementäre Einzelstrangsequenzen, die sich nur zu renaturieren brauchen. Durch Ligasewirkung wird dann das Molekül zu einem covalent geschlossenen Ring. Obwohl Phagen wie P22, T4, T7 usw. keine „sticky ends" besitzen, lassen sich aber komplementäre Einzelstrangsequenzen an den Enden eines jeden Moleküls durch Nucleasewirkung freilegen. Man benutzt dazu das Enzym Exonuclease III, das vom 3'-Ende her einzelne Nucleotide abbaut, den komplementären Abschnitt mit dem 5'-Ende aber unberührt läßt. Nach schonender Nucleasebehandlung bilden auch diese Phagenmoleküle Ringe in vitro, die durch Renaturierung der komplementären Enden zustande kommen[4].

Bei allen diesen Ring-bildenden Phagen müssen an den Enden homologe Basensequenzen von etwa 10 bis einigen hundert Nucleotiden vorhanden sein, d. h. ein Stück von gleicher genetischer Information tritt an beiden Enden auf. Man sagt daher, diese Phagengenome seien „terminal redundant" und vermutet, daß auch in vivo bei allen terminal redundanten Phagen die Ringschließung erfolgt. Nur in diesem Zustand könnte dann die Replikation stattfinden.

Für die Replikation sind zwei Prinzipien möglich:

1. Die Ringmoleküle vermehren sich als solche. Dieser Vorgang wäre völlig analog der Replikation des Bakterienchromosoms oder der Episomen (vgl. Tafeln 21 und 29).

2. Das parentale Ringmolekül ermöglicht die Synthese einer langen Kette von covalent verbundenen Genomen, wie sie ja in infizierten Zellen gefunden werden. Man könnte sich das vereinfacht so vorstellen:

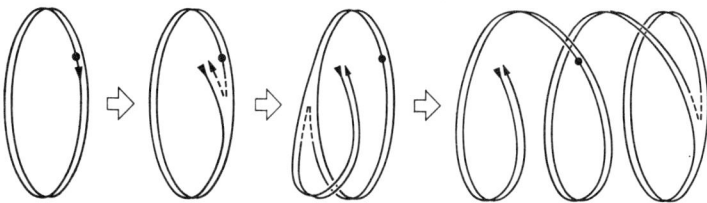

Bei beiden Replikationsarten ergibt sich aber das Problem, die einzelnen Nachkommengenome vor der Reifung wieder aufzutrennen. Auch hier stehen zwei prinzipielle Möglichkeiten offen:

1. Die den Enden entsprechende Basensequenz wird von speziellen Schneide-
enzymen erkannt. An spezifischen, benachbarten, aber nicht unmittelbar gegenüberliegenden Stellen der Kettengenome wird je ein Einzelstrangbruch in die
beiden Stränge der Doppelhelix gesetzt. Die freiwerdenden Einzelgenome besitzen
in diesem Zustand komplementäre Einzelstränge an den Enden. Diese könnten
entweder so verbleiben (Beispiel λ) oder müßten noch durch Reparatursynthese
zu Doppelsträngen ergänzt werden. Dieser Mechanismus ist natürlich im Prinzip
nicht nur auf Ketten-, sondern auch auf multiple und einzelne Ringgenome anwendbar.

2. Der zweite Mechanismus des Ausschneidens von Einzelgenomen aus Ketten-
genomen erfordert nicht das Erkennen von spezifischen Sequenzen. Der erste
Schnitt kann also an einer beliebigen Stelle des Genoms erfolgen. Dann wird
jeweils ein Segment der Länge eines Genoms plus eine bestimmte zusätzliche
Länge abgeschnitten. Das zusätzliche Stück ist erforderlich, weil die Schnitte ja
praktisch immer innerhalb eines Gens liegen werden, dessen Funktion natürlich
durch das Zerschneiden zerstört wird. Da wegen der zusätzlichen Länge des aus-
geschnittenen Stückes der nächste Schnitt aber auf ein anderes Gen fallen muß,
wird das abgemessene Genom immer mindestens ein intaktes Exemplar aller
Gene enthalten.

So hergestellte Phagen haben zwar eine feste Reihenfolge der Gene „abc...
xyz", doch kann diese in individuellen Phagenpartikeln mit einem beliebigen
Buchstaben beginnen, an den sich die korrekte Folge bis „z" anschließt. Auf „z"
aber folgt wieder ein „abcd...". Diese Genanordnungen (Abb. 7,6) in individuellen
Phagenpartikeln werden als „zirkulare Permutationen" bezeichnet. Bei Kreuzungen
mit einer solchen Population ist zwar die Genreihenfolge bestimmbar, doch ist kein
Gen als Anfangs- oder Endpunkt ausgezeichnet. Diese Situation führt in Kreu-
zungsexperimenten zu einer ringförmigen Genkarte. Eine ringförmige Genkarte
und die zirkulare Permutation der Phagengenome schlug STREISINGER[5] für den
Phagen T4 lediglich anhand von Kreuzungsdaten vor, später wurde diese
Hypothese durch physikochemische Untersuchungen bestätigt[4].

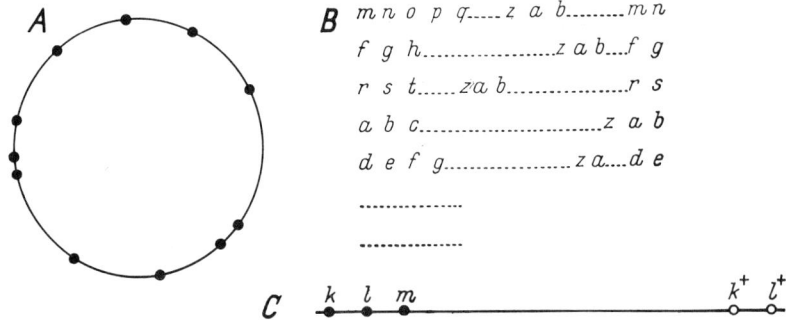

Abb. 7,6. A: Ringförmige Genkarte einer Population von T4-Phagen,
          B: deren Deutung durch zirkulare Permutation der Genanordnung in
             individuellen Partikeln einer Population,
          C: Redundanz-Heterozygotie

Anstatt des spezifischen Erkennungs- und Schneidemechanismus kann also bei zirkular permutierten Phagen ein relativ unspezifischer Schneidemechanismus postuliert werden, bei dem z. B. die Kapazität des Phagenkopfes als Maß für die gewünschte Genomlänge dient. Die DNA würde geschnitten, sobald „das Maß voll" ist[5].

Die zirkulare Permutation der Genanordnung in individuellen Partikeln bietet eine weitere Möglichkeit zur Deutung der Struktur von seltenen Phagenpartikeln, die zwei Typen genetisch verschiedener Nachkommen produzieren. Die Erklärung solcher Partikel als Heteroduplices wurde bereits in § 7/3 diskutiert. Jetzt sind „Redundanz-Heterozygoten" möglich, die an den Enden eines Genoms jeweils verschiedene Allele eines Gens tragen (Abb. 7,6). Neben „Heteroduplex-Heterozygoten" gibt es bei T4 tatsächlich auch „Redundanz"-Heterozygoten. Diese lassen sich von den ersteren experimentell auf verschiedene Weise unterscheiden. So können z. B. Redundanz-Heterozygoten — im Gegensatz zu den Heteroduplices — auch für Deletionen heterozygot sein.

Die Tatsache, daß bei Phagen keine Heteroduplices für Deletionsmarken gefunden werden, bedarf noch einer Erklärung. Experimentell lassen sich nämlich bei T4 durch Denaturierung und Renaturierung einer Mischung von Wildtyp-DNA und DNA einer Deletionsmutante „hybride" DNA-Moleküle gewinnen. Bei diesen kann elektronenmikroskopisch gezeigt werden, daß einzelsträngige Schleifen aus der Doppelstrangstruktur herausragen. Es handelt sich dabei natürlich um die Einzelstrangabschnitte der Wildtyp-DNA, die keine homologen Paarungsregionen im Bereich der Deletion vorfinden (vgl. Tafel 20). Es ist durchaus möglich, daß in vivo solche Strukturen vorübergehend gebildet werden, doch kann angenommen werden, daß solche groben Abweichungen von der durchgehend gepaarten Doppelstruktur mit großer Wirksamkeit Reparaturprozessen zum Opfer fallen, oder die Injektion durch die enge Proteinröhre verhindern, d. h. letal sind.

Es gibt Beispiele von Phagen, bei denen (mehr oder weniger überzeugend) jeweils eines der hier besprochenen Replikations-Prinzipien zuzutreffen scheint. Die meisten untersuchten Phagen mit linearem Genom scheinen eine Art von terminaler Redundanz zu besitzen (Ringschließung möglich). Einige — wie T4 und P22 — sind zirkular permutiert. Bei diesen Phagen fällt die terminale Redundanz bei jedem Partikel auf ein anderes, zufälliges Gen. Andere Phagen, wie λ, T3 und T7, sind nicht zirkular permutiert. Dies bedeutet, daß bei allen Partikeln dieselbe Sequenz am Anfang und am Ende liegt. Der Phage λ vermehrt sich offenbar durch Replikation von Ringmolekülen (Tafel 21), während bei T7 wahrscheinlich Kettenmoleküle gebildet werden[6]. Die spezifische Schneidefunktion ist beim Phagen λ genetisch identifiziert (ter-Gen), bei T7 aber noch hypothetisch.

Literatur zu § 7/5:

[1] FRANKEL, F. R.: Proc. nat. Acad. Sci. (Wash.) **59**, 131 (1968).
[2] HUBERMAN, J. A.: Cold Spr. Harb. Symp. quant. Biol. **33**, 509 (1968).
[3] THOMAS, C. A., jr., et al.: Ann. Rev. Biochem. **36**, 485 (1967).
[4] THOMAS, C. A., jr.: Jour. Gen. Physiol. **49** (6, 2. Teil), 143 (1966).
[5] STREISINGER, G., et al.: Proc. nat. Acad. Sci. **57**, 292 (1967).
[6] HAUSMANN, R., and K. LARUE: J. Virol. **3**, 278 (1969).

7/6   Restriktion und Modifikation von DNA

Schon vor etwa zwanzig Jahren wurde beobachtet[1], daß viele Phagen eine merkwürdige Art von „Gedächtnis" besitzen: Sie schienen sich daran „erinnern" zu können, auf welchem Wirts-Stamm sie zuletzt gewachsen waren. Sie hatten nämlich keine Schwierigkeiten, in Zellen desselben Stammes einen Vermehrungs-zyklus zu vollenden; wenn ihnen aber ein anderer Wirtsstamm angeboten wurde, so konnte es geschehen, daß die Infektion abortiv war, d. h. die vegetativen Phagen starben — bis auf einige wenige — im „ungewohnten" Wirt ab, ohne Nachkommen zu hinterlassen. Diese wenigen Überlebenden aber waren jetzt in der Lage, den neuen Wirt mit demselben Wirkungsgrad zu infizieren, wie ihre Eltern den ursprünglichen Wirtsstamm; sie waren aber — wiederum bis auf einige wenige Partikel — nicht mehr fähig, sich auf diesem ursprünglichen Stamm zu vermehren. Die wenigen Phagen (Größenordnung 10^{-4}), die „gelernt" hatten, auf dem neuen Wirt zu wachsen, hatten „vergessen", wie dies auf dem alten geschah.

Es ist bekannt, daß es sich bei diesem Phänomen nicht etwa um die Selektion von Mutanten handelt, sondern um die Veränderung einer phaenotypischen Eigenschaft der Phagengenome[1]. Diese Veränderung wird offenbar jeweils durch einen bestimmten Wirt vollzogen, man nennt sie deshalb „wirtsbedingte Modi-fikation" (engl. host-induced modification). Das Pendant zur Modifikation ist die „Restriktion", d. h. das Abtöten durch den Wirt der nicht oder ungeeignet modifizierten Phagen.

Für das Folgende müssen wir uns mit der üblichen Schreibweise für diese Phänomene vertraut machen: Die Bakterienstämme E. coli B, E. coli C und E. coli K 12 werden als B, C bzw. K abgekürzt. Die Bezeichnung des Wirts, auf dem ein Phage zuletzt gewachsen ist, wird nach der Angabe des Phagen angeführt und wird von dieser durch einen Punkt getrennt: T 1·B heißt also: Phage T 1, der zuletzt auf dem Wirt E. coli B gewachsen ist; λ·K(P 1) heißt: Phage λ, der zuletzt auf einem für den Phagen P 1 lysogenen Stamm von E. coli K 12 gewachsen ist (vgl. § 5/5).

Ein Beispiel soll die Problematik der Modifikation und Restriktion veran-schaulichen: λ·B wächst normal auf B. Wird er aber auf K plattiert, so gelingt es nur etwa vier unter zehntausend Partikeln, auf diesem Rasen ein Loch zu bilden, obwohl alle Partikel an K adsorbieren und die DNA injizieren (Restrik-tion). Die in einem solchen Loch enthaltenen Phagen λ·K bilden nun normal Löcher auf K (sind von K modifiziert), werden aber jetzt auf B „restringiert". Genau wie auf B wird aber λ·K auch noch auf K(P 1) restringiert.

Gewisse Prophagen scheinen also einen eigenen Restriktionsapparat zu be-sitzen. Dies wird besonders deutlich, wenn jetzt λ·B auf K(P 1) plattiert wird: Anstatt 4 unter 10000 — wie auf K — bildet auf K(P 1) nur ein λ·B Partikel unter ca. zehn Millionen ein Loch. Da λ·B auf B(P 1) größenordnungsmäßig mit dem selben Wirkungsgrad wie λ·K auf K(P 1) plattiert, ist zu schließen, daß der Wirts-spezifische und der Prophagen-spezifische Restriktionsmechanismus gleich-zeitig, aber voneinander unabhängig wirksam sind. Zu unserem Schema gehört noch ein weiterer Wirtsstamm, C, der weder modifizieren noch restringieren kann.

Der Phage λ — gleichgültig aus welchem Wirt er stammt — bildet also normal Löcher auf C, aber $\lambda \cdot$C wird von B, von K, von C(P1) und (besonders intensiv!) von B(P1) oder K(P1) restringiert. Eine Übersicht zu diesem Sachverhalt gibt Tabelle 7,7.

	Bakterienrasen			
Tabelle 7,7. Wahrscheinlichkeiten der Lochbildung eines Partikels des Phagen λ auf einem bestimmten Bakterienrasen, in Abhängigkeit von der Wirtszelle, in der es entstanden ist.	B	K	K(P1)	C
$\lambda \cdot$ B	1	$4 \cdot 10^{-4}$	10^{-7}	1
$\lambda \cdot$ K	10^{-4}	1	$2 \cdot 10^{-5}$	1
$\lambda \cdot$ K(P1)	10^{-4}	1	1	1
$\lambda \cdot$ C	10^{-4}	$4 \cdot 10^{-4}$	10^{-7}	1

Daten aus W. Arber and S. Linn: Ann. Rev. Biochem. **38**, 467 (1969).

Mit isotopenmarkierten Phagen konnten Arber[2] u. Mitarb. zeigen, daß der phaenotypischen Modifikation eine direkte Veränderung der DNA zugrunde liegt (auf den ersten Blick paradox!). Zum vollen Schutz gegen Restriktion genügt es, wenn nur der eine Strang einer Doppelhelix modifiziert ist. Wie ist das zu verstehen? Auf keinen Fall etwa so, daß die Basensequenz — die Erbinformation — geändert wird; in diesem Falle würde es sich ja um Mutationen handeln. Wie aber kann DNA sonst noch verändert werden? Hierzu gibt es verschiedene Möglichkeiten. Die eine — und es sei vorweggenommen, daß diese wohl für unser Beispiel zutrifft — wurde durch Arbeiten aus den Labors von Borek[3] und Hurwitz[4] aufgedeckt. Es handelt sich um die nachträgliche Methylierung von gewissen Basen in der bereits synthetisierten DNA:

Methylierung von DNA

Wie in § 6/5 schon erwähnt, wird in der DNA mancher Organismen in geringen Mengen 5-Methyl-Cytosin gefunden. Dasselbe trifft auch z. B. für methyliertes Adenin (Methyl-Aminopurin) zu. Diese methylierten Basen besitzen dieselben Paarungseigenschaften wie die nichtmethylierten und beeinflussen daher den Erbmechanismus nicht. Es wurde gezeigt, daß diese methylierten Basen nicht als solche in die DNA eingebaut werden, sondern als normale Cytosin- oder Adenin-Moleküle, und erst nachträglich von spezifischen DNA-Methylierungsenzymen verändert werden (ähnlich wie die seltenen Basen der tRNA, vgl. § 8/6).

Diese Methylierungsenzyme sind Stamm-spezifisch und erkennen nur einen geringen Bruchteil (Größenordnung von $^1/_{1000}$) aller Cytosin- oder Adenin-Moleküle in einer gewissen DNA. Zu betonen ist, daß aus verschiedenen Bakterien-Stämmen Methylierungsenzyme mit verschiedenen Spezifitäten isoliert wurden. Auch viele Phagenstämme codieren für ihre eigenen, spezifischen Methylierungsenzyme[5]. Man muß die für jedes Enzym verschiedene Spezifität durch die Annahme erklären, daß jeweils eine ganz bestimmte Basensequenz (von vielleicht 6 oder mehr Basen) erkannt und eine gegebene Base in dieser Sequenz methyliert wird. Der Methyldonor ist dabei S-Adenosyl-Methionin. Wir werden gleich darauf zurückkommen. Die biologische Bedeutung der „DNA-Methylierung" kann noch nicht als aufgeklärt angesehen werden, obwohl sie in einigen Fällen mit der Modifikation und Restriktion von DNA in Zusammenhang gebracht worden ist, wie jetzt beschrieben werden soll.

Der erste — allerdings schwache — Hinweis für einen Zusammenhang von DNA-Methylierung mit DNA-Modifikation ergab sich aus Methionin-bedürftigen Coli-Mutanten, die bei Fehlen von Methionin kein S-Adenosyl-Methionin synthetisieren konnten und Phagen nicht mehr modifizierten. (Die Fähigkeit zur Modifikation blieb bei Mangel anderer Aminosäuren in entsprechend auxotrophen Mutanten unverändert; natürlich macht erst dieser Befund den obigen Hinweis stichhaltig.) Merkwürdigerweise ist auch die *Restriktion* von S-Adenosyl-Methionin abhängig: Es ist gelungen, aus dem Stamm K ein „Restriktions-Enzym" zu isolieren[6], das die DNA von λ·K nicht angreift, aber an spezifischen Stellen der DNA von λ·C Doppelstrangbrüche setzt. Der Restriktionsmechanismus scheint also auf einem direkten Zerschneiden von nicht entsprechend modifizierter DNA zu beruhen. Auch dieses Restriktions-Enzym braucht als Cofaktor S-Adenosyl-Methionin — bei Nucleasen ein völlig neuartiger Befund.

Ein anderes Restriktionsenzym, die Endonuclease R aus Haemophilus influenzae, hat Licht auf die Frage der Spezifität geworfen: Bei der Replikation eines modifizierten DNA-Doppelstranges sind ja zunächst die neusynthetisierten Partnerstränge noch nicht modifiziert. Die Modifikation nur des einen (alten) Stranges muß also als Schutz ausreichen, bis auch der neue Strang modifiziert ist.

Das Problem der Methylierung bzw. des Zerschneidens an spezifischen Stellen des Doppelstranges würde sich dabei nun für die Zelle auf die Hälfte reduzieren, wenn die kritische Sequenz der DNA-Doppelhelix komplementär symmetrisch wäre, d. h. von beiden Seiten gelesen genau gleich wäre. Dann — und nur dann — könnte nämlich das *gleiche* Enzymsystem an *beiden* Tochterstrukturen wirken.

Es war sehr befriedigend zu erkennen, daß die Endonuclease R genau diese Spezifität für das Zerschneiden eines DNA-Doppelstranges zeigt[7]. Die doppelsträngige DNA des Phagen T7 z. B. wird in ca. 40 Stücke einer mittleren Länge von etwa 1 000 Nucleotidpaaren zerlegt. Analysiert man die 5' und 3' Enden dieser Stücke, so findet man dort immer die gleichen (für den Schnitt spezifischen) Sequenzen. Sie zeigen, daß Endonuclease R nur die Sequenz

$$\downarrow$$
$$5' \ldots \text{G p T p Py p Pu p A p C p} \ldots 3'$$
$$3' \ldots \text{C p A p Pu p Py p T p G p} \ldots 5'$$
$$\uparrow$$

an den mit Pfeilen markierten Stellen zerschneidet. An den Stellen Py (Pyrimidinbase) und Pu (Purinbase) findet man beide Möglichkeiten. Alle weiteren Basen (Punkte) sind beliebig. Die spezifische Sequenz ist tatsächlich komplementär symmetrisch.

Zufallsstatistisch kommt diese Sequenz einmal pro ca. 1 000 Nucleotidpaare vor ($\frac{1}{4} \cdot \frac{1}{4} \cdot \frac{1}{2} \cdot \frac{1}{2} \cdot \frac{1}{4} \cdot \frac{1}{4}$). Die gute Übereinstimmung dieses Wertes mit der Fragmentlänge zerschnittener T7-DNA zeigt, daß der Erkennungsbereich wirklich nicht länger als die angegebene Basensequenz sein kann.

Die Spiegelsymmetrie, die beide Stränge gleichwertig machte, mag sich in dem entsprechenden Enzym wiederholen (Abb. 7,8). In diesem Fall brauchten von dem einzelnen Protein dieses Dimers nicht mehr als 3 Basen erkannt zu werden. Es ist zu erwarten, daß ähnliche Symmetrieverhältnisse bei weiteren Restriktions- und auch bei Modifikations-Enzymen vorhanden sind.

Abb. 7,8. Möglicher Aufbau eines Restriktionsenzyms aus zwei identischen Untereinheiten (vgl. § 9/8). Die Erkennung einer Sequenz von drei Basen durch je eine Untereinheit würde genügen zur Spezifität des Enzyms für eine komplementär symmetrische Sechsersequenz. Im Fall der Endonuclease R: Schwarze Ovale; Spezifität für genau definierte Basenpaare. Graue Ovale; Unterscheidung nur zwischen Purin- und Pyrimidinbasen

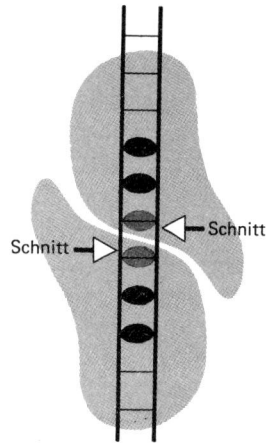

Es sind Coli-Mutanten bekannt, die nicht in der Lage sind zu restringieren, aber DNA weiterhin modifizieren (r^-m^+) und andere, die weder restringieren noch modifizieren können (r^-m^-). (E. coli C ist als ein natürlich vorkommender r^-m^--Stamm zu betrachten). Mutanten des Typs r^+m^- sind bis jetzt nicht isoliert worden, und man nimmt an, daß diese Allelkombination letal ist, da diese Stämme ihre eigene DNA zerstören würden. Merkwürdigerweise liegen r^--Mutationen und m^--Mutationen am gleichen Locus des Bakteriengenoms. Dieser Befund und die Notwendigkeit für den gleichen ungewöhnlichen Cofaktor (S-Adenosyl-Methionin) bei Restriktion und Modifikation lassen vermuten, daß es sich bei beiden Vorgängen um (aufeinander abgestimmte) Teilaspekte derselben genetischen Funktion handelt.

Für die Interpretation dieser Doppelfunktion ist wichtig, daß die Modifikation nur eines Stranges einer Doppelhelix genügt, um Restriktion zu verhindern. Deswegen müssen die wenigen Modifikationsorte in einer Phagen-DNA paarweise auftreten und sich im Doppelstrang fast gegenüberstehen.

Um die Postulierung eines Enzyms mit alternativer Reaktionsweise (schneiden falls kein Strang methyliert; methylieren falls *ein* Strang methyliert) zu vermeiden, könnte man folgendes Modell als Erklärung geben:

Die Methylierung erfolgt in 3 Schritten: a) Zuerst wird ein Einzelstrangbruch neben die zu methylierende Base gesetzt; b) erst dann wird die Methylgruppe angeheftet; c) die Lücke wird nun durch Ligasewirkung geschlossen.

Diese Vorstellung würde erklären, warum eine Doppelhelix nur dann — durch zwei fast gegenüberliegende Einzelstrangbrüche — getrennt wird (Restriktion), wenn keine der beiden Basen methyliert ist.

Restriktionsenzyme, wie die hier beschriebenen, sind tödliche Waffen auf dem Niveau der DNA. Das Prinzip der Reparatur ist offenbar überfordert, wenn es sich darum handelt, schnell wegdiffundierende Enden ohne überhängende komplementäre Basensequenzen wieder zusammenzubringen und neu zu verkoppeln. Der biologische „Sinn" der Modifikation und Restriktion mag sehr wohl darin liegen, zu verhindern, daß genetisches Material fremder Herkunft in eine Zelle eindringt und dort die Harmonie des zelleigenen Genoms stört.

Außer λ werden natürlich viele andere Phagen durch das eben beschriebene System restringiert oder modifiziert[8]. Der Phage T4 und ihm verwandte Phagen sind jedoch dagegen immun. Diese Phagen sind aber potentiell einem anderen Restriktionsmechanismus der Wirtszelle ausgesetzt, gegen den sie sich durch Glucosylierung ihrer DNA schützen[9].

Obwohl hier am Beispiel der Phagen erläutert, gilt das Prinzip der Modifikation und Restriktion für alle DNAs, gleich welcher Herkunft. So ist z. B. bei der Konjugation von [Hfr]-K-Donor-Stämmen mit einem [F⁻]-B-Rezeptor die Rekombinationsrate sehr gering, weil die „fremde", nach der K-Spezifität modifizierte DNA nicht gegen den B-spezifischen Restriktionsmechanismus geschützt ist und deswegen mit hoher Wahrscheinlichkeit zerstört wird[10].

Gene, die zur DNA-Restriktion befähigen, sind auch in anderen Bakteriengattungen, wie Salmonella, und auf vielen Episomen (z. B. gewissen R-Faktoren) identifiziert worden. Es gibt also vielfältige Systeme von aufeinander abgestimmten Modifikations- und Restriktions-Spezifitäten, die es erlauben, stammeigene DNA zu schonen, aber stammfremde DNA zu zerstören. Mikroorganismen scheinen in enzymologische „Stammes-Kämpfe" auf dem Niveau der DNA verwickelt zu sein.

Literatur zu § 7/6:

[1] Reviews: ARBER, W., and S. LINN: Ann. Rev. Biochem. **38**, 467 (1969).
   LURIA, S. E.: Scient. Americ. Januarheft 1970.
[2] ARBER, W., et al.: Virology **21**, 30 (1963).
[3] Review über Methylierung von DNA: BOREK, E., and P. R. SRINIVASAN: Ann. Rev. Biochem. **35**, 275 (1966).
[4] GOLD, M., and J. HURWITZ: Cold. Spr. Harb. Symp. Quant. Biol. **28**, 149 (1963).
[5] HAUSMANN, R., and M. GOLD: J. Biol. Chem. **241**, 1985 (1966).
[6] MESELSON, M., and R. YUAN: Nature **217**, 1110 (1968).
[7] KELLY, Jr., T. J., and H. O. SMITH: J. Mol. Biol. **51**, 393 (1970).
[8] ESKRIDGE, R. W., et al.: J. Bacteriol. **93**, 835 (1967).
[9] HATTMAN, S., et al.: Virology **30**, 427 (1966).
[10] ARBER, W., and M. L. MORSE: Genetics **51**, 137 (1965).

7/7   DNA-spezifische Enzyme

In den 60er Jahren ist eine geradezu verblüffende Anzahl von Enzymen bekannt geworden, die DNA als Substrat verwenden und somit für die Genetik von direkter Bedeutung sind. *Welche* Bedeutung genau jedes einzelne Enzym besitzt, ist in den meisten Fällen jedoch unklar, da — wie einige später erwähnte paradoxe Beispiele zeigen — die in vitro identifizierten Enzymaktivitäten keine direkten Schlüsse auf ihre in vivo Funktion erlauben.

Andererseits sind für die in diesem Kapitel besprochenen vielfältigen physiologischen und genetischen Beobachtungen viele — und vom Standpunkt des klassischen Enzymologen oft recht sonderbare — in vivo Enzymaktivitäten postuliert worden.

Es ist zu hoffen, daß in den kommenden Jahren immer mehr bekannte Enzyme den postulierten in vivo Aktivitäten zugeordnet werden können. Es folgt jetzt eine kurze Zusammenstellung der wichtigsten Enzyme dieser Art:

1. DNA-Polymerasen

Enzyme mit DNA-Polymerase-Aktivität sind aus verschiedenen Quellen iso-liert worden. Wichtig sind: E. coli (vgl. § 6/7); Bacillus subtilis; mit T2, T4 oder T5 infizierte Colizellen, sowie Thymus und andere tierische Gewebe. Diese Poly-merasen zeigen wesentliche Unterschiede:

a) Molekulargewicht: 109000 bei E. coli-Polymerase I, (KORNBERG-Enzym), 96000 bei T5-spezifischer Polymerase;

b) Template Spezifität: T2-spezifische und Thymus-Polymerase erfordern als Template Einzelstrang-DNA; dagegen kann Polymerase I und B. subtilis-Poly-merase auch beschädigte doppelsträngige DNA als Template benutzen;

c) Nucleaseaktivität: Polymerase I aus E. coli besitzt im Gegensatz zu B. subtilis-Polymerase Endonucleaseaktivität (siehe DNasen);

d) Immunspezifität: E. coli- und T2-spezifische Polymerasen haben keinerlei serologische Kreuzaktivität und daher sicher verschiedene Tertiär- und natürlich auch Primärstrukturen.

e) in vivo Funktion: Neben den in § 6/7 ausführlich besprochenen offenen Fragen für Polymerase I, II und III aus Coli besteht auch Unklarheit über die in vivo Funktion anderer DNA-Polymerasen. Bei Phagen-Mutanten (z.B. von T4, T5, T7), die in bestimmten Wirten oder bestimmten Temperaturen keine Phagen-spezifische Polymerase bilden, kann unter solchen Bedingungen trotz Gegen-wart der Coli-Polymerasen keine Phagen-DNA repliziert werden.

Die T4-codierte und die Coli-Polymerasen unterscheiden sich auch in ihrer Wirkung auf Rekombination: Während die für Polymerase I defekte Coli-Mutante normal rekombiniert, zeigen T4-Mutanten mit Temperatur-empfindlicher DNA-Polymerase bei höheren Temperaturen eine abnorm gesteigerte Rekombi-nation. Dies ist wohl auf die Anhäufung von (Rekombinations-fördernden) Einzel-strangbereichen bei funktionsgestörter T4-Polymerase zurückzuführen. Das zur Rekombination so wichtige — leider noch nicht isolierte — Produkt des *rec*A Gens muß ebenfalls DNA-Polymerasewirkung besitzen, da es Polymerase I not-falls vertreten kann (vgl. § 6/7).

Interessant sind T4-Mutanten, deren Polymerase beim Kopieren eines Tem-plates häufiger Fehler unterlaufen[1], was zu erhöhter Mutationsrate führt (,,Muta-tor-Polymerase''). Umgekehrt ist bei T4 aber auch eine Mutante bekannt, deren Polymerase weniger Spontan-Mutationen zuläßt als der Wildtyp[2].

Mutator-Stämme wurden auch bei Coli gefunden[3]. Einige bauen gern Guanin statt Thymin in die DNA ein. Nach vielen Generationen ist das Basenverhältnis meßbar zugunsten von GC verschoben. Bisher ist über den Wirkungsmechanismus dieser Mutationen nichts bekannt. Es sind bis jetzt drei Mutator-Loci kartiert worden; keiner dieser Loci ist mit *dna*-Genen identisch[3A]. Die allgemeine Muta-tionsfreudigkeit scheint also durch gewisse Mutationen nach beiden Richtungen hin verschoben werden zu können. Diese Tatsache mag äußerst wichtig für das Verstehen der Evolution sein.

2. Ligasen

Auch Ligasen, die aus verschiedenen Quellen isoliert wurden, unterscheiden sich in Einzelheiten, wie z. B. den von ihnen benötigten Cofaktoren. Sie haben aber alle denselben Wirkungsmechanismus (vgl. Abb. 6,10). In vitro ist es durch

Ligasewirkung gelungen, die durch Einzelstrangbrüche zerstörte biologische Aktivität von transformierender DNA bis zu 100% wiederherzustellen. Doch werden die in vivo Funktionen der Ligasen auch heute noch nicht gut verstanden. (Überraschenderweise kann Ligase gelegentlich auch Doppelhelices ohne heraushängende Einzelstränge End-zu-End verbinden [3B].)

3. Phosphatasen und Polynucleotid-Kinasen

Neben unspezifischen Phosphatasen sind Enzyme bekannt, die Phosphatreste nur an den 3'-Enden eines DNA-Stranges abspalten. (3'-Phosphat-Enden könnten z.B. durch Brüche entstehen.)

Andere Enzyme (Polynucleotid-Kinasen) sind in der Lage, freie 5'-OH-Enden zu phosphorylieren. Obwohl über die biologische Funktion auch dieser Enzyme wenig bekannt ist, kann man annehmen, daß sie — falls erforderlich — die Vorbedingungen für die Ligasereaktion herbeiführen, da diese ja nur in Gegenwart von 3'-OH und 5'-Phosphat-Enden möglich ist.

4. DNasen

Es gibt eine schon fast unübersehbare Anzahl von Enzymen verschiedenster Herkunft und mit sehr unterschiedlichen Wirkungsweisen, die DNA spalten oder abbauen können. Im allgemeinen unterscheidet man „Exonucleasen", die von den Enden eines DNA-Moleküls her einzelne Nucleotide abspalten, und „Endonucleasen", die Phosphoesterbindungen innerhalb eines DNA-Stranges öffnen, aber keine einzelnen Nucleotide abspalten.

Die Funktion einiger DNasen dient wohl dem unspezifischen Abbau von Polynucleotiden. Man nimmt z. B. an, daß einige Phagen-DNasen die „Verdauung" der Wirts-DNA herbeiführen, so daß die freiwerdenden Nucleotide zur Synthese von Phagen-DNA benutzt werden können. (Beim Phagen T5 ist aber der paradoxe Fall zu beobachten, daß eine Phagen-codierte DNase erst synthetisiert wird, nachdem die DNA der Wirtszelle bereits abgebaut ist[4].)

Bei anderen DNasen läßt sich eher an einen Zusammenhang mit spezifischen Mechanismen wie Reparatur und Rekombination denken, doch sind die experimentellen Hinweise meistens sehr schwach. Es gibt z. B. Exonucleasen, wie die Exonuclease I von E. coli, die spezifisch sind für das 3'-Ende von einzelsträngiger DNA, also eine Aktivität zeigen, die für den Abbau von ungepaarten Einzelstrangabschnitten bei der Rekombination nützlich sein könnte. Der Verlust dieses Enzyms kompensiert[4A] den Verlust der *recB recC* Funktion, d.h. hebt in *recB* und *recC* Mutanten die Rekombinationshäufigkeit wieder auf etwa normale Höhe.

Eine von λ codierte Exonuclease (spezifisch für 5'-Enden doppelsträngiger DNA) fehlt tatsächlich bei *red⁻* Mutanten dieses Phagen[5].

Als Exonuclease II wurde die vom 3'-Ende her spaltende Aktivität der Kornberg-Polymerase bezeichnet, die aber unter anderen Bedingungen auch vom 5'-Ende her spalten kann[6] (Aktivität Exonuclease VI).

Die Exonuclease III von E. coli ist bereits in § 7/5 erwähnt worden. Sie ist spezifisch für Doppelstrang-DNA und spaltet vom 3'-Ende her einzelne Nucleotide ab, wobei der komplementäre Strang mit dem 5'-Phosphat-Ende verschont bleibt. Diese Wirkung könnte bei der Rekombination zum Freilegen komplementärer Einzelstränge dienen.

Die Endonuclease I setzt Doppelstrangbrüche an unspezifischen Stellen von Doppelhelices. Sie hat wohl nichts mit Rekombination zu tun, da Mutanten praktisch ohne Nuclease I keine Rekombinationsdefekte zeigen und umgekehrt in *rec* Stämmen die Endonuclease I Aktivität normal ist[7].

Endonuclease II aus E. coli setzt Doppelstrangbrüche in DNA mit alkylierten Basen, aber Einzelstrangbrüche in normale DNA[8]. Ihre Aktivität ist auch in *rec* Mutanten normal.

Die vom Phagen T4 codierte Endonuclease V setzt „nicks" neben Thymin-Dimere in UV-bestrahlter DNA, sie wirkt nicht auf unbestrahlte DNA. Eine Endonuclease aus M. lysodeikticus verursacht ebenfalls Einzelstrangbrüche in UV-geschädigter DNA. Es wurden UV-empfindliche Mutanten isoliert, die in diesem Enzym defekt sind[9] (vgl. § 7/1).

Die Endonuclease III, das Restriktionsenzym von K 12, schneidet DNA nur an ganz spezifischen Basensequenzen, wenn diese nicht modifiziert sind. Ein weiteres, wichtiges Beispiel einer restringierenden DNase ist Endonuclease R aus Haemophilus (vgl. § 7/6). Ebenso ist die Nuclease des *ter*-Gens des Phagen λ (§ 7/5) spezifisch für eine bestimmte Basensequenz.

Ein neues Enzym setzt einen „nick" bei Kontakt, und verschließt diesen beim Verlassen der DNA (wichtig für Rotation?)[12A].

5. Methylasen und Glucosyl-Transferasen

Anschließend an die Restriktion sollen nochmals kurz die DNA-Methylierungs-Enzyme erwähnt werden, die nicht nur in vielen Bakterienstämmen, sondern auch in tierischen und pflanzlichen Geweben gefunden wurden, aber auch von einigen Phagen wie T2 oder T4 codiert werden. Obwohl DNA-Methylierung in wenigen Fällen mit der DNA-Modifikation in Verbindung gebracht werden konnte, ist nicht sicher, ob das allgemein der Fall ist. Es ist z. B. nicht ausgeschlossen, daß die DNA-Methylierung auch Regulationsvorgängen dienen kann. Während DNA-Methylierungsenzyme weit verbreitet sind, kommen DNA-Glucosylierungsenzyme (§ 7/6) nur beim Phagen T4 und bei ihm verwandten Phagen vor. Deren „süße" DNA ist dann geschützt gegen einen Restriktionsmechanismus des Wirts.

6. „Reißverschluß-Proteine"

Aus T4-infizierten Zellen ist ein Protein isoliert worden (Produkt des Gens 32 dieses Phagen), das eine völlig neuartige Wirkung besitzt: es senkt drastisch die Schmelztemperatur von DNA[10]. (Denaturierung und Renaturierung von DNA erfolgt in Gegenwart von „Gen-32-Protein" bei etwa 20°C tieferer Temperatur.) Dieses Protein spielt eine lebenswichtige aber noch unklare Rolle bei Replikation und Rekombination der T4-DNA. Aus Zellen, die mit den einsträngigen DNA-Phagen fd und M13 infiziert waren, konnte ein ähnliches Protein isoliert werden[11], dessen Funktion die Bildung von DNA-Einzelsträngen des reifen Phagen aus der doppelsträngigen replikativen Form sein könnte.

Auch aus meiotischen Zellen von Liliengewächsen und aus Spermatozyten von Säugern (Ratte, Rind, Mensch)[12] sind Proteine mit gleicher Wirkung gewonnen worden. Da diese „Reißverschluß-Proteine" bei Vielzellern nur in Prophase-Zellkernen auftreten, sind sie offenbar wesentlich für die Rekombination.

7. Photoreaktivierendes Enzym

Dieses in § 7/1 schon besprochene Enzym nimmt in dieser Reihe eine Ausnahmestellung ein: es besteht zwischen seiner bekannten in vitro Aktivität und der in vivo Funktion völlige Klarheit und Übereinstimmung.

Literatur zu § 7/7:

[1] SPEYER, J. F., and D. ROSENBERG: Cold Spr. Harb. Symp. quant. Biol. **33**, 345 (1968).
[2] DRAKE, J. W., and E. F. ALLEN: Cold Spr. Harb. Symp. quant. Biol. **33**, 339 (1968).
[3] Review: WINKLER, U.: Fortschr. Bot. **32**, 192 (1970).
[3A] LIBERFARB, R. M., and V. BRYSON: J. Bacteriol. **104**, 363 (1970).
[3B] SGARAMELLA, V., et al.: Proc. nat. Acad. Sci. (Wash.) **67**, 1468 (1970).
[4] LANNI, Y. T.: Bact. Rev. **32**, 227 (1968).
[4A] KUSHNER, S. R., et al.: Proc. nat. Acad. Sci (Wash.) **68**, 824 (1971).
[5] MANLY, K. F., et al.: Virology **37**, 177 (1969).
[6] KLETT, R. P., et al.: Proc. nat. Acad. Sci. (Wash.) **60**, 943 (1968).
[7] DÜRWALD, H., and H. HOFFMANN-BERLING: J. molec. Biol. **34**, 331 (1968).
[8] FRIEDBERG, E. C., and D. A. GOLDTHWAIT: Proc. nat. Acad. Sci. (Wash.) **62**, 934 (1968).
[9] KAPLAN, J. C., et al.: Proc. nat. Acad. Sci. (Wash.) **63**, 144 (1969).
[10] HUBERMAN, J. A., et al.: J. molec. Biol. **62**, 267 (1971).
[11] OEY, L., and R. KNIPPERS: im Druck.
[12] HOTTA, Y., and H. STERN: Nature (New Biol.) **234**, 83 (1971).
[12A] WANG, J. C.: J. molec. Biol. **55**, 523 (1971).

Zusammenfassung des Kapitels

Trotz der Stoffwechselstabilität von DNA dient diese als Substrat für viele Enzyme, die bei Rekombination, Reparatur oder Restriktion wirken. Sowohl Rekombination als auch Reparaturprozesse beginnen mit enzymatischen Einzelstrangbrüchen und erfordern partiellen Abbau sowie Neusynthese einzelsträngiger DNA-Abschnitte. Beide Prozesse enden mit der Wiederherstellung von zwei kontinuierlichen Zucker-Phosphat-Ketten einer Doppelhelix.

Die Parallele beider Prozesse wird hervorgehoben durch das Auftreten pleiotroper Mutanten, die gesteigerte UV-Empfindlichkeit und gestörtes Rekombinationsverhalten zeigen. An Reparatur ist aber jeweils nur eine Doppelhelix, an Rekombinationsvorgängen dagegen sind zwei DNA-Strukturen als Partner beteiligt.

Der zuweilen bei der Rekombination auftretende Heteroduplex wird oft wieder ausgeschnitten, kann aber bei Phagen und Pilzen auch zu genetisch verschiedenen Tochterstrukturen segregieren.

Es ist noch unklar, wie und wo Öffnungen zur Rekombination an homologen Partnern entstehen. Ebenso ist der molekulare Mechanismus der Synapsis und der meiotischen Zufallsverteilung von Chromosomen noch unverstanden.

Rekombination hat nichts zu tun mit a) Photoreaktivierung, b) Restriktion oder Modifikation. Diese Prozesse benötigen spezifische Enzyme, die Störungen in der DNA (Thymin-Dimere) bzw. bestimmte Basensequenzen erkennen.

Weitergehende Literatur:

PEACOCK, W. J., and R. D. BROCK, eds.: Replication and Recombination of Genetic Material. Canberra: Austr. Acad. Sci. (1968). (Ein Konferenzbericht.)
SMITH, K. C., and HANAWALT, P. C.: Molecular Photobiology. New York and London: Academic Press 1969.

8 Die molekulare Grundlage der primären Genfunktion

8/1 Biochemische Syntheseketten

Wir haben uns mit der Struktur, der Replikation, der Mutation und der Rekombination der Erbsubstanz beschäftigt. In diesem und den folgenden drei Kapiteln wollen wir das Problem der Gen*funktion* behandeln und diskutieren, wie eine bestimmte Information, die in der Sequenz von Basen der DNA niedergelegt ist, zur Ausbildung eines phänotypischen Merkmals führen kann.

Im § 6/1 hatten wir durch Kreuzungen ermittelt, daß Neurospora in verschiedenen Bereichen des Genoms zu einem Argininbedürfnis mutieren kann. Wir hatten daraus geschlossen, daß mehrere Gene die Argininsynthese kontrollieren. Diesen Gesichtspunkt wollen wir jetzt weiterverfolgen.

Auf Grund biochemischer Argumente vermutete man in der Leber von Säugetieren vereinfacht folgende Synthesekette des Arginins:

$$\text{Vorläufer} \rightarrow \text{Ornithin} \rightarrow \text{Citrullin} \rightarrow \text{Arginin}$$

Arginin-Mangelmutanten von Neurospora bieten eine Möglichkeit, diese Annahme zu bestätigen. Man kann z. B. versuchen, die auxotrophen Stämme mit den biochemischen Vorstufen statt mit Arginin selbst zu *supplementieren*. Plattieren wir die verschiedenen arg⁻-Stämme auf Minimalagar + Citrullin, so stellt sich heraus, daß einige Stämme mit Citrullin nichts anfangen können (kein Wachstum), andere dagegen befriedigen ihr Argininbedürfnis auch durch Citrullin. Interessant ist dabei, daß alle mit Citrullin *nicht* wachsenden Stämme im gleichen Bereich des Genoms mutiert sind. Sie bilden die Gruppe I. Alle Mutanten aber, die Citrullin verwenden können, tragen ihre Mutationen an anderen Loci.

Dieses Ergebnis deutet an, daß der Locus von Gruppe I für die Überführung von Citrullin in Arginin sorgt. Trägt dieser Locus eine störende Mutation, so kann weder eigensynthetisiertes noch supplementiertes Citrullin in Arginin verwandelt werden. Nur die Zugabe von Arginin selbst ermöglicht das Wachstum.

Wenn diese Interpretation richtig ist und die vermutete Synthese stimmt, sollten die Citrullin-verwendenden Stämme bei Supplementierung mit Ornithin noch einmal aufspalten. Der Versuch bestätigt diese Erwartung. Ein Teil der Stämme (Gruppe II) wächst nicht mit Ornithin. Auch alle Mitglieder dieser Gruppe sind an benachbarten Orten mutiert, denn sie haben in Kreuzungen untereinander nur wenige Wildrekombinanten. Der Rest der Stämme (Gruppe III) ist auch durch Ornithin zu befriedigen. Insgesamt gilt also folgendes Schema:

	Supplementierung mit		
	Ornithin	Citrullin	Arginin
Gruppe I	—	—	Wachstum
Gruppe II	—	Wachstum	Wachstum
Gruppe III	Wachstum	Wachstum	Wachstum

Dieser Befund zeigt, daß Stämme der Gruppe III in dem Umwandlungsschritt

Vorläufer → Ornithin,

Stämme der Gruppe II in der Überführung

Ornithin → Citrullin

und Stämme der Gruppe I im Schritt

Citrullin → Arginin

blockiert sind. Zugleich haben die Supplementierungen mit Argininvorstufen die vermutete Synthesekette bestätigt. (Es sollte erwähnt werden, daß von der Synthesekette des Arginins nicht nur die hier gegebenen drei, sondern insgesamt acht Schritte bekannt sind, für die entsprechende Defektmutanten isoliert wurden.)

Die schrittweise Biosynthese wichtiger Verbindungen spiegelt sich also in einer genetischen Aufteilbarkeit der Mangelmutanten in entsprechende Untergruppen wider. Die Mitglieder jeder Gruppe lassen sich in einem gemeinsamen Bereich der Genkarte lokalisieren. Umgekehrt gehören alle Mutanten dieses Bereichs der jeweiligen Gruppe an. Offenbar existiert je ein Gen für jeden Syntheseschritt.

$$\begin{array}{ccccccc} & \text{Gen b} & & \text{Gen c} & & \text{Gen d} & \\ & \downarrow & & \downarrow & & \downarrow & \\ \text{Bei einer Synthesekette} \quad A & \longrightarrow & B & \longrightarrow & C & \longrightarrow & D \end{array}$$

sind alle im Übergang A → B blockierten Stämme (Mutation im Gen „b") nicht nur durch das Endprodukt D, sondern auch durch B oder C supplementierbar. Stämme mit einem Block in B → C (Mutanten in „c") können dagegen nicht durch A oder B, wohl aber durch C oder D zum Wachstum gebracht werden. Schließlich verlangen die am letzten Syntheseschritt C → D gehinderten Mutanten („d") unbedingt die Zugabe von D selbst und lassen sich nicht mit A, B oder C befriedigen. Es wurden viele Beispiele derartiger Syntheseketten gefunden.

Nachdem dieses Ergebnis allgemein gewonnen ist, können andererseits unklare Syntheseketten durch Anwendung der genetischen Analyse und versuchsweise Supplementierung mit möglichen Vorstufen aufgeklärt werden. Je früher der Block in einer Synthesekette liegt, desto weiter zurück läßt sich diese verfolgen.

Da die Syntheseprodukte einzelner Stufen schnell weiterreagieren, sind diese oft chemisch nicht erfaßbar. Wenn jedoch in der Synthesekette ein genetischer Block auftritt, sollte sich ein Zwischenprodukt anreichern, da es normal gebildet, aber nicht weiterverarbeitet wird. Dieser Gesichtspunkt erweist sich oft als fruchtbar, wie am Beispiel der Biosynthese von Methionin gezeigt werden soll.

Durch Supplementierungsversuche an einer Reihe von Mangelmutanten konnte HOROWITZ[1] nachweisen, daß eine Synthesekette

$$\begin{array}{c} \text{Cystein} \\ + \\ \text{Homoserin} \end{array} \searrow\!\!\!\!\nearrow \text{Homocystein} \to \text{Methionin}$$

besteht. Der erste Schritt war chemisch jedoch recht unverständlich.

Die genetische Untersuchung ergab zwei verschiedene Mutationen an unterschiedlichen Loci, die beide mit Homocystein, nicht aber mit Cystein supplementiert werden konnten. Die verschiedenen Genorte wiesen darauf hin, daß der fragliche Übergang in zwei Schritten erfolgte. Was aber war das Zwischen-produkt? Es zeigte sich, daß eine der Mutanten eine Verbindung akkumulierte, die für die andere Mutante als Wachstumsfaktor dienen konnte. Diese Ver-bindung war — wie die chemische Untersuchung zeigte — Cystathionin. Offen-sichtlich waren Gene gefunden, die für die Übergänge

$$\text{Homoserin} + \text{Cystein} \rightarrow \text{Cystathionin}$$

$$\text{und Cystathionin} \rightarrow \text{Homocystein}$$

verantwortlich sind. Die genetische Analyse von Mangelmutanten und ihr unter-schiedliches Wuchsfaktorbedürfnis konnten so zur Aufklärung biochemischer Synthesen beitragen.

Vergleicht man die Syntheseschritte einer Verbindung in verschiedenen Orga-nismen, so erhält man oft Übereinstimmung. Wie schon oben erwähnt, läuft z.B. die Argininsynthese in dem Schimmelpilz Neurospora und in der Säugetier-leber völlig analog ab.

Literatur zu § 8/1:
[1] HOROWITZ, N. H.: Biochemical Genetics of Neurospora. Advanc. Genet. **3**, 33 (1950).

8/2   Die „Ein Gen—Ein Enzym"-Hypothese

Wir haben gesehen, daß einzelne Syntheseschritte durch einzelne Gene kon-trolliert werden. Andererseits laufen derartige chemische Reaktionen unter dem Einfluß von Enzymen (komplizierte Proteinmoleküle) ab, die spezifisch ganz bestimmte Reaktionen katalysieren. Besteht die Wirkung von Genen darin, daß ihre Spezifität selbst, ähnlich wie ein Enzym, eine Reaktion katalysiert, oder veranlassen Gene zunächst die Bildung bestimmter Enzyme, die dann ihrerseits die biochemischen Reaktionen ermöglichen? Folgende Argumente zeigen, daß Gene indirekt über Enzyme wirken:

1. Biochemische Reaktionen laufen vorwiegend im Plasma ab und nicht im Kern, dem Sitz der DNA.

2. Aus dem Mycel von Neurospora, aus Bakterien, Hefezellen oder Geweben höherer Organismen lassen sich die Enzyme vieler biochemischer Reaktionen gewinnen. Derartige Extrakte können befreit werden von jeglicher Nucleinsäure, ohne ihre enzymatische Wirksamkeit zu verlieren. Nimmt man aber z.B. statt des Wildmycels von Neurospora eine Mangelmutante, die einen Block in einem bestimmten Syntheseschritt trägt, und versucht, aus diesem Mycel das für diesen Schritt verantwortliche Enzym zu gewinnen, so verläuft das Bemühen stets negativ. In einer Mangelmutante fehlt also das betreffende Enzym. Es kann offenbar nicht gebildet werden, und daher rührt das Versagen der Zelle, eine bestimmte Reaktion auszuführen.

3. In einer Reihe von Fällen ließ sich zeigen, daß auch einige Mangelmutanten einen Eiweißkörper bilden, der dem Enzym sehr ähnlich ist, ohne jedoch dessen katalytische Fähigkeit zu besitzen. Diese „defekten Enzyme" erhält man als Ergebnis des sonst für das aktive Enzym angewandten Reinigungsverfahrens. Die Verwandtschaft mit dem normalen Enzym beweist z.B. ein serologischer

Test. Die gewonnenen Eiweißkörper reagieren nämlich mit einem Antiserum, das gegen das aktive Enzym hergestellt wurde (vgl. § 8/11). Eine solche Reaktion mit dem nicht „homologen" (d. h. nicht gegen den Eiweißkörper selbst gewonnenen) Antiserum wird als Kreuzreaktion bezeichnet. Daher werden auch die Enzym-ähnlichen Eiweißkörper „cross-reacting material" (abgekürzt CRM, sprich: krim) genannt. Bekannte Beispiele solcher defekten Enzyme wurden bei der Tryptophansynthetase[1] (vgl. § 9/5, 2) und der alkalischen Phosphatase von E. coli[2] beschrieben (vgl. § 9/6).

Aus derartigen Befunden können wir schließen:

Die Abhängigkeit biochemischer Reaktionen von dazugehörigen Genen beruht darauf, daß von diesen Genen die Produktion der entsprechenden spezifischen Enzyme veranlaßt wird.

Ist ein Gen mutiert, so wird entweder kein Enzym mehr gebildet oder ein dem Enzym verwandter, aber inaktiver Proteinkörper, den man als defektes Enzym betrachten kann.

BEADLE, TATUM und HOROWITZ formulierten ihre „Ein Gen—Ein Enzym"-Hypothese noch etwas schärfer. Sie sagten, jedes Gen würde die Synthese *nur einer einzigen* Art von Enzymen kontrollieren.

Diese uns heute selbstverständlich gewordene Erkenntnis, die sich im Laufe der weiteren Kapitel immer wieder bestätigen wird, brauchte viele Jahre eines langsamen Vertiefungsprozesses für ihre allgemeine Anerkennung.

Um Mißverständnisse zu vermeiden, muß auf folgendes hingewiesen werden:

1. Die „Ein Gen—Ein Enzym"-Hypothese sagt nichts über mögliche andere Arten von Genen, die andere Funktionen haben können, z. B. Regulationsaufgaben (vgl. Kapitel 10).

2. Es ist möglich, daß an der Synthese eines komplexen Enzyms auch mehrere Gene mitwirken. Wir wissen z.B., daß Enzyme aus mehreren Peptidketten bestehen können (vgl. § 8/4). Jede solche Untereinheit eines Enzyms kann durch ein eigenes Gen kontrolliert werden.

3. Die Hypothese ist verträglich mit der Auswirkung einer Mutation auf mehrere phänotypische Merkmale, denn wir diskutieren nur die *primäre* Wirkung von Genen. Der Ausfall eines Enzyms (primärer Effekt einer Mutation) mag dazu führen, daß z. B. ein Pigment an verschiedenen Stellen eines Organismus fehlt. Das Enzym mag auch für die Bildung eines Zwischenprodukts verantwortlich sein, das durch andere Enzyme zu verschiedenen Endprodukten verarbeitet wird. Oder es häuft sich vor einem blockierten Syntheseschritt ein Zwischenprodukt an, das vielleicht verstärkt in einen anderen Stoffwechselweg einmündet. All dies sind Gründe genug, um eine pleiotrope Wirkung einer einzelnen Genmutation durch das Fehlen nur eines Enzyms zu erklären.

Auch die Tatsache, daß die meisten Mangelmutationen nur zu einem und nicht zu mehreren Wuchsfaktorbedürfnissen führen, spricht für die Annahme, daß jeder Genomabschnitt auch für nur *ein* Enzym verantwortlich ist. Hier allerdings könnte man einwenden, daß mit der benutzten Selektionstechnik (vgl. § 5/4) Mutanten, die mehrere Wuchsfaktoren benötigen, gar nicht gefunden werden. Dieser Einwand konnte von HOROWITZ und LEUPOLD durch die Untersuchung von Temperatur-empfindlichen Mutanten weitgehend entkräftet werden[3].

Solche Mutanten, die bei 25°C wachsen, aber bei 42°C absterben, können ja in allen Genen vorkommen und werden zunächst *unselektiert* gewonnen. Auch sie zeigen in ihrer Mehrzahl das Bedürfnis für nur eine einzige Substanz.

Weiter haben wir in § 6/7 schon die Temperatur-empfindlichen Mutanten der DNA-Synthese kennengelernt, die ein gutes Beispiel dafür sind, daß auch nicht supplementierbare Funktionen auf der Mutation nur eines Gens und damit dem Defekt nur eines Proteins beruhen können.

Schließlich kann aber auch der Ausfall einer einzigen enzymatischen Reaktion zu einem mehrfachen Wuchsfaktorbedürfnis führen, wie das folgende Beispiel zeigt: Ist die Synthese des Homoserins blockiert, so entsteht ein Bedürfnis für Methionin *und* Threonin, da beide Aminosäuren aus dieser Verbindung entstehen:

$$\text{Asparaginsäure} \; \to \; \text{Homoserin} \begin{array}{l} \nearrow \text{Cystein} \searrow \\ \to \text{Cystathionin} \; \to \; \text{Homocystein} \; \to \; \text{Methionin} \\ \searrow \text{Threonin} \end{array}$$

Insgesamt können wir also das hier gegebene Modell einer primären Genwirkung, wonach jedes Gen nur die Synthese *eines* spezifischen Proteins (meist ein Enzym) kontrolliert, als wohlbegründet ansehen. Ausnahmen sind Regulations-Gene und solche, die für die Synthese von tRNA und rRNA (vgl. § 8/6 und 8/7) verantwortlich sind.

Literatur zu § 8/2:

[1] SUSKIND, S. R., C. YANOFSKY and D. M. BONNER: Proc. nat. Acad. Sci. (Wash.) **41**, 577 (1955).

[2] GAREN, A., and C. LEVINTHAL: Biochim. biophys. Acta (Amst.) **38**, 470 (1960).

[3] HOROWITZ, N. H., and U. LEUPOLD: Cold Spr. Harb. Symp. quant. Biol. **16**, 65 (1951).

8/3 Erbliche Stoffwechsel-Krankheiten des Menschen, Hämoglobine

Wie von BEADLE betont wird, liegt der Beginn einer biochemischen Genetik lange vor der Einführung der Neurospora als Versuchsobjekt. Im Jahre 1909 erschien ein Buch „Inborn Errors of Metabolism" des englischen Arztes GARROD. Es behandelte die biochemischen Aspekte einiger menschlicher Erbkrankheiten.

Eine dieser Anomalien war die *Alkaptonurie*, deren Träger einen Urin ausscheiden, der sich an der Luft dunkel färbt. Chemische Untersuchungen zeigten, daß diese Verfärbung auf die Verbindung Homogentisinsäure zurückgeht, die normalerweise abgebaut wird (Schritt c in Abb. 8,1).

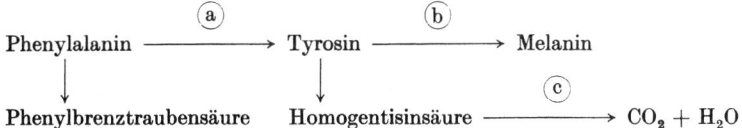

Abb. 8,1. Stark vereinfachtes Schema des Tyrosinstoffwechsels des Menschen. Schritt ⓐ blockiert: Phenylketonurie, Schritt ⓑ blockiert: Albinismus, Schritt ⓒ blockiert: Alkaptonurie

Liegt jedoch das diesen Abbau kontrollierende Gen homozygot in einem mutierten Allel vor, so wird das entsprechende Enzym nicht gebildet und die sich anreichernde Verbindung im Urin ausgeschieden. Die Rezessivität derartiger Mutationen (ein normales Allel genügt zur Synthese des Enzyms) stimmt mit unserer Vorstellung der primären Genwirkung überein. Diese bestätigt sich auch darin, daß das entsprechende Enzym im Blut kranker Personen nicht gefunden wurde. Merkwürdigerweise findet man jedoch auch Stammbäume mit einem offenbar dominant wirkenden Defekt. Eine Erklärungsmöglichkeit hierfür wird in § 9/8 diskutiert.

Im Gegensatz zu dieser klinisch relativ harmlosen Anomalie führt ein anderer Stoffwechselblock zu Idiotie. Hiervon ist etwa jeder 15000ste Mensch betroffen. Bei dieser *Phenylketonurie*[1] fehlt ein Enzym zur Umwandlung von Phenylalanin in Tyrosin (Schritt a in Abb. 8,1). Es kommt daher zur Anreicherung von Phenylbrenztraubensäure, die zwar bei hoher Konzentration durch die Niere ausgeschieden wird, aber Gehirnschäden verursacht. Man kann durch einen Windeltest die Erbkrankheit rechtzeitig erkennen und dann durch eine mühsame Diät gerade die zum Wachstum des Kindes notwendige Menge (aber keinen Überschuß!) an Phenylalanin geben und so die Gehirnschädigung vermeiden.

Auch *Albinismus* ist bedingt durch einen Block (b in Abb. 8,1) im Phenylalanin-Tyrosin-Stoffwechsel. Die Melaninverbindungen, die die Grundlage vieler Pigmentierungen bilden, entstehen nämlich aus 3,4-Dihydroxyphenylalanin, das aus Tyrosin gebildet wird (vgl. Tafel 32).

Ein anderer Fall, der die Genwirkung auf molekularer Ebene zeigt, ist die *Sichelzellenanämie* des Menschen. Etwa 8% der amerikanischen Neger haben rote Blutzellen, die bei Aufbewahrung sichelförmig werden. Während das für die meisten Betroffenen (Heterozygoten) keine ernsten Konsequenzen hat, leidet ein kleiner Teil (Homozygoten) an ernstlicher Anämie. Blutuntersuchungen ergaben, daß die Sichelzellbildung auf einem abnormen (vgl. § 8/5) Hämoglobin basiert. Dieser Blutfarbstoff, der den Transport des Sauerstoffs im Vertebratenorganismus besorgt, besteht aus einer eisenhaltigen farbigen Verbindung, dem Häm, und einem weit größeren Proteinanteil, dem Globin. Dieses Protein ist bei „Sichlern" verändert. Stammbaumanalysen zeigen, daß es sich um ein erbliches Merkmal handelt. Das unter genetischer Kontrolle gebildete Protein ist hier aber kein Enzym.

Der Globinunterschied zeigt sich in der Elektrophorese (Abb. 8,2). Während normale Globinmoleküle im elektrischen Feld bei einem bestimmten p_H-Wert von der Ausgangsposition (0) zum positiven Pol wandern, bewegen sich die Hämoglobine

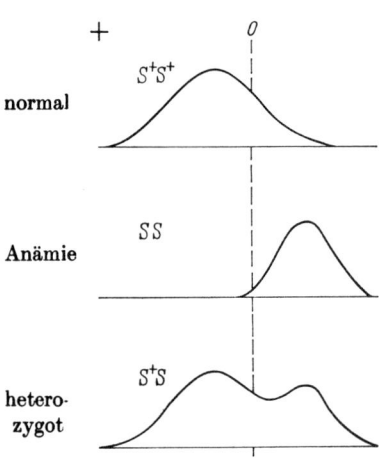

Abb. 8,2. Elektrophorese von Hämoglobinen normaler und von Sichelzellenanämie betroffener Individuen. [Nach L. PAULING, H. A. ITANO, S. J. SINGER and I. C. WELLS: Science **110**, 543 (1949)]

von Anämie-Patienten zum negativen Pol. Die weniger stark betroffenen Sichler (Heterozygoten) dagegen haben *beide* Arten von Globinen. Dieses Beispiel verdeutlicht den Fall eines intermediären Allelpaars auf molekularem Niveau. Im Normalfall liegt das kontrollierende Gen homozygot als S^+S^+ vor (nur normales Hämoglobin). Bei heterozygoter Situation S^+S werden beide Arten von Globinmolekülen nebeneinander gebildet. Hierbei treten noch keine ernstlichen Schäden auf. Dagegen leiden SS-homozygote Individuen an Sichelzellenanämie. Sie produzieren nur abnorme Globinmoleküle. Man muß also den einzelnen Allelen die unabhängige Bildung je einer Globinart zuschreiben.

Es sollte erwähnt werden, daß heterozygote S^+S-Individuen andererseits eine erhöhte Resistenz gegen Malaria besitzen. Diese Resistenz bietet in Afrika einen beachtlichen Selektions*vorteil* und erklärt, warum gerade unter Negern häufig Sichler gefunden werden trotz des negativen Selektionsdrucks infolge Anämie. Diese Beobachtung ist ein gutes Beispiel für die Notwendigkeit, Vorsicht walten zu lassen bei einer Bewertung von genetischen Merkmalen. Je nach Umweltbedingungen können bestimmte Anlagen förderlich oder schädlich sein.

Zusammenfassung von § 8/1 bis 8/3: Biosynthesen erfolgen schrittweise. Viele grundlegende Syntheseketten sind dabei in vielen Organismen identisch. Die genetische Analyse von auxotrophen Mutanten zeigt, daß je ein solcher Schritt durch einen bestimmten kleinen Abschnitt des Genoms (ein Gen) kontrolliert wird. Dieser Befund kann zur Aufklärung von Stoffwechselwegen beitragen.

Biochemische Reaktionen werden jedoch von den Genen nicht direkt katalysiert, sondern durch Enzyme, deren Bildung und Spezifität ihrerseits von den Genen kontrolliert werden.

BEADLE und TATUMS „Ein Gen—Ein Enzym"-Hypothese schließt weder die Existenz von DNA-Abschnitten mit anderen Aufgaben aus noch Fälle, in denen Enzyme aus verschiedenen Untereinheiten bestehen, die unter der Kontrolle je eines Gens gebildet werden.

Beim Menschen sind Hunderte von Erbkrankheiten bekannt, die durch den Defekt bestimmter Enzyme bzw. durch veränderte Proteine zu erklären sind. Heterozygote Fälle zeigen, daß jedes Gen ein seinem Allel entsprechendes Protein produziert.

Literatur zu § 8/3:

STANBURY, J. B., et al. eds.: The Metabolic Basis of Inherited Disease. New York: McGraw-Hill, 2nd ed. (1966) (ein enzyklopädisches Werk).

LEHMANN, H., and R. G. HUNTSMAN: Man's haemoglobins. Amsterdam: North-Holland publ. comp. (1966).

[1] Review; YI YOUNG HSIA, D.: Progr. Med. Gen. 7, 29 (1970).

8/4   Proteine

Nachdem an vielen Beispielen deutlich wurde, daß Gene in enger Beziehung zu Proteinen stehen, ja deren Spezifität offenbar durch die Gene festgelegt wird, muß zum Verständnis dieser Beziehung kurz der Aufbau und die Struktur von Proteinen dargestellt werden.

Durch Hydrolyse lassen sich Proteine in ihre einzelnen Bausteine, die Aminosäuren, zerlegen. Dabei findet man die in der Tabelle auf S. 210 aufgeführten 20 Aminosäuren (in L-Konfiguration).

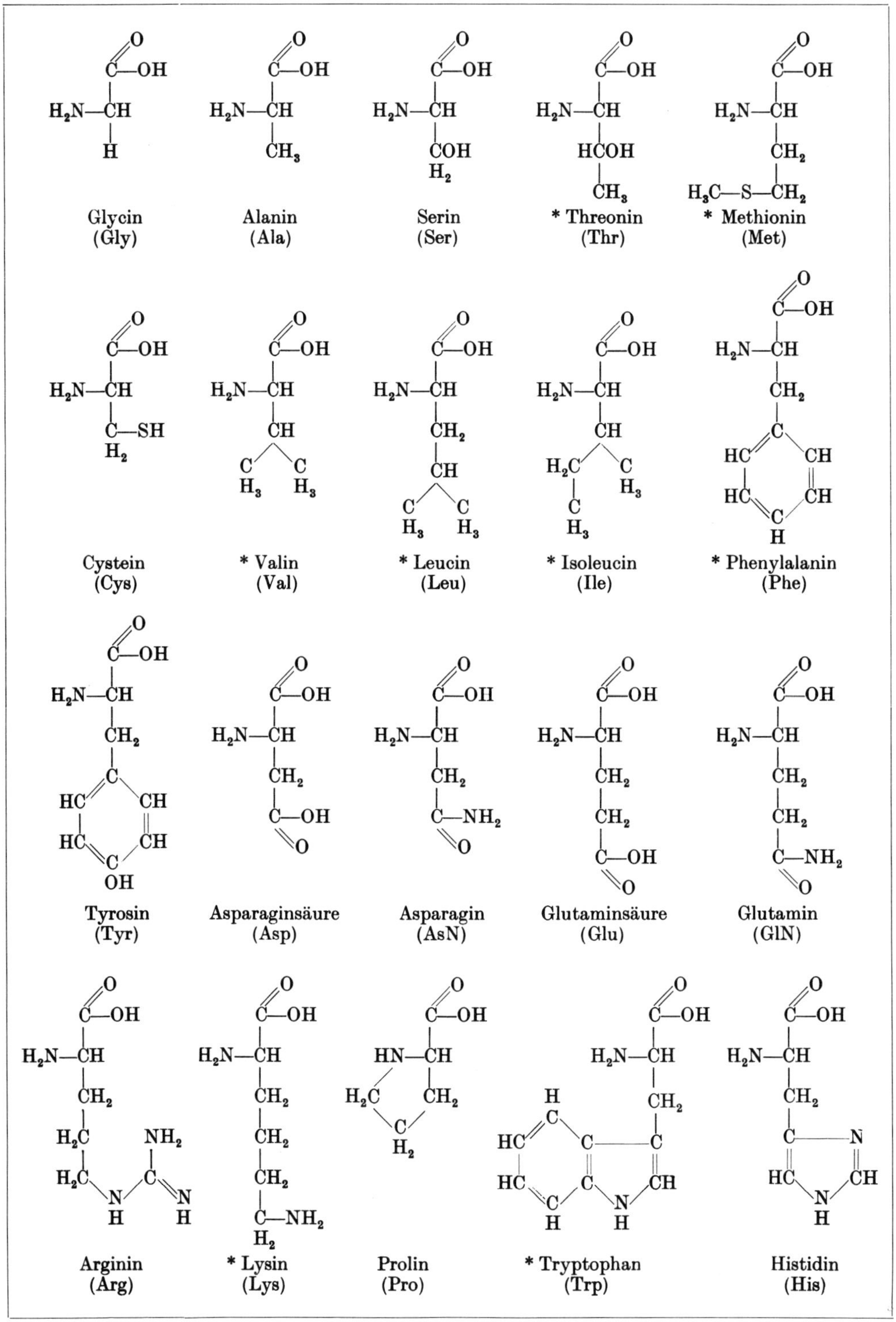

Glycin
(Gly)

Alanin
(Ala)

Serin
(Ser)

* Threonin
(Thr)

* Methionin
(Met)

Cystein
(Cys)

* Valin
(Val)

* Leucin
(Leu)

* Isoleucin
(Ile)

* Phenylalanin
(Phe)

Tyrosin
(Tyr)

Asparaginsäure
(Asp)

Asparagin
(AsN)

Glutaminsäure
(Glu)

Glutamin
(GlN)

Arginin
(Arg)

* Lysin
(Lys)

Prolin
(Pro)

* Tryptophan
(Trp)

Histidin
(His)

* essentielle Aminosäuren, d. h. solche, die der menschliche Organismus nicht synthetisieren kann.

Aminosäuren können unter Wasseraustritt zwischen Carboxylgruppen und Aminogruppen die sog. Peptidbindung —CO·NH— eingehen (Kettenbildung). Man spricht dann von Di-, Tri-, Oligo- oder Polypeptiden, je nachdem ob zwei, drei, wenige oder viele Aminosäuren so zusammengeschlossen sind. Die Grundstruktur *(primäre Struktur)* aller Proteine ist eine solche unverzweigte Kette aus Aminosäuren, z. B.

| Valin | Serin | Alanin | Lysin | Serin |

Die Sequenz der Aminosäuren in der Kette ist charakteristisch und eigenschaftsbestimmend für das jeweilige Polypeptid. Sie wird im nächsten Paragraphen diskutiert. Die Kette hat (ebenso wie Polynucleotide) eine Polarität, denn man kann die Amino- und die Carboxylendgruppe unterscheiden.

Zwischen zwei Cysteinen kann durch Bildung einer Disulfidbrücke eine Bindung geschlossen werden, die entweder zwei Peptidketten verbindet oder eine Peptidkette zu einer Schleife formt (Bild rechts):

Man nennt die beiden Cysteine zusammen ein Cystin. Auch Wasserstoffbrücken, van der Waals-Kräfte und andere Wechselwirkungen treten zwischen Peptidketten auf.

Aus röntgenographischen Daten läßt sich schließen, daß eine Polypeptidkette zu einer Helix geformt sein kann, die durch zusätzliche Querverbindungen (H-Brücken) ihre Stabilität erhält. Von mehreren möglichen Modellen ist die Paulingsche α-Helix am besten untersucht. Hierbei entfallen 18 Aminosäuren auf fünf Windungen (Länge 27 Å). Die Wasserstoffbrücken bestehen jeweils zwischen den NH- und CO-Gruppen der eigentlichen Kette und gehen jeweils zur drittnächsten Aminosäure. Beachtenswert ist, daß Prolin, das in α-Stellung keine primäre, sondern eine sekundäre

Aminogruppe trägt (vgl. die Strukturformel), sich nicht in die α-Helix einfügt, sondern diese unterbricht.

Diese Helixbildung wird als *sekundäre Struktur* der Peptide bezeichnet. Man weiß aber, daß viele Peptidketten nur abschnittsweise, andere gar keine Schraubenform haben. Weiter sind außer der α-Helix andere Sekundärstrukturen möglich, welche Polypeptidketten zu periodischen Gebilden formen. Seidenfibroine z. B. bilden die sog. Faltblattstrukturen (engl. pleated sheet), beim Kollagen sind drei schraubige Polypeptidketten umeinander verdrillt. Diese Ordnungen leiten über zur sog. *Tertiärstruktur* von Proteinen. Darunter versteht man die Zusammenlagerung vieler Peptidketten zu einer stärkeren Faser bzw. die bei verschiedenen globulären Proteinen unterschiedliche räumliche Faltung und Knäuelung von (zum Teil schraubigen) Peptidketten zu einem kompakteren Verband. Hierbei spielen die Cystinbrücken und verschiedene Nebenvalenzen eine wichtige Rolle. Aus der großen Zahl verschiedener Globulärproteine konnten als erste die Tertiärstrukturen des Hämoglobins und des Myoglobins durch PERUTZ und KENDREW aufgeklärt werden[1]. Die Kompliziertheit einer solchen Konfiguration wird durch das Modell des Myoglobins veranschaulicht (Tafel 25). Globuläre Proteine (z. B. Enzyme) können aus mehreren (identischen oder verschiedenen) Polypeptidketten zusammengesetzt sein. Dies wird oft als *quartäre Struktur* bezeichnet.

Molekulargewichte von Proteinen liegen meist zwischen 10 000 und 50 000, doch findet man auch weit höhere Werte. Proteine bestehen also größenordnungsmäßig aus mehreren Hundert Aminosäuren. Ihre Aminosäurenzusammensetzung ist recht unterschiedlich, doch kommen meist fast alle 20 Aminosäuren vor. Das gilt jedoch nicht für sämtliche Proteine. Es gibt Fibroine, die zur Haupt-

Tabelle 8,3. Zusammensetzung verschiedener Proteine, relative Anteile (%) bzw. absolute Zahl der Aminosäuren pro Kette (*)

Aminosäure	Protamin, Clupein (Hering) %	Seidenfibroin, Epanaphe moloneyi (Lepidoptera) %	Histon, Rattenleber %	Ribosomen, Rattenleber %	Enzym, Ribonuclease *	α-Chymotrypsin A-Kette *	α-Chymotrypsin B-Kette *	α-Chymotrypsin C-Kette *	TMV, Hüllenprotein (A-Protein) *
Gly	+	42,5	9,2	7,6	3	2	16	5	6
Ala	5,3	53,1	10,8	8,5	12	1	18	4	14
Ser	8,0	0,8	6,1	5,1	15	1	28	2	16
Thr	2,7		6,5	5,1	10	0	17	4	16
Met				1,3	2,1	4	0	1	1	0
Cys			0	0,85	8	1	6	3	1
Val	5,3		6,6	7,4	9	2	16	4	14
Leu			9,1	9,0	2	2	15	3	12
Ile	1,3	1,7	5,2	5,1	3	1	7	2	9
Phe			2,1	3,8	3	0	6	0	8
Tyr			3,5	3,1	6	0	3	1	4
Asp ⎫ AsN ⎭			6,3	8,2	15	0	20	1	18
Glu ⎫ GlN ⎭		0,7	8,5	8,9	12	1	12	2	16
Lys			8,9	9,2	10	0	11	3	2
Arg	70,6	0,5	10,9	7,1	4	0	2	1	11
Pro	6,7		2,8	5,0	4	2	7	2	8
His			2,3	2,3	4	0	2	0	0
Trp		0,1	0	0,7	0	0	6	1	3

sache aus nur wenigen Arten von Aminosäuren aufgebaut sind. Auch die Protamine, die im Fischsperma zusammen mit der DNA auftreten und durch ihren ausgesprochen basischen Charakter vermutlich die enge Packung der DNA ermöglichen (was aber nicht ihre einzige Funktion zu sein braucht), bestehen zu etwa $^2/_3$ aus Arginin. Dagegen haben die Histone, spezielle basische Proteine, die in allen anderen Zellen höherer Organismen in enger Assoziation mit der DNA gefunden werden, eine abwechslungsreichere Zusammensetzung. Die relativen Anteile der einzelnen Aminosäuren in einigen Proteinen sind in Tabelle 8,3 wiedergegeben.

Literatur zu § 8/4:

[1] PERUTZ, M. F.: Sci. Amer. November 1964.

PHILLIPS, D. C.: Sci. Amer. November 1966.

DICKERSON, R. E., and I. GEIS: The Structure and Action of Proteins, Harper & Row, New York 1969, deutsche Ausgabe: Verlag Chemie 1971.

8/5 Aminosäure-Sequenzen unter genetischer Kontrolle

Interessanter als die Bruttozusammensetzung von Proteinen ist die Sequenz ihrer Aminosäuren. Es soll im folgenden kurz das Prinzip einer Sequenzanalyse charakterisiert werden[1]:

Nach Reinigung und eventuell erforderlicher Trennung verschiedener Peptidketten eines Proteins und Spaltung von Cystinbrücken wird das Polypeptid der Wirkung von Trypsin unterworfen. Dieses Enzym hat die Eigenschaft, Peptidketten jeweils hinter Arginin und Lysin zu spalten (Abb. 8,4A). Man erhält so mehrere Teilpeptide, die sämtlich ein Arginin oder Lysin am Carboxylende haben. Diese Peptide werden durch zweidimensionale Papierchromatographie (Fingerprint-Technik) oder durch Säulenchromatographie mit nachfolgender Papierchromatographie der Fraktionen getrennt. (Die Bezeichnung „Fingerprint" rührt daher, daß jedes Protein nach solcher Spaltung zu einem charakteristischen Muster von Peptidflecken führt.)

Außer dem Trypsin spalten auch andere Enzyme, vor allem Pepsin oder Chymotrypsin, eine Peptidkette an anderen spezifischen Stellen. Das Chymotrypsin z. B. spaltet bevorzugt hinter Phenylalanin und Tyrosin und führt so zu einer anderen Serie von Peptiden (Abb. 8,4B). Auch die *getrennten* Peptide tryptischer Spaltung können nachträglich mit Chymotrypsin noch in Unterpeptide zerlegt werden. Ebenso kann man die zunächst mit Chymotrypsin gewonnenen Fraktionen weiter durch Trypsin spalten (Abb. 8,4C und D).

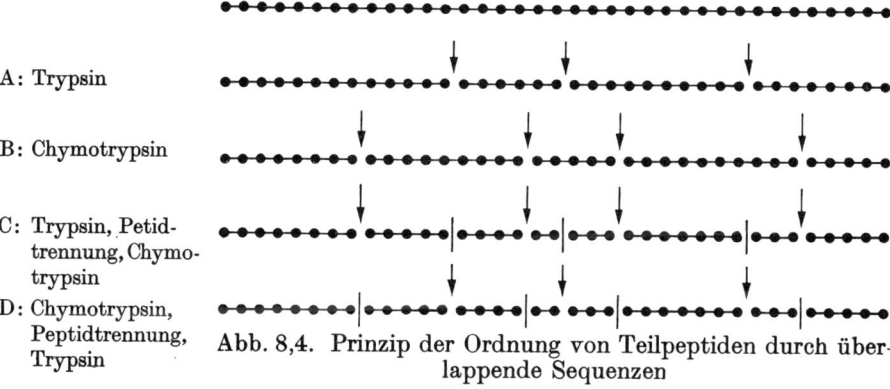

A: Trypsin

B: Chymotrypsin

C: Trypsin, Petidtrennung, Chymotrypsin

D: Chymotrypsin, Peptidtrennung, Trypsin

Abb. 8,4. Prinzip der Ordnung von Teilpeptiden durch überlappende Sequenzen

Die so erhaltenen Peptide aus Spaltungen mit Trypsin und Chymotrypsin können jedes für sich durch saure Hydrolyse in einzelne Aminosäuren zerlegt und so in ihrer Brutto-Aminosäurezusammensetzung bestimmt werden. Da sich die Teilpeptide überlappen, kann man aus diesen Ergebnissen am Schreibtisch die Reihenfolge der einzelnen Teilpeptide gewinnen. Im Falle von Schwierigkeiten können noch andere spezifisch spaltende Enzyme hinzugezogen werden.

Nachdem so die Reihenfolge der einzelnen Peptide und ihre Aminosäurezusammensetzung festliegt, bleibt die Aufgabe, die genaue Sequenz der Aminosäuren innerhalb der einzelnen Peptide zu ermitteln. Hierzu gibt es enzymatische und chemische Verfahren, z. B.:

1. Carboxypeptidasen sind Enzyme, die jeweils am Carboxylende die letzte Aminosäure abspalten. Diese kann dann nachgewiesen werden. Das Verfahren gestattet jedoch nur die Ermittlung weniger Aminosäurefolgen vom Carboxylende her, da natürlich die Aminosäuren an den einzelnen Peptidmolekülen *nicht synchron* abgespalten werden. Aus dem zeitlichen Auftreten der einzelnen Aminosäuren läßt sich aber die Sequenz von drei bis sechs Aminosäuren gewinnen.

2. Nach der Technik von EDMAN kann man von einem Teilpeptid jeweils die erste Aminosäure am NH_2-Ende in Form eines Hydantoinderivats abspalten und dann bestimmen. Dieser Vorgang kann mit dem Restpeptid wiederholt werden, so daß man schrittweise vom Aminoende her die Sequenz gewinnt.

Prinzipiell ist so die gesamte Aminosäuresequenz eines Polypeptids zu gewinnen. Um die Verknüpfung von Cystinbrücken zu bestimmen, führt man schließlich die enzymatische Spaltung ohne vorherige Auftrennung der Disulfidbrücken aus, die so aus dem Gesamtverband herausgeschält werden.

- - - -

Mehrere Jahrzehnte schien die Aufklärung der Sequenz eines Proteins unmöglich. Dann gelang SANGER und Mitarb.[2] die komplette Bestimmung des Insulins. Das Molekulargewicht des Insulins beträgt 36 000 bzw. 48 000, je nachdem ob sechs oder acht identische Untereinheiten aggregieren. Jede Untereinheit hat ihrerseits zwei Polypeptidketten A und B, deren Aminosäuresequenz und Disulfidbrücken in Abb. 8,5 wiedergegeben sind. Diese beiden Ketten werden in der Zelle zunächst in einem langen Polypeptid hergestellt[3] („Proinsulin"), wobei sich zwischen B- und A-Kette noch ein anderes Stück aus 33 Aminosäuren befindet. Dieses wird dann enzymatisch herausgeschnitten.

Trotz seiner Kompliziertheit gelang auch die chemische Synthese des Insulins, das ja für Zuckerkranke (deren Organismus kein Insulin mehr herstellen kann) von lebenswichtiger Bedeutung ist.

SANGER betrieb weiter eine „vergleichende Anatomie" auf molekularer Basis, d. h. er analysierte Insulin aus verschiedenen Spezies. Dabei traten Unterschiede

	ⒷPhe	ⒶGly
1	Phe	Gly
2	Val	Ile
3	AsN	Val
4	GlN	Glu
5	His	GlN
6	Leu	Cys
7	Cys	Cys
8	Gly	Thr
9	Ser	Ser
10	His	Ile
11	Leu	Cys
12	Val	Ser
13	Glu	Leu
14	Ala	Tyr
15	Leu	GlN
16	Tyr	Leu
17	Leu	Glu
18	Val	AsN
19	Cys	Tyr
20	Gly	Cys
21	Glu	AsN
22	Arg	
23	Gly	
24	Phe	
25	Phe	
26	Tyr	
27	Thr	
28	Pro	
29	Lys	
30	Ala	

Abb. 8,5. Aminosäuresequenzen in der A- und B-Kette des Insulins in der Disulfidschleife der A-Kette auf (Tabelle 8,6), die eine genetische Kontrolle der Aminosäuresequenz vermuten lassen. (Derartige Proteinvergleiche verschiedener Spezies haben große Bedeutung gewonnen als neues, molekulares Kriterium für Evolutions-Stammbäume[4]. Man sollte aber stets mehrere Individuen analysieren, um sicher zu sein, repräsentative Allele untersucht zu haben.)

Tabelle 8,6.   Speziesunterschiede des Insulins

Positions-nummer	Schwein	Wale, zwei verschiedene Arten		Pferd	Rind	Schaf
6	Cys	Cys	Cys	Cys	Cys	Cys
7	Cys	Cys	Cys	Cys	Cys	Cys
8	Thr	Thr	Ala	Thr	Ala	Ala
9	Ser	Ser	Ser	Gly	Ser	Gly
10	Ile	Ile	Thr	Ile	Val	Val
11	Cys	Cys	Cys	Cys	Cys	Cys

Dieser Befund wirft aber auch interessante Fragen auf in bezug auf die Bedeutung einzelner Aminosäuren für die Gesamtfunktion eines Proteins. Offenbar sind zur Funktionstüchtigkeit eines Proteins Teile der Sequenz in ganz spezifischer Weise nötig; es gibt aber auch Abschnitte untergeordneter Bedeutung, bei denen gewisse Sequenzänderungen ohne Versagen der Funktion möglich sind. In unserem Beispiel scheint es auf die Art der Aminosäuren in der Schleife nicht besonders anzukommen. Die Behauptung, daß in Proteinen unbedingt erforderliche und weniger wichtige Sequenzbereiche vorkommen, ließe sich durch weitere Beispiele erhärten.

Seit SANGERs Aufklärung der Aminosäuresequenzen des Insulins sind noch die vieler anderer Proteine ganz oder teilweise ermittelt worden[5]. Dazu gehören das Enzym Ribonuclease (Mol.-Gew. 13 700), das nur *eine* Peptidkette mit 124 Aminosäuren umfaßt, das Hämoglobin, dessen α-Kette 141 und dessen β-Kette 146 Aminosäuren enthält, sowie die schwere und leichte Kette von Antikörpern (vgl. § 8/11) mit 439 bzw. 214 Aminosäuren.

Das älteste Beispiel für die Genkontrolle der Proteinspezifität bilden INGRAMs Ergebnisse am Hämoglobin. In § 8/3 hatten wir gesehen, daß Sichelzellenhämoglobin sich elektrophoretisch von normalem Hämoglobin unterscheidet. INGRAM konnte nachweisen, daß dieser Unterschied auf der Veränderung einer einzigen Aminosäure beruht[6]. Auch viele andere elektrophoretisch unterscheidbare Hämoglobine des Menschen zeigten die Veränderung nur einer Aminosäure. Das für Sichler kritische Teilpeptid des Hämoglobins ist in Abb. 8,7 wiedergegeben. Ähnliche Abweichungen konnten für weitere Hämoglobin-Varianten in anderen Teilpeptiden gefunden werden[7].

Hämoglobin A: Val-His-Leu-Thr-Pro-Glu-Glu-Lys ...
   (normal)

Hämoglobin S: Val-His-Leu-Thr-Pro-Val-Glu-Lys ...
   (Sichler)

Hämoglobin C: Val-His-Leu-Thr-Pro-Lys-Glu-Lys ...

Hämoglobin G: Val-His-Leu-Thr-Pro-Glu-Gly-Lys ...

Abb. 8,7.   Sequenzunterschiede in der β-Kette verschiedener Hämoglobine (Positionen 1—8)

Die bisherigen Beispiele von Spezies- oder Allelunterschieden unterstützen die Annahme einer genetischen Kontrolle der Aminosäuresequenz. Dieser Zusammenhang tritt noch klarer zutage an zwei ausführlich untersuchten Systemen,

in denen einzelne Aminosäureunterschiede als Folge von Mutationen analysiert wurden. Diese beiden Beispiele, das Hüllenprotein des Tabakmosaikvirus
und das Enzym Tryptophansynthetase, sollen jedoch erst im nächsten Kapitel
in Zusammenhang mit dem genetischen Code diskutiert werden (§ 9/5). Sie
werden zeigen, daß verschiedene Allele eines Gens zu Proteinen mit kleinen
Sequenzunterschieden führen können.

Betrachtet man die eindimensionale Struktur einer Peptidkette und vergleicht diese mit der eindimensionalen Struktur eines Gens, so drängt sich der
Gedanke auf, daß bestimmte Abschnitte der DNA für bestimmte Abschnitte
des Peptids verantwortlich sind. Die extreme Form dieser Vorstellung, daß jede
Aminosäure durch einige Nucleotide der DNA festgelegt wird, ist in Abb. 8,8
veranschaulicht. Im Sinne dieser Hypothese sollten die diversen Allele des
Hämoglobin-kontrollierenden Gens durch Punktmutationen aus dem Normal-
allel entstanden sein, denn alle Mutanten zeigen nur in *einer* Aminosäure Änderungen.

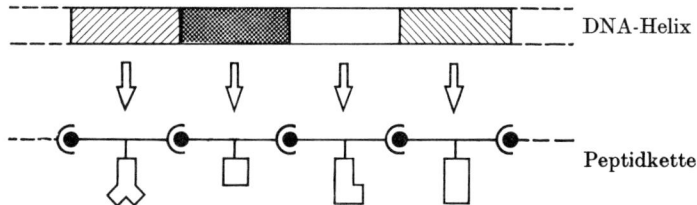

Abb. 8,8. Hypothese der Kontrolle einzelner Aminosäuren durch Einzelabschnitte
des Gens („Kolinearitäts-Hypothese")

Zusammenfassung von § 8/4 und 8/5: Proteine bestehen aus räumlich kompliziert gefalteten Polypeptidketten, die in eindimensionaler Anordnung aus
Aminosäuren aufgebaut werden. Deren Sequenz ist schriftartig (d. h. weder
periodisch noch zufällig) und für jedes Protein spezifisch (vgl. Abb. 6,4).

Unterschiede in wenigen oder nur in einer Aminosäure werden in analogen
Proteinen verschiedener Spezies gefunden. Auch Mutationen in der das Protein
kontrollierenden DNA oder Virus-RNA führen oft zur Änderung nur einer Aminosäure (§ 9/5).

Man schließt daraus, daß jede einzelne Aminosäure durch je einen kleinen
Abschnitt der Nucleinsäure festgelegt wird.

Literatur zu § 8/5:

[1] Vgl. z. B.: WITKOP, B.: Science **162**, 318 (1968) oder
BRAUNITZER, G.: Z. analyt. Chem. **181**, 514 (1961).

[2] SANGER, F., and L. F. SMITH: Endeavour **16**, 48 (1957).

[3] CHANCE, R. E., et al.: Science **161**, 165 (1968).

[4] BUVET, R., and C. PONNAMPERUMA (eds.): Chemical evolution and the origin of life. North
Holland Publ. Co. Amsterdam (1971).
Beachte auch neue Zeitschrift: Journal of Molecular Evolution (ab 1971).

[5] Ein Verzeichnis mit allen bekannten Sequenzen: M. O. DAYHOFF: Atlas of Protein
Sequence and Structure. Silver Spring, Md.: N. B. R. foundation publ.

[6] INGRAM, V. M.: Nature (Lond.) **180**, 326 (1957).

[7] INGRAM, V. M.: Amer. J. Med. **34**, 675 (1963).

8/6   Biosynthese von Proteinen, Transfer-RNA

In den folgenden Paragraphen wollen wir uns mit der Entstehung von Proteinen beschäftigen. Wir haben gesehen, daß Gene die Bildung von Enzymen und offenbar speziell von deren Aminosäuresequenzen kontrollieren. Wir fragen jetzt nach dem Mechanismus, durch den Spezifität, d. h. die Basensequenz der Nucleinsäuren, in eine bestimmte Sequenz von Aminosäuren übertragen werden könnte.

Zu diesem Zweck kann man z. B. Zellen homogenisieren und dem so gewonnenen Homogenat C^{14}-markierte Aminosäuren und Adenosintriphosphat (ATP) als Energiequelle zusetzen. Man stellt fest, daß die markierten Aminosäuren in Peptidketten eingebaut werden. Welche Fraktionen des Homogenats sind für diese Synthese verantwortlich? Man kann zunächst die großen Bestandteile (Zellkerne, Membranen, Mitochondrien usw.) bei etwa 20000 g abzentrifugieren. Der Überstand behält die Einbaufähigkeit. Zentrifugiert man nochmals etwa bei 100000 g, so verbleiben noch lösliche Proteine (Enzyme) und lösliche RNA im Überstand. Die Einbaufähigkeit ist sowohl im Sediment (Ribosomen, vgl. § 8/7) als im Überstand verloren und beruht daher auf einem Zusammenwirken dieser beiden Fraktionen. Wir wollen uns in diesem Paragraphen zunächst mit der Fraktion des Überstands beschäftigen.

Gibt man C^{14}-Aminosäuren und ATP zu solchem Überstand von Enzymen und löslicher RNA, so findet man Radioaktivität bald an RNA gebunden. HOAGLAND und ZAMECNIK gelang die Aufklärung der chemischen Details[1] dieser Ankopplung: Zunächst werden Aminosäuren durch ATP zu einem energiereichen Anhydrid von Aminosäure und Adenosinmonophosphat aktiviert. Die so aktivierten Aminosäuren werden dann je eine Aminosäure an je ein Molekül von löslicher RNA gebunden. Dieser Vorgang (Abb. 8,9) wird durch spezielle „aktivierende Enzyme" (Aminoacyl-tRNA-Synthetasen) ermöglicht und ist der vorbereitende Schritt zum Aufbau von Polypeptiden aus einzelnen Aminosäuren. Die Synthetasen sind für jeweils eine Aminosäure spezifisch, katalysieren bei dieser aber sowohl die Aktivierung als auch die Anheftung an die RNA. Wir müssen diese für die Proteinsynthese offenbar sehr wichtige lösliche RNA näher betrachten.

Die Bezeichnung „lösliche RNA" (sRNA) stammt aus der Zellfraktionierung. Man nennt diese RNA-Moleküle aber besser — ihrer Funktion entsprechend — „Acceptor-, Träger- oder Transfer-RNA" (tRNA). Transfer-RNA stellt etwa 10% der Gesamt-RNA von Zellen. Jedes Molekül tRNA ist ein einziger Polynucleotidstrang aus etwa 75—90 Nucleotiden (Mol.-Gew. etwa 30000).

Die tRNA-Moleküle sind nicht alle identisch, wie aus dem folgenden Experiment zu sehen ist: Gibt man ATP, aktivierende Enzyme, aminosäurefreie Transfer-RNA und nur *eine* Aminosäure, z. B. Histidin, diese aber im Überschuß, zusammen, so werden nicht alle, sondern nur ein kleiner Teil der tRNA-Moleküle mit Histidin beladen. Fügt man eine weitere Aminosäure hinzu, so wird von dieser ein anderer Teil der tRNA-Moleküle besetzt usw. Dabei ist die Ankopplung einer Art von Aminosäuren unabhängig davon, wie viele *andere* Aminosäuren dem System bereits zugesetzt wurden. Dieses Ergebnis — zusammen mit dem Befund, daß

nur eine Aminosäure an jedes tRNA-Molekül gekoppelt wird — zeigt ebenso
wie andere Versuche, daß Transfer-RNA aus verschiedenen Spezies besteht, die
jeweils für nur eine bestimmte Aminosäure spezifisch sind.

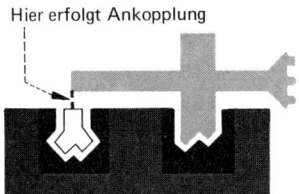

Hier erfolgt Ankopplung

Abb. 8,9. Schema der Ankopplung einer Aminosäure an ihre spezifische Transfer-RNA (hellgrau)
durch ihr spezifisches aktivierendes Enzym (dunkel-
grau). Die Spezifitäten sind schwarz symbolisiert.
(Review über tRNA-Erkennungsspezifitäten: CHAMBERS,
R. W.: Progr. Nucl. Ac. Res. 11, 489 (1971).

Es wird also jede der Aminosäuren durch ein für sie spezifisches Enzym an
eine für sie spezifische tRNA gekoppelt (Abb. 8,9). Für manche Aminosäuren
gibt es mehrere passende tRNA-Spezies, doch gehört zu jeder tRNA-Spezies
nur eine Art von Aminosäure. Mit anderen Worten: Es gibt 20 Aminosäuren,
aber mehr als 20 verschiedene tRNA-Moleküle (vgl. § 9/3 u. § 9/4). Die heute
übliche Abkürzung für eine bestimmte tRNA ist z. B.

$$\text{(E. coli) tRNA}_1^{\text{Ser}}$$

was bedeutet: die aus Coli gewonnene tRNA Nr. 1 (es gibt eine zweite) für die
Aminosäure Serin. Ist diese Transfer-RNA mit ihrer Aminosäure beladen, liegt
also eine Seryl-tRNA oder allgemein eine Aminoacyl-tRNA vor, wird das durch
die Schreibweise

$$\text{Ser-tRNA}_1$$

symbolisiert.

Die erste Aufklärung der Nucleotidsequenz und der Struktur einer tRNA ge-
lang HOLLEY[2]. Es war dies die erste Sequenzierung einer Nucleinsäure überhaupt.
Hierzu wurden aus 140 kg Hefe zunächst 200 g tRNA (Gemisch) gewonnen,
aus denen durch ein Gegenstrom-Verfahren 1 g gereinigte tRNA spezifisch für
Alanin isoliert werden konnte. Die Sequenzanalyse dieses Materials verlief dann
analog der Sequenzierung eines Proteins (§ 8/5). Zwei Enzyme wurden zur
Spaltung der tRNA benutzt: 1. pankreatische Ribonuclease und 2. die sog.
Takadiastase-Ribonuclease Typ 1. Die erste spaltet überall dort (Pfeil), wo die
Base X in der Kette

$$\ldots \overset{W}{\diagdown}\text{P}\overset{X}{\diagup}\text{P}\overset{Y}{\diagdown}\text{P}\overset{Z}{\diagup}\ldots$$

eine Pyrimidinbase ist, die zweite entsprechend hinter einem Guanin, einem
Guanin-Derivat oder einem Inosin. Die entstehenden Fragmente wurden dann
chromatographisch getrennt und deren Basensequenz einzeln enzymatisch ermittelt. Wenn man die Spaltenzyme nicht bis zur maximalen Spaltung wirken
ließ (Unterbrechung der Reaktion), blieben größere Stücke erhalten, mit deren
Hilfe dann die Gesamtsequenz zusammengesetzt werden konnte.

Die Aminosäure hängt am 3′-Ende des terminalen Adenosins.

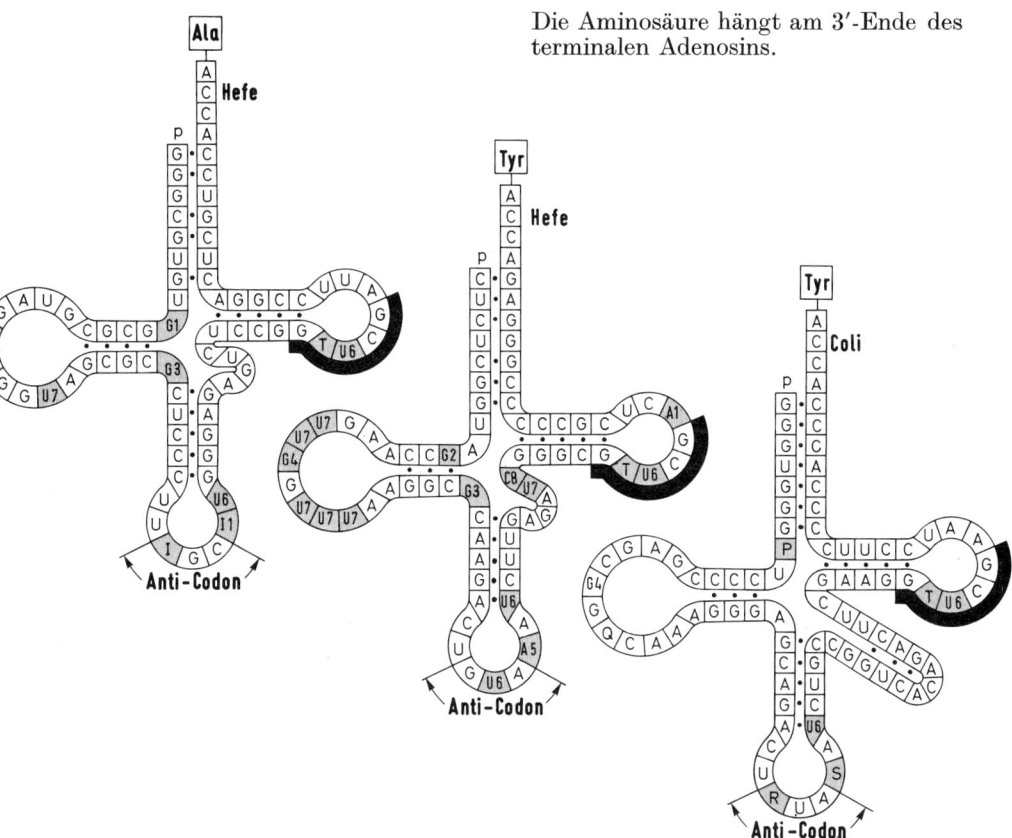

Abb. 8,10. Drei Beispiele von tRNA. Zum Vergleich zweimal tRNA^Tyr aus verschiedenen Organismen. Die ungewöhnlichen Basen (in RNA gehört dazu auch Thymin!) sind hervorgehoben. Die Bedeutung der Abkürzungen geht aus der Liste (unten) hervor. Der durch einen dicken Balken markierte Bereich — jeweils am rechten Blatt — ist bei allen bisher bekannten tRNAs gleich; man vermutet, daß er für die Bindung an das Ribosom wesentlich ist. Die Bedeutung des Anticodons wird erst in Kapitel 9 verständlich

Liste der in diesen drei tRNAs vorkommenden ungewöhnlichen Basen:

I = Inosin;	G4 = 2′-0-Methylguanosin;
G1 = 1-Methylguanin;	A5 = N⁶-(Δ²-Isopentenyl)-Adenin;
A1 = 1-Methyladenin;	U6 = Pseudo-Uridin;
I1 = 1-Methylinosin;	U7 = 4,5-Dihydro-Uracil;
G2 = N²-Methylguanin;	C8 = 5-Methylcytosin;
G3 = N²-Dimethylguanin;	T = Ribothymidin;

P, Q, R, S = verschiedene noch unbekannte Basen.

[Beide tRNA^Tyr nach DOCTOR, B. P., et al.: Science **163**, 693 (1969); tRNA^Ala nach HOLLEY, R. W.: Sci. Amer., Februar 1966]

Fast gleichzeitig mit dieser Sequenzierung der Alanin-tRNA gelang ZACHAU u. Mitarb. die Aufklärung der Sequenz von zwei verschiedenen Serin-tRNAs. Inzwischen (Januar 72) sind mit kleineren Mengen durch eine verbesserte Technik, die auf einer P^{32}-Markierung beruht[3], schon 15 verschiedene tRNAs sequenziert worden.

Solche Sequenzanalysen[4] werden erleichtert durch das Vorkommen seltener Basen in der tRNA. Außer den üblichen vier Basen (Adenin, Uracil, Guanin und Cytosin) findet man einige Prozent an Basen oder Zucker methylierter Nucleoside, hydrierte (nur an Basen) Nucleoside, einige Thiobasen sowie das ungewöhnliche Nucleosid Pseudo-Uridin oder sogar das sonst in RNA nicht vorkommende Thymin (vgl. Abb. 8,10).

Solche speziellen Basen entstehen sekundär, durch enzymatische Umwandlung der zunächst in tRNA eingebauten normalen Basen. Eine Reihe derartiger Enzyme ist bekannt. (In der Evolution mag diese Basenumwandlung, die möglicherweise zur Steigerung der Ablesegenauigkeit der genetischen Information beiträgt, eine nachträgliche Entwicklung sein.)

Unter Berücksichtigung des röntgenographischen Befunds, daß Teile von tRNA-Molekülen DNA-artige Doppelhelices mit Basenpaarungen bilden, konnten aus den Sequenzen die möglichen Sekundärstrukturen von tRNAs konstruiert werden.

Alle bisher sequenzierten tRNAs ließen sich dabei als „Kleeblätter" darstellen. Abb. 8,10 zeigt drei Beispiele. Der Stiel des Kleeblatts ist bei allen tRNAs ähnlich und zeigt am 3'-Ende der Nucleotidkette, an das die Aminosäure angehangen wird, stets die Basensequenz 5'... XCCA-OH3'. Hierbei deutet das X in vierter Position vom Ende an, daß hier in den einzelnen tRNA-Spezies verschiedene Basen auftreten. Am 5'-Ende steht fast immer ein pG (als Ausnahme ein pC bei tRNA für Tyrosin aus Hefe).

Entsprechende tRNAs aus verschiedenen Organismen zeigen erhebliche Abweichungen (Abb. 8,10). Trotzdem sind viele im in vitro Versuch austauschbar[5], d. h. das aktivierende Enzym aus Coli hängt die Aminosäure auch an die artfremde tRNA aus Hefe. Die für die Erkennung wesentlichen Bereiche der Sequenz bzw. der Sekundär- oder Tertiärstruktur (vermutlich ist das Kleeblatt zu einem noch kompakteren Gebilde[6] zusammengefaltet) sind offenbar zumindest sehr ähnlich.

Wir haben behauptet, die Bildung von Aminoacyl-Transfer-RNA sei ein vorbereitender Schritt der Proteinsynthese. Für diese selbst ist — wie eingangs dargestellt — noch eine andere (sedimentierbare) Zellfraktion erforderlich. Diese enthält die Ribosomen, denen § 8/7 gewidmet ist.

Literatur zu § 8/6:

[1] Review: BERG, P.: Ann. Rev. Biochem. **30**, 293 (1961).
[2] HOLLEY, R. W. et al.: Science **147**, 1462 (1965).
[3] BROWNLEE, G. G., and F. SANGER: J. molec. Biol. **23**, 337 (1967).
[4] Review: MADISON, J. M.: Ann. Rev. Biochem. **37**, 131 (1968).
[5] Review: JACOBSON, K. B.: Progr. Nucl. Ac. Res. **11**, 461 (1971).
[6] Review: CRAMER, F.: Progr. Nucl. Ac. Res. **11**, 391 (1971).
    Allgem. tRNA-Review: GAUSS, D. H. et al.: Ann. Rev. Biochem. **40**, 1045 (1971).

8/7   Biosynthese von Proteinen, Ribosomen

In elektronenmikroskopischen Bildern von tierischen und pflanzlichen Zell-schnitten[1] beobachtet man im Plasma viele ca. 70Å dicke Membranen (Ab-bild. 8,10 A). Diese bilden ein Netzwerk von Kanälen und werden als „endoplasma-tisches Reticulum" bezeichnet. (Es ist wahrscheinlich, daß eine Kontinuität dieses Systems mit der äußeren Membran der Doppelmembran des Kerns besteht.)

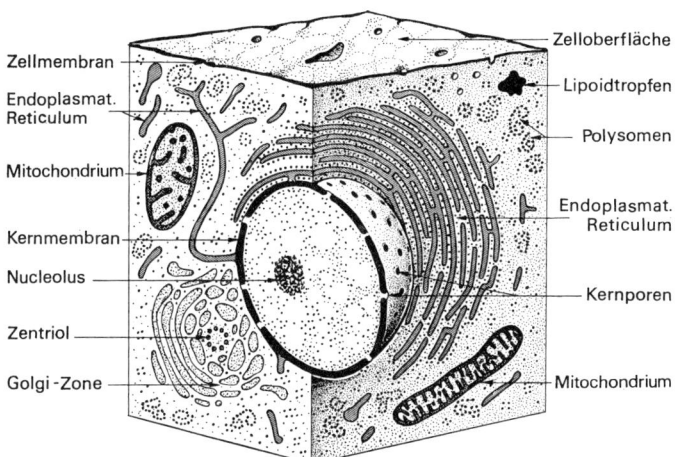

Abb. 8,10A. Schematischer Schnitt durch eine Zelle. Der Zellkern in Interphase wurde an der rechten Schnittseite stehengelassen, er ragt also aus dem Schnitt-würfel rechts heraus. [Verändert nach WOHLFARTH-BOTTERMANN, K. E.: Natur-wissenschaften **50**, 239 (1963)]

Ein Teil dieses endoplasmatischen Reticulums ist „glatt", ein anderer Teil (rauhes endoplasmatisches Reticulum) ist mit einer Fülle von winzigen Partikeln, den sog. „Ribosomen" besetzt, und zwar auf der dem Plasmaraum zugewandten Außenseite der Membran. Ribosomen kommen in diesem Plasmabereich auch als freie Partikel vor. Die Bezeichnung „Mikrosomen" wird den bei einer Präparation entstehenden Membranfetzen des endoplasmatischen Reticulums gegeben.

Ribosomen, wenn auch nicht endoplasmatisches Reticulum, werden auch in Bakterien gefunden. Ihre Zahl pro Bakterium liegt je nach physiologischem Zustand in der Größenordnung von 5000 bis 50000 (bei schnell wachsenden Coli bis 20000).

Die Ribosomen sind Partikel konstanter Größe und Zusammensetzung. Durch Ultrazentrifugation oder Elektronenmikroskopie erkennt man, daß sie aus zwei Untereinheiten bestehen[2]. Diese werden entsprechend ihrem Sedimentations-verhalten bei Colibakterien als $30s$- und $50s$-Partikel bezeichnet und haben Molekulargewichte von $0,9 \cdot 10^6$ und $1,8 \cdot 10^6$. Gleiche Werte findet man auch für die Ribosomen fast aller anderen Bakterienarten, doch sind die Partikel im Zytoplasma höherer Organismen etwas größer ($37—40s$ und $60s$), Es besteht ein

Gleichgewicht für Trennung und Zusammenschluß der beiden Untereinheiten

$$30s + 50s \rightleftharpoons 70s \qquad (\text{bzw. } 40s + 60s \rightleftharpoons 80s),$$

das sich mit steigender Mg^{++}-Konzentration nach rechts verschiebt. (Beachte, daß s-Werte* nicht additiv sind, weil die Gestalt der Partikel in den s-Wert eingeht.)

Beide Untereinheiten von Bakterien-Ribosomen bestehen etwa zu $^2/_3$ aus RNA und zu $^1/_3$ aus Protein. Der Proteingehalt ist größer (etwa die Hälfte) bei Ribosomen aus höheren Organismen. Überall aber stellt diese ribosomale RNA (abgekürzt rRNA) 80—85% der Gesamt-RNA der Zellen. Sie kann (z.B. durch Phenolbehandlung) aus den Untereinheiten herausgelöst werden. Man findet dann (vgl. Abb. 8,11)

pro 30s Partikel ein rRNA-Molekül von

$16s$ bzw. $0,56 \cdot 10^6$ dalton bzw. rund 1650 Nucleotide,

pro 50s Partikel je ein rRNA-Molekül von

$23s$ bzw. $1,1 \cdot 10^6$ dalton bzw. rund 3300 Nucleotide

und $5s$ bzw. $3,5 \cdot 10^4$ dalton bzw.   120 Nucleotide.

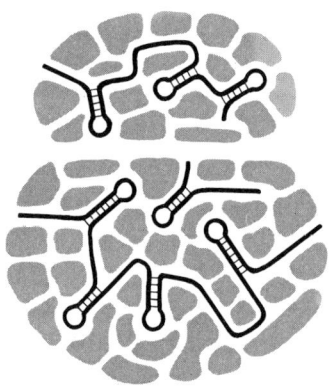

Abb. 8,11. Veranschaulichung des Aufbaus der Ribosomen-Untereinheiten aus Proteinen und rRNA. (Quantitative Angaben im Text.) Details der Anordnung sind — außer einigen Ansätzen[3] — nicht bekannt, d. h. Lagebeziehungen und Molekülgestalten des Schemas sind phantasiert

rRNA unterscheidet sich von tRNA deutlich in der Basenzusammensetzung, wie die Tabelle zeigt. Dabei haben sowohl rRNA als auch tRNA verschiedener Organismen eine recht ähnliche Bruttozusammensetzung im Gegensatz zu deren DNA, die große Unterschiede aufweist (vgl. Tabelle 9,5). rRNA enthält nur sehr wenige ungewöhnliche Basen, die — wie bei der tRNA — erst sekundär durch enzymatische Umwandlung im fertigen Polynucleotid entstehen. Das kleine $5s$-Molekül der rRNA (aus 120 Nucleotiden) ist in seiner Sequenz aufgeklärt[4]. Es ergaben sich — wie schon bei der tRNA — Bereiche mit komplementärer

---

* Die Sedimentations-Maßeinheit, das Svedberg (s), wurde nach dem Erfinder der analytischen Zentrifugationstechnik benannt und ist definiert als die meist für 20° C angegebene (s_{20}) Sedimentationsgeschwindigkeit, bezogen auf die Einheit der Zentrifugalbeschleunigung

$$s = \frac{dx}{dt} \cdot \frac{1}{\omega^2 x}.$$

Dabei ist ω die Winkelgeschwindigkeit und x der Abstand von der Drehachse. s hat die Dimension einer Zeit. Als Einheit (1 Svedberg) benutzt man die Zeit 10^{-13} sec. Der s-Wert ist eine Konstante des sedimentierenden Partikels bzw. Moleküls.

Basensequenz, die auf eine Sekundärstruktur (kein Kleeblatt) hinweisen. Auch für die 16s- und 23s-rRNA-Einheit ist die Sequenzanalyse in vollem Gange[5].

Basenzusammensetzung der rRNA und tRNA von Coli in %

	Guanin	Cytosin	Adenin	Uracil	Unge- wöhn- liche
rRNA	32	22	25	21	> 0
tRNA	32	29	20	15	4

Der Proteinanteil von Ribosomen ist sehr komplex. Wenn man in der Ultrazentrifuge als 30s Bande gewonnene und gereinigte Partikel mit hoher Harnstoff- und Salzkonzentration behandelt, fallen diese in ihre Bestandteile auseinander, die dann — wie in Abb. 8,12 dargestellt — in einzelne Proteine aufgetrennt werden können. Man findet 21 verschiedene (früher glaubte man 19) Protein-Moleküle, die sämtlich nur je einmal im 30s Partikel vorkommen und als S1 bis S21 bezeichnet[6] werden (S = small).

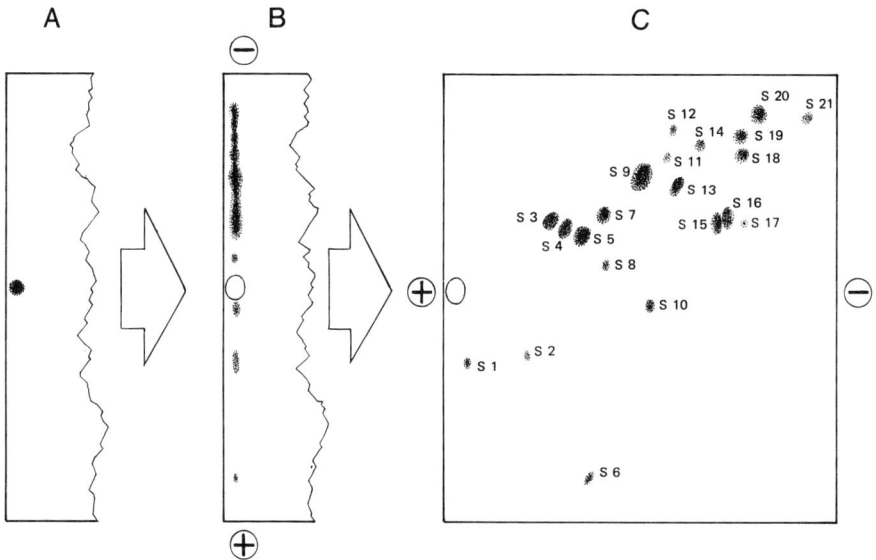

Abb. 8,12. Zwei-dimensionale Acrylamid-Gel-Elektrophorese der 30s Proteine von Coli. Auf eine Schicht von Acrylamid-Gel wird das zu trennende Gemisch aufgebracht (schwarzer Punkt in A). An das Gel (pH 8,6) wird eine Gleichspannung angelegt. Nach Stunden haben die Proteine verschieden lange Strecken in +- oder —-Richtung zurückgelegt. Sie sind eindimensional auseinandergezogen (B). Nach Pufferwechsel auf pH 4,6 wird das elektrische Feld um 90° gedreht. Bei diesem pH wandern alle untersuchten Proteine zur Kathode (Trennung in zweiter Dimension). Durch Anfärbung werden die Proteinflecken sichtbar (C). (Zur Veranschaulichung sind im Schema schon nach Schritt A bzw B die an sich farblosen Flecken eingezeichnet.) Nach KALTSCHMIDT, E. and H. G. WITTMANN, Proc. nat. Acad. Sci. (Wash.) 67, 1267 (1970)

Entsprechend liefert die $50s$ Einheit 34 (früher 35) verschiedene Proteinmoleküle L1 bis L34 (L = large). Abgesehen von L7 und L12, die mehrfach — wohl in 3 Kopien — vorkommen, sind auch alle Baustein-Proteine im $50s$-Partikel nur in einer Kopie vorhanden.

Die Molekulargewichte aller 55 Proteine wurden einzeln bestimmt[7]. Beim Protein S1 liegt der Wert bei 65000, bei allen anderen zwischen 10000 und 30000. Von den 55 Proteinen sind 52 basisch (Assoziation mit RNA), nur 3 sind sauer. Untereinander haben die 55 Proteine keine serologische Verwandtschaft. Einzelne dieser Proteine zeigen in verschiedenen Bakterienspezies beachtliche Abweichungen. Kleinere Unterschiede in 2 Proteinen (S5 und S7) wurden sogar in verschiedenen Coli-Stämmen gefunden[8].

Läßt man die Bestandteile disintegrierter $30s$-Partikel im richtigen Ionenmilieu bei 37°C stehen, so fügen sich rRNA und die diversen Proteine nach 15 min spontan wieder zu kompletten — und sogar biologisch funktionsfähigen — Partikeln zusammen[9]. Offenbar heften sich die Proteine an spezifische Stellen der rRNA an, die so wesentlich dazu beiträgt, die Einzelproteine in der richtigen, d. h. für die Funktion notwendigen, räumlichen Konfiguration anzuordnen. Dieser Versuch gelingt auch, wenn man die $16s$-rRNA und die Proteine aus verschiedenen (entfernt verwandten) Bakterienspezies nimmt, doch schlägt er fehl, wenn ribosomale Proteine aus Bakterien mit der entsprechenden rRNA aus Hefe kombiniert werden. Der Selbstzusammenbau der Bestandteile ist also weitgehend spezifisch. Bei vorsichtiger Gewinnung der Proteine gelang auch der Selbstzusammenbau der $50s$ Einheit und sogar der gleichzeitige Zusammenschluß von $30s$ *und* $50s$ in *einem* Reagensglas[10].

Zur Zeit bemühen sich mehrere Forschungsgruppen um die vollständige Aufklärung von Sequenz und Struktur aller Ribosomen-Bestandteile. Man hofft, so die Einzelheiten der Funktion verstehen zu können. Da wir auf die Bildung von Ribosomen im § 10/12 zurückkommen, wollen wir uns jetzt dieser Funktion zuwenden.

Wir haben im vorigen Paragraphen gesehen, daß radioaktiv markierte Aminosäuren zunächst an tRNA-Moleküle gekoppelt werden. Sind dem zellfreien System jedoch Ribosomen beigefügt, so findet man die Radioaktivität wenig später an Ribosomen assoziiert. Noch etwas später befindet sie sich zum Teil in den löslichen Proteinen des Plasmas, d. h. eingebaut in Polypeptidketten, an denen keinerlei tRNA mehr hängt. Die Ribosomen sind also im einzelnen noch unverstandene molekulare Maschinen zur Synthese spezifischer Proteine. Zum Aufbau des Polypeptids werden offensichtlich die an tRNA gekoppelten Aminosäuren benutzt, wobei im Verlauf dieser Synthese die tRNA-Moleküle ihre Aminosäuren wieder abgeben.

Das hier gewonnene Bild der Proteinsynthese an Ribosomen findet zusätzliche Stützen in anderen Beobachtungen: Aus den viele Jahre alten zytochemischen Untersuchungen von CASPERSSON und BRACHET weiß man, daß eine enge Korrelation zwischen RNA-Gehalt und Proteinsyntheserate einer Zelle besteht. Auch zeigen entkernte Zellen der Alge Acetabularia oder die kernlosen Reticulozyten von Säugetieren noch Proteinsynthese. Diese findet also im Zellplasma statt. Weiter gelang es, in zellfreien Systemen (Aminosäuren, Energiequelle, aktivierende Enzyme, Transfer-RNA und Ribosomen aus Reticulozyten) den

Einbau markierter Aminosäuren in Protein nachzuweisen, das chromatographisch als Hämoglobin identifiziert werden konnte[11].

Die Gesamtheit der Argumente zeigt, daß Proteinsynthese mit Hilfe von tRNA an Ribosomen erfolgt.

Im bisherigen Verlauf des Kapitels wurde die Gen-gesteuerte Merkmalsausbildung zurückgeführt auf die Synthese bestimmter Proteine, deren Aminosäuresequenz, d. h. deren Spezifität, durch die Information der Gene determiniert wird. Jetzt wurde gezeigt, daß Gene nicht direkt an ihrer DNA eine spezifische Polypeptidkette bilden, die zu einem Enzym oder dergleichen gefaltet wird, sondern daß die genetische Information auf ihrem Weg von der DNA zum Enzym zunächst auf Ribosomen übertragen wird. Ins Zentrum des Interesses rückt damit die Frage, wie die Information vom Gen zum Ribosom gelangt.

Literatur zu § 8/7:

[1] Zum Beispiel: PALADE, G. E., in: Microsomal Particles and Protein Synthesis, p. 36. New York: Pergamon Press 1958.
[2] TISSIÈRES, A., J. D. WATSON et al.: J. molec. Biol. 1, 221 (1959).
[3] z.B.: SCHAUP, H. W. et al.: Molec. Gen. Gen. 114, 1 (1972).
[4] LEWIS, J. B., and P. DOTY: Nature (Lond.) 225, 510 (1970).
[5] FELLNER, P. et al.: Nature (Lond.) 225, 26 (1970).
[6] WITTMANN, H. G. et al.: Molec. Gen. Gen. 111, 327 (1971).
[7] DZIONARA, M. et al.: Proc. Nat. Acad. Sci. (Wash.) 67, 1909 (1970).
[8] WITTMANN, H. G.: FEBS-Symp. 1972 (im Druck).
[9] NOMURA, M.: Sci. Amer. October 1969.
[10] MARUTA, H. et al.: J. molec. Biol. 61, 123 (1971).
[11] SCHWEET, R. et al: Proc. nat. Acad. Sci. (Wash.) 44, 1029 (1958). — Lab. Invest. 10, 992 (1961).
Allgem. Review: WITTMANN, H. G.: Symp. Soc. Gener. Microbiol. 20, 55 (1970).

8/8   Biosynthese von Proteinen, Messenger-RNA

Ribosomen müssen die genetische Spezifität für die von ihnen produzierten Polypeptidketten besitzen. Hierfür sind zwei verschiedene Prinzipien denkbar: 1. Ribosomen sind spezifisch, d. h. es sind Maschinen, die für die Produktion einer ganz bestimmten Proteinart und nur dieser eingerichtet sind, oder 2. Ribosomen sind Druckmaschinen, die jeden beliebigen Text (Polypeptidkette) drucken können, je nachdem welcher Drucksatz in sie eingespannt wird. Wir werden jetzt sehen, warum man die zweite Möglichkeit für richtig hält.

Die erste Kenntnis einer neuen Art von RNA wurde durch VOLKIN und ASTRACHAN[1] gewonnen. Diese Autoren konnten nachweisen, daß kurz nach der Phageninfektion von Bakterien eine RNA synthetisiert wird, die sich in ihrer Basenzusammensetzung sowohl von der tRNA als auch von der rRNA der Wirtszellen unterscheidet. Die neue RNA hat eine Basenzusammensetzung etwa wie die DNA(!) der infizierenden Phagen. (Hierbei wird das Thymin der DNA dem Uracil der RNA gleichgesetzt.) Zu diesem Versuch füttert man die infizierten

Bakterien mit radioaktivem P³², der von den Bakterien schnell zur Synthese von Nucleotiden benutzt wird und so als Markierung in der neu synthetisierten RNA erscheint. Aus den infizierten Zellen gewinnt man dann die RNA, hydrolysiert sie alkalisch zu Mononucleotiden und trennt diese säulenchromatographisch. Die in den vier Fraktionen vorhandene Radioaktivität gibt dann Anhaltspunkte für die Basenzusammensetzung der neu synthetisierten RNA.

Zunächst hatte diese RNA, deren Basenzusammensetzung der DNA ähnelte, noch keinen Namen, weil man ihre Funktion nicht kannte. Heute wird sie allgemein Messenger-, d. h. Botschafter-RNA (mRNA) genannt. Ihr Molekulargewicht ist sehr heterogen und liegt in der Größenordnung von 100000 bis zu einigen Millionen. Diese große Streuung beruht auf der Vielzahl der gleichzeitig abgelesenen Bereiche verschiedener Länge.

Einige Jahre später wurde ein Enzym entdeckt[2], das in vitro aus Ribonucleosidtriphosphaten RNA synthetisieren konnte. Wie beim Kornberg-System mußten jedoch DNA(!) als Template und alle vier Triphosphate zur Verfügung stehen. Die so synthetisierte RNA entsprach dem DNA-Template in der Zusammensetzung und den Nachbarschaftshäufigkeiten der Basen (Tabelle 8,13). Offenbar handelte es sich um ein Enzym, das RNA-Kopien der DNA-Basensequenzen herstellte. Auch einsträngige ΦX-DNA wirkte als Template für diese „DNA-abhängige RNA-Polymerase". Man hat den Vorgang dieser Informationsübertragung von DNA auf mRNA „Transcription" genannt.

Tabelle 8,13. Relative Häufigkeiten von Basennachbarschaften XpY für DNA aus zwei verschiedenen Quellen und für die durch diese DNA gebildete mRNA (vgl. dazu auch die Tabelle auf S. 149). Die *obere Zahl* jedes Rechtecks gibt die Nachbarschaftshäufigkeit in der mRNA, die *untere Zahl* den entsprechenden Wert für die Template-DNA an. [Nach S. B. WEISS and T. NAKAMOTO: Proc. nat. Acad. Sci. (Wash.) **47**, 1400 (1961)]

X \ Y	T bzw. U	A	C	G	T bzw. U	A	C	G
A	10 / 11	16 / 19	58 / 52	63 / 65	82 / 89	119 / 111	61 / 61	57 / 59
T bzw. U	16 / 17	23 / 22	54 / 50	52 / 56	108 / 106	103 / 104	54 / 54	52 / 51
G	53 / 54	45 / 49	143 / 139	112 / 112	64 / 63	55 / 57	31 / 30	34 / 36
C	65 / 63	54 / 54	110 / 113	125 / 121	61 / 57	49 / 48	31 / 34	38 / 40
	Micrococcus lysodeikticus				Phage T2			

Besonders augenfällig wurde die Identität der Basensequenz von DNA und ihrer mRNA durch den Befund, daß geschmolzene (einsträngige) T2-DNA mit der nach T2-Infektion gebildeten mRNA eine stabile Strangpaarung eingehen kann[3]. Ein solcher DNA/mRNA-Hybridkomplex entsteht nicht mit einer fremden

DNA, auch nicht, wenn diese etwa gleiche Basenzusammensetzung hat. Die Mischkomplexe können durch radioaktive Markierung im Dichtegradienten nachgewiesen werden. Komplexe zwischen DNA und RNA wurden auch in vivo gefunden[4].

Aus all diesen Versuchen war klar geworden, daß durch die RNA-Polymerase die genetische Information der DNA genau der Basensequenz folgend auf einsträngige mRNA übertragen (transcribiert) wird. Aus dem großen Kochbuch der DNA werden offenbar einzelne Rezepte mit der Anweisung für die Herstellung bestimmter Proteine abgeschrieben, die dann irgendwie in Proteine übersetzt werden können (Translation).

Bevor wir uns dieser Frage zuwenden, müssen wir aber noch einige Teilfragen der mRNA-Synthese behandeln:

● 1. Werden beide Stränge der DNA oder asymmetrisch nur einer transcribiert? Zur Beantwortung dieser Frage gibt es glücklicherweise einige Bakteriophagen, deren beide DNA-Stränge deutlich verschiedene Basenzusammensetzungen haben. Nach Schmelzen der DNA kann man die unterschiedlichen Stränge im Dichtegradienten trennen. Mit solchen Phagen gelang der Nachweis, daß die RNA-Polymerase zwar *in vitro* mRNA komplementär zu *beiden* DNA-Strängen herstellen kann, daß aber *in vivo*, d.h. bei Infektion von Bakterien mit diesen Phagen, mRNA komplementär *nur zu einem* (dem TC-reicheren) DNA-Strang gebildet wird. Nur dieser nämlich führt mit der mRNA zu DNA/mRNA Hybrid-Komplexen[5]. Ähnliche Resultate wurden an dem Phagen ΦX gewonnen, dessen einsträngige DNA nach Infektion einer Coli-Zelle zunächst zu einem Doppelstrang komplementär ergänzt wird. Die aus infizierten Bakterienzellen isolierte mRNA hybridisiert *nicht* mit der einsträngigen DNA des Phagen selbst, wohl aber mit geschmolzenen Einzelsträngen der doppelsträngigen Form[6]. Das heißt, nicht der Phagen-DNA-Strang selbst, sondern dessen neu gebildeter Komplementärstrang und nur dieser bildet mRNA. Auch Untersuchungen an anderen Phagen zeigten, daß in vivo mRNA komplementär nur zu einem der beiden DNA-Stränge gebildet wird[7], doch kann dies abschnittsweise mal der eine, mal der andere Strang sein[16A].

Offenbar ist in vivo je ein „sinnvoller" Strang von dem komplementären „unsinnigen" Strang unterscheidbar. Dies führt uns zu einem zweiten Problem:

● 2. Wie wird entschieden, an welcher Stelle der DNA die Transcription beginnt; wie wird der „sinnvolle" DNA-Einzelstrang vom „unsinnigen" unterschieden; und wie wird die Leserichtung festgelegt? Diese Fragen zeigen, daß die mRNA-Polymerase nicht nur von der Funktion her gesehen ein hochinteressantes Enzym ist, sondern daß vor allem dessen Spezifität besonderer Aufmerksamkeit bedarf:

Die aus E. coli gewonnene Polymerase[8] besteht aus mehreren Untereinheiten: $[\alpha_2\beta\beta']\sigma$. Die Molekulargewichte sind etwa $\alpha = 40\,000$, $\beta = 150\,000$, $\beta' = 160\,000$, $\sigma = 80\,000$. Die σ-Einheit, meist σ-Faktor genannt, ist relativ leicht vom Restverband, der eigentlichen Polymerase, abtrennbar.

Gibt man Polymerase ohne σ-Einheit zu T4-DNA, so findet man nach wenigen Sekunden die ganze T4-DNA mit Polymerase-Molekülen besetzt (etwa eines auf 50 Nucleotidpaare). Offenbar findet eine unspezifische Bindung statt, die sich auch als reversibel erweist. Polymerase mit der σ-Einheit bindet dagegen irreversibel an nur etwa 100 Stellen im T4-Genom. Auch die Synthese von mRNA an der T4-DNA ist ohne σ sehr gering und wird erst durch Zugabe von σ stimuliert. Vermutlich öffnet der σ-Faktor die DNA-Doppelhelix an der Startstelle für die Polymerase.

Benutzt man DNA anderer Herkunft, so zeigen sich besonders in Gegenwart der σ-Einheit ausgesprochene Unterschiede in der Bindungsfähigkeit der Polymerase. (Das Brechen der DNA muß bei der Präparation vermieden werden, da Polymerase ausgezeichnet an solchen Bruchenden bindet.) Aus diesen und anderen Ergebnissen wird geschlossen, daß in der DNA bestimmte Abschnitte (binding sites) vorhanden sind, die von der Polymerase spezifisch erkannt werden. Diese Bindungsstellen für Polymerase nennt man „Promotoren". (Wir werden in Kapitel 10 auf sie zurückkommen.) Letztlich muß die Spezifität des Bindungsortes auf der DNA in dessen Basensequenz verankert sein; doch ist es möglich, daß Sekundärstrukturen, z. B. das Ausstülpen kleiner Seitenarme (wie bei der tRNA) dabei wichtig sind[9].

Dieses Problem einer spezifischen Erkennung[10] von bestimmten Basensequenzen in Nucleinsäuren durch Proteine, das speziell für alle Regulationsfragen von grundlegender Bedeutung ist, gehört heute (1972) zu den brennendsten Fragen biochemischer Genetik. Wir werden auf den Regulationsaspekt der RNA-Polymerase in § 10/9 zurückkommen.

Wie dem auch sei, die Polymerase erkennt auf der DNA die Anfangspunkte der mRNA-Synthese, unterscheidet an der Basensequenz dieser Stellen den sinnvollen vom nicht-sinnvollen DNA-Strang und beginnt dann die Synthese — ebenfalls gelenkt durch die Basensequenz — in nur der einen Richtung des sinnvollen Stranges[11].

Verträglich mit solcher Vorstellung sind Ergebnisse, nach denen auch bei in vitro Synthese von mRNA nur ein DNA-Strang kopiert wird, wenn die DNA in ihrem *natürlichen* Zustand vorliegt[12]. Ist die DNA jedoch zerbrochen oder hitzedenaturiert, wird mRNA von *beiden* Strängen gebildet[13], möglicherweise weil dann die Polymerase am Anfang eines DNA-Moleküls auch ohne die Starter-Basensequenz beliebig beginnen kann, d. h. auch am falschen Strang.

● 3. In welcher Richtung der 5′ ... 3′-Polarität läuft die Synthese der mRNA? Puls-Markierungsexperimente (vgl. § 6/7) haben gezeigt[14], daß die mRNA vom 5′-Ende her (d. h. in der üblichen Schreibweise in Schreibrichtung) synthetisiert wird. In vivo läuft diese Synthese mit einer Geschwindigkeit von etwa 40 Nucleotiden/sec. Die Proteinsynthese zum Vergleich schafft 14—17 Aminosäuren pro Sekunde.[14A] (Merkwürdigerweise sind diese chemisch extrem kleinen Syntheseraten in Informationsmenge/sec gemessen sehr ähnlich der Geschwindigkeit unserer Sprache oder dem Tempo einer flotten Sekretärin an der Schreibmaschine.)

An einem Stück DNA können hintereinander viele Polymerase-Moleküle transcribieren. Die Länge des schon synthetisierten Messengers wächst mit dem Abstand vom Startpunkt. Dieser Vorgang konnte kürzlich durch herrliche elektronenmikroskopische Bilder[15] veranschaulicht werden (Tafeln 26—28). Ein Bild (Tafel 29) zeigt weiter in überzeugender Form, daß an einem Stück DNA die Transcriptionsrichtung auch gegenläufig sein kann. Da es sich mit großer Wahrscheinlichkeit hier um eine kontinuierliche Doppelhelix handelt, die Ablesung aber immer in 5'...3'-Richtung erfolgt, müssen in verschiedenen Abschnitten verschiedene Stränge der Doppelhelix den „sinnvollen" Strang bilden. Dieser Schluß wurde schon von MARGOLIN[16] aus genetischen Daten an Salmonella-Bakterien gezogen und ist auch z.B. beim Phagen λ nachgewiesen[16A].

● 4. Wie wird erkannt, an welcher Stelle der DNA die mRNA-Synthese beendet werden soll? Offenbar ist auch hier ein spezifisches Protein, der sog. ϱ-Faktor beteiligt[17] (Mol.-Gew. etwa $4 \times 50\,000$). Möglicherweise heftet sich dieser an spezielle DNA-Sequenzen am Ende einer Ablesungsstrecke und reagiert mit der sich heranarbeitenden Polymerase so, daß diese und die gebildete mRNA freigesetzt werden.

Abgesehen von den in vitro Versuchen mit RNA-Polymerase haben wir das Auftreten von mRNA zumeist nur in phageninfizierten Zellen diskutiert. Findet man mRNA auch in normalen Zellen? Isotopenmarkierung mit kurz darauf folgender Untersuchung der RNA offenbarte auch in Säugerzellen und nicht-infizierten Bakterien eine mRNA, die der DNA der betreffenden Organismen entsprach. Ausführliche Versuche von ROBERTS und Mitarb.[18] zeigten jedoch, daß diese mRNA nur etwa $1/3$ der neu synthetisierten RNA ausmacht. Die restlichen $2/3$ der in dem kurzen Markierungszeitraum synthetisierten RNA entsprachen in ihrer Zusammensetzung der ribosomalen RNA. Weiter konnte verfolgt werden, wie dieser $2/3$-Anteil in Ribosomen eingebaut wurde. Im Gegensatz zu dieser stabil in den Ribosomen verbleibenden rRNA ist die mRNA nur kurzlebig. Ihre Halbwertszeit liegt in der Größenordnung von 100 Sekunden[20], so daß ihr Anteil an der Gesamt-RNA der Zellen nicht mehr als etwa 3% ausmacht. Dies gilt für Bakterien; mRNA höherer Organismen ist stabiler, ihre Halbwertszeit wird in Stunden gemessen.

Hat nun mRNA etwas mit der Genfunktion zu tun? Aus logischen Gründen liegt dieser Gedanke nahe. Wenn auch auf den ersten Blick in der Übertragung der Information von DNA auf RNA kein Gewinn zu liegen scheint, so bringt diese doch den wesentlichen Vorteil der Beweglichkeit und einer möglichen Regulation der Gen-Ablesung. Die bisher an den großen Verband des Chromosoms gefesselte Information liegt als mRNA in kleinen Portionen vor und kann zu anderen Stellen (z. B. ins Plasma) transportiert werden.

Die Informationsübertragung wurde deutlich in Versuchen von BRENNER, JACOB und MESELSON, die entscheidend zur Entwicklung des Konzepts einer mRNA beitrugen. Hierbei zeigte sich wiederum an phageninfizierten Zellen durch Markierung mit verschiedenen Isotopen, daß die mRNA des Phagen sich mit Ribosomen verbindet, die bereits *vor* der Phageninfektion in der Zelle vorhanden waren[19]. Diese Ribosomen synthetisieren dann vermutlich die phagenspezifischen Proteine. Weit direktere Beweise für diese Schlußfolgerung werden in § 9/3 dargestellt.

Literatur zu § 8/8:

[1] ASTRACHAN, L., and E. VOLKIN: Biochim. biophys. Acta (Amst.) **29**, 536 (1958).

[2] Review: BURGESS, R. R.: Ann. Rev. Biochem. **40**, 711 (1971).

[3] Review: S. SPIEGELMAN: Sci. Amer. Maiheft 1964.

[4] SCHULMAN, H. M., and D. M. BONNER: Proc. nat. Acad. Sci. (Wash.) **48**, 53 (1962).

[5] Review: KENNEL, D. E.: Progr. Nucl. Ac. Res. **11**, 259 (1971).

[6] HAYASHI, M. et al.: Proc. nat. Acad. Sci. (Wash.) **50**, 664 (1963).

[7] HALL, B. D. et al.: Cold Spr. Harb. Symp. quant. Biol. **28**, 201 (1963).
   BAUTZ, E. K. F.: Cold Spr. Harb. Symp. quant. Biol. **28**, 205 (1963).

[8] Review: SEIFERT, W., and W. ZILLIG, in: 20. Mosbacher Kolloquium. Berlin-Heidelberg-New York: Springer 1969.
   Review: GEIDUSCHEK, E. P., and R. HASELKORN: Ann. Rev. Biochem. **38**, 647 (1969).
   BURGESS, R. R. et al.: Nature (Lond.) **221**, 43 (1969).

[9] GIERER, A.: Naturwissenschaften **54**, 389 (1967).

[10] Review: YARUS, M.: Ann. Rev. Biochem. **38**, 841 (1969).
   J. Cell. Physiol. Suppl. 1 zu Band 74 (1969) (Bericht einer Tagung zu diesem Thema).

[11] SUGIURA, M. et al.: Nature (Lond.) **225**, 598 (1970).

[12] HAYASHI, M. et al.: Proc. nat. Acad. Sci. (Wash.) **51**, 351 (1964).

[13] GREEN, M. H.: Proc. nat. Acad. Sci. (Wash.) **52**, 1388 (1964).

[14] BREMER, H. et al.: J. molec. Biol. **13**, 540 (1965) und ROSE, J. K. et al.: J. molec. Biol. **51**, 541 (1970).

[14A] FORCHHAMMER, J., and L. LINDAHL: J. molec. Biol. **55**, 563 (1971).

[15] MILLER, O. L., jr., and B. R. BEATTY: Science **164**, 955 (1969).

[16] MARGOLIN, P.: Science **147**, 1456 (1965).

[16A] GUHA, A. et al.: J. molec. Biol. **56**, 53 (1971).

[17] ROBERTS, J. W.: Nature **224**, 1168 (1969).

[18] Review: ROBERTS, R. B. et al., in: Molecular Genetics, vol. I. New York: Academic Press 1963.

[19] BRENNER, S., F. JACOB and M. MESELSON: Nature (Lond.) **190**, 576 (1961).

[20] MORSE, D. E., and C. YANOFSKY, in: RNA-Polymerase and Transcription. Amsterdam: North-Holland Publ. 1970.

8/9   Biosynthese von Proteinen, Mechanismus

Wir haben jetzt alle Teilnehmer an dem Prozeß der Proteinsynthese zusammengetragen: tRNA, die mit je einer Aminosäure beladen ist, Ribosomen und mRNA, die die Information von Genen übernommen hat. Wir haben weiter gesehen, daß sich mRNA mit Ribosomen assoziiert und daß radioaktive Aminosäuren an tRNA gekoppelt werden, dann an Ribosomen und schließlich in Proteinen des Plasmas erscheinen.

Beginnen wir die Diskussion des Mechanismus der Proteinsynthese mit dem experimentellen Befund, daß die Anwesenheit von Ribosomen die Synthese von mRNA stimuliert[1]. Diese binden sich nämlich an mRNA, während diese selbst noch synthetisiert wird (vgl. Tafeln 26 u. 27).

Es existiert eine spezielle Methionin-spezifische tRNA (tRNA[F-Met]). Die Amino-Gruppe des an diese tRNA gebundenen Methionins wird durch die enzyma-tische Anlagerung eines Formyl-Restes blockiert. Diese tRNA[F-Met] (näher diskutiert in § 9/4,1) spielt eine wesentliche Rolle für den Zusammenbau eines Protein-synthetisierenden Ribosoms. Zunächst bindet sich nämlich eine 30s-Untereinheit mit einer beladenen tRNA[F-Met] und mit der mRNA. Erst dann kommt eine 50s-Einheit dazu, um das funktionsfähige 70s-Partikel, an mRNA gebunden, zu vervollständigen[2]. Damit ist die Maschinerie startbereit.

Es gibt zwei Plätze für tRNA an jedem Ribosom[3]. Man spricht von einer Peptidyl-Stelle (P) und einer Aminoacyl-Stelle (A). Die beladene tRNA[F-Met] be-setzt die P-Stelle. Der Basensequenz der mRNA entsprechend wird jetzt eine zweite tRNA an die A-Stelle angelagert. Wie diese Auswahl erfolgt, ist ein im einzelnen noch unverstandener biologischer Elementarvorgang. Sicher scheint jedenfalls, daß es viele, zufällige tRNA-Moleküle probieren (Diffusion), aber nur eines „paßt". Angenommen werden nur die mit ihrer Aminosäure be-ladenen tRNAs. Auch das Beladensein wird also kontrolliert. Man wird dieses Passen erst dann voll verstehen können, wenn alle molekularen Details des Ribosoms aufgeklärt sind.

Nun passiert das entscheidende Ereignis[4]: Katalysiert durch das Ribosom wird die Peptidbindung zwischen den beiden, an ihren tRNAs hängenden Amino-säuren geschlossen; das Dipeptid hängt jetzt an der tRNA der zweiten Amino-säure. Diese wird nun in die P-Bindungsstelle für tRNAs am Ribosom[5] trans-portiert, die mRNA rutscht ein Stückchen weiter. Die erste tRNA wird (zur neuen Beladung mit ihrer Aminosäure) entlassen. Die A-Position, in der die ursprünglich zweite — jetzt erste — tRNA lag, ist frei geworden für eine dritte Transfer-RNA.

Dieser Vorgang ist in Abb. 8,14 dargestellt. Die „Mechanik" des Ribosoms ist dabei noch völlig rätselhaft. Zur Veranschaulichung denke man an das Auf-

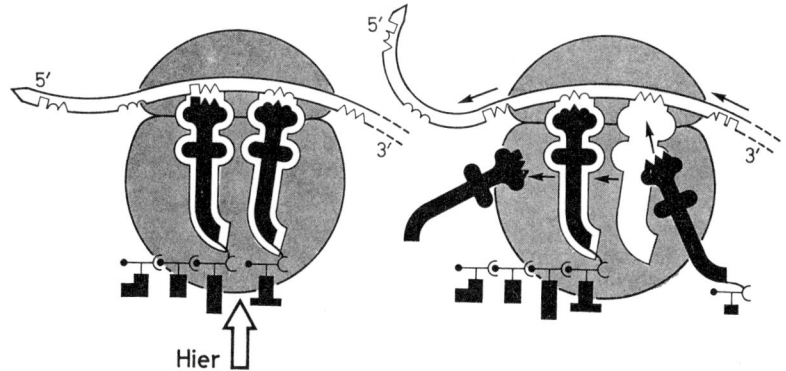

Abb. 8,14. Schema der Synthese eines Polypeptids. Die schwarzen „t" symboli-sieren das Kleeblatt der tRNA; die mRNA ist das weiße Band. Links auf dem grauen Ribosom ist die Peptidyl-Position, rechts die Aminoacyl-Position. Das linke Bild zeigt Phase 1, der dicke Pfeil deutet auf den entscheidenden Vorgang der Knüpfung einer Peptidbindung. Rechtes Bild: das gleiche Ribosom etwas später, schwarze Pfeile deuten Bewegungsrichtungen an; links die entladene tRNA, rechts die neue beim Besetzen der A-Position

ziehen einer Uhr: das obere 30s-Partikel ist der Aufziehknopf, der sich gegen die eigentliche Uhr (untere 50s-Einheit) hin und her bewegt. Mit dieser Bewegung wird das mRNA-Band jeweils um ein Stück weitertransportiert, und die tRNAs werden in ihren Positionen (in Abb. 8,14 nach links) versetzt. So wird das Protein Aminosäure für Aminosäure zusammen „gehäkelt". Die Energie für diesen Vorgang wird durch die Spaltung von GTP (Guanosin-Triphosphat) gewonnen. Der Transport von mRNA und tRNA am Ribosom mag auf allosterischen Effekten (vgl. § 10/1) der beteiligten Proteine beruhen[6].

Die Vorstellung einer durch das Ribosom gezogenen mRNA deutet zugleich den Befund, daß die aktiven Ribosomen bei vorsichtiger Präparation zu größeren Aggregaten verbunden sind (Polyribosomen)[6]. Dies zeigt folgender Versuch: Zu einer Suspension von Kaninchen-Reticulozyten gibt man radioaktiv (C^{14})-markierte Aminosäuren. Etwa eine Minute später werden die Zellen aufgebrochen und ihr Inhalt in einem Sucrosegradienten* zentrifugiert. Man findet dann die Radioaktivität in einer breiten Bande wieder, die deutlich schneller sedimentiert als die einzelner Ribosomen. Die Vermutung, daß mehrere aktive Ribosomen am gleichen mRNA-Molekül hängen, bestätigt sich durch Zugabe von Ribonuclease vor der Zentrifugation. Dann nämlich ist die breite Bande verschwunden und die Radioaktivität sedimentiert mit einzelnen Ribosomen. Das Anheften mehrerer Ribosomen an *ein* mRNA-Molekül konnte auch elektronenmikroskopisch nachgewiesen werden (Tafeln 26 u. 27). Oft findet man mehrere Ribosomen zu einem Aggregat vereinigt. Die Länge der mRNA scheint deren Zahl zu bestimmen. In Zellen, die mit Polio-Virus infiziert sind (die RNA solcher Viren repliziert sich ähnlich wie DNA durch spezielle Enzyme und dient selbst zugleich als mRNA, vgl. § 9/5), beobachtet man Aggregate aus 50—70 Ribosomen. Jedes einzelne Ribosom synthetisiert das oder die Polypeptide, die der Information der mRNA entsprechen (Abb. 8,15).

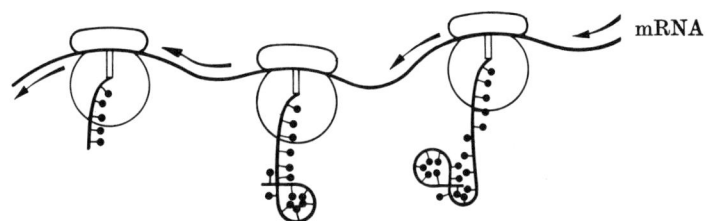

Abb. 8,15. Gleichzeitige Synthese mehrerer gleicher Polypeptidketten an einer mRNA (Polyribosomen- oder kurz Polysomen-Verband). Pfeile zeigen relative Bewegungsrichtung der mRNA

---

* Bei der Sucrosegradienten-Zentrifugation füllt man ein Zentrifugenröhrchen aus zwei Sucroselösungen verschiedener Konzentration so, daß bereits *vor* der Zentrifugation ein Konzentrationsgradient besteht. *Auf* diese Sucroselösung wird nun die zu zentrifugierende Suspension geschichtet. Unter der Zentrifugalbeschleunigung sedimentieren dann die Partikel im wesentlichen entsprechend ihrer Masse und Form (wie bei der gewöhnlichen Zentrifugation).
Die Dichte der Sucroselösung ist geringer als die der Partikel. Der Konzentrationsgradient hat den Sinn, die sedimentierenden gleichen Partikel während des Laufes und nach Anhalten der Zentrifuge als Bande zu erhalten. Es handelt sich also *nicht* um eine Trennung von Partikeln entsprechend ihrer *Dichte* wie bei der CsCl-Dichtegradienten-Zentrifugation (§ 6/8), sondern Partikel gleicher *Masse* und *Form* wandern als gemeinsame Bande.

Es besteht heute kein Zweifel, daß die Faltung einer so entstehenden Polypeptidkette zu einem globulären Protein durch die Sequenz der Aminosäuren bereits determiniert ist (vgl. Abb. 6,4). Diese Annahme ist vertretbar, obwohl man beobachtet hat, daß denaturierte Proteine oft nicht wieder selbst in den richtig gefalteten (nativen) Zustand zurückkehren. Es ist nämlich möglich, daß die richtige Faltung bei einigen Proteinen nur in statu nascendi zustande kommt (Abb. 8,15).

Die Disulfidbrücken in Proteinen sind nicht ursächlich an deren Faltung beteiligt, sondern stabilisieren nur deren Gestalt („Konformation"). Reduziert man nämlich die S-S-Bindungen von Ribonuclease in Gegenwart von Harnstoff (der Protein denaturiert), so falten sich fast alle dieser Polypeptidketten nach Entfernen (Dialyse) der Reagenzien spontan so zusammen, daß die ursprünglichen S-S Bindungen wieder hergestellt werden, obwohl 105 Möglichkeiten für zufällige Partnerschaften der acht SH-Gruppen bestehen.

Insgesamt ist die Informationsübertragung vom Gen zum Protein (primäre Genfunktion) im Umriß verstanden. Dennoch sind noch viele Details dieses Mechanismus ungelöst und einstweilen durch spekulative Annahmen gedeutet.

Es ist wichtig zu erkennen, daß das Grundprinzip der Übersetzung von DNA in Proteine, also das sog. „zentrale Dogma" der Molekulargenetik

$$\textbf{DNA} \rightarrow \textbf{mRNA} \rightarrow \textbf{Protein}$$

zweier Typen von „Übersetzern" mit je zwei Spezifitäten bedarf. Die erste Gruppe von Dolmetschern ist die Serie der Enzyme, die die richtige Aminosäure an eine tRNA hängen. Sie brauchen für diese Ankopplung eine zweifache Spezifität (Abb. 8, 16). Das gleiche gilt für die zweite Gruppe von Übersetzern, die tRNAs, die einerseits zu diesen Enzymen, andererseits zum Messenger je eine Spezifität aufweisen.

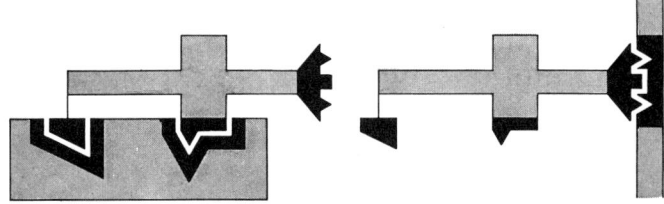

Abb. 8.16. Zwei Molekülgruppen mit je doppelter Spezifität sind zur Übersetzung der genetischen Information in Proteine nötig. Links die Aminoacyl-tRNA-Synthetasen, die die richtige Aminosäure an die richtige tRNA hängen und rechts deren spezifische Passung an die mRNA (unter Mitwirkung des Ribosoms)

Zusammenfassung (§§ 8/6 bis 8/9): An der DNA wird eine Messenger-RNA gebildet, die die Basensequenz des einen DNA-Stranges kopiert. Die mRNA ist frei beweglich und trägt die Geninformation ins Plasma.

mRNA assoziiert sich mit einem unspezifischen Ribosom, dem dadurch vorübergehend die Spezifität aufgeprägt wird, eine bestimmte Polypeptidkette zu synthetisieren. Hierbei determiniert die Basensequenz der mRNA die Sequenz der Aminosäuren (Sequenzhypothese).

Die spezifische Anordnung der Aminosäuren erfolgt durch die Hilfe einer Serie verschiedener Adaptormoleküle (tRNA), die je mit einer spezifischen Aminosäure beladen sind und eine Affinität zu bestimmten Sequenzen in der mRNA haben (Adaptor-Hypothese).

Eine Serie spezifischer Enzyme bewerkstelligt die Ankopplung der Aminosäuren an für sie spezifische tRNA.

Wir haben uns bisher ausschließlich mit dem biochemischen Aspekt der Proteinsynthese beschäftigt. Das Problem bietet jedoch auch eine andere Seite, nämlich die Frage, welche DNA-Sequenzen welche Aminosäuren festlegen. Bevor wir uns dieser Problematik des Codes zuwenden (Kap. 9), wollen wir weitere Details des Protein-Synthese-Mechanismus behandeln (§ 8/10), die aber beim ersten Lesen übersprungen werden sollten.

Literatur zu § 8/9:

[1] REVEL, M., and F. GROS: Biochem. biophys. Res. Comm. **27**, 12 (1967).
[2] MANGIAROTTI, G., and D. SCHLESSINGER: J. molec. Biol. **20**, 123 (1966).
NOMURA, M., and C. V. LOWRY: Proc. nat. Acad. Sci. (Wash.) **58**, 946 (1967).
GHOSH, H. P., and H. G. KHORANA: Proc. nat. Acad. Sci. (Wash.) **58**, 2455 (1967).
KAEMPFER, R. O. R. et al.: J. molec. Biol. **31**, 277 (1968).
[3] BRETSCHER, M. S., and K. A. MARCKER: Nature (Lond.) **211**, 38 (1966).
[4] Review: LIPMANN, F.: Science **164**, 1024 (1969).
[5] BRETSCHER, M. S.: Nature (Lond.) **218**, 675 (1968).
[6] Review: RICH, A.: Sci. Amer., Dezemberheft (1963).

8/10   Biosynthese von Proteinen, Zusatzfaktoren

In den letzten Jahren wurde eine große Zahl von speziellen Protein-Molekülen entdeckt, die als Helfer der Ribosomen an der Synthese von Polypeptidketten mitwirken. Dies sind die sogenannten Initiations-, Elongations- und Terminations-Faktoren.

Viele dieser Faktoren haben die Aufgabe, andere zur Synthese benötigten Moleküle wie mRNA, beladene tRNAs oder GTP als Energiespender an das Ribosom heranzuführen. Alle durchlaufen — ähnlich wie Enzyme — einen Zyklus, an dessen Ende sie wieder unverändert vorliegen. Während dieser Zyklen pendeln sie zwischen einem freien Zustand im Zytoplasma und einem an das Ribosom gebundenen hin und her. Immer ist also die Bindung ans Ribosom nur vorübergehend. Dies unterscheidet solche Faktoren von den festen Bausteinen der Ribosomenstruktur, die in § 8/7 behandelt wurden. Jedoch ist irgendwo im Zyklus diese Bindung *notwendig*, was die Faktoren auf der anderen Seite gegen dauernd lösliche Hilfsenzyme, wie z. B. die Aminoacyl-tRNA-Synthetasen, abgrenzt.

Auf S. 236 und 237 sind die bisher bei Coli identifizierten Faktoren mit ihren (von verschiedenen Labors gegebenen) Bezeichnungen aufgeführt. Weiter ist dort kurz ihre Funktion im Gesamtablauf der Proteinsynthese beschrieben.

Zunächst erwartete man bei höheren Organismen beachtliche Unterschiede zu finden. Dann aber stellte sich heraus, daß bei Eukaryonten ganz ähnliche Funktionen von ähnlichen Faktoren ausgeführt werden, wenn auch die Faktoren in den meisten Fällen in heterologen Systemen unwirksam sind, d.h. Coli-Faktoren nicht an tierischen Ribosomen mitwirken können und umgekehrt.

Die im Zytoplasma vom Eukaryonten gefundenen Faktoren und ihre Molekulargewichte sind auf S. 236 und 237 grau unterlegt. Ein wichtiger Unterschied gegenüber den Coli-Faktoren besteht darin, daß der dem $T_u T_s$-Komplex von Coli entsprechende Faktor bei höheren Organismen sich nicht aufspaltet, sondern immer als Einheit operiert.

Die aus Mitochondrien isolierten Faktoren sind den entsprechenden bakteriellen Faktoren ähnlicher als denen aus dem Zytoplasma ihrer Herkunftszellen (vgl. § 11/5). Mitochondriale Faktoren aus Neurospora sind z.B. in vitro voll aktiv an Coli-Ribosomen und umgekehrt. Hingegen sind die Faktoren aus Neurospora-Mitochondrien nicht aktiv an zytoplasmatischen Neurospora-Ribosomen. Auch der T-Faktor aus Mitochondrien läßt sich wie der von Bakterien in T_u und T_s trennen.

Erst schien es, als ob all diese Faktoren vollkommen unabhängig wären von der mRNA, die translatiert, d.h. unabhängig von dem Protein, das synthetisiert werden sollte. Dann wurden verschiedene M3 Faktoren („Einfädler") für Hämoglobin- und Myoglobin-mRNA gefunden (wobei der eine nur in Reticulozyten und der andere nur in Muskelgewebe vorkommt). Maus-Ascites-Tumor-Zellen lieferten einen weiteren spezifischen M3-Faktor[1]. Auch in Coli wurde an F3-Faktoren (den M3 entsprechend) unterschiedliche Spezifitäten für bestimmte mRNAs beobachtet[2]. Jetzt hoffen — oder sollte man fürchten sagen — manche Biochemiker auf ganze Batterien von spezifischen Faktoren in einer Zelle. Es ist denkbar, daß man einem wichtigen Regulations-Prinzip auf der Spur ist.

Auch ohne diese neue Mannigfaltigkeit sind aber die sich schnell anhäufenden Daten über Translationsfaktoren kaum zu übersehen, besonders da die Fülle der verschiedenen Bezeichnungen für das gleiche Ding verwirrt. Die hier unter den Elongationsfaktoren laufenden „Weiterschieber" werden so z.B. auch als Transfer-Faktoren (hat nichts mit Transfer-RNA oder dem Transfer des F-Faktors vom männlichen zum weiblichen Bakterium zu tun) oder als Translokations-Faktoren (ohne Bezug zu den Translokationen von § 4/3) bezeichnet. Die Fülle der Natur ist größer als unser Vokabular.

Literatur zu § 8/10:

Allgem. Review: LUCAS-LENARD, J. and F. LIPPMANN: Ann. Rev. Biochem. **40**, 409 (1971).
[1] LEADER, D. P. et al.: Biochem. Biophys. Res. Commun. **46**, 215 (1972).
[2] LEE-HUANG, S. and S. OCHOA: Nature (New Biol.) **234**, 236 (1971).

Liste der Translationsfaktoren bei E. coli und bei Eukaryonten

Bezeichnungen und Molekulargewicht	Funktion und Eigenschaften
1. Initiations-Faktoren	
F1 (A, FI) ~9000 „Vorbereiter" M1	Bringt erste tRNA ans Ribosom durch Bildung eines Komplexes: F_1+F_2+ beladene $tRNA^{F\text{-}Met}+$AUG-Codon$+$GTP$+30s$ Partikel. Trennt sich wieder ab, sobald $50s$ hinzutritt.
F2 (C, FIII) 65000—80000 „Kuppler" M2	Zwei Aktivitäten an verschiedenen Stellen des Proteins fördern Bindung von: 1. Initiatorcodon (AUG) an $30s$ Partikel. 2. (in Kooperation mit F1) $tRNA^{F\text{-}Met}$ an diesen $30s$-mRNA-Komplex. Die Anlagerung dieser ersten tRNA ans Ribosom erfordert Energie, die F2 durch Spaltung von GTP (in GDP und Phosphat) in Gegenwart des $50s$ Partikels freisetzt.
F3 (B, FII) 29000 „Einfädler" M3	Ist (neben F1 und F2) nötig für Bindung des Ribosoms an natürliche mRNA, aber entbehrlich bei Versuch mit Initiator-Trinucleotiden, für die F1+F2 genügt. Erkennung von Initiationssequenzen oder Freilegen von AUG aus mRNA-Sekundärstruktur?
2. Elongations-Faktoren	
T_u (S_3, FI_u, TI_u) ~40000 „Anschlepper"	Bindet je eine beladene tRNA (nicht $tRNA^{F\text{-}Met}$) und ein GTP und lagert sich mit diesen ans Ribosom, GTP wird gespalten und beladene tRNA an A-Stelle gebunden, dann verläßt ein T_u-GDP-Komplex den Tatort.
T_s (S_1, FI_s, TI_s) 19000 „GDP-Abzwacker"	Verdrängt GDP aus diesem Komplex. Der $T_u T_s$-Komplex (auch T-Faktor genannt) gibt T_u für neues Anschleppen frei, sobald neue tRNA und neues GTP gebunden werden.
T1 (entspricht $T_u T_s$) 3×62000	

Symbol	„Name"	MG	Funktion
G (S₂, FII, TII)	„Weiter-Schieber"	72000—84000	Transportiert tRNA mit anhängender Peptidkette von der A- zur P-Stelle des Ribosoms, gleichzeitig rastet die mRNA aus und rutscht ein Codon weiter (zur Gewinnung der Energie wird wieder GTP gespalten).
T2		60000—65000	

3. Terminations-Faktoren

Symbol	„Name"	MG	Funktion
R1		44000	Erkennt Terminator-Codonen UAA und UAG.
R2		47000	Erkennt Terminator-Codonen UAA und UGA.
R	„die Schlußmacher"		An Orten dieser Codonen bindet R1 oder R2 an Ribosomen. Anstelle einer weiteren beladenen tRNA reagiert dann ein Wassermolekül mit der Carboxylgruppe der letzten Aminosäure, wodurch die Peptidkette freigesetzt wird. Dies ist ein aktiver Prozeß der Synthese-Beendigung. Einfaches Fehlen von tRNA genügt nicht zur Freisetzung des Peptids.
S	„Hilfsbremser"		Keine selbständige Fähigkeit, erhöht aber die Reaktionsrate von R1 bzw. R2.
TR	„Ritzen-Putzer"		Befreit letzte (Peptidkette abgegeben habende) tRNA aus A-Stelle (ohne Energieaufwand).
DF	„Wieder-Vorbereiter"	~9000	Löst Verbindung von 30s und 50s-Partikel. Der Zyklus kann wieder beginnen. DF ist sehr ähnlich (möglicherweise identisch) dem Initiationsfaktor F1.

grau unterlegt: Bezeichnungen der Faktoren von Eukaryonten

Anhang

8/11 Antikörper

Es gibt im Blut von Wirbeltieren — und nur bei diesen — eine spezielle Art von Proteinen. Diese „Immun-Globuline" werden als Antikörper bezeichnet und spielen in der Medizin eine bedeutende Rolle. Wir wollen hier einige Grundtatsachen ihres Verhaltens diskutieren, die für viele Versuche der molekularen Biologie wichtig sind.

Wir injizieren z. B. einem Kaninchen eine sorgfältig gewaschene Kultur einer bestimmten Bakterienart. Diese Prozedur wird im Laufe einiger Wochen nach einem empirisch gewonnenen Zeitplan mehrfach wiederholt. Aus dem Blut des Kaninchens gewinnt man dann das Antiserum, d. h. die vom geronnenen Blut abtrennbare, nach einer Zentrifugation klare gelbliche Flüssigkeit mit vielerlei verschiedenen Antikörpern, unter diesen solche, die speziell gegen die injizierten Bakterien gerichtet sind. Mischen wir nämlich das z. B. 1:1000 verdünnte Blutserum mit einer Kultur der gleichen Bakterien, so klumpen diese zusammen (Agglutination). Klumpung tritt nicht auf, wenn man Blutserum nicht-behandelter Kaninchen benutzt und ebenso nicht mit Kulturen anderer Bakterien.

In der Zellwand der Bakterien befinden sich arteigene spezifische Strukturen. Gegen diese werden spezielle Antikörper gebildet. Solche Strukturen, die die Produktion spezifischer Antikörper auslösen, bezeichnet man als „Antigene". Dieser Ausdruck ist unglücklich, aber seit Jahrzehnten eingebürgert. Er hat nichts mit dem „Gen" der Vererbung zu tun.

Nicht jede Struktur kann als Antigen wirken. Es sind speziell Proteine, die eine Antikörperbildung auslösen. Aber auch Polysaccharide sind wirksam. Weiter können auch kleinere Moleküle als „Haptene" in Verbindung mit einem Protein als Antigen fungieren. Dabei löst das Protein die Antikörperbildung aus, doch beeinflußt das Hapten deren Spezifität.

Antikörper werden benutzt, um die Spezifität eines Proteins nachzuweisen. Mit ihnen kann z. B. die Verwandtschaft von Bakterienstämmen gezeigt werden. Man spricht von „Kreuzreaktion", wenn ein Stamm B mit einem Antiserum, gegen Stamm A gewonnen, reagiert. Solche Kreuzreaktion findet nur statt, wenn A und B gemeinsame Antigene besitzen.

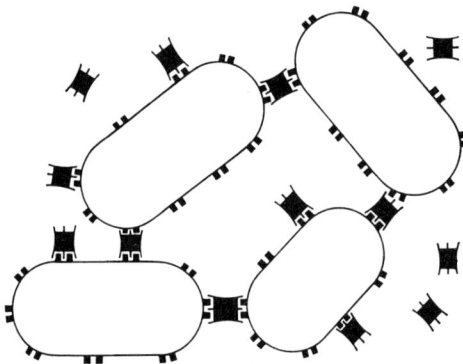

Abb. 8,17. Schema einer Agglutination von Bakterien durch bivalente Antikörper. (Die Größe der Antikörper ist weit übertrieben)

Antikörper haben eine Oberfläche, die gegen ein bestimmtes Fremdeiweiß gerichtet ist, d. h. sich spezifisch mit diesem verbindet. Es existieren an jedem Antikörper jeweils zwei gleiche Haftstellen, was eine Klumpung der Bakterien verursacht (Abb. 8,17).

Die Immunität gegen bestimmte Infektionskrankheiten beruht auf dem Vorhandensein entsprechender Antikörper. Deren Produktion kann ausgelöst worden sein durch eine natürliche Infektion oder durch eine „aktive Schutzimpfung". Diese besteht darin, daß dem Organismus abgetötete Krankheitserreger zugeführt werden, deren verbliebene Spezifität entsprechende Antikörperbildung auslöst. Statt abgetöteter Erreger kann man auch abgeschwächte, lebende Stämme verwenden, die nur eine schwache Krankheitsreaktion auslösen. Diese abgeschwächten Stämme findet man entweder in der Natur (z. B. Schutzimpfung mit Kuhpocken) oder stellt sie aus pathogenen Stämmen im Labor her (Anhäufung von Mutationen), z. B. für die Polio-Schluckimpfung. In jedem Fall reicht die Verwandtschaft mit dem eigentlichen Erreger noch dafür aus, daß die so induzierten Antikörper auch diesen angreifen, d. h. so besetzen, daß seine Vermehrung gehindert ist.

Neben dieser aktiven gibt es auch eine passive Schutzimpfung, bei der direkt Antikörper gegen den Erreger injiziert werden. Entsprechend ist damit eine momentane Schutzwirkung zu erzielen (z. B. gegen Tetanus). Bei passiver Impfung tritt jedoch folgendes Zusatzproblem auf: Die z. B. aus Pferdeblut gewonnenen Tetanus-Antikörper induzieren ihrerseits im Menschen eine Produktion von Anti-Pferd-Antikörpern. Diese kann sich übel auswirken (anaphylaktischer Schock), wenn dem betreffenden Patienten später ein zweites Mal Pferdeserum injiziert wird. Passive Schutzimpfungen dürfen also nicht beliebig oft wiederholt werden und müssen, wenn nötig, mit Seren verschiedener Tierarten erfolgen.

Eines der interessantesten serologischen Probleme ist die Toleranz des Organismus gegen sein eigenes Eiweiß. Offenbar kann unterschieden werden, ob ein bestimmtes Protein zum Organismus selbst gehört oder Fremdeiweiß ist. Es scheint ein Katalog der erlaubten Proteine zu existieren, mit dem verglichen werden kann. Ein bißchen Licht kommt in dieses Rätsel durch folgenden Befund. Neugeborene bilden kurz nach der Geburt noch keine Antikörper. Wird ihnen in dieser Zeit ein Fremdeiweiß zugeführt, so wird dieses offenbar in den Katalog der erlaubten Proteine aufgenommen, denn diese Individuen bilden auch später bei erneuter Zuführung keine Antikörper gegen dieses spezielle Protein.

Hierbei ist wichtig, zu berücksichtigen, daß die Spezifität des Antikörpers keineswegs gegen das Fremdprotein als Ganzes gerichtet ist. Die Größe des spezifischen Bereichs eines Antikörpers hat etwa 20 Å Durchmesser. Die Spezifität richtet sich also nur gegen einen kleinen Teilbereich der Proteinoberfläche. Deswegen wird auch durch ein Fremdeiweiß nicht nur *eine* Art spezifischer Antikörper induziert, sondern immer ein ganzes Spektrum gegen all diejenigen Spezifitäten (Antigene), die sich auf dem Fremdeiweiß befinden, aber nicht im eigenen Organismus vorkommen. Es ist also stets die *Differenz* von Spezifitäten des Fremdeiweiß gegenüber denen des *individuellen* Organismus, gegen die Antikörper entstehen. Verschiedene Individuen unterscheiden sich stets in genügend vielen Spezifitäten, so daß jedes Individuum spezielle Antikörper gegen Gewebe eines anderen Individuums produziert. Dies ist der Grund für die noch bestehende Schwierigkeit, Organe von einem Individuum dauerhaft auf ein anderes zu übertragen (Ausnahme eineiige Zwillinge, § 12/7).

Im Zentrum des genetischen Problems steht die hochinteressante Frage, auf welche Weise der Organismus befähigt ist, bei Bedarf ganz bestimmte Antikörper aus einer Reihe von vielen tausend möglichen Antikörpern zu synthetisieren. Wie ist die Potenz zur Bildung so verschiedener Antikörper gespeichert?

Das genetische Problem der Antikörper-Spezifität

Der wichtigste (und kleinste) Typ von Antikörpern (Sed. Konst. 7s) hat ein Molekulargewicht von etwa 150000 und besteht aus je zwei „schweren" (H) Ketten (M. G. 53000, ca. 440 Aminosäuren) und zwei „leichten" (L) Ketten (M. G. 22500, ca. 215 Aminosäuren). Deren Konformation im Antikörpermolekül und deren S-S-Bindungen sind in Abb. 8,18 dargestellt.

Früher glaubte man, daß die Spezifität von Antikörpern aus Peptidketten gleicher Sequenz durch unterschiedliche Faltung unter dem Einfluß des Antigens entstehen könnte. Heute weiß man, daß Antikörper verschiedener Spezifität unterschiedliche Aminosäuresequenzen (sowohl in L- als auch in H-Ketten) haben. Normalerweise ist also Sequenzierung wegen des Gemisches von Antikörpern vieler Spezifitäten unmöglich.

Es gibt nun aber bestimmte Tumore des Knochenmarks, sog. Myelome (die von nur *einer* ursprünglich erkrankten Zelle stammen), bei denen in großen Mengen Antikörper-Protein gleicher Spezifität produziert wird, deren Aminosäuren daher sequenzierbar sind. Dabei fand man in L- und H-Ketten je einen Bereich konstanter Sequenz und einen, der (von Patient zu Patient verschiedene) Sequenzabweichungen aufwies (vgl. Abb. 8,18). Durch diese variablen Abschnitte der L- und H-Ketten wird die Spezifität des Antikörpers festgelegt.

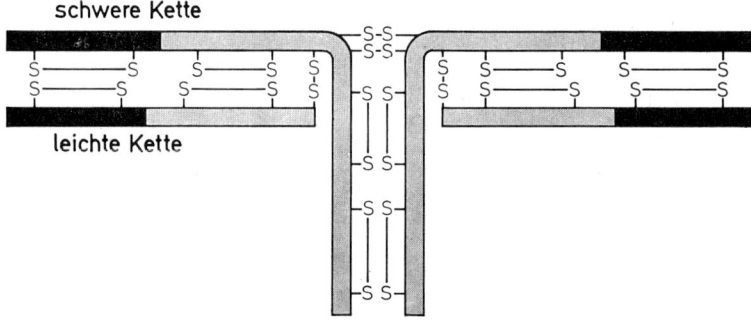

Abb. 8,18.   Schema eines Antikörper-Moleküls nach EDELMAN. In schwarz hervorgehoben sind die variablen Teile der Proteinketten (Aminosäure-Positionen 1—108 der L-, und 1—114 der H-Kette)

Wie viele verschiedene Antikörper sind nötig, um alle Spezifitäten von Antigenen abzudecken? Die Schätzungen beginnen bei 5000 (Antikörper reagieren auch mit nicht genau passenden Antigenen, daher könnte ihre Zahl relativ klein sein) und gehen bis zu 10^6 und darüber hinaus.

In jedem Fall ergibt sich das Problem der genetischen Festlegung all dieser Proteine und der selektiven Aktivierung ihrer Produktion. Es ist dies heute — nach Lösung des Codes — wohl die intellektuell anregendste Frage der molekularen Genetik. Dabei ist es nicht so sehr die große Zahl der Antikörperspezifitäten, die das Problem schwierig macht. Da ja zwei Proteinketten (L und H) variieren können, und da sich die Spezifität aus der (möglicherweise beliebigen) Kombination einer L- mit einer H-Kette ergibt, würden eventuell schon je 1000 verschiedene Ketten 10^6 Spezifitäten ergeben. Hierfür wären aber nur 0,03% der genetischen Information von Säugetieren erforderlich. Schwer erklärbar ist vielmehr der zentrale Befund, daß jeder Antikörper-bildende Lymphozyt nur eine einzige Spezies von Antikörpern synthetisiert.

Mehrere Deutungen hierfür werden diskutiert. Die einen vertreten die eher konservative Hypothese I, nach der für alle möglichen Proteinketten auch entsprechende Gene im Genom existieren. Im Laufe der Evolution wären diese Gene aus je einem „Ur-Gen" für die L- und H-Kette durch Duplikationen und anschließende Mutationen entstanden.

Zur Erklärung der Synthese nur *einer* Antikörper-Spezifität jedes Lymphozyten erlauben die noch beschränkten Daten, Hypothese I in zwei Richtungen weiterzuführen: (Alternative IA): Erst das Antigen stimuliert die Gene der zu ihm passenden L- und H-Kette durch einen genetisch völlig mysteriösen Auswahlmechanismus; oder (Alternative IB): Ein (allerdings ebenfalls unerklärter) Zufallsprozeß determiniert in jedem Lymphozyten *vor* Kontakt mit irgendeinem Antigen, welcher der vielen möglichen Antikörper von der jeweiligen Zelle produziert werden soll, wobei alle anderen Gene für Antikörper irreversibel blockiert werden.

Andere dagegen glauben (Hypothese II), daß ursprünglich die genetische Information nicht für alle Antikörper vorliegt, sondern daß diese ontogenetisch (nicht phylogenetisch) erst im Laufe der Vermehrung der Lymphozyten entsteht. Als Ursache der hierzu nötigen Variation unter den Lymphozyten kommt in Betracht: (Alternative IIA): ein Mechanismus außergewöhnlicher somatischer Rekombinationen in nur dem variablen Bereich der L- und H-Gene (die in diesem Fall in einigen Varianten existieren müßten), oder (Alternative IIB): ein spezieller Mechanismus häufiger Mutationen im variablen Bereich der L- und H-Gene.

In beiden Fällen der Hypothese II — ebenso wie bei IB — läuft der Prozeß auf eine große Zellpopulation hinaus, in der jede einzelne Zelle über eine individuell verschiedene (ontogenetisch früh festgelegte) Antikörper-Spezifität verfügt. Nach JERNE lagert sich die von der jeweiligen Zelle produzierte Antikörper-Spezies auf der Oberfläche dieser Zelle an. An dieser Population greift nun das Antigen an; es wirkt nur auf die wenigen Lymphozyten, deren Antikörper an der Zelloberfläche zum Antigen passen. Diese Lymphozyten werden angeregt sowohl zu gesteigerter Produktion und Sekretion dieses für sie spezifischen Antikörpers als auch zur intensiven Zellteilung, wobei alle Tochterzellen die Antikörper-Spezifität beibehalten (Klon-Selektions-Theorie von BURNET).

Es mag noch einige Jahre dauern, bis zwischen diesen Alternativen entschieden werden kann, besonders weil der Unterschied von ontogenetischer und phylogenetischer Grundlage der Variation experimentell schwer zu erfassen ist.

Verständlicherweise konnte hier die zentrale Problematik der Antikörper-Spezifität nur grob vereinfacht wiedergegeben werden. Zur gründlicheren Einführung sind die folgenden Review-Artikel empfohlen:

JERNE, N. K.: Cold Spr. Harb. Symp. quant. Biol. **32**, 591 (1967).
LENNOX, E. S., and M. COHN: Ann. Rev. Biochem. **36**, 365 (1967).
EDELMAN, G. M., and W. E. GALL: Ann. Rev. Biochem. **38**, 415 (1969).
HAUROWITZ, F.: Naturwissenschaften **56**, 189 (1969).
HILSCHMANN, N.: Naturwissenschaften **56**, 195 (1969).
COHN, M.: Science **169**, 1042 (1970).
EDELMAN, G. M.: Sci. Amer. August 1970.
SMITH, G. P. et al.: Ann. Rev. Biochem. **40**, 969 (1971).
GOOD, R. A. and D. W. FISHER (eds.): Immunobiology, Sinauer Associates, Inc. Stamford, Conn. 1971.

Zusammenfassung von Kapitel 8

Viele chemische Reaktionen in lebenden Zellen werden durch spezifische Enzyme gesteuert. Die Gesamtheit der Enzyme einer Zelle bestimmt deren Stoffwechselleistung.

Genetische Defekte führen zu einem Ausfall einer Enzymart oder der Produktion einer untauglichen Form des Enzyms. Die Spezifität von Enzymen wird also von der DNA kontrolliert.

Enzyme sind aus Polypeptidketten aufgebaut und sind Schriftmoleküle aus verschiedenen Aminosäuren als Bausteinen. Deren Sequenz ist von der Basensequenz der kontrollierenden DNA abhängig.

Die Synthese der Enzyme (und anderer Proteine, z. B. Hämoglobin) findet aber nicht im Zellkern, sondern im Plasma statt. Die Information der DNA wird auf Messenger-RNA-Moleküle übertragen (Transcription), die an der DNA synthetisiert werden und ins Plasma wandern. mRNA als Drucksatz verbindet sich mit Ribosomen als Druckmaschinen.

Da die verschiedenen Aminosäuren keine sterische Beziehung zur Basensequenz der mRNA haben, ist eine Serie spezieller Adaptormoleküle (tRNA) erforderlich, deren Spezifität zur mRNA in einer Basenpaarung begründet ist.

Die tRNA-Moleküle sind andererseits für je eine Aminosäure spezifisch. Die Ankopplung der richtigen Aminosäure an ihre spezifische tRNA wird durch die „aktivierenden" Enzyme gewährleistet. Diese entscheiden, welche Aminosäure an welche tRNA gehängt wird.

Proteinsynthese beginnt mit der Bildung eines *Initiations*-Komplexes aus mRNA, einer 30s-Ribosomen-Untereinheit und einer beladenen tRNA$^{F\text{-Met}}$, dann erst kommt eine 50s-Ribosomen-Untereinheit hinzu.

Entsprechend der Basensequenz der mRNA wird dann eine tRNA nach der anderen am Ribosom angelagert. Die schon synthetisierte Peptidkette wird dabei durch eine neue Peptid-Bindung jeweils an die Aminosäure der zuletzt gekommenen tRNA gekuppelt *(Elongation)*.

Die Polypeptidketten wachsen so am Ribosom-mRNA-Komplex vom Aminoende her und falten sich dabei von selbst zum „nativen" Zustand des zu bildenden Proteins.

Zur *Initiation*, zur *Elongation* und auch zur *Termination* (Abbruch der Polypeptid-Synthese am Ende eines Gens) sind Hilfs-Proteine, sog. *Translationsfaktoren* nötig, die — je nach Phase ihres Funktions-Zyklus — frei im Zytoplasma oder an das Ribosom gebunden vorkommen.

Die Spezifität von Proteinen tritt besonders deutlich hervor, wenn man sie als Antigene zur Bildung spezifischer Antikörper in Wirbeltiere injiziert.

Weitergehende Literatur:

CARLSON, E. A.: The Gene: A Critical History. London: W. B. Saunders Co. 1966.

SPIRIN, A. S., and L. P. GAVRILOVA: The Ribosome. Berlin-Heidelberg-New York: Springer 1969.

HIRS, C. H. W.: Methods in Enzymology, Vol. 11. New York: Acad. Press 1967.

KARLSON, P.: Biochemie, 7. Aufl., Stuttgart: Georg Thieme 1970.

Molecular Genetics, I and II, ed. J. H. TAYLOR. New York: Academic Press 1963 and 1967.

Cold Spring Harb. Symp. quant. Biol.
    Band 34: The Mechanism of Protein Synthesis, 1969.
    Band 35: Transcription of Genetic Material, 1970.

9 Der genetische Code

9/1 Die Problemstellung

Außer dem in Kapitel 8 behandelten biochemischen Aspekt der Protein-synthese hat die Informationsübertragung vom Gen zum Protein auch eine abstrakte Seite[1]. Eine Nucleinsäureschrift aus vier Bauelementen a, b, c, d (Basen oder gegenüberliegende Basenpaare) ist in eine Proteinschrift mit 20 Bau-elementen zu übersetzen. Es sind dies die 20 Aminosäuren der Tabelle (S. 210). Dies ist das Problem des „genetischen Codes" (als Code bezeichnet man die Gesetze oder den „Schlüssel" zum Entziffern einer chiffrierten Nachricht).

Es ist evident, daß nicht *ein* Nucleotid *eine* Aminosäure determinieren kann. Aus zwei Nucleotiden lassen sich 16 verschiedene Zweiergruppen bilden:

aa	ba	ca	da
ab	bb	cb	db
ac	bc	cc	dc
ad	bd	cd	dd

Auch diese Zahl reicht zur Bestimmung von 20 Aminosäuren noch nicht aus. Es sind (zumindest für einige Aminosäuren) *drei* Nucleotide erforderlich, es könnten aber durchaus auch mehr als drei sein. Eine solche Gruppe von Nucleo-tiden, die *eine* Aminosäure codiert, d. h. festlegt, nennt man ein „Codon". Wir wollen zwei wichtige Fragen des genetischen Codes diskutieren.

1. Die Frage der Zuordnung

Die Nucleinsäure entspricht einer fortlaufenden Reihe von Buchstaben:

... c d a a b d b a d c b b ...

Woher „weiß" die tRNA, welche von den Nucleotiden jeweils ein gemein-sames Codon bilden? Es gibt mehrere Erklärungsmöglichkeiten:

A. Es existiert ein Komma. Im einfachsten Fall z. B. könnte eine der vier Basen ein solches Komma sein:

... d $\underbrace{b\ c\ b}$ d $\underbrace{c\ a\ a}$ d $\underbrace{a\ c\ b}$ d $\underbrace{a\ b\ b}$ d ...

    Codon   Codon   Codon   Codon

Es wären dann $3 \cdot 3 \cdot 3 = 27$ verschiedene Dreierkombinationen der drei codieren-den Basen a, b und c möglich. Bei einem Kommacode könnten allerdings auch verschiedene Zahlen von Basen (eine, zwei oder drei) als Codon dienen. Dieses Prinzip ist in der Morseschrift realisiert. Dort dient der Zwischenraum als Komma.

B. Nur manche Nucleotidsequenzen bilden ein „sinnvolles" Codon, d. h. nur für manche Sequenzen gibt es passende tRNA-Moleküle:

b d a c b d d c b a ...

} diese Codonen sind alle „Nicht-Sinn",

nur für diese existiert passende tRNA.

Eine solche Art von Code wird „kommafrei" genannt.

C. Es wird vom Anfang des Moleküls her abgezählt („Raster"-Code):

$$
\begin{array}{cccccccccccccc}
\lvert\text{c} & \text{d} & \text{a} & \text{d} & \text{d} & \text{b} & \text{d} & \text{c} & \text{d} & \text{b} & \text{a} & \text{d} & \text{b} & \ldots \\
1 & 2 & 3 & 1 & 2 & 3 & 1 & 2 & 3 & 1 & 2 & 3 & 1 & \ldots
\end{array}
$$

Wenn keine speziellen Zusatzvorschriften existieren, müssen in diesem Fall alle Codonen eine gleiche Zahl von Nucleotiden besitzen. Wir werden in § 9/2 sehen, warum man ein solches Abzählen für die richtige Erklärung hält.

2. Die Frage der Degeneration

Man bezeichnet den Code als „nicht-degeneriert", wenn zu jeder Aminosäure eine und nur eine Nucleotidsequenz als Codon gehören würde. Sind dagegen einige oder alle Aminosäuren durch zwei oder mehr verschiedene Codonen zu beschreiben, so wäre der Code „degeneriert". Man sieht, daß Degeneration in verschiedenen Stärkegraden möglich ist. Im Falle eines Triplet-Raster-Codes — d. h. alle Codonen bestehen aus *drei* Nucleotiden — sind $4 \cdot 4 \cdot 4 = 64$ verschiedene Nucleotidtriplets möglich. Da nur 20 gebraucht werden, ist genügend Überfluß vorhanden, der zur Degeneration benutzt werden könnte.

Degeneration kann zweierlei Art sein: entweder unlogisch, d. h. die Aminosäure Serin z. B. würde durch b c d und a d b codiert (zufällige Auswahl von Codonen), oder logisch, d. h. die verschiedenen Codonen einer Aminosäure unterschieden sich nur wenig; z. B. würden aab, aac und aad eine Aminosäure und abb, abc und abd eine andere festlegen. Wir werden in § 9/3 sehen, daß eine Degeneration existiert, die sich aber nur teilweise in ein logisches System bringen läßt.

Im Zusammenhang mit der Degeneration sollte erwähnt werden, daß wahrscheinlich auch einige „Hilfscodonen" gebraucht werden, z. B. für „Beginn einer Peptidkette", „Ende der Kette" und dergleichen.

Die beiden diskutierten Grundfragen des Codes treten bereits bei den einfachen Codemöglichkeiten auf. Wir wollen uns hierauf beschränken und absehen von Problemen komplizierterer Code, z. B. solcher, bei denen sich die einzelnen Codonen überlappen, z. B.:

$$
\begin{array}{c}
\overbrace{\phantom{\text{c d}}}^{\text{Codon 1}}\ \overbrace{\phantom{\text{d c}}}^{\text{Codon 3}} \\
\text{c d b d c a a d b c} \ldots \\
\underbrace{\phantom{\text{d b}}}_{\text{Codon 2}}\ \underbrace{\phantom{\text{c a}}}_{\text{Codon 4}}
\end{array}
$$

oder solchen, bei denen nicht-benachbarte Basen ein Codon bilden.

Es ist evident, daß beliebige Komplikationen ersonnen werden können. Alle experimentellen Daten beweisen jedoch, wie wir im folgenden sehen werden, einen recht einfachen genetischen Code.

Literatur zu § 9/1:

[1] Umfassende und kritische Darstellung bisheriger Theorien und experimenteller Daten: CRICK, F. H. C.: Progress in Nucleic Acid Research, 1, 164 (1963) (historisch interessant). WOESE, C. R.: The Genetic Code. New York: Harper & Row (1967).

9/2   Der Triplet-Raster

Eine der wesentlichen Fragen des genetischen Codes ist die der richtigen Einteilung einer kontinuierlichen mRNA-Kette in einzelne Codonen (§ 9/1, Frage 1). Wird vom Ende her abgezählt, oder gibt es ein Komma? Die folgenden Betrachtungen und Versuche legen eine Antwort nahe.

Konsequenzen eines abzählenden Rasters

Wir wollen annehmen, die Codonen würden durch Abzählen eines Triplet-Codes eingeteilt:

c d b   a d b   c c d   b a c   d a ...

1 2 3   1 2 3   1 2 3   1 2 3   1 2 ...

Würde man das erste Nucleotid der Kette entfernen, so würde sich bei diesem Mechanismus eine gänzlich sinnentstellte Nachricht ergeben:

d b a   d b c   c d b   a c d   a ...

Das gleiche träte ein beim Entfernen von *zwei* Nucleotiden an der Spitze. Würden dagegen die ersten *drei* Nucleotide weggenommen, so ergäbe sich der beabsichtigte sinnvolle Aminosäuretext, wobei lediglich die erste Aminosäure des Polypeptids fehlen würde.

Analoges gilt für Mutationen, bei denen mitten in der Sequenz eine Base zugefügt oder ausgelassen würde. Dies soll jetzt durch eine sprachliche Analogie veranschaulicht werden:

```
D I E   S E R   M U S   T E R   S A Z   M I T   D E M   K O R
R E K   T E N   R A S   T E R   I S T   F Ü R   D E N   L E R
N E N   D E N   S T U   D E N   T E N   G U T   L E S   B A R
```

Fügen wir einen Buchstaben hinzu (Mutation):

```
D I E   S E F   R M U   S T E   R S A   Z M I   T D E   M K O
R R E   K T E   N R A   S T E   R I S   T F Ü   R D E   N L E
R N E   N D E   N S T   U D E   N T E   N G U   T L E   S B A   R
```

oder nehmen wir einen Buchstaben heraus (Mutation):

```
D I E   S E R   M U S   T R S   A Z M   I T D   E M K   O R R
E K T   E N R   A S T   E R I   S T F   Ü R D   E N L   E R N
E N D   E N S   T U D   E N T   E N G   U T L   E S B   A R
```

so entsteht in beiden Fällen eine Nachricht aus lauter unsinnigen Silben. Stellen wir jedoch durch Rekombination eine Doppelmutante mit beiden Defekten her, so ergibt sich:

```
D I E   S E F   R M U   S T R   S A Z   M I T   D E M   K O R
R E K   T E N   R A S   T E R   I S T   F Ü R   D E N   L E R
N E N   D E N   S T U   D E N   T E N   G U T   L E S   B A R
```

Die Nachricht fängt sinnvoll an, dann folgt ein gestörter Bereich zwischen den beiden Mutationen, während danach durch Rückkehr in den ursprünglichen Raster die alte Information wieder hergestellt wird. Rasterverschiebungen könnten sich also gegenseitig aufheben. Wenn sie nicht weit voneinander entfernt liegen, bleibt der größte Teil der Nachricht unversehrt.

Für das codierte Protein kann die in der Mitte verbliebene Veränderung einer solchen Doppelmutante unwesentlich sein. Das Protein enthielte zwar einige falsche Aminosäuren (von dem DNA-Stück zwischen den Mutationsorten), doch könnten die veränderten Aminosäuren die Funktion noch gestatten. Funktionell hätten sich dann die beiden Mutationen kompensiert. Jede einzeln führt zu einem falschen Protein, da vom Ort der Mutation ab *alle* Codonen falsch sind.

Die bei der Doppelmutante verbliebene Änderung kann jedoch auch die Funktion hindern, entweder weil die zwischen den Mutationen veränderten Aminosäuren wesentlich sind für die Funktion des Proteins oder dadurch, daß ein dort neu entstandenes Nicht-Sinn-Codon (keine passende tRNA) zur Unterbrechung der Peptidkette führt. Da mit dem Abstand der beiden Mutationen die Wahrscheinlichkeit für das Auftreten einer solchen Störung wächst, wird sich diese Art der Kompensation zweier Mutationen bevorzugt zwischen eng benachbarten Mutationen zeigen. Diese Betrachtungen wurden von CRICK u. Mitarb. zur Deutung der jetzt zu beschreibenden Experimente[1] vorgeschlagen.

Versuche zum Triplet-Raster

Erzeugt man mit Acridinen (z. B. Proflavin) Mutationen im rII-Locus des Phagen T4 (vgl. § 6/2) und wählt diejenigen aus, die am Anfang des B-Gens liegen, so lassen sich diese phänotypisch gleichen Mutanten in zwei Gruppen einteilen, die wir willkürlich als + und − bezeichnen können. Die Einteilung erfolgt nach folgender Regel:

Durch konsekutive Mutationen (beide durch Acridine induziert) oder Rekombination entstandene Doppelmutanten vom Typ (++) oder (−−) sind immer funktionsuntüchtig [kein Wachstum auf K12 (λ)], dagegen üben (+−)-oder (−+)-Doppelmutanten die Funktion in vielen Fällen aus, wenn die beiden Mutationsorte eng benachbart sind (Abb. 9,1).

Es wird angenommen, daß +- und −-Mutationen den Raster (engl. reading frame) in entgegengesetzter Richtung um eine Stelle verschieben.

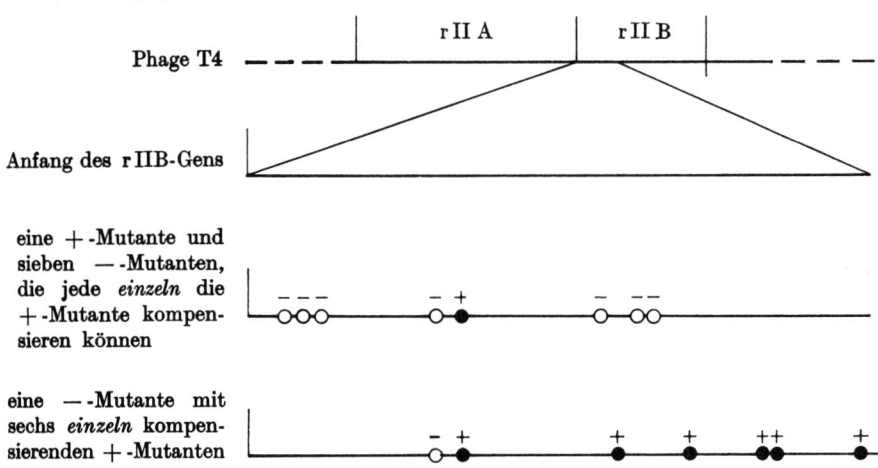

Abb. 9,1. Beispiele der Lokalisation von kompensierenden Rasterverschiebungs-Mutanten im Anfang des rIIB-Gens des Phagen T4. (Nach F. H. C. CRICK: Sci. Amer., Oktoberheft 1962)

Man sollte erwarten, daß auch Dreifachmutanten $(+++)$ oder $(---)$ einen Triplet-Raster wieder in die richtige Phase bringen, d. h. funktionstüchtig sein können. Die experimentelle Bestätigung dieser Erwartung war der erste wirkliche Beweis für einen Triplet-Raster. Alle anderen Konsequenzen wären z. B. auch bei einem Quadruplet-Raster aufgetreten. Der Befund, daß $(++)$- oder $(--)$-Doppelmutanten stets funktions*untüchtig* sind, aber $(+++)$ oder $(---)$ wieder ihre Funktion gewinnen können, ist kaum anders als durch einen abzählenden Triplet-Raster zu verstehen.

In § 6/11 haben wir Mutagene besprochen, die sehr wahrscheinlich die Übergänge $\frac{A}{T} \rightleftharpoons \frac{G}{C}$ hervorbringen (Transitionen). Derartige Mutationen sind Veränderungen einer Base und keine Rasterverschiebungen. Abgesehen von der Größe und der Art einer Mutation und ihren eventuellen Aminosäureänderungen ist bei einem Triplet-Raster-Code jede Mutation entweder vom o-Typ (Raster bleibt in Phase) oder vom +- oder −-Typ, d. h. der Raster ist um eine Stelle in dieser oder jener Richtung verschoben. Basenänderungen, d. h. Mutationen vom o-Typ sollten +- und −-Mutationen nicht kompensieren können. Auch diese Annahme wurde experimentell bestätigt.

Bei der theoretischen Vorbesprechung hatten wir bereits gesehen, warum sich nicht alle und meist nur eng benachbarte $(+-)$-Mutationen kompensieren können (Störung verbleibt zwischen den beiden Mutationsorten). Da man abschätzen kann, wie viele Basenpaare einem Markenabstand in Rekombinationseinheiten entsprechen (vgl. § 6/12), kann man auch die Zahl der zwischen den Mutationen veränderten Codonen abschätzen. Aus dem Vergleich der Häufigkeiten von funktionsunfähigen und funktionstüchtigen $(+-)$-Doppelmutanten und aus den Zahlen der jeweils veränderten Codonen ist ersichtlich, daß nur wenige der 64 möglichen Triplets die Funktion des B-Gens stören (ein Hinweis auf die relative Seltenheit von Nicht-Sinn-Codonen; vgl. § 9/4).

Man sollte weiter erwarten, daß in Fällen eines solchen störenden Codons diese Störung durch eine Punktmutation ohne Rasterverschiebung (o-Typ) behoben werden könnte, nämlich wenn das störende Codon (Nicht-Sinn oder störende Aminosäure) in ein nicht mehr störendes Codon überführt wird. Auch hierfür gelang CRICK u. Mitarb. die experimentelle Bestätigung.

In einer zweiten Versuchsgruppe benutzten CRICK u. Mitarb. eine Deletion (r_{1589}), die sich über die Grenze zwischen dem A- und B-Gen erstreckt und etwa $1/4$ jedes Gens wegschneidet (Abb. 9,2). Diese Deletion blockiert die Funktion des A-Gens, aber nicht die des B-Gens. Hierin zeigt sich, daß der Anfang des B-Gens keine große Bedeutung für die Funktion hat.

Kombiniert man nun mit dieser Deletion proflavinerzeugte Mutationen des A-Gens, so blockieren diese sämtlich die B-Funktion (A funktioniert sowieso nicht). Ohne gleichzeitige Anwesenheit der Deletion 1589 haben diese Mutationen jedoch keine Wirkung auf die B-Funktion. Auch diese A-Mutationen lassen sich so in +- und −-Gruppen einteilen, daß stets eine (+−Del)- oder (−+Del)-Dreifachmutante wieder Funktion von B gestattet (Abb. 9,2).

Als Erklärung nimmt man an, daß durch die Deletion ein DNA-Abschnitt zwischen den beiden Genen wegfiel, der normalerweise dafür sorgt, daß das B-Gen eine unabhängige Kette mit einem neuen Zählanfang für den Raster

beginnt. Ist dieser Abschnitt vorhanden, stören Rastermutanten im A-Gen nicht
die B-Funktion. Durch die Deletion wird aber die Rasterabzählung des A-Gens

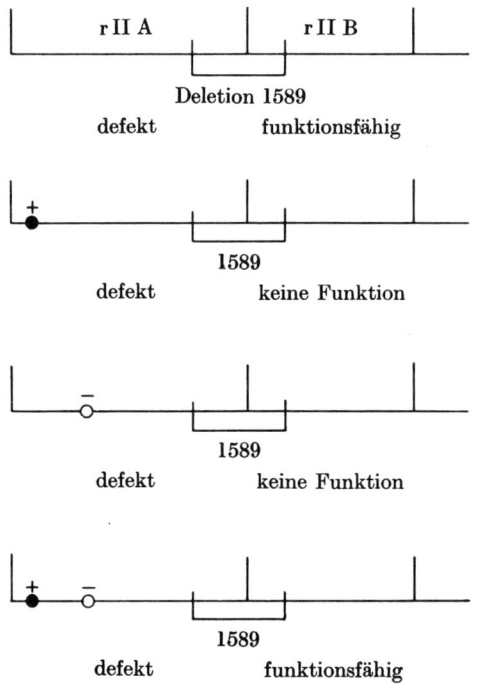

Abb. 9,2. Beeinflussung der Funktion des
B-Gens durch Rastermutationen im A-Gen
bei Anwesenheit einer überbrückenden
Deletion

ohne neuen Beginn im B-Gen richtig
weitergeführt. Daher wirken sich
Rastermutationen im A-Gen auch
auf die Funktion des B-Gens aus.
Man nimmt an, daß nicht nur die
mRNA, sondern auch die Polypeptidkette der beiden durch die
Deletion verkürzten Gene jetzt in
einem Stück gebildet werden.

Dieser Befund ermöglicht es,
alle Mutationen des A-Gens auf ihren
o- oder +- oder —-Charakter zu
testen. Man hat so einen zusätzlichen Hinweis für einen Triplet-
Raster finden können. Prüft man
nämlich mit dieser Technik verschiedene Deletionen im A-Gen, so
führen nur etwa ein Drittel von
ihnen zur B-Funktion. Dies ist bei
zufälliger Begrenzung der Deletionen
nur bei einem Triplet-Raster zu erwarten.

Dieser Test für Mutationen im
A-Gen mit Hilfe der Deletion 1589
wurde von BENZER und CHAMPE[2]
auf nicht-rasterverschiebende Mutationen ausgedehnt. Wohl die mei-
sten, aber nicht alle Mutationen mit einer Basenänderung im A-Gen gestatten
nämlich in Kombination mit Deletion 1589 die Funktion des B-Gens. Man
kann annehmen, daß die wenigen Mutationen, die die B-Funktion stören,
zu einem Nicht-Sinn-Codon geführt haben, das die Synthese des Polypeptids
unterbricht. Diese Technik bildet also einen Test für Nicht-Sinn-Codonen im
A-Gen. Wir werden auf diese Gruppe von störenden Mutationen im § 9/4
zurückkommen. Fassen wir zusammen:

> **Genetische Information wird von festen Anfangspunkten aus gelesen.**
> **Die einzelnen Codonen ergeben sich durch Abzählung der Nucleotide und sind**
> **jeweils Dreiergruppen.**
> **Es gibt relativ wenige Nicht-Sinn-Triplets, die die Ablesung der Information**
> **unterbrechen. Der Code muß daher degeneriert sein.**
> **Rasterverschiebende Mutationen (+- und —-Typ) können von Mutationen mit**
> **zwar veränderten, aber in ihrer Zahl konstanten Basen (o-Typ) unterschieden werden.**
> **o-Typ- und Raster-Mutationen können zu Nicht-Sinn-Codonen führen.**

Literatur zu § 9/2:

[1] CRICK, F. H. C. et al.: Nature (Lond.) **192**, 1227 (1961).
[2] BENZER, S., and S. P. CHAMPE: Proc. nat. Acad. Sci. (Wash.) **48**, 1114 (1962).

9/3   Biochemische Lösung des Code-Problems

Nachdem wir auf genetischem Wege schon einige wesentliche Erkenntnisse über das Prinzip des DNA-Codes gewonnen haben, wollen wir jetzt die biochemischen Experimente behandeln, die zur Aufstellung des DNA-Protein-Übersetzungslexikons (Code-„Sonne" der Einbandrückseite) führten und ohne Zweifel den Höhepunkt der molekularen Genetik darstellen. Die spannende Geschichte begann in NIRENBERGs Labor, National Institutes of Health (Bethesda, Maryland):

Man kann durch Aufbrechen von Colizellen und Zentrifugation einen zellfreien Überstand gewinnen, der unter anderem tRNA und viele Enzyme der Zellen enthält. Ergänzt man diesen Überstand durch gewaschene Coli-Ribosomen, so kann durch Zugabe C^{14}-markierter Aminosäuren gezeigt werden, daß dieses System Polypeptide synthetisiert (15 min Bebrütung bei 37° C, dann Fällung der Polypeptide mit heißer Trichloressigsäure, Waschen und Impulszählung). Diese Synthese ist abhängig von ATP als Energiequelle und der richtigen Mg^{++}-Konzentration (etwa 0,015 molar). Sie wird blockiert durch Chloramphenicol oder RNase und herabgesetzt durch DNase.

Der Einfluß von DNase legte den Gedanken nahe, daß Messenger-RNA erforderlich war, deren Produktion durch Abbau der DNA verhindert wurde. Aus dieser Überlegung heraus setzten NIRENBERG und MATTHAEI dem System RNA aus Tabakmosaikviren hinzu und fanden eine beachtliche Steigerung des Einbaus von Radioaktivität in säurefällbares Material[1].

Daß Virus-RNA nicht nur allgemein den Einbau stimuliert, sondern tatsächlich als mRNA spezifische Polypeptide synthetisiert, zeigten spätere Versuche von NATHANS und ZINDER[2]. Nach Zugabe von RNA des Phagen f2 synthetisiert das zellfreie Colisystem nämlich spezifische Polypeptide, die dem Hüllenprotein des Phagen entsprechen, wie durch Analyse der tryptischen Peptide im Fingerprint gezeigt werden kann. Dieser Versuch ist eine überzeugende Bestätigung der Hypothese der Messenger-RNA. Er zeigt außerdem, daß Virus-RNA zugleich als mRNA fungieren kann.

Wir wollen jetzt sehen, wie NIRENBERG und MATTHAEI ihr zellfreies System zu einem Versuch benutzten, der einen überraschenden Fortschritt zur Lösung des Codeproblems einleitete.

OCHOA und GRUNBERG-MANAGO hatten bereits Jahre vorher ein Enzym isoliert, das aus Nucleosid-di-phosphaten Polyribonucleotide bilden konnte. Mit diesem Enzym konnte man je nach zugesetzten Nucleotiden verschiedene Arten künstlicher Ribonucleinsäure herstellen[3], z. B. ein Poly-U, das als Basen ausschließlich Uracil enthielt. Ein derartiges Poly-U setzten NIRENBERG und MATTHAEI ihrem Zellextrakt zu. Es ergab sich der sensationelle Befund, daß hierdurch der Einbau von C^{14}-markiertem Phenylalanin tausendfach gesteigert wurde, daß aber für alle anderen Aminosäuren keine wesentliche Steigerung auftrat. Die ungewöhnlichen Löslichkeitseigenschaften des Produkts ließen vermuten, daß das radioaktive Material Polyphenylalanin war, d. h. eine Peptidkette, die nur diese Art von Aminosäure enthielt. Man konnte annehmen, daß eine Reihe von Uracilbasen, z. B. drei, das Codon für Phenylalanin bilden:

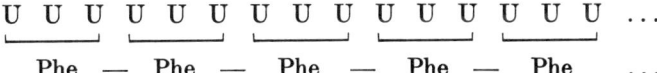

U U U U U U U U U U U U U U U ...

Phe — Phe — Phe — Phe — Phe   ...

Dieser erste Erfolg regte natürlich sofort weitere Versuche mit anderen künstlichen Polyribonucleotiden bekannter Zusammensetzung an, um zu sehen, welche Aminosäuren durch diese in eine Peptidkette eingebaut wurden. Derartige Versuche wurden in einer hektischen Periode parallel sowohl von NIRENBERG und MATTHAEI als auch von OCHOA u. Mitarb. durchgeführt und lieferten unabhängig fast identische Resultate [4-6].

Das Prinzip dieses Vorgehens sei an folgendem Beispiel illustriert:

Man synthetisiert ein künstliches Polyribonucleotid aus 87% Uridin- und 13% Adenosin-diphosphaten. Dieses enthält also wenige A zwischen vielen U. In vielen getrennten Versuchen gibt man nun gleiche Mengen dieses Polynucleotids zu dem System, dem alle Aminosäuren zugefügt werden, von denen jedesmal eine andere mit C^{14} markiert ist. Dann wird gemessen, wieviel Radioaktivität bei den einzelnen Versuchen in Polypeptide eingebaut wird. Tabelle 9,3 gibt den relativen Einbau wieder, wenn der von Phenylalanin gleich 100% gesetzt ist. Absolut gesehen, wird der beste Einbau überhaupt durch reines Poly-U erzielt.

Tabelle 9,3 zeigt, daß offenbar Tyrosin und Isoleucin in merklicher Menge eingebaut werden. Es bleibt offen, ob der geringe Einbau anderer Aminosäuren durch Verunreinigung entsteht oder eine Bedeutung hat.

Man kann solche Tabellen quantitativ auswerten. Dabei nimmt man an,

1. daß der Anteil von U und A im Polymer den Anteilen der Nucleotide bei der Synthese des Polymers entspricht (eine experimentelle Prüfung zeigte ungefähre Übereinstimmung),

2. daß die Sequenz im Polymer zufällig ist, d. h. keine Bevorzugung bestimmter Nachbarn vorliegt,

3. daß alle Codonen aus drei Basen bestehen (Triplet-Code).

Dann ist in unserem Beispiel die Wahrscheinlichkeit für eine Sequenz

$$UUU = 0,87 \cdot 0,87 \cdot 0,87$$
$$AUU = UAU = UUA = 0,87 \cdot 0,87 \cdot 0,13.$$

Setzt man die relative Häufigkeit der Sequenz UUU = 100%, so ist die von AUU = UAU = UUA ≈ 15%.

Tabelle 9,3. Relativer Einbau von Aminosäuren in Polypeptide durch ein UA-Polymer im zellfreien System [4].

Markierte Aminosäure	Einbau durch UA-Polymer U = 0,87, A = 0,13 %
Phe	100
Tyr	13
Ile	12
Leu	4,9
Cys	4,9
Gly	4,7
Ala	1,9
Glu	1,5
Trp	1,1
Val	0,6
Met	0,6

Diese relativen Häufigkeiten passen gut zu den Einbauwerten von Tyr und Ile. Man kann daher annehmen, daß eines der drei Codonen AUU, UAU, UUA zu Tyr, ein anderes zu Ile gehört. Durch Synthese weiterer Polymere, auch mit drei Basen, und Messung des spezifisch stimulierten Einbaus konnte so eine ganze Reihe hypothetischer Codonen ermittelt werden.

Daß die so im zellfreien System gewonnenen Resultate dem natürlichen Vorgang der Proteinsynthese entsprechen und kein Kunstprodukt darstellen, bestätigt sich darin, daß die Aminosäuren zunächst an tRNA gekoppelt werden und erst dann in der Polypeptidkette auftreten [7].

Auf diese Weise gelang auch ein überzeugender Nachweis für die Funktion der Adaptormoleküle (tRNA), die die Aminosäuren entsprechend der Basensequenz einer mRNA anordnen. Der Beweis, daß die Aminosäure selbst nur bei der Ankopplung an ihre tRNA durch das aktivierende Enzym ausgewählt wird, bei der Entstehung des Peptids aber keinen Einfluß mehr ausübt, wurde durch nachträglichen chemischen Umbau bereits an tRNA gekoppelten Cysteins geführt. Dieses wurde an seiner tRNA hängend zu Alanin reduziert, dann ins zellfreie System gegeben. Wird dieses mit Poly-UG stimuliert, so wird der Cystein-tRNA entsprechend Alanin eingebaut[8]. Unter normalen Bedingungen wird von Poly-UG wohl Cystein-, aber kein Alanin-Einbau stimuliert.

Die Spezifität von tRNA-Molekülen und aktivierenden Enzymen bildet einen entscheidenden Bestandteil des Übersetzungsprinzips von DNA in Proteine. Dieses Prinzip ist also auch bei Stimulierung mit synthetischer mRNA gültig.

Am Beispiel des Leucins konnte dieses Ergebnis durch ein überzeugendes Experiment anderer Art bestätigt werden[9]: Es gelingt säulenchromatographisch oder mit einer Gegenstromverteilung, tRNA z. B. aus E. coli zu fraktionieren (vgl. § 8/6), wobei tRNA^{Leu} an zwei Stellen beobachtet wird. Durch getrennte Markierung dieser Fraktionen mit radioaktivem Leucin läßt sich zeigen, daß Poly-UG nur die eine und Poly-UC nur die andere Fraktion zum Einbau von Leucin in säurefällbares Material benutzt.

Trotz dieser Fortschritte war zu Beginn des Jahres 1965 der Code noch nicht restlos gebrochen. So fehlte noch die Reihenfolge der drei einem Codon zugewiesenen Basen und manche Zuordnungen blieben unsicher. Es waren neue Techniken erforderlich, um die letzte Hürde zu überwinden.

Die erste neue Technik wurde wieder im Labor von NIRENBERG entwickelt[10]: Chemisch herstellbare Trinucleotide, z. B. $^{5'}$UpUpG$^{3'}$ oder $^{5'}$GpUpU$^{3'}$, haben trotz ihrer Kleinheit überraschenderweise die Fähigkeit (wie eine mRNA) Aminosäure-beladene tRNA an Ribosomen zu binden. Es zeigt sich z. B., daß mit radioaktivem Valin beladene spezifische tRNA durch das Trinucleotid GpUpU von Ribosomen festgehalten wird (diese Ribosomen bleiben samt der an tRNA gekoppelten Valin-spezifischen Radioaktivität an einem Nitrozellulose-Filter hängen). Benutzt man dagegen andere mit radioaktiven Aminosäuren beladene tRNA-Spezies, so passieren diese ungehindert das Filter.

Nimmt man nun als Trinucleotid UpUpG statt GpUpU, dann läuft Valin-tRNA durch das Filter, dafür aber bleibt tRNA mit radioaktivem Leucin an den Ribosomen hängen. Weitere Variationen zeigen, daß die einzelnen Trinucleotide jeweils nur eine einzige Art von beladener tRNA an Ribosomen fixieren können. Die Zuordnung von Basentriplet zu Aminosäure stimmte mit der der früheren Versuche überein. Aber jetzt war zusätzlich die Basenreihenfolge innerhalb der Codonen erkannt!

Insgesamt konnten mit dieser Technik 35—50 der 64 möglichen Triplets ihren Aminosäuren zugeordnet werden. Zur Erklärung diente das „Anticodon": eine Sequenz aus 3 Basen auf der spezifischen tRNA, die komplementär zur Basensequenz des Codons sein sollte (man beachte die gegenläufige Polarität der Stränge!). Hierbei sollte, wie bei der DNA, C mit G paaren können und U (statt T) mit A:

z. B.   Codon $^{5'}$U U C$^{3'}$ im Messenger
          Anticodon $^{3'}$A A G$^{5'}$ in der tRNA.

Die endgültige Bestätigung des Code-Lexikons und die Aufklärung der letzten unsicher gebliebenen Codonen verdankt man einer anderen, von KHORANA angewandten Technik[11]: Während die künstliche mRNA, die in der ersten Welle des Code-Brechens eingesetzt wurde, noch *zufällig* aus Nucleosid-Diphosphaten polymerisiert wurde, also eine undefinierte und unbekannte Basensequenz hatte, waren einige tüchtige Chemiker in KHORANAs Labor damit beschäftigt, in systematischer Kleinarbeit Polynucleotide *bekannter* Sequenz zusammenzubasteln. Der chemisch leichteste Weg, um einen periodischen Messenger aus RNA, z. B. poly-r (CUA)=5′CUACUACUACUAC...3′ zu erhalten, ist auch schon recht umständlich:

Man geht zunächst von Desoxyribo-Nucleotiden aus, die chemisch zu einem Desoxyribopolynucleotid 5′TACTACTACTACTAC3′ (=d[TAC]$_5$) zusammengefügt werden. Da es schwer ist, rein chemisch solche periodischen Ketten sehr lang zu machen, wird ein zweites DNA-Polynucleotid 5′TAGTAGTAGTAGTAG3′ (=d[TAG]$_5$) hergestellt. Bringt man beide zusammen, so entsteht eine DNA-Doppelhelix

$$5′T \ A \ C \ T \ A \ C \ T \ A \ C \ T \ A \ C^{3′}$$
$$3′G \ A \ T \ G \ A \ T \ G \ A \ T \ G \ A \ T^{5′}$$

Fügt man zu solchen kurzen DNA-Stücken die Kornbergsche DNA-Polymerase, dazu Nucleosidtriphosphate usw. (vgl. § 6/7) hinzu, so verlängert sich diese Doppelkette erheblich.

[Erklärung: Da die Basenpaarung immer wieder paßt, rutschen die gepaarten DNA-Stränge in Dreierschnitten aneinander entlang. An den verschieden langen Enden kann dann die DNA nach Muster des überhängenden Komplementärstrangs verlängert werden (Pfeile):

$$5′T \ A \ C \ T \ A \ C \ T \ A \ C \ T \ A \ C \longrightarrow$$
$$\longleftarrow G \ A \ T \ G \ A \ T \ G \ A \ T \ G \ A \ T^{5′}$$

Neues Rutschen, weitere Verlängerung usw.]

Zu der so verlängerten doppelsträngigen DNA gibt man jetzt RNA-Polymerase und 3 Arten von Ribonucleosid-Triphosphaten. Da nicht alle Triphosphate zur Verfügung stehen, wird dann nur komplementär zu einem der beiden DNA-Stränge eine mRNA gebildet. Mit den Triphosphaten von Adenin, Uracil und Cytosin erhält man nur

$$\text{poly-r (CUA)} = 5′C \ U \ A \ C \ U \ A \ C \ U \ A \ C \ U \ A...3′$$

mit Adenin, Uracil und Guanin dagegen nur

$$\text{poly-r (GUA)} = 5′G \ U \ A \ G \ U \ A \ G \ U \ A \ G \ U \ A...3′$$

In analoger Weise können beliebige definierte RNAs mit einer Periode aus 2, 3 oder 4 Nucleotiden hergestellt werden.

Diese wurden — wie zuvor die undefinierte RNA — als Messenger im Experiment von NIRENBERG und MATTHAEI eingesetzt und das durch sie entstandene Polypeptid analysiert. Man fand so z. B. bei Verwendung von poly-r (UG) = $^{5'}$U G U G U G U G U G U G U ...$^{3'}$

ein Polypeptid   Cys — Val — Cys — Val — Cys — ...

Wo auch immer die Zählung des Rasters anfängt, es kann nichts anderes als dies alternierende Peptid aus Val und Cys entstehen! Dies ist anders bei einer Periode aus *drei* Nucleotiden, z. B.

poly-r (CUA) = $^{5'}$C U A C U A C U A C U A ...$^{3'}$

Leu — Leu — Leu — Leu — Leu — ...

Tyr — Tyr — Tyr — Tyr — Tyr — ...

Thr — Thr — Thr — Thr — Thr — ...

Es entstehen, da die Ablesung in jedem Raster möglich ist, drei verschiedene Polypeptide, aufgebaut aus je nur einer Aminosäure! Dagegen erhält man bei einem periodischen Polytetranucleotid wieder nur eine Art von Polypeptid, das jetzt aber eine Periode aus 4 Aminosäuren zeigt:

poly-r (UAUC) = $^{5'}$U A U C U A U C U A U C U A U C U A U C ...$^{3'}$

Tyr — Leu — Ser — Ile — Tyr — Leu — Ser — Ile — ...

Wie auch immer der Raster einsetzt, es kann nur zum gleichen periodischen Polytetrapeptid führen. Der Beginn der Lesung entscheidet lediglich darüber, welche Aminosäure am Anfang steht. Jedes Polypeptid, das durch ein repetierendes Tetranucleotid codiert wird, zeigt eine solche Periodizität von vier Aminosäuren. (Der Leser möge selbst herausfinden, welche Peptide aus repetierenden Penta- und Hexanucleotiden entstünden.)

Diese Ergebnisse der KHORANA-Gruppe bestätigten glänzend, daß der genetische Code durch ein abzählendes Triplet-Raster gelesen wird. Wichtiger noch war aber die Möglichkeit, auf diese Weise endgültig die Aminosäuren für alle 64 möglichen Triplet-Codonen zu ermitteln. Sie sind in der Code-„Sonne" von Abb. 9,4 wiedergegeben.

Weiter brachten diese Ergebnisse eine endgültige Antwort auf die Frage, in welcher Richtung die mRNA abgelesen wird. Das Hin und Her zu diesem Punkt ist an den Ausgaben dieses Buches erkennbar. Während die Auflage von 1964 die richtige Antwort gab, wurde in falscher Einschätzung damals neuester Daten für die Auflage von 1965 die Leserichtung umgekehrt. Jetzt steht endgültig fest, daß der Messenger in $5' \rightarrow 3'$-Richtung abgelesen wird, ebenso wie offenbar alle bisher bekannten DNA- und RNA-Polymerasen in $5' \rightarrow 3'$ neue Nucleinsäuren synthetisieren. Am 5'-Anfang des Messengers, d. h. am Anfang der entstehenden Polypeptidkette befindet sich der Amino-Anfang des Polypeptids, das am Carboxyl-Ende verlängert wird und an der tRNA der zuletzt eingebauten Aminosäure hängt.

Damit war endgültig der genetische Code gebrochen, d. h. das Lexikon zur Übersetzung einer Sequenz von Nucleotiden in die eines Polypeptids geklärt. Das erregendste Kapitel molekulargenetischer Forschung wurde 1966 abgeschlossen mit einer großen Tagung[12] in Cold Spring Harbor (New York).

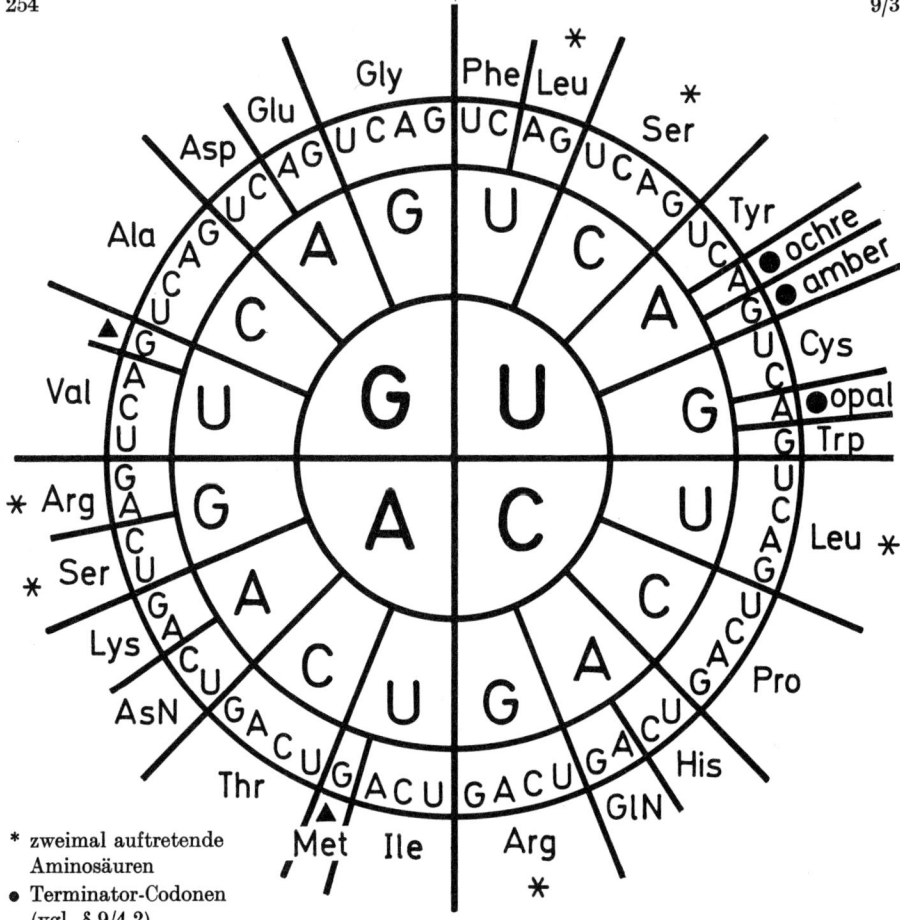

* zweimal auftretende Aminosäuren
● Terminator-Codonen (vgl. § 9/4,2)
▲ Starter-Codonen, die am Anfang der Translation stehend stets F-Met einbauen, in der Mitte des Messengers aber die in der Sonne angegebenen Aminosäuren (vgl. § 9/4,1)

Abb. 9,4.   Die Code-„Sonne". Die Codonen sind von innen (5') nach außen (3') zu lesen; sie geben die Basensequenz der mRNA-Codonen wieder, die für die außerhalb des Kreises stehende Aminosäure codieren

Literatur zu § 9/3:

[1] MATTHAEI, J. H., and M. W. NIRENBERG: Proc. nat. Acad. Sci. (Wash.) 47, 1580, 5188 (1961).
[2] NATHANS, D. et al.: Proc. nat. Acad. Sci. (Wash.) 48, 1424 (1962).
[3] Vgl. Review von M. GRUNBERG-MANAGO: Ann. Rev. Biochem. 31, 301 (1962).
[4] MATTHAEI, J. H., M. W. NIRENBERG et al.: Proc. nat. Acad. Sci. (Wash.) 48, 666, 2115 (1962).
[5] LENGYEL, P., J. F. SPEYER, C. BASILIO und S. OCHOA et al.: Proc. nat. Acad. Sci. (Wash.) 47, 1936 (1961); 48, 63, 282, 441, 2087 (1962); 49, 116, 880 (1963).
[6] BRETSCHER, M. S., and M. GRUNBERG-MANAGO: Nature (Lond.) 195, 283 (1962).
[7] NIRENBERG, M. W. et al.: Proc. nat. Acad. Sci. (Wash.) 48, 104 (1962).
[8] CHAPEVILLE, F. et al.: Proc. nat. Acad. Sci. (Wash.) 48, 1086 (1962).
[9] WEISBLUM, B. et al.: Proc. nat. Acad. Sci. (Wash.) 48, 1449 (1962).
[10] NIRENBERG, M. et al.: Cold Spring Harb. Symp. quant. Biol. 31, 11 (1966).
[11] KHORANA, H. G. et al.: Cold Spring Harb. Symp. quant. Biol. 31, 39 (1966).
   KÖSSEL, H. et al.: J. molec. Biol. 26, 449 (1967).
[12] Bericht dieser Tagung ist Band 31 des Cold Spring Harb. Symp. quant. Biol. (1966).

9/4   Weitere Einzelheiten zum Code

1. Starter-Codonen

In der Diskussion der Proteinsynthese schien zunächst die Frage nach dem Beginn dieses Vorgangs kein spezielles Problem darzustellen. Es wurden einfach vom Anfang des Messengers her mit Hilfe von Ribosomen und der passenden tRNAs die richtigen Aminosäuren aneinandergereiht. Dann aber fand man[1] bei der Untersuchung von beladener Coli-tRNA^{Met}, daß ein Teil dieser Moleküle ein formyliertes Methionin als Aminosäure trugen (ein H-Atom an der -NH$_2$-Gruppe durch -CHO ersetzt). Es stellte sich heraus, daß zwei trennbare Fraktionen von tRNA^{Met} existierten und daß nur an einer das Methionin durch ein spezielles Enzym formyliert werden konnte. Trotz intensiver Suche fand sich keine weitere tRNA-Spezies mit einer formylierbaren Aminosäure. Es war klar, daß ein formyliertes Methionin nur am Anfang eines Polypeptids stehen konnte, da der Formyl-Rest die zur Peptidbindung nötige Aminogruppe blockiert.

Keineswegs alle Coli-Proteine beginnen nun aber am Amino-Ende mit einem formylierten Methionin (F-Met), sondern sie tragen dort meist ein normales Methionin, Alanin oder Serin. Dies erschien zuerst als Widerspruch zur Funktion des F-Met. Es stellte sich dann aber heraus, daß die Formylgruppe des Methionins oder das ganze F-Met am fertiggestellten Protein nachträglich enzymatisch abgespalten wird[2].

Mit Hilfe synthetischer mRNA wurden auch die Codon-Spezifitäten der tRNA^{Met} und der tRNA^{F-Met} untersucht. Man fand

$$\text{tRNA}^{F-Met} \quad \text{spezifisch für AUG und GUG}$$

$$\text{und} \quad \text{tRNA}^{Met} \quad \text{spezifisch für AUG.}$$

$$\text{Da weiter} \quad \text{tRNA}^{Val} \quad \text{spezifisch für} \quad \text{GUG ist,}$$

ergibt sich die auch durch andere Experimente bestätigte Schlußfolgerung, daß die Codonen AUG und GUG *am Anfang* der Codierung eines Polypeptids durch tRNA^{F-Met} ein formyliertes Methionin einbauen, aber *mitten* in einer Kette normales Met durch tRNA^{Met} bzw. Val durch tRNA^{Val}.

Während alle anderen tRNAs an die Aminosäure-Stelle des Ribosoms binden, geht die beladene tRNA^{F-Met} als einzige — wie man erwarten sollte — gleich in die Peptid-Position (vgl. § 8/9), und zwar bindet sie sich in Anwesentheit einer mRNA zunächst an ein 30s-Partikel. Erst wenn zu dem Komplex von mRNA, 30s-Partikel und tRNA^{F-Met} ein 50s-Partikel hinzukommt, kann die zweite tRNA gebunden werden und die Proteinsynthese beginnen[3]. Das Lesen der Starter-Codonen AUG und GUG ist also in Colizellen nur durch die spezielle Konfiguration der beladenen tRNA^{F-Met} möglich.

Auch höhere Organismen haben zwei verschiedene tRNA^{Met}, von denen nur *eine* Peptidketten starten kann. Diese ist zwar nicht formyliert, aber formylierbar durch Coli-Enzyme. Das Methionin am Anfang der Peptidketten wird auch bei höheren Organismen abgespalten, so daß N-termial verschiedene Aminosäuren gefunden werden.

2. Terminator-Codonen (Nicht-Sinn-Codonen)

Ebenso nötig wie ein Startsignal auf dem Messenger ist eine Kennzeichnung für das Ende eines Polypeptids, sozusagen für den „Punkt" am Ende eines genetischen Satzes. Tatsächlich existieren drei verschiedene Codonen, zu denen es normalerweise keine tRNA gibt und die daher zu einem Abbruch der Proteinsynthese (und damit zur Freisetzung des fertigen Polypeptids) führen. Diese drei Codonen sind:

UAG, das sog. „amber"-Codon*

UAA, oder „ochre"-Codon

UGA, auch „opal"-Codon genannt.

Die Kettenunterbrechung durch solche Terminator-Codonen wird besonders an einem Versuch[4] mit einem repetierenden Tetranucleotid Poly-r (GUAA) als künstlichem Messenger deutlich (vgl. § 9/3):

$$5'G\,U\,A\,A\,G\,U\,A\,A\,G\,U\,A\,A\,G\,U\,A\,A\,G\,U\,A\,A\,G\,U\,A\,A\ldots 3'$$

Val — Ser—Lys | ochre | Val — Ser—Lys | ochre |

Hierbei entstehen viele einzelne Tripeptide, nämlich Valyl-Seryl-Lysin.

Lange bevor so die Wirkung der Terminator-Codonen geklärt wurde, waren aber schon in vielen Systemen bestimmte eigenartige Mutationen gefunden worden, die — wie wir jetzt wissen — zurückzuführen sind auf ein mitten in einem Gen neu entstandenes Terminator-Codon. Die Supprimierbarkeit solcher Mutanten werden wir in § 9/6 behandeln und dabei wahrscheinlich machen, daß meist mehr als *ein* Terminator-Codon am Ende des Gens für eine Peptidkette steht.

BRENNER u. Mitarb. zeigten[5] am Beispiel des Proteins, aus dem der Kopf von T4-Phagen zusammengesetzt ist, daß tatsächlich verkürzte Polypeptidketten gebildet werden, wenn durch Mutation ein Terminator-Codon im entsprechenden Gen entsteht. Die kartierbare Lage von solchen Mutationen innerhalb des Gens und die Länge der jeweils synthetisierten Peptidketten stimmten ausgezeichnet überein. Dieses Resultat ist einer der überzeugendsten Beweise für die „Kolinearität" der Nucleotidsequenz eines Gens einerseits und der Aminosäuresequenz des codierten Polypeptids andererseits.

3. Die Wobble-Hypothese

Schon früh bei der Aufstellung des Code-Lexikons (Abb. 9,4) wurde deutlich, daß mehrere Codonen für die gleiche Aminosäure existieren (Degeneration des Codes). Dabei liegen die ersten beiden Basen des Codons fest, während für die dritte bei fast allen Aminosäuren gewisse Freiheiten bestehen. Daraus erwächst die Frage, ob für jedes Codon eine eigene tRNA vorhanden sein muß, oder ob vielleicht die Anticodonen mancher tRNAs zu mehr als einem Codon passen. Die letzte Behauptung ist die „Wobble"-(Wackel-)Hypothese von CRICK[6].

---

* Die Bezeichnung „amber" rührt von dem Namen eines jungen Studenten „BERNSTEIN" her, dem vor vielen Jahren in Pasadena von Spaßvögeln versprochen wurde, einen gerade neu entdeckten Mutantentyp nach ihm bzw. seiner Mutter zu benennen, falls er sein Wochenende zur Mitarbeit an einem wichtigen Versuch opfern würde. Ochre und opal sind dann Analogiebezeichnungen zum zuerst entdeckten amber. So jedenfalls geht die Sage.

Diese Hypothese gibt an, welche Basenpaarungen zwischen Codon und Anti-codon möglich sind. In diesem Zusammenhang ist wichtig, daß häufig auch im Anticodon der tRNA seltene Nucleoside vorkommen, z. B. Pseudo-Uridin oder Inosin (das Nucleosid von Hypoxanthin). (Das „Wobbeln" erstreckt sich aber durchaus auch auf normale Basen.) CRICK nimmt an, daß z. B. das Inosin im IGC-Anticodon der Hefe tRNA[Ala] tolerant ist, wodurch das Anticodon mit den Codonen GCU, GCC und GCA (Polarität beachten!) paaren kann. Dagegen soll kein Anticodon mit vier verschiedenen Codonen paarungsfähig sein, d. h. zu einer Aminosäure mit vier Codonen würden immer mindestens zwei Spezies von tRNA gehören.

SÖLL, der die Wobble-Vorstellung experimentell in vitro bestätigte[7], fand eine ganze Reihe solcher mit mehreren Trinucleotiden paarenden tRNAs. Dabei stellten sich auch einige Abweichungen zwischen den tRNAs aus Hefe und Coli heraus. Zum Beispiel paarte eine tRNA[Ser] aus Hefe mit UCU, UCC und UCA (Anticodon ist IGA), während bei Coli die eine tRNA[Ser] mit UCU und UCC, eine andere mit UCA und UCG paart. In Abb. 9,4A ist für 3 verschiedene Organismen das heute bekannte Spektrum der in vitro Paßfähigkeiten von tRNA-Spezies zu bestimmten Trinucleotiden als „Wobble Pie" (Bezeichnung stammt von R. EGEL) dargestellt.

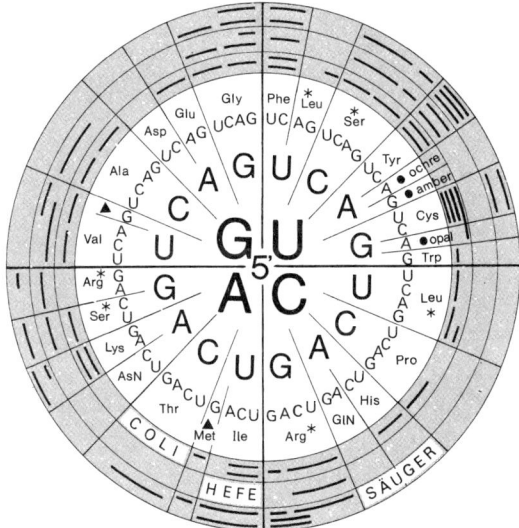

Abb. 9,4A. Der „WOBBLE PIE" gibt für 3 verschiedene Organismen in den drei äußeren Ringen die Paarung einzelner tRNA-Spezies zu Trinucleotiden wieder. Jede tRNA ist dabei durch einen Strich repräsentiert, dessen Länge an-gibt, mit welchen Trinucleotiden Paarung erfolgt. (Daten aus CASKEY, C. T. et al.: J. molec. Biol. **37**, 99, 1968 und LEWIN, B. M.: The Molecular Basis of Gene Expression, Wiley-Interscience, London 1970).

Bisher wurden insgesamt bei Coli und beim Menschen je 56, bei der Maus 55 verschiedene tRNAs gefunden[7A], doch ist nicht für alle die Codon-Paßfähigkeit ermittelt. Theoretisch ist die Zahl der tRNAs eines Organismus unbegrenzt, da es denkbar ist, daß viele verschiedene die gleichen Codonen bedienen. Da dies biologisch jedoch wenig Sinn hätte, sind die heute bekannten tRNA-Listen vielleicht schon der Vollständigkeit recht nahe. Dennoch wird die Fülle aller tRNAs noch lange ein Studienobjekt der Molekulargenetik bleiben, da sich herausgestellt hat, daß Viren z.T. eigene tRNAs codieren[7B] und auch während der Differenzierung verschiedene tRNAs auftreten. Vermutlich hängt dies mit Regulationsfragen auf dem Niveau der Translation zusammen. Da gezeigt wurde[7C], daß bei der Synthese des Hämoglobins in Kaninchen-Reticulozyten von drei $tRNA^{Lys}$-Spezies eine präferentiell die Codonen der α-Kette, die zwei anderen bevorzugt die der β-Kette bedienen, wird wahrscheinlich, daß in vivo doch wohl weniger „gewobbelt" wird, d.h. zu jedem Codon nur eine gut passende tRNA existiert. Die Häufigkeiten von tRNAs könnten so auf die Synthesegeschwindigkeiten (und damit auf die produzierten Mengen) verschiedener Proteine regulierend einwirken (Translations-Kontrolle).

4. Die Universalität des Codes

Der Nucleinsäure→Protein Code wäre „universell", wenn bei allen Organismen die gleichen Codonen zu den gleichen Aminosäuren führen, d.h. wenn alle Organismen das gleiche Lexikon zwischen Codonen und Aminosäuren benutzen würden.

Diese Frage wird aufgeweicht durch eine mögliche extreme Degeneration. Es ist nämlich denkbar, daß in einer Reihe von hypothetischen Organismen (I bis IV) z.B. die Aminosäure Arginin in folgender Häufigkeit durch die Codonen AGA bzw. CGC determiniert wird:

	AGA	CGC
I	100%	0%
II	99%	1%
III	50%	50%
IV	0%	100%

Wegen dieses fließenden Übergangs sollte von Universalität gesprochen werden, solange nicht ein und dasselbe Codon in verschiedenen Organismen zu *verschiedenen* Aminosäuren führt.

Die in diesem Sinne heute allgemein angenommene Universalität des Codes demonstriert sich an folgenden Versuchen:

Es konnte gezeigt werden[8], daß man in einem zellfreien System aus Kaninchen-Reticulozyten beladene tRNA aus E. coli benutzen kann und immer noch ein Protein gebildet wird, das dem normalen Kaninchenhämoglobin identisch zu sein scheint (Fingerprint-Test).

Weiter wurden synthetische Polyribonucleotide (analog dem Nirenberg-Matthaei-Versuch mit dem Coli-System) zu zellfreien Systemen aus Säugetierzellen gegeben und führten zur Bestätigung vieler Codonen[9]. Es wurden keine Unterschiede gegenüber dem Coli-System gefunden.

Auch die Übertragbarkeit von Episomen und deren Ablesung in recht unterschiedlichen Bakterienspezies zeigt, daß diese die gleiche Zuordnung von Codon zu Aminosäure vornehmen.

Analysiert man die Buchstabenhäufigkeit eines Gedichtbandes und eines wissenschaftlichen Buches, so werden die Häufigkeiten der einzelnen Buchstaben kaum voneinander abweichen. Zwei in verschiedenen Sprachen geschriebene Bücher aber würden zu recht unterschiedlichen Häufigkeiten führen. Das Wesentliche für die Buchstabenhäufigkeit ist also nicht der Inhalt eines Buches, sondern seine Sprache, d. h. der benutzte Code. Infolgedessen sollten auch Organismen, die den gleichen Code (Sprache) benutzen, annähernd gleiche Basenhäufigkeiten in ihrer DNA haben.

In der Anfangszeit der Molekular-Genetik war in diesem Zusammenhang der Befund[10] verwunderlich, daß die Basenzusammensetzung der DNA verschiedener Bakterien große Unterschiede aufweist, die sich jedoch in der Gesamt-RNA dieser Organismen (zumeist rRNA) nur unbedeutend widerspiegeln, wie Tabelle 9,5 zeigt. Da man heute weiß, daß nur ein kleiner Teil der Gesamt-RNA Messenger-RNA ist, ist die Diskrepanz zwischen DNA- und RNA-Zusammensetzung nicht mehr rätselhaft.

Tabelle 9,5. Basenzusammensetzung der DNA und Gesamt-RNA verschiedener Bakterien. [Auszug einer Tabelle von A. N. BELOZERSKY u. A. S. SPIRIN: Nature (Lond.) **182**, 111 (1958)]

	DNA				RNA			
	G	C	A	T	G	C	A	U
Staphylococcus aureus	17,3	17,4	32,3	33,0	28,7	22,4	26,9	22,0
Proteus vulgaris	19,8	20,7	30,1	29,4	31,0	24,0	26,3	18,7
Escherichia coli	26,0	26,2	23,9	23,9	30,7	24,1	26,0	19,2
Erwinia carotovora	27,1	26,9	23,3	22,7	29,5	23,7	26,5	20,3
Pseudomonas aeruginosa . . .	33,0	34,0	16,8	16,2	31,6	23,8	25,1	19,5
Mycobacterium tuberculosis . .	34,2	33,3	16,5	16,0	33,0	26,1	22,6	18,3
Streptomyces griseus	36,1	37,1	13,4	13,4	31,1	25,2	23,8	19,9

Die Unterschiede in der DNA-Basenkomposition werden jetzt allgemein durch die Bevorzugung der AT-reichen bzw. GC-reichen Codonen in den betreffenden Bakterienarten erklärt. Bakterien sprächen danach zwar die gleiche Sprache, aber sehr unterschiedliche Dialekte.

Die Universalität des Codes ist das stärkste Argument für nur einen, gemeinsamen Ursprung des heute auf unserem Planeten existierenden Lebens.

5. Chemische Synthese von Genen *oder: Die ich rief, die Geister, werd' ich nun nicht los.*[11]

Die in vitro Synthese von funktionsfähigen Genen ist bisher für utopisch gehalten worden. Drei Umstände eröffnen nun aber ein neues Zeitalter „genetischer Technik": Die Zuordnung von Nucleotid-Triplets zu Aminosäuren, die chemische Herstellung kurzer Nucleotidketten vorgegebener Sequenz (§ 9/3) und die Möglichkeit, diese enzymatisch zusammenzufügen. Im Jahre 1970 wurde das erste Gen nach diesen Prinzipien „zusammengebastelt". Die Konsequenzen dieses Fortschrittes sind von großer Tragweite für die menschliche Gesellschaft. Der Genetiker übernimmt daher eine Verantwortung neuer Dimension. Dieser soziologisch-ethische Gesichtspunkt bedarf dringend intensiver Diskussion, die jedoch in diesem Buch nicht geführt werden kann. Wir wenden uns daher dem experimentellen Problem zu:

In § 9/3 wurde KHORANAs Technik zur Herstellung periodischer Polynucleotide beschrieben. In erweiterter Form wurde diese zur ersten in vitro Synthese eines Gens benutzt. Zunächst werden einzelsträngige DNA-Stücke aus ca. 8—20 Nucleotiden in vorgeschriebener Sequenz zusammengebaut. Die Synthese noch längerer Oligonucleotide ist praktisch nicht möglich. Daher synthetisiert man zueinander komplementäre und sich überlappende Sequenzen (sticky ends!) nach dem Schema:

$$\xrightarrow{\hspace{2cm}}\xrightarrow{\hspace{2cm}}\xrightarrow{\hspace{2cm}}\xrightarrow{\hspace{2cm}}$$
$$\xleftarrow{\hspace{2cm}}\xleftarrow{\hspace{2cm}}\xleftarrow{\hspace{2cm}}\xleftarrow{\hspace{2cm}}$$

Die komplementären Abschnitte einzelner Oligonucleotide werden dann miteinander gepaart. Die noch verbliebenen Lücken in der sonst vollkommen zweisträngig gewordenen DNA werden nun durch Ligase-Behandlung geschlossen, dann werden die evtl. einsträngigen Enden durch KORNBERG-Polymerase ergänzt. Schließlich können (wieder mit dem KORNBERG-Enzym) die gewonnenen Strukturen zu großer Zahl repliziert werden. Mit dieser Methode ist in KHORANAs Labor in jahrelanger Kleinarbeit die Synthese des ersten Gens gelungen[12].

Schon vor Jahren war für diesen Zweck das Gen der von HOLLEY sequenzierten tRNA[Ala] (vgl. § 8/6) ausgewählt worden. Als man endlich fertig war, stellte sich aber heraus, daß leider in dieser Sequenz ein Nucleotid falsch angegeben war[12A]. Das war aber weniger Künstlerpech, als man auf den ersten Blick denken sollte, da es sowieso im Rahmen des Programms lag, Varianten des Gens zu synthetisieren, um aus ihnen mehr über das Verhalten der tRNA zu lernen. Man hatte nun eben mit einer Mutante die Synthesen begonnen.

In diesem Zusammenhang soll auch ein neuerschlossener Weg zur Gewinnung *natürlicher* Gene in reiner Form erwähnt werden[13]. Es handelt sich um die Isolierung einer Gruppe von Genen für die Lactose-Vergärung (hier abgekürzt „P, O, Z"). Als Ausgangsmaterial dienten zwei Coli-Stämme, von denen der eine P, O, Z als Inversion trug (auf der Chromosomenkarte, im Uhrzeigersinn, einmal P, O, Z, einmal Z, O, P). Z, O, P lag neben der Einbaustelle des Phagen λ; P, O, Z neben der des λ-Verwandten $\Phi 80$. Wurden nun transduzierende Lysate hergestellt, so trugen die Phagen die P, O, Z-Region bzw. die Z, O, P-Region mitten in ihren Genomen.

Dann wurden die Doppelhelices beider Phagen in je ihre „Watson"-Fraktion und ihre „Crick"-Fraktion aufgetrennt. Die „Watson"-Einzelstränge von $\Phi 80$ enthielten in ihrer Mitte den „Watson"-Strang des P, O, Z, während die „Watson"-Stränge von λ die „Watson"-Stränge des Z, O, P-Bereiches enthielten, die — und das ist entscheidend — identisch sind mit den „Crick"-Strängen des P, O, Z- Bereichs von $\Phi 80$!

$$\xleftarrow{\hspace{3cm}} \overset{\text{P O Z}}{}$$
$$\xrightarrow{\hspace{3cm}} \overset{\text{P O Z}}{}$$
$$\xleftarrow{\hspace{3cm}} \overset{\text{Z O P}}{}$$
$$\xrightarrow{\hspace{3cm}} \overset{\text{Z O P}}{}$$

Jetzt wurden $\Phi 80$-„Watson" und λ-„Watson" zusammengegeben. Im P, O, Z-Bereich fand Renaturierung statt. In den beiden Außenabschnitten blieben Einzelstränge erhalten, die enzymatisch abgebaut wurden. Was als Doppelhelix übrigblieb, waren kurze (Länge etwa 1,5 μ, zu vergleichen mit 18 μ für das Phagen-Genom und etwa 1000 μ für das Bakterienchromosom) elektronenoptisch identifizierbare Segmente des säuberlich gereinigten P, O, Z-Bereichs.

Literatur zu § 9/4:

[1] MARCKER, K. A.: J. molec. Biol. **14**, 63 (1965).
  Review: CLARK, B. F. C., and K. A. MARCKER: Sci. Amer. Januarheft 1968.
[2] ADAMS, J. M. et al. sowie WEBSTER, R. E. et al.: Proc. nat. Acad. Sci. (Wash.) **55**, 147 (1966).
[3] NOMURA, M., and C. V. LOWRY: Proc. at. Acad. Sci. (Wash.) **58**, 946 (1967).
[4] KÖSSEL, H.: Biochim. Biophys. Acta **157**, 91 (1968).
[5] BRENNER, S. et al.: Nature (Lond.) **206**, 994 (1965) und J. molec. Biol. **13**, 944 (1965).
[6] CRICK, F. H. C.: J. molec. Biol. **19**, 548 (1966).
[7] SÖLL, D. et al.: J. molec. Biol. **29**, 97 und 113 (1967).
[7A] GALLO, R. C., and S. PESTKA: J. molec. Biol. **52**, 195 (1970).
[7B] SCHERBERG, N. H., and S. B. WEISS: Proc. nat. Acad. Sci. (Wash.) **67**, 1164 (1970).
[7C] RUDLOFF, E., and K. HILSE: Eur. J. Biochem. **24**, 313 (1971).
[8] EHRENSTEIN, G. v., and F. LIPMANN: Proc. nat. Acad. Sci. (Wash.) **47**, 941 (1961).
[9] MAXWELL, E. S.: Proc. nat. Acad. Sci. (Wash.) **48**, 1639 (1962).
[10] SPIRIN, A. S. et al.: Biokhimiya **22**, 744 (1957).
[11] GOETHE, J. W. v.: Der Zauberlehrling, Vers 91 f. Weimar: Schillers Musenalmanach für 1798.
[12] AGARWAL, K. L. et al.: Nature (Lond.) **227**, 27 (1970).
[12A] Bisher nur als Gerücht in Fachkreisen, aber von KHORANA persönlich bestätigt.
[13] SHAPIRO, J. et al.: Nature (Lond.) **224**, 768 (1969).

9/5   Biologische Bestätigungen des Codes

Nachdem wir uns in der bisherigen Zuordnung von Codonen fast ausschließlich auf biochemische Beweise in zellfreien Systemen gestützt haben, müssen jetzt die wichtigen Experimente dargestellt werden, die die Richtigkeit dieser Zuordnung auch in vivo demonstrieren.

1. Hüllenprotein des Tabakmosaikvirus

Die Hülle eines Tabakmosaikvirus-Partikels besteht aus etwa 2300 identischen Untereinheiten. Jedes dieser sog. S-Proteine ist eine Kette aus 158 Aminosäuren, deren volle Sequenz bekannt ist[1].

Da die durch salpetrige Säure an RNA hervorgerufenen Änderungen relativ gut verstanden sind (§ 6/11), nämlich

$$C \rightarrow U, \qquad A \rightarrow (H) \rightarrow G,$$

sollten auf diese Weise induzierte Mutationen keine Rasterverschiebungen, aber die Änderung einzelner Aminosäuren bewirken. Solche Änderungen wurden in großer Zahl gefunden.

Da die nitritinduzierten Basenänderungen bekannt sind, kann man die beobachteten Aminosäureübergänge mit den Codonen von Abb. 9,4 vergleichen. Das Prinzip solcher Überlegung wird in Abb. 9,6 dargestellt. Dort sind zwei von insgesamt acht Achterschemata wiedergegeben, die die 64 möglichen Triplet-Codonen enthalten. Unter Nitriteinfluß können Mutationen nur in der Richtung von oben nach unten verlaufen.

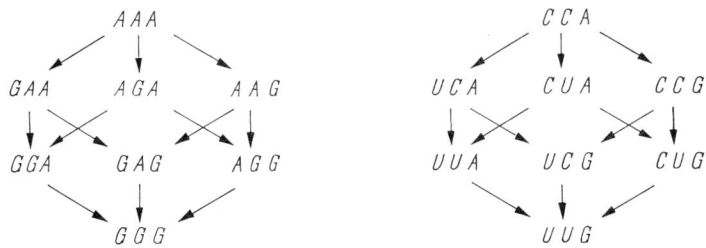

Abb. 9,6. Zwei der acht Achterschemata für die durch Nitrit induzierbaren Übergänge zwischen Triplet-Codonen von RNA (nach WITTMANN). Die weiteren sechs Schemata gehen aus von den Codonen AAC, ACA, CAA, ACC, CAC, CCC

Von insgesamt 24 einzelnen, unter Nitriteinwirkung entstandenen Aminosäure-Übergängen[2] waren 23 mit diesem Schema in Übereinstimmung, z. B. in der Aminosäureposition:

66:	Asp	GAU → GGU	Gly
24:	Ile	AUU → GUU	Val
21:	Ile	AUA → AUG	Met
63:	Pro	CCC → UCC	Ser
5:	Thr	ACU → AUU	Ile

Nur eine einzige Mutante paßt nicht in dieses Schema:

95:   Glu   GAA → GAU   Asp

Es handelt sich zweifellos um eine Punktmutation, die nicht unter Nitriteinfluß sondern spontan entstanden war.

Der Befund, daß alle Nitrit-erzeugten Mutationen den Code-Erwartungen entsprechen, zeigt zugleich, daß das TMV-RNA-Molekül selbst — und nicht ein dazu komplementärer Strang — als mRNA fungiert.

2. Tryptophansynthetase von E. coli

Das Enzym Tryptophansynthetase aus E. coli K12 besteht aus zwei Proteinen, A und B. Die Gene für das A- und B-Protein sind benachbart. Das A-Protein besteht aus einer Polypeptidkette mit 267 Aminosäuren, unter denen bemerkenswerterweise kein Tryptophan ist (Molekulargewicht etwa 29 500).

YANOFSKY u. Mitarb.[3] untersuchten speziell zwei offenbar sehr eng benachbarte (UV-induzierte) Mutanten: A 23 und A 46. Diese zeigten in einem bestimmten Abschnitt des A-Proteins die Veränderung je einer Aminosäure:

Wildtyp: ... Leu GlN **Gly** Phe Gly ...
A 23: ... Leu GlN **Arg** Phe Gly ...
A 46: ... Leu GlN **Glu** Phe Gly ...

Die Mutationen A 23 und A 46 sind im gleichen Codon passiert, jedoch in anderer Weise.

Von beiden Mutanten wurden spontane „Rückmutanten" isoliert, wobei wiederum solche gewählt wurden, deren Rückmutationsort in unmittelbarer Nähe der ersten Mutation lag. Die Aminosäuresequenz in dem interessanten Peptidabschnitt wurde bei vielen solchen Revertanten untersucht. Einige von ihnen hatten die Sequenz des Wildtyps zurückerlangt, mehrere andere zeigten eine neue Aminosäure in der kritischen Position. Die übrige Sequenz war unverändert geblieben. Die insgesamt aufgetretenen Aminosäureübergänge sind mit ihren Codonen in Abb. 9,7 wiedergegeben. Man erhält eine volle Übereinstimmung mit den vorgeschlagenen Codonen insofern, als alle Übergänge durch Änderung nur einer Base zu erreichen sind.

Auch für viele andere Mutanten an anderen Stellen des Proteins konnte der Aminosäure-Übergang durch nur *eine* geänderte Base des Codons erklärt werden. Die einzige Ausnahme war ein Übergang Glu → Met. Dieser kann nur durch zwei gleichzeitige Basenänderungen gedeutet werden. Er trat auf in der einzigen Punktmutante, die nicht zur Enzymaktivität zurückmutieren konnte.

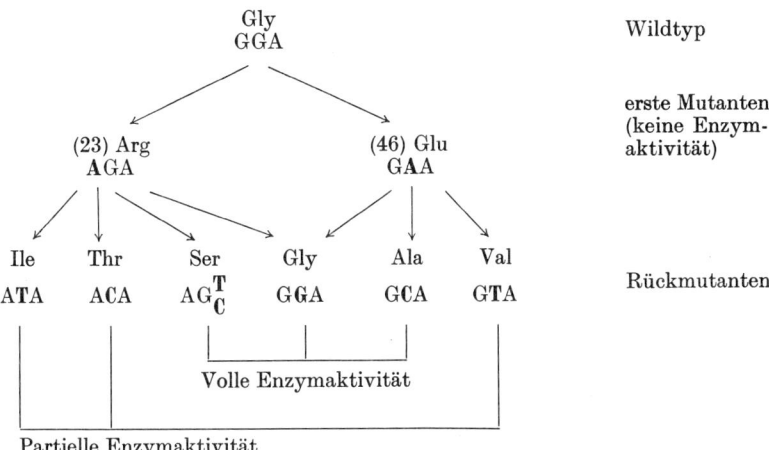

Abb. 9,7.   Verschiedene Aminosäuren in der Position 210 des A-Proteins von Tryptophansynthetase von E. coli nach verschiedenen Mutationen im gleichen DNA-Codon

Beachtet man, daß von allen theoretisch denkbaren Aminosäure-Übergängen nicht mehr als etwa 40% durch nur *einen* Basenaustausch möglich sind, so ist die Gesamtheit der gefundenen Änderungen ein klarer Beweis für die Gültigkeit des Codes in vivo.

Wichtig ist weiter der Befund, daß in genau der Position einer ersten Mutation durch eine dritte Aminosäure die Aktivität des Wildtyps (evtl. nur partiell) wieder hergestellt werden kann (restaurierende Mutation im gleichen Codon, vgl. § 9/7). Derartige Übergänge sind nur auf dem Umweg über Defektmutationen auffindbar.

Mit den Mutanten A 23 und A 46 gelang auch der Nachweis von genetischer Rekombination innerhalb eines Codons. Durch einen transduzierenden Phagen können A 23 und A 46 gekreuzt werden. Tatsächlich tritt dabei in beiden Transduktionsrichtungen mit einer Häufigkeit von etwa 0,002% der Wildtyp mit Gly (G G A) auf. [Für die reziproke Rekombinante (A A A) kann leider nicht selektiert werden!]

Arg   A G A

Glu   G A A

Da zusätzliche Außengene dann ebenfalls rekombiniert sind, ist eine Erklärung durch Mutation ausgeschlossen.

Die Rekombination innerhalb eines Codons hat einen weiteren Aspekt. Sie kann zwar auf dem Niveau der DNA noch wie bisher eine Struktur liefern, die *nebeneinander* beide Einzeländerungen enthält, doch können diese auf dem Niveau des primären Genproduktes zur Änderung nur *einer* Aminosäure verschmelzen.

3. Lysozym des Phagen T4

Am Ende ihres Infektionszyklus bahnen sich T4 Phagen mit Hilfe des von ihnen produzierten Lysozyms den Weg in die Freiheit. Dieses Bakterienwand-auflösende Enzym aus 160 Aminosäuren wird durch ein Phagen-Gen codiert. In diesem Gen wurden durch Proflavin Rastermutationen erzeugt und in „+ —"-Konfiguration als Doppelmutanten zusammengefügt (vgl. § 9/2).

Für die Doppelmutante J42 J44 ergab sich im Lysozym eine Peptidsequenz von 5 Aminosäuren (nämlich in den Positionen 36—40), die sich vom Wildtyp unterschied:

Wildtyp: ... Leu—Thr—Lys—Ser—Pro—Ser—Leu—AsN—Ala—Ala ...
Doppelmutante: ... Leu—Thr—Lys—Val—His—His—Leu—Met —Ala—Ala ...

Es ist nur auf eine Weise möglich, diesen Aminosäuren Codonen zuzuordnen:

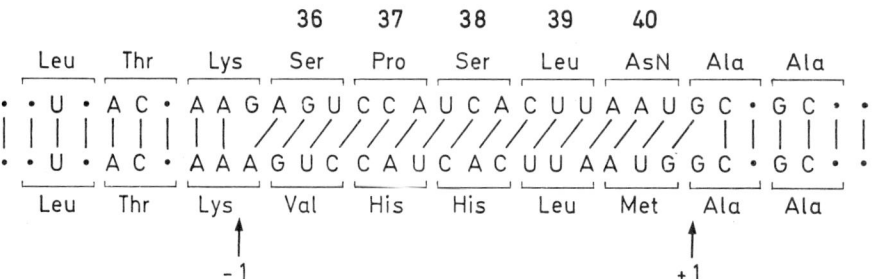

[Verbindungsstriche sind keine Basenpaarungen, sondern geben Zuordnung der Sequenz der mRNA des Wildtyps (oben) und der der Doppelmutante (unten).]

Man erkennt, daß die biochemisch erschlossenen Codonen durch diese in vivo Beobachtung voll bestätigt werden. Zugleich ist damit ein letzter Beweis für einen Triplet-Raster-Code gegeben. Durch die Analyse der Aminosäure-Sequenz kann die Basensequenz des Gens erschlossen werden. Auch die Verschiebungs-richtung bei „+" und „—" Raster-Mutanten wird dabei klar.

Leider ist diese elegante, von STREISINGER entwickelte Methode[4] nur dann auf ein Gen mit bekanntem Produkt anwendbar, wenn es, wie hier, durch technische Tricks gelingt, die „+" und „—"-Mutanten des Rasters reproduktionsfähig zu erhalten und zu einer Doppelmutante zusammenzukreuzen.

Literatur zu § 9/5:

[1] ANDERER, F. A., u. D. HANDSCHUH: Z. Naturforsch. **17**b, 536 (1962).
[2] WITTMANN, H. G. et al.: Cold Spr. Harb. Symp. quant. Biol. **31**, 163 (1966).
[3] Review: YANOFSKY, C.: Sci. Amer. Maiheft 1967 (Kolinearität im trp-A-Gen).
    YANOFSKY, C. et al.: Cold Spr. Harb. Symp. quant. Biol. **31**, 151 (1966).
[4] OCADA, Y. et al.: J. molec. Biol. **54**, 219 (1970).

9/6   Suppressor-Mutanten

Wir wollen an dieser Stelle die Diskussion des Codeproblems unterbrechen und uns einem komplexen Phänomen zuwenden, das schon lange bekannt ist, aber erst durch die Fortschritte der molekularen Genetik einigermaßen deutbar wurde. Es ist dies die Erscheinung der Suppressor-Mutationen.

Nehmen wir an, wir haben bei irgendeinem Organismus eine Mutation $a^+ \to a$ gefunden und untersuchen jetzt die Rückmutation von $a \to a^+$. Für die auftretenden Rückmutanten können wir die — schon im vorigen Paragraphen angeschnittene — Frage stellen, ob das Ereignis der „Rückmutation" wirklich eine korrekte Wiederherstellung der Ausgangssituation ist, d. h. ob die Basensequenz der „Rückmutante" der des Wildtyps entspricht, oder ob eine neue, d. h. dritte Allelsituation vorliegt, die nur *funktionell* den Wildtyp simuliert? Wir unterscheiden also „wahre" von „funktionellen" Rückmutanten.

Um diese Frage zu prüfen, kreuzt man Rückmutanten mit dem Wildtyp. Sind beide Kreuzungspartner identisch, muß die gesamte Nachkommenschaft Wildtyp sein. Ist jedoch die Mutation a funktionell kompensiert worden durch eine Mutation c an anderer Stelle, so sollte durch Rekombination wieder der Mutantentyp a erscheinen.

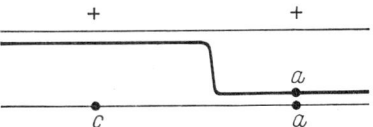

In gleicher Häufigkeit sollte auch die Mutante c auftreten, von der wir aber nicht voraussagen können, ob ihr Phänotyp sich vom Wildtyp unterscheidet.

Man hat diesen Kreuzungstest

$$\text{Wildtyp} \times \text{„Rückmutante"}$$

bei vielen Organismen durchgeführt und kompensierende Mutationen gefunden, die zwar funktionell, aber nicht genotypisch den Wildtyp wiederherstellen.

Manche der kompensierenden (Suppressor-) Mutationen liegen irgendwo im Genom, und ihr Locus hat anscheinend keinen Zusammenhang mit dem der kompensierten Mutation. In vielen Fällen aber zeigt sich, daß die kompensierenden Mutationen der ursprünglichen Mutation recht nahe benachbart sind. Da dem Auflösungsvermögen der Rekombination meist technische Grenzen gesetzt sind, die eine Auflösung bis hinunter zum Niveau von Nucleotiden verhindern, kann also auch aus dem Fehlen von Rekombinanten im Kreuzungstest im allgemeinen noch nicht auf eine „wahre" Rückmutation geschlossen werden.

Eine wohlbekannte Eigenschaft vieler kompensierender Mutationen ist ihre ausgesprochene Spezifität. Liegen z. B. zehn unabhängige *arg*-Mutationen vor und isoliert man eine kompensierende Mutation c_4 für die Mutante arg_4, so wird diese Mutation im allgemeinen keine Hilfe für die anderen *arg*-Stämme bringen, sie ist ihnen gegenüber wirkungslos. Zuweilen jedoch wird noch eine andere *arg*-Mutante kompensiert. Überraschenderweise kann aber eine Mutation c_4 für arg_4 manchmal eine spezifische Reihe ganz anderer Defektmutationen kompensieren, z. B. eine unter mehreren Histidinmangelmutanten. Insgesamt läßt sich eine außerordentliche Spezifität der meisten kompensierenden Mutationen feststellen, die einem zunächst völlig unverständlichen Schema folgt.

In anderen Fällen liegt die kompensierende Mutation offenbar im gleichen Gen wie die kompensierte Mutation und hat *allein* auch den gleichen Phänotyp wie diese. Es handelt sich also um eine wechselseitige Kompensation.

Suppressor-Mutationen beruhen offenbar auf sehr diversen Mechanismen. Im folgenden soll versucht werden, diese Möglichkeiten zu ordnen. Zunächst wollen wir uns dabei der wichtigsten Gruppe von Suppressoren zuwenden, die direkt in den Mechanismus der Proteinsynthese eingreifen.

Nehmen wir an, in einer genetischen Information sei eine Base durch Mutation verändert. Das Codon UCU z. B. sei in UUU mutiert. In der entsprechenden Polypeptidkette stünde dann ein Phenylalanin anstelle des bisherigen Serins. Dies soll zu einer nicht-funktionierenden Form des Enzyms „E" führen.

Wir haben gesehen (§ 8/6), daß aktivierende Enzyme die Aminosäuren an passende tRNA kuppeln. Man könnte nun annehmen, daß eine kompensierende Mutation in demjenigen Gen erfolgt, das für das aktivierende Enzym von Phenylalanin verantwortlich ist. Diese Mutation habe zur Folge, daß diesem Enzym Fehler unterlaufen, indem es manchmal ein Serin an die tRNA für Phenylalanin hängt.

Welche Folge hätte eine solche Veränderung des Phe-aktivierenden Enzyms? In *allen* Proteinen des Organismus würde mit einer geringen Wahrscheinlichkeit Ser statt Phe eingebaut. Viele Enzymmoleküle würden dadurch defekt sein, aber von allen Enzymen würden — wenn der Fehler selten ist — noch genügend funktionierende Exemplare gebildet. „Wat dem eenen sin Ul", ist aber bekanntlich „dem annern sin Nachtigall." Das heißt, es würde gelegentlich auch ein Ser von *dem* UUU-Codon eingebaut, das durch Mutation aus UCU entstand und eigentlich für Serin codieren sollte. Auf diese Weise würde gelegentlich ein funktionsfähiges Enzym „E" gebildet trotz der Mutation UCU → UUU.

Die Mutation zur Fehlerhaftigkeit des Phenylalanin-aktivierenden Enzyms würde die ursprüngliche Defektmutation kompensieren. Die Reparatur wäre aber mangelhaft (wenige gute „E"-Enzyme, fehlerhafte Exemplare aller anderen Proteine). Die Wachstumsfähigkeit des Organismus wäre dadurch reduziert.

Tatsächlich wurde ein solcher Defekt eines aktivierenden Enzyms *bisher nicht gefunden*. Die wesentliche Eigenschaft dieser Art von Suppressor-Mutationen, die Einführung einer Ungenauigkeit in das System der Proteinsynthese, kann aber durch eine Mutation an einer tRNA oder auch durch mutative Veränderungen der Ribosomenstruktur verursacht werden.

GORINI hat die letzte Möglichkeit gut dokumentiert[1,2] und damit zugleich die Bedeutung des Ribosoms für eine korrekte mRNA-Ablesung bewiesen: Aus einer Coli-Mutante *ram* (ribosomale Ambiguität), die in vivo bestimmte Punktmutationen in vielerlei Genen kompensierte, konnten Ribosomen isoliert werden, denen wesentlich mehr Fehler unterliefen in Aminosäure-Inkorporations-Versuchen als den praktisch fehlerfreien Ribosomen des Wildtyps. Benutzte man z. B. poly-U als Messenger, so traten im Polypeptid außer dem erwarteten Phe auch andere Aminosäuren auf. Die kompensierende Wirkung von *ram* beruhte offenbar auf einem Ausgleich eines „Fehlers" in der Schrift durch gelegentliche Fehler beim Lesen. (*ram* macht aber auch häufig Lesefehler an korrekten Texten.)

Eine ganz analoge Wirkung (Kompensation von Mutationen durch gelegentliche Lesefehler) tritt auch unter Streptomycin-Einfluß bei normalen Ribosomen auf (Streptomycin hat außerdem andere Wirkungen auf die Zelle). Die Ribosomen des Wildtyps werden „betrunken" durch Streptomycin, die *ram*-Ribosomen sind von Geburt aus „beschränkt zurechnungsfähig". In Anwesenheit von Streptomycin unterlaufen den *ram*-Ribosomen ganz besonders viele Fehler. (Die Ribosomen sind dann „beschränkt zurechnungsfähig" *und* „betrunken".)

Da die *ram*-Mutation in einer Region für Streptomycin-Resistenz liegt (64 min), sollte der Zusammenhang beider Effekte mehr als nur oberflächlich sein.

Die Zerlegung der Ribosomen von *ram* und *ram*+ in Untereinheiten und der erneute Zusammenbau in neuer Kombination erlaubte zunächst das $30s$-Partikel als das defekte Element zu identifizieren, dann den Defekt auf eine Änderung im S4 Protein zurückzuführen (vgl. Abb. 8,12).

Andererseits war auch die Proteinuntereinheit S12 des $30s$-Partikels als verantwortlich für Streptomycin-Resistenz und fehlerhafte mRNA-Ablesung bekannt[3].

Drei solche Mutanten zeigten sämtlich den Austausch einer — und zwar dreimal der gleichen — Aminosäure (Lysin) im Teilpeptid T6 des S12 Proteins. In 2 Fällen (Lys→AsN und Lys→Arg) ergab sich Resistenz gegen Stryptomycin, im dritten Fall (Lys→GlN) sogar ein Wachstumsbedürfnis für Streptomycin. Rückmutanten des letzten Stammes (zur Unabhängigkeit) zeigten Änderungen im Protein S4 oder auch S5[3A].

Offenbar wirken diese 3 Proteine (S4, S5 und S12) funktionell zusammen. Änderungen in einem von ihnen können durch weitere Änderungen in einem anderen kompensiert werden. Ihre Funktion ist entscheidend wichtig beim korrekten Lesen der mRNA. Durch Mutation können sie ihre Lesezuverlässigkeit einbüßen oder auch ihr Resistenzverhalten gegen Streptomycin ändern.

Genetisch (oder phaenotypisch durch Streptomycin) veränderte Ribosomen können also die an sich eindeutige (wenn auch „degenerierte") Sprache des Codes zwei- oder vieldeutig interpretieren; man sagt, sie bringen eine „Ambiguität" in das Proteinsynthese-System.

Nicht zu verwechseln sind die im Code tatsächlich existierende **Degeneration** (mehrere Codonen für eine Aminosäure) und die nur bei Störungen auftretende **Ambiguität** (ein Codon für mehrere Aminosäuren).

Suppression durch veränderte tRNA

Der zweifellos wichtigste Typ von Suppressor-Mutanten (Suppressoren), die auf dem Mechanismus der Proteinsynthese beruhen, sind aber veränderte tRNA-Moleküle. Da diese eine Spezifität zu Codonen sowie auch zu Aminosäureaktivierenden Enzymen besitzen (Abb. 8,16), kann man sich mutative Veränderungen in beiden dieser Eigenschaften vorstellen. Über mögliche Veränderungen der Affinität von tRNA zum aktivierenden Enzym ist bis heute praktisch nichts bekannt. Dagegen ist das Auftreten von Mutationen in der Spezifität von tRNA zu Messenger-Codonen durch viele Befunde gesichert. Im folgenden soll dieser Typ von Suppressor-Mutationen genauer erörtert werden:

Normalerweise finden sich Terminator-Codonen (Nicht-Sinn-Codonen, da für sie keine passende tRNA existiert) nur am Ende von Genen. Sie können jedoch durch Mutationen aus bestimmten Codonen entstehen. Geraten sie so in die Mitte eines Gens, erfolgt dort ein vorzeitiger Abbruch der Polypeptidsynthese. (Fehlsinn-Mutationen sind solche, bei denen eine Aminosäure durch eine andere ersetzt wird.)

BENZER und CHAMPE konnten am T4rII-Locus mit Hilfe der Deletion r1589 auf einen vorzeitigen Abbruch der Peptidkette für gewisse Mutationen schließen (vgl. § 9/2). GAREN und SIDDIQI[4] gelang dann am Protein der alkalischen Phosphatase von E. coli der experimentelle Nachweis für einen solchen Kettenabbruch unter dem Einfluß bestimmter Mutationen. Um festzustellen, welches neu entstandene Codon diese Wirkung hatte, untersuchten GAREN und WEIGERT[5] den kritischen Bereich der Aminosäuresequenz in Rückmutanten des so mutierten Stammes H12. Die verschiedenen, in der Position des Terminator-Codons dabei auftretenden Aminosäuren (Abb. 9,8) konnten durch eine einzige Basenänderung nur erklärt werden, wenn das Codon des Kettenabbruchs die Sequenz UAG hatte.

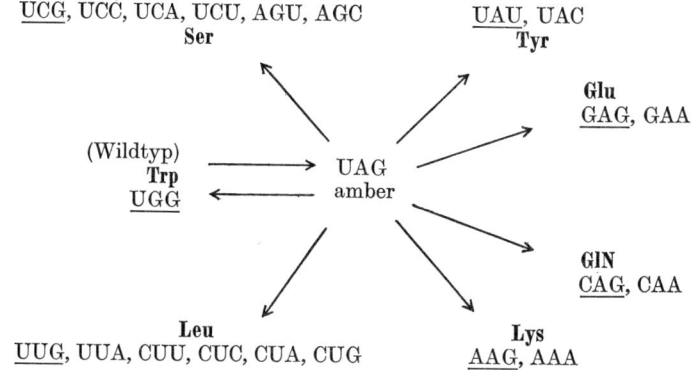

Abb. 9,8. Beobachtete Rückmutationen in Terminator-Codonen UAG der alkalischen Phosphatase. [Verändert nach A. GAREN: Science **160**, 149 (1968)] (Alle Codonen der gefundenen Aminosäuren sind angegeben, zutreffende unterstrichen.)

Wenn man nun „Rückmutanten" kreuzungsgenetisch auf den Ort ihrer „Rückmutation" hin untersucht, findet man, daß viele andere nicht am Ort des Terminator-Codons zurückmutiert sind, sondern an entfernter Stelle des Genoms eine neue Mutation tragen. Es handelt sich hier also um Supressor-Gene[6], die irgendwie den Kettenabbruch vermeiden helfen. Solche Supressoren konnten Mutationen zum amber-Codon auch an anderen Orten des Gens, und ebenso in anderen Genen supprimieren. Mehr noch — es stellte sich heraus, daß diese Suppressoren auch Phagen-Mutanten halfen, die das Terminator-Codon in einem Gen trugen und sich daher auf einem Bakterium ohne Supressor nicht mehr vermehren konnten. Tatsächlich wurde der Name amber zunächst einer Gruppe von T4-Mutanten gegeben (vgl. § 9/4), die auf Coli-B nicht mehr wuchsen, aber auf dem Coli-K12 Abkömmling CR63 vermehrungsfähig waren. Dieser CR63-Stamm trug einen Supressor für das UAG-Codon, wie erst einige Jahre später deutlich wurde.

Die entscheidende Frage war nun die nach dem molekularen Mechanismus dieser Suppression. Schon BENZER und CHAMPE hatten vorgeschlagen, eine Mutation in einer tRNA-Spezies anzunehmen so, daß die veränderte tRNA auf das amber-Codon paßte und dadurch eine Aminosäure dort einsetzte, wo eigentlich ein Kettenabbruch stattfinden sollte. Tatsächlich fand man an den kritischen Peptidstellen der Termination immer die gleiche Aminosäure, z. B. Tyrosin, eingebaut, wenn man das gleiche Suppressor-Gen benutzte, um damit amber-Mutationen in verschiedenen Genen zu supprimieren. Offenbar codiert das Suppressor-Gen für eine tRNA^{Tyr} und war durch Mutation so verändert, daß eine neue Affinität dieser tRNA zum amber-Codon entstand. Sehr bald wurde deswegen auch die Argumentation umgedreht und die Supprimierbarkeit durch diesen spezifischen Suppressor benutzt, um einer unbekannten Mutation den amber-Typ zuzuschreiben.

Diese zunächst hypothetische Interpretation fand im Laufe der Jahre vielfache Bestätigung in weiteren Ergebnissen: Es gelang in einem Versuch in vitro zu zeigen, daß das Hüllen-Protein eines Phagen mit einer amber-Mutation nur gebildet wurde nach Zugabe einer bestimmten tRNA-Spezies aus einem Bakterium mit einem Suppressor-Gen (in diesem Fall für eine veränderte tRNA^{Ser})[7]. Dann konnte durch Sequenzierung der supprimierenden Spezies von tRNA^{Tyr} und Vergleich mit der normalen tRNA^{Tyr} direkt eine Veränderung im Anticodon nachgewiesen werden[8]. Es wurde ein Übergang von

$$^{5'} .. \text{GUA} .. \rightarrow .. \text{CUA} ..^{3'}$$
(Wildtyp)   (Suppressor)

gefunden, durch den Komplementarität zum amber-Codon UAG entsteht.

Man untersuchte weiterhin eine Reihe unabhängig isolierter Suppressoren, die durch Mutation im gleichen Suppressor-Gen entstanden waren und fand in Kreuzungen unter ihnen keine Rekombinanten. Tatsächlich sollten die Mutationen ja auch das gleiche Nucleotid des Anticodons betreffen. Andererseits kann die Suppressoreigenschaft eines Stammes durch erneute Mutation wieder verlorengehen. Ermittelt man die Orte dieser Mutationen, so liegen sie — sowohl bei Coli[9] als auch bei Hefe[10] — in einem größeren Bereich des Locus (seltene Rekombinationen). Die zur Suppression nötige tRNA-Struktur, die offenbar durch Veränderung des Anticodons hergestellt wurde, kann durch Mutationen an mehreren Stellen des tRNA-Gens zerstört werden. Supprimierende tRNA muß aber nicht unbedingt im Anticodon mutiert sein, wie eine tRNA^{Trp} von Coli zeigt, die nach wie vor das Anti-Codon CCA besitzt, aber an ganz anderer Stelle ein G durch ein A ersetzt hat[10A].

Wir haben uns bisher auf die Diskussion der amber-Suppression beschränkt. Analoge — wenn auch weniger zahlreiche — Beobachtungen gibt es aber auch für die anderen beiden Terminator-Codonen ochre und opal. Auch für diese existieren entsprechende tRNA-Gene, die zur Suppressions-Fähigkeit mutieren können[6]. Die bisher für *ochre* gefundenen Suppressoren haben zugleich eine supprimierende Wirkung auf amber-Codonen. Dies steht in Übereinstimmung mit den Annahmen der Wobble-Hypothese über mögliche Basenpaarungen (vgl. § 9/4). Während die Suppression von amber in etwa 5—80% der angefangenen Peptidketten die Nicht-Sinn-Hürde überbrückt, konnte bisher für ochre nur ein Wirkungsgrad von maximal 10% beobachtet werden. Aus diesem Grunde glaubt man, daß normalerweise im Code das ochre-Codon an der Termination beteiligt ist. Würden nämlich die an Enden von Genen natürlich vorkommenden Terminatoren durch Suppressor tRNA überbrückt, so sollten sehr viele überlange, d. h. funktionsuntüchtige Proteine entstehen, was sicher letal für die Zelle wäre. Nur mit kleinem Wirkungsgrad dürfen die Suppressoren daher in die natürliche Interpunktion der genetischen Information eingreifen.

An dem RNA-Phagen R17 hat Nichols[10B] durch Sequenzanalyse am Ende des Gens für das Hüllenprotein zwei Terminatoren hintereinander gefunden, nämlich UAAUAG. Eine solche mehrfache Sicherung ist möglicherweise die Regel. Analysiert man nämlich die C-Enden aller Proteine einer Colizelle, die einen amber- (oder einen ochre-) Suppressor trägt (supF bzw. supC; vgl. Tab. 9,9), so findet man mehr C-terminales Tyrosin als beim Wildtyp[10C]. Dies kann nur so verstanden werden, daß die supprimierende tRNA^{Tyr} am Ende der Peptidketten manchmal noch ein Tyrosin anhängt, dann aber die Kette dennoch terminiert wird.

[Bei einer solchen Vorstellung mehrfacher Terminatoren in Serie bleibt allerdings die Frage unbeantwortet, welcher Selektionsdruck eine solche mehrfache — aber ja nur in Notfällen nützliche — Sicherung aufrecht erhält. Diese Frage stellt sich in abgewandelter Form bei vielen DNA-Abschnitten, die regulatorische Aufgaben (vgl. Kap. 10) haben.]

Auch für das *opal*-Triplet wurde ein Suppressor-Gen mit 60% Wirkungsgrad gefunden[11], das weder amber noch ochre supprimieren kann.

Tabelle 9,9. Suppressor-Gene von Coli

Supprimiertes Codon	Suppressor Bezeichnung (Offizielle Nomenklatur)	Andere Bezeichnung bzw. ähnlicher Suppressor	Ort in Minuten auf Genkarte (s. S. 115)	Eingebaute Aminosäure
amber (UAG)	supD	su$_I^+$, Su-1$^+$	38	Ser
	supE	su$_{II}^+$	16	Gln
	supF	su$_{III}^+$, Su-3$^+$, su$_3$	25	Tyr
	?	Su6$^+$	?	Leu
	supU	Su7$^+$	74	Glu
amber (UAG) *und* ochre (UAA)	supB	su$_B^+$, Su-2$^+$	16	?
	supC	su$_C^+$, supO, su$_4$	25	Tyr
	supG	Su-5$^+$	16	Lys
	supL		17	?
	supM		78	?
	supN	su$_D^+$	45	?
	supV	Su8$^+$	74	Lys (?)
opal (UGA), möglicherweise auch UG$_C^U$ *	?	Su9$^+$, suUGA	?	Trp
Arg (AGA) Cys (UG$_C^U$) (kein Terminator)	? ? supQ	su$_{159}^+$, sup(Gly-Arg) sup(Gly-Cys)	77 ? 14	Gly Gly ?
CCCU (Rasterverschiebung +)	?	sup his D3018 (in Salmonella)	ungekoppelt mit *his*	Pro

* Siehe Maisurian, A. N., and V. N. Pozdniakov: Mol. Gen. Genet. **112**, 91 (1971). (Man beachte, daß leider viele Autoren das Wildallel als su$^-$, das suppressionsfähige mutierte Allel als su$^+$ bezeichnen.)

Noch eine andere Frage ist in diesem Zusammenhang zu stellen: Wie kann überhaupt eine Zelle lebensfähig bleiben, wenn z. B. ihre tRNA^{Tyr} nicht mehr zu den Tyr-Codonen, sondern zum amber-Codon paßt? Was geschieht an all den Stellen, an denen ein Tyrosin eingebaut werden muß? Die Antwort liegt in der Tatsache, daß eine Zelle ja mehr als eine tRNA für Tyrosin hat, so daß mindestens eine tRNA-Spezies zur Belieferung der Tyr-Codonen verbleibt. Die Mengen der supprimierenden tRNAs sind tatsächlich meist sehr klein (ca. 10%) gegenüber der Normal-tRNA für die betreffenden Aminosäuren. Es sieht so aus, als ob eine „Neben-tRNA", d.h. eine unbedeutende Spezies zur Suppressionsfähigkeit mutiert. Eine mutierte „Haupt-tRNA" kann nur dann zur Suppression dienen, wenn das entsprechende Gen doppelt im Genom vorhanden ist, z. B. als Duplikation[12] oder zusätzlich auf einem Episom[13] (wie z. B. bei *supU* und *supV*).

Änderungen von tRNAs können natürlich auch so eintreten, daß statt eines Terminator-Codons ein anderes Codon falsch gelesen wird.

Ein Beispiel hierfür ist eine veränderte tRNA, die ein Glycin trägt, aber auf das Arginin-Codon AGA paßt[12]. Dieser Typ von Suppression wurde erkannt an der schon in § 9/5 diskutierten Position 210 des A-Proteins (vgl. Abb. 9,7). Die dort aufgetretene Defektmutation mit Arg konnte durch den Suppressor sup(Gly-Arg) = su$^+_{159}$ überspielt werden.

Suppressoren können vielleicht auch beitragen zur Beantwortung der Frage nach dem molekularen Mechanismus der Rasterabzählung. Dessen Dreierschritte müssen entweder aus der Mechanik des Ribosoms erklärt werden (wie Filmtransport, je eine Aufnahme) oder durch die Länge des Anticodons (Packung dicht an dicht). Die hochspezifische Suppression[14] *einer* bestimmten Histidin-Rastermutante (3018), bei der eine Sequenz von CCCC noch um ein weiteres C verlängert wurde, muß dementsprechend entweder durch den Defekt einer Ribosomen-Untereinheit verursacht sein, der zu fehlerhaftem mRNA-Transport führt, wenn er auf CCCCC stößt, oder durch eine mutierte tRNA, die zu der Vierersequenz CCCU paßt statt zu CCU.

Literatur zu § 9/6:

[1] GORINI, L.: Sci. Amer. April 1966.
[2] GORINI, L.: Nature (New Biol.) **234**, 261 (1971).
[3] NOMURA, M.: Sci. Amer. Oktober 1969.
[3A] STÖFFLER, G. et al.: Molec. Gen. Genetics **111**, 334 (1971).
[4] GAREN, A., and O. SIDDIQI: Proc. nat. Acad. Sci. (Wash.) **48**, 1121 (1962).
[5] WEIGERT, M. G., and A. GAREN: Nature (Lond.) **206**, 992 (1965).
[6] Review: GAREN, A., in: Molecular Genetics. Berlin: Springer 1968.
[7] CAPECCHI, M. R., and G. N. GUSSIN: Science **149**, 417 (1965).
[8] GOODMAN, H. M. et al.: Nature (Lond.) **217**, 1019 (1968).
[9] GAREN, A. et al.: J. molec. Biol. **14**, 167 (1965).
[10] LEUPOLD, U.: pers. Mitt.
[10A] HIRSH, D.: J. Mol. Biol. **58**, 439 (1971).
[10B] NICHOLS, J. L.: Nature (Lond.) **225**, 147 (1971).
[10C] LU, P., and A. RICH: J. molec. Biol. **58**, 513 (1971).
[11] CHAN, T. S., and A. GAREN: J. molec. Biol. **49**, 231 (1970).
[12] HILL, C. W. et al.: J. molec. Biol. **39**, 563 (1969).
[13] SOLL, L., and P. BERG: Nature (Lond.) **223**, 1340 (1969).
[14] YOURNO, J., and S. TANEMURA: Nature (Lond.) **225**, 422 (1970) vgl. auch RIDDLE, D. L., and J. R. ROTH: J. molec. Biol. **66**, 483 (1972).

9/7 Andere Mechanismen kompensierender Mutationen

Zu Beginn des § 9/6 wurde die allgemeine Problematik kompensierender Mutationen diskutiert. Dann konzentrierte sich die Betrachtung auf die spezielle Gruppe solcher Mutanten, die in den Übersetzungsmechanismus von mRNA in Protein eingreifen. Die Bezeichnung „Suppressoren" sollte dieser Gruppe vorbehalten sein. Alle anderen sollten „kompensierende" (Vorschlag von A. Kühn) oder „restaurierende" Mutationen genannt werden. Ihnen wollen wir uns jetzt zuwenden. Hierbei sind zwei weitere Hauptgruppen zu unterscheiden:

1. Intergene Kompensation bei sekundärer Genwirkung

Sekundäre Genprodukte, d. h. spezielle Kleinmoleküle, die von Enzymen kontrolliert werden, können andere Enzyme blockieren oder für deren Aktivierung nötig sein[1] (vgl. § 10/1). Braucht ein Enzym ein solches Kleinmolekül zur Aktivierung, so wird die Funktion dieses Enzyms von anderen Genen abhängen, die für die Konzentration des betreffenden Moleküls sorgen. Wird durch eine erste Mutation die Struktur oder Konzentration des Kleinmoleküls geändert, so könnte durch eine zweite kompensierende Mutation das Enzym selbst so verändert werden, daß auch unter diesen Verhältnissen die Funktion normal abläuft. Man beachte, daß dabei auch eine falsche Lokalisierung eines Gens erfolgen kann. Würde z. B. ein pigmentbildendes Enzym ein Koenzym benötigen und mutiert das Gen, das für das richtige Koenzym sorgt, so würde der Locus des „Koenzymgens" fälschlich für den Locus des Pigmentgens gehalten.

Eine andere Denkmöglichkeit besteht darin, daß durch eine Mutation die Substrataffinität des Enzyms so weit herabgesetzt ist, daß die in der Zelle vorhandene Substratkonzentration nicht mehr ausreicht, um von dem veränderten Enzym in merklicher Menge umgesetzt zu werden. Eine kompensierende Mutation könnte dann den Substratspiegel so weit anwachsen lassen, daß das veränderte Enzym wieder merkliche Funktion ausübt. Die Reihe möglicher Wechselwirkungen auf sekundärem Niveau ließe sich weiter fortsetzen.

Ein völlig anderer Mechanismus auf der Basis von Regulation wurde von Margolin und Mitarb. beschrieben. Er wird in § 10/8 dargestellt.

2. Intragene Restaurierung

A. Multipler Aminosäureübergang
(restaurierende Mutation im gleichen Codon)

Wir haben als Beispiele für eine solche Restaurierung die Rückmutanten zur (partiellen) Aktivität der Tryptophan-Synthetase in § 9/5 kennengelernt. Auch einige der in § 9/6 beschriebenen Übergänge zu neuen Aminosäuren an der Stelle des amber-Codons (Abb. 9,8) waren durch Rückmutationen im gleichen Codon und nicht durch Suppressor-Gene bedingt.

B. Restaurierung des Rasters

In § 9/2 wurde gezeigt, daß gewisse Mutationen im rII-Locus, die einzeln alle zum gleichen Phänotyp des Phagen (rapid) führen, sich als Doppelmutante gegenseitig aufheben können (+ − -Situation). Die Rasterverschiebung ist also ein Mechanismus gegenseitiger intragener Restaurierung.

C. Strukturelle Restaurierung

Eine zweite mögliche Erklärung für die Kompensation von zwei nicht unmittelbar benachbarten Mutationen des gleichen Gens liegt in folgendem: Die Störung der Enzymaktivität durch eine falsche Aminosäure mag restauriert werden durch eine zweite Aminosäureänderung an anderer Stelle der Peptidkette. Diese mag die richtige Faltung wieder ermöglichen (Abb. 9,10) oder sonstwie strukturell der Normalsituation ähnliche Bedingungen schaffen.

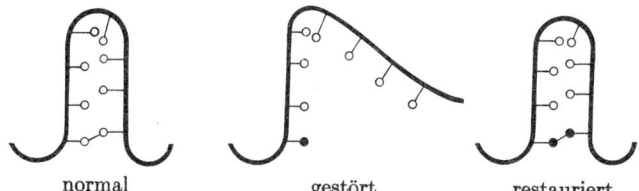

normal   gestört   restauriert

Abb. 9,10. Schema einer Kompensation zweier Punktmutationen durch strukturelle Restaurierung der Polypeptidfaltung

Derartige kompensierende Mutanten würden sich von den (+ −)-Paaren der Rasterverschiebung darin unterscheiden, daß sie aus nur individuellen Paaren bestehen, während bei den Rasterverschiebungsmutanten diese zu Gruppen gehören, die in beliebigen (+ −)-Paarungen aktiv sein können. Tatsächlich ist ein Beispiel für diesen Typ von Restaurierung bekannt[2]. Es handelt sich wieder um die schon in § 9/5,2 behandelte Mutation A 46 der Tryptophansynthetase:

Isoliert man funktionelle Revertanten der Defektmutante A 46, so kann neben den oben beschriebenen Typen noch ein (sehr langsam wachsender) weiterer Typ (A 46 PR 8) gewonnen werden. Bei diesem ist die funktionelle Rückmutation in einigem Abstand vom A 46-Mutationsort eingetreten. Die Analyse des Proteins zeigt, daß außer der ersten Aminosäuresubstitution von A 46 (Gly → Glu) eine weitere Aminosäure im Protein geändert ist (Cys → Tyr). Kreuzungen dieser Doppelmutante gegen den Wildtyp liefern zwei Rekombinanten (A 46 und PR 8), die beide defekt sind und deren Proteine je nur eine der beiden Aminosäuresubstitutionen zeigen. Der Versuch, mit der restaurierenden Mutante PR 8 andere Defektmutanten als A 46 zu restaurieren, schlägt fehl. Selbst die Mutante A 23, die an der gleichen Stelle wie A 46 mutiert ist (Gly → Arg, vgl. Abb. 9,7), kann durch PR 8 nicht restauriert werden.

Dieses Ergebnis zeigt, daß offenbar eine Aminosäureänderung nur höchst spezifisch von einer zweiten kompensiert werden kann. Wie in Abb. 9,10 angedeutet, wird vermutlich durch die doppelte Änderung das Protein wieder in eine partiell funktionsfähige Konfiguration gebracht.

Insgesamt sehen wir, daß das Phänomen der „Suppressormutationen" auf sehr unterschiedlichen Mechanismen der Kompensation oder Restaurierung genetischer Defekte beruhen kann, wenn auch im Einzelfall — speziell bei höheren Organismen — deren Unterscheidung noch oft ebenso unmöglich sein wird wie die Kontrolle für das Auftreten einer „wahren" Rückmutation.

Literatur zu § 9/7:

[1] Suskind, S. R., and L. J. Kurek: Proc. nat. Acad. Sci. (Wash.) **45**, 193 (1959).
[2] Helinski, D. R., and C. Yanofsky: J. biol. Chem. **238**, 1043 (1963).

9/8   Intragene Komplementation

Das Phänomen der intragenen Komplementation hat eine gewisse Ähnlichkeit mit den eben erörterten Mechanismen intragener Restaurierung. Erinnern wir uns aber zunächst, was Komplementation im allgemeinen war:

Im § 6/2 wurde die Einheit der genetischen Funktion, das Cistron, definiert durch den Cis-Trans-Test: Sind in einer Zelle mit zweifacher genetischer Information (sei es durch Phagenmischinfektion oder als Heterokaryon oder infolge von echter Diploidie) zwei mutative Defekte in *trans*-Konfiguration vorhanden und gestattet diese die Funktion des betroffenen Locus, so gehören die beiden Defekte verschiedenen Cistronen an, durch deren Kooperation die Gesamtfunktion ausgeübt wird:

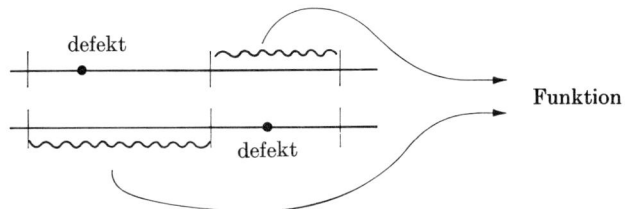

Abb. 9,11. Prinzip der intercistronischen Komplementation

So glücklich auch diese Definition zunächst schien, es wurden bald Fälle beobachtet, bei denen aus einer Reihe eng benachbarter Defektmutanten a bis g manche (○) in *trans*-Konfiguration mit einer anderen Mutante (h) zur Funktion führten, andere (●) dagegen nicht:

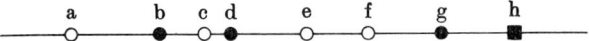

Formal hätte somit ein Cistron in lauter kleinen Abschnitten über die Karte verteilt werden müssen. Dies wäre äußerst unbefriedigend. Es mußte ein spezielles Phänomen im Spiel sein, das man „intragene Komplementation" nannte. Wir wollen solche Daten näher betrachten.

In der Kopplungsgruppe VI von Neurospora gibt es den *pan* 2-Locus. Defektmutanten dieses Gens benötigen Pantothensäure zum Wachstum. Giles u. Mitarb. isolierten viele Mutanten des *pan* 2-Locus und konnten in Kreuzungen deren Lage in einer eindimensionalen Kopplungsgruppe ermitteln (Abb. 9,12 A). Manche Heterokarien aus je zwei solchen Defektmutanten zeigten Komplementation, d. h. Wachstum ohne Pantothensäure, andere dagegen nicht.

Giles konnte eine Komplementationskarte nach folgendem Prinzip aufstellen: Zwei komplementierende Mutanten werden verschiedenen Gruppen zugeordnet. Nicht miteinander, aber mit anderen Mutanten nach identischem Muster komplementierende Mutanten gehören zur gleichen Gruppe. Jede Gruppe wird durch einen Strich symbolisiert, wobei die Striche sich immer dann überlappen, wenn keine Komplementation zwischen den Gruppen stattfindet. In Abb. 9,12 B tritt z. B. Komplementation zwischen den Mutanten 1 und 6 oder 1 und 7 oder 1 und 11 auf, dagegen keine zwischen 1 und 2 oder 5 und 6 oder 8 und 17. (Die Darstellung durch einen Strich möge nicht zur Verwechslung mit Deletionen führen. Alle Mutanten sind Punktmutanten, wie aus ihrer Rückmutation ersichtlich ist.)

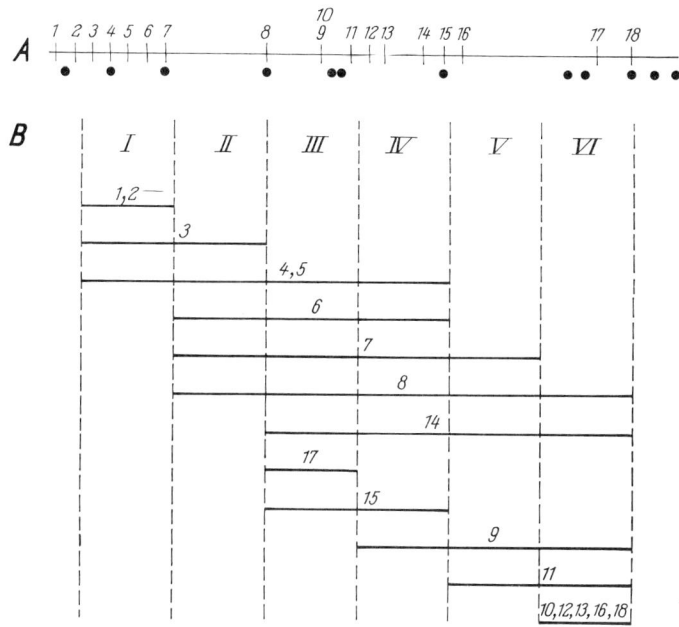

Abb. 9,12. A: Genetische Karte mit 18 komplementierenden Mutanten des *pan 2*-Locus. Weitere 12, nicht komplementierende Mutanten sind durch Punkte unter der Kopplungsgruppe eingezeichnet.
B: Komplementationskarte derselben 18 Mutanten. [Schematisiert nach M. E. CASE and N. H. GILES: Proc. nat. Acad. Sci. (Wash.) **46**, 659 (1960)]

Die Komplementationskarte zeigt eine deutliche Übereinstimmung mit der genetischen Karte. Dies kann nicht als Zufall abgetan werden, obwohl keineswegs volle Übereinstimmung beider Karten existiert (Mutanten 14, 15, 17). Im allgemeinen ist Komplementation wahrscheinlicher zwischen weiter entfernten Defekten, doch gibt es Abweichungen von dieser Regel, z. B. bei den Paaren 17 und 4 oder 15 und 16. Insgesamt kann der Locus in sechs Komplementationsbereiche (I bis VI) eingeteilt werden. Diese Zahl würde bei Hinzunahme weiterer Mutanten sicher noch ansteigen.

Eine Komplementationskarte mit 18 Bereichen, die zudem noch ringförmig angeordnet sind, wurde für den Leucin-Locus von Neurospora beschrieben[1].

Ein weiteres Komplementationssystem ist der ad_4-Locus von Neurospora, der die Synthese des Enzyms Adenylosuccinase bestimmt. In diesem Fall wurden zehn Bereiche der Komplementationskarte unterschieden. Neben dieser Kartie-

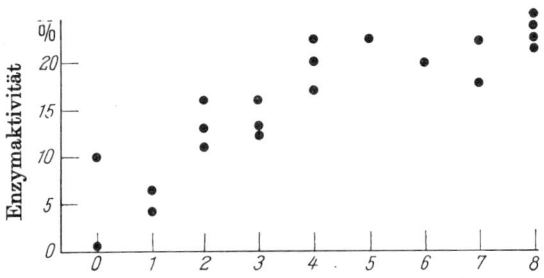

Abb. 9,13. Enzymaktivität verschiedener Heterokarien (je ein Punkt) in komplementierenden Paaren von Mutanten des ad_4-Locus.
(Nach D. O. Woodward)

rung gelang aber auch die Messung der Aktivität des betreffenden Enzyms. Abb. 9,13 gibt die Enzymaktivität verschiedener Heterokarien im Vergleich zur Wildtyp-Aktivität (100%) als Funktion des Abstands in der Komplementationskarte wieder. Mit steigendem Abstand wird offenbar die Aktivität der Enzym-Moleküle besser restauriert.

An einem anderen Beispiel, dem Locus *am* in der Kopplungsgruppe V von Neurospora crassa, untersuchte Fincham physikochemische Eigenschaften des normalen Wildtyp-Enzyms der Glutaminsäure-Dehydrogenase und der aus zwei verschiedenen Komplementationen entstehenden aktiven Enzyme [2]. In beiden Fällen ergaben sich Unterschiede zum Wildtyp-Enzym. Dieser wichtige Befund zeigt, daß Komplementation nicht direkt zum Wildtyp-Enzym, sondern nur zu funktionell ähnlichen Enzym-Molekülen führt.

Deutung

Manche Proteine bestehen aus zwei identischen ($\alpha\alpha$)- oder verschiedenen ($\alpha\beta$)-Peptidketten, andere aus $4 = 2 \times 2$ identischen Ketten ($\alpha\alpha\beta\beta$)*.

Liegen in solchem Fall Defektmutanten in *trans*-Konfiguration in je einem der Loci vor, würden normale α- und defekte α'-Polypeptide und ebenso normale β- und defekte β'-Ketten in etwa gleicher Häufigkeit gebildet. Bei einer Aggregation je eines zufälligen α- und β-Partners würden 25% normale $\alpha\beta$-, 25% defekte $\alpha'\beta$-, 25% defekte $\alpha\beta'$- und 25% defekte $\alpha'\beta'$-Paare entstehen. Im Vergleich zum Wildtyp hätte eine solche *trans*-Konfiguration also nur $^1/_4$ der Enzymaktivität, was aber meist ausreichen würde, den Phänotyp des Wildtyps hervorzubringen, besonders da durch Steuermechanismen (Kapitel 10) die Produktion der Peptidketten gesteigert sein könnte.

Dieses Ergebnis ist für alle Arten von Defektmutanten zu erwarten. Falls Terminator-Codonen aufgetreten sind und daher von einem oder beiden defekten Allelen gar keine Peptidketten gebildet werden, ist der Anteil der aktiven Enzymmoleküle noch größer. Vor allem spielt hierbei die Lage der Defektmutationen innerhalb des Gens keine Rolle. Wie bei den A- und B-Genen des rII-Locus sollten *alle* Mutanten eines Gens (α-Kette) mit *allen* Mutanten des anderen Gens (β-Kette) in *trans*-Konfiguration zur Funktion führen. Dies war der Grundgedanke von Benzers Definition des Cistrons. Dieses Geschehen ist zweifellos nicht das Phänomen der hier zu diskutierenden Komplementation, obwohl es

---

* Es ist noch ungeklärt, wieweit die Synthese solcher Ketten eines Moleküls korreliert ist. Verläuft sie unabhängig, dann werden die Proteine aus den einzelnen Ketten zufallsmäßig aggregieren. Beim Hämoglobin ist jedoch bekannt, daß die Syntheserate der einen Kette durch die der anderen kontrolliert wird, obwohl die Gene auf verschiedenen Chromosomen liegen.

sich eingebürgert hat zu sagen, daß sich A- und B-Gen des T4 rII-Locus „komplementieren". Man sollte jedoch sehr deutlich zwischen intergener Komplementation (verschiedene Cistronen) und dem Phänomen der eigentlichen intragenen Komplementation zwischen verschiedenen Allelen des *gleichen* Cistrons unterscheiden.

Die Existenz von 2 Cistronen folgt also noch nicht aus dem funktionell positiven Resultat *einer trans*-Konfiguration mit 2 Mutanten (vgl. Abb. 6,2). Erst wenn *alle* Punktmutanten eines Genkartenbereiches mit *allen* eines anderen Bereichs so kooperieren, kann auf 2 Cistronen geschlossen werden. Somit gehören alle Mutanten der oben beschriebenen Beispiele von Komplementation in das gleiche Cistron.

Wir sollten an dieser Stelle auf die in § 6/2 nebelhaft gebliebene Definition der Funktion eines Gens zurückkommen, die ihrerseits grundlegend für die Definition des Gens selbst war. Nach den inzwischen dargelegten molekularen Prozessen der Informationsübertragung vom Gen zum Protein erscheint es sinnvoll, als Gen oder Cistron denjenigen Abschnitt einer Nucleinsäurestruktur zu bezeichnen, der für *eine* kontinuierliche Polypeptidkette codiert.

Ein Gen ist daher oft nicht der Information für ein Enzym gleichzusetzen. Besteht das Enzym aus mehreren Proteinketten, so wird es von mehreren Genen gebildet. Diese Festlegung ist besonders deswegen sinnvoll, weil größere Aggregate von komplexen Enzymen vorkommen, deren einzelne Teilstrukturen verschiedene Teilreaktionen katalysieren und hierbei die Frage auftauchen würde, ob ein solcher Komplex als *ein* Enzym bezeichnet werden sollte.

Nach dieser Abgrenzung von intercistronaler Komplementation — zwischen Genen (Cistronen) — und intragener Komplementation zwischen verschiedenen Allelen *eines* Gens können wir endlich die Deutung der Komplementation diskutieren.

Die überzeugendste Hypothese[3] geht davon aus, daß Komplementation nur bei solchen Genen auftritt, die Polypeptide codieren, welche in zwei Exemplaren ($\alpha\alpha$ oder $\alpha\alpha\beta\beta$) an einem Enzym beteiligt sind. In einer homozygoten Defektsituation werden nur inaktive Proteine ($\alpha_1\alpha_1$) gebildet. Liegt dagegen doppelte Information mit je einem Schaden in *trans*-Konfiguration vor, so werden aus den sämtlich defekten Polypeptiden α_1 und α_2 zufällige Aggregate $\alpha_1\alpha_1$. $\alpha_2\alpha_2$ und $\alpha_1\alpha_2$ entstehen. Von diesen sind $\alpha_1\alpha_1$ und $\alpha_2\alpha_2$ bekanntermaßen inaktiv. Es ist aber möglich, daß sich die beiden defekten Untereinheiten α_1 und α_2 ergänzen zu einem Enzym mit normaler oder reduzierter Aktivität. Diese Ergänzung mag wie in Abb. 9,14 auf einer Restaurierung der Gesamtstruktur beruhen oder auf der bloßen Tatsache, daß die Enzymreaktion noch möglich ist, wenn Teilstrukturen in je einer Untereinheit normal sind.

Diese Hypothese läßt verstehen, warum bei Komplementation nie die volle Enzymaktivität erreicht wird, und macht einigermaßen plausibel, warum Komplementation bei weiter entfernten Defekten im allgemeinen besser funktioniert. Sie erklärt vor allem den Befund, daß nur ein Teil aller Mutanten (oft etwa die Hälfte) komplementationsfähig ist (obwohl diese Zahl der komplementierenden Mutanten überraschend hoch erscheint). Sie hat jedoch den Nachteil einer großen Flexibilität. Oberflächlich ist alles erklärbar, aber ein strenger Beweis der Hypothese ist sehr mühevoll. Immerhin scheint es möglich, daß

Wildtyp

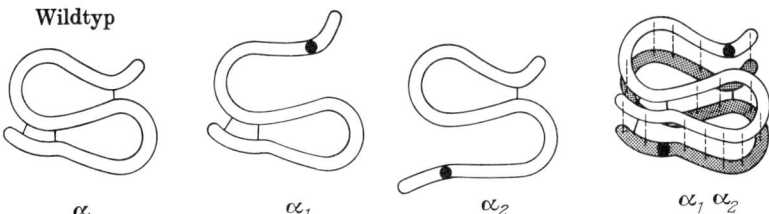

α α_1 α_2 $\alpha_1 \, \alpha_2$

Abb. 9,14. Schematische Darstellung einer Deutungshypothese für Komplementation zweier defekter Polypeptidketten α_1 und α_2

ein paralleles Studium von Enzymstruktur und dazugehöriger Komplementations- sowie genetischer Karte das Phänomen an einem solchen Beispiel in allen Details verständlich machen wird. Leichter zu gewinnen sein sollte weiteres Material für die Grundannahme der Hypothese, daß Komplementation nur bei Enzymen möglich ist, die aus identischen Untereinheiten aufgebaut sind. Diese Annahme hat sich bisher bewahrheitet.

Auch das Phänomen der „negativen intragenen Komplementation" ließe sich durch den gleichen Mechanismus deuten. Dabei *verhindert* ein einziges defektes Polypeptid α_1 die normale Funktion eines aus mehreren (identischen) Polypeptidketten bestehenden Enzyms. Als Beispiele dafür kommen die in § 8/3 erwähnten Fälle dominanter Phenylketonurie und die in § 10/8 diskutierte dominante Veränderung eines Repressors in Betracht.

Literatur zu § 9/8:
[1] GROSS, S. R.: Proc. nat. Acad. Sci. (Wash.) 48, 922 (1962).
[2] FINCHAM, J. R. S.: J. molec. Biol. 4, 257 (1962).
[3] FINCHAM, J. R. S.: Genetic Complementation. New York: W. A. Benjamin, Inc. 1966.

Zusammenfassung des Kapitels

Alle Organismen benutzen den gleichen Triplet-Raster Code (Universalität), wobei die Degeneration des Codes Präferenzen für verschiedene Codonen zuläßt.

Die biochemisch ermittelte Zuordnung von Aminosäuren zu Basentriplets wurde genetisch vielfach bestätigt. Beginn und Ende der Synthese einer Polypeptidkette werden durch spezielle Starter- und Terminator-Codonen kontrolliert.

Fehler durch Mutation in der genetischen Information können bei Ablesung durch ebenfalls mutierte tRNAs oder inkorrekt arbeitende Ribosomen ausgeglichen werden (Suppression). Mehrere weitere Mechanismen, die die Wirkung einer Mutation durch zusätzliche Mutationen aufheben, sind bekannt, z.B. sich ausgleichende Rasterverschiebungen. (Dagegen betrifft intragene Komplementation einen Wiedergewinn der Funktion auf der Ebene quaternärer Proteinstruktur.)

Weiterführende Literatur zu Kapitel 9:
Reviews der Code-Problematik:
CRICK, F. H. C.: Sci. Amer. October 1966.
WOESE, C. R., in: Progr. in Nucl. Acid. Res. and Mol. Biol. 7, 107 (1967).
SPEYER, J. F., in: Molecular Genetics Vol. 2, p. 137 (H. TAYLOR ed.), New York: Academic Press 1967.
YČAS, M.: The Biological Code. Amsterdam: North Holland publ. 1969.

10 Regulation

10/1 Allosterische Proteine: Steuerung von Enzymaktivität

Der in den vorausgehenden Kapiteln geschilderte molekulare Mechanismus der primären Genwirkung läßt die Bildung spezifischer Proteine verstehen. Er erklärt jedoch nicht, warum viele von diesen nur in bestimmten Zellen eines Organismus produziert werden. Das Hämoglobin z. B. wird nur in relativ wenigen, blutbildenden Körperzellen synthetisiert. Für die Verdauung wichtige Enzyme, wie Pepsin und Trypsin, werden nur in bestimmten Drüsen gebildet. Welche Faktoren kontrollieren Funktion oder Nichtfunktion von Genen?

Derartige Fragen der Regulation treten nicht nur bei vielzelligen Organismen auf. So zeigen z. B. Bakterien einen ausgesprochenen Sinn für Sparsamkeit. Sie stoppen in einem Methionin-haltigen Milieu sofort die Produktion derjenigen Enzyme, die zur Synthese von Methionin gebraucht werden. Das gleiche gilt für viele andere Syntheseketten. Auch schon bei primitiven Einzellern wie Bakterien liegen also Regelprozesse vor, die im Sinne der höchstmöglichen Wirtschaftlichkeit die Produktion von Zellbestandteilen kontrollieren.

Man erkennt, daß das bisher behandelte Problem der Informationsübertragung vom Gen zum Protein nur eine Teilfrage des Gesamtgeschehens ist, die ergänzt wird durch den Aspekt der Regulation, d. h. der sinnvollen quantitativen Koordinierung vieler Einzelprozesse. Es steht außer Frage, daß eine Bakterienzelle ein sehr kompliziertes System solcher Regelung besitzt. Ebenso wie eine elektronische Schaltung jedoch aus nur wenigen prinzipiell verschiedenen Grundelementen (Widerständen, Röhren, Kondensatoren und Spulen) besteht, die in vielfältiger Weise miteinander verschaltet werden, um ein Radio zum Spielen zu bringen, liegen vermutlich auch bei der biologischen Regulation eine kleine Zahl von Grundelementen vor, die vielfältig abgewandelt in einem komplizierten Schaltnetz alle Prozesse der Zelle kontrollieren und synchronisieren.

Es sollte vielleicht daran erinnert werden, daß das Prinzip eines Regelvorganges in der Messung einer oder mehrerer Größen besteht, deren Wert (eventuell nach einer Rechenoperation) einen Mechanismus bedient, der seinerseits auf die gemessenen Größen zurückwirkt. Ein einfaches Beispiel ist die Regulation der Temperatur eines Wasserbades durch ein Kontaktthermometer, das über ein Relais einen Heizwiderstand steuert.

Der Regelmechanismus, der als erster diskutiert werden soll, beeinflußt nicht die Synthese von Enzymen, sondern die Steuerung der *Aktivität* bereits vorhandener Enzyme, wodurch die Konzentration des Produkts der Enzymreaktion auf einen konstanten Wert geregelt wird. Eine solche Steuerung (Endprodukt-Hemmung, engl. feedback inhibition) kann folgendermaßen demonstriert werden[1]:

Wir betrachten eine bestimmte Synthesekette in einem Bakterium:

$$A \xrightarrow{\text{Enzym b}} B \xrightarrow{\text{Enzym c}} C \xrightarrow{\text{Enzym d}} D$$

Gibt man einer Kultur ein radioaktives Ausgangssubstrat A⋆, so wird (wenn die markierten Atome bei der Umwandlung nicht abgespalten werden) auch ein markiertes Endprodukt D⋆ auftreten. Für manche Syntheseketten aber gilt dieses Resultat nur, solange der Kultur nicht gleichzeitig unmarkiertes D zugesetzt wird. Bei Zusatz von D findet man kein radioaktives D⋆ mehr. Mit anderen Worten: wenn das Bakterium von außen mit dem Endprodukt versorgt wird, hört die Eigensynthese auf, obwohl sich in einem Zellextrakt die Anwesenheit der betreffenden Enzyme zeigen läßt.

Ein anderer Nachweis ist folgender: Im § 8/1 haben wir gesehen, daß sich bei einem genetischen Defekt in einer Synthesekette das davorliegende Zwischenprodukt anreichert. In manchen Fällen kann aber eine solche Anreicherung nur dann beobachtet werden, wenn nur minimale Supplementierung mit dem Endprodukt erfolgt. Wird dieses im Überschuß zugesetzt, so sammelt sich auch kein Zwischenprodukt an. Das heißt, das Vorhandensein von ausreichenden Mengen des Endprodukts drosselt die ganze Synthesekette ab.

Man kennt in der Enzymchemie seit langem die *kompetitive Hemmung*. Das bedeutet: Ein Enzym, das ein bestimmtes Substrat umformen soll, wird durch ein anderes Molekül, das dem Substrat ähnlich ist, dadurch blockiert (Abb. 10,1), daß das falsche Molekül die spezifische Stelle des Enzyms besetzt. Ein derartiger Mechanismus kann aber der betrachteten Regelung *nicht* zugrunde liegen, da das Endprodukt durch mehrfache Umformung nur noch wenig Ähnlichkeit

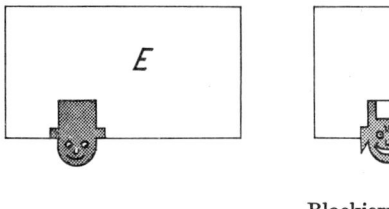
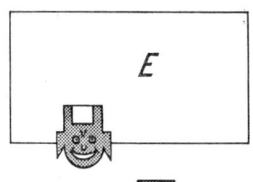
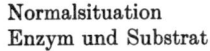

Normalsituation Enzym und Substrat

Blockierung des Enzyms durch falsches Substrat

Abb. 10,1. Kompetitive Hemmung eines Enzyms

mit dem Ausgangssubstrat hat. Dies gilt besonders, da nur das Endprodukt selbst, nicht aber die dem Ausgangssubstrat ähnlicheren Zwischenprodukte eine Hemmung der Synthesekette verursachen.

Man muß demzufolge *zwei* spezifische Stellen an solchen „steuerbaren" Enzymen annehmen, eine für das Substrat und eine zweite für den steuernden „Effektor" (das Endprodukt der Kette) (Abb. 10,2). Durch Anlagerung des Effektors wird das Enzym an seiner Substrat-empfangenden Struktur geändert, wodurch die Aktivität des Enzyms blockiert ist. MONOD und JACOB haben dies den „allosterischen" Effekt genannt. Er wurde mehrfach unabhängig entdeckt[2].

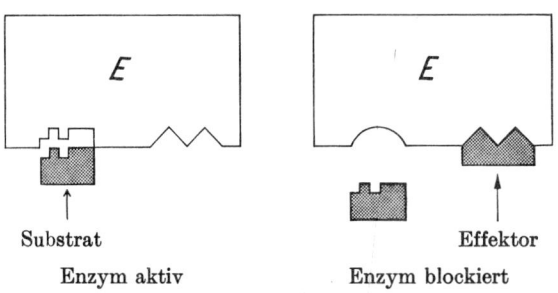

Substrat

Effektor

Enzym aktiv

Enzym blockiert

Abb. 10,2. Änderung der aktiven Stelle eines steuerbaren Enzyms durch Anlagerung eines spezifischen Effektors (allosterischer Effekt)

Die Verbindung von Effektor und Enzym ist nur kurzzeitig. Liegen genügend Endproduktmoleküle vor, so wird schnell ein anderes die blockierende Rolle übernehmen; ist deren Konzentration aber gering, so werden die Enzyme die meiste Zeit unbesetzt, d. h. funktions-fähig sein. Auf diese Weise wird die zufällige Reaktion einzelner Endpro-dukt- mit einzelnen Enzym-Molekülen zu einer Messung der mittleren End-produktkonzentration in der Zelle, was eine kontinuierliche Steuerung der En-zymaktivität gestattet. In Abb. 10,3 ist die Enzymaktivität gegen die Kon-zentration des Endprodukts aufge-tragen. Als Beispiel dient dabei die Hemmung von Threonin-Desaminase durch Isoleucin, das in mehreren Schritten aus Threonin gebildet wird, wobei die Desaminase den ersten Schritt durchführt.

Biologisch interessant ist weiter der Befund, daß keineswegs *alle* En-zyme einer Kette allosterisch steuerbar

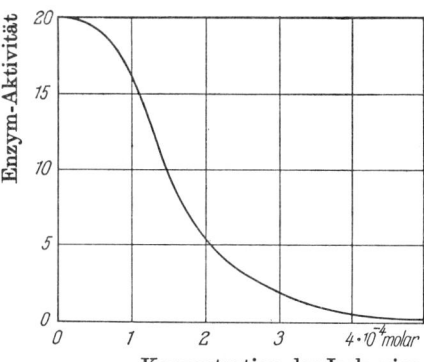

Abb. 10,3. Rohextrakt-Aktivität von Threonin-Desaminase in Abhängigkeit von der Konzentration des inhibieren-den Isoleucins. [Nach J. P. CHANGEUX: Cold Spr. Harb. Symp. quant. Biol. 26, 313 (1961)]

sind, sondern im allgemeinen nur das Enzym des ersten Schritts[3]. Die als Sparmechanismus der Zelle fungierende Regelung der Endproduktkonzentration ist also selbst so ökonomisch wie möglich konstruiert.

Allosterische Enzyme wurden — technischer Gründe wegen — hauptsächlich aus Bakterien gewonnen, doch kommen sie auch in Zellen höherer Organismen vor[4].

Es wurden weiter Fälle beschrieben[5], bei denen der allosterische Effekt kom-petitiv durch ein anderes Molekül hemmbar war. Das heißt, Aktivität des Enzyms ist trotz Effektor so lange möglich, wie dieses kompetitive Molekül anwesend ist und den Effektor an der Anlagerung und damit am Abschalten der Enzymaktivität hindert. Dieser Mechanismus darf nicht verwechselt werden mit der bekannten Situation, daß ein spezifisches Kleinmolekül als „Co-Enzym" für die Akti-vität des eigentlichen Enzyms erforderlich ist. Das Co-Enzym ist an der kataly-sierten Reaktion selbst beteiligt. Es wird dabei umgesetzt und muß im all-gemeinen durch ein anderes Enzym wieder regeneriert werden.

Weiter gibt es viele Enzyme, die zur Aktivität die Anlagerung bestimmter Metallatome voraussetzen. Auch diese Mechanismen könnten für Regelprozesse benutzt werden. So könnten durch Steuerung der Konzentration eines Metall-ions eine ganze Reihe verschiedener Enzyme aktiviert bzw. inaktiviert werden.

Das Besondere der allosterischen Regelung ist die Spezifität des Effektors und die Möglichkeit der Beeinflussung zwischen Molekülen, die sonst nicht mit-einander reagieren könnten, durch die Hilfe eines allosterischen Proteins. Weiter sei nochmals betont, daß keine chemische Beziehung zwischen Effektor und Substrat Voraussetzung für den Mechanismus ist. Offenbar wurden im Laufe

der Evolution durch planlose Mutation und sinnvolle Selektion die Anfangs-
enzyme von Syntheseketten so entwickelt, daß jeweils Bedarf oder Nichtbedarf,
d. h. Fehlen oder Anwesenheit des Endprodukts der Kette, die Aktivität des
Enzyms steuert (Endprodukt-Hemmung).

Literatur zu § 10/1:

[1] Beispiele bei H. E. UMBARGER: Ann. Rev. Biochem. **38**, 323 (1969).

[2] NOVICK, A., and L. SZILÁRD: Dynamics of growth processes, p. 21. Princeton University
Press 1954.

Allgem. Theorie des allosterischen Effekts: MONOD, J. et al., in: Theoretical Physics and
Biology (M. MAROIS ed.) p. 267; Amsterdam, North-Holland publ. (1969).

CHANGEUX, J. P.: Sci. Amer. April 1965.

[3] STADTMAN, E. R. et al.: Cold Spr. Harb. Symp. quant. Biol. **26**, 319 (1961).

[4] SCRUTTON, M. C., and M. F. UTTER: Ann. Rev. Biochem. **37**, 249 (1968).

[5] GERHART, J. C., and A. B. PARDEE: J. biol. Chem. **237**, 891 (1962).

CHANGEUX, J. P.: J. molec. Biol. **4**, 220 (1962).

Ausgezeichnete Darstellung der Allosterie in MONOD, J.: Zufall und Notwendigkeit, Piper,
München, 1971.

10/2   Steuerung der Enzymsynthese I: Das Operon

Die allosterische Steuerung der Aktivität von Enzymen ist als Sparmaßnahme
zweifellos von Vorteil für einen Organismus. Ein noch größerer Gewinn würde
jedoch erzielt, wenn sogar die *Produktion* derjenigen Enzyme verhindert werden
könnte, die bei einer gegebenen Umwelt überflüssig sind. Eine solche teleologische
Betrachtung ist in der Biologie deswegen berechtigt, weil im Laufe der Evolution
für Zweckmäßigkeit selektioniert wird. Wir werden jetzt die Mechanismen diskutieren, die für eine derartige Steuerung der Proteinsynthese sorgen.

DEMEREC, HARTMAN u. Mitarb. isolierten Tausende von Mangelmutanten bei
Salmonella-Bakterien. Mit Hilfe der Transduktion war es möglich, die Mutationsorte dieser Stämme zu kartieren. Hierbei ergab sich der überraschende
Befund[1], daß Defektmutanten für verschiedene Schritte der gleichen Synthesekette in benachbarten Loci lagen (vgl. auch § 10/8,2). Diese Koinzidenz war
keineswegs zufällig, denn sie konnte bei mehreren Syntheseketten gefunden
werden. So bildeten die Gene für die zehn Syntheseschritte des Histidins eine
zusammenliegende Gruppe in der Genkarte. Analoge Situationen wurden unter
anderem beim Threonin und Isoleucin ermittelt.

Auch in anderen Bakterien findet man Nachbarschaft von Genen einer
gemeinsamen Synthesekette (vgl. Karte, S. 115). Nachbarschaft funktionell verwandter Gene ist uns auch schon beim Phagen T4 (rIIA- und rIIB-Gen) begegnet. Dennoch gilt diese Regel nicht generell, da schon bei Pilzen die Gene
für die einzelnen Schritte vieler Syntheseketten im Genom verstreut sind.

Eine Erklärung für den offenbaren Selektionsvorteil einer benachbarten Genanordnung in Bakterien wäre ein Steuermechanismus, der den zusammenliegen-
den Genen einer Synthesekette gemeinsam wäre. Der Gesichtspunkt einer gemeinsamen Steuerung wurde besonders deutlich an zwei Gengruppen von E. coli,
die Enzyme für die Energiegewinnung aus Lactose bzw. Galactose bestimmen.

Wir werden im folgenden diese Regulation kennenlernen. Da die Terminologie des Mechanismus recht unglücklich ist, soll zum besseren Verständnis zuvor das Prinzip der heute geltenden Interpretation veranschaulicht werden:

Zusammengehörige Gruppen von Genen werden jeweils durch ein gemeinsames Schloß kontrolliert. Alle Schlösser sind spezifisch, haben jedoch das gleiche Grundprinzip. Sie bestehen aus zwei Teilen: einer fest mit den regulierten Genen verbundenen ,,Schloßbasis" und einem dazu spezifisch passenden ,,Schloßdeckel", der frei beweglich ist (Abb. 10,4).

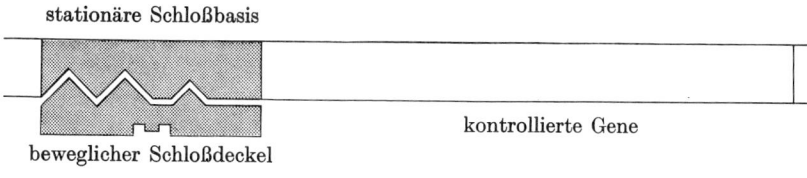

stationäre Schloßbasis

kontrollierte Gene

beweglicher Schloßdeckel

Abb. 10,4. Formales Schema eines genetischen Schlosses

Zu den Schloßdeckeln gehören die Schlüssel. Diese sind kleine spezifische Moleküle. Schloßdeckel werden in zweierlei Typen von der Zelle hergestellt: *Entweder* passen sie direkt zur Schloßbasis (das Gesamtschloß wird verriegelt), dann bringt die Anlagerung des Schlüssels den Schloßdeckel in einen nicht mehr passenden Zustand (Verriegelung des Schlosses ist verhindert); *oder* der Schloß-

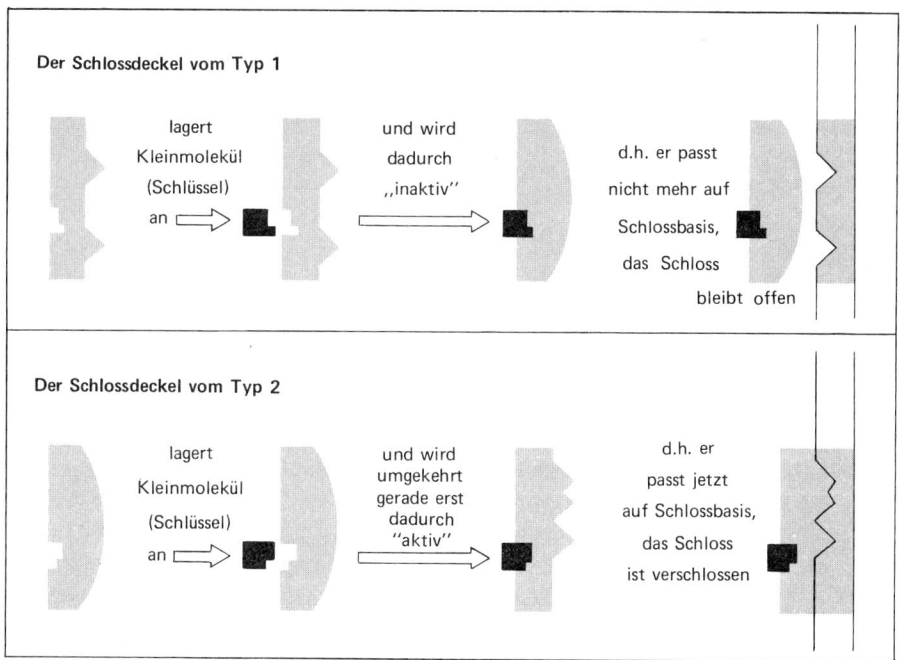

Der Schlossdeckel vom Typ 1

lagert Kleinmolekül (Schlüssel) an

und wird dadurch ,,inaktiv"

d.h. er passt nicht mehr auf Schlossbasis, das Schloss bleibt offen

Der Schlossdeckel vom Typ 2

lagert Kleinmolekül (Schlüssel) an

und wird umgekehrt gerade erst dadurch "aktiv"

d.h. er passt jetzt auf Schlossbasis, das Schloss ist verschlossen

Abb. 10,5. Formales Schema der zwei Arten von Schloßdeckeln, die entgegengesetzte aktiv-passiv-Mechanismen haben und sich allosterisch verändern

deckel paßt noch nicht zur Schloßbasis, und die Verriegelung wird erst durch Anlagerung des Schlüssels ermöglicht (Abb. 10,5). Für jede Schloßbasis des Genoms werden von je einem speziellen Gen spezifische Schloßdeckel entweder nur dieses oder jenes Typs produziert.

Man beachte, daß der Mechanismus eine doppelte Spezifität besitzt: a) zwischen Schloßbasis und Schloßdeckel, b) zwischen Schloßdeckel und Schlüssel.

- - - -

Durch Untersuchungen von MONOD[2] wurde geklärt, daß nicht alle Enzyme der Bakterien laufend gebildet werden. Nur die sog. „konstitutiven" Enzyme finden sich *immer* in den Bakterien, unabhängig vom Milieu, während andere „adaptive" Enzyme nur dann vorhanden sind, wenn die Zelle diese auch benötigt. Wächst z. B. eine Kultur mit Glucose als Energiequelle, so treten nur Spuren von zwei Enzymen zur Verarbeitung von Lactose auf (0,5—5 Enzymmoleküle pro Zelle). Diese Enzyme sind β-Galactosidase (spaltet manche β-Galactoside, z. B. Lactose in Glucose und Galactose) und Galactosidpermease (sorgt in der Zellmembran für die Aufnahme von Galactosiden aus der Umgebung). Nach Überführung in ein Medium, das keine Glucose aber Lactose enthält, beginnen die Zellen die Produktion der beiden Enzyme und synthetisieren die 1000—10000fache Menge im Vergleich zum Wachstum in Glucose. Kreuzt man Bakterienmutanten, die in je einem der beiden Enzyme defekt sind, so findet man die entsprechenden Genorte benachbart.

Eine analoge Steuerung gilt für Galactose und die Galactose-abbauenden Enzyme. Auch hier sind die Gene des Galactosebereichs, der die drei Enzyme Galactose-Epimerase, Galactose-Transferase und Galactokinase kontrolliert, benachbart. In beiden Fällen bilden also Gruppen von Enzymen, deren Synthese in geeigneten Medien gemeinsam „induzierbar" ist, auch eine Gruppe auf der genetischen Karte.

Die meisten Mutationen in einer solchen Gruppe von Genen führen zum Defekt nur eines der Enzyme. So werden z. B. Mutanten gefunden, die nur im β-Galactosidase-Gen (z^--Mutanten) oder nur im Permease-Gen (y^--Mutanten) defekt sind. Es treten aber einige merkwürdige Mutationen auf (O^c-Mutanten), bei denen offenbar die Steuerung betroffen ist[3]. Diese Mutanten produzieren nämlich in *allen* Medien die beiden Enzyme des Lac-Bereichs bzw. die drei des Gal-Bereichs. Diese Dauerproduktion von Enzymen (konstitutiver Zustand) beruht auf einem völligen Ausfall der Steuerbarkeit. Die Schloßbasis ist durch eine Mutation defekt geworden und kann gar nicht mehr verriegelt werden.

Kreuzungen zeigen, daß solche Mutationen immer am Anfang der Gengruppe liegen. Offenbar befindet sich dort ein bestimmter, für die Steuerung der ganzen Gruppe verantwortlicher DNA-Abschnitt, das sog. Operator-Gen O, das unserer Schloßbasis entspricht. Die ganze Steuereinheit, d. h. Operator plus die durch ihn gesteuerten „Struktur"-Gene, die Polypeptidketten codieren, nennt man ein „Operon".

Das Lactose-Operon umfaßt außer den Strukturgenen z und y noch ein drittes, a, das für eine Transacetylase codiert; seine Funktion ist unbekannt und da es für unsere Betrachtung belanglos ist, wird es im folgenden nur selten erwähnt werden. Die Reihenfolge der Gene im Operon ist also

Operator-Gen (O) — Struktur-Gen (z) — Struktur-Gen (y) — Struktur-Gen (a).

Ist nun die Nachbarschaft von Operator-Gen und Struktur-Genen aus der Wirkungsweise des Operators zu erklären? Ist diese Nachbarschaft notwendig? Mit anderen Worten: Ist der Steuermechanismus so konstruiert, daß er die strukturelle Einheit von Operator und gesteuerten Genen erfordert, oder wirkt der Operator über das Plasma auf die von ihm kontrollierten Gene ein?

Man kann durch Sexduktion stabile Heterogenoten herstellen, d.h. Zellen, die ein komplettes Genom und ein Fragment enthalten (§ 5/7). Diese können heterogenot für den Operator sein, z.B. O^c/O^+. Hierbei zeigt sich „Dominanz" des O^c-Allels, d.h. die Zellen produzieren die fraglichen Enzyme *konstitutiv* trotz Gegenwart des O^+-Operators. Man kann weiter Operonen zusammenbringen, die nicht nur im Operator, sondern auch in einem der Strukturgene defekt sind, also z.B. $O^c z^+ y^-$ (Enzym y ist defekt, Enzym z wird konstitutiv produziert) und $O^+ z^- y^+$ (Enzyme sind regelbar, aber nur Enzym y ist funktionsfähig). In der Heterogenote $O^c z^+ y^-/O^+ z^- y^+$ wird nun nur Enzym z in funktionsfähigem Zustand konstitutiv produziert, während aktives Enzym y nur nach Induktion auftritt. Man kann daraus schließen, daß jeder Operator nur auf diejenigen Gene einwirkt, mit denen er auch strukturell verbunden ist. Dabei ist es gleichgültig, welche Information auf dem Fragment und welche auf dem kompletten Genom liegt. Es erfolgt keine „Fernwirkung" auf entsprechende Gene in einer anderen Struktur (Abb. 10,6).

Ein weiteres überzeugendes Argument für die Bedeutung der strukturellen Verbindung ist die Beobachtung[4], daß die Regulation des Lac-Operons bei einer Deletion, die den Operator betrifft, nicht nur völlig versagt gegenüber der An- oder Abwesenheit von Lactose, sondern sich gegenüber Änderungen des Mediums sensibel erweist, die die Synthese von Purin-Nucleotiden betreffen. Durch den Fortfall des Lactose-Operators ist das Lac-Operon anscheinend an das benachbarte Purin-Operon gehängt worden und wird daher von dem Nachbar-Operator mit beherrscht, d.h. die Gene des Lac-Operons sind unter eine für sie sinnlose Steuerung geraten. Bei größeren Deletionen kann das Lac-Operon auch unter die Kontrolle des weiter entfernten Tryptophan-Operators gestellt werden[4]. Weitere Beispiele dieser Art sind bekannt (siehe auch § 10/8).

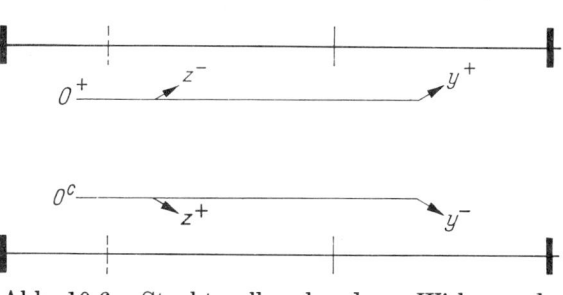

Abb. 10,6. Strukturell gebundene Wirkung der Operatoren in den beiden Lactose-Operonen einer heterogenoten Bakterienzelle

Insgesamt zeigen diese Befunde, daß jeder Operator nur auf die strukturell mit ihm verbundenen Gene einwirken kann.

Literatur zu § 10/2:

[1] Review: DEMEREC, M., and P. E. HARTMAN: Ann. Rev. Microbiol. **13**, 377 (1959).
[2] Reviews: MONOD, J., and M. COHN: Advanc. Enzymol. **13**, 67 (1952).
     MONOD, J.: Angew. Chemie **71**, 685 (1959).
[3] Review: JACOB, F., and J. MONOD: Cold Spr. Harb. Symp. quant. Biol. **26**, 193 (1961).
[4] BECKWITH, J. R. et al.: Cold Spr. Harb. Symp. quant. Biol. **31**, 393 (1966).

10/3 Steuerung der Enzymsynthese II: Katabolische und anabolische Enzyme

Im Stoffwechsel von Bakterien können katabolische und anabolische Reaktionsketten unterschieden werden. Der katabolische Stoffwechsel sorgt für den *Abbau* der aus dem Medium aufgenommenen Nährsubstanzen zu kleinmolekularen Bausteinen. Hierbei wird auch der Energiebedarf der Zellen gedeckt. Der anabolische Stoffwechsel besteht dagegen in dem *Aufbau* neuer Moleküle wie Aminosäuren, Nucleotide und dergleichen, die zur Synthese der großen Zellstrukturen benötigt werden. Zwischen katabolischen und anabolischen Reaktionen gibt es natürlich einen Übergangsbereich der Umformung kleinerer Moleküle in andere (intermediärer Stoffwechsel).

Alle Arten von Stoffwechsel werden von Enzymen durchgeführt. Vom Standpunkt einer sparsamen Zelle aus müssen jedoch katabolische und anabolische Enzyme verschieden gesteuert werden. Die abbauenden Enzyme werden nur benötigt, wenn das von ihnen abzubauende Substrat auch tatsächlich im Nährboden *vorhanden* ist. Dieses *Substrat* sollte die Synthese der entsprechenden Enzyme also „*induzieren*". Wir haben solche Induktion schon am Beispiel der Lactose kennengelernt, wenn auch noch nicht molekular erklärt.

Im Gegensatz dazu sollten anabolische Enzyme dann vorhanden sein, wenn ihr Endprodukt in der Zelle *fehlt*. Hier muß also umgekehrt das ausreichend vorhandene *Endprodukt* die Synthese der entsprechenden Enzyme „*reprimieren*", d. h. unterdrücken. Auch solche Repression wird beobachtet. Beide Regelprozesse sind ähnlich insofern, als ein kleines spezifisches Molekül, das wir wieder den „Effektor" nennen können (der Schlüssel), die Synthese von Enzymen kontrolliert. Sie sind jedoch entgegengesetzt insofern, als der Effektor die Synthese in einem Fall in Gang setzt, im anderen unterbindet.

1953 beobachteten zuerst MONOD u. Mitarb., daß die Anwesenheit von Tryptophan im Nährmedium die Bildung des Enzyms Tryptophan-Synthetase in Bakterien verhindert. Den analogen Effekt zeigten Methionin, Histidin, Arginin und andere Aminosäuren auf ihre jeweiligen Synthese-Enzyme. Bei Entzug der Aminosäure wurden die entsprechenden Enzyme wieder gebildet. (Man beachte, daß wir jetzt die *Bildung* von Enzymen diskutieren, nicht die Steuerung der Aktivität vorhandener Enzyme wie in § 10/1.)

In der achtstufigen Argininsynthese z. B. führt das Enzym „Ornithin-Transcarbamylase" (OTC) die Reaktion

$$\text{Ornithin} + \text{Carbamylphosphat} \rightarrow \text{Citrullin}$$

aus. In Gegenwart von Arginin wird OTC ebenso wie die anderen sieben Enzyme nur in Spuren produziert. Wie steigt die OTC-Konzentration, wenn man die Zellen wäscht und in argininfreies Medium überführt? Abb. 10,7 zeigt den Verlauf dieser Kurve[1]. Aus ihr kann man unter Berücksichtigung der Verdünnung des Enzyms durch Zellteilungen die Rate der Enzymproduktion pro Zelle abschätzen. Mit einer gewissen Verzögerung von etwa $^1/_5$ der Teilungsperiode (vorbereitende Phase der Enzymproduktion) erreicht die Syntheserate von OTC äußerst schnell einen hohen Wert, der zu einer Überkonzentration von OTC pro Zelle führt. Die so gebildeten Enzyme synthetisieren ihrerseits genügende Mengen von Arginin, dessen Gegenwart wiederum die weitere Produktion von

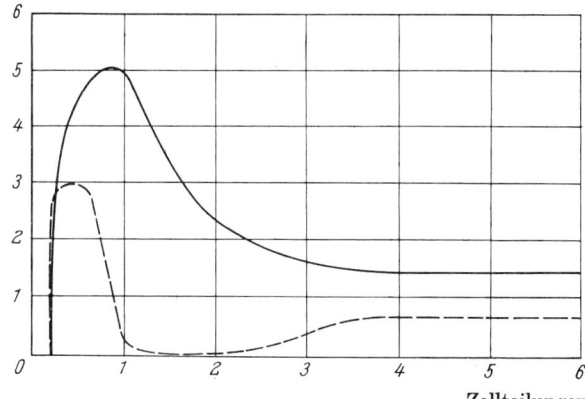

Abb. 10,7. Zeitlicher Verlauf der OTC-Menge pro Bakterium (ausgezogene Kurve) und der Produktions*rate* von OTC pro Bakterium, d.h. Menge des pro Zeiteinheit gebildeten Enzyms, (gestrichelte Kurve) nach Entzug von Arginin

Enzym nahezu vollständig unterdrückt. Diese wird erst allmählich wieder aufgenommen, wenn durch etwa zwei weitere Zellteilungen OTC so weit verdünnt wurde, daß nicht mehr genügend Arginin synthetisiert werden kann. Man erkennt, daß die Synthese von OTC (ebenso wie die der sieben anderen Enzyme) durch die innerzelluläre Konzentration von Arginin kontinuierlich steuerbar ist und daß unter Gleichgewichtsbedingungen nicht die maximal mögliche Enzymproduktion ausgeschöpft wird.

Wir haben bei dieser Repression ebenso wie bei der Induktion immer von der Steuerung der *Produktion* von Enzymen gesprochen. Es kann sich tatsächlich nicht um eine Steuerung der *Aktivität* schon vorhandener Enzyme handeln (wie in § 10/1), da nach Induktion oder Entzug eines Syntheseketten-Endprodukts die Enzyme *neu* aus Aminosäuren aufgebaut werden. (Nachweis gelingt durch Dichte-Markierung neusynthetisierter Proteine und deren Abtrennung im Gradienten[2].)

Wir wollen uns jetzt der Kernfrage des Phänomens zuwenden, nämlich dem molekularen Mechanismus dieser Steuerung katabolischer bzw. anabolischer Enzyme. Wie können kleine spezifische Moleküle (Effektoren) den Operator einer Gengruppe so beeinflussen, daß dieser die Bildung von Enzymen veranlaßt oder verhindert? Im Kapitel 8 haben wir gesehen, daß die Information eines Gens zunächst auf mRNA übertragen wird (Transcription). Wir stehen also vor der Frage, ob die Steuerung bereits die Abgabe von mRNA kontrolliert oder ob mRNA stets abgegeben wird und nur deren Ablesung zur Proteinsynthese (Translation) gesteuert wird.

Die Möglichkeit einer Hybridisierung von DNA und mRNA (§ 8/8) gestattet die Untersuchung dieser Alternative[3]. Mit dem Trick, defekte λ-Phagen zu benutzen, die die Gal-Region des Bakteriums inkorporiert haben, kann gezeigt werden, daß mRNA/DNA-Hybriden in meßbarer Menge nur dann auftreten, wenn die mRNA aus Enzym-produzierenden Zellen gewonnen wird. Mit anderen Worten: In reprimierten Zellen fehlt bereits die betreffende spezifische mRNA. Repression verhindert also nicht nur die Synthese überflüssiger Enzyme, sondern offenbar schon die Abgabe der entsprechenden mRNA. Durch diesen Versuch wird allerdings noch nicht die Möglichkeit ausgeschlossen, daß die betreffende mRNA zwar synthetisiert, aber sofort wieder abgebaut würde.

Der Beginn der Bildung von mRNA wird am Operator kontrolliert. Für mehrere Operonen ist gezeigt worden, daß vom Operator-Ende her eine kontinuierliche mRNA-Kette (vgl. § 10/7) transcribiert wird. Die Aufteilung in einzelne Peptidketten wird durch Terminator- und Initiator-Codonen bei der Proteinsynthese bewerkstelligt. Dieses Bild liefert eine Erklärung dafür, wie *ein* Operator mehrere Gene unter Kontrolle halten kann.

Wir wollen uns jetzt dem interessantesten Problem dieser Steuerung zuwenden, nämlich der Frage, wie ein kleines spezifisches Effektor-Molekül den Operator so beeinflussen kann, daß er die Ablesung der DNA-Information freigibt oder blockiert.

Bei der Induktion von β-Galactosidase kann man die Spezifität des induzierenden Effektors (kurz „Induktor") prüfen und versuchen, die Enzyme durch andere Substanzen als Lactose zu induzieren[4]. Dies gelingt tatsächlich mit einer Reihe von Verbindungen, die der Lactose sterisch ähnlich sind. Nicht alle diese möglichen Effektoren können als Substrat für die induzierten Enzyme dienen. Einige gute Effektoren besitzen nicht einmal eine meßbare Affinität zum Enzym, d. h. es wird kein Effektor-Enzym-Komplex gebildet. Offenbar spielt die Effektor-Enzym-Affinität keine Rolle im Mechanismus der Steuerung. Das gleiche gilt für die Hemmung der Produktion von Enzymen *anabolischer* Stoffwechselketten. Nur das Endprodukt, nicht aber Zwischenprodukte der Kette hemmen die Synthese aller Enzyme des Operons. Eine sterische Affinität von hemmendem Molekül und den Enzymen ist nicht erforderlich.

Effektoren, d. h. Induktormoleküle wie Lactose oder Enzym-Synthesehemmende Endprodukte wie Arginin, sollten nach alledem spezifisch für den betreffenden Operator sein. All unserer Kenntnis nach ist der Operator aber ein Teil der genetischen Information und muß daher aus einer bestimmten Sequenz von Nucleotiden bestehen. Im Vergleich zur Länge dieser Sequenz (Größenordnung 10—100 Nucleotide) ist das spezifisch steuernde Molekül sehr klein. Schon dieser Größenunterschied macht die Regulation des Operons durch eine *direkte* Wechselwirkung zwischen Operator und Effektor unmöglich.

Unter diesen Umständen scheint es unvermeidbar — ähnlich wie bei der Aufreihung von Aminosäuren in der Proteinsynthese —, die Existenz eines größeren spezifischen Moleküls anzunehmen, das als Vermittler eine doppelte Affinität einerseits zu bestimmten Basensequenzen des Operators und andererseits zum steuernden Effektor besitzt. Das heißt, die DNA-Spezifität des Vermittlermoleküls muß über eine längere Basensequenz reichen, damit jeweils nur der richtige Operator aus vielen möglichen Sequenzen ausgewählt wird. Der Leser erkennt, daß wir auf dem Wege zur Entdeckung des Schloßdeckels sind.

Literatur zu § 10/3:

[1] Gorini, L., and W. K. Maas, In: Chemical basis of development, p. 469. Baltimore: John Hopkins Press 1958.
[2] Filner, P., and J. E. Varner: Proc. nat. Acad. Sci. (Wash.) 58, 1520 (1967).
    Longo, C.: Plant. Physiol. 43, 660 (1968).
[3] Attardi, G. et al.: Cold Spr. Harb. Symp. quant. Biol. 28, 363 (1963).
[4] Monod, J., and M. Cohn: Advanc. Enzymol. 13, 67 (1952).

10/4   Steuerung der Enzymsynthese III: Das Regulator-Gen und sein Produkt

Wir hatten gesehen, daß der Operator des Lac-Operons zur konstitutiven Produktion seiner Enzyme mutieren konnte (O^c). Diese Mutationen betrafen nur den Steuermechanismus. Die Enzyme selbst blieben völlig normal. Außer dieser Art von konstitutiven Mutanten kann man noch eine andere Art finden. Auch bei diesen sind die Enzyme des Lac-Operons unverändert, und auch diese führen zur Konstitutivität *aller* Gene des Operons, so daß auch hier ausschließlich die Steuerung der Genablesung von der Mutation betroffen ist. Der Locus dieser Mutationen liegt nahe am Operon auf der Seite des Operators. Das Verhalten der Mutanten ist aber so verschieden von dem der O^c-Mutanten, daß man daraus auf die Existenz eines zusätzlichen Gens schließen kann, das an der Steuerung des Operons beteiligt ist. Seine Entdecker haben es das „Regulator-Gen" genannt[1]. Dieses Gen R kann in verschiedener Weise mutieren*.

R^--*Mutanten* sind konstitutiv (Dauerproduktion von Enzymen). Sie sind von O^c-Mutanten durch ihr Verhalten bei Heterozygotie unterscheidbar. Während die Heterogenote $O^c z^+ y^+/O^+ z^+ y^+$ konstitutiv ist, also O^c *dominant* über O^+, ist die Heterogenote $R^- z^+ y^+/R^+ z^+ y^+$ nicht konstitutiv, sondern induzierbar durch Lactose, d. h. R^- ist *rezessiv* gegenüber R^+. Das gleiche gilt für andere Genkombinationen, z. B. für $R^- z^- y^+/R^+ z^+ y^-$. Dies ist ein fundamentaler Unterschied zwischen O^c- und R^--Mutanten. Während die Wirkung des Operators strukturgebunden war (nur *cis*-Konfiguration), zeigt die des Regulator-Gens eine Fernwirkung (*cis* oder *trans*). Es sollte also ein Genprodukt existieren, das vom R^+-Allel kommend durch das Plasma auch das Operon am R^--Allel beeinflußt.

Jacob und Monod haben auf dieser Erkenntnis eine allgemein akzeptierte Hypothese der Steuerung für die Enzymbildung aufgebaut, die im Laufe der Jahre — wie weiter unten erläutert — in vielen Einzelheiten ergänzt worden ist: Das Regulator-Gen erzeugt als Genprodukt den sog. „Repressor" — endlich der Schloßdeckel — der auf den Operator einwirken kann, z. B. durch Anlagerung (vgl. Abb. 10,8). Solange die Wirkung des Repressors auf den Operator anhält, kann keine mRNA vom betroffenen Operon hergestellt werden. Das induzierende Lactose-Molekül kann seinerseits mit dem Repressor reagieren. Hierbei wird (durch Anlagerung) der Repressor inaktiviert, d. h. unfähig auf den Operator zu wirken. Der Operator ist frei von der Hemmung durch den Repressor und erlaubt die Informationsabgabe des Operons. Die Kinetik der mRNA-Synthese nach Induktion und die der spontanen Inaktivierung dieser mRNA wurde mehrfach untersucht[2].

Bei O^c-Mutationen ist der Operator so verändert, daß der Repressor ihn nicht verschließen kann. Die Regulator-Mutation R^- führt zu gar keinem oder einem defekten Repressor, der den Operator nicht mehr verschließen kann. In einer Heterogenote R^+O^+/R^-O^+ reichen die von R^+ gebildeten Repressoren, um *beide* Operatoren zu blockieren. Die Heterogenote ist daher steuerbar.

R^t ist eine zweite Art von Mutation am Regulator-Gen, die nur bei niederen Temperaturen (25° C) zu einem wirksamen Repressor und zu Steuerbarkeit führt. Bei 40° C dagegen ist das Repressionssystem inaktiviert, was die Enzymsynthese konstitutiv werden läßt[3].

---

* Im Fall des Lac-Operons wird das Regulator-Gen in der Originalliteratur als *i* bezeichnet.

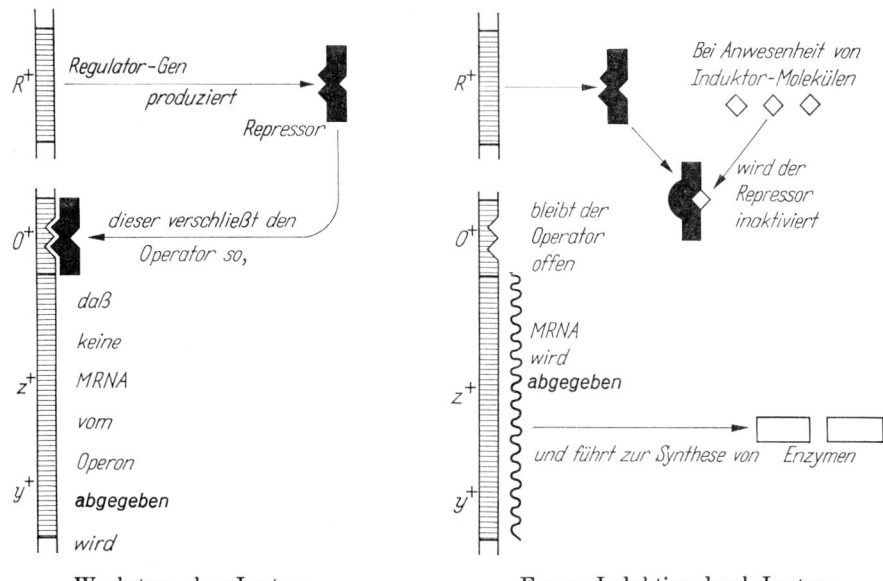

Wachstum ohne Lactose   Enzym-Induktion durch Lactose

Abb. 10,8. Schema der Wirkungsweise des Regulator-Gens auf ein katabolisches
Operon (vgl. Abb. 10,5, Typ 1)

R^s (superreprimiert), eine weitere Mutation, ist nicht induzierbar, auch nicht durch 100fach höhere Lactose-Konzentrationen, als für den Wildtyp R^+ erforderlich[4].

Durch Kreuzungen läßt sich jedoch nachweisen, daß die Strukturgene des Lac-Operons völlig intakt sind und daß die Mutation R^s im Regulator-Gen erfolgte. Der von R^s gebildete Repressor hat offenbar nur noch geringe Affinität zum Induktormolekül. Diese Mutanten zeigen deutlich, daß die sterische Affinität vom Repressor zum Induktor und nicht etwa die von kontrollierten Enzymen zum Induktor wesentlich für den Steuerungsmechanismus ist. Weiter zeigen sie, daß der Repressor nach wie vor seinen Operator erkennt, auch wenn er die Affinität zum Induktor verloren hat. Der Repressor hat also *getrennte* Erkennungsstellen für den Operator und für den Induktor. Erwartungsgemäß ist weiter die Heterogenote R^sO^+/R^+O^+ ebenso schwer induzierbar wie R^s selbst. Die von R^s gebildeten Repressoren verschließen beide Operatoren. R^s ist dominant über R^+. Da R^s gar nicht mehr induzierbar ist, bedeutet diese Mutation einen Verlust der Fähigkeit, Lactose abzubauen. R^s ist also der ungewöhnliche Fall einer *dominanten* Defektmutation. Vermutlich lassen sich viele dominante Mutationen als Regulationsstörung interpretieren.

Die Anwendung des Modells für anabolische Operonen

Wir haben den Regulationsmechanismus am Beispiel der Induktion eines katabolischen Operons diskutiert. Kann der gleiche Mechanismus auch für die Repression eines anabolischen Operons dienen, und welche Änderungen des Schemas wären dazu notwendig? Wenn man bei der Vorstellung bleiben will,

daß die Anlagerung des Regulator-Genprodukts (Repressor) den Operator verschließt, müssen reprimierende Effektoren, z. B. Arginin, den Repressor zu dieser
Anlagerung *befähigen*. Der Effektor wirkt also gerade umgekehrt auf den Repressor wie bei katabolischer Regulation (Abb. 10,9). Solche Effektoren, die dem
zugehörigen Repressor-Molekül erst die Fähigkeit zur Repression verleihen, nennt
man auch ,,Korepressoren''.

In Übereinstimmung mit dieser Interpretation wurden auch bei anabolischer
Steuerung (Repression) R^--Mutanten gefunden, die nicht mehr reprimierbar waren
durch das Endprodukt der Synthesekette, d. h. diese bilden keinen oder einen
defekten Repressor, der auch bei Effektoranwesenheit den Operator nicht mehr
verschließen kann (konstitutive Enzymproduktion). Erwartungsgemäß sind jedoch Heterogenoten dieser Mutanten R^-O^+/R^+O^+ wieder steuerbar durch den
Effektor.

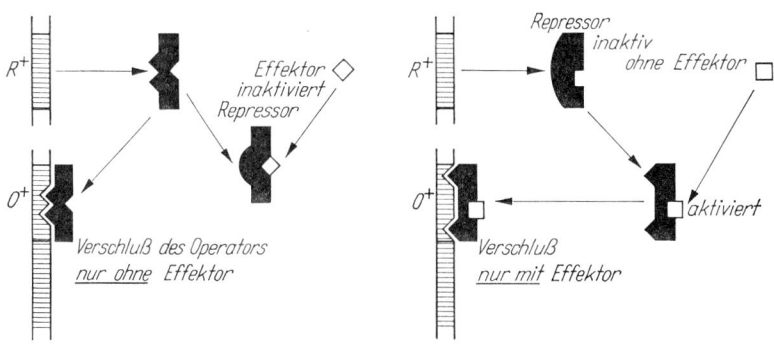

Induktion katabolischer Operonen   Repression anabolischer Operonen
(Schloßdeckel Typ 1)   (Schloßdeckel Typ 2)

Abb. 10,9. Vergleich der Steuerung katabolischer und anabolischer Enzyme
(vgl. auch Abb. 10,5)

Obwohl wir gesehen haben, daß der Wirkungsmechanismus des Regulator-
Gens nicht die unmittelbare Nachbarschaft mit seinem Operon verlangt, findet
man häufig das Regulator-Gen eng mit dem Operon gekoppelt (Beispiele Lac,
Ara und λ-Immunität). Dies resultiert vermutlich aus dem Selektionsvorteil bei
Rekombination, gut aufeinander abgestimmte Systeme nicht zerreißen zu lassen.

Nach den in diesem Kapitel dargelegten Vorstellungen besteht der zentrale
Mechanismus der Genregulation in der Allosterie des Repressors, d. h. in dessen
doppelter Spezifität: Spezifische Kleinmoleküle können einen bestimmten Repressor aktivieren oder inaktivieren. Andererseits reagiert der Repressor mit
spezifischen Operatoren und setzt so Gengruppen außer Funktion. Der Repressor ist sozusagen der Vermittler zwischen Plasma und Genom. Wie die
Messenger-RNA Information vom Genom ins Plasma trägt, so bringt der Repressor Nachrichten vom Plasma zum Genom.

Daß die beiden Methoden der gegenseitigen Benachrichtigung so verschieden
sind, liegt im Wesen der zu übermittelnden Nachrichten. In dem einen Falle
sind es lange Anweisungen (mRNA), in dem anderen ist es nur die Nachricht:

„Enzymproduktion halt" oder „Enzymproduktion marsch". Ein zweiter Unterschied ist die Ungerichtetheit der Nachricht des Genoms ans Plasma im Gegensatz zur Zielrichtung auf ein bestimmtes Operon bei der Nachricht vom Plasma zum Genom. Das Genom schickt sozusagen eine Flaschenpost ohne Adresse, aber mit einem langen Brief, während das Plasma nur „ja" oder „nein" übermittelt, aber diese Nachricht mit einer Adressenangabe für ein bestimmtes Operon versehen sein muß. Da das Plasma aber nicht schreiben kann, benutzt die Natur den Trick, alle Briefumschläge mit Adressen auch vom Genom herstellen zu lassen (Repressoren) und so einzurichten, daß nur Nachricht über das Vorkommen eines bestimmten Moleküls in jeden Umschlag gegeben werden kann. Anders illustriert: der Repressor ist eine Meßsonde des Genoms und könnte sinnvoll auch als „Kundschafter" bezeichnet werden.

Die Terminologie für die einzelnen Elemente dieser Regelprozesse ist wieder einmal historisch bedingt und daher unglücklich:

Ein Induktor bewirkt Induktion durch Inaktivierung eines Repressors.

Ein Endprodukt bewirkt Repression durch Aktivierung eines Repressors.

Induktor und Repressor sind also nicht analoge Elemente bei Induktion und Repression.

Der Repressor nimmt an Induktion und Repression teil. Sein Reaktionspartner ist der Effektor = Induktor bei Induktion
= Korepressor (Endprodukt) bei Repression.

Man beachte: Die Repressor-Wirkung ist in jedem Fall negativ. Aktive Repressoren *verhindern* die Informationsabgabe ihres Operons (negative Kontrolle).

Literatur zu § 10/4:
[1] PARDEE, A. B., F. JACOB and J. MONOD: J. molec. Biol. 1, 165 (1959).
[2] GEIDUSCHEK, E. P., and R. HASELKORN: Ann. Rev. Biochem. 38, 647 (1969) Review.
[3] HORIUCHI, T. et al.: J. molec. Biol. 3, 703 (1961).
    SUSSMAN, R., et F. JACOB: C. R. Acad. Sci. (Paris) 254, 1517 (1962).
[4] WILLSON, C. et al.: J. molec. Biol. 8, 582 (1964).

10/5 Regulation bei Prophagen und anderen Episomen

Das Schema der Regulation kann auch auf das Problem der Lysogenie angewandt werden[1]. Die Immunität einer lysogenen, d. h. Prophagen-tragenden Zelle gegenüber der Infektion mit dem gleichen Phagen kann verstanden werden durch das Vorhandensein eines plasmatischen Repressors. Dieser Repressor sollte von einem Gen des Phagen selbst produziert werden. Er würde die freie Replikation neu infizierender Phagen und die des Prophagen selbst unterbinden, nicht jedoch die Replikation des Prophagen, die koordiniert mit der Replikation des Bakterien-Genoms erfolgt. Diese Interpretation wird durch eine Reihe von Befunden nahegelegt:

1. In § 5/8 haben wir die *zygotische Induktion* kennengelernt. Wird bei einer Coli-Konjugation von einem lysogenen [Hfr] Stamm der Prophage (in dem

Bakteriengenom) in eine nicht-lysogene [F⁻]-Zelle überführt, so wird die Rezeptorzelle lysiert. Diese besitzt keine plasmatischen Repressoren zur Verhinderung
der freien Replikation des Prophagen. Ist die Rezeptorzelle dagegen selbst
lysogen für λ, kommt es nicht zur Lyse, ganz gleich ob das überführte Fragment
den Prophagen enthält oder nicht.

In analoger Weise wird bei der Konjugation einer R^+z^+-Donorzelle mit einem
R^-z^--Rezeptor *vorübergehend* das Enzym z produziert, obwohl keine Lactose
anwesend ist. Die Rezeptorzelle enthält (wegen der Defektmutation R^-) keine
Repressoren. Daher können von dem z^+-Gen des Fragments Enzyme gebildet
werden, bis das mitinjizierte Regulator-Gen die entsprechenden Repressoren produziert hat.

2. Man hat einen F-Faktor gewinnen können, der die Gal-Region und mit
dieser einen λ-Prophagen angekoppelt hatte (vgl. § 5/8). Durch Einführung dieses
Faktors in eine *gal* λ^--Zelle (nicht lysogen) entsteht eine Heterogenote *gal* λ^-/
[F *gal⁺* λ^+] (zygotische Induktion vermeidbar durch Chloramphenicol). Ebenso
kann man eine reziproke Heterogenote *gal* λ^+/[F *gal⁺* λ^-] herstellen. In beiden
Fällen ist Immunität dominant über Nichtimmunität, d. h. beide Heterogenoten
sind immun gegen Neuinfektion mit λ.

3. Man findet λ-Mutanten, die einen thermolabilen Repressor produzieren.
Das Regulator-Gen ist zur Konfiguration R^t (s. § 10/4) mutiert. Lysogene Bakterien mit einem λR^t-Prophagen vermehren sich bei niederen Temperaturen
(25⁰ C) normal, kommen aber alle zur Lyse bei 40⁰ C, da dann der Repressor
die freie Vermehrung des Prophagen nicht mehr verhindern kann.

Auch bei anderen Episomen, wie Resistenzfaktoren oder colizinogenen Faktoren, sind Repressoren bekannt geworden, die z. B. die Synthese des männlichen
F-Pilus unterdrücken. Analog zur vorübergehenden Enzymsynthese während der
Konjugation eines R^+z^+-Donors mit einem R^-z^--Rezeptor, sind auch diese Episomen, wenn frisch auf Rezeptorzellen übertragen, anfänglich nicht in der Lage,
die Synthese des von ihnen codierten F-Pilus zu drosseln. Erst im Laufe von
mehreren Stunden nach der Übertragung sammelt sich genügend Repressor an,
so daß in den seit längerer Zeit infizierten Zellen nur noch gelegentlich ein F-Pilus
synthetisiert wird. Dieses Phänomen trägt entscheidend zur schnellen Ausbreitung
eines Episoms in einer Bakterienkultur bei.

Der klassische F-Faktor hat allerdings nicht die Fähigkeit, die Synthese des
von ihm codierten F-Pilus zu reprimieren, so daß F⁺-Zellen immer sehr fertil sind.
Wird aber eine F⁺-Zelle von gewissen Resistenzfaktoren oder colizinogenen Faktoren infiziert, so reprimieren diese auch die Synthese des vom F-Faktor codierten
Pilus. Der klassische F-Faktor verhält sich also genau wie eine R^--Mutante, d. h.
er macht zwar keinen eigenen Repressor, besitzt aber noch einen Operator, der auf
Repressoren anspricht, die von gewissen anderen Episomen codiert werden.

Die Synthese des F-Pilus ist offenbar für die Zelle so aufwendig, daß die
Entwicklung von Kontrollmechanismen zur zeitweisen Abschaltung der entsprechenden Gene einen Selektionsvorteil darstellt.

Literatur zu § 10/5:

[1] CAMPBELL, A. M.: Episomes. New York, Evanston and London: Harper & Row 1969.

10/6   Die chemische Natur des Repressors

Man weiß z.B. wegen der nur beschränkten Immunität einer lysogenen Zelle, daß die Zahl der Moleküle/Zelle eines spezifischen Repressors relativ klein ist. Trägt nämlich ein Bakterium den Prophagen P2, so ist es gegen die Infektion von einigen P2-Phagen immun, doch bricht die Immunität zusammen, wenn 20—30 P2-Phagen infizieren[1].

Entsprechende Ergebnisse wurden mit dem Phagen λ gewonnen. Hierbei ergab sich, daß ca. 25—30 infizierende Partikel erforderlich waren, um in 50% der Bakterien die Immunität zu überwinden. Diese Zahl stieg auf 60—70 Partikel, wenn die Zelle doppelt lysogen war, d. h. zwei Prophagen λ trug, die beide ein Regulator-Gen zur Synthese von Repressoren besaßen.

Die sich so manifestierende kleine Molekülzahl eines bestimmten Repressors, erschwerte natürlich das Problem seiner chemischen Isolierung. Wegen der Spezifität der Regulation kamen als chemisches Material vor allem wieder Proteine oder Nucleinsäuren in Betracht.

Man bevorzugte bald die Vorstellung eines Proteins, weil dann die Wechselwirkung zwischen Effektor und Repressor im Rahmen der Allosterie gut verstanden werden konnte. Vor allem aber fand man amber-Mutationen im Strukturgen für den λ-Repressor. Man wußte damals schon, daß diese Mutationen (vgl. § 9/6) einen Abbruch der Polypeptidsynthese bewirken und durch bestimmte Suppressoren überwunden werden können.

Im Jahre 1966 schließlich gelang die Isolierung des Lac-Repressors durch GILBERT und MÜLLER-HILL[2], im nächsten Jahr die des λ-Repressors durch PTASHNE[3]. Beide Repressoren wurden als Proteine identifiziert. Da ja normalerweise nur ein paar Dutzend Repressor-Moleküle pro Zelle existieren, mußten zu deren Isolierung besondere technische Tricks angewandt werden:

Für die Reinigung des Lac-Repressors mußte — wie für die eines jeden Proteins — ein Test zur Verfügung stehen, mit dessen Hilfe die spezifische Aktivität während der Reinigungsprozedur verfolgt werden konnte. Dieser Test beruhte auf der Affinität des Repressors zum (physiologisch nicht vorkommenden) Effektormolekül IPTG (Isopropyl-β-D-thiogalactosid). Radioaktiv markiertes IPTG wird, an den Repressor gebunden, nicht frei diffundieren können, so daß in Gegenwart des Repressors kein Dialysegleichgewicht zwischen einer Probe mit Repressor und einem Medium ohne Repressor eintreten sollte. Die Repressormenge pro Zelle ist aber so gering, daß der Test erst nach etwa 100facher Anreicherung des Repressors sensibel sein sollte. Um zu erreichen, daß ein so großer Reinigungsschritt nicht blind durchgeführt werden mußte, wurde zuerst eine Mutante isoliert, deren Repressor eine gesteigerte Affinität zum Effektor besaß. Davon wurde eine Heterogenote mit 2 Repressor-Genen hergestellt (zweifache Anreicherung). Dann wurden die Proteine dieser Zellen mit Spermin und Ammoniumsulfat fraktioniert und die einzelnen Fraktionen auf IPTG-Bindungskapazität geprüft.

So gelang schließlich die Isolierung eines Proteins, das nicht nur IPTG bindet, sondern — wie sich dann zeigen ließ — selber auch gebunden wird von DNA mit dem Lac-Operator. Benutzt wurde die DNA eines temperenten Phagen (ein Kreuzungsprodukt von Φ80 und λ), in den der Lac-Operator von E. coli eingebaut war. DNA mit einem O^c-Operator zeigte nur eine schwache Bindungsfähigkeit zum isolierten Repressor, und DNA ohne die Operatorregion war völlig inaktiv. Eine weitere Stütze und zugleich eine Bestätigung für die in § 10/4 gegebene Interpretation des Superrepressors war folgendes Zusatzergebnis: Protein, das nach dem gleichen Verfahren aus einer Mutante mit einem Superrepressor isoliert wurde, besaß nicht die Fähigkeit, den Effektor zu binden.

Das Repressor-Protein besitzt ein Molekulargewicht von etwa 150000 und läßt sich in vier gleiche Untereinheiten zerlegen.

Die Isolierung des Lac-Repressors wird heute erleichtert durch die Existenz von Mutanten, bei denen die Synthese des Repressors vielfach gesteigert ist. Es handelt sich hier vermutlich um Mutationen im postulierten Promotor des Repressor-Strukturgens (vgl. § 10/7).

Bei der Isolierung des λ-Repressors erhielt man ein Protein mit dem Molekulargewicht von 30000, das nur von solchen Phagenstämmen produziert wird, bei denen der Repressor auch genetisch nachweisbar ist. Stämme mit temperatursensitivem Repressionsmechanismus ergaben nach Reinigung auch ein verändertes Repressorprotein. Der λ-Repressor zeigte spezifische Bindungsfähigkeit an λ-DNA, nicht aber an die DNA anderer Phagen. Darüber hinaus ließ sich in vitro die Synthese von λ-mRNA durch diesen Repressor blockieren[4].

Die Isolierung des Repressors ermöglicht auch die chemische Gewinnung des Operators: Bindet man Repressoren an DNA und baut dann die DNA durch Nucleasen ab, so bleibt ein DNA-Fragment (der vom Repressor bedeckte Operator) übrig. GILBERT[5] konnte so den Operator des Lac-Operons isolieren und dessen Länge zu ca. 20 Nucleotiden bestimmen.

Literatur zu § 10/6:

[1] BERTANI, L. E.: Virology **13**, 378 (1961).
[2] GILBERT, W., and B. MÜLLER-HILL: Proc. nat. Acad. Sci. (Wash.) **58**, 2415 (1967).
[3] PTASHNE, M.: Nature (Lond.) **214**, 232 (1967).
[4] ECHOLS, H. et al.: Proc. nat. Acad. Sci. (Wash.) **59**, 1016 (1968).
[5] GILBERT, W.: 1970. Vortrag in Köln.

10/7   Der Promotor

In der bisherigen Darstellung der Regulation eines Operons hatte der Operator zwei Funktionen: 1. als spezifischer Anheftungsort für den Repressor, 2. als spezifische Ansatzstelle für die RNA-Polymerase bei Abwesenheit des Repressors. Unser Modell behandelte — der historischen Entwicklung folgend — beide Funktionen als eine Einheit. Im gut untersuchten Galactose-Operon hat man auch bisher keinen genetischen Grund, diese beiden Funktionen zu trennen. Im Falle des Lac-Operons dagegen ist man heute überzeugt von der Existenz verschiedener, unmittelbar benachbarter DNA-Abschnitte, die je eine Funktion versehen: Der „Operator" im engeren Sinne wäre nur die Ansatzstelle für den Repressor, und der danebenliegende „Promotor" wäre die spezifische Aufsprungstelle für die RNA-Polymerase[1].

Wie viele genetische Elemente wurde auch der Promotor zuerst durch seine Defektmutanten identifiziert. Bei der Untersuchung von Coli-Mutanten, die Lactose nur sehr schlecht vergären konnten, fanden sich solche, deren Lac-Operon zwar induzierbar war, die aber nach voller Induktion nur einen Bruchteil der β-Galactosidase- und Permease-Aktivität des Wildtyps besaßen. Wenn diese Mutanten reprimiert wurden, fiel bei ihnen die Synthese beider Enzyme koordiniert auf nur einen Bruchteil des Niveaus des reprimierten Wildtyps. Die Reaktion des Repressionsmechanismus auf den Induktor war offenbar normal (im Gegensatz zu R^s-Mutanten).

Die Mutanten produzierten also in allen Lebenslagen weniger Lac-Enzyme als der Wildtyp. Sie waren alle in einem engen Bereich „links" von der Operator-Region kartierbar. Dieser Bereich ist offenbar entscheidend für die wirksame Transcription des Operons durch die RNA-Polymerase. Deren Aufsprungstelle ist — auch bei freiliegendem Operator — wegen einer Mutation weniger attraktiv. Erstreckt sich eine Deletion in diesen „Promotor"-Abschnitt der DNA, so ist die Transcription des ganzen Lac-Operons verhindert[2].

Die Interpretation des Promotors als Aufsprungstelle für Polymerase verlangt natürlich, daß diese im Lac-Operon vom Operator aus über Galactosidase und Permease zur Transacetylase läuft. Dies konnte z. B. durch folgende zwei Versuche[3] gezeigt werden:

1. In einer Coli-Kultur wurde das Lac-Operon durch Zugabe eines Effektors (IPTG) induziert, dann die Kinetik der Induktion von Lac-Enzymen verfolgt. Die Synthese von Transacetylase (am Ende des Operons) stieg etwa 1 min später an als die der β-Galactosidase (gleich hinter dem Operator). Diese Verzögerung wurde geringer, wenn das Transacetylase-Gen durch eine Deletion dem Operator nähergebracht wurde.

2. Man induziert das Lac-Operon in Gegenwart von 5-Fluoro-Uracil. Der Einbau dieses Uracil-Analogs führt zu einem funktionsunfähigen Messenger. Ersetzt man jetzt 5-Fluoro-Uracil durch Uracil und nimmt gleichzeitig den Induktor heraus (durch Verdünnen), so werden zwar unter 5-FU angefangene Messenger — jetzt mit Uracil — fertiggestellt, aber keine neuen Messenger begonnen. Man findet dann nur Transacetylase, aber keine β-Galactosidase. Offensichtlich wird der Messenger-Abschnitt für die Transacetylase als letzter hergestellt.

Der Promotor, der ursprünglich anhand von Daten postuliert wurde, die heute anders interpretiert werden[1], ist recht klein. Er umfaßt zusammen mit dem Operator wohl weniger als 100 Nucleotide[4] (ein Polymerase-Molekül überdeckt etwa die Länge von 50 Nucleotidpaaren der DNA). Deswegen ist auch die Frage nicht sehr kritisch, ob die RNA-Polymerase bereits die DNA-Sequenz des Operators transcribiert oder die mRNA-Synthese erst beim Strukturgen beginnt.

Es ist im Falle des Lac-Operons — geschweige denn bei anderen Operonen — noch nicht entschieden, ob ein völliges Nebeneinander von Promotor und Operator existiert. Es ist durchaus denkbar, daß die DNA-Abschnitte für diese beiden Systeme sich in verschiedenen Operonen verschieden weit überlappen. Entscheidend ist nur die Tatsache, daß auf der DNA zwei (eventuell überlappende) Bereiche mit Affinitäten zu zwei Proteinmolekülen (RNA-Polymerase und Repressor) vorliegen müssen.

Interessant ist weiter die Frage, wie die Ablesung der Regulator-Gene kontrolliert wird. Wie wird die Repressor-Synthese auf ihrem niedrigen Niveau gehalten? Wer bewacht unsere Wächter? Es ist beinahe eine logische Forderung anzunehmen, daß Regulator-Gene normalerweise Promotoren mit nur geringer

Affinität für ein Polymerase-Molekül besitzen. Dann würden Regulator-Gene nur gelegentlich transcribiert. Eine solche Annahme, schematisch durch die Dicke der schwarzen Pfeile in Abb. 10,10 dargestellt, ist zwar noch nicht bewiesen, wird aber gestützt durch die in § 10/6 erwähnten Mutanten mit gesteigerter Repressor-Produktion. Durch eine Änderung im Promotor des Regulator-Gens mag hier die Affinität zur Polymerase vergrößert sein.

Bei Salmonella ist auch ein schwacher „Nebenpromotor" (zusätzliche Aufsprungstelle für RNA-Polymerase) innerhalb des Tryptophan-Operons identifiziert worden, der die Transcription nur der letzten drei unter den fünf Genen des Operons ermöglicht[5]. In diesem System wurden sogar Mutationen isoliert, die mitten in einem Strukturgen neue (sehr schwache) Promotoren entstehen ließen[6].

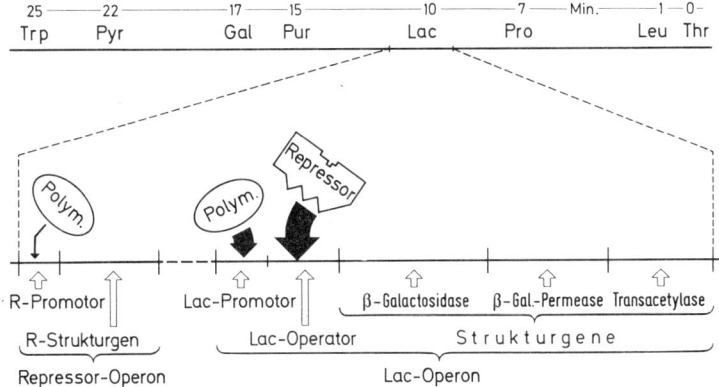

Abb. 10,10. Schema des Lac-Operons und seines Regulator-Gens. Oben der größere Abschnitt der Coli-Karte (vgl. S. 115)

Literatur zu § 10/7:

[1] EPSTEIN, W., and J. R. BECKWITH: Ann. Rev. Biochem. **37**, 411 (1968).
[2] IPPEN, K. et al.: Nature (Lond.) **217**, 825 (1968).
[3] KEPES, A.: Biochim. biophys. Acta (Amst.) **138**, 107 (1967).
[4] MILLER, J. et al.: J. molec. Biol. **38**, 413 (1969).
[5] BAUERLE, R. H., and P. MARGOLIN: J. molec. Biol. **26**, 423 (1967).
[6] WÜSTHOFF, G., and R. H. BAUERLE: J. molec. Biol. **49**, 171 (1970).

10/8   Weitere Einzelheiten zum Operon-Modell

Dieser Paragraph kann bei der ersten Lektüre des Buches übersprungen werden.

1. Einige interessante Mutanten

Das Auftreten von Mutanten mit neuen und unerwarteten Eigenschaften und die Erklärung ihrer Wirkungsweise im Rahmen des Operon-Modells stellt einen ständigen Test für die Richtigkeit bestehender Ansichten dar. Es sollen im folgenden drei Beispiele unter vielen gegeben werden.

1. Es wurde eine Coli-Mutante beschrieben, deren Lac-Operon dem (heterogenot vorhandenen) Lac-Repressor gegenüber sensibel ist, in der Gegenwart von Lactose aber unter die Kontrolle des Tryptophan-Operators gerät[1]. Die Erklärung

ist eine Deletion, die den Abschnitt der Strukturgene des Tryptophanoperons einschließlich des Lac-Promotors (nicht aber des Lac-Operators) umfaßt. Diese Beobachtung deutet an, daß der an seinen Operator angeheftete Lac-Repressor ein unüberwindliches Hindernis für die RNA-Polymerase darstellt, die vom Trp-Promotor herkommend dort steckenbleibt.

2. MARGOLIN u. Mitarb. (vgl. § 9/7) untersuchten das Leucin-Operon bei Salmonella. Die Mutante leu 500 ist eine spezielle Operatormutation. Überraschenderweise konnten kompensierende Mutationen (Deletionen) für diese gefunden werden, die weit entfernt zwischen den Operonen für Tryptophan und Cystein lagen[2] und oft mit einem Bedürfnis für Tryptophan oder Cystein oder für beide einhergingen.

MARGOLINs Deutung des Phänomens ist folgende: Die Mutation leu 500 verändert den Leucin-Operator so, daß er zwar noch auf seinen Repressor anspricht, aber zugleich Spezifität für einen *fremden* Repressor gewonnen hat, durch den er dauernd verschlossen wird. Dieser fremde Repressor wird von einem Regulator-Gen (zwischen *trp* und *cys* gelegen) produziert. Durch Deletion dieses Regulator-Gens wird der Fremdrepressor nicht mehr gebildet. Das Leucin-Operon kehrt so unter die Regulation seines eigenen Repressors zurück.

3. Im Lac-Operon sind mehrere dominante R⁻-Mutanten (R⁻ᵈ) beschrieben worden[3]: In einer Heterogenote vom Typ $R^{-d} z^-/R^+z^+$ (oder auch $R^{-d} z^+/R^+z^-$) war die Enzymsythese nämlich konstitutiv. Zur Erklärung wird angenommen, daß es sich um negative intragene Komplementation zwischen den Untereinheiten des Repressor-Moleküls handelt (vgl. § 9/8).

2. Polarität

In den Strukturgenen aller gut untersuchten Operonen findet man zwei Arten von Defektmutanten. Sie unterscheiden sich in ihrem Einfluß auf die Enzymsyntheserate der anderen (nicht mutierten) Gene desselben Operons:

1. **Nicht-polare Mutanten.** Die Defektmutation in einem Gen beeinflußt die Enzymsynthese in anderen Genen nicht.

2. **Polare Mutanten.** Die Defektmutation in dem einen Gen setzt die Syntheserate aller Gene des Operons herab, die in Leserichtung hinter dem mutierten Gen liegen. Die Gene zwischen dem Operator und dem mutierten Gen werden dagegen nicht beeinflußt. Die folgende idealisierte Tabelle von Mutanten des Histidin-Operons gibt die Wirkung solcher polarer Mutanten wieder.

Genanordnung:	Operator	G	D	C	B	H	A	F
Wildtyp (standardisierte Aktivität der entsprechenden Enzyme)	1	1	1	1	1	1	1
Nicht-polare Mutante 1	1	0	1	1	1	1	1
Nicht-polare Mutante 2	1	1	0	1	1	1	1
Polare Mutante 3	1	1	1	0	0,4	0,4	0,4
Polare Mutante 4	1	0	0,2	0,2	0,2	0,2	0,2
Polare Mutante 5	0	0,5	0,5	0,5	0,5	0,5	0,5
Polare Mutante 6	1	1	0	0,1	0,1	0,1	0,1

Idealisiert nach AMES, B. N., and P. E. HARTMANN: Cold. Spr. Harb. Symp. quant. Biol. **28**, 349 (1963).

Die Polarität von Mutanten muß auf einem Terminator-Codon beruhen[1]. Bei allen polaren Mutanten nämlich reduzieren Suppressoren für amber oder ochre (vgl. § 9/6) die Polarität entsprechend dem allgemeinen Wirkungsgrad des benutzten Suppressors. (Die einzige Ausnahme von dieser Supprimierbarkeit ist eine merkwürdige Gruppe polarer Mutanten, deren Polarität auf die Insertion eines großen DNA-Stückes zurückzuführen ist[4].) Fehlsinn-Mutationen sind niemals polar.

Wie wird nun solche Polarität erklärt und wie speziell die Beobachtung, daß die Polarität um so stärker ist, je weiter der Mutationsort in Leserichtung vom Ende des mutierten Gens entfernt liegt?

Normalerweise ist bei der Translation einer mRNA praktisch der ganze Messenger mit dicht an dicht wandernden Ribosomen bedeckt (vgl. Tafel 26 u. 27), die die mRNA vor dem Zugriff von Nucleasen schützen. Wenn man nun annimmt, daß Ribosomen an der Stelle des Terminator-Codons die schon synthetisierte Peptidkette abgeben, dadurch ausgerastet werden und dann schnell über den Messenger hinwegrutschen bis sie am nächsten Initiatorcodon aufgefangen und wieder eingerastet werden, würde der mRNA-Abschnitt zwischen dem Terminator-Codon und dem Beginn des folgenden Gens unbedeckt sein. (Genau der gleiche Effekt würde entstehen, wenn das Terminator-Codon Ribosomen abwerfen würde und diese erst am nächsten Initiator-Codon wieder aufspringen würden.)

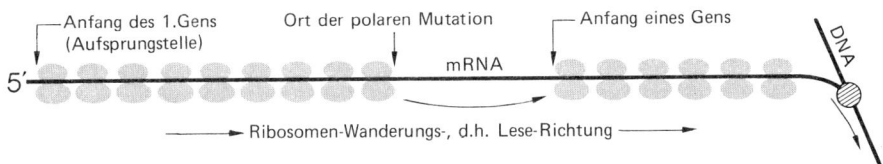

In jedem Fall könnte eine Endonuclease in diesem nackten Bereich die mRNA zerschneiden — und das um so wahrscheinlicher, je länger dieser Bereich ist.[5] Das abgeschnittene linke Stück mit dem Anfang des ersten Gens würde weiterhin Ribosomen annehmen und abgelesen werden. Der rechte (evtl. noch an der DNA hängende) hintere Teil des Messengers würde keine Ribosomen mehr aufnehmen (wenn Ribosomen prinzipiell nur am Anfang des ersten Gens aufspringen könnten) oder mit seinem heraushängenden 5'-Anfang schnell eine Exonuclease einfangen, die sofort die mRNA für die hinteren Gene abbauen würde. In jedem Fall würden die vorne im Operon liegenden Gene häufiger abgelesen als diejenigen hinter dem Terminator-Codon. Dieser ganze Vorgang tritt in der normalen Situation am Ende eines Gens nicht ein, da der Initiator des folgenden Gens sehr nahe benachbart ist.

Diese Vorstellungen zum Polaritäts-Mechanismus werden unterstützt durch das Verhalten einer anderen Gruppe von völlig unspezifischen Suppressoren für polare Mutanten in beliebigen Genen. Diese supprimieren — im Gegensatz zu den amber- und ochre-Suppressoren — nur die polare Wirkung auf nachfolgende Gene, nicht die Wirkung im betroffenen Gen selbst, d.h. in Verlängerung der Tabelle von S.298

	G	D	C	B	H	A	F
Polare Mutante 4	1	0	0,2	0,2	0,2	0,2	0,2
dito mit amber-Suppressor	1	0,3	0,5	0,5	0,5	0,5	0,5
dito mit Polaritäts-Suppressor	1	0	0,8	0,8	0,8	0,8	0,8

Es ist naheliegend, diese Art von allgemeiner Polaritäts-Suppression durch den hier auch nachgewiesenen Defekt[5A] einer beteiligten RNase zu deuten.

Es ist seit Jahren eine unklare Frage, ob ein solches Abschneiden der hinteren Gene einer mRNA auch in der Normalsituation als Regulationsmechanismus benutzt wird oder nicht. Es besteht nämlich für die möglichst ökonomische Funktion eines Operons das folgende Problem:

Der bisher diskutierte Regulations-Mechanismus der Enzym-Synthese würde stets zu äquimolaren Mengen aller Protein-Moleküle eines Operons führen, obwohl zweifellos die pro Zeiteinheit von den einzelnen Enzymmolekülen einer Synthese-Kette umgesetzten Substratmengen recht unterschiedlich sein würden. Im Idealfall müßten also von den „schnellarbeitenden" Enzymen weniger Exemplare vorhanden sein als von ihren „langsamen" Arbeitskollegen innerhalb der Synthese-Kette. Wäre die Reihenfolge der Struktur-Gene eines Operons nach diesem Gesichtspunkt geordnet, so könnte ein „Polaritätsgradient" für gerade die richtige Menge von jedem Enzym sorgen.

Bisher konnte diese Frage an mindestens 5 verschiedenen Operonen untersucht werden. In 3 Fällen (beim Galaktose-, Arabinose- und beim Tryptophan-Operon) scheinen die Enzyme der einzelnen Struktur-Gene in äquimolaren Mengen synthetisiert zu werden. Dagegen ist im Laktose-Operon das Produkt des vorne liegenden z-Gens (β-Galactosidase) 4—5 mal häufiger als das des am Ende liegenden a-Gens (Transacetylase). Ähnlich ergab sich[6] beim Histidin-Operon für 4 gemessene Enzyme eine relative Translations-Häufigkeit von etwa $3:1:1:1$. Die Zahl der Beispiele erlaubt noch keinen endgültigen Schluß zu dieser Frage, besonders deshalb, weil auch für die gleiche Enzym-Serie im Laufe der Jahre verschiedene Ergebnisse berichtet wurden.

Während bei polaren Mutanten der vorzeitige Abbau von Teilen der mRNA von freien Nucleasen abhängt, beruht der normale Abbau eines Messengers auf einer RNase-Wirkung (RNase V), die an die Ribosomen selbst gebunden ist[6A]. Der Abbau findet nämlich nur bei gleichzeitiger Translation statt. Ist die Proteinsynthese blockiert (z. B. durch Chloramphenicol-Zugabe), so bleibt die mRNA stabil. Es sieht so aus, als ob jedes Ribosom, das sich Synthese-bereit am Anfang des Messengers befindet, eine Zufallsentscheidung trifft zwischen Translation (häufig) und mRNA-Abbau (selten). Man glaubt, daß diese Entscheidung beeinflußt wird zugunsten der Translation durch (an G-Faktor gebundenes) cyclisches AMP (cAMP)[6B]. Dieses würde durch Verlängerung der Lebenserwartung eines Messengers regulatorisch auf dem Translationsniveau wirken (vgl. § 10/10).

3. Die wirklichen Effektoren

Eine Frage, die für das Verstehen des Operon-Modells nicht von Bedeutung ist, aber physiologisch gesehen interessant erscheint, ist folgende: Sind die Effektoren identisch mit den entsprechenden Kleinmolekülen, die experimentell den Bakterien zugänglich gemacht werden, oder werden diese von der Zelle erst zu „wirklichen" Effektoren verarbeitet? Ist z. B. Lactose tatsächlich das Kleinmolekül, das mit dem Lac-Repressor, und Histidin dasjenige, das mit dem His-Repressor reagiert? Experimentelle Daten sprechen in diesen und anderen Fällen dagegen.

1. Beim Lactose-Operon wurde festgestellt[7], daß Lactose zuerst in andere β-Galactosidverbindungen — die wirklichen Effektoren — umgewandelt werden muß. Diese Umwandlung geschieht durch die selbst bei völliger Repression in geringen Mengen vorhandene β-Galactosidase. Das erklärt, warum Lactose bei z^--Mutanten gar nicht als Induktor (der Permease-Synthese) wirken kann. Werden aber Substanzen, die unmittelbar mit dem Repressor reagieren (wie das physiologisch nicht vorkommende Isopropyl-β-D-thiogalactosid, kurz IPTG) gegeben, so ist auch bei diesen Mutanten die Induktion normal.

2. Es wurde bei E. coli beobachtet[8], daß α-Methyl-Histidin auch in Gegenwart von Histidin „Derepression", d.h. Öffnung des Histidin-Operons herbeiführt. Histidinmoleküle werden nämlich daran gehindert, ihre Effektorwirkung auszuüben. Die Störung durch das α-Methyl-Histidin wurde auf eine kompetitive Hemmung des Histidin-aktivierenden Enzyms zurückgeführt; α-Methyl-Histidin verhindert also das Beladen von tRNA mit Histidin. Diese und weitere Beobachtungen mit besonderen Mutanten der His-Regulation rechtfertigen die Annahme, der wirkliche Effektor des His-Repressors sei Histidyl-tRNA.

3. Auch bei der Regulation der Valin-Synthese scheint der eigentliche Effektor Valyl-tRNA zu sein: eine Coli-Mutante mit temperatursensitivem Valin-aktivierendem Enzym ist bei höherer Temperatur konstitutiv für die Enzyme von zwei der drei an Valin-Synthese beteiligten Operonen. (Die Synthese von Valin, Isoleucin und Leucin geht über teils gemeinsame, teils getrennte Syntheseschritte, deren Regulationsmechanismen komplex miteinander verkettet sind[9].) Weiter wird beim Wildtyp in Gegenwart des Valin-Analogs α-Amino-Buttersäure die Enzym-Synthese in einem Valin-Operon konstitutiv, da — ebenso wie beim Histidin — die Beladung von Valin-spezifischer tRNA verhindert wird. α-Amino-β-Chlor-Buttersäure (ein anderes Analog) hingegen kann ebenso wie Valin mit tRNA reagieren und ist daher auch in der Lage, die Enzym-Synthese im entsprechenden Operon zu reprimieren[1].

Auch bei der Regulation der Isoleucin- und Leucin-Synthese ist die beladene $tRNA^{Ile}$ bzw. $tRNA^{Leu}$ der Effektor. Trotz umfangreicher Versuche über Tryptophan- und Tyrosin-Regulation waren noch keine endgültigen Schlüsse auf den wirklichen Effektor möglich; bei der Regulation der Arginin-Synthese spielt wenigstens die normale Arginyl-tRNA keine Rolle[10].

Diese kurze Übersicht zeigt, daß jedes einzelne Regulationssystem gründlich untersucht werden muß, bevor der wirkliche Effektor identifiziert werden kann.

4. Regulation der Synthese von tRNA und rRNA

Überträgt man Tryptophan-bedürftige Colizellen aus einem Trp-haltigen in ein Trp-loses Medium, so endet nicht nur die Proteinsynthese, sondern zugleich auch die Produktion neuer tRNA und rRNA. (Die Synthese von mRNA bleibt dagegen erhalten[11]). Das gleiche Phänomen ist bei anderen Aminosäure-Auxotrophien zu beobachten.

Die direkte Ursache der Synthesehemmung für die beiden RNA-Arten ist aber kaum das Fehlen einer Aminosäure, denn diese Repression kann auch im Coli-Wildtyp bei Anwesenheit aller Aminosäuren durch Zugabe von 5-Methyl-Tryptophan erzielt werden. Dieses Tryptophan-Analogon verhindert das Beladen von $tRNA^{Trp}$. Diese Situation ist physiologisch einem Trp-Mangel zu vergleichen.

Der gleiche Effekt tritt auf bei Versuchen an der (schon unter Punkt 3 erwähnten) Mutante mit Temperatur-empfindlicher Valin-tRNA Synthetase, die bei
42^0 C tRNA^{Val} nicht mehr beladen kann. Die Zellen dieses Stammes stellen nämlich bei 42^0 C nicht nur die Proteinsynthese, sondern auch die Produktion von
tRNA und rRNA ein.

Demnach sollte also entweder

1. das Aufhören der Proteinsynthese selbst oder

2. der Aufstau von vielen beladenen tRNA-Molekülen oder

3. das Nicht-Beladensein einer tRNA-Spezies die Repression der tRNA- und
rRNA-Produktion bewirken. Leider stehen alle drei Erklärungen im Widerspruch
zu diesem oder jenem Experiment:

1. Bekanntermaßen blockiert Chloramphenicol die Proteinsynthese, ohne daß
dadurch die RNA-Synthese reprimiert würde (Widerspruch zu 1).

2. In Gegenwart von Chloramphenicol (das durch Einwirkung auf Ribosomen
die Proteinsynthese blockiert) findet das Beladen von tRNA ungehindert statt,
ohne daß Repression einträte (Widerspruch zu 2).

3. Das Antibiotikum Trimethoprim läßt ebenfalls das Beladen von tRNA zu,
hemmt aber die Protein-Synthese, indem es die Formylierung des Methionins (an
seiner tRNA hängend) verhindert (vgl. § 9/4). Obwohl alle tRNA-Spezies beladen
sind, wird die Produktion von tRNA und rRNA reprimiert (Widerspruch zu 3).

Guter Rat ist teuer! Entweder ist eines der Experimente aus noch unbekann-
tem Grund nicht schlüssig oder der Mechanismus der Repression ist komplexer
als bisher angenommen oder beides trifft zu.

Einen Hinweis auf Komplexität liefern gewisse Mutanten, die Rel$^-$-Stämme
(Rel$^-$= relaxed), die in dem diskutierten Regulationsmechanismus defekt sind.
[Im Gegensatz zu diesen werden die normalen, also regulationsfähigen Rel$^+$-
Stämme „stringent" (angespannt) genannt.] Rel$^-$-Zellen synthetisieren nämlich
tRNA und rRNA ungestört weiter trotz Hemmung der Proteinsynthese in Gegenwart von 5-Methyl-Tryptophan oder Trimethoprim. Sind sie zugleich auxotroph,
so reprimieren sie auch nicht die RNA-Synthese bei Entzug der für sie notwendigen
Aminosäure. Ebenso setzen sie bei 42^0 C die RNA-Produktion fort, wenn sie
die Temperatur-empfindliche Valin-tRNA-Synthetase besitzen. Solche relaxed-
Stämme sind nun bisher an drei verschiedenen Stellen der genetischen Karte
gefunden worden[11] — ein gutes Indiz für einen komplexen Mechanismus.

Ein möglicher Ansatzpunkt zur Klärung dieser rätselhaften Regulation ist
vielleicht das Auftreten von zwei ungewöhnlichen Guanin-Nucleotiden in Rel$^+$-
Stämmen bei Hemmung der Proteinsynthese. Diese Nucleotide (eines ist das
Guanosin-Tetraphosphat ppGpp[12]) werden in Rel$^-$-Stämmen nicht gefunden.

Zur Bildung der beiden Nucleotide ist aber ein wenig RNA-Synthese notwendig. Zugabe des Antibiotikums Rifampicin, das die Initiation jeglicher RNA-
Synthese blockiert, verhindert nämlich die Entstehung der Nucleotide[13].

Für eine Effektor-Rolle des ppGpp spricht dessen Bindung an ein neuent-
decktes Aktivator-Protein, den sogenannten ψ-Faktor (psi), der sich mit ppGpp
beladen nicht mehr an die RNA-Polymerase anlagert.

Der ψ-Faktor ermöglicht spezifisch die Ablesung der Gene für rRNA und
tRNA[14] (positive Kontrolle).

Soweit die Tatsachen, die natürlich neue Fragen aufwerfen: Wie entsteht ppGpp? Etwa über ein cyclisches Guanosin-Tetraphosphat, das seinerseits aus pppGp entsteht, welches als letztes Nucleotid aufträte beim Abbau einer rRNA vom 3'-Ende her? Wird etwa alle Überschuß-rRNA, für die es keine ribosomalen Proteine gibt, so abgebaut und liegt darin die Notwendigkeit der RNA-Synthese für die Bildung von ppGpp?

Literatur zu § 10/8:

[1] Review: MARTIN, R. G.: Ann. Rev. Genet. **3**, 181 (1969).

[2] MUKAI, F. H., and P. MARGOLIN: Proc. nat. Acad. Sci. (Wash.) **50**, 140 (1963).

[3] DAVIES, J., and F. JACOB: J. molec. Biol. **36**, 413 (1968).

[4] JORDAN, E. et al.: Molec. Gen. Genetics **102**, 353 (1968).

[5] MORSE, D. E., and C. YANOFSKY: In: RNA-Polymerase and Transcription, p. 204. North-Holland Publ. Co. Amsterdam, 1970.

[5A] CARTER, T., and A. NEWTON: Proc. nat. Acad. Sci. (Wash.) **68**, 2962 (1971).

[6] WHITFIELD, H. J., Jr., et al.: J. molec. Biol. **49**, 245 (1970).

[6A] KUWANO, M. et al.: Proc. nat. Acad. Sci. (Wash.) **64**, 693 (1969).

[6B] KUWANO, M., and D. SCHLESINGER: Proc. nat. Acad. Sci. (Wash.) **66**, 146 (1970).

[7] BURSTEIN, C. et al.: Biochim. biophys. Acta (Amst.) **95**, 634 (1965).

[8] SCHLESINGER, S., and B. MAGASANIK: J. molec. Biol. **9**, 670 (1964).

[9] RAMAKRISHNAN, T., and E. A. ADELBERG: J. Bact. **89**, 661 (1965). Review über Regulation verzweigter Syntheseketten: DATTA, P.: Science **165**, 556 (1969).

[10] HIRSHFIELD, I. N. et al.: J. molec. Biol. **35**, 83 (1968).

[11] SARKAR, S., and K. MOLDAVE: J. molec. Biol. **27**, 41 (1967).

[12] CASHEL, M., and B. KALBACHER: J. Biol. Chem. **245**, 2309 (1970).

[13] WONG, J. T.-F., and R. N. NAZAR: J. Biol. Chem. **245**, 4591 (1970).

[14] TRAVERS, A.: Nature N. B. **229**, 69 (1971). Reviews: EDLIN, G., and P. BRODA: Bact. Rev. **32**, 206 (1968). RYAN, A., and E. BOREK: Progr. Nucl. Ac. Res. **11**, 193 (1971).

10/9   Positive Kontrolle

Am Anfang des Kapitels hatten wir gesehen, wie Operonen durch einen Repressor an der Informationsabgabe *gehindert* werden können (negative Kontrolle). Ohne aktiven Repressor, der das Operon unter Verschluß hält, wird dieses intensiv transcribiert. Die RNA-Polymerase hat also eine spontane Tendenz zur Ablesung solcher Gengruppen.

Sollten aber Promotoren ohne Spontan-Affinität zur RNA-Polymerase existieren, so könnte das entsprechende Schloß beliebig lange offen bleiben, ohne daß Transcription erfolgte. Man könnte dann aber einen Mechanismus postulieren, der dafür sorgt, daß durch Veränderung des Promotors oder der RNA-Polymerase (oder beider) eine Affinität zustande käme. Eine solche Veränderung würde durch das Produkt eines Regulator-Gens erzielt. Dieses Produkt wäre nur wirksam in An- bzw. Abwesenheit eines Effektors, der als „Aktivator" fungierte.

Es ist das Verdienst von ENGLESBERG und Mitarbeitern[1], das erste Beispiel „positiver Kontrolle" — beim Arabinose-Operon von E. coli — gefunden zu haben. Arabinose ist ein Zucker, der ähnlich der Galactose oder Lactose von der Colizelle als Energie- und Kohlenstoffquelle benutzt werden kann. Es sei vorweggenommen, daß es keine auf der Hand liegenden Gründe gibt, weswegen die Vergärung des einen Zuckers negativ, die des anderen positiv kontrolliert werden sollte. Im Normalfall führen beide Systeme zur selben Wirkung: In Abwesenheit von Substrat werden die Enzyme des entsprechenden Operons nicht synthetisiert; bei negativer Kontrolle (spontane Affinität zwischen RNA-Polymerase und Promotor) blockiert der aktive Repressor, bei positiver Kontrolle (keine spontane Affinität zwischen RNA-Polymerase und Promotor) bleibt der Aktivator (der erst diese Affinität herbeiführen kann) träge. In Gegenwart von Substrat (Effektor) wird bei negativer Kontrolle der Repressor inaktiviert, bei positiver Kontrolle der Aktivator „angespornt", d. h. befähigt, seinerseits die Genablesung zu stimulieren.

Wie aber werden die beiden Mechanismen experimentell überhaupt unterschieden? Dies ist durch die Analyse von Defektmutanten in den verschiedenen Genen möglich: Das Arabinose-Operon, bestehend aus drei Strukturgenen, wird durch Arabinose (Effektor) induziert. Die Induktionsfähigkeit ist gestört durch Mutationen in einem Regulator-Gen (das Struktur-Gen des Aktivators, das wir A nennen wollen). Dieses ist eng mit dem Ara-Operon gekoppelt. Anders als die konstitutiven R^--Mutanten der negativen Kontrolle zeigen A^--Defektmutanten keinerlei Enzymsynthese und können nicht induziert werden. Im Gen A werden aber auch seltene konstitutive Mutanten A^c gefunden, die phänotypisch mit den R^--Mutanten des Lac-Operons zu vergleichen sind insofern, als in beiden die Enzyme des entsprechenden Operons auch in Abwesenheit vom Effektor synthetisiert werden. Die Interpretation ist bei A^c Mutanten jedoch anders: Der vom A-Gen codierte Aktivator ist offenbar vom Effektor unabhängig geworden und in der Lage, die Enzymsynthese auch ohne Arabinose zu stimulieren. Die Unterschiede zur Regulation des Lac-Operons werden deutlich an Versuchen mit Heterogenoten. So ist A^c dominant über A^-. (Beim Regulator-Gen der negativen Kontrolle ist R^s dominant über R^-.)

Bei Deletionen des A-Locus kann Arabinose nicht als Induktor wirken. Von diesen Deletionsmutanten wurden weitere Mutanten isoliert, die die Fähigkeit, Arabinose zu vergären, zurückgewonnen hatten. Diese zusätzlichen Mutationen können natürlich nicht auf dem fehlenden A-Locus liegen. Die Kartierung zeigte, daß sie unmittelbar vor dem ersten Struktur-Gen lagen. Phaenotypisch bedingten sie die konstitutive Synthese der Enzyme des Ara-Operons. Dieser Bereich kann daher als Promotor angesehen werden, der durch die Mutation eine vom Regulator unabhängige Affinität zur RNA-Polymerase gewonnen hat. Diese Mutanten, I^c (Initiation constitutiv), sollten nur die Transcription der auf derselben Struktur liegenden Gene stimulieren. Tatsächlich wirken sie nicht in der „trans"-Situation bei Heterogenoten. Kein durch das Plasma diffundierender Faktor ist also im Spiel.

I^c-Mutanten produzieren aber nur etwa 1—10 % der Enzymmenge, die dem vollinduzierten Wildtyp entspricht. Die Affinität zur RNA-Polymerase ist also trotz der Mutation relativ gering geblieben. Wird ein normales Regulator-Gen A^+ in eine solche I^c-Zelle gebracht (Heterogenote), so läßt sich die Enzymsynthese bis zum Normalniveau stimulieren. Die I^c-Mutation hat also keine Unempfindlichkeit gegenüber dem Aktivator zur Folge gehabt.

Resultate, die für eine positive Kontrolle sprechen, wurden auch für die Gene der Rhamnose- und Maltose-Vergärung beschrieben. Auch bei Pilzen sind zahlreiche Indizien für positive Kontrolle bekannt[2].

Während bei der negativen Kontrolle der RNA-Polymerase der Zugang zu den Struktur-Genen mechanisch durch einen (allosterisch regelbaren) Repressor versperrt wird, ist bei positiver Kontrolle im Ruhezustand (keine Genablesung) die Affinität zwischen Promotor und RNA-Polymerase nicht vorhanden und wird erst durch einen (allosterisch regelbaren) Aktivator erzeugt. Im dargelegten Modell der positiven Kontrolle blieb noch offen, ob der Aktivator den Promotor oder die RNA-Polymerase verändert, um Affinität zwischen beiden zu erzielen.

In diesem Zusammenhang müssen wir auf den schon in § 8/8 diskutierten σ-Faktor zurückkommen. Wie wir gesehen hatten, schärfte dieser Faktor die Spezifität für bestimmte Promotoren. Dieser Effekt ist ein molekular verstandener Spezialfall positiver Kontrolle.

Ein deutliches Beispiel hierfür ist die Infektion von Coli-Zellen durch T4-Phagen[3]: Die in der Zelle vorgefundene Polymerase mit ihrem σ-Protein kann nur einen kleinen Teil des Phagengenoms (sehr frühe Funktionen) transcribieren. Unter diesen befindet sich aber ein Gen für ein phagenspezifisches σ-ähnliches Protein, das der RNA-Polymerase jetzt die Fähigkeit zur Ablesung weiterer Phagengene verleiht.

Ergebnisse, die eine Kontrolle der Genablesung durch ein Phagen-Gen beweisen, wurden auch an den Phagen T3 und T7 gewonnen[4]. Das Produkt dieses Gens, das offenbar für die Transcription anderer Phagen-Gene verantwortlich ist, wurde identifiziert als eine vom Phagen codierte RNA-Polymerase, die nur spezielle Promotoren auf der Phagen-DNA erkennen kann[4A].

Auch beim Phagen λ, dessen Regulation noch durch die Alternative Prophagen-Zustand: lytischer Zustand verkompliziert ist, sind viele Einzelheiten der Regulation durch positive und negative Kontrolle erkannt[5,6]. An diesem Beispiel konnte auch gezeigt werden, daß auf dem abzulesenden DNA-Strang Bereiche mit einer Anhäufung von Pyrimidin-Basen auftreten, die möglicherweise eng mit der DNA-Protein-Wechselwirkung zur Regulation zusammenhängen[6]. (Der komplementäre Strang trägt dann entsprechend eine Anhäufung von Purinen.)

JACOB und BRENNER[7] haben auch für die Regulation der *Replikation* des Bakteriengenoms ein Modell entwickelt, das auf „positiver" Kontrolle beruht. (Die DNA-Replikation bei Bakterien muß ja in irgendeiner Weise mit der Teilung der Zelle synchronisiert werden.)

Als Produkt eines Regel-Gens wurde hier ein „Initiator" eingeführt, der mit einem DNA-Abschnitt, dem „Replikator" reagieren muß, um eine Runde von Replikation für ein „Replikon" (strukturelle Replikationseinheit) zu ermöglichen. Der „Initiator" ist kurzlebig und wird jeweils am Ende eines Replikationszyklus synthetisiert. Im Gegensatz zu den anderen Beispielen positiver Kontrolle ist aber dieses Modell der DNA-Replikation noch rein hypothetisch. Es sind aber bereits Gene identifiziert worden, die mit der geordneten Replikation des Bakterien-chromosoms in Zusammenhang stehen (vgl. § 6/7). Weiter sind zu berücksichtigen die strukturellen Elemente, wie besondere Positionen an der Zellmembran, die als Haftstellen und vielleicht als Ort der Replikation für das Chromosom dienen. Es ist somit zu erwarten, daß auch hier — wie bei der RNA-Synthese — die heute bekannten einfachen Modelle sich noch verkomplizieren werden.

Literatur zu § 10/9:

[1] SHEPPARD, D. E., and E. ENGLESBERG: J. molec. Biol. **25**, 443 (1967).
[2] GROSS, S. R.: Ann. Rev. Genet. **3**, 395 (1969).
[3] BURGESS, R. A. et al.: Nature (Lond.) **221**, 43 (1969).
    TRAVERS, A. A.: Nature (Lond.) **223**, 1107 (1969).
    SCHMIDT, D. A. et al.: Nature (Lond.) **225**, 1012 (1970).
[4] HAUSMANN, R., and B. GOMEZ: J. Virol. **1**, 779 (1967).
[4A] CHAMBERLIN, M. et al.: Nature (Lond.) **228**, 227 (1970).
[5] HERSKOWITZ, I., and E. R. SIGNER: J. molec. Biol. **47**, 545 (1970).
[6] SZYBALSKI, W. et al.: J. Cell. Physiol. Suppl. 1, **74**, 33 (1969).
[7] JACOB, F., et S. BRENNER: C. R. Acad. Sci. (Paris) **256**, 298 (1963).
    Review über Replikation des Bakterienchromosoms:
    BONHOEFFER, F., and W. MESSER: Ann. Rev. Genet. **3**, 233 (1969).

10/10   Zyklisches AMP — ein Universal-Effektor

In den vorherigen Paragraphen haben wir gesehen, wie die Colizelle, den jeweiligen Umwelt-Verhältnissen angepaßt, Enzyme synthetisiert bzw. deren Synthese reprimiert. Wir haben dabei allerdings der Zelle z. B. nur Glucose *oder* nur Lactose als Energiequelle offeriert. Was passiert nun, wenn wir Glucose *und* Lactose anbieten?

Dieses Experiment führt uns zum sogenannten „Glucose-Effekt", dem Befund nämlich, daß in solchen Fällen viel *geringere* Mengen der Enzyme für den Abbau von Lactose zu Glucose und Galactose synthetisiert werden als nach dem Bisherigen zu erwarten wäre. Selbst bei optimalen Induktor-Konzentrationen (Lactose oder IPTG) ist die Syntheserate der Lac-Enzyme auf einige Prozente der maximalen Rate reduziert. Warum sollte auch die ökonomische Zelle Rohöl importieren und zu Benzin verarbeiten, wenn sie schon im Benzin schwimmt? Das gleiche wie für Lactose gilt für andere Energiequellen natürlich auch: in Gegenwart von Glucose werden nur geringe Enzym-Mengen zur Energiegewinnung aus anderen Substanzen, z. B. Maltose, Arabinose, Mannitol etc. synthetisiert, selbst wenn diese im Überfluß zur Verfügung stehen.

Der Fachausdruck für diese Regulation ist „katabolische Repression"[1], weil das Produkt eines *kata*bolischen Stoffwechsels jetzt die Synthese von Enzymketten zur Energiegewinnung aus anderen Quellen drosselt. Wie aber kann Glucose diese vielfältige regulatorische Wirkung ausüben?

In Umkehr der meist üblichen Entwicklung kam hier die Erhellung von höheren Organismen her, bei denen SUTHERLAND wichtige Erkenntnisse über die Wirkungsweise von Hormonen gewonnen hatte (vgl. § 10/13). Dort hatte sich das zyklische AMP als neues zentrales Steuerungselement für den Gesamtstoffwechsel erwiesen. In einer explosiven Entwicklung (Abb. 10,11) war die Bedeutung dieser Substanz mehr und mehr erkannt worden.

Sehen wir uns zunächst dieses Kleinmolekül selbst an: das zyklische (3'—5') Adenosinmonophosphat oder cAMP, dessen Existenz erst 1958 entdeckt und das erst 1965 in Mikroorganismen nachgewiesen wurde, entsteht aus ATP unter Abspaltung von Pyrophosphat. Diese Reaktion (Abb. 10,12) wird katalysiert durch das Enzym „Adenyl-Cyclase". Andererseits wird cAMP durch Öffnen der 3'-Phosphoesterbindung in normales AMP (5'-Adenosinmonophosphat) umgewan-

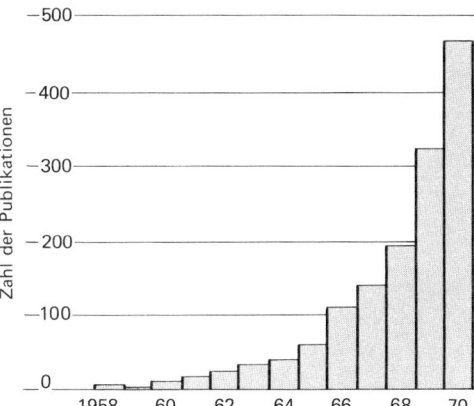

Abb. 10,11. Zahl der jährlichen Publikationen über zyklisches AMP. (Nach JOST und RICKENBERG.) Von Zufallsschwankungen abgesehen ist die Kurve sauber exponentiell. Dies ist ein schönes Beispiel für die exponentielle Entwicklung der Molekularbiologie und der damit verbundenen Informationsexplosion. Exponentielles Wachstum kann jedoch niemals ein Dauerzustand sein. In wenigen Jahrzehnten schon würde sonst alles überhaupt Gedruckte cAMP betreffen

delt. Diese Reaktion besorgt ein zweites Enzym, die „cAMP-Phosphodiesterase" (Abb. 10,12).

Die Konzentration von cAMP in einer Zelle wird durch die Aktivitäten dieser beiden Enzyme festgelegt. Andererseits wird sie entscheidend beeinflußt durch die An- oder Abwesenheit von Glucose. Ein Entzug von Glucose führt in Minuten zu hundertfachem Anstieg der cAMP-Konzentration und umgekehrt[2].

Abb. 10,12. Bildung und Hydrolyse der (3′—5′) Phosphodiesterbrücke beim zyklischen AMP

Da man die regulatorische Bedeutung von cAMP in höheren Organismen kannte, schien es möglich, daß auch der Glucose-Effekt bei Bakterien mit cAMP in Zusammenhang stand. Der logisch nächste Versuch war daher die Induktion von Lactose-Enzymen in Glucose-Gegenwart, aber unter gleichzeitiger Zugabe von cAMP, dessen hohe Konzentration einen Glucose-*Mangel* vortäuschte. Tatsächlich entsprach dann die Synthese-Rate des Lactose-Operons der normalen unter Glucose-Abwesenheit. Der allgemeine Regulations-Effekt der Glucose (katabolische Repression) muß also über das cAMP bewirkt werden.

Es ist leicht vorstellbar, daß eine allosterische Regulation der beiden cAMP-Enzyme (Adenyl-Cyclase und cAMP-Phosphodiesterase) durch Glucose bzw. deren Abbauprodukte erfolgt. Wie aber konnte eine erhöhte cAMP-Konzentration die Transcription bestimmter Operonen um ein Vielfaches steigern? (Gesteigert wird tatsächlich die Transcription und nicht die Translation, wie z.B. aus dem Auftreten von Mutationen im Lac-Promotor hervorgeht, die zu cAMP-unabhängigem Lesen des Operons führen[3].)

Da cAMP ja nicht Transcription schlechthin, sondern nur die von spezifischen Operonen beeinflußte, mußte nach allem, was wir bisher über Regulation gelernt haben, ein größeres Molekül als Mittler existieren, das Spezifität besaß einerseits zu cAMP, andererseits zu Regulationsstrukturen der beeinflußbaren Operonen. Bald war auch ein Protein, das cAMP spezifisch anlagerte, gefunden. Es wird CRP, das heißt einfach cAMP-Rezeptor-Protein, genannt (oder auch CAP, d.h. catabolite gene activator protein).

Mit gebundenem cAMP lagert sich CRP offenbar an den Promotor des Lactose-Operons an und macht diesen erkennbar für die mRNA-Polymerase[4]. Ohne cAMP-CRP wird also das Operon gar nicht oder nur selten gelesen. Dies trifft auch dann zu, wenn der Repressor den Operator gar nicht verschließt, sei es, weil dieser durch die Gegenwart des Induktors oder durch eine R^--Mutation inaktiv ist, oder weil der Operator durch Mutation die Affinität zum Repressor verloren hat (R^-- und O^c-Mutanten lassen sich also durch Glucose normal reprimieren).

Dieses hier etwas dogmatisch beschriebene Bild der cAMP-bedingten Regulation des Lac-Operons hat sich vor allem aus Versuchen ergeben, die wohl als die Krönung der bisherigen in vitro-Technik anzusehen sind und in denen eine regulierte Synthese der Lactose-mRNA gelang, wobei folgende 9 Elemente mitwirken:

1. Lac-DNA (aus Lac-transduzierenden Phagen, vgl. § 9/4,5);
2. RNA-Polymerase;
3. σ-Faktor;
4. Nucleosid-Triphosphate (ATP, GTP, UTP, CTP);
5. CRP;
6. cAMP;
7. Induktor (IPTG);
8. Lac-Repressor (vgl. § 10/6);
9. ϱ-Faktor (zur Termination der Transcription, vgl. § 8/8).

Dieses verblüffende System[4], in dem die in vivo Regulations-Mechanik nachverfolgt werden kann, zeigt, daß uns kaum noch wesentliche Aspekte der Regulation des Lac-Operons entgangen sein können*.

Die Kontrolle des Lac-Operons entpuppt sich damit als nicht „rein" negativ, sondern zeigt in der Abhängigkeit vom cAMP-CRP *Aktivator* ein Element *positiver* Kontrolle, das sich der *negativen* Kontrolle durch den Lac-Repressor noch vorschaltet. Dies gilt offenbar für alle vom Glucose-Effekt betroffenen Operonen. Interessanterweise ist auch das *positiv* kontrollierte Arabinose-Operon (vgl. § 10/9) der übergeordneten Regulation dieser Repression unterworfen.

---

* Nur ein Punkt kann in diesem System noch nicht ganz durchschaut werden: es ist die Rolle des Guanosin-Tetraphosphates (ppGpp), das die in vitro Transcription des Lac-Operons merklich hemmt. Da dieses geheimnisvolle Nucleotid auch bei der in vivo Regulation der tRNA- und rRNA-Synthese eine Rolle spielt (vgl. § 10/8), kann diese Hemmung nicht ohne weiteres als unspezifisch abgetan werden.

Das Bild der katabolischen Repression wird abgerundet durch das Vorkommen von Mutanten wie (a) Defekt-Mutanten des CRP[5], die erwartungsgemäß pleiotrop sind, d.h. nicht nur Lactose, sondern auch andere Zucker, deren Abbau „katabolisch reprimiert" wird, nicht vergären können, und (b) Defekt-Mutanten der Adenyl-Cyclase[6], die einen ähnlichen Phänotyp haben (Nicht-Vergärung vieler Zucker), aber — im Gegensatz zu den CRP-Mutanten — nach Supplementierung mit cAMP normale Vergärung zeigen.

Noch ungeklärt bleiben Einzelheiten über die (allosterische?) Kontrolle der Enzymaktivität der Adenyl-Cyclase und der cAMP-Diesterase durch Glucose und/oder eines ihrer Abbauprodukte. Es sind Coli-Stämme bekannt, die keine[2] oder nur minimale[7] cAMP-Diesterase zeigen und doch normal auf Glucose reagieren. Das cAMP wird bei diesen nicht in AMP verwandelt, sondern einfach ins Medium ausgeschieden.

Mit der katabolischen Repression ist jedoch die Regulationswirkung des cAMP noch keineswegs erschöpft. Man vermutet, daß in Mikroben — ebenso wie bei höheren Organismen — cAMP bei der Kontrolle auf dem Translationsniveau eine Rolle spielt. Beim Translations-Mechanismus kann nämlich ein Molekül cAMP an den Weiterschieber (G-Faktor, vgl. § 8/10) gebunden werden und möglicherweise so an der Entscheidung Messenger-Abbau oder Translation (vgl. § 10/8,2) beteiligt sein[8]. Eventuell hemmt cAMP nämlich die an die Ribosomen gebundene RNase-V-Aktivität, so daß mehr Protein-Moleküle pro Messenger gebildet werden, bevor dieser durch RNase V abgebaut wird.

Auch für die chemische Modifikation* bereits vorhandener Proteinmoleküle in aktive Enzyme ist vermutlich cAMP wichtig. Ein Hinweis hierfür ist die Isolierung einer Protein-Kinase aus Coli, die mit Hilfe von cAMP Phosphatreste an bestimmte Proteine anlagert[9]. Der Mechanismus einer solchen Aktivierung von Enzymen durch Anlagerung von Phosphatresten (Phosphorylierung)[10] ist bei höheren Organismen weit verbreitet und es scheint, daß dies mit Hilfe von cAMP vor sich gehen kann.

Derartige Betrachtungen bringen uns schon in das Gebiet der Zell-Differenzierung, in dem cAMP eine zentrale Rolle spielt. Bevor wir darauf zurückkommen, soll jedoch zunächst anhand einiger abstrakter Beispiele gezeigt werden, wie auch recht einfache Regelmechanismen zu dieser Zelldifferenzierung einen Beitrag leisten können.

Literatur zu § 10/10:
Reviews: PERLMAN, R. L., and I. PASTAN: Current top. cellul. regul. **3**, 117 (1971).
    JOST, U.-P., and H. V. RICKENBERG: Ann. Rev. Biochem. **40**, 741 (1971).
[1] MAGASANIK, B.: Cold Spring Harbor Symp. quant. Biol. **26**, 249 (1961).
[2] MARKMAN, R. S., and E. W. SUTHERLAND: J. Biol. Chem. **240**, 1309 (1965).
[3] ERON, L. et al.: Proc. nat. Acad. Sci. (Wash.) **68**, 215 (1971).
[4] DE CROMBRUGGHE, B. et al.: Nature N. B. **23**, 139 (1971).

* Viele Enzyme brauchen nach ihrer Fertigstellung als Peptidkette noch spezielle chemische Veränderungen (wie Phosphorylierung, Abschneiden bestimmter Kettenstücke, Anlagerung prostetischer Gruppen etc.), um ihre Funktionsfähigkeit zu gewinnen. Diese Umwandlung wird leider oft „Aktivierung" genannt, auch wenn sie nicht im Rahmen eines vorprogrammierten Regulationsprozesses erfolgt, sondern sich automatisch an die Proteinsynthese anschließt. Sie darf vor allem nicht mit allosterischer (und das heißt immer reversibler) Aktivierung verwechselt werden.

⁵ EMMER, M. et al.: Proc. nat. Acad. Sci. (Wash.) **66**, 480 (1970).

⁶ PERLMAN, R. L., and I. PASTAN: Biochem. Biophys. Res. Commun. **37**, 159 (1969).

⁷ DE CROMBRUGGHE, B. et al.: Proc. nat. Acad. Sci. (Wash.) **244**, 5828 (1969).

⁸ KUWANO, M., and D. SCHLESSINGER: Proc. nat. Acad. Sci. (Wash.) **66**, 146 (1970).

⁹ KUO, J. F., and P. GREENGARD: J. Biol. Chem. **244**, 3417 (1969).

¹⁰ HOLZER, H., and W. DUNTZE: Ann. Rev. Biochem. **40**, 345 (1971).

10/11   Schaltschemata

Das Nachrichtensystem der Zelle kann mit dem diskutierten Grundprinzip der Steuerung von Genaktivitäten eine große Zahl verschiedener Resultate erreichen, je nachdem wie die Spezifität der einzelnen Bauelemente aufeinander abgestimmt ist, d. h. — um einen Ausdruck der Elektronik zu gebrauchen — je nachdem, welches Schaltprinzip angewandt wird. Wir wollen diese Vielseitigkeit an einigen Beispielen negativer Kontrolle veranschaulichen. (Ähnliche Schaltschemata können auch aus Elementen positiver Kontrolle oder aus Kombinationen beider Möglichkeiten aufgebaut werden.)

1. Möglichkeiten nur eines Regelkreises

Im einfachsten Fall wird nur ein einziger Regelkreis bestehend aus Repressor, Effektor und Operon benutzt. Wieder müssen dabei die beiden Grundtypen von Repressoren unterschieden werden, solche, die ihr Ziel nur ohne, und solche, die ihr Ziel nur mit Hilfe des Effektors erreichen. [Wir wollen diese beiden Typen als „Protorepressor" (aktiv ohne Effektor) und „Auxorepressor" (aktiv nur mit Effektor) unterscheiden. In der allgemeinen Literatur wird eine solche Unterscheidung nicht gemacht, sie erleichtert aber die Diskussion.] Weiter gehören in die Betrachtung des Regelkreises: das Substrat und das Produkt des geregelten Operons sowie möglicherweise ein „Fremdmolekül", das mit der enzymatischen Leistung des Operons nicht in Zusammenhang steht. Das allgemeine Schema eines solchen Regelkreises gibt Abb. 10,13, die damit prinzipiell erreichbaren Resultate Tabelle 10,14.

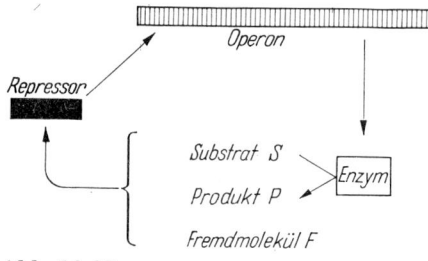

Abb. 10,13.
Allgemeines Schema eines Regelkreises

Tabelle 10,14. Gesamtheit der prinzipiell möglichen Leistungen eines einfachen Regelkreises

Effektor	Auxorepressor	Protorepressor
Substrat	Substrat verhindert eigene Umsetzung	Substrat sorgt selbst für seine Umwandlung in P. (Induktion katabolischer Enzyme)
Produkt	Produkt hält seine eigene Konzentration konstant (Repression durch Endprodukt)	Produkt hält seine eigene Synthese aufrecht. Ist diese jedoch außer Betrieb, bleibt auch dieser Zustand bestehen
Fremdmolekül	Fremdmolekül verhindert Umsetzung S→P	Fremdmolekül induziert Umsetzung S→P

2. Alternativer, stabiler Zustand

Lange vor der Entdeckung und Deutung dieser Bioregulation diskutierte DELBRÜCK die Möglichkeit einer „Pseudovererbung" durch einen „alternativen Zytoplasma-Zustand"[1]. Der Grundgedanke seines Modells war eine gegenseitige Blockierung zweier Enzymreaktionen, die in der heutigen Terminologie durch Abb. 10,15 schematisiert wird.

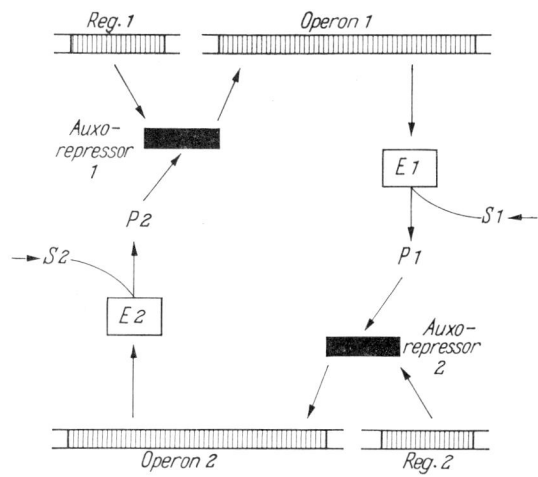

Ist Enzym 1 im Plasma vorhanden, entsteht Produkt 1. Dieses reagiert als Effektor mit Auxorepressor 2 und setzt Operon 2 außer Funktion. Enzym 2 entsteht nicht, ebenso fehlt Produkt 2, d. h. der Auxorepressor 1 bleibt inaktiv und Operon 1 in Funktion. Wird jedoch durch eine äußere Störung, z. B. durch zeitweisen Fortfall des Substrats 1, die Synthese von P 1 verhindert, wird Operon 2 aktiv. Dessen Produkt P 2 aktiviert Auxorepressor 1 und setzt so Operon 1 außer Funktion. Ohne Eingriff von

Abb. 10,15. Delbrück-Modell des alternativen Zustands in Form der Operon-Hypothese

außen bleibt Operon 2 Herr der Situation. Wesentlich ist, daß sich dieser plasmatische, aber alternative und stabile Zustand auch bei Zellteilungen fortpflanzt, da beide Tochterzellen die derzeit vorhandenen Enzyme erhalten. Der jeweilige Plasmazustand ist „erblich". Man kann dieses Modell als mögliche Erklärung gewisser Phänomene der nicht-chromosomalen Vererbung (§ 11/6) heranziehen. Zu diesem Zweck wurde es von DELBRÜCK vorgeschlagen.

3. Die Sonderzelle

Es ist evident, daß kompliziertere Regulationsprozesse in sinnvoller Zeitfolge aufeinander abgestimmt sein müssen. Die Zelle benötigt daher so etwas wie eine Zeitmessung. Auch diese kann mit biochemischen Mitteln erfolgen. Die elementarste Möglichkeit ist der Verbrauch oder die Akkumulation einer bestimmten Substanz. Sinkt diese unter bzw. steigt sie über eine kritische Konzentration, könnte sich der Regulationszustand der Zelle ändern. Wichtig ist hierbei vermutlich die Existenz von Regulationsketten, bei denen jeweils durch die Aktivität eines Operons die eines folgenden ausgelöst wird. Eine solche *Uhr* kann eine Rolle spielen bei der Entstehung einer Sonderzelle:

Es kommt vor, daß sich in einer Population zunächst gleicher Zellen eine zufällige durch eine spezielle Entwicklung auszeichnet. Obwohl potentiell alle Zellen zu dieser Veränderung in der Lage sein sollten, tritt eine analoge Ent-

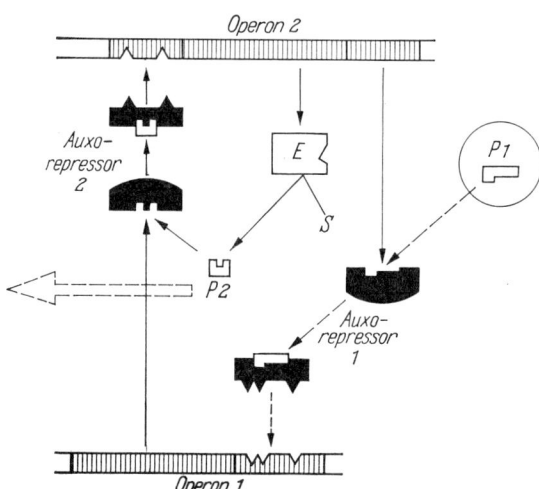

Abb. 10,16. Mögliches Schaltschema der
Entstehung einer Sonderzelle

wicklung in anderen Zellen (zumindest in der Nachbarschaft der ersten Sonderzelle) nicht ein. Offenbar geht von der zuerst veränderten Zelle ein Einfluß aus, der andere Zellen an der Veränderung hindert. Auch derartige Aufgaben sind von dem Regulationsmechanismus zu meistern. In Abb. 10,16 steht die Produktion eines Auxorepressors 2 unter der Kontrolle des Operons 1. In der Ausgangssituation ist Operon 2 funktionsfähig und produziert einen Auxorepressor 1 und kurzlebige oder allosterisch abschaltbare Enzyme.

Diese Enzyme bilden ein Produkt P 2, das den Auxorepressor 2 zur Blockierung von Operon 2 befähigt. Es wird so die Konzentration von P 2 auf einem niedrigen Niveau gehalten. Das Gleichgewicht dieser Situation wird jedoch gestört, wenn der Auxorepressor 1 aktiviert wird. Dies geschieht durch Zufuhr von P 1, das unter Kontrolle einer Uhr bis zu einer kritischen Konzentration in der Zelle ansteigt. Jetzt wird das Operon 1 außer Funktion gesetzt, die Produktion von Auxorepressor 2 hört auf und das Operon 2 tritt in Dauerfunktion. Die Massenproduktion von P 2 kann jetzt aber das Operon 2 nicht mehr hemmen, da der dazu notwendige Repressor 2 fehlt.

Andererseits diffundiert P 2 jedoch aus der Zelle und unterbindet in allen Nachbarzellen mit den dort vorhandenen Auxorepressoren 2 die Funktion von Operon 2. Infolgedessen wird in diesen Zellen gar kein Auxorepressor 1 mehr produziert, d. h. Operon 1 bleibt in Dauerfunktion, auch wenn P 1 eine hohe Konzentration erreicht, und liefert Dauernachschub von Auxorepressor 2, der mit dem hereindiffundierenden P 2 das Operon 2 ständig außer Betrieb hält. Während in der Sonderzelle also Operon 2 aktiv, Operon 1 inaktiv ist, funktioniert in allen anderen Zellen umgekehrt Operon 1, aber nicht Operon 2.

4. Antagonistische Wirkung von Effektoren

Die Inaktivierung eines Protorepressors oder die Aktivierung eines Auxorepressors durch einen Effektor mag durch ein anderes Molekül, das die allosterische Stelle am Repressor besetzt hält, blockiert werden (vgl. § 10/1). Der Zustand eines Regelkreises wird dann nicht durch die *Konzentration* des Effektors, sondern durch das *Verhältnis zweier Konzentrationen* (Effektor und blockierendes Molekül = „Anti-Effektor") bestimmt.

Werden z. B. Effektor und Anti-Effektor in einer Zelle produziert und diffundieren beide Substanzen in andere Zellen, wobei der Anti-Effektor langsamer ist, so kann die Wirkung des Effektors in benachbarten Zellen durch den Anti-Effektor noch blockiert sein, in einigem Abstand von der Ursprungszelle aber wird sich der Effektor durchsetzen. Periodische Musterbildungen können bei entsprechendem Schaltschema durch solchen Antagonismus von Effektor und Anti-Effektor gedeutet werden.

Es ist zweifellos möglich, mit den gleichen Elementen viele komplizierte Schaltschemata zu konstruieren, die noch andere Regeleffekte zeigen würden. Die gegebenen Beispiele demonstrieren aber hinlänglich die Vielseitigkeit solcher Möglichkeiten. Weitere Beispiele wurden von Monod und Jacob[2] diskutiert. Speziell erwähnt werden sollte nur noch die Denkmöglichkeit von Doppelrepressoren. Ein Operon könnte hierbei durch zwei verschiedene Repressoren (wahlweise oder nebeneinander) verriegelt werden. Es ist nur funktionsfähig, wenn *beide* Repressoren inaktiv sind. Es wird so möglich, Genaktivität z. B. nur in solchen Zellen zu gestatten, die von verschiedenen Seiten verschiedene Effektoren erhalten. Weiter sollte die Möglichkeit von Gruppenschaltungen beachtet werden, bei denen einzelne spezifische Repressoren auf eine Gruppe von mehreren Operonen wirken oder einzelne Effektoren eine Reihe verschiedener Repressoren verändern (Prinzip des Gruppenschlüssels). Das cAMP ist ein Beispiel für diese Möglichkeit.

Literatur zu § 10/11:
[1] Delbrück, M.: In: Unités biologiques douées de continuité génétique. Edition du Centre Nat. Rech. Sci., Paris 1949, p. 25—36.
[2] Monod, J., and F. Jacob: Cold Spr. Harb. Symp. quant. Biol. **26**, 389 (1961).

10/12   Das Problem der Differenzierung

Bei vielzelligen Organismen entwickelt sich aus einer diploiden Zygote oder einer haploiden Spore als Ausgangszelle durch viele Mitosen ein größerer Zellverband. Hierbei treten Unterschiede auf, d. h. die ursprünglich genetisch gleichen Zellen schlagen verschiedene Entwicklungswege ein und übernehmen verschiedene Funktionen im Gesamtverband. Diese unterschiedliche Entwicklung von Zellen nennt man Differenzierung.

Dieses Problem und auch das der morphologischen Musterbildung (z. B. Schmetterlingsflügel) stellt die Frage: Wie wird erreicht, daß nur *bestimmte* Gene zu *bestimmten* Zeiten in *bestimmten* Zellen aktiv sind? Die Beantwortung dieser Frage gehört zum Forschungsbereich der Entwicklungsphysiologie. Diese Wissenschaft ist naturgemäß eng mit der Genetik verbunden. Wir können uns nicht mit den Details dieses Gebiets beschäftigen, wollen aber gleichsam vom Flugzeug aus den Urwald betrachten, dessen Erforschung als wissenschaftliche Aufgabe vor uns liegt.

In den Regulationssystemen der negativen und positiven Kontrolle (§§ 10/4 und 10/9) haben wir möglicherweise bereits das Grundprinzip der Differenzierung erkannt. Gene liegen hinter komplizierten Schlössern, die geöffnet oder verriegelt sein können. Wir haben zwei Typen solcher Schlösser kennengelernt: Solche, die von selbst zuschnappen, d. h. der Anwesenheit eines speziellen Schlüssels bedürfen, um *geöffnet* zu sein, und solche, die normalerweise offen stehen und nur bei Bedarf, d. h. bei Anwesenheit eines Schlüssels *verschlossen* werden.

Man sollte erwarten, daß beide Arten von Genschlössern auch bei der Differenzierung benutzt werden.

Um die „Musik" eines Organismus hervorzubringen, ist also nicht nur ein Klavier mit vielen Tasten (die Summe der Gene) erforderlich, sondern auch ein Programm, das im richtigen Zeitintervall die einzelnen Töne erklingen läßt. Man ist heute sicher, daß nicht zwei unabhängige Systeme (Klavier einerseits und Programmband andererseits) vorliegen, sondern daß jeweils die Aktivität bestimmter Gene gemeinsam mit den zur Zeit im Plasma vorhandenen Schlüsseln und Schloßdeckeln das Spektrum der Genaktivität im nächsten Zeitintervall bestimmt. Durch dieses neue Spektrum werden auch neue Schlüssel und neue Schloßdeckel produziert, die das vorhandene Gesamtbild weiter verändern usw. Man erkennt, daß die im Plasma der Eizelle vorliegenden Ausgangsbedingungen den weiteren Verlauf entscheidend beeinflussen. Auch dieser plasmatische Ausgangszustand ist aber ein Resultat der spezifischen Genaktivität in den vorausgehenden Zellgenerationen und wird letztlich vom Genom bestimmt. Mit anderen Worten: Das Genom darf nicht als rein statisches Gebilde aufgefaßt werden, denn sein augenblickliches Wirkungsspektrum wird jeweils durch den Ablauf der zeitlich zurückliegenden Genaktivitäten festgelegt.

Eine solche Vorstellung erklärt jedoch nur das zeitliche Funktionsspiel der Gene *eines* Zelltyps. Wie ist die Entstehung *unterschiedlicher* Zellen aus einem gemeinsamen Ausgangstyp zu verstehen? Das heißt, welche Erklärungsmöglichkeiten bieten sich an für eine unterschiedliche Entwicklung ursprünglich gleicher Zellen?

1. Asymmetrie der Eizelle. Verschiedene Bereiche des Zytoplasmas der befruchteten Eizelle können unterschiedliche Beschaffenheit haben. Bei späteren Zellteilungen erhalten dann die Tochterzellen verschiedenes Plasma. Die Asymmetrie der Eizelle selbst wäre ihrerseits aus einer asymmetrischen Umgebung bei ihrer Entstehung zu deuten. Wir werden in § 11/3 ein derartiges Beispiel diskutieren.

Auch bei freien Einzelzellen, z.B. Zygoten der Alge *Fucus*, stellt sich die Frage, wie anfangs völlig symmetrische Zellen verschiedene Pole entwickeln, z.B. ein Würzelchen an einem Ende, einen Thallus am anderen. Wie wird eine solche Polarisierung der Einzelzelle (etwa durch Licht, elektrische Felder, Stoffgradienten) induziert, wie wird diese Differenz verstärkt, stabilisiert und fixiert? Es scheint dies in den äußeren „festen" Schichten, wahrscheinlich in oder an der Plasmamembran zu geschehen[1]. Dies ist ein wichtiger Differenzierungsprozeß, bei dem das Hauptproblem vermutlich *nicht* in differenzieller Genaktivierung zu sehen ist.

2. Lagefaktoren. Auch die Lage von Zellen im neu entstehenden Organismus mag entscheidend sein, z. B. dadurch, daß außenliegende Zellen besser ernährt werden oder bestimmte Substanzen aus der Umwelt aufnehmen können, die anderen Zellen des Verbandes vorenthalten bleiben. Derartige Stoffe können eventuell Schlösser öffnen oder schließen. Auch physikalische Faktoren wie Schwerkraft oder Lichteinwirkung mögen zu primären Unterschieden in einem zunächst homogenen Zellverband führen, die sich dann zu sekundären Unterschieden der Genaktivität verstärken.

3. Der Zufallsgenerator. Alle gleichen Zellen können die Potenz besitzen, in einen anderen Zustand überzugehen. Der Verschluß eines Gens ist labil und kann von selbst aufspringen. Ist dies in einer zufälligen Zelle geschehen, so wird eine Substanz produziert, die in allen anderen Zellen das noch nicht aufgesprungene Schloß endgültig verriegelt (vgl. die Sonderzelle in § 10/11).

Sind erst einmal solche primären Unterschiede vorhanden, können, auch in neuen Zellen, leicht weitere erzeugt werden, z. B. durch

Induktion durch zwei Stoffe aus verschiedener Quelle. Gene mit Doppelschlössern würden nur in den Zellen geöffnet oder verschlossen, die auf Grund ihrer Lage im Gesamtverband Schlüssel beider Art erhalten. Auch hier mag die Blockierung dieser Schlösser in allen anderen Zellen eine wichtige Folgereaktion sein.

Die Reihe dieser Möglichkeiten könnte fortgesetzt werden. Wir wollen aber statt dessen an einem spielerischen Modell die Fähigkeiten derartiger Mechanismen demonstrieren.

Wir gehen aus von einem flächenhaften Verband gleicher Zellen (Typ 0). Durch ein Zufallsereignis wird eine der Zellen (1) ausgezeichnet. Die in allen Zellen anwachsende Wahrscheinlichkeit für eine zufällige Änderung anderer Art (2) wird durch einen von (1) ausgesandten Hemmstoff verkleinert. Änderung (2) wird also diametral von (1) erfolgen. Zelltyp (2) verhindert den Übergang weiterer Zellen in Typ (2).

Unser Zellverband hat eine Symmetrieachse und eine oben-unten-Alternative gewonnen.

Zellen vom Typ (2) teilen sich eine Zeitlang schneller, besonders auf der dem Zentrum abgewandten Seite. Es entsteht eine Auswölbung.

Zelltyp (2) sendet einen langsam, Zelltyp (1) einen schnell diffundierenden Stoff. Alle *Außen*zellen des Verbandes, die beide Schlüssel empfangen, werden zu Sonderzellen vom Typ (3). Dieser wächst schnell nach außen, möglichst weit vom Zentrum weg.

Eine weitere Veränderung zu Sonderzelle (4) tritt in solchen *Außen*zellen ein, die die nun von den Armansätzen und dem Nabel ausgehenden Stoffe erhalten. Auch diese Sonderzellen wachsen nach außen.

An Armen und Beinen entstehen Verdickungen, wenn die Konzentration eines vom Körper (Zelltyp 0) gebildeten Stoffes eine untere Konzentrationsgrenze erreicht hat.

Schließlich verändert sich der Scheitel, und wie Arme und Beine, so werden Ohren gebildet. Ein Mund entsteht durch gemeinsame Wirkung von Scheitel und Körper; von Mund und Scheitel wird die Nase und von Scheitel, Nase und Ohren werden schließlich die Augen induziert.

Durch Differenzierung ist eine Architektur des Organismus entstanden.

Mehr um den Kritikern den Wind aus den Segeln zu nehmen als in ernstlicher Sorge um Mißverständnisse, sei angemerkt, daß dieses Modellspiel natürlich nicht alle Faktoren der Musterbildung umfaßt und keinerlei Anspruch erhebt, die wirklichen Vorgänge der Embryonalentwicklung zu beschreiben. Das Modell verdeutlicht jedoch, daß mit relativ wenigen Elementarmechanismen auch relativ komplizierte Muster und Formen gebildet werden können, wenn diese mehrfach angewandt werden. Der einmal in Gang gesetzte Mechanismus einer sich ständig selbst verändernden räumlichen Verteilung spezifischer Schlüssel und Schloßdeckel führt dabei zu immer komplizierteren Mustern der Genwirkung. Die Entwicklung eines Organismus kann als solche dynamische Gesamtheit spezifischer Prozesse verstanden werden. Wichtig dabei ist, daß in den Gameten, die ein Teilprodukt des Gesamtgeschehens sind, wieder die Anfangsbedingungen hergestellt werden.

Die experimentelle Erfassung solcher Mechanismen der Differenzierung ist verständlicherweise äußerst schwierig, da in jeder Situation ein kompliziertes Zusammenwirken vieler Faktoren zum beobachtbaren Resultat führt. Besonders zur Untersuchung geeignet sind die ersten Entwicklungsschritte einer befruchteten Eizelle. Wir können im Rahmen dieses Buches nur ganz kurz auf einige experimentelle Beispiele eingehen:

Seeigeleier zeigen eine Asymmetrie. Die ersten beiden Zellteilungsebenen nach der Befruchtung liegen aber stets so, daß jede der vier Tochterzellen die Asymmetrie behält. Trennt man die vier Zellen, so entwickelt sich aus jeder ein (allerdings kleiner) Seeigel. In späteren Stadien ist das nicht mehr möglich. Andererseits kann man einen der asymmetrischen Teile des Plasmas einer Eizelle vor der Befruchtung entfernen. Nach der Befruchtung setzt die Entwicklung zunächst scheinbar normal ein. Diese bleibt jedoch in späteren Stadien stehen (untere Hälfte entfernt) oder führt zu einem abnormen Embryo (obere Hälfte entfernt). Diese Ergebnisse[2] zeigen, daß bestimmte Substanzen im Plasma der Eizelle für den Gesamtablauf der Keimesentwicklung mitbestimmend sind und zugleich, daß diese Substanzen ungleichmäßig im Plasma verteilt sind.

Aus befruchteten *Froscheiern* können die Kerne entfernt und in andere entkernte Eier umgesetzt werden, ohne die Entwicklung zum Embryo zu stören. Diese Kerntransplantation gelingt aber nur zwischen Eiern der gleichen Spezies. Andernfalls stirbt der Keim ab. Offenbar müssen Plasma und Kern wohl aufeinander abgestimmt sein, um die normale Entwicklung zu durchlaufen.

Beläßt man den Kern eine Zeitlang im Plasma einer anderen Art und führt ihn dann in arteigenes Plasma zurück, so bleibt die Entwicklung ebenfalls auf einem späteren Stadium stehen. Durch den Aufenthalt im falschen Plasma sind am Kern irreversible Änderungen eingetreten, die die spätere Entwicklung stören. Die normale Aufeinanderfolge von Regulationszuständen verläuft nicht mehr programmgemäß.

BRIGGS und KING[3] haben bei Rana pipiens Kerne aus *verschiedenen Entwicklungsstadien* in entkernte Eier *zurück*gepflanzt. Hierbei zeigte sich, daß der Anteil der erfolgreichen Kerntransplantationen (Entwicklung bis zur normalen Kaulquappe) abnimmt, je weiter die Entwicklung des kernspendenden Keims fortgeschritten war. Man nahm ursprünglich an, daß mehr und mehr Zellkerne des sich entwickelnden Keims im Laufe der Differenzierung irreversibel so verändert wurden, daß sie nicht mehr imstande waren, den Gesamtzyklus planmäßig noch einmal zu durchlaufen.

Heute weiß man jedoch, daß für dieses Phänomen andere Ursachen vorliegen[4]. So sind z. B. Zellkerne, die aus Embryonalgewebe in eine kernfreie Eizelle transplantiert werden, physiologisch oft nicht fähig, sich so rasch mitotisch zu teilen, wie es die autonome Segmentierung der Eizelle verlangt. Daher treten oft Tochterzellen mit einem fehlenden Chromosom auf. Es wurden also nicht vor der Transplantation des Kerns bestimmte Gene irreversibel ausgeschaltet, sondern diese gingen in den schnellen Zellteilungen nach der Transplantation verloren.

Dies ist jedoch nicht bei jedem Experiment der Fall. So gelang es GURDON, Zellen der Darmschleimhaut von vollentwickelten Fröschen der Art Xenopus laevis in entkernte Eier zu transplantieren und daraus normale, vollentwickelte Tiere zu erhalten[5]. Man ist also in der Lage, experimentell eineiige ,,Zwillinge'' zu erzeugen, von denen der eine eine Generation älter ist als der andere. (Dieses Experiment gelingt natürlich noch nicht mit menschlichen Zellkernen! Soll man hoffen oder fürchten, daß es eines Tages* möglich wird?)

Trotz dieser Resultate an Amphibien ist aber die Vorstellung einer ,,Determination'' ganzer Zellen zur Aktivität von nur bestimmten Genen voll gerechtfertigt. Experimente von HADORN[6] an Drosophila sind in diesem Zusammenhang besonders aufschlußreich:

In den Puppen von *Drosophila* sind gewisse Gewebe vorhanden, die bereits determiniert sind, sich zu einem bestimmten Organ oder Körperteil der erwachsenen Fliege zu entwickeln. Obwohl solche Organ-Anlagen noch keinerlei morphologische Differenzierung durchgemacht haben, an der sich erkennen ließe, welchem Organ sie entsprächen, sind sie doch schon prädestiniert, z. B. Beine, Flügel, Antennen oder Geschlechtsorgane zu bilden.

Es ist nun möglich, Gewebestücke aus solchen ,,determinierten'', aber noch nicht ,,differenzierten'' Anlagen zu isolieren und in den Hinterleib von erwachsenen Fliegen zu transplantieren. Da in diesem Milieu Einflüsse wie spezifische Hormone fehlen, ist zwar die Differenzierung unmöglich, doch steht der Zellvermehrung nichts im Wege. So können nach erfolgtem Wachstum Gewebestücke wiederum in die Hinterleiber anderer Fliegen transplantiert werden. Da dieser Prozeß beliebig lange wiederholbar ist, lassen sich so Klone von Zellen halten, die alle von einer Anlage für ein bestimmtes Gewebe, wie z. B. ,,Bein'', stammen.

Werden solche Zellen nun in eine junge Puppe transplantiert, so werden sie sich — durch die Reifungshormone der Puppe angeregt — zu dem Gewebe differenzieren, für das sie ursprünglich determiniert waren. Zellen aus einem ,,Bein''-Klon bilden dann Beingewebe, solche aus einem ,,Flügel''-Klon Flügelgewebe, etc.

Die Zellkerne in einer Anlage sind also bereits so verändert, daß neben den Genen, die das Zellwachstum und die Zellteilung ermöglichen, nur noch die Gene, die zum Aufbau eines bestimmten Organs (Bein, Flügel) nötig sind, abgelesen werden können. Dieser Zustand wird über eine unbeschränkte Anzahl von Zellteilungen hinweg an die Tochterkerne weitergegeben. Mit anderen Worten: Bei der Replikation des Genoms wird auch der Steuerzustand der Genschlösser mitkopiert.

Wie nun aber in einem Genom Mutationen auftreten können, so können auch im Steuerzustand von Zellen ,,determinierter'' Klone Veränderungen auftreten.

---

* Sehr wahrscheinlich ein Tag unseres Jahrhunderts.

Unter vielen Zellen eines Klons für „Bein" werden plötzlich einige auftauchen, die nicht mehr für „Bein", sondern z. B. für „Flügel" determiniert sind. Diese Zellen haben eine „Transdetermination" erlitten. Sie werden diesen neuen Steuerzustand stabil von Hinterleibkultur zu Hinterleibkultur an die Tochterzellen weitergeben und bei Transplantation in junge Puppen ein Gewebe bilden, das sich nicht zu Bein, sondern zu Flügel entwickelt. In „transdeterminierten" Geweben können auch einige Zellen eine „Rück-Transdetermination" erleiden und dann wieder auf „Bein" geschaltet sein, oder es können weitere Transdeterminationen in neue Richtungen erfolgen.

Aus vielen solchen Beobachtungen ergibt sich dann schließlich das Schema von Abb. 10,17, das die aufgetretenen Transdeterminationen zusammenfaßt: Für „Flügel" determiniertes Anlagegewebe kann auf „Antenne", „Bein", „Auge" oder „Thorax", nicht aber auf „Geschlechtsorgan" oder „Haltere" umschalten; die Transdetermination von Flügel zu Thorax scheint ein irreversibler Prozeß zu sein, usw.

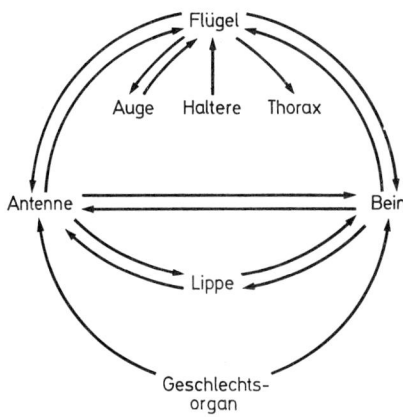

Abb. 10,17. Transdeterminationen bei Drosophila [6]

Es wäre zu früh, mögliche Molekular-Mechanismen dieser hochinteressanten Ergebnisse zu diskutieren. Immerhin deuten die Resultate an, daß der ganze Determinationszustand nur auf wenigen (einem?) molekularen Schalt-Ereignissen beruht, sonst könnten entweder gar keine Transdeterminationen auftreten, oder die Determination eines ganzen Klons sollte in vielen Zellen gleichzeitig ins Wanken geraten und nach erfolgter Umschaltung instabil bleiben. Dieser Punkt läßt ein baldiges Verständnis auf molekularem Niveau erhoffen.

Letzten Endes ist das Programm der zu einem bestimmten Zeitpunkt der Entwicklung erfolgenden Determination gewisser Gewebe auf bestimmte Organe hin in den Genen der Zellen festgelegt. Dies wird unter anderem an einer Drosophila-Mutante deutlich, die anstatt Antennen Bein-ähnliche Organe entwickelt[7].

Es wird sich noch erweisen müssen, wieweit man die zunächst an Bakterien gewonnenen Kenntnisse von Regelmechanismen auch auf solche Differenzierungsvorgänge übertragen darf. Sicherlich werden bei der Embryonalentwicklung höherer Organismen zusätzlich andere Mechanismen der Regulation wesentlich sein. Einer soll jetzt noch besprochen werden:

Viele tierische Hormone (darunter Adrenalin, Schilddrüsen- und Geschlechtshormone), möglicherweise aber auch einige pflanzliche Wuchsstoffe üben in sich differenzierenden oder schon differenzierten Organismen ihre Wirkung nur auf bestimmte, „ansprechbare" Zellen aus. Alle diese Wirkungen werden aber übermittelt durch das zyklische AMP (cAMP, vgl. § 10/10).

Dieser Befund wirft die Frage auf, wieso immer das gleiche cAMP in *einer* Zellgruppe Fettreserven mobilisiert, in einer anderen den Abbau oder Aufbau von

Glykogen stimuliert, aber auch die Membrandurchlässigkeit für Wasser oder Mineralsalze verändert bzw. in anderen Zellen die Aufnahme von Aminosäuren anregt. Ja sogar in „Hormon-Kaskaden" (Hormone induzieren die Produktion weiterer Hormone, die ihrerseits neue Genaktivitäten in Gang setzen) tritt das cAMP in den verschiedenen Niveaus der Genaktivierung auf. Umgekehrt besteht die Frage, wozu überhaupt eine Fülle verschiedener Hormone gebildet wird, wenn die ganze Vielfalt doch nur auf die Synthese der gleichen Effektor-Substanz hinausläuft. Scheinbar noch mysteriöser wird das Problem durch die Beobachtung, daß viele Hormone gar nicht in die Zelle eindringen, sondern nur an den Membranen der von ihnen stimulierten Zellen adsorbiert werden.

Diese Merkwürdigkeit lieferte zugleich den Schlüssel für das Verständnis der hormonalen Wirkung: Offenbar haben bestimmte auf die Stimulierung durch Hormone wartende Zellen an ihren Membranen spezifische „Hormon-Sensoren", die die Anlagerung der Hormon-Moleküle bewirken, sich dann unter dem Einfluß dieser Hormone (allosterisch?) verändern und so ein Signal auf die Membran übertragen. Ebenfalls an der Membran lokalisiert — also diesem Signal zugänglich — sind nämlich die beiden Enzyme Adenyl-Cyclase und cAMP-Diesterase, die zusammen den cAMP-Pegel im Zytoplasma bestimmen (vgl. Abb. 10/12) und deren Aktivitäten offenbar durch die Membranveränderungen gesteuert werden können. Welche Zellen nun durch welche Hormone ansprechbar sind, wurde aber durch die bereits vorher erfolgte Differenzierung dieser Zellen entschieden, die für die Ausbildung spezifischer Sensoren an deren Zellmembran sorgte. Im gleichen Differenzierungsvorgang wurde auch im Genom der Zelle festgelegt, welche Genaktivitäten beeinflußbar sind. Das Kleinmolekül cAMP ist also nur ein genereller Stimulator für bereits determinierte Muster von Genaktivitäten.

Diese Rahmenvorstellung erlaubt vielseitige Verfeinerungen. Die Anzahl der Hormon-Sensoren könnte die Empfindlichkeit der Zelle bestimmen. Durch Kombination verschiedener Sensoren auf der Membran (Abb. 10,18) läßt sich mit relativ wenigen Elementen eine multiplizierte Vielfalt der Zellspezifitäten erreichen. Hierbei können die Wirkungen verschiedener Hormone auf die Membran im Prinzip antagonistisch, kompetitiv, additiv, potenzierend oder cooperativ sein.

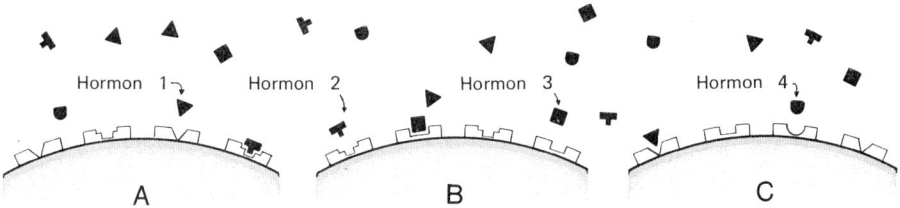

Abb. 10,18. Mechanismus der indirekten Effektor-Wirkung von Hormonen auf ansprechbare Zellen: Typ A spricht an auf Hormone 1 und 2, Typ B auf Hormone 2 und 3 und Typ C auf Hormone 1, 3 und 4, da an diesen Zellen entsprechende Rezeptoren vorhanden sind. Alle Hormon-besetzten Rezeptoren wirken durch Aktivierung entsprechender Membran-Enzyme auf die intrazelluläre Konzentration von cAMP und regen dadurch in der (bereits spezialisierten!) Zelle die für eine Spezialfunktion nötigen Gene an, oder aktivieren deren Genprodukte

Es hat sich also gezeigt, daß die von fernen Zellen ausgesonderten spezifischen Hormon-Signale durch spezifische Siebe an der Oberfläche von Empfängerzellen aufgefangen und in einen unspezifischen Reiz (cAMP) umgewandelt werden, der je nach Zelle verschiedene, aber bereits prädeterminierte Genaktivitäten auslöst.

Literatur zu § 10/12:

[1] JAFFE, L. F.: Advanc. Morphogenes. **7**, 295 (1968).
[2] Aus L. G. BARTH: Embryology. New York: Dryden Press 1949.
[3] KING, T. J., and R. BRIGGS: Cold Spr. Harb. Symp. quant. Biol. **27**, 271 (1956).
[4] GURDON, J. B.: Sci. Amer., November 1968.
[5] GURDON, J. B., and V. UEHLINGER: Nature (Lond.) **210**, 1240 (1966).
[6] HADORN, E.: Sci. Amer., November 1968.
   HADORN, E.: Develop. Biol. **14**, 424 (1966).
[7] POSTLETHWAIT, J. H., and H. A. SCHNEIDERMAN: Proc. nat. Acad. Sci. (Wash.) **64**, 176 (1969).

10/13   Regulation und Chromosomenstruktur

1. Puffs der polytänen Chromosomen

Wir haben in diesem Kapitel gesehen, daß keineswegs alle Gene stets ihre Information abgeben, sondern daß durch Regulationsmechanismen jeweils nur bestimmte Gene dazu befähigt werden. So unglaublich es zunächst klingt, man ist imstande, solche Genablesung unter dem Mikroskop zu beobachten. Hierzu dienen wiederum die polytänen Chromosomen von Dipteren.

Im § 2/6 hatten wir die Konstanz des Querscheibenmusters solcher Chromosomen betont. Ein Vergleich verschiedener Gewebe und Entwicklungsstadien zeigt jedoch eine besondere Erscheinung, die zu Abweichungen von dieser Konstanz führt[1]. An bestimmten Stellen des Chromosoms löst sich die feste Struktur auf. Das vielsträngige Kabel lockert seinen Verband und stülpt viele einzelne Schleifen nach außen, die einen Wulst um das Chromosom bilden. Die mehrere Stunden andauernde Entwicklung eines so auseinanderpuffenden Chromosomenabschnittes zeigt Abb. 10,19. Es gibt kleine und große „Puffs" der Chromosomen. Die

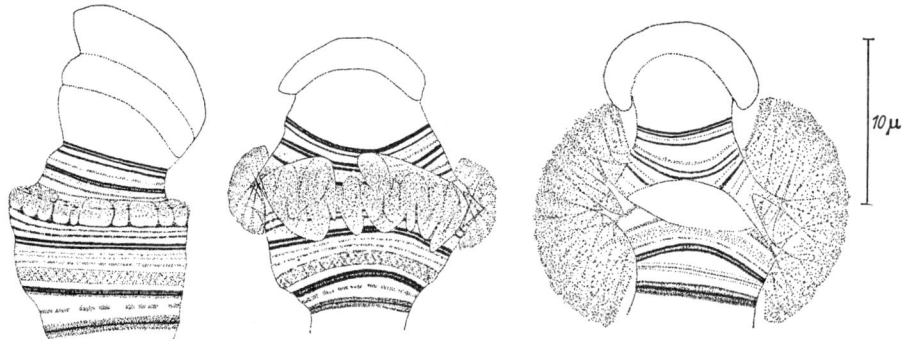

Abb. 10,19. Entwicklung eines Puffs, nach BEERMANN

besonders großen werden auch nach ihrem Erstentdecker als BALBIANI-Ringe bezeichnet. Wie Serienbeobachtungen verschiedener Entwicklungsstadien zeigen, schrumpfen Puffs auch wieder zusammen, wonach der gepuffte Chromosomenabschnitt wieder seine alte Gestalt annimmt. Die schematische Struktur eines Puffs gibt Abb. 10,20 wieder. Man nimmt an, daß die in den Banden aufspiralisierten und assoziierten Fäden sich voneinander lösen und ausgestülpt werden. Da der Bereich des Puffs jedoch nicht beachtlich in der Länge wächst, verbleiben offenbar einige der vielen Stränge in spiralisierter Form.

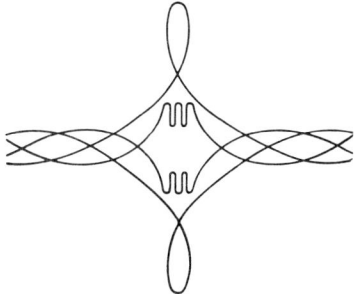

Abb. 10,20. Schema eines Puffs (nur vier von vielen hundert Strängen des polytänen Chromosoms sind gezeichnet)

BEERMANN erkannte, daß in bestimmten Geweben zu bestimmten Zeiten der Entwicklung an spezifischen Stellen der Chromosomen Puffs bestimmter Größe auftreten. Es lag nahe, diesen Befund mit der Aktivität bestimmter Gene oder Gengruppen zu deuten. Das kann an folgendem Beispiel demonstriert werden [2]. Bestimmte Species von Chironomus haben im Zytoplasma einer Zellgruppe der Speicheldrüsen Granula (mikroskopisch sichtbare Körnchen). Korreliert mit diesen Granula findet man einen speziellen Puff, der in den granulalosen Zellen nicht beobachtet wird. Bei Kreuzungen zwischen Granula-bildenden und Granula-losen Species zeigen die Hybriden im kritischen Chromosomenabschnitt eine Gabelung, d. h. keine Assoziation der elterlichen Chromosomen. In den kritischen Zellen der Speicheldrüsen findet man den untersuchten Puff dann nur in *einem* Ast der Chromosomengabel und entsprechend auch nur etwa die halbe Zahl von Granula.

Die Verpuppung von Insekten wird durch ein Hormon (Ecdyson) ausgelöst, das in der Prothoraxdrüse zu einer bestimmten Zeit der Individualentwicklung gebildet wird. Dieses Hormon induziert offenbar die komplexen Vorgänge der Metamorphose. Durch Injektion von Ecdyson kann nicht nur die Verpuppung ausgelöst werden, sondern — wie CLEVER und KARLSON zeigten — werden in Larven von Chironomus tentans auch ganz bestimmte Muster von Puffs der Chromosomen induziert [3]. Von BECKER wurden an Drosophila die Puffmuster vor der Verpuppung unter Normalbedingungen untersucht. Etwa 4 Std. vor der Verpuppung beginnt eine ausgesprochen aktive Periode (zu diesem Zeitpunkt wird das Hormon ausgeschüttet). Von etwa 100 dann auftretenden meist kleinen Puffs wurden speziell die im linken Arm des dritten Chromosoms verfolgt. Die hier beobachtbare Zeitfolge von Puffs ist in Abb. 10,21 wiedergegeben. Auch Tafel 24 zeigt dieses Stadium. Einige wichtige Puffs sind dort gekennzeichnet.

Die Riesenchromosomen bieten hier eine Möglichkeit, das Steuerungsspiel der Genaktivität optisch zu verfolgen. Zur Verpuppung sind offenbar eine Reihe konsekutiver Vorgänge erforderlich. Die Ausschüttung des Ecdysons ist der Startschuß. Wahrscheinlich wird eine Reihe von Genen durch das Hormon aktiviert (Puffs). Diese Gene bewirken den ersten vorbereitenden Schritt für eine Metamorphose und produzieren außerdem vermutlich Stoffe, die bei genügender Konzentration weitere Gene in Aktion setzen (neue Puffs), die den zweiten Schritt ausführen usw. Analoge Aktivitätsspektren treten sicher auch

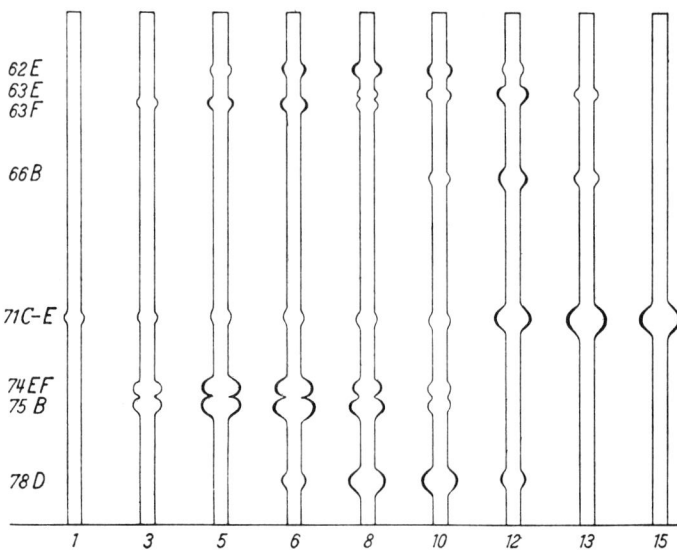

Abb. 10,21. Folge der Puffmusterstadien (1—15) im linken Arm des 3. Chromosoms
von Drosophila. Stadium 1 etwa 4 Std. vor, Stadien 12—15 kurz nach Pupparium-
bildung. [Nach H. J. Becker: Chromosoma (Berl.) **13**, 341 (1962)]

bei anderen Entwicklungsprozessen an normalen Chromosomen auf, nur sind
diese unserer Beobachtung entzogen.

Ein anderer interessanter Fall der zeitlichen Aufeinanderfolge von Genaktivität wurde von Mechelke beschrieben[4]. Bei Acricotopus wandert zu Beginn
der Metamorphose ein Puff über etwa 15 Querscheiben. Offenbar werden hier
nacheinander eine Reihe von Genen aktiv, die in entsprechender Reihenfolge
im Chromosom lokalisiert sind.

Eine besonders interessante Steuerung der Aktivität von Genen, die den
Ergebnissen bei Bakterien entspräche, scheint bei der sog. „umweltkontrol-
lierten" Chromosomenassoziation vorzuliegen: Bei den Larven bestimmter Fliegen
findet man[5] gute Bündelung der polytänen Chromosomen nur bei üppigem,
aminosäurereichem Futter. Bei aminosäurearmem Futter kommt keine klare
Bündelung der vielen Chromatidstränge zustande. Es liegt nahe anzunehmen,
daß dann zusätzliche Gene aktiv sein müssen (gepufft), die die Enzyme zur
Synthese von Aminosäuren liefern, wobei die vielen Puffs eine gute Bündelung
verhindern.

Wir wollen noch zwei Gesichtspunkte der Entstehung und Funktion eines
Puffs diskutieren:

1. Die Ausstülpung vieler Einzelstränge an nur spezifischen Orten des Chromosoms zeigt, daß an der Aufknäuelung der Stränge und wohl auch an deren Assoziation *spezifisch* ansprechbare Strukturelemente beteiligt sein müssen
(Abb. 10,22). Diese würden durch die Wirkung eines Effektors an ihrer kondensie-
renden Funktion gehindert, so daß die Schlingen ausstülpen. Die chemische Natur

solcher „Kleber" ist noch unbekannt. Ebenso ist offen, ob sie fester Bestandteil der Chromosomen
oder *angelagertes* Zusatzmaterial
sind. Weiter ist unklar, ob diese
Kleber zugleich die Genregulation
kontrollieren oder damit nicht in
Zusammenhang stehen (die erste
Möglichkeit ist wohl vorzuziehen).

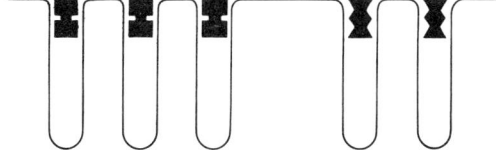

Abb. 10,22. Hypothetische spezifische „Kleber" bewirken Knäuelung eines Chromatids
und möglicherweise zugleich dessen Steuerung

Sicher ist also lediglich die Existenz und die Spezifität solcher Kleber. Es liegt
nahe, in ihnen die Repressoren zu vermuten und ihre Ansprechbarkeit auf spezifische Effektoren durch einen allosterischen Effekt zu deuten. Eine solche Interpretation ist jedoch völlig spekulativ.

2. Falls ein Puff die Aktivität einer Gengruppe (Operon?) anzeigt, sollte die
Freigabe der Information zu deren Ablesung, d. h. zu einer Synthese von mRNA
führen. Tatsächlich beobachtet man bei Fütterung mit Tritium-Uridin und
nachfolgender Autoradiographie der Riesenchromosomen eine RNA-Synthese in
den Puffs. Durch Mikromethoden gelang es sogar, die Basenzusammensetzung
dieser RNA aus einzelnen Puffs zu bestimmen. Hierbei traten beachtliche Unterschiede für verschiedene Puffs auf. Zudem entsprach die Zusammensetzung
nicht der A = U-, G = C-Regel[6], ein Hinweis darauf, daß nur ein DNA-Strang
abgelesen wird.

2. Lampenbürsten-Chromosomen

Außer den polytänen Chromosomen kennt man eine andere Art von Riesenchromosomen[7]. Diese sog. Lampenbürsten- (engl. lamp-brush-) Chromosomen
treten bei Amphibien, Fischen und Vögeln in der weiblichen Meiose, d. h. bei der
Bildung von Eiern, auf.

Die *gepaarten Chromosomen* (Bivalente) der ersten Prophase (die mehrere
Monate lang dauert) strecken sich, vermutlich unter Entspiralisierung, erheblich in der Längsrichtung (bis zu etwa 1 mm bei Salamandern). Gleichzeitig
wachsen seitliche Schlingen (bis zu 200 μ lang) aus den dabei kleiner werdenden
Chromomeren. Die Anordnung, Größe und Gestalt der Schlingen ist ebenso
charakteristisch für den jeweiligen Locus und Zustand eines Chromosoms wie die
Banden und die Puffs der Speicheldrüsenchromosomen (Abb. 10,23 und Tafel 24).

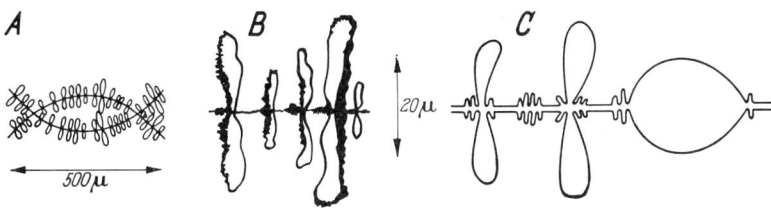

Abb. 10,23.
    A: Schema eines Lampenbürsten-Chromosoms (Vierstrang-Stadium).
    B: Vergrößerter Ausschnitt (nach J. G. Gall und H. G. Callan).
    C: Angenommene Struktur von Lampenbürsten-Chromosomen (nach Gall).
    Rechts eine durch Zugbeanspruchung geöffnete Doppelschleife

Zu Ende der Prophase werden die Schleifen wieder eingezogen, und das Chromosom kondensiert sich in der folgenden Meiose wieder auf die normale Größe von etwa 20 μ.

Man nimmt an, daß ein kontinuierlicher Strang durch die ganze Struktur läuft und sowohl die Zentralachse und die darauf befindlichen Chromomere als auch die Schlingen bildet (Abb. 10,23 C).

Bei einer Zugbeanspruchung des Chromosoms nämlich (derartige Mikromanipulationen sind wegen der außerordentlichen Größe möglich) reißt die Struktur durch Öffnen einer Doppelschleife und nicht in den lichtmikroskopisch unsichtbaren Brücken zwischen den Schleifen. Ein solcher durchlaufender Faden müßte bei Salamander-Chromosomen eine Länge von vielen Zentimetern haben. Sein wesentlicher Bestandteil ist vermutlich DNA, da sowohl Schlingen als auch die Zentralachse bei DNase-Wirkung in kleine Bruchstücke zerfallen.

Das Ausstülpen der Schleifen ist wohl dem Puffen polytäner Chromosomen analog. Für eine Informationsabgabe der Gene im Bereich der Schleife spricht auch das zusätzliche Material (RNA und Protein), das die Schleifen umgibt (Abb. 10,23 B). Die Einzelheiten dieser Informationsabgabe[8] sind kompliziert und noch unverstanden. Möglicherweise gibt es zwei Typen von Schleifen: die meisten kleineren Schleifen scheinen RNA auf ihrer ganzen Länge zu synthetisieren, während einige besonders große Schleifen RNA offenbar nur an einem der beiden Ansatzpunkte der Schleife an der Zentralachse bilden. Diese RNA wird dann entlang der Schleife transportiert. Offen ist, ob die Schleife selbst sich mitbewegt, d. h. an einem der beiden Ansatzpunkte aus dem Chromomer herausgespult, am anderen wieder aufgewickelt wird (Analogie zum Wandern eines Puffs?). CALLAN konnte die Entstehung von Schleifen an spezifischen Stellen verfolgen und fand auch heterozygote Fälle, bei denen nur *eines* der homologen Chromosomen eine Schleife ausbildete (Tafel 24).

Betrachtet man die Gesamtheit aller Zellen, in denen Riesenchromosomen gefunden werden, so wird deutlich, daß diese — ebenso wie Endopolyploidie — dort auftreten, wo ein besonders hoher Bedarf an Proteinen vorliegt, d. h. in Eizellen oder in Drüsen zur Produktion von Verdauungssekreten.

3. Histone

Elektronenmikroskopische Untersuchungen an Chromosomen ließen bisher relativ wenig von deren Feinstruktur erkennen, doch zeigten sie übereinstimmend fibrilläres Material (vgl. Tafel 12). Die Dickenangaben für solche Fibrillen schwanken, vermutlich wegen eines unterschiedlichen Verdrillungszustands, erheblich[8A]. Häufig beobachtet wurde die *Elementarfibrille* von etwa 100 Å Durchmesser, die offenbar *eine* DNA-Doppelhelix enthält. Diese ist in sich noch zusätzlich (regel- oder unregelmäßig?) verdrillt und völlig mit angelagerten basischen Proteinen (Histonen) umgeben, die für Form und Dicke der Elementarfibrille verantwortlich sind (Abb. 10,24). Man nimmt an, daß sich bestimmte Arginin-reiche Histon-Moleküle in die größere Rinne der Watson-Crick-Doppelhelix (Abb. 6,8) legen[8B] und daß dann andere (Lysin-reiche) Histon-Fraktionen sich zusätzlich um

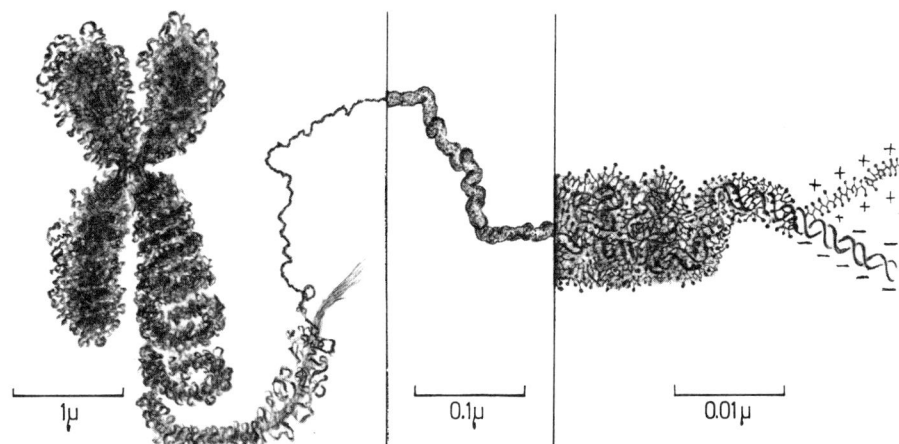

Abb. 10,24. Schema des vermuteten Aufbaus eines Metaphasen-Chromosoms. Aus einem doppelsträngigen DNA-Molekül und angelagerten basischen Histon-Proteinen wird durch Verdrillung dieses Histon-DNA-Komplexes die Elementarfibrille gebildet. Diese lagert sich unter Schleifenbildung an eine aus Protein bestehende Zentralachse an, die sich während der Metaphase spiralisiert

diesen DNA-Histon-Komplex lagern. Die Histon-Belegung führt insgesamt zu so starker Verdrillung des DNA-Fadens, daß dieser als Elementarfibrille bis zu mehr als 10fach in der Länge reduziert sein kann[8C].

Die Funktion dieser Histon-Moleküle, die alle chromosomale DNA umschließen, ist weiterhin unklar. Im Gegensatz zu den spezifischen Repressoren (§ 10/4) besitzen Histone eine allgemeine Affinität zur DNA. Es ist daher die Ansicht vertreten worden, die Rolle dieser basischen Proteine (Molekulargewicht 10—20 000) sei auf die Absättigung der sauren DNA beschränkt. Diese Behauptung wirkt jedoch zu simpel gegenüber Beobachtungen, die auf eine mehrfache Funktion der Histone hinweisen:

Es gibt verschiedene Fraktionen von Histonen, von denen die einen besonders reich an Arginin, andere an Lysin sind. Ein Vergleich von solchen Histon-Fraktionen aus verschiedenen Organen und aus verschiedenen Organismen zeigt große stammesgeschichtliche Stabilität für z. B. eine bestimmte Arginin-reiche Fraktion, die in Kalbthymus und Erbsensamen praktisch die gleiche Aminosäuresequenz besitzt[9]. Andererseits sind besonders die Lysin-reichen Histone von Fall zu Fall recht unterschiedlich. Ebenso zeigen bestimmte Histon-Fraktionen unterschiedliche Affinität zu DNA verschiedener Herkunft.

Neben den Histonen befindet sich in den Chromosomen jedoch noch eine große Anzahl nicht-basischer Proteine. Außer Enzymaktivitäten für Replikation, Ablesung und Reparatur von DNA sind die Wirkungen dieser Proteine hypothetisch. Sie stellen ausgezeichnete Kandidaten für folgende (sich gegenseitig nicht ausschließende) Funktionen dar:

A. Regulation (durch Repressoren, Aktivatoren), die eventuell auch eine Mitwirkung von Histonen einbezieht. Nicht-basische Chromosomen-Proteine zeigen nämlich eine Affinität sowohl zu DNA wie auch zu Histonen. Mit diesen reagieren sie ähnlich der Art einer Antigen-Antikörper-Reaktion. Spezifische Proteine könnten z. B. durch Anlagerung oder Entfernung von unspezifischen Histonen entscheiden, welche Gene blockiert beziehungsweise aktivierbar sein sollen (vgl. § 10/13,5). Nicht-basische Proteine hätten also eine „Lotsen"-Funktion den Histonen gegenüber und würden vielleicht ihrerseits durch Hormone beeinflußt. Die Affinität von Histonen zu DNA wird nämlich in verschiedenen Zelltypen und zu verschiedenen Zeitpunkten des Zellzyklus verändert durch enzymatische Prozesse wie Phosphorylierung, Acetylierung und Methylierung von deren Aminosäuren[9A].

B. Strukturfunktion. Proteine, die sich an spezifischen Stellen der Elementarfibrillen (vgl. Abb. 10,22) anlagern und so deren Packung ordnen, könnten für die Erhaltung der Chromosomen-Struktur entscheidend sein. Über deren architektonische Einzelheiten ist heute noch wenig bekannt, doch sind wohl die an den Lampenbürstenchromosomen entwickelten Vorstellungen weitgehend von allgemeiner Gültigkeit. Auch über die Funktion der sog. cRNA (chromosomale RNA), die in großer Menge in Chromosomen umgesetzt wird ohne diese je zu verlassen[9B], herrscht noch Unklarheit.

4. Nucleolus und Gen-Verstärkung

Im Zusammenhang von Regulation und Struktur der Chromosomen muß noch ein für das Verständnis der quantitativen Genablesung bedeutender Mechanismus besprochen werden: die Verstärkung von Genen (engl. gene amplification). Dieser Mechanismus wurde zuerst von PAVAN[10] vermutet, doch blieb seine Hypothese unbeachtet. Es handelt sich um die selektive Replikation von bestimmten Genen, deren Produkte in großer Zahl benötigt werden.

KEYL[11] konnte die Richtigkeit dieser Vorstellung durch aufschlußreiche Versuche beweisen. Hierzu wurden zwei Spezies von Chironomus benutzt. Diese Mücke hat beeindruckende Polytän-Chromosomen, deren DNA in den einzelnen Banden (durch UV-Absorption) quantitativ meßbar ist. Bei der Spezies thummi fanden sich, im Vergleich zu entsprechenden Banden bei piger, entweder die gleiche Menge, bzw. $2\times$, $4\times$, $8\times$ oder $16\times$ mehr DNA. Diese Beobachtung ist nur durch eine Welle spezieller Verdoppelungen einzelner Chromosomen-Bereiche zu erklären, die zusätzlich nach Entstehung der Polytän-Chromosomen erfolgen.

Das Phänomen braucht sich nicht auf Riesenchromosomen zu beschränken, sondern ist vielleicht ein allgemeiner Mechanismus der quantitativen Regulation von Gen-Aktivitäten bei höheren Organismen. Die zum Zweck einer gesteigerten Funktionsabgabe replizierte DNA könnte als „Messenger-DNA" bezeichnet werden.

Besonders deutlich wird dieser Mechanismus der selektiven Gen-Replikation an Untersuchungen der **Nucleoli** von Oozyten der Krallenfrösche. Man weiß heute durch Hybridisierungsversuche von RNA mit DNA (vgl. § 8/8), daß im Nucleolus die Synthese von Ribosomen-RNA abläuft, die von bestimmten Genen, sozusagen als deren nicht weiter abzulesende mRNA, produziert wird. Da besonders viele Produkte dieser Gene gebraucht werden, ist es offenbar nötig, mehrere Gen-Kopien dafür einzusetzen. Die Gene befinden sich auf Chromosomen-Abschnitten, die als „Nucleolus-Organisatoren" bezeichnet werden und aus denen die neuen Nucleoli entstehen.

Bei einer Eizelle entwickeln sich nun etwa 1000 solcher Nucleoli, die alle ringförmige DNA enthalten, auf der sich hintereinander einige hundert Kopien der Gene befinden. Es alternieren jeweils Gene für ein 28s- und ein 18s-rRNA-Molekül wie auch ein (vielleicht nicht abgelesener) Bereich noch unbekannter Bedeutung[12]. [Auch bei Coli sind offenbar ca. 8 solcher Gene hintereinander im Genom lokalisiert[13]. Beim Menschen gibt es 440 Kopien von rRNA-Genen (18s und 28s) pro Zelle[13A]. Danach dienen 0,1 % der menschlichen Zell-DNA zur Herstellung von ribosomaler RNA.]

Es war bei Krallenfröschen möglich, diese Anordnung und zugleich das Ablesen dieser Bereiche sichtbar zu machen[12]. Elektronenoptische Aufnahmen von Nucleolusmaterial zeigen lange, fadenartige Achsen. An diesen angeheftet sind periodische Gruppen von seitlich wegstrahlenden Fransen. Jede Gruppe hat etwa 100 solcher Fransen, deren Länge der Achse entlang gleichmäßig zunimmt. Da diese Achse durch DNase, nicht aber durch RNase, die seitlichen Fransen aber umgekehrt, durch RNase und nicht durch DNase zerstört werden, gilt es als bewiesen, daß es sich bei den betrachteten Gebilden um naszente rRNA und deren Template handelt. (Am Anfang der Ablesung noch kurze RNA = kurze Franse, am Ende lange!)

Tafel 28 zeigt die eben beschriebenen Aufnahmen; auch wird (auf Tafel 29) der bisher nur einmal beobachtete Fall einer gegenläufigen Richtung zweier rRNA-Gene wiedergegeben.

Es ist interessant auszurechnen, wieviele identische rRNA-Moleküle gleichzeitig auf dem genetischen Fließband der Eizelle synthetisiert werden:

1000 (Nucleoli) $\times$ 500 (Genkopien) $\times$ 100 (Fransen) = $5 \cdot 10^7$ rRNA-Moleküle.

Für die Gene der *Protein*-Untereinheiten von Ribosomen ist eine Gen-Verstärkung nicht im gleichen Ausmaß erforderlich, da ja von einer mRNA vielmals Proteine übersetzt werden können. Diese müssen natürlich in gleicher Menge produziert werden und es besteht ein im einzelnen unbekannter Regelmechanismus, der die Synthese ribosomaler Proteine von der rRNA-Synthese abhängig macht.

Unklar an dem ganzen Problem der Gen-Verstärkung ist noch die Frage, wie die Vervielfältigung zustande kommt. Meist wird angenommen, schon im Genom lägen viele Kopien der Gene vor, die dann ihrerseits (sozusagen auf 2. Stufe) zur Nucleolus-Bildung repliziert würden. Da durch Mutation im Laufe der Zeit die meisten dieser Gene defekt werden sollten und nur noch unnützen Ballast darstellten, hat man spekuliert, daß ein „Herren"-Gen und viele „Sklaven"-Gene existieren. Das „Herren"-Gen soll die Mutationen in den „Sklaven" wieder korrigieren.

Es ist aber vielleicht sinnvoller — und sicher demokratischer — anzunehmen, daß zunächst in dem Chromosom nur ein Gen existiert, von dem viele Kopien gemacht werden; daß aber irgendwann im Sexualzyklus von all diesen Genen nur ein zufälliges (oder wenige) übrigbleiben zur Weitergabe an die nächste Generation. Unter diesen Umständen wäre es leicht, — wie bei anderen Genen — Defektmutanten auszuselektieren.

5. Inaktivierung des X-Chromosoms

Wir haben bereits in § 3/5 gesehen, daß auf dem X-Chromosom viele Gene liegen, die nichts mit der Geschlechtsausbildung zu tun haben. Wegen der empfindlichen quantitativen Balance des Genoms (§ 4/6) sollte die Existenz dieser Gene in nur einem bzw. zwei Exemplaren zu Unterschieden nicht nur in Geschlechtsmerkmalen führen. Tatsächlich scheint ein Mechanismus zum Ausgleich der Gen-Dosis erforderlich zu sein. Dieser wurde anhand zytologischer und genetischer Daten 1961 von LYON[14] postuliert und nach ihr Lyon-Hypothese genannt:

Zytologisch findet man bei fast allen Säugern in den somatischen Zellkernen weiblicher Individuen ein sog. ,,Sex-Chromatin`` oder ,,Barr-Körper``*. Es ist dies ein mit Chromatin (zusätzliches Protein) belegtes, kondensiertes X-Chromosom, das an die Kernmembran geheftet ist und bei Zellteilung später als das andere repliziert wird. Bei Polysomien des X-Chromosoms (vgl. 11/1) werden alle X-Chromosomen bis auf eines zu solchen Barr-Körpern. Selbst bei Translokation an ein Autosom oder bei einer größeren Deletion wird das X-Chromosom als solches erkannt und evtl. mit Chromatin bedeckt, was zu seiner Inaktivierung führt.

Genetische Daten zeigen, daß in weiblichen Geweben jeweils nur ein X-Chromosom ablesbar ist, denn bei Heterozygotie kommt mosaik-artig entweder nur das eine (aus mütterlicher) oder nur das andere (aus väterlicher Linie stammende) X-Chromosom zur Wirkung. Der Zeitpunkt der Inaktivierung eines der X-Chromosomen muß im frühen Embryonal-Stadium liegen, denn ein gleichartiger Bereich des Mosaiks umfaßt jeweils viele Zellen. Die Inaktivierung muß dabei zufällig dieses oder jenes X-Chromosom treffen. Weiter muß bei allen mitotischen Zellteilungen der aktive bzw. inaktive Zustand des X-Chromosoms an dessen Tochter-Chromosomen weitergegeben werden. [Möglicherweise erhalten beide Töchter vom Mutter-Chromosom gewissen ,,Lotsen``-Proteine, die zur erneuten Chromatin-Beladung und Inaktivierung führen.]

Beispiele:

a) Es gibt bei Säugern Fellfarben-Gene auf dem X-Chromosom[15]. Dafür heterozygote Weibchen tragen den Beweis der Lyon-Hypothese ,,auf der Haut``. Gelbschwarz gefleckte Katzen sind (bei normalem Chromosomensatz) immer weiblich, da das entsprechende Gen auf dem X-Chromosom liegt. In den gelben Flecken ist das ,,schwarze`` X-Chromosom inaktiviert, in den schwarzen das ,,gelbe``. (Dagegen hat die schwarz-weiß Scheckung nichts mit der X-Inaktivierung zu tun.)

b) Bei Frauen, die heterozygot für Muskeldystrophie sind, läßt sich die Existenz von erkrankten Muskelfasern (,,gesundes`` X-Chromosom inaktiviert) und von gesunden (,,krankes`` inaktiviert) nachweisen[16]. Diese Frauen sind phaenotypisch normal, da die gesunden Fasern durch die größere Belastung hypertrophieren (verstärkt werden).

c) Von dem (in allen Geweben vorkommenden) Enzym Glucose-6-Phosphat-Dehydrogenase (G6PD) — auch dieses wird von einem Gen des X-Chromosoms codiert — sind mehrere elektrophoretisch unterscheidbare Varianten bekannt. Bei Frauen, die heterozygot für dieses Gen sind, lassen sich beide Varianten des Enzyms nachweisen. Kloniert man aber in Gewebekultur einzelne Zellen solcher

---

* Genannt nach seinem Entdecker.

Frauen, so produziert jeder Klon entweder nur die eine oder nur die andere Variante. Bei etwa 1% der Frauen, die für G6PD heterozygot sind, synthetisieren jedoch die Blutkörperchen nur eine Variante[17]. Man schließt daraus, daß zur Zeit der X-Chromosom-Inaktivierung nur etwa 8 Zellen determiniert sind, das Blut-„Gewebe" zu bilden. Bei einem Zufallsmechanismus ist nämlich in etwa 1% der Fälle zu erwarten, daß in allen acht Zellen dasselbe (entweder das väterliche oder das mütterliche) X-Chromosom inaktiviert wird (beim Münzwerfen: Wahrscheinlichkeit 8mal hintereinander Kopf oder 8mal Zahl zu erhalten).

Die Lyon-Hypothese postuliert also nicht nur einen interessanten Regelmechanismus für die Kompensierung des Gen-Dosis-Effekts für Gene des X-Chromosoms sondern erlaubt auch Schlüsse auf den Zeitpunkt der Determinierung gewisser Embryonal-Gewebe.

Untersuchungen der G6PD an pathologischen Geweben waren in ähnlicher Hinsicht besonders aufschlußreich: Man kann sie benutzen, um festzustellen, ob ein Tumor auf nur eine Ausgangszelle zurückgeht oder aus mehreren Zellen unabhängig entstanden ist. So fand man bei multiplem Myelom, daß alle leukämischen Zellen auf eine einzige Ausgangszelle zurückgehen. Bei multiplen Tumoren der Gebärmutter (Leiomyom) hingegen wird zwar von allen Zellen jedes einzelnen Tumors die gleiche G6PD-Variante gebildet, aber man findet in einem befallenen Uterus Tumoren für beide Varianten[18]. Dieser Befund ist mit der Vorstellung eines infektiösen Ursprung (virusartige Erreger) dieser Tumoren vereinbar.

Die Kernfrage der Lyon-Hypothese, nämlich die nach dem Mechanismus der Inaktivierung eines X-Chromosoms, ist noch ungelöst. Wie bleibt immer gerade nur ein X-Chromosom von der Inaktivierung verschont? Wie auch immer der Mechanismus hierfür sei, er muß auf einem „Wettbewerb" bzw. einer „Absprache" zwischen den X-Chromosomen einer Zelle beruhen, aus dem jeweils ein X-Chromosom als „Sieger" hervorgeht.

Literatur zu § 10/13:

[1] BEERMANN, W.: Chromosoma (Berl.) **5**, 139 (1952).

[2] BEERMANN, W.: Chromosoma (Berl.) **12**, 1 (1961).

[3] CLEVER, U.: Chromosoma (Berl.) **13**, 341 (1962).

[4] MECHELKE, F.: Naturwissenschaften **48**, 29 (1961).

[5] FRIZZI, G.: Sci. genet. (Torino) **3**, 67 (1947).
   BARIGOZZI, C., and SEMENZA: Amer. Naturalist **86**, 123 (1952).
   BIER, K.: Chromosoma (Berl.) **11**, 335 (1960).

[6] BEERMANN, W.: Induktion und Morphog., 13. Colloquium d. Ges. f. physiol. Chemie. Berlin-Göttingen-Heidelberg: Springer 1963.

[7] Erstmalig beschrieben von J. RÜCKERT: Anat. Anz. **7**, 107 (1892).
   Reviews: GALL, J. G., in: Chem. Basis of Development, p. 103. Baltimore: John Hopkins University Press 1958.
   HESS, O.: In Handbuch der allgemeinen Pathologie, Band 2, zweiter Teil, S. 215. Heidelberg: Springer 1971.

[8] GALL, J. G., and H. G. CALLAN: Proc. nat. Acad. Sci. (Wash.) **48**, 562 (1962).

[8A] Reviews über Chromosomenstruktur: RIS, H., and F. KUBAI: Ann. Rev. Genetics **4**, 263 (1970).
   HEARST, J. E., and M. BOTCHAN: Ann. Rev. Biochem. **39**, 151 (1970).

[8B] OLINS, D. E.: J. Molec. Biol. **43**, 439 (1969).

[8C] z.B. LAMPERT, F.: Naturwissensch. **56**, 629 (1969).

[9] DeLANGE, R. J. et al.: Proc. nat. Acad. Sci. (Wash.) **61**, 1145 (1968).

⁹ᴬ Reviews über Histone: DE LANGE, J., and E. L. SMITH: Ann. Res. Biochem. **40**, 279 (1971).
Review über allgem. chromos. Proteine: STELLWAGEN, R. H., and R. D. COLE: Ann. Rev. Biochem. **38**, 951 (1969).
⁹ᴮ BEKHOR, I. et al.: J. Molec. Biol. **39**, 351 (1969).
HUANG, R. C. C., and P. C. HUANG: J. Molec. Biol. **39**, 365 (1969).
¹⁰ PAVAN, C.: Cold Spr. Harb. Symp. quant. Biol. **21**, 230 (1956).
¹¹ KEYL, H.-G.: Chromosoma (Berl.) **17**, 139 (1965).
¹² MILLER jr., O. L., and B. R. BEATTY: J. cell. Physiol., Suppl. 1, 225 (1969).
¹³ GORELIC, L.: Molec. Gen. Gen. **106**, 323 (1970).
¹³ᴬ BROSS, K., u. W. KRONE: Z. Humangenetik **14**, 137 (1972).
¹⁴ LYON, M. F.: Nature (Lond.) **190**, 372 (1961).
Übersicht: Adv. in Teratology 1, 25 (1966).
¹⁵ SEARLE, A. G.: Comparative Genetics of Coat Colour in Mammals. New York: Acad. Press, Inc. 1968.
¹⁶ PEARSON, C. M. et al.: Proc. nat. Acad. Sci. (Wash.) **50**, 24 (1963).
¹⁷ GANDINI, E. et al.: Proc. nat. Acad. Sci. (Wash.) **61**, 945 (1968).
¹⁸ LINDNER, D., and S. M. GARTLER: Science **150**, 67 (1965).

Zusammenfassung des Kapitels

Basensequenzen der DNA haben entweder die Aufgabe Aminosäuresequenzen zu codieren (Struktur-Gene) oder dienen als Erkennungszeichen für bestimmte Proteine, die Replikation der DNA oder Genablesung durchführen bzw. regulieren.

Gene geben nur unter gewissen Bedingungen ihre Information ab. Sie stehen unter einer Steuerung (Kontrolle), die ihre Aktivität bestimmt.

Man spricht von „negativer Kontrolle", wenn normalerweise große Affinität zwischen der RNA-Polymerase und ihrer Aufsprungstelle (Promotor) zur Ablesung einer spezifischen Gengruppe (Operon) besteht. Spezifische Proteine (Repressoren) wirken dann auf spezifische Genomabschnitte (Operatoren) und verhindern so die am Operator beginnende Genablesung. Repressoren werden von speziellen Regulator-Genen codiert. Sowohl diese als auch die Operator- und Promotorfunktion sind mutabel (z. B.: R⁻, Rᵗ, Rˢ sowie Oᶜ Allele).

Der Repressor ist ein Vermittler, der es einem Kleinmolekül gestattet, auf die Informationsabgabe bestimmter Gene einzuwirken. Entscheidend hierfür ist die doppelte Spezifität des Repressors:

1. zu einem bestimmten Kleinmolekül (Effektor),
2. zu einem bestimmten Operator.

Den verschiedenen Bedürfnissen von katabolischem und anabolischem Stoffwechsel entsprechend gibt es zwei Typen von Repressoren:

1. solche, die nur bei Abwesenheit und
2. solche, die nur bei Anwesenheit ihres Effektors die Ablesung der von ihnen kontrollierten Operonen blockieren.

Die am Repressor durch den Effektor bewirkte Änderung ist analog der Aktivierung bzw. Inaktivierung vorhandener Enzyme durch ein spezifisches Kleinmolekül (allosterischer Effekt).

Bei „positiver Kontrolle" besteht dagegen keine Affinität zwischen der unveränderten RNA-Polymerase und dem Promotor. Diese wird erst erzeugt durch das Produkt — wiederum — eines Regulator-Gens. Dieses Genprodukt (Aktivator) wäre — analog dem Repressor — in seiner Wirksamkeit von der Gegenwart bestimmter Effektoren (Kleinmoleküle) abhängig.

σ-Proteine verhelfen der RNA-Polymerase zur Spezifität für bestimmte Promotoren. Sie gehören daher zur allgemeinen Gruppe der Aktivatoren bei positiver Kontrolle.

Entsprechende Steuermechanismen können auch zur Erklärung der Regulation von rRNA-, tRNA- und DNA-Synthese herangezogen werden.

Katabolische Repression ist ein Beispiel einer übergeordneten Regulation durch positive Kontrolle. Hierbei senkt Glucose die intracelluläre Konzentration an cAMP (Mechanismus unbekannt) und reprimiert dadurch mehrere Operonen zur Vergärung anderer Zucker. Der Universal-Effektor cAMP ist nämlich nötig zur Funktion eines Aktivatorproteins (CRP). Die allgemeine, positive Kontrolle durch den CRP-cAMP Komplex überlagert sich den speziellen (negativen oder positiven) Regelmechanismen der einzelnen Operonen.

Auch bei der Differenzierung in höheren Organismen wird Regulation durch Repressoren und Aktivatoren eine Rolle spielen, doch sind sicher weitere Mechanismen beteiligt, durch die die Aktivität von Genen einem durch das Genom festgelegten Zeitplan gehorcht. Die Gen-Aktivität kann als Puff an polytänen und als ausgestülpte Schleifen an Lampenbürsten-Chromosomen sichtbar werden. Im Laufe der Differenzierung werden Gene oft dauerhaft inaktiviert. Hierbei mögen relativ unspezifische Histone eine Rolle spielen, sicher sind aber auch Proteine mit hoher Spezifität zu gewissen Genen daran beteiligt. Hormonen bzw. cAMP mag die Rolle von Effektoren zukommen, die über die Ablesung nicht dauerhaft inaktivierter Gene entscheiden.

Zusätzliche Regulationsmöglichkeiten bei höheren Organismen sind z. B. gegeben durch Genverstärkung (selektive Replikation der DNA gewisser Gene) und Geninaktivierung durch Chromatinkörperbildung (X-Chromosom-Inaktivierung bei weiblichen Säugern).

Weitergehende Literatur zu Kapitel 10:

Cold Spring Harbor Symposion Quant. Biol., Bd. 26: Cellular Regulatory Mechanism (1961).
The Chemical Basis of Development. Baltimore: John Hopkins Press 1958.
HARRIS, R. J. C., ed.: Biological Organization at the Cellular and Supercellular Level. N.Y.: Academic Press 1963.
SUSSMAN, M.: Growth and Development, Englewood Cliffs, N. J., Prentice-Hall 1964.
    Brookhaven Symposia in Biology Nr. 18. — Genetic Control of Differentiation, 1965.
EBERT, J.: Interacting Systems in Development. New York: Holt 1965.
WOLSTENHOLME, G. E. W., and J. KNIGHT, eds.: Control Processes in Multicellular Organisms. — A Ciba Foundation Symp. London: J. and A. Churchill 1970.
HORECKER, B. L., and E. R. STADTMAN, eds.: Current Topics in Cellular Regulation. New York: Acad. Press, jährlich ab 1969.
CHARLES, H. P., and B. C. J. G. KNIGHT (edts.): Organization and Control in Procaryotic and Eucaryotic Cells. Cambridge Univ. Press, 1970.
ROBIN, G. A., R. W. BUTCHER, and E. W. SUTHERLAND: Cyclic AMP. New York: Academic Press 1971.
WEBER, G. (ed.): Adv. in Enzyme Regulation **9**. Oxford: Pergamon Press 1971.
DuPRAW, E. J. (ed.): Adv. in Cell and Molec. Biology **1**, New York: Acad. Press, 1971.

11 Probleme sekundärer Genwirkung

11/1 Geschlechtsausbildung und Bereich der Genwirkung

Auch wenn man heute relativ gut versteht, wie die genetische Information einer Nucleinsäure zur Synthese spezifischer Enzyme führt und erste Schritte zum Verständnis von Regelprozessen gemacht sind, ist es noch ein komplizierter Weg von der primären Genfunktion zu den meisten phänotypischen Merkmalen. In diesem Kapitel sollen einige Fragen in Zusammenhang mit solcher sekundärer Genwirkung behandelt werden. Ein interessantes Beispiel ist die Entstehung von Geschlechtsmerkmalen:

Wir wissen bereits, daß sich bei höheren Tieren männliche und weibliche Individuen in ihrem Chromosomensatz unterscheiden. Weibchen haben XX-, Männchen XY-Chromosomen. Die Weibchen sind „homo"-, die Männchen „heterogametisch". Bei einigen Fischen, Vögeln und Schmetterlingen ist es umgekehrt: Weibchen haben verschiedene (ZW), Männchen gleiche Geschlechtschromosomen (ZZ). Bei Wanzen hat das Weibchen XX-, das Männchen nur *ein* X-Chromosom (X-Null-Typ).

1. Abnorme Situationen bei menschlichen Geschlechts-Chromosomen

Für das Verständnis der Rollen von X- und Y-Chromosomen sind Fälle mit fehlenden oder zusätzlichen Geschlechts-Chromosomen wichtig. Eine Reihe solcher Abnormitäten sind bekannt[1]:

Dem **Turner-Syndrom** (Häufigkeit ca. 1:2500 ♀) liegt genetisch eine „XO"- (X-Null)-Situation zugrunde, d. h. das zweite X bzw. das Y-Chromosom fehlt. Da XO auch unter spontanen Frühaborten häufig ist, weiß man, daß nur 5—20 % solcher Embryonen zu Individuen heranwachsen. Diese sind weiblich, sie haben aber unterentwickelte Eierstöcke (Sterilität) (vgl. dazu Tafel 31). Seltenere Varianten des Syndroms zeigen XO/XX oder XO/XXX-Mosaike (vgl. § 4/6) oder Deletionen bzw. Translokationen des X-Chromosoms.

XO-Individuen beweisen, daß das Y-Chromosom zur Entwicklung männlicher Geschlechtsmerkmale wichtig ist. Unbeantwortet dagegen ist die Frage, wieso das Fehlen eines X-Chromosoms so entscheidend sein kann, wenn doch sowieso (§ 10/13) eines von zwei X-Chromosomen inaktiviert wird. Für die Ausbildung eines normalen weiblichen Phaenotyps scheint in frühen Embryonalstadien Aktivität *zweier* X-Chromosomen nötig oder/und eine andauernde partielle Aktivität auch des inaktivierten X-Chromosoms (Barr-Körper).

Die Tatsache, daß diese Aberration unabhängig vom Alter der schwangeren Frau ist, mag auf einen Fehler in der väterlichen Meiose als Ursache hindeuten.

YO-Individuen werden nicht beobachtet. Ebensowenig findet man diese Situation in abortierten Foeten. Möglicherweise ist der Defekt so kritisch, daß schon die allererste Embryonalentwicklung abbricht.

XXX-Abnormität tritt etwa ebenso häufig wie XO auf, doch scheinen die meisten solcher Frauen sich nur wenig von normalen zu unterscheiden. Bei vielen fehlt die Menstruation, doch haben andere (in allen 10 kontrollierten Fällen) völlig normale Kinder geboren. XXX-Frauen können an den zwei Barr-Körpern pro Zelle (vgl. § 10/13 und Tafel 31) erkannt werden.

Das **Klinefelter-Syndrom** (XXY) ist häufig (1:400 ♂). Seine Wahrscheinlichkeit steigt, wie die von Trisomie 21 und den meisten anderen Chromosomenaberrationen, mit dem Alter der Mutter an (vgl. § 4/6). Die betroffenen Männer sind eunuchoid und meist geistig retardiert. Ihre Geschlechtsorgane sind unterentwickelt und die Zellkerne zeigen einen Barr-Körper (vgl. Tafel 31). Eine große Vielfalt von Mosaiken wurde beschrieben.

Wiederum offenbaren diese Fälle die frühe Bedeutung oder unvollständige Ausschaltung des später inaktivierten X-Chromosoms. Andererseits wird deutlich, daß ein Y sich weitgehend, wenn auch nicht vollständig, gegen XX bei der Entwicklung von Geschlechtsmerkmalen durchsetzt.

Die **XYY-Abnormität** (etwa 1:1000 ♂) führt meist zu hohem Wuchs und — wie die meisten Aberrationen — zu einer Verringerung an geistigen Fähigkeiten. Speziell diese Anomalie wirft soziologisch-juristische Probleme auf, da seit 1965 der Verdacht besteht, daß solche Individuen unter Gewaltverbrechern häufiger sind als unter der Gesamtbevölkerung.

Derartige Fälle von abnormen Chromosomen-Sätzen sind nicht zu verwechseln mit Krankheitsbildern, die durch hormonale Störungen (z. B. als Folge eines Tumors der Nebennierenrinde) entstehen. Solche „intersexuellen" Individuen haben normale Chromosomensätze.

Man beachte, daß die erste Chromosomen-Aberration des Menschen (vgl. § 4/6) erst 1959 bekannt wurde. Es ist zu erwarten, daß die großen Erfolge des ersten Jahrzehnts dieser Forschung nur einen Anfang darstellen.

2. Geschlechtsfestlegung bei Drosophila

Die Rolle des Y-Chromosoms zur Festlegung des männlichen Geschlechts gilt aber keineswegs für alle Organismen. Betrachten wir z. B. die Situation der besonders gut untersuchten Drosophila:

Bei den attached-X-Chromosomen (§ 3/6) hatten wir bereits gesehen, daß XXY-Tiere weiblich waren trotz vorhandenen Y-Chromosoms. Außer diesem Typ wurden von BRIDGES[2] bei Drosophila (durch Kreuzung mit sehr seltenen Triploiden) folgende Kombinationen von Autosomensätzen mit Geschlechtschromosomen hergestellt (das winzige vierte Chromosom ist vernachlässigt):

2 A + 3 X	Superweibchen	4 A + 3 X	⎫	Intersexe
		3 A + 2 X	⎬	(geschlechtliche
				Zwischenform)
4 A + 4 X	⎫			
3 A + 3 X	⎪ Weibchen	2 A + 1 X + 2Y	⎫	
3 A + 3 X + 1 Y	⎬	2 A + 1 X	⎬ Männchen	
2 A + 2 X + 2 Y	⎭	4 A + 2 X	⎭	

Obwohl die meisten Kombinationen zu wenig lebensfähigen und sterilen Individuen führen, zeigt die Aufstellung, daß nicht das Verhältnis von X- und

Y-Chromosomen, sondern das von Autosomensätzen zu X-Chromosomen das Geschlecht festlegt. Bei sonst normalem Chromosomensatz führen also 2 X zu Weibchen und 1 X zu Männchen, wobei das Y-Chromosom ohne Bedeutung ist.

In speziellen Fällen können auch einzelne Gene das Geschlecht beeinflussen. So liegt im dritten Chromosom von Drosophila ein Gen tra (transformer), das als XX tra tra$^+$ zwar Weibchen, aber als XX tra tra sterile Männchen hervorbringt[3]. Die Geschlechtsbestimmung basiert also auf dem Zusammenspiel vieler Faktoren und einem Gleichgewicht innerhalb des Genoms, das noch keineswegs aufgeklärt ist.

3. Männliche somatische Homozygotie

Wieder anders ist die Geschlechtsfestlegung bei Hautflüglern, zu denen die staatenbildenden Insekten gehören. Bei Bienen z. B. entwickeln sich weibliche Tiere aus befruchteten, Drohnen aus unbefruchteten Eiern. Die Differenzierung zu Arbeiterinnen (♀) oder Königinnen (♀) wird durch unterschiedliche Fütterung der Larven bewirkt. Genetisch liegt kein Unterschied vor, was durch Umsetzen von Larven (die zukünftigen Königinnen haben größere Waben) gezeigt werden kann. (Zur Frage Geschlechtsbestimmung durch Umwelt vgl. auch § 11/3.)

Drohnen (♂) sind in ihren somatischen Zellen diploid, da eine Verdopplung des Genoms (Autopolyploidie) stattfindet. Zellen ihrer Keimbahn jedoch sind haploid und durchlaufen bei der Spermatogenese eine abnorme Meiose ohne Reduktion des Chromosomenbestandes.

Das Geschlecht richtet sich nach Homo- oder Heterozygotie der somatischen Zellen. Das folgende Schema wurde zuerst von SNELL vorgeschlagen, dann von P. W. WHITING an der Schlupfwespe Habrobracon juglandis[4] bewiesen und von MACKENSEN auch für Bienen bestätigt[5]: Ein Weibchen entsteht, wenn irgendzwei verschiedene Allele, z. B. $X_a X_b$ oder $X_a X_c$ oder $X_e X_f$ vorliegen, ein Männchen bei $X_a X_a$, $X_c X_c$, $X_d X_d$ usw.

Wie bei der Inkompatibilität von Blütenpflanzen (§ 5/2) liegt ein multipolares System vor, das jedoch in diesem Fall keine Sexualschranke bildet, sondern geschlechtsbestimmend wirkt. Es gibt mindestens zwölf verschiedene Allele, so daß zumeist eine Befruchtung zu Heterozygotie, d. h. zu Weibchen, führt. Man unterscheidet die *3-Allel-Situation:*

P   : $X_a X_b \times X_c$

F1 : *befruchtete Eier:*   *unbefruchtete Eier:*

$X_a X_c$	$X_b X_c$		X_a	X_b
♀	♀		♂	♂
1	:	1	1	: 1

(das Verhältnis ♀:♂ hängt vom Anteil der Befruchtungen ab.) und die *2-Allel-Situation:*

P   : $X_a X_b \times X_a$

F1 : *befruchtete Eier:*   *unbefruchtete Eier:*

$X_a X_a$	$X_b X_a$		X_a	X_b
anomal	normal		fertile	
	♀		♂	

Die anomalen $X_a X_a$-Tiere sind bei Schlupfwespen sterile Männchen, bei Bienen ist diese Kombination letal, insofern als die Larven am ersten Tag von Pflegebienen aufgefressen werden. Die Erkennung der anomalen Larven ist noch unverstanden. Werden also Bienenköniginnen mit ihren Brüdern gepaart, sind 50% dieser Kreuzungen minderfertil (2-Allel-Situation).

Die molekulare Grundlage dieser Geschlechtsbestimmung durch Multipolarität ist noch nicht geklärt.

4. Zellgebundene Genwirkung

Ein ganz anderer Aspekt der Genwirkung ist die Frage, ob der Organismus eine Einheit darstellt, oder ob einzelne Zellen bzw. Zellverbände voneinander unabhängig sind. Produkte bestimmter Gene können entweder an ihre Entstehungszellen gebunden sein oder diese verlassen und in anderen Zellen zur Wirkung kommen. Dieses wird von der Permeabilität der Zellwände für die betreffenden Genprodukte abhängen. Beide Möglichkeiten sind realisiert:

In § 5/3 wurde bereits am Beispiel der Zwillingsflecken für die Merkmale singed und yellow eine zellgebundene Genwirkung deutlich. Ein anderes Beispiel ist das Vorkommen von Halbseitenzwittern (Gynandromorphen) bei Insekten. Hierbei teilt die Symmetrieebene das Tier in eine weibliche und eine männliche Hälfte. Derartige Individuen entstehen durch Verlust eines X-Chromosoms in der ersten Mitose einer weiblichen Zygote. Besonders deutlich sind Fälle, bei denen der Halbseitenzwitter heterozygot für Merkmale des X-Chromosoms ist und die dominanten Allele auf dem verlorenen X-Chromosom liegen. Es können so halbseitig hemizygote Fliegen mit einem weißen und einem roten Auge oder einem normalen und einem abweichenden Flügel entstehen.

Wir sehen, daß diese Merkmale ebenso wie das Geschlecht — in jeder Zelle für sich — aus dem Genom abgelesen werden. Dies wird auch aus folgendem Versuch klar: In embryonalen Schmetterlingen kann man das Ovar durch Hodenanlagen ersetzen. Der Hoden entwickelt sich normal, im übrigen aber ist das Tier in allen sekundären Geschlechtsmerkmalen weiblich.

5. Interzelluläre Genwirkung

Eine interzelluläre Genwirkung zeigt sich im Gegensatz dazu bei der Geschlechtsbestimmung von Wirbeltieren. Bei diesen sind frühe Stadien der Embryonalentwicklung sexuell neutral. Später bilden die Geschlechtsdrüsen Hormone, unter deren Reiz sekundäre Geschlechtsmerkmale an anderen Körperstellen entstehen. Dies wird deutlich bei einer Kastration oder bei Parabioseversuchen, z. B. an Salamandern: Verbindet man junge männliche und weibliche Tiere, dann hindern die männlichen Hormone die Ovarentwicklung des Weibchens. Nur wenn das männliche Tier noch wesentlich jünger ist, werden durch die weiblichen Hormone dessen Hoden in ein Ovar umgebildet.

Bei Rinderzwillingen verschiedenen Geschlechts (selten beim Menschen) kann es zu embryonaler Beeinflussung kommen. Dabei wandern männliche Urkeimzellen in die weiblichen Gonaden-Anlagen des anderen Foeten und führen so zu dessen Differenzierung in männlicher Richtung[6]. Diese so zu einem Mosaik gewordenen, im wesentlichen weiblichen aber sterilen Individuen werden Zwicken (engl. freemartin) genannt.

Auch an Insekten haben wir bereits interzelluläre Genwirkungen bei der Diskussion des Verpuppungshormons kennengelernt (§ 10/13). Ein anderes Beispiel ist die Pigmentierung der Mehlmotte Ephestia kühniella. Der Wildtyp hat schwarze Augen, rötliche Raupenhaut und braunvioletten Raupenhoden. Die Mutante aa zeigt pigmentlose Augen und Farblosigkeit in Haut und Hoden. Implantiert man einen a^+a^+-Hoden in aa-Raupen, so treten — im Gegensatz zur Unbeeinflußbarkeit von sekundären Geschlechtsmerkmalen — Pigmentierungen auch in anderen Organen auf. Das Implantat läßt Genprodukte frei, die in anderen Zellen weiterreagieren. Auch eine Injektion von Extrakten aus Wildtieren bringt diesen Effekt hervor. Das nicht zellgebundene sekundäre Produkt des a^+-Gens konnte chemisch als Kynurenin identifiziert werden. Die Stoffwechselkette vom Tryptophan über das Kynurenin zum Ommochrom, das sich einem Eiweißträger anlagert und so das Pigment bildet, ist gut untersucht und analog in Ephestia und Drosophila[7]. Auch Mutanten für das Gen des Eiweißträgers sind bekannt. Die Wirkung dieses Gens b^+ ist im Gegensatz zu der des Gens a^+ zellgebunden. Dies wird deutlich, wenn Stücke der Augenanlage transplantiert werden, wie in Abb. 11,1 schematisch gezeigt.

Die von b^+ gebildeten Proteine können ihre Zellen offensichtlich nicht verlassen. Das gelingt aber dem von a^+ sekundär gebildeten Kynurenin oder seinen Folgeprodukten. Der in ab^+ implantierte Sektor erzeugt mehr Pigment im Nachbargewebe, wenn er selbst wegen des Fehlens des Proteins den Farbstoff nicht binden kann.

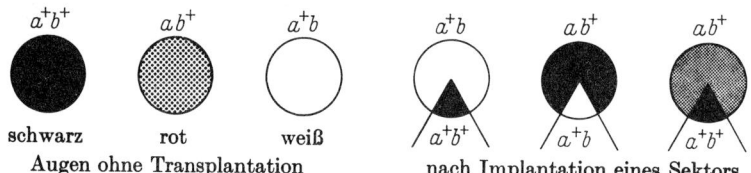

Abb. 11,1. Genwirkung von Augenimplantaten bei Ephestia

Literatur zu § 11/1:
[1] z. B. HELLER, J. H.: J. Hered. **60**, 239 (1969).
[2] BRIDGES, C. B.: Amer. Naturalist **59**, 127 (1925).
[3] STURTEVANT, A. H.: Genetics **30**, 297 (1945) und SEIDEL, S.:-Z. Vererbungsl. **94**, 215 (1963).
[4] Review: WHITING, A. R.: Advanc. Genet. **10**, 295 (1961).
[5] DRESCHER, W., and W. C. ROTHENBUHLER: J. Hered. **55**, 91 (1964).
[6] OHNO, S., and A. GROPP: Cytogenet. **4**, 251 (1965).
[7] Reviews: EGELHAAF, A.: Fortschr. Zool. **15**, 378 (1962).
Augenfarben-Biochemie von Drosophila: HADORN, E.: Sci. Amer., April 1962.

11/2   Variation, quantitative Merkmale, Polygenie und Heterosis

Bisher wurden nur alternative bzw. qualitative Merkmale diskutiert, z. B. Augenfarbe rot oder weiß, Pflanzenwuchs hoch oder niedrig, Fell gescheckt oder einfarbig. Zur Aufklärung der Grundphänomene war das zweckmäßig. Dennoch ist solche Betrachtung eine Vereinfachung, denn die meisten Merkmale, speziell die züchterisch interessanten, sind nur quantitativ zu erfassen (z. B. Milchmenge, Fleisch-Fett-Verhältnis, Halmfestigkeit, Ölgehalt, Virusresistenz usw.).

Betrachten wir als Beispiel eines quantitativen Merkmals zunächst das Gewicht einzelner Samen von Bohnen. Diese Pflanzen sind besonders geeignet, da ihre Autogamie und leichte Vermehrung uns eine genotypisch uniforme Population an die Hand gibt. Wiegt man die einzelnen Samen aus und teilt sie in Klassen zwischen bestimmten Gewichtsgrenzen ein, so erhält man trotz der genetischen Gleichheit des Ausgangssaatguts eine Häufigkeitsverteilung wie in Abb. 11,2 A. Durch immer feinere Klasseneinteilung ergibt sich eine Glockenkurve (Abb. 11,2 B). Diese Streuung der Einzelindividuen wird als Variation* bezeichnet. Wie zuerst JOHANNSEN zeigte (1902), bleibt innerhalb genetisch reiner Linien (Homozygotie) eine Selektion extremer Individuen ohne Erfolg, d. h. deren Nachkommenschaft variiert im gleichen Bereich wie die Ausgangspopulation.

Als Ursache der Variation können daher nur zufällige kleine Schwankungen in der Umwelt (Bodenbeschaffenheit, Lichtverhältnisse usw.) und solche im „inneren Milieu" bei der Entwicklung des Organismus angenommen werden.

Natürlich gilt eine Variation auch für alternative Merkmale. Haben wir z. B. bei Erbsen ein Allelpaar für Hoch- bzw. Niedrigwuchs (a^+a^+ und a^+a hoch, aa niedrig), so kann statt dieser groben Einteilung eine Häufigkeitsverteilung der Pflanzenhöhe aufgenommen werden (Abb. 11,3 A).

Bei einer idealen, d. h. vollständigen Dominanz sind die Einzelverteilungen für a^+a^+ und a^+a ununterscheidbar. Tatsächlich findet man aber meist eine Verschiebung der Verteilungskurven (Abb. 11,3 B).

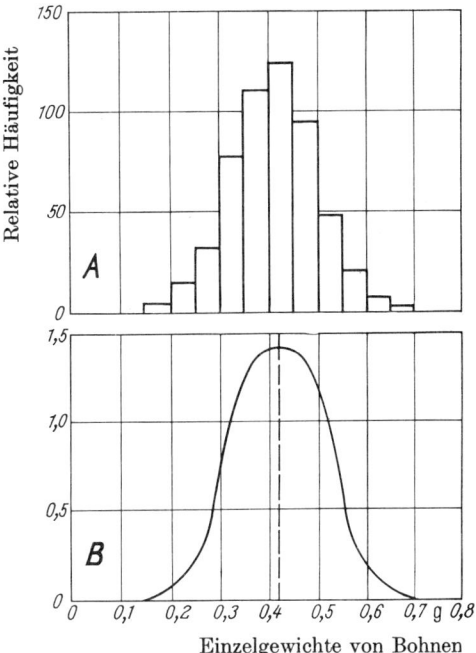

Abb. 11,2. Gewichtsverteilung in einer genetisch uniformen Population von Bohnensamen (reine Linie)

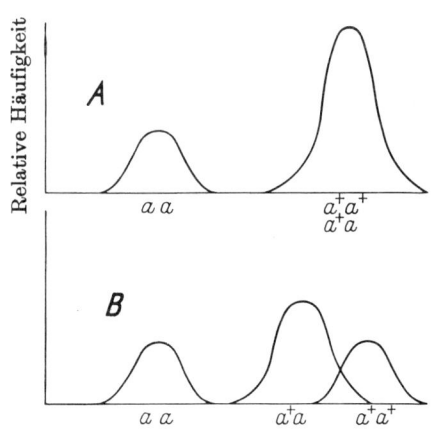

Abb. 11,3. Quantitative Einteilung einer Kreuzungsnachkommenschaft.
A: bei vollständiger,
B: bei unvollständiger Dominanz

---

* Viele Züchter verstehen unter dem Begriff „Variation" zugleich auch die genotypischen Unterschiede einer Population. Dies mag für die Praxis sinnvoll sein, ist aber verwirrend bei einer Diskussion der Grundlagen.

Die sog. *Expressivität* (Ausbildungsgrad) einer Allelkombination ist ein Maß für die Verschiebung der Verteilungskurven. Kombinationen, deren Genotyp sich immer eindeutig manifestiert (getrennte Verteilungen), haben 100%ige Expressivität. Überlappen sich die Verteilungen jedoch, so daß nur für einen Teil der Individuen (außerhalb der Überlappung) der Genotyp sicher abgelesen werden kann, so liegt beschränkte Expressivität vor.

Seit der Anfangsperiode der Genetik gibt es unter den Züchtern Zweifler, weil die Mendelschen Erkenntnisse nur auf qualitative Merkmale anwendbar scheinen. Für die meisten quantitativen Merkmale, wie Ertrag oder Winterfestigkeit einer Getreideart, zeigen die Nachkommen von Kreuzungen eine breite Verteilung, die im allgemeinen zwischen denen der benutzten Elternstämme liegt. Schon 1902 erklärte BATESON solches Verhalten durch *Polygenie*. Etwa um 1910 wurden von NILSSON-EHLE, DAVENPORT und EAST die ersten Fälle beschrieben[1], bei denen die Vererbung quantitativer Merkmale durch die additive Wirkung mehrerer Gene erklärbar war. Beispiele dafür sind Körpergröße und Hautpigmentierung des Menschen (vgl. auch § 3/7).

Im einfachsten Fall liegen nur zwei solcher Gene ungekoppelt vor. Die Genotypen aabb; a+bb, aab+; ++bb, a+b+, aa++; ++b+, a+++; ++++ bilden eine ansteigende Reihe für die Quantität des Merkmals, wenn man annimmt, daß jedes Wildallel einen positiven Beitrag beisteuert. Die einzelnen Genotypen haben dann Variationskurven, die sich im allgemeinen überlappen. Das Resultat einer solchen Kreuzung aabb × ++++ zeigt schematisch Abb. 11,4. Durch Selektion lassen sich aus der gemischten Gesamtnachkommenschaft beide Elternstämme wieder rein gewinnen. In komplizierteren Fällen liegen mehr als zwei, möglicherweise auch gekoppelte Gene vor. Es lassen sich weiter Fälle unterscheiden, bei denen die einzelnen

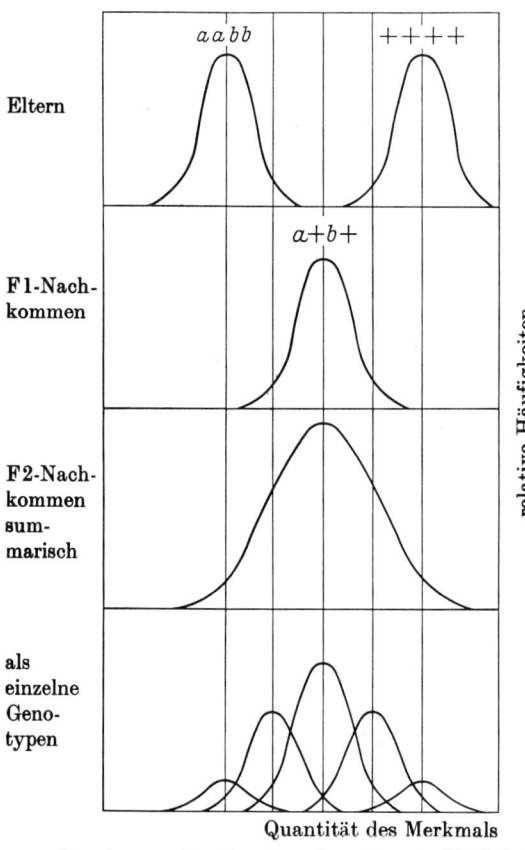

Genotypen mit   0   1   2   3   4   Wildallelen
[deren relative
Häufigkeiten   1 : 4 : 6 : 4 : 1   (vgl. § 3/2)]

Abb. 11,4. Schema einer Kreuzung mit zwei ungekoppelten Genen, gemeinsam verantwortlich für ein quantitatives Merkmal

Gene gleichberechtigt und solche, bei denen bestimmte Gene bedeutungsvoller sind.

Ein Beispiel für den letzteren Fall ist die Scheckung des Rindes, die vorwiegend durch ein rezessives Allel s bedingt ist. Eine Kreuzung zwischen zwei gescheckten Tieren ss × ss liefert durchweg gescheckte Nachkommen, doch zeigen manche von diesen große, andere kleine weiße Fellgebiete. Ist das ausschließlich Variabilität, oder spielen andere Gene eine beeinflussende Rolle? Eine Selektion führt zu einer bleibenden Verschiebung des Durchschnitts, d. h. außer dem Hauptgen s, das überhaupt über Scheckung entscheidet, gibt es modifizierende Gene (engl. modifiers), die das Ausmaß der Scheckung bestimmen. Eine andere Wirkung dieser Gene ist nicht bekannt.

Genau genommen sind auch die Augenfarben-Gene vermilion, cinnabar, purple usw. bei Drosophila Abwandler-Gene zu dem Hauptgen w^+, das überhaupt farbige Augen gestattet. Liegt das Allel w (white) homozygot vor, sind sie ohne Einfluß auf den Phänotyp (stets weiße Augen).

Da die meisten quantitativen Merkmale unter polygener Kontrolle stehen, findet man nur selten einfache Spaltungsverhältnisse. In vielen Fällen bleibt das Ergebnis undurchsichtig, so daß zur Einkreuzung eines Merkmals in die — bei Pflanzen häufig noch polyploiden — Kulturrassen nur empirische Selektion angewandt werden kann. Ein wesentliches Problem der Züchtung ist es daher, diese Methode möglichst rationell durchzuführen.

Auch heute noch könnte der Standpunkt vertreten werden, daß quantitative Merkmale nicht den Mendelschen Vererbungsregeln folgen und daß gesicherte Fälle solcher additiven Polygenie nur Ausnahmen seien, denn einzelnen überzeugenden Beispielen stehen viele nicht — oder mit unbefriedigendem Ergebnis — untersuchte Fälle gegenüber. Als Gegenargument kann jedoch das Grundprinzip aller naturwissenschaftlichen Forschung dienen, daß bis zum Beweis des Gegenteils das allgemeine und einfache Konzept beibehalten werden sollte.

Heterosis

Eine Population von fremdbefruchtenden Pflanzen, z. B. Mais, enthält eine große Zahl von heterozygoten Genen. Bei einer Selbstbefruchtung (Selbstung) besteht für jedes dieser Gene die Wahrscheinlichkeit $1/2$ homozygot zu werden (Selbstung führt zu 1 AA:2 Aa:1 aa). Von der Gesamtheit der heterozygoten Gene werden also 50 % bei *einer* Selbstung homozygot. Der Heterozygotieanteil halbiert sich weiter in jeder folgenden Selbstungsgeneration. Aus einer in vielen Genen heterozygoten Population lassen sich so durch fortgesetzte Selbstung einzelner Individuen viele mehr und mehr homozygote Inzuchtstämme gewinnen. Jeder davon ist homozygot für die meisten Gene, doch haben verschiedene Selbstungsstämme Homozygotie für verschiedene Kombinationen von Allelen der ursprünglich heterozygoten Gene, z. B.

1.	aa	BB	cc	dd	ee	FF	GG	
2.	aa	bb	CC	DD	ee	ff	GG	
3.	AA	bb	cc	dd	EE	FF	GG	usw.

[Bei manchen Arten kann dies heute schneller durch Aufzucht haploider Individuen mit anschließender Diploidisierung erreicht werden.]

Derartige Selbstungen am Mais wurden zuerst von EAST und SHULL ausgeführt. Dabei zeigte sich[2], daß mit fortschreitender Homozygotie die Üppigkeit der Pflanzen — d. h. ihre Größe, die Länge der Maiskolben, die Kornzahl — zunächst stark abnahm, dann aber auf einem niedrigeren Niveau stagnierte. Die Heterozygotie schien vorteilhaft für die Pflanze. Dies bestätigte sich bei Fremdbefruchtung der praktisch homozygoten Stämme untereinander. Die wieder weitgehend heterozygote F1 lieferte weit üppigere Pflanzen und höheren Ertrag als jede der Inzuchtlinien.

Auf dieser Basis beruht heute die gesamte Maiszüchtung. Man gewinnt zuerst aus einer natürlichen heterozygoten Population eine große Zahl verschiedener homozygoter Stämme und probiert viele Kombinationen unter diesen aus. Die Paarungen mit dem höchsten Ertrag übertreffen bei weitem die Leistung der natürlichen Ausgangspopulation. Dieser Hybridmais wird in großen Mengen als Saatgut hergestellt und muß jedes Jahr wieder aus den reinen Linien gewonnen werden. da bei natürlicher Befruchtung die Mehrzahl der F2-Generation bereits nicht mehr die optimale Allelzusammenstellung besitzt. In den letzten Jahren wird auch in der Weizenzüchtung diese Methode mit steigendem Erfolg angewandt, nachdem die zunächst dem Verfahren entgegenstehende Selbstbefruchtung durch genetische Tricks überwunden wurde[3].

Diese besondere Üppigkeit der Heterozygoten wird als Luxurieren der Bastarde oder kurz als Heterosis bezeichnet. Man versucht, sie auch in der Tierzucht auszunutzen.

Wie kann der Effekt der Heterosis erklärt werden? JONES nahm eine größere Zahl von Wachstum-fördernden (gekoppelten) Genen an, die heterozygot (Aa) ebensogut wie homozygot (AA) wirken. Da viele solcher Faktoren vorliegen, hat keiner der verschiedenen Selbstungsstämme die förderlichen Allele *aller* Faktoren. Eine Kreuzung zwischen den reinen Linien führt aber in der F1 die förderlichen Faktoren beider Eltern zusammen. In vielen Fällen wird das unter dem Durchschnitt der förderlichen Faktoren in der fremdbefruchteten Ausgangspopulation sein, in einigen Fällen aber, wenn sich die beiden Eltern gut ergänzen, über diesem Durchschnittswert liegen.

Als zusätzliche Erklärung wird oft „*Überdominanz*" angeführt. Danach soll die heterozygote Situation Aa zu üppigerem Wuchs führen als Homozygotie, da sozusagen beide Allele einen positiven, aber verschiedenen Beitrag leisten, der von einem Exemplar des Allels ebenso gegeben wird wie von zwei Exemplaren.

Es könnte z. B. das von Allel A codierte Enzym bei relativ niedrigen Temperaturen optimal wirksam sein, das von Allel a jedoch bei höheren Temperaturen besonders aktiv. Die Heterozygote Aa würde dann schneller wachsen als beide Homozygoten, da sie über einen breiteren optimalen Temperaturbereich verfügt.

Verschiedene Varianten von Enzymproteinen sind zur Genüge bekannt. Selten sind jedoch noch Beispiele von Selektionsvorteilen, die durch das Vorhandensein zweier Proteinvarianten gewährt werden. Man erinnere sich aber an die größeren Überlebens-Chancen in Malaria-verseuchten Gebieten von Individuen, die heterozygot sind für Sichelzellenanämie (§ 8/3).

Literatur zu § 11/2:
[1] DAVENPORT, C. B.: Carn. Inst. Wash. Publ. 188 (1913).
    EAST, E. M.: Amer. Naturalist **44**, 65 (1910).
    NILSSON-EHLE, H.: Bot. Notiser (1908).
[2] SHULL, G. H.: Proc. Amer. Breeders Assoc. **4**, 296 (1908); **5**, 51 (1909).
[3] CURTIS, C., and D. R. JOHNSTON: Sci. Amer., May 1969.

11/3   Genom und Umwelt

In allen bisherigen Betrachtungen wurde die Wirkung von Genen in einer konstant gehaltenen Umwelt diskutiert. Unter diesen Bedingungen kann keine Aussage darüber gemacht werden, inwieweit neben den Genen auch Außenfaktoren die Merkmale bestimmen. Um diese Frage zu beantworten, müssen umgekehrt genetisch gleiche Individuen verschiedenen Umweltbedingungen ausgesetzt werden. Besonders geeignet sind hierfür Pflanzen, bei denen durch vegetative Vermehrung oder durch wiederholte Selbstungen genetisch einheitliche Individuen leicht gewonnen werden können.

Bleibt bei derartigen Versuchen die veränderte Umwelt im Rahmen natürlicher Verhältnisse, so werden zwar quantitative Unterschiede — speziell in bezug auf Wachstum und Größe bei verschiedener Ernährung — auftreten, doch wird sich nur relativ selten ein qualitativer Effekt zeigen. Klima, Bodenbeschaffenheit und Lichtverhältnisse werden also im allgemeinen qualitative Merkmale nicht wesentlich beeinflussen, solange nicht extreme Bedingungen hergestellt werden.

Diese Stabilität selbst gegen recht große Änderung der Umweltbedingungen ist in der *Regulationsfähigkeit* der Organismen begründet. Angefangen vom Bakterium, das in der Lage ist, den Durchtritt von Molekülen durch seine Membran zu regulieren, bis zum Warmblüter, der eine bestimmte Körpertemperatur aufrechterhält, werden Außenschwankungen ausgeglichen und das physikalische und chemische „innere Milieu" weitgehend konstant gehalten.

Dennoch gibt es viele Beobachtungen über meist quantitative umweltbedingte Unterschiede. Diese lassen sich in 3 Kategorien aufteilen:

1. Trivialfälle (z. B. extreme Licht-, Temperatur- oder Ernährungsbedingungen).

2. Defekte im Genom, die den Ausgleich von Umweltsunterschieden unmöglich machen.

3. Genetisch eingeplante Außenwirkungen (z. B. Blüh-Induktion).

Der Leser überlege selbst, bei welchen der folgenden Beispiele unnatürliche Extrembedingungen, genetisch eingeplante Außenwirkungen oder Mutanten mit einer Störung im normalen Funktionsablauf vorliegen.

1. Im § 3/7 wurde gezeigt, daß die Chlorophyllsynthese von Pflanzen unter der Kontrolle mehrerer Gene steht. Da diese Synthese andererseits ein lichtabhängiger Prozeß ist, bleiben auch genetisch nicht defekte Sämlinge weiß, wenn sie in vollständiger Dunkelheit gezogen werden. Das Fehlen des Blattgrüns kann also entweder genetisch bedingt sein oder durch extreme Umweltbedingungen hervorgerufen werden.

2. Im Wildtyp von Kaninchen wird ein Enzym gebildet (Gen y^+), das das im Grünfutter enthaltene Xanthophyll abbaut. Liegt in dem Tier jedoch homozygot das Allel y vor, entsteht eine gelbe Färbung des Fetts, die durch das Xanthophyll bedingt ist. Bei anderer Ernährung ist das Fett farblos wie bei y^+-Individuen. Auch hier ist also unter bestimmten Umweltbedingungen die Unterscheidung verschiedener Genotypen möglich, unter anderen nicht.

3. Die normalerweise rotblütige Primula sinensis bildet weiße Blüten bei 30—35⁰ C. Bringt man die Pflanze in niedrigere Temperatur zurück, so werden neu entstehende Blüten der gleichen Pflanze rot.

4. Sog. Russen- oder Himalaya-Kaninchen (Mutation c^n) haben ein weißes Fell, doch sind die Körperspitzen (Ohren, Nase, Pfoten, Schwanz), deren Temperatur etwas niedriger liegt, schwarz. Die Pigmentbildung ist nur unterhalb von 34^0 C möglich. Schneidet man Haarbüschel weg, so wachsen unabhängig von der Körperstelle schwarze oder weiße Haare nach, je nachdem, ob die betreffende Stelle gekühlt oder warm gehalten wird. Der gleiche Mechanismus gilt für die Fellfärbung von Siamkatzen.

5. Bei vielen Mikroorganismen findet man in vielen Genen Temperatur-Mutanten (vgl. § 6/7 und § 8/2). Es sind dies Individuen, die z. B. bei $25°$C, nicht aber bei $40°$C vermehrungsfähig sind. Sie besitzen offenbar thermolabile Proteine, die bei $40°$C nicht mehr funktionieren. Diese Deutung ist vermutlich auch auf die ähnlichen Beispiele 3 und 4 anwendbar.

6. Auch biochemische Mangelmutanten von Pilzen und Bakterien können als extreme Beispiele von Umweltabhängigkeit angesehen werden. Wird z. B. einem Thymin-bedürftigen Bakterienstamm ein Thymin-haltiger Nährboden dargeboten, kann praktisch normale Vermehrung stattfinden. Die Defektmutation wirkt sich jedoch in thyminloser Umwelt letal aus.

Wie problematisch aber die Einteilung in Umwelt- und Gen-kontrollierte Einflüsse ist, zeigt folgendes Argument (nach H. E. SUTTON): Während der Evolution verloren die Tiervorfahren des Menschen durch Defektmutationen die Fähigkeit, bestimmte Aminosäuren (vgl. S. 210) und Vitamine zu synthetisieren. Dieser Verlust war bedeutungslos, da diese Substanzen in der Nahrung reichlich vorhanden waren. Heute leidet aber etwa jeder zweite Mensch an Unterernährung — mancher trotz mehr als genügender Kalorienzahl durch Kohlehydrate, was zur Fettleibigkeit führt —, weil ihm diese kritischen Substanzen, vor allem Fleischnahrung fehlen. Ist dies nun eine Folge unzureichender Erbinformation oder muß man Umweltbedingungen dafür verantwortlich machen?

Die Frage nach den Gewichten des Einflusses von Umwelt und Erbgut auf die Merkmalsausbildung eines Organismus ist im Grunde falsch gestellt. Zur Entstehung eines Organismus ist sehr viel Information erforderlich, die im Erbgut niedergelegt ist. Demgegenüber ist der Informationsgehalt der Umweltbedingungen (Temperaturen, Dauer und Intensität von Lichteinwirkung usw.) verschwindend gering, da ihre vollständige Beschreibung in wenigen Sätzen möglich ist. Umweltbedingungen können daher gar keinen wesentlichen *eigenen* Beitrag zu den Eigenschaften eines Organismus leisten. Sie können jedoch eine im Genom begründete Entwicklung *auslösen* bzw. eine Entscheidung treffen zwischen alternativen, vom *Genom vorbereiteten* Möglichkeiten.

Alternative Reaktionsmöglichkeit

Beispiele einer solchen „alternativen Reaktionsnorm" des Genoms, die von Umweltfaktoren entschieden wird, sind in großer Zahl bekannt. In solchen Fällen wird die Umwelt nicht durch Regulationsvorgänge ausgeglichen, sondern ist im Gegenteil ein vorgesehener entscheidender Faktor im Mechanismus der Regulation.

Das Beispiel der Kastenentstehung (Bienen, Ameisen, Termiten) wurde schon in § 11/1 erwähnt.

Der Ringelwurm Ophryotrocha ist im Jugendstadium männlich und wird dann zu einem weiblichen Tier. Durch Hunger oder Amputation des Hinterleibes (es erfolgt Regeneration) werden die Tiere erneut zu Männchen, die jedoch bei Erreichen einer bestimmten Körpergröße wiederum weiblich werden. Eine Geschlechtsumwandlung kann jedoch auch bei einem üppigen Tier (♀) erreicht werden, wenn man dieses mit einem anderen Weibchen in einem Glasgefäß hält. Durch Extraktion konnte gezeigt werden, daß von den Weibchen vermännlichende Stoffe gebildet werden, die das weniger eiertragende Tier schließlich zum Männchen umformen. Möglicherweise liegt auch hier ein multipolares Gensystem vor (wie bei der Inkompatibilität von Blütenpflanzen, § 5/2), das das Weibchen vor der Beeinflussung durch die von ihm selbst produzierten Wirkstoffe schützt.

Während bei Ophryotrocha die getroffene Entscheidung wieder rückgängig gemacht werden kann, ist diese beim Wurm Bonellia endgültig. Die Larven dieses im Seewasser lebenden Tieres setzen sich fest und werden zu mehreren Zentimeter großen Weibchen mit einem langen Rüssel. Fallen Larven jedoch auf einen solchen Rüssel, so bleiben sie zwergförmig und werden zu einem im Vorderdarm des Weibchens parasitisch lebenden Männchen.

Ein anderes Beispiel für eine alternative Reaktionsmöglichkeit ist der jahreszeitliche Wechsel von Sommer- und Winterkleid z. B. beim Hermelin oder beim Schneehuhn. Hier liegt vermutlich Selektion (Schutzfarbe) für ein temperaturabhängiges Enzymsystem der Pigmentbildung vor, das je nach Außentemperatur weiße bzw. pigmentierte Haare (Federn) nachwachsen läßt.

Im botanischen Bereich finden sich Beispiele, bei denen die Entscheidung über die Bildung von Blüten durch das Verhältnis von Licht- und Dunkel-Periode getroffen wird. ,,Langtagspflanzen" (z. B. Spinat oder Senf) blühen nur nach längeren Lichtperioden, während ,,Kurztagspflanzen" (z. B. Chrysanthemen oder Sojabohnen) zur Blühinduktion längere Dunkelperioden benötigen.

Das Genom determiniert also nicht in jedem Fall vollständig die späteren Merkmale des Individuums, sondern kann auch alternative Wege abstecken, wobei die Entscheidung zwischen diesen einem äußeren Faktor überlassen ist.

,,Zufalls"-Entscheidung bei architektonischen Merkmalen

Die bisher behandelten Beispiele von Umwelteinfluß fügen sich gut in das Bild einer mendelnden Vererbung ein. Dennoch gibt es zahlreiche Fälle, bei denen die Ausbildung eines Merkmals undurchsichtig erscheint. Versucht man das Gemeinsame dieser Fälle zu ergründen, so stellt man fest, daß es sich häufig um ,,architektonische" Merkmale handelt, d. h. um solche, die Morphologie, z. B. Skelettbau oder Blattstellungen, betreffen.

Die folgenden Beispiele sind den eben·geschilderten ähnlich, insofern als auch hier das Genom eine alternative Entwicklungsmöglichkeit, nicht aber Freiheit zu beliebiger Formgebung läßt. Sie unterscheiden sich von jenen jedoch darin, daß genetisch gleiche Individuen auch bei ,,gleicher" Umwelt unterschiedlich reagieren können.

Die ersten gründlich untersuchten Fälle dieser Art wurden von DE VRIES beschrieben. Eine Kardenart (Dipsacus silvestris) findet man in zwei Wuchsformen (vgl. Abb. 11,5), nämlich in normalem Blatt- und Blütenstand (gestreckt) oder mit verdickten und spiralig gedrehten Stengeln. Dieses Merkmal folgt nicht den üblichen Vererbungsgesetzen, sondern ist offenbar umweltab-

normale und gedrehte
Wuchsform

Abb. 11,5. Wuchsformen von
Dipsacus silvestris. (Aus A.
Kühn: Grundriß der Ver-
erbungslehre. Verlag Quelle
und Meyer, Heidelberg 1961)

hängig. Die Aussaat des gleichen Samens führt auf kargem Boden zu ausschließlich normalem Blattstand, auf üppigem Boden dagegen zu etwa 30—40% Spiralwuchs[1]. Beide Symmetrieformen (Rechts- und Linksschrauben) kommen dabei vor. Es gelingt nicht, durch Selektion und Selbstbefruchtung den spiraligen Anteil zu vergrößern.

Ein ähnliches Beispiel ist die Zahl der Keimblätter bei Antirrhinum majus[2]. Diese Pflanze hat entweder zwei oder drei Keimblätter, aus der sich Stengel mit entsprechenden Blattsymmetrien entwickeln. Selektiert man eine Ausgangspopulation mit 0,5% dreizähligen Keimen unter Selbstung, so gewinnt man schließlich Linien mit maximal etwa 90% vom Dreier-Typ. Wie bei der Scheckung des Rindes scheint ein Hauptgen mit einigen Nebengenen für die Alternative von Zweier- oder Dreier-Symmetrie verantwortlich. Dieser Schluß wird erschwert durch die Umweltabhängigkeit dieses Merkmals: Schlechte Ernährung der Mutterpflanze begünstigt Zweier-, Kälte während der Embryonalentwicklung Dreier-Symmetrie. Ebenso kann durch ungenügende Belichtung oder Entfernen eines von drei Keim-

blättern Zweier-Symmetrie erzeugt werden. Als Deutung derartiger Phänomene bieten sich Differenzierungsmechanismen wie in § 10/12 diskutiert an. Die Zweier- oder Dreier-Symmetrie mag z. B. dadurch entstehen, daß ein Zufallsgenerator Sonderzellen bildet, die verschieden stark die Bildung weiterer Sonderzellen unterdrücken, wobei meist *zwei*, manchmal *drei* Zentren entstehen.

Ähnliche Phänomene treten auch bei Tier und Mensch auf, sind dort jedoch schwieriger zu analysieren (Selbstungsmöglichkeit fehlt). So kommt es bei der Polydaktylie des Menschen (überzählige Finger und Zehen) häufig vor, daß sich das Merkmal nur an einer Hand oder nur an einem Fuß manifestiert. Es können sogar ein oder zwei Generationen ganz übersprungen werden, obwohl das Merkmal im allgemeinen dominantes Allelverhalten zeigt.

Bei den meisten zoologischen Beispielen dieser Art ist es noch ungeklärt, ob die Phänomene durch Mitwirkung anderer, noch nicht erfaßter Gene zu deuten sind oder ob die Variation dafür verantwortlich ist, d. h. die Schwankung der Merkmalsausbildung auf Grund unkontrollierbarer Unterschiede der äußeren und inneren Umwelt. Die Variation würde in solchen Fällen „umschlagend" sein, d. h. bis zu einem gewissen Wert das Merkmal in seinem Phänotyp A, von diesem Wert ab in seinem alternativen Phänotyp B ausbilden.

Man beschreibt solche Situationen als unvollständige „*Penetranz*" (Ausbildungswahrscheinlichkeit) einer Allelkombination und sagt in einem individuellen Fall von Polydaktylie z. B.: Hier liegt starke Penetranz vor, weil ein sechster Finger an 2 Händen und einem Fuß auftritt. Im Grunde handelt es sich um das gleiche Phänomen wie bei der Expressivität (vgl. § 11/2). Hier wie dort können modifizierende Gene oder/und Umweltfaktoren die genetische Situation verschleiern. Während der Ausdruck Expressivität für quantitative Merkmale benutzt wird, spricht man bei qualitativen Eigenschaften (sechster Finger — ja oder nein) von Penetranz. Man braucht aber nur einen Schwellenwert für eine quantitative Größe anzunehmen, um aus ihr eine alternative Entscheidung zu gewinnen.

Prädetermination

Es gibt Fälle matrokliner (mutterähnlicher) Vererbung, in denen zusätzlich zum normalen Mendelschen Vererbungsmechanismus ein Einfluß des mütterlichen Genoms auf die Nachkommenschaft erfolgt. In solchen Fällen muß der mütterliche Organismus als beeinflussende unmittelbare Umwelt der Nachkommengeneration betrachtet werden.

Ein Beispiel für eine solche Situation ist die Nachwirkung des mütterlichen Enzym-Systems für die Pigmentierung von Habrobracon. Bei dieser Schlupfwespe kann die nur bei niederen Temperaturen bestehende Tendenz zur Pigmentierung abgeschwächt auf die nächste Generation übertragen werden, obwohl diese bei höheren Temperaturen aufgezogen wird. Da die Beeinflussung nur von der mütterlichen Seite her erfolgt, erhält offenbar das Ei einen Teil der Reaktionsprodukte der betreffenden mütterlichen Pigmentierungsenzyme bzw. diese Enzyme selbst.

Ein anderes, besonders instruktives Beispiel ist der Richtungssinn der Spiralisierung von Schneckenhäusern (speziell untersucht Limnea peregra). Verantwortlich für den Richtungssinn ist ein Gen, das als ss Linksschrauben, als ss^+ oder s^+s^+ Rechtsschrauben bedingt.

Die Zwittrigkeit der Schnecken ermöglicht Selbstbefruchtung, wodurch der Erbgang leicht zu erkennen ist (Abb. 11,6). Es zeigt sich, daß stets die Konfiguration des mütterlichen Genoms den Windungssinn für die nächste Generation festlegt. Die Merkmalsausprägung ist also um eine Generation verzögert. Das Plasma des Eies ist „prädeterminiert".

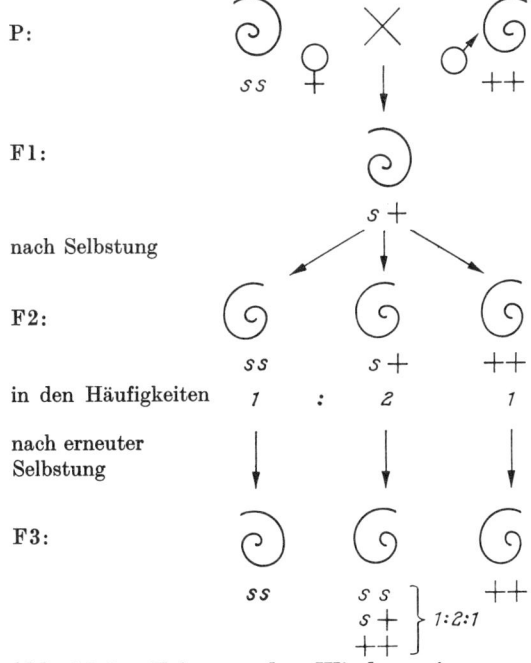

Abb. 11,6. Erbgang des Windungssinns von Schneckenhäusern

Das hier auftretende Rechts-Links-Problem ist eine der ungelösten Fragen der Biologie. Wenn überhaupt Asymmetrie vorkommt, wie z. B. bei einem Teil der menschlichen Organe, warum sind dann nicht beide Möglichkeiten gleich häufig und dem Zufall überlassen?

Die Determination einer Rechts-Links-Alternative verlangt ein räumliches Muster von vier verschiedenen Elementen (Abb. 11,7).

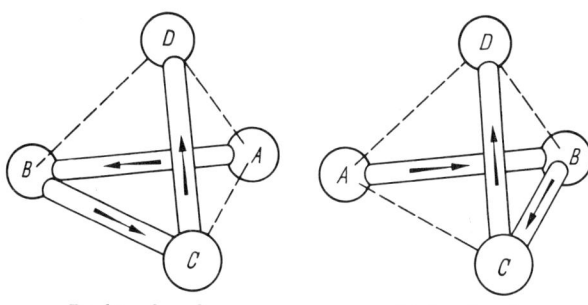

Rechtsschraube   Linksschraube

Abb. 11,7. Festlegung einer Asymmetrie durch vier verschiedene Elemente

Man weiß nicht, wie ein derartiges räumliches Muster durch Gene festgelegt wird. Vor allem ist noch offen, auf welchem Niveau der Strukturgröße die Determination erfolgt. Sind es rechts-links asymmetrische Kleinmoleküle oder Großmoleküle (z. B. Proteine) oder noch größere Zellstrukturen? Bei großen Molekülen wie Nucleinsäuren und Proteinen besteht kein Freiheitsgrad für eine Rechts-Links-Alternative. Die Asymmetrie ist festgelegt durch die Winkel der Bindungen zwischen den einzelnen Bausteinen des Moleküls. Ein Beispiel einer Schraube auf nächst höherem Niveau ist die Proteinhülle des Tabakmosaikvirus, die sich aus einzelnen Bausteinen (Molekulargewicht etwa 17 000) aufbaut. Die Struktur dieser Proteinbausteine, d. h. die Faltungsweise der Peptidkette, legt den Richtungssinn der Großschraube fest. Es ist denkbar, daß das ganze Rechts-Links-Problem der Biologie sich auf eine alternative Faltung bestimmter Proteine reduzieren läßt, die von verschiedenen Allelen gebildet werden. Die kritischen vier Elemente wären dann Abschnitte einer Peptidkette. Es bleibt offen, wie sich dieser Unterschied im Einzelfall zu einer sichtbaren Asymmetrie größerer Strukturen in einem Zellverband verstärken würde.

Vererbung erworbener Eigenschaften

Die evolutionistische Entwicklung aller Organismen im Verlauf der Erdgeschichte wurde bereits im Altertum diskutiert (ANAXIMANDER, EMPEDOKLES, LUKREZ). Am Anfang des 19. Jahrhunderts erklärte sie LAMARCK durch die Vererbung von Eigenschaften, die ein Individuum im Laufe seines Lebens erworben hatte. Durch dauernde Sonneneinwirkung hätten tropische Menschenrassen stärkere Hautpigmentierungen gewonnen, durch geringeren Gebrauch sollte sich das menschliche Gebiß zurückgebildet haben usw.

Man darf über der Fehlerhaftigkeit dieser Evolutionserklärung nicht die Bedeutung der These einer Evolution vergessen, die einen Umsturz der Naturphilosophie bedeutete und die Kirchen vor ein schwierigeres Problem stellte als das planetarische Weltbild des KOPERNIKUS. Erst nach DARWINs Zeit — aber vor der Entdeckung von Mutationen — wurde LAMARCKS Vorstellung der Vererbung erworbener Eigenschaften wissenschaftlich durch WEISMANN angegriffen.

Wir wissen heute, daß genetische Information niedergelegt ist in der Sequenz von vier Bauelementen der DNA. Der Gedanke, daß gerade die für die Ausbildung des Gebisses verantwortlichen Bereiche dieser Sequenz durch vieles Kauen entsprechend geändert würden, ist absurd. WADDINGTON hat eine sorgfältige Analyse[3] durchgeführt von Fällen, die auf den ersten Blick wie eine Vererbung erworbener Eigenschaften aussehen, und diese im Rahmen von allgemeingültigen Vorstellungen erklärt. Es handelt sich dabei kurz um folgendes Prinzip:

Eine Spezies besitzt eine Reihe von Polygenen, deren Allele in einer bestimmten Umwelt U_1 weder Selektionsvorteil noch -nachteil bieten. In einer Umwelt U_2 dagegen werden bestimmte Allelkombinationen ausselektioniert, wodurch eine phänotypische Änderung auftritt. Zurückgebracht in U_1 wirken und vererben sich die in U_2 ausgelesenen Allelkombinationen weiter und bringen den in U_2 aufgetretenen Phänotyp jetzt auch in U_1 hervor. Die in U_2 „erworbene" Eigenschaft ist stabil geworden.

Die in diesem Paragraphen betonte entscheidende Bedeutung der Erbinformation bezieht sich vor allem auf physiologische und auch auf morphologische Eigenschaften eines Organismus. Es steht außer Frage, daß im Gegensatz dazu im intellektuellen oder psychologischen Bereich des Menschen die Umwelt eine wesentliche Rolle spielt. Für soziologische Probleme der Menschheit ist dieser Punkt von Wichtigkeit. Wir kommen auf diese Frage in § 12/9 zurück.

Literatur zu § 11/3:

[1] VRIES, H. DE: Mutationstheorie, Bd. II. Leipzig 1903.
[2] STRAUB, J.: Z. Bot. 48, 219 (1959).
[3] Review: WADDINGTON, C. H.: Advanc. Genet. 10, 257 (1961).

11/4 Das Netzwerk der Genwirkung

In den Paragraphen 3/7 und 11/2 wurde dargelegt, daß viele „Merkmale" eines Organismus unter der Kontrolle mehrerer Gene stehen. In Zusammenhang mit der Ein-Gen-Ein-Polypeptid-Hypothese wurde die Schwierigkeit diskutiert (§ 9/8), den Begriff des Merkmals so festzulegen, daß jedem Gen ein Merkmal zugeordnet werden kann. Diese Schwierigkeit erwächst aus den sehr komplexen Folgereaktionen der primären Genprodukte und dem laufenden Eingreifen von Regelmechanismen, die ebenfalls unter der Kontrolle spezieller Gene stehen. Die Vernetzung von Genwirkungen wird auch an Fällen von Pleiotropie sichtbar, d. h. bei solchen Mutationen, die mehrere und anscheinend zusammenhanglose Eigenschaften eines Organismus verändern. Im folgenden sollen einige Beispiele pleiotroper Genwirkung gegeben werden:

1. Schon MENDEL stellte fest, daß eines seiner Allelpaare mehrere Merkmale kontrollierte. Neben der Blütenfarbe (rot oder weiß) war die Farbe der Erbsensamen selbst betroffen (braun oder grau) und schließlich erschienen oder fehlten rötliche Flecke in den Blattachseln.

In solchen Fällen einer Pigmentierung an verschiedenen Organen ist der biochemische Zusammenhang durch Mutation eines Gens relativ durchsichtig. Das gilt jedoch keineswegs immer, wie die folgenden Beispiele zeigen.

2. Beim Menschen gibt es eine Mutation, die zu extrem langen und dünnen Fingern führt (Spindelfingrigkeit) Dieses Merkmal geht stets mit einem Fehler der Augenlinse einher.

3. Die Drosophila-Mutante „vestigial" zeigt außer den Stummelflügeln veränderte Halteren. Weiter sind bestimmte Rückenborsten aufgerichtet statt anliegend, an dem Sexualorgan treten gewisse Abweichungen auf, Lebenszeit und Fertilität sind reduziert.

4. Die Mutation gl der Maus beeinflußt zugleich Fellfarbe und Knochenwachstum.

Erfahrungsgemäß zeigen viele Mutationen bei gründlicher Untersuchung zumindest quantitative Änderungen anderer Merkmale als Nebenerscheinung.

Als Konsequenz der Betrachtung von polygenen und pleiotropen Gen-Merkmals-Beziehungen gewinnt man die Erkenntnis, daß meist keineswegs eine einfache Zuordnung von Gen und Phänotyp besteht. Dieser Zusammenhang würde nur gelten, wenn als „Merkmale" die primären Genprodukte betrachtet werden. Am Beispiel der Augenfarbe von Drosophila ist ersichtlich, daß mehrere Gene in verschiedenen Chromosomen selbst an einem einfachen qualitativen Merkmal beteiligt sind. Daß so viele Beispiele von einfachen Merkmals-Alternativen bekannt sind, erklärt sich einerseits aus der Bevorzugung solcher Fälle durch die Genetiker, andererseits aus der Tatsache, daß auch bei einem Zusammenspiel vieler Faktoren die Änderung nur *eines* Faktors genügt, um ein anderes Endresultat zu liefern.

Im Grunde genommen bestehen durch die Vernetzung aller Stoffwechselwege und durch Konkurrenz um Substrate, Ribosomen, Transfer-RNA usw. Wechselwirkungen zwischen allen Genen. Dies gilt besonders für architektonische Merkmale, die vermutlich von der Quantität gewisser Substanzen zu bestimmten Zeiten der Embryonalentwicklung durch entsprechende Steuermechanismen festgelegt werden.

Wie wohlausgewogen der gesamte Ablauf der Genwirkungen ist, geht aus der Beobachtung hervor (vgl. § 4/3), daß auch kleinere Deletionen schon heterozygot oft letal sind. Obwohl also die erforderliche Information in einem Exemplar vorhanden ist, genügt die Störung, um den ganzen Ablauf der Genwirkungen aus der Bahn zu werfen. Dieses überraschende Ergebnis erklärt sich möglicherweise durch eine Störung der Regulation. Werden durch eine Deletion Gene an ein anderes Operon angehängt (vgl. das Lactosebeispiel von § 10/2), so können sie zu einem falschen Zeitpunkt der Entwicklung aktiv werden und den Ablauf der normalerweise folgenden Regulationszustände in ein falsches Gleis lenken.

Es ist jedoch zu erwarten, daß es der genetischen Forschung in den nächsten Jahrzehnten gelingt, bei einfacheren Organismen wie E. coli dieses Netzwerk von Genwirkungen in all seinen Komponenten zu analysieren. Die ersten genetisch voll verstandenen Objekte dürften Bakteriophagen oder andere Viren sein.

Beim Phagen T4 läßt sich das Netzwerk der Genwirkung wenigstens im Umriß schon erkennen[1]: Man weiß, daß das Gesamtgenom etwa 100 Gene umfaßt. Nur wenige dürften noch unentdeckt sein. Etwa 50 Gene sind direkt am Aufbau der Proteinhülle des Phagen beteiligt (s. dazu Tafel 19). So ist z. B. Gen 23 das Stukturgen für das Hüllenprotein des Phagenkopfes. Insgesamt sind aber etwa 30 Gene für die Entstehung eines normalen Kopfes verantwortlich. Ohne das Gen 31 verklumpt das Hüllenprotein zu formlosen Haufen. Dieses Gen sorgt also für eine flächenartige Montage der Untereinheiten. Ein defektes Gen 20 führt zur Bildung langer Röhren aus Hüllenprotein. Normalerweise produziert dieses Gen also einen „Abrundungsfaktor", der das Verlängern der Seitenwände des Phagenkopfes begrenzt. Bei einem Defekt von Gen 66 andererseits entstehen zu kurze Seitenwände des Kopfes.

Für die Bildung des Phagenschwanzes[2] sind etwa 20 Gene, für die der Schwanz-fasern 5 Gene nötig. Die Montage des getrennt gebildeten Schwanzes mit dem Kopf erfolgt dann spontan. Andere Montageschritte bedürfen aber spezifischer Genprodukte. So ist die Verkoppelung von Schwanzfasern mit der sog. Basal-platte nur durch das katalytisch wirkende Produkt von Gen 63 möglich. Viele solcher Montageschritte können bereits in vitro durchgeführt werden.

Es ist interessant zurückzublicken, wie einst MENDEL der erste Vorstoß ins Dunkel des Vererbungsvorgangs gelang durch die gedankliche Aufteilung des Erbguts in einzelne Gene. Dieser Schritt wird voll gerechtfertigt durch die inzwischen gewonnene Kenntnis der genetischen Festlegung von Enzymen und Syntheseketten. Von dieser „atomistischen" Basis ausgehend wird die Wissenschaft jetzt jedoch den Weg zurück antreten und Systeme steigender Komplexität aufzuklären versuchen bis zu einem Niveau, wo letztlich wiederum die Gesamtheit der genetischen Information die Gesamtheit der Eigenschaften eines Organismus festlegt.

Literatur zu § 11/4:
[1] KELLENBERGER, E.: Sci. Amer., Februar 1965 und
    WOOD, W. B. and R. S. EDGAR: Sci. Amer., Juli 1967.
[2] KING, J.: J. molec. Biol. 58, 693 (1971).

11/5   Vererbung bei symbiotischer Situation

Jahrzehntelang war die sogenannte plasmatische, nicht-chromosomale oder extrakaryotische Vererbung ein beinahe mystisches Gegenstück der sonst so klar verstandenen Chromosomengenetik. Es gab nämlich eine Anzahl von Merkmalen, deren Kreuzungsdaten sich nicht in das Schema des Mendelismus einfügen ließen und daher als das Resultat einer „plasmatischen Vererbung" angesehen werden mußten.

Im Laufe der letzten Jahre wurden jedoch mehr und mehr solcher Beobach-tungen erklärt durch die Existenz einer symbiotischen Situation. So wurden Plastiden und Mitochondrien erkannt als ursprünglich selbständige Organismen, die in der Frühzeit der Evolution der Zelle eingefügt wurden[1]. Die heute ver-bliebene DNA dieser Partikel kann natürlich genetische Information tragen, die nicht in Chromosomen lokalisierbar ist.

Ebenso verursachten Bakterien und Viren, die in bestimmten Zell-Linien als Dauer-Infektionen vorkamen und als solche auch auf Nachkommen übertragen wurden, durch ihre Nucleinsäure nicht-mendelnde Vererbungserscheinungen ihrer Wirtzellen. Weitere kuriose Fälle plasmatischer Vererbung, die nicht als Dauerinfektion oder als obligatorische Symbiose der heutigen Organismen erklärbar sind, werden in §§ 11/6 und 11/7 behandelt.

Mitochondrien

Mitochondrien (vgl. Abb. 8,10 A), die Organellen der Zellatmungsprozesse, sind Bestandteile aller eukaryotischen Zellen. (Ein Eukaryont ist ein Organismus, dessen Chromosomen durch eine Kernmembran von Zytoplasma getrennt sind.) Mitochondrien können nicht de novo entstehen, sondern vermehren sich durch Zweiteilung; ihre Anzahl pro Zelle schwankt zwischen nur wenigen und Tausenden. Diese Organellen besitzen — wie auch die Chloroplasten — einen besonderen Proteinsynthese-Apparat, d.h. sie haben innerhalb ihrer Membran eigene Ribosomen, eigene tRNA-Spezies und eigene Translationsfaktoren. Diese Elemente sind den entsprechenden von Bakterien weit ähnlicher als denen des Plasmas der gleichen Zelle. Bakterielle und mitochondriale Systeme der Proteinsynthese einerseits unterscheiden sich nämlich von dem des Zellplasmas andererseits z. B. in folgenden Eigenschaften:

1. Ribosomen sedimentieren mit $70s$ statt $80s$.

2. Ribosomen zeigen Empfindlichkeit gegenüber Chloramphenicol, das die Proteinsynthese an *plasmatischen* Ribosomen nicht beeinflußt.

3. Formylierung der initiierenden Methionyl-tRNA, die im Zytoplasma höherer Zellen nicht erfolgt (vgl. § 8/9).

Diese drei Befunde zeugen neben anderen von einer gewissen Autonomie der Mitochondrien, einem Restbestand ihrer ursprünglichen Unabhängigkeit.

Diese demonstriert sich auch in der Existenz einer eigenen mitochondrialen DNA, die in Form mehrerer DNA-Ringe pro Mitochondrium auftritt. Jeder dieser Ringe hat bei tierischen Zellen eine Länge von 5 µ, bei Mitochondrien aus Pflanzen weit größere Werte. (Merkwürdigerweise findet man speziell in leukämischen Zellen mehrere DNA-Ringe von Mitochondrien ineinanderhängend wie Glieder einer Kette[2]. Derartige DNA-Gebilde werden als Concatenate bezeichnet. Der denkbare Zusammenhang der Verkettung dieser mitochondrialen DNA mit der Malignität ist noch unverstanden.) Eine zentrale Frage für die Autonomie von Mitochondrien ist die der Codierkapazität ihrer DNA. Zu codieren sind, außer der noch unbekannten Zahl verschiedener Proteine der Mitochondrien-Struktur selbst, die 50—60 Proteine der Ribosomen, weiter die Aminosäure-aktivierenden Enzyme und Translationsfaktoren, sowie mitochondriale rRNAs und tRNAs. Zumindest die mitochondriale DNA tierischer Zellen scheint für diese Aufgabe zu kurz zu sein, selbst wenn man annimmt, daß die etwa fünf DNA-Ringe eines Mitochondriums verschiedene genetische Information tragen. Eine solche Annahme ist jedoch wenig gerechtfertigt, da die Kinetik der Renaturierung dieser gereinigten DNA auf große Homogenität hinweist[3] (vgl. § 6/9).

Sicher ist, daß die mitochondrialen tRNAs und rRNAs an dieser DNA transcribiert werden (Hybridisierungsversuche). Weiter ist durch Chloramphenicol-Blockierung der Protein-Synthese bekannt, daß die innere Seite der mitochondrialen Doppelmembran durch mitochondriale, die äußere Seite durch plasmatische Ribosomen synthetisiert wird[4] und schließlich, daß die Proteine der eigentlichen Funktion von Mitochondrien, nämlich die Atmungsenzyme (Cytochrome a, b und c_1) von mitochondrialen Ribosomen synthetisiert werden.

Für die Wechselwirkung zwischen Kern und Mitochondrium muß in solchen Betrachtungen deutlich unterschieden werden zwischen dem Ort der Transcription und dem der Translation: nicht nur Proteine, auch mRNA mag in Mitochondrien hinein und aus solchen herauswandern. Zusammenfassend spricht also alles für die Schlußfolgerung, daß Mitochondrien weitgehende aber nicht vollständige Autonomie besitzen.

Eines der klassischen Beispiele für den Einfluß von Mitochondrien auf die Vererbung sind die Atmungsdefekte von Hefen, die zu kleinen Kolonien, den sog. *petit*-Mutanten[5] führen:

In Kulturen von Saccharomyces cerevisiae treten immer Zellen auf, denen die ganze Serie von Enzymen zur Veratmung von Zuckern fehlt und die ihren Energiebedarf daher nur aus der Vergärung dieser Zucker decken können. Solche Zellen sind in ihrem Stoffwechsel benachteiligt und bilden daher kleinere Kolonien als der Wildtyp. Diese „Mutationen" sind in zweifacher Weise ungewöhnlich:

1. Sie betreffen immer die ganze Enzymserie,

2. sie sind extrem häufig, etwa 1—2% der Zellen jeder Kultur.

Auch Kreuzungen mit dem Wildtyp führen zu merkwürdigen Resultaten. Sie zeigen, daß zwei Arten von „Mutanten" existieren, neutrale und suppressive, die entgegengesetzte und überraschende Nachkommenschaften produzieren: Obwohl andere Genmarkierungen im Ascus im gewohnten 2:2 Verhältnis auftreten, führen Kreuzungen neutral×Wildtyp zu durchweg Wildtypnachkommen und Kreuzungen suppressiv×Wildtyp zu nur Kleinkolonietypen. Das Vererbungsschema des neutralen Typs erklärt sich durch die große Zahl aktiver Mitochondrien des Wildtyp-Elters, die auf alle vier Meioseprodukte verteilt werden, während der suppressive Typ offenbar einen mitochondrialen Hemmungsfaktor enthält, der auch normale Mitochondrien „infiziert".

Darüber hinaus müssen im Kern lokalisierte Gene an der Atmungsfunktion beteiligt sein, da eine dritte Gruppe solcher „petit"-Mutanten in Kreuzungen mit dem Wildtyp ein normales 2:2-Segregationsverhältnis zeigt.

Chloroplasten

Ähnlich wie die Mitochondrien zeigen auch die Chloroplasten, die Zellorganellen der Photosynthese, eine weitgehende genetische Autonomie: Auch aus ihnen lassen sich kleine DNA-Ringe isolieren, die sich von chromosomaler DNA deutlich unterscheiden, z.B. durch ihre Dichte[6]. Bei der Dichte-Zentrifugation der Gesamt-DNA findet man dann eine „Satelliten-Bande". Auch diese DNA scheint für die Synthese einiger Organell-eigener Komponenten zu codieren. Wie Mitochondrien haben auch Chloroplasten 70*s* Ribosomen, deren Existenz, neben der strukturellen Ähnlichkeit zwischen Chloroplasten und primitiven Algen, den Schluß auf eine Evolutions-frühe Integration auch dieser Strukturen rechtfertigt.

Die genetische Selbständigkeit von Chloroplasten ist erkennbar an manchen Vererbungsphänomenen, die die Grünfärbung von Blättern betreffen: Es gibt viele Pflanzen, deren Blätter dunkelgrün bis blaßgelb gescheckt sind, wobei die Scheckungsbereiche scharf abgegrenzt oder durch Übergangszonen verwischt sind. An gescheckten Pflanzen sind oft auch ganze Blätter oder gar Zweige einheitlich gefärbt, grün oder gelb.

CORRENS studierte schon 1909 das Phänomen der Blattscheckung an der Wunderblume Mirabilis jalapa. Blüten von grünen Zweigen führten dabei zu Samen, aus denen nur grüne Pflanzen wuchsen, Blüten von gelben Zweigen zu ausschließlich gelben Pflanzen, die nach Verbrauch der Vorratsstoffe des Samens absterben, da sie keine Photosynthese durchführen können. Samen von gesprenkelten Bereichen dagegen liefern grüne, gelbe oder gesprenkelte Pflanzen.

Bei dieser Vererbung ist es bedeutungslos, von welchen Zweigen der bestäubende Pollen genommen wird. Das Blattgrün wird offenbar durch das Plasma der Eizelle determiniert, und zwar durch die in der Eizelle vorhandenen Chloroplasten. Von diesen scheinen zwei Arten zu existieren, die funktionsfähigen (grünen) und die defekten (gelben), die im Zusammenwirken mit vielen nuklearen Genen (vgl. § 3/7) über die Photosynthese entscheiden.

Normalerweise sichert die größere Zahl funktionsfähiger Chloroplasten pro Zelle auch bei zufallsmäßiger Teilung des Plasmas deren Weitergabe an beide Tochterzellen. Eine Zelle mit zwei Typen von Chloroplasten wird jedoch mit einer gewissen Wahrscheinlichkeit nur grüne oder nur gelbe Tochterzellen produzieren. Je kleiner die Zahl der Chloroplasten, desto größer ist die Segregationswahrscheinlichkeit für Zellen mit nur einem Typ.

Einen Ursprung ähnlich dem der Chloroplasten und Mitochondrien vermutet man auch für andere Zellorganellen wie Zentriole, Cilien und Flagellen. Erst der Zusammenschluß mehrerer primitiver, unabhängiger, selbstreplizierender Systeme hätte demnach zur Entstehung der „modernen" Zelle geführt. Diese Erkenntnis ist relativ jungen Datums, weil die früher selbständigen Einheiten eines solchen Zusammenschlusses längst soweit degeneriert, d. h. soweit ein integraler Bestandteil einer höheren Einheit geworden sind, daß ihre ursprüngliche Fähigkeit zur völlig autonomen Replikation verloren ging.

Algen, Bakterien und Viren

Neben Mitochondrien und Chloroplasten, die mit ihren „Wirtszellen" zu einem symbiotischen Komplex wechselseitiger Abhängigkeit verschmolzen sind, bestehen parasitär-symbiotische Situationen, die nicht-obligatorischen Charakter haben. Das Spektrum solcher Phänomene reicht von der klaren Symbiose bis zum deutlichen Parasitismus.

So wird bei bestimmten Amöben[7] die Funktion der Zellatmung nicht von Mitochondrien wahrgenommen, sondern von gewissen Bakterien in ihrem Zellplasma. Viele Protozoen besitzen Algen als Endosymbionten, die der Wirtszelle die Vorteile der Photosynthese zugute kommen lassen. So kann z. B. Paramecium bursaria durch erbliche Symbiose mit Zoochlorellen in anorganischem Nährmedium gedeihen[8]. Diese Fähigkeit kann als ein plasmatisch vererbtes Merkmal angesehen werden. Im Gegensatz zu Chloroplasten sind diese Algen aber auch selbständig lebensfähig. Werden so kultivierte Zoochlorellen wieder Paramecien angeboten, so gehen sie in Symbiose über, während andere Algen verdaut werden.

Die sicher vorhandenen Regelmechanismen, die die Teilungsraten beider Symbiose-Partner koordinieren, sind — ebenso wie die Regulation der Mitochondrien- und Chloroplasten-Replikation — molekular noch nicht erfaßt.

Das killer-Phänomen[9] bei Paramecium war ein weiteres klassisches Beispiel plasmatischer Vererbung. SONNEBORN beobachtete, daß bestimmte Paramecien-Stämme (killer) eine Substanz (Paramecin) produzieren, die Individuen anderer Stämme abtötet. Zwischen killern und Sensitiven ist unter Vorsichtsmaßnahmen jedoch eine Konjugation möglich. Die Exkonjuganten (und deren Nachkommen) bleiben das, was sie vorher waren, nämlich killer bzw. Sensitive. Nur bei gelegentlichen Konjugationen mit großen Plasmabrücken überträgt sich die killer-Eigenschaft auch auf den bisher sensitiven Konjugationspartner. Seine Nachkommen werden selbst killer und dadurch resistent gegen Paramecin.

SONNEBORN und Mitarbeiter schlossen auf die Existenz eines plasmatischen Faktors „$\varkappa$" (kappa), der in Hunderten von Exemplaren im Plasma existiert und bei Zellteilungen zufallsgemäß von der Nachkommenschaft übernommen wird.

Andererseits zeigen auch $\varkappa$-Partikel eine Abhängigkeit von genetischer Information der Chromosomen. Es stellte sich nämlich in Kreuzungen heraus, daß $\varkappa$-Partikel sich nur in solchen Individuen replizieren können, die das richtige Allel K eines Gens haben. Ist nur das Allel k vorhanden (z. B. nach Autogamie eines K/k heterozygoten Individuums), so werden die vorhandenen $\varkappa$-Partikel durch Zellteilungen ausverdünnt und die Paramecien selbst sensitiv. Das Wiedereinführen des Allels K führt nicht zu $\varkappa$-Partikeln, diese werden also nicht von K gebildet, sondern sind nur in ihrer Replikation von K abhängig.

Ein ähnlicher Plasmafaktor ist „μ". Er wird bei Konjugationen übertragen und tötet dann das μ-empfangende Tier. μ-tragende Stämme heißen mate-killer (Gattenmörder). In Panama fand SONNEBORN einen Stamm, der zugleich killer und mate-killer war — es ist dies der „Panamanian terror" (auch panamaniac genannt).

Heute weiß man, daß $\varkappa$- und μ-Partikel symbiotische Bakterien sind, die auch in vitro kultiviert werden können. Ja, es sind sogar Stämme von $\varkappa$-Partikeln bekannt, die lysogen sind für einen Phagen, der nach spontaner Induktion im Innern des $\varkappa$-Zytoplasmas zu beobachten ist[10].

Andere Phänomene nicht-mendelnder Vererbung beruhen auf der Weitergabe von Virus-artigen plasmatischen Faktoren. Zwei solche Beispiele sollen jetzt diskutiert werden; ein drittes, der Brustkrebs von Mäusen, ist in § 12/6 zu finden.

Die CO_2-Empfindlichkeit[11] von Drosophila, die an Individuen gewisser Stämme beobachtet wird, ist eine Folge von Virus-artigen sogenannten σ-Partikeln (nicht zu verwechseln mit der σ-Untereinheit der mRNA-Polymerase), die durch Injektion von Körperflüssigkeit auf andere Fliegen übertragen werden können, aber nicht durch bloßen Kontakt von Individuum zu Individuum übergehen. Nach Injektion beobachtet man eine „Dunkelphase", in der keine infektiösen Einheiten auffindbar sind. Dann vermehren sich die σ-Partikel nachweisbar und führen schließlich zu einem „stabilisierten" Zustand, in dem σ von weiblichen Tieren an alle, von männlichen an manche Nachkommen weitergegeben wird. Man findet infolgedessen einen Vererbungsmodus, der nicht den allgemeinen Regeln folgt.

σ-Partikel können in einen Zustand übergehen, der dem des Prophagen (vgl. § 5/5) analog ist. Junge Fliegen sind dann CO_2-resistent (wie normale Individuen), aber immun gegen Neuinfektion. Sie werden erst im Alter empfindlich. Erst dann können auch aus Extrakten σ-Partikel gewonnen werden.

Bemerkenswerterweise konnte eine ganz parallele CO_2-Empfindlichkeit in Drosophila erzeugt werden durch die Injektion von VSV-Viren[12], den Erregern der vesikulären Stomatitis, die durch Bremsen auf Pferde und Rinder übertragen werden. Möglicherweise gehen dieses Virus und das nicht als Virus kultivierbare σ-Partikel auf eine gemeinsame Urform zurück.

Auch die Kreuzungs-Sterilität von Mücken beruht wahrscheinlich auf einem Virus-artigen Partikel, das durch Spermien übertragen werden kann. In diesem Fall ist jedoch bisher eine Identifizierung des Faktors mit mikroskopisch sichtbaren Strukturen noch nicht gelungen.

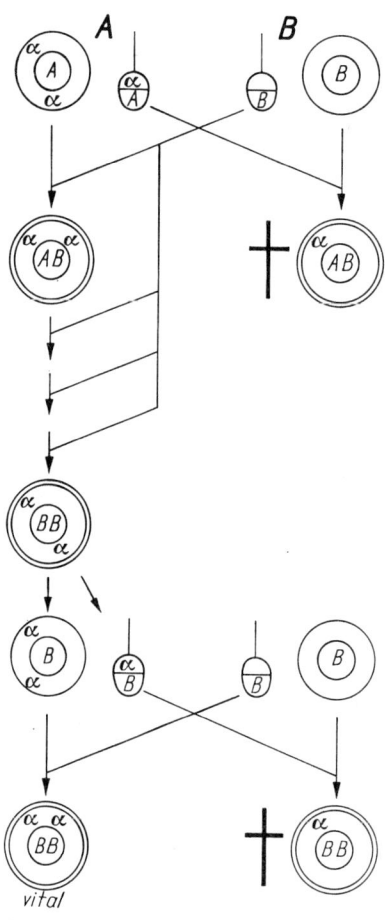

Bei Kreuzungen von verschiedenen Stämmen (A und B) von Culex pipiens fand LAVEN[13], daß die Kreuzung ♀A×♂B fertil ist, während in der reziproken Kreuzung ♀B×♂A die Keime absterben. Führt man über mehrere Generationen Rückkreuzungen der weiblichen Nachkommen von ♀A×♂B mit ♂B durch (Abb. 11,8), so sind die männlichen Tiere immer noch in Kreuzungen mit ♀B steril, obwohl ihr Genom dann praktisch vollständig aus Chromosomen des Typs B bestehen sollte. Als Deutung besteht die Möglichkeit, daß sich im A-Plasma ein störender Faktor α fortgepflanzt hat, der von den Spermien entweder mitgeführt wird oder diese so verändert, daß sie in einem α-freien Plasma letal wirken. Offenbar existiert eine ganze Serie ähnlicher Partikel, da bisher bereits 17 verschiedene erbliche „Plasmazustände" beobachtet worden sind[14].

Die meisten klassischen Beispiele der extrachromosomalen Vererbung haben sich so als symbiotische oder infektiöse Situationen entpuppt und dadurch den Schwerpunkt ihrer ursprünglichen Faszination in den Bereich der Evolutionsfragen verlagert. Dennoch gibt es einige kuriose Beobachtungen plasmatischer Vererbung, die mit Sicherheit nicht auf diese Weise zu deuten sind. Ihnen wollen wir uns in § 11/7 zuwenden, nachdem wir zuvor noch eine andere Gruppe

Abb. 11,8. Plasmatischer Einfluß auf die Fertilität von Kreuzungen von Mücken (nach LAVEN)

von Phänomenen behandelt haben, die auf der Weitergabe gewisser Regelzustände beruhen.

Literatur zu § 11/5:

[1] Review: MARGULIS, L.: Sci. Amer., August 1971.
RAVAN, P. H.: Science **169**, 641 (1970).
BOARDMAN, N. K. et al. (eds.): Autonomy and biogenesis of mitochondria and chloroplasts. North Holland Publ. Co. Amsterdam, 1971.
[2] HUDSON, B., and J. VINOGRAD: Nature (Lond.) **221**, 332 (1969).
[3] BORST, P.: Symp. Soc. Exp. Biol. **24**, 201 (1970).
[4] Review zu mitochondrialer Vererbung: ARNOLD, C.-G.: Fortsch. Botanik **33**, 230 (1971).
[5] EPHRUSSI, B.: Nucleo-cytoplasmic relations in microorganisms. Oxford: Clarendon Press (1953).
[6] CHUN, E. H. L., M. H. VAUGHAN jr. and A. RICH: J. molec. Biol. **7**, 130 (1963).
[7] LEINER, M. et al.: Biol. Zentr. **87**, 567 (1968).
[8] BUCHNER, P.: Endosymbiose der Tiere mit pflanzlichen Mikroorganismen. Basel: Birkhäuser 1953.
[9] SONNEBORN, T. M.: Advanc. Virus Res. **6**, 231 (1959).
[10] GRIMES, G. W. and J. R. PREER, jr.: Gen. Res. Cambr. **18**, 115 (1971).
[11] Review: SEECOF, R. L., in Insect Viruses, K. MARAMOROSCH (ed.), p. 59. Berlin-Heidelberg-New York: Springer 1968.
[12] PRINTZ, P.: Arch. ges. Virusforsch. **27**, 209 (1969).
[13] LAVEN, H.: Verh. Dtsch. Zool. Ges. 1962, S. 65. — Z. Vererb.-Lehre **88**, 443, 478 (1957).
[14] FRENCH, W. L.: Genetics **64**, s22 (1970).
Review zur plasmatischen Vererbung: PREER, J. R. jr.: Ann. Rev. Genet. **5**, 361 (1971).

11/6   Weitergabe von Regelzuständen

Der Regelzustand einer Zelle ist bestimmt durch das augenblickliche Aktivitätsmuster ihrer Gene. Wie in Kap. 10 gezeigt, beruhen solche Regelzustände auf einem komplexen Zusammenwirken von Kleinmolekülen als Effektoren, von Regelproteinen wie Repressoren und Aktivatoren, von Translationsfaktoren — die für bestimmte mRNAs spezifisch sind — und, bei Vielzellern, wohl speziell auf der Beteiligung von Histonen und anderen chromosomalen Proteinen.

Bei der Teilung differenzierter Zellen (Haut, Leber) wird dieser Regelzustand an alle Tochterzellen weitergegeben. Obwohl also alle diese Zellen die gleiche genetische Information besitzen, nämlich die der ursprünglichen Zygote, entstehen durch Teilung eines Fibroblasten immer Fibroblasten, durch Teilung einer Leberzelle immer Leberzellen. Der Phänotyp wird offenbar nicht durch unterschiedliche Gene, sondern durch Plasma-Strukturen an Tochterzellen weitergegeben.

Besonders deutlich ist solche Weitergabe eines Regelzustandes bei der Inaktivierung des X-Chromosoms (vgl. § 10/13,5). Alle Kopien eines einmal inaktivierten X-Chromosoms werden ebenfalls inaktiviert; ein Regelzustand perpetuiert sich also über viele Chromosomenteilungen hinweg.

Niemand spricht jedoch in solchen Fällen von „plasmatischer Vererbung", wahrscheinlich weil die Weitergabe dieser Plasmazustände als trivial angesehen wird und weil der einmal gewonnene Differenzierungszustand irreversibel ist. Selbst bei Transdeterminationsvorgängen (vgl. Abb. 10,15), die einen der Mutation vergleichbaren Übergang von einem Regelzustand zu einem anderen bedeuten, wird die Kontinuität des Determinationszustandes meistens nicht als plasmatische Vererbung bezeichnet. Das gleiche gilt bei Bakterien für den Regelzustand von Prophagen und anderen Episomen, der ja auch normalerweise von Zellgeneration zu Zellgeneration vererbt wird (z. B. F^+ oder Hfr) und nur gelegentlich mutationsartig in dieser oder jener Richtung wechselt.

Im Gegensatz zu diesen Beispielen wurden einige Beobachtungen der Weitergabe von Regelzuständen als Musterfälle plasmatischer Vererbung herausgehoben. Ihre Besonderheit besteht jedoch lediglich in der Existenz einer klar alternativen Regelsituation von Gen-Aktivitäten, die spontan oder durch spezifische Umwelteinflüsse in den jeweils anderen Zustand (auch als „Phase" bezeichnet) umschlagen kann. Hierzu gehört die Kontrolle der

Antigen-Typen bei Paramecium

Diese Protozoen bilden an ihren Wimpern bestimmte Strukturen, die als Antigene wirksam sind (§ 8/10) und von Stamm zu Stamm variieren. Sie wurden von SONNEBORN und BEALE[1] untersucht. Jedes homozygote Individuum produziert einen Antigentyp, der bei vegetativer Fortpflanzung von allen Nachkommen übernommen wird. Bei Konjugation (§ 5/1) von zwei Tieren bleibt in den Nachkommen jedes Kreuzungspartners der Antigentyp des Elterntieres erhalten, obwohl nach der Konjugation beide Tiere identische Genome besitzen. Manchmal jedoch entsteht bei einer Konjugation eine breite Plasmabrücke zwischen den Partnern, über die nicht nur die Zellkerne, sondern auch Plasmateile ausgetauscht werden. In solchen Fällen übernimmt ein Konjugationspartner den Antigentyp des anderen unter Aufgabe seines bisherigen Typs.

Auch Umwelteinflüsse können den Antigentyp ändern. Teilt man die vegetativen Nachkommen eines nach Autogamie (§ 5/1) homozygoten Individuums in drei Gruppen, die sich bei 18, 25 und 29° C weiter teilen, so zeigen diese drei Kulturen drei *verschiedene* Antigentypen. Der Antigentyp scheint durch das Plasma festgelegt zu werden und Umwelteinflüssen zu unterliegen. Spielt das Genom gar keine Rolle? Wenn man die Fragestellung ändert und nicht das jeweils produzierte Antigen betrachtet, sondern das Spektrum von Antigenen, das ein Klon überhaupt bilden *kann* (in einem bestimmten Milieu wird jeweils nur eines produziert), erkennt man, daß verschiedene Stämme auch verschiedene Serien von Antigenen bilden *können*. Kreuzungen zwischen solchen Stämmen führen zu einer einwandfreien Segregation und zeigen, daß die Fähigkeit, bestimmte Antigene zu bilden, in mehreren Genen der Chromosomen verankert ist. Liegt z. B. ein Stamm $a_1b_1c_1$ vor, der alternativ die Antigene A_1, B_1 oder C_1 produziert und wird dieser mit einem Stamm $a_1b_2c_2$ (Antigenkapazität A_1, B_2, C_2) gekreuzt, so haben die *heterozygoten* Nachkommen das Genom $a_1a_1\ b_1b_2\ c_1c_2$. Diese produzieren je nach Umwelt nur Antigene A_1 *oder* (B_1 und B_2) *oder* (C_1 und C_2). Werden diese Individuen durch Autogamie *homozygot*, so ist ihr Genom $a_1b_1c_1$ oder $a_1b_2c_2$ (Eltern), oder $a_1b_1c_2$ oder $a_1b_2c_1$ (Rekombinanten). Je nach Umwelt produzieren die homozygoten Nachkommen dann je nur einen Antigentyp, z. B. Individuen $a_1b_2c_1$ entweder A_1 oder B_2 oder C_1.

Insgesamt trägt also der Kern die genetische Information zur Bildung bestimmter Antigene, während das durch Umwelt zu beeinflussende Plasma entscheidet, welches der Gene aktiv sein soll.

Ein anderes Beispiel ist die

Flagellen-Alternative bei Salmonella[2]

Die Flagellen von Coli sind aus einem einheitlichen Protein aufgebaut, dem Flagellin, das von dem Gen *hag* codiert wird. Die Antigen-Spezifität des Flagellins zeigt, daß jeder Coli-Stamm nur einen Typ dieses Proteins produzieren kann, daß aber andererseits verschiedene Stämme verschiedene Allele dieses Gens tragen.

Im Gegensatz dazu enthält das Genom der mit Coli verwandten Salmonellen (offenbar durch eine Gen-Duplikation und Translokation in der Evolutionsgeschichte dieser Darmbakterien) *zwei* Struktur-Gene für Flagellin an verschiedenen Loci. Da es in beiden eine Reihe von möglichen Allelen gibt, sind die Genprodukte (Flagelline) fast immer voneinander zu unterscheiden. So erkennt man auch, daß immer nur einer der beiden Loci gelesen wird. Die Entscheidung, welcher Locus diese Aktivität zeigt, wird auf beide Tochterzellen übertragen. Nur selten (Wahrscheinlichkeit 10^{-2} bis 10^{-3} pro Zellteilung) wechselt die Aktivität von einem zum anderen Locus (Übergang von ,,Phase 1'' in ,,Phase 2'', oder umgekehrt).

Im Gegensatz zu Paramecium ist die Rolle der beiden Loci nicht symmetrisch, wie Transduktionsexperimente zeigen. Bei Transduktion des ersten Locus bleibt der Aktivitätszustand der Empfängerzelle immer unverändert. Bei der Transduktion des zweiten Locus entscheidet die letzte Wirtszelle der Phagen (der Donor) auch über den Aktivitätszustand des Rezeptors. Mit anderen Worten, im ersten Fall wird nur ein Struktur-Gen, im zweiten ein Struktur-Gen und ein Regulationszustand transduziert, was molekular noch unverstanden ist.

Trotz dieser Unklarheit fragt man sich, warum diese Beispiele von anderen Differenzierungs-Situationen abgesondert werden sollen. Was unterscheidet sie von einer Hefezelle, die sich erst mitotisch repliziert, dann durch Umwelteinflüsse in meiotische Genaktivität übergeht? (Für die Meiose werden eine Reihe sonst nicht exprimierter Gene aktiviert.) Was unterscheidet sie von einem Bakterium, das nach einer Serie von Zellteilungen andere Gene in Funktion nimmt, um die Sporenbildung einzuleiten?

Die Besonderheit der Beispiele von Paramecium und Salmonella liegt offenbar nicht so sehr im Mechanismus des Phasenwechsels als in der Tatsache, daß Gene praktisch *identischer* Funktion *alternativ* aktiviert werden. Differenzierung bei Vielzellern liefert aber auch hierfür genügend Parallelfälle. So sind z. B. im menschlichen Foetus Gene für foetales Haemoglobin aktiv, während im späteren Dasein andere Gene adultes Haemoglobin produzieren. Weitere Beispiele — auch für alternative Aktivitäten ähnlicher Gene in verschiedenen Geweben — gibt es in großer Zahl (vgl. § 12/3).

Der Phasenwechsel der plasmatischen Vererbung stellt also im Grunde nur einen Spezialfall einer sehr viel allgemeineren Situation dar, die zum Fragenkomplex der Differenzierung gehört.

Literatur zu § 11/6:

[1] BEALE, G. H.: The Genetics of Paramecium aurelia. Cambridge Univ. Press 1954.
    SONNEBORN, T. M.: Adv. Virus Res. **6**, 231 (1959).
[2] Review: IINO, T.: Bact. Rev. **33**, 454 (1969).

11/7   Nucleinsäurelose Strukturen als Vererbungshelfer

Heutige Zellen sind evolutionsgeschichtlich nur zu verstehen aus einer langen gemeinsamen, aufeinander abgestimmten Entwicklung von genetischer Information der DNA und den sie umgebenden Zytoplasmastrukturen. (Beide stehen in „Harmonie" mit ihrer physikalischen und biologischen Umwelt. Obwohl das Genom für die lebenserhaltenden katalytischen Strukturen codiert, sind zum Funktionieren des Ganzen triviale Hilfen nötig und in das genetische Programm mit eingeplant, die ihrer Selbstverständlichkeit wegen selten diskutiert werden. Dazu gehören Faktoren wie Schwerkraft, Nahrungsversorgung, Eigenschaften des umgebenden Wassers etc. . .)

Die meisten der im Zytoplasma, d. h. der engeren Umgebung des Genoms befindlichen Strukturen werden mit Hilfe des DNA-Codes neu synthetisiert. Wenn man von Vererbung durch zytoplasmatische Strukturen spricht, so meint man eigentlich Strukturelemente, deren Eigenschaften nicht vollständig in Basensequenzen von Nucleinsäuren verschlüsselt sind, sondern deren Kontinuität in aufeinanderfolgenden Zell-Generationen auf der Vermehrung von nucleinsäurelosen Strukturen beruht. Im Grunde genommen stellte man sich vor der Erkennung der Nucleinsäure als universellem, schriftartigen Informationsträger die gesamte Vererbung als Autoreduplikation solcher „Matrizen" vor.

Es ist schwierig, Beispiele zu finden, die die Behauptung rechtfertigen, daß außer Nucleinsäure sich autokatalytisch vermehrende Strukturelemente in der Zelle existieren. Sicher trifft diese Interpretation zu für die Zellwand bestimmter Bakterien: Offenbar können diese (wie z. B. Proteus) die Synthese ihrer Zellwand nur als *Ergänzung* bestehender Strukturen durchführen[1]. Das heißt, ohne Vorhandensein eines Stückchens Zellwand können Bausteine nicht zu dem molekularen Netzwerk der Zellwand zusammengefügt werden.

Wird die Zellwand-Synthese — z. B. durch Penicillin — gehemmt und wird dabei die Teilungsfähigkeit der Bakterien durch hypertonisches Medium aufrechterhalten, so können die Nachkommen ohne Zellwand die Fähigkeit zu deren Synthese also nicht zurückgewinnen (L-Formen). Man kann aber zeigen, daß die Synthese von Zellwandbausteinen weiterläuft, doch werden diese — mangels besserer Verwendungsmöglichkeit — ins Medium ausgeschieden. L-Formen, d. h. zellwandlose Bakterien, treten auch spontan in alten Kulturen, z. B. von Proteus, auf.

Damit nicht zu verwechseln ist die Gruppe der PPLO-Bakterien (pleuropneumonia-like organisms). Diese haben von allen selbständig kultivierbaren Organismen wohl das kleinste Genom (ca. $^1/_5$ von Coli). Sie unterscheiden sich von allen anderen Bakterien durch das prinzipielle Fehlen einer Zellwand, was ihnen — wie den L-Formen — eine vielgestaltige Morphologie gibt (daher Passieren von Membranfiltern und Verunreinigungsgefahr für Zellkulturen). Offensichtlich fehlt ihnen — im Gegensatz zu L-Formen — auch die genetische Information für Zellwandbausteine.

Ein *zweites* Beispiel für die Beeinflussung von erblichen Merkmalen durch die Existenz nucleinsäureloser Strukturen sind die Haft-Organellen bei Protozoen der Gattung Stentor[2]. Amputiert man das im unteren Bereich der Zelle befindliche Haft-Organell, so regeneriert dieses schnell nach. Diese Regeneration findet auch statt, wenn das ursprüngliche Haft-Organell chirurgisch in den mittleren Bereich der Zelle gebracht wurde. Die so entstehenden Zellen mit zwei Haft-Organellen können nun bei der Zellteilung diese neue Form stabil an ihre Nachkommen weitergeben. Hier erweist sich also eine experimentell herbeigeführte morphologische Abnormität als erblich, ohne daß eine Veränderung des Genoms vorläge.

Diese und ähnliche Beobachtungen an anderen Protozoen zeigen, daß wesentliche Zell-Elemente entscheidend von der Präexistenz bestimmter morphologischer Strukturen — und nicht allein vom Informationsgehalt des Genoms — determiniert werden. Ja man kann vermuten, daß sämtliche Membranen, darunter das endoplasmatische Retikulum, ähnlich wie die Zellwand der Bakterien nur durch das „Ankristallisieren" von Bausteinen an präexistente Vorlagen gebildet werden können (vgl. dazu Kernmembran-Fetzen an Chromosomen, Tafel 12). Ein überzeugender experimenteller Beweis für eine solche Behauptung wäre naturgemäß sehr schwierig.

Solche nucleinsäurelose „Vorlage"-Strukturen, die in Zusammenarbeit mit der synthetischen Aktivität des Genoms Zell-Organellen vermehren, sind die einzigen Fälle von plasmatischer Vererbung im eigentlichen Sinne. Solchen Vorlagen muß ein eigener Informationsgehalt zugesprochen werden, und ihre Existenz ist nur aus der Evolution heraus zu verstehen. Ihre Vermehrung ist gesichert durch zwei im Grunde unabhängige, aber aufeinander angepaßte Komponenten: dem Genom, dessen Information die Bausteine liefert und dem molekularen Muster der Vorlagen, an das diese ankristallisiert werden.

(Würde man in zukünftigen Generationen Intelligenz-begabten Bewohnern von Planeten ferner Sonnen das Wesen der irdischen Biologie durch Funksignale vermitteln wollen, so müßte also die Übertragung der Nucleotidsequenz, z.B. einer Coli-DNA, ergänzt werden durch die verschlüsselte Beschreibung der Strukturen solcher nucleinsäurelosen genetischen Vorlagen.)

Literatur zu § 11/7:

[1] Review: Smith, P. F.: Bacter. Rev. **28**, 97 (1964).
[2] Margulis, L.: Sci. Amer., August 1971.

11/8   Instabile Gene, Variegation und Positionseffekt

Genetische Information ist ausgezeichnet durch eine korrekte Replikation über viele Generationen hinweg. Nur gelegentlich (10^{-4} oder seltener) treten zufällige Änderungen in einem Gen auf (Mutation). Seit vielen Jahren jedoch sind Fälle mit ungewöhnlich hohen „Mutationsraten" bekannt. Bei vielzelligen Organismen äußert sich eine derartige somatische Instabilität von Genen als Variegation bzw. in der Bildung von Mosaiken.

Am Ende des neunten Chromosoms von Mais z. B.[1], liegt das Gen „.dotted aleurone" (Dt). Bei Anwesenheit des Allels Dt zeigt das Maiskorn viele kleine rote Tupfen. Das rote Pigment wird durch ein anderes Gen (a) gebildet. Aus der uniformen Größe und der zufälligen Verteilung der Tupfen kann man schließen, daß Dt zu einem bestimmten Zeitpunkt der Entwicklung nur in einigen zufälligen Zellen und deren Nachkommen die Aktivität von a zuläßt.

Es sieht so aus, als ob auf diesem Entwicklungsstadium die Pigmentproduktion beginnen sollte. Der für das Auslösen der Genaktivität verantwortliche Locus Dt ist aber irgendwie defekt, so daß er seine Aufgabe nur in einigen zufälligen Zellen erfüllt. Eine in vielem analoge Situation liegt bei einer rot-weiß-Fleckung des Drosophila-Auges vor[2].

Es hat sich herausgestellt, daß bei derartigen „Variegationserscheinungen" oft eine Verlagerung von Material in den Chromosomen (Translokation, Inversion usw., vgl. Kapitel 4) eine Rolle spielt.

Die Genaktivität wird von der genetischen Nachbarschaft eines Locus beeinflußt. Man nennt dieses Phänomen den *„Positionseffekt"*. Früher wurden unter dieser Bezeichnung auch die Unterschiede von *cis*- und *trans*-Konfiguration bei zwei Mutationsdefekten im gleichen Gen (Cistron) beschrieben. Diese Beobachtungen wurden in § 6/1 ausführlich diskutiert und durch den Mechanismus der primären Genwirkung (Kapitel 8) erklärt. Heute versteht man unter Positionseffekt nur die Wirkung der Verlagerung eines Locus in einen anderen chromosomalen Abschnitt.

Eines der ältesten Beispiele für die Bedeutung der *Lage* von genetischer Information ist der Bar-Locus (§ 4/3). Bei Duplikation eines kleinen Chromosomenabschnitts ist das Auge von Drosophila verkleinert. Der Effekt kann durch Auszählung der mittleren Facettenzahl von Augen quantitativ gemessen werden. Außer der Mutation Bar hat man auch eine ähnliche Mutation „infra-Bar" (B^i) gefunden. Man kann jetzt Fliegen vergleichen, die insgesamt den gleichen Genbestand haben, jedoch verschieden aufgeteilt auf die beiden homologen Chromosomen. Tabelle 11,9 zeigt solche Resultate, aus denen die Bedeutung der Genposition hervorgeht[3].

Tabelle 11,9. Mittlere Facettenzahl von Bar-Augen bei verschiedenen Genomen nach STURTEVANT

Genotyp	Schema des Bar-Locus in den Chromosomen	Mittlere Facettenzahl
+/+		780
B/+		358
BB/+		45
B/B		68
BB^i/+		51
B/B^i		74
B^{i}B^i/+		200
B^i/B^i		293

Es kommt also nicht nur darauf an, welche Gene und wie viele Exemplare von einem Gen in einem Genom vorliegen, sondern auch in welcher *Nachbarschaft* diese sind. Bar-artige Effekte werden auch durch andere Umlagerungen bewirkt. Der Typ „baroid" (B^{bd}) entsteht z. B. durch eine reziproke Translokation zwischen dem ersten und zweiten Chromosom. Man darf heute wohl annehmen, daß solche Nachbarschaftsänderungen die Regulation der Genwirkung beeinflussen, z. B. dadurch, daß gewisse Gene an andere Operatoren angeschlossen werden und dann zu falschen Zeiten der Entwicklung aktiv werden.

Es ist vielleicht nützlich, an dieser Stelle einen Seitenblick auf die noch unbeantwortete Frage zu werfen, warum die meisten Mutationen rezessiv sind und worin sich diese von den Fällen dominanter Mutationen unterscheiden.

Das Genom aller Organismen ist durch Selektion in einem wohlausgeklügelten Gleichgewicht. Man kann erwarten, daß im Genom keine überflüssigen Bereiche mit Unsinn-DNA mitgeschleppt werden. Fast immer sind Mutationen also

Defekte. Liegen diese in den Protein-codierenden Struktur-Genen, so wird die Mutation im allgemeinen zu dem Ausfall eines Enzyms führen. Da bei Diplonten jedoch das homologe Gen als Wildallel vorliegt, wird der Organismus dennoch über das betreffende Enzym verfügen. Die Mutation ist rezessiv. Die Situation ist anders, wenn ein Regulator-Gen gestört ist. Der resultierende Regulations-defekt mag *beide* Exemplare eines Gens beeinflussen und wird dann dominant sein. Auch Translokationen können in die Regulation von Genen eingreifen und so als dominante Veränderung auftreten. Aus der Dominanz einer Mutation kann man also auf die Störung einer Regulation schließen oder auf negative intragene Komplementation. Dominante Mutationen verdienen daher besondere Beachtung und genauere Analysen ihrer Wirkung werden vermutlich dazu beitragen, Regu-lationsprobleme an höheren Organismen zu klären.

Variegationserscheinungen sind oft verbunden mit einer Verlagerung des be-troffenen Locus in heterochromatische Chromosomenbereiche. Die Funktion des Gens wird um so instabiler, je näher dieses am Heterochromatin liegt. Es wird so in manchen Fällen die Variegation mehrerer benachbarter Gene in verschiedenem Ausmaß beobachtet. Bei einer Rückverlagerung der Gene, d. h. bei einer Trennung vom heterochromatischen Bereich, wird die Genfunktion wieder normal.

Der ganze hier diskutierte Problemkreis instabiler Genfunktion und des Zu-sammenhangs von Regulationszustand und Genposition wurde durch die grund-legenden Arbeiten von MᶜCLINTOCK geöffnet. Bei dem von MᶜCLINTOCK unter-suchten Beispiel am Mais[4] existiert ein genetisches Element Ds (Dissociation), das Instabilität (Chromosomenbrüche und „Mutationen") hervorruft. Es kann seine Position im Chromosom verändern und seine Wirkung entsprechend an verschiedenen Stellen ausüben. Ein zweites Element Ac (Activator) ist jedoch erforderlich, damit Ds zur Wirkung kommt. Ac kann ebenfalls seine Position im Genom ändern und ist seinerseits — auch ohne Ds — in der Lage, Brüche hervorzurufen. Ds kann seinen „Zustand" ändern, was dazu führt, daß keine Brüche, aber „Mutationen" erzeugt werden. Die „Mutante" kann dann stabil sein trotz Anwesenheit von Ac.

Es besteht kein Zweifel, daß derartige Beobachtungen von großer Wichtigkeit sind und eine Möglichkeit bieten, die Mechanismen der Regulation von Gen-funktionen aufzuklären. Da auf dem derzeitigen Stand jedoch noch kein klares Bild gewonnen werden kann, soll auf die Schilderung von detaillierteren Ergeb-nissen und auf die Aufzählung weiterer Beispiele verzichtet werden. Eine Reihe von Originalarbeiten[5] zu diesem Thema ist in der Literatur angegeben.

Literatur zu § 11/8:

[1] RHOADES, M. M.: Genetics **23**, 377 (1938).
[2] BECKER, H. J.: Verh. Dtsch. Zool. Ges. 1960, S. 283. — Genetics **45**, 519 (1960).
[3] STURTEVANT, A. H.: Genetics **10**, 117 (1925).
[4] MᶜCLINTOCK, B.: Cold Spr. Harb. Symp. quant. Biol. **21**, 197 (1956).
[5] DEMEREC, M.: The phenomenon of the position effect. J. Genet. **24**, 179 (1931).
     DUBININ, N. P., and M. A. HEPTNER: J. Genet. **30**, 423 (1935).
     LEWIS, E. B.: Advanc. Genet. **3**, 73 (1949).
     MAMPELL, K.: Genetics **31**, 589 (1946).
     NUFFER, M. G.: Genetics **46**, 625 (1961).
     Review: BAKER, W. K.: Advanc. Genet. **14**, 133 (1968).

Zusammenfassung von Kapitel 11

Während die primäre Genwirkung gut verstanden ist, bleibt die sekundäre zumeist unklar, da sie auf komplexen Folgereaktionen der primären Genprodukte (Proteine) beruht. Unübersichtliche Wechselwirkungen treten besonders bei meist polygen bedingten quantitativen Merkmalen und der damit verbundenen Heterosis auf.

Das Bild wird noch vielschichtiger durch genetisch vorprogrammiertes Eingreifen von Umwelt-Reizen, Zufalls-Mechanismen, Asymmetrien der Eizelle, weiter durch symbiotische Partnerschaften und auch Dauerinfektionen mit Viren oder Bakterien.

Die wichtigsten ,,Symbionten'' sind Mitochondrien und Chloroplasten, die evolutionsmäßig früh in die Zellen primitiver Eukaryonten integriert wurden, aber trotz weitgehender Degeneration immer noch eigene genetische Information tragen, die nicht der mitotischen und meiotischen Aufteilung unterworfen ist.

Früher wurden viele Beispiele von derartiger ,,Symbiose'' der ,,plasmatischen'' Vererbung zugeschrieben. Dasselbe galt für stabile alternative Regelzustände, die jedoch in den Bereich der Zelldifferenzierung gehören. Deswegen ist die früher so vielfältige und rätselhafte plasmatische Vererbung auf wenige Beispiele zusammengeschrumpft, bei denen tatsächlich andere Informationsträger als Nucleinsäuren entscheidend sind.

12 Mensch und Genetik

12/1 Das Problem der Population

Im bisherigen Verlauf des Buches haben wir uns auf die Betrachtung der Vererbung von Individuum zu Individuum beschränkt. Vor allem für Fragen der Evolution und speziell für den Pflanzenzüchter und für den Humangenetiker ist aber wegen der Unkontrollierbarkeit von Einzelkreuzungen oft der Aspekt einer genetischen Population wichtig. Ein einfaches Beispiel soll eine solche Betrachtungsweise veranschaulichen:

Die parasitische Fliege Callitroga hominivorax legt ihre Eier an Wundränder von Rindern und anderen Haustieren. Die sich unter der Haut entwickelnden Larven beeinträchtigen den Zustand des befallenen Viehs wesentlich und führen zu beachtlichen wirtschaftlichen Verlusten. Eine Gruppe amerikanischer Forscher entwickelte daher eine populationsgenetische Methode zur Vernichtung dieser Plage:

Es werden Millionen männlicher Fliegen gezüchtet und röntgenbestrahlt. Obwohl die Fliegen sonst in ihrem Verhalten nicht geändert sind, werden sie durch die Bestrahlung soweit geschädigt, daß sie keine lebensfähigen Nachkommen mehr erzeugen können. Diese Fliegen werden freigelassen.

Wenn zu Beginn der Aktion auf ein wildes Fliegenmännchen in der Natur ein sterilisiertes freigelassenes kommt, wird die Hälfte aller Befruchtungen steril sein, d. h. nur 50% der normal zu erwartenden Nachkommenschaft entwickelt sich.

Läßt man die gleiche Zahl sterilisierter Männchen zur Paarungszeit dieser Generation frei, so entfallen bereits zwei sterile auf ein wildes Männchen. Der Erfolg weiterer Generationen ist in Tabelle 12,1 errechnet.

Mit dieser Methode war es in Florida möglich, die Plage fast vollständig auszurotten. Wenn auch wegen der Vermehrung der wenigen überlebenden Fliegen eine solche Aktion von Zeit zu Zeit wiederholt werden muß, bietet diese Methode vermutlich den Vorteil, daß im Gegensatz zu einer chemischen Bekämpfung keine Resistenz in der Wildpopulation entstehen kann; es sei denn, daß diskriminierende Weibchen selektiert würden, die sich mit bestrahlten Männchen nicht einlassen.

Tabelle 12,1. Reduktion einer Population durch Freilassung konstanter Zahlen steriler Männchen in fünf aufeinanderfolgenden Generationen

Generation	♂ Verhältnis wild : steril	Reduktion der Gesamtpopulation
1	1:1	$1/2$
2	1:2	$1/6$
3	1:6	$1/42$
4	1:42	$1/1806$
5	1:1806	$1/3\,263\,442$

Während in diesem Beispiel das künstlich beeinflußte Verhältnis von fertilen zu sterilen Männchen entscheidend ist, werden zumeist bei populationsgenetischen Problemen die natürlichen Veränderungen der Häufigkeiten von Allelen und Allelkombinationen berechnet. Wir wollen uns kurz mit dieser Betrachtungsweise vertraut machen.

In einer diploiden Population komme ein Gen in zwei Allelen vor: A und a. Die Gesamthäufigkeit von A sei Q, die von a sei q. Hierbei ist $Q + q = 1$, da keine anderen Allele auftreten sollen. Zum Beispiel sei $Q = 0,9$, $q = 0,1$, d. h., 90% aller Gameten enthalten das Allel A, 10% das Allel a. Findet in dieser Population zufällige Paarung statt („Panmixie"), dann werden Individuen

$$\text{AA mit einer Wahrscheinlichkeit von } 0,9 \cdot 0,9 = 0,81$$
$$\left. \begin{array}{l} \text{Aa mit einer Wahrscheinlichkeit von } 0,9 \cdot 0,1 \\ \text{aA mit einer Wahrscheinlichkeit von } 0,1 \cdot 0,9 \end{array} \right\} = 0,18$$
$$\text{aa mit einer Wahrscheinlichkeit von } 0,1 \cdot 0,1 = 0,01$$

entstehen. Die Summe aller Wahrscheinlichkeiten muß stets = 1 sein (Kontrollmöglichkeit für Rechnungen).

Allgemein ausgedrückt ist die Wahrscheinlichkeit für

$$\begin{array}{rcl} \text{AA} & : & Q^2 \\ \text{Aa} + \text{aA} & : & 2Qq \\ \text{aa} & : & q^2 \end{array}$$

Welche Gameten bildet diese Generation ?

> Individuen AA (81%) bilden nur A (81%)
> Individuen Aa (18%) bilden   A (9%) und a (9%)
> Individuen aa   (1%) bilden nur   a (1%).

Insgesamt werden also wieder 90% A- und 10% a-Gameten gebildet und aus diesen wieder die Genotypen AA, Aa und aa in der gleichen Häufigkeit wie in der vorherigen Generation. Die Mischung dieser drei Typen steht also in einem Gleichgewicht. Begänne man mit nur Homozygoten AA (90%) und aa (10%), so wäre bei zufälliger Paarung dieses Gleichgewicht $Q^2 : 2\,Qq : q^2$ bereits in *einer* Generation erreicht. Dieser Sachverhalt wird als ,,HARDY-WEINBERG-Gesetz'' bezeichnet.

Anwendungsbeispiel: Phenylketonurie (homozygoter Defekt, vgl. § 8/3) tritt bei jedem 15000. Menschen auf. Jeder wievielte Mensch trägt das schädliche Allel in heterozygoter Form ?

$q^2 = 1/15000$ ist bekannt. Daraus ergibt sich $q = 1/122$ und $Q = 121/122$. Heterozygot schließlich sind $2\,Qq = 1/61$ aller Menschen.

Aus der Zahl von Homozygoten läßt sich so stets die Häufigkeit eines Allels berechnen. Vorausgesetzt ist dabei zufällige Paarung. Da speziell bei ländlicher Bevölkerung jedoch erhöhte Chancen für Ehen zwischen entfernten Verwandten bestehen, treten tatsächlich mehr Homozygote als zufallsgemäß auf. Die wirkliche Zahl der heterozygoten Individuen ist also etwas kleiner als errechnet. Dieses einfache Beispiel zeigt bereits den Nutzen und die Schwierigkeit populationsgenetischer Betrachtungen.

Der Anteil des Defektallels wird weiter durch neu eintretende Mutationen ständig wachsen, aber andererseits durch Selektion gegen die Homozygoten verkleinert werden. Am Gleichgewicht ist also nicht nur die Paarungsstatistik beteiligt, die zu der Neuverteilung zwischen den drei Genotypen AA, Aa und aa führt, sondern auch die Selektions-, Mutations- und Rückmutationsraten. Man kann entsprechende Formeln aufstellen, die diesen Faktoren Rechnung tragen.

Betrachtet man mehr als ein Allelpaar, so wird die Situation ungleich schwieriger. Ausgehend von zwei Genotypen AABB (90%) und aabb (10%) erreicht man keineswegs wie bei nur einem Allelpaar das Gleichgewicht der möglichen Genotypen bereits nach *einer* Generation von Panmixie. Der Genotyp AABb kann z. B. in der F1 überhaupt noch nicht auftreten. Das Gleichgewicht wird erst langsam angenähert, wobei Kopplung der Gene verzögernd wirkt. Der mathematisch interessierte Leser mag sich die entsprechenden Formeln selbst herleiten.

Die steigende Komplexität der Probleme erreicht schnell ein Niveau, auf dem nur Näherungslösungen durch vereinfachende Annahmen möglich sind. Auch bei Anwendung von elektronischen Rechenanlagen verbleibt das ungute Gefühl, daß die Zahl der für komplizierte Rechnungen benutzten Parameter so groß ist, daß praktisch immer eine befriedigende Übereinstimmung mit der Natur erzielt werden kann, ohne daß daraus die Schlußfolgerung erlaubt wäre, die Situation wäre durch die mathematische Behandlung korrekt wiedergegeben.

12/2   Blutgruppen

Bluttransfusionen sind nicht zwischen beliebigen Individuen möglich. LANDSTEINER entdeckte 1901, daß im menschlichen Blutserum Stoffe enthalten sind, die Erythrozyten bestimmter Individuen agglutinieren. Insgesamt fand er vier verschiedene Gruppen von Individuen, deren Blutverhalten in Tabelle 12,2 wiedergegeben ist.

Tabelle 12,2. Agglutinationstest zwischen den verschiedenen Blutgruppen (+ bedeutet Agglutination)

	Serum von			
	A	B	AB	0
Erythrozyten von A	—	+	—	+
B	+	—	—	+
AB	+	+	—	+
0	—	—	—	—

Die Erklärung dieses Phänomens ist folgende: Auf der Oberfläche von Erythrozyten können sich (unter anderen) zwei Strukturen befinden, die als Antigene wirken, nämlich Antigen A und Antigen B. Diese stehen unter genetischer Kontrolle eines Gens, das in drei Allelen vorkommt: i^A, i^B oder i^O. Das Allel i^A bringt Antigen A, i^B Antigen B hervor, während das Allel i^O kein Antigen produziert.

Die Antigene A und B sind in der Natur weit verbreitet (Darmbakterien) und werden dem Organismus stets zugeführt. Sind die Allele i^A oder/und i^B im eigenen Genom des Menschen vorhanden, gehören also die Antigene A oder/und B zur körpereigenen Substanz, so werden wegen der Toleranz (§ 8/10) keine Antikörper gegen die Antigene A oder/und B gebildet. Sind die Allele i^A oder/und i^B aber nicht vorhanden, so entstehen — scheinbar „spontan" — Antikörper α gegen A oder/und β gegen B. Dies ist eine Besonderheit der Blutgruppen-Antigene A und B. Tabelle 12,3 stellt die Situation bei den verschiedenen Blutgruppen dar.

Tabelle 12,3. Antigene und Antikörper der vier menschlichen Blutgruppen

Blutgruppe	Genotyp	Antigene auf Erythrozyten	Antikörper im Serum
A	$i^A i^A$ oder $i^A i^O$	A	β
B	$i^B i^B$ oder $i^B i^O$	B	α
AB	$i^A i^B$	A und B	keine
0	$i^O i^O$	keine	α und β

Das Agglutinationsschema (Tabelle 12,2) wird hierdurch erklärt. Diese Deutung durch ein Drei-Allel-System wurde 1925 durch BERNSTEIN gegeben. Bis dahin hatte man an zwei Gene a und b geglaubt, die in je zwei Allelen aufträten. BERNSTEIN konnte jedoch durch populationsgenetische Berechnung der zu erwartenden Gleichgewichtshäufigkeiten der vier Typen eindeutige Übereinstimmung mit der Ein-Gen-Drei-Allel-Hypothese finden. Diese gilt für verschiedene Teile der Erdbevölkerung, obwohl in diesen die Häufigkeiten der einzelnen Blutgruppen recht verschieden sind.

So ergab die Untersuchung von 20000 Personen in Berlin

A	B	AB	0
43,2	14,2	6,0	36,6%

dagegen zeigt die Hindubevölkerung

19,0	41,2	8,5	31,3%.

Den extremsten Fall zeigen südamerikanische Indianer-Stämme, bei denen ausschließlich Blutgruppe 0 gefunden wurde.

Ein weiteres Argument für die Drei-Allel-Erklärung war die Untersuchung von Familienstammbäumen. Es sollten nämlich keine Kinder der Blutgruppe 0 auftreten, wenn ein Elternteil Blutgruppe AB hat. Weiter sollten in $0 \times AB$-Ehen keine AB-Kinder möglich sein. Unter 3000 untersuchten Kindern fand man 13, die diesen Regeln widersprachen. BERNSTEIN konnte diese kleine Zahl leicht durch Mutationen und die in der Humangenetik stets vorhandene Unsicherheit in der Zuordnung des Vaters erklären.

Wir haben weiter inzwischen eindeutige Beweise für die Rekombination innerhalb von Genen kennengelernt. Es scheint daher heute denkbar, daß z.B. ein Allel i^A mit einem Allel i^B zum Allel i^O rekombiniert.

Die Blutgruppe A konnte in zwei Untergruppen A_1 und A_2 aufgeteilt werden. Adsorbiert man nämlich aus einem Serum der Blutgruppe B alle α-Antikörper mit gewissen A-Erythrozyten heraus, so daß keine Agglutination mehr möglich ist, so zeigen A-Erythrozyten anderer Individuen dennoch Agglutination mit dem „erschöpften" Serum. Man fand so, daß zwei Arten von α-Antikörpern existieren, nämlich α, das mit Antigenen A_1 und A_2 reagieren kann und α_1, das nur mit A_1 reagiert.

Außer den A- und B-Antigenen, deren zugehörige Antikörper bei Fehlen des entsprechenden Allels automatisch entstehen, gibt es auf den Blutzellen aber noch weitere Antigene, d. h. spezifische Strukturen, gegen die spezifische Antikörper erst nach einer Injektion dieses Antigens gebildet werden:

Injiziert man menschliche Erythrozyten in Kaninchen, so bilden sich Antikörper gegen alle menschlichen Erythrozyten-Antigene. Gewisse dieser Antigene sind allen Menschen gemeinsam, andere sind wie die ABO-Gruppen unterschiedlich. So existiert ein Allelpaar L^M und L^N. Das Allel L^M produziert ein M-Antigen, L^N ein N-Antigen.

Insgesamt sind heute etwa zehn solcher Allelsysteme des menschlichen Blutes bekannt. Von diesen hat jedoch nur das ABO-System die Eigenschaft, daß Antikörper gegen fehlende Allele automatisch produziert werden. Deswegen konnte *dieses* System einfach durch Mischung verschiedenen Blutes entdeckt werden. Alle anderen Systeme treten erst zutage nach Injektion der Antigene in einen tierischen Organismus. Will man sie untersuchen, so überdecken sich die verschiedenen Systeme natürlich im Agglutinationstest. Man muß daher zunächst alle nicht gewünschten Antikörper mit entsprechenden Antigenen herausadsorbieren (Erschöpfung des Serums). Dieses Nebeneinander der verschiedenen Systeme macht die Blutgruppenuntersuchung sehr komplex.

Für Bluttransfusionen, für die Gerichtsmedizin in Mordprozessen und Vaterschaftsdiagnosen sowie in der Zwillingsforschung spielen die menschlichen Blutgruppen eine bedeutende Rolle.

Für die Humangenetik sind viele von ihnen als Beispiele multipler Allelie (Untergruppen) wichtig. Es kann heute praktisch jedes Individuum anhand seiner spezifischen Kombination von Blutgruppen-Allelen identifiziert werden.

Der Rhesus-Faktor. Wie LANDSTEINER und LEVINE 1940 zeigten, haben 85% der Europäer ein Blutantigen (vgl. § 8/10) gemeinsam mit dem Rhesus-affen. Antikörper nämlich, die gegen das Blut dieser Affen gewonnen wurden, agglutinieren die roten Blutzellen dieser Menschen. Die Betroffenen („rhesus-positiv") tragen homo- oder heterozygot den Rhesusfaktor (Rh$^+$Rh$^+$ oder Rh$^+$Rh$^-$). 15% der europäischen Bevölkerung sind dagegen rhesus-negativ (Rh$^-$Rh$^-$). Dieser Unterschied kann zu gefährlichen Wechselwirkungen zwischen Mutter und Fötus führen.

Bei der Geburt können nämlich fötale Blutkörperchen aus der Placenta (die teilweise aus mütterlichem, teilweise aus embryonalem Gewebe entsteht) in den Blutstrom der Mutter geraten. Ist nun das Kind rhesus-positiv, die Mutter aber rhesus-negativ, so induzieren die eingedrungenen fötalen Blutzellen eine Antikörper-Produktion gegen Rh$^+$-Proteine. [Die frühere Annahme einer Wirkung durch die placentale Barriere während der Schwangerschaft hat sich als unzutreffend erwiesen.]

Bei den folgenden Schwangerschaften gelangen diese Antikörper durch die Placenta in den neuen Fötus und führen — falls dieser wieder Rh$^+$ ist — zur Agglutination seines Blutes (Erythroblastosis). Das Kind stirbt vor oder kurz nach der Geburt.

Etwa jede achte Ehe ist von dieser Problematik betroffen, zumeist ohne davon Kenntnis zu haben. Da einerseits ein beachtlicher Anteil der Rh$^+$-Väter aber heterozygot ist und in diesen Fällen nur 50% der Schwangerschaften betroffen sind, und da andererseits die Kinderzahl zumeist klein ist, tritt die Schwierigkeit weniger oft in Erscheinung, als man auf den ersten Blick aus der Zahl $^1/_8$ vermuten würde. Etwa jede 200. Schwangerschaft in Europa ist von dieser Gefahr bedroht.

Seit wenigen Jahren ist man aber in der Lage, das Problem durch eine zunächst paradox klingende Behandlung zu meistern[1]. Man injiziert nämlich Rh$^-$-Müttern nach der Geburt eines Rh$^+$-Kindes Antikörper gegen Rh$^+$-Proteine. Die injizierten Antikörper bedecken dann die eingedrungenen Rh$^+$-Blutzellen, so daß diese im mütterlichen Organismus keine Großproduktion von Antikörpern gegen Rh$^+$ stimulieren können. Nach einigen Monaten sind die eingedrungenen Rh$^+$-Zellen und die injizierten Antikörper verschwunden. Die Mutter ist in einem Zustand, als hätte sie noch kein Rh$^+$-Baby zur Welt gebracht.

Eine recht ähnliche Situation konnte bei Pferden erkannt werden. Auch hier sind die ersten Trachten (mindestens drei) normal. Von der vierten Tracht ab besteht die Gefahr eines schnellen Absterbens des Fohlens etwa 4 Tage nach der Geburt. Im Gegensatz zum Schema des menschlichen Rhesusfaktors werden die mütterlichen Faktoren nicht über die Placenta, sondern erst nach der Geburt durch die Milch auf das Fohlen übertragen. Die Ernährung durch eine Amme vermeidet den Effekt.

Literatur zu § 12/2:

Allgemeines über Blutgruppen: W. C. BOYD: Fundamentals of immunology, 4th ed., p. 247. Intersc. Publ. New York, 1966.
[1] CLARKE, C. A.: Sci. Amer., November 1968.
—: Progr. Medical Genet. 8, 169 (1972).

12/3 Isoenzyme und Polymorphismen

In einem Individuum können sehr ähnliche bzw. identische Enzymaktivitäten ausgeübt werden von etwas verschiedenen und daher trennbaren Proteinen. Eine solche Serie von Enzymen nennt man „Isoenzyme" oder „Isozyme". Dieses Phänomen tritt zumindest bei allen höheren Species auf und ist an vielen Proteinen zu finden.

Es gibt verschiedene molekulare Hintergründe für die Existenz solcher Isoenzyme: Einige Situationen sind trivial, z.B. das gleichzeitige Vorkommen von Monomeren, Dimeren oder/und evtl. Tetrameren der gleichen Untereinheit, oder das Auftreten sekundär veränderter Proteine (als Folge einer genetisch vorgesehenen Umwandlung von Polypeptidketten oder einfach als Beginn eines thermodynamischen Zerfalls). Außer solchen Trivialfällen gibt es zwei Hauptgründe für das Vorkommen von Isoenzymen:

Der erste ist die Existenz von zwei verschiedenen Allelen in einem diploiden Individuum, die zwei unterscheidbare Polypeptidketten α und α' produzieren. Ist das eigentliche Enzym ein Dimer, so sind $\alpha\alpha$-, $\alpha\alpha'$- und $\alpha'\alpha'$-Typen zu unterscheiden, bei einem Tetramer sogar $\alpha\alpha\alpha\alpha$, $\alpha\alpha\alpha\alpha'$, $\alpha\alpha\alpha'\alpha'$, $\alpha\alpha'\alpha'\alpha'$ und $\alpha'\alpha'\alpha'\alpha'$, also 5 verschiedene Typen. Diese können z.B. bei einer Elektrophorese zu 5 Banden führen. Die Stärke der Banden hängt von der Menge der produzierten α- und α'-Ketten ab und davon, wieweit der Zusammentritt zu Aggregaten zufällig ist. Es gibt bei verschiedenen Proteinen praktisch alle denkbaren Möglichkeiten.

Es ist typisch für solche zwei Allel-Situationen, daß die entsprechenden Isoenzyme nicht bei allen Individuen beobachtet werden. Manche Individuen sind ja homozygot. Dagegen werden bei der zweiten Hauptursache (und auch bei den zuerst genannten Trivial-Fällen) Isoenzyme in praktisch allen Individuen gefunden.

Diese zweite Ursache ist das Vorhandensein von verschiedenen Genen a und b oder a, b und c, die zu funktionell sehr ähnlichen, aber molekular doch unterscheidbaren Peptidketten führen. Das Vorkommen so ähnlicher Gene kann erklärt werden durch Verdoppelung von Chromosomenabschnitten oder ganzen Genomen im Laufe der Evolution.

Handelt es sich außerdem wieder um Dimere oder Tetramere und können die Peptidketten α und β gemischte Aggregate bilden, so findet man wie bei verschiedenen Allelen auch bei mehreren Genloci die verschiedenen Isoenzyme entsprechend den Kombinationsmöglichkeiten der Monomere. Besonders gesteigert wird deren Fülle, wenn die Gene a und b zusätzlich noch in verschiedenen Allelen vorliegen.

Von derartigen Genen für sehr funktionsähnliche aber doch etwas verschiedene Enzyme scheint die Differenzierung Gebrauch zu machen. So findet man z.B. bei der Laktat-Dehydrogenase verschiedene Isoenzymspektren in Zellen verschiedener Organe (Leber, Niere, Herz).

Besonders bekannt ist das Beispiel des fötalen Hämoglobins. Während das normale Hämoglobin HbA von Erwachsenen die Zusammensetzung $\alpha\alpha\beta\beta$ hat, zeigen Neugeborene ca. 80% fötales Hämoglobin (HbF = $\alpha\alpha\gamma\gamma$). Dieses wird im Laufe eines Jahres völlig durch HbA ersetzt.

Wir wollen jetzt aber wieder zurückkehren zu dem einfacheren Fall, bei dem nur ein Genlocus in verschiedenen Allelen vorliegt, und die Frage stellen, wie viele Gene des Menschen in mehr als einem funktionierenden Allel vorkommen.

Untersucht man die Homogenität irgend eines Enzyms in einer Population von Individuen, so findet man bei rund $2/3$ der bearbeiteten Enzyme ein in allen Individuen völlig identisches Protein. Das ist nicht überraschend, da im Laufe der Evolution ein gut funktionierendes Enzym selektiert wurde, das nun alle Mitglieder einer Art geerbt haben. Nur ganz gelegentlich würde man beim Durchtesten vieler Individuen als Folge einer Mutation eine „Enzym-Variante" entdecken, die praktisch immer heterozygot vorliegt und praktisch immer ein weniger funktionsfähiges Enzym darstellt.

Auf der anderen Seite erweist sich bei etwa $1/3$ solcher Untersuchungen eine Population als heterogen, d.h. es stellt sich heraus, daß offenbar zwei (oder gar drei) brauchbare Allele eines bestimmten Gens vorkommen. Die in § 12/2 diskutierten Blutgruppen des Menschen wären solche Beispiele.

Die Fähigkeit, Phenylthiocarbamid (PTC) zu schmecken, ist ein anderes Beispiel. Etwa 70% unserer Bevölkerung (genetisch TT oder Tt) empfinden diese Substanz als ausgesprochen bitter, während sie für 30% (genetisch tt) ohne Geschmack ist.

Unter den Enzymen sind die Phosphoglucomutase (PGM$_1$) mit 77% und 23% oder die Adenosin-Deaminase mit 94% und 6% Beispiele für das Vorkommen von zwei verschiedenen Allelen in beachtlicher Häufigkeit.

Solche Fälle, in denen zwei (oder mehr) Allele in größeren Teilen einer Population vorkommen, nennt man *Polymorphismen*. Wenn man die Zahl der polymorphen Gene abschätzt und aus den bisher vorliegenden noch sehr beschränkten experimentellen Daten über relative Häufigkeiten von Allelen extrapoliert, sollten bei allen menschlichen Individuen etwa 10—20% der Protein-codierenden Gene heterozygot sein. Bei 100000 Genen wären das 10000—20000 Heterozygotien. Da hierfür eine unvorstellbar große Zahl von Kombinationsmöglichkeiten besteht, hat — abgesehen von eineiigen Zwillingen — jedes Individuum seine einmalige, niemals wiederkehrende persönliche Allelkombination.

Die große Zahl von Polymorphismen wirft die Frage auf, wie diese evolutionsmäßig zu erklären sind. Es gibt eine Reihe von Deutungen, die möglicherweise alle für den einen oder anderen Polymorphismus zutreffend sind:

Zunächst besteht die Alternative zwischen einer Durchgangs-Situation und einer quasi-stationären Gleichgewichts-Situation. Im ersten Falle hätte eines der Allele einen echten Selektionsvorteil dem anderen gegenüber. Das augenblickliche Bild wäre ein Übergangszustand mitten im Vorgang der kontinuierlichen Verdrängung eines ursprünglichen Allels durch ein neues mit größerer Überlebenschance.

Im Falle der quasi-stabilen Situation dagegen würden sich Selektionsvor- und -nachteile (zumindest im Mittel über lange Zeiträume) die Waage halten. Das Schulbeispiel hierfür ist die Sichelzellen-Anämie (vgl. § 8/4), bei der zwar ein großer Selektionsdruck gegen den homozygoten Sichler, aber zugleich durch größere Resistenz gegen Malaria ein Vorteil der Heterozygoten besteht. Unter diesen Umständen stellt sich je nach Malaria-Verseuchung eines Gebietes ein bestimmter Wert für die Häufigkeit eines Sichler-Allels ein.

Für andere Polymorphismen mag z. B. eine größere Anfälligkeit gegen bestimmte Infektionskrankheiten sich ausbalancieren mit einem kleinen Vorteil unter normalen Lebensbedingungen. Unterschiede von Allelhäufigkeiten in verschiedenen ethnischen Gruppen der Menschheit mögen die Häufigkeit und die Intensität solcher Seuchen in deren Geschichte und Vorgeschichte widerspiegeln. Die Resistenz gegen Hunger und Durst, gegen Kälte und Hitze mag sich die Waage gehalten haben mit geringen Nachteilen unter günstigen Lebensbedingungen.

Schließlich ist es denkbar daß die Existenz eines zweiten Allels auf nichts anderem beruht als einer Kette von Zufällen. Wenn es wirklich Allelpaare geben sollte, die trotz aller Änderungen der Umweltsituation stets selektions-neutral sind, so könnten sich — besonders bei den sehr kleinen Populationen in frühen Stadien der Menschwerdung — die einmal in kleiner Zahl vorhandenen Allele durch Zufall gewaltig ausbreiten (Fachausdruck „Gründer-Effekt").

Man kann ausrechnen, daß zwar durch den Zufall der Befruchtung fast alle der einmal auftretenden Selektions-neutralen Varianten schnell wieder aus der Population verschwinden, daß sich jedoch sehr, sehr wenige nach vielen Generationen in großen Zahlen etabliert haben. Im Grunde genommen wirkt sich dieser „genetic drift" in stationären Populationen nicht anders aus, als eine gegenüber wachsenden Populationen herabgesetzte Mutationsrate. Da in kleineren Populationen genetic drift (d. h. zufallsmäßige Schwankung von Allelfrequenzen im Laufe der Generationen) sich intensiver auswirkt, ist evolutionäre Weiterentwicklung also bevorzugt in kleinen Inzucht-Populationen zu erwarten.

Dabei sollten aber schon vorher vorhandene zufällige, d. h. Selektions-neutrale Polymorphismen praktisch immer zum Verschwinden kommen, im Gegensatz zu balancierten Vorteil-Nachteil-Situationen von Allelpaaren, die eine größere Chance haben, solche Entwicklung in kleinen Populationen zu überdauern. Demnach sollten Polymorphismen wie das ABO-System oder das Schmecken von Phenylthiocarbamid, die ganz parallel zum Menschen auch bei Menschenaffen gefunden werden, mit guter Wahrscheinlichkeit nicht zu den Zufallsresultaten des genetic drift gehören.

Weitergehende Literatur zu § 12/3:
HARRIS, H.: The Principles of Human Biochemical Genetics. North-Holland Publ., Amsterdam 1970.

12/4   Kultur somatischer Zellen

Seit mehreren Jahrzehnten ist es möglich, Gewebezellen, selbst von hochentwickelten Organismen (Säuger, Vögel) — vom normalen Zellverband getrennt — in bestimmten Nährmedien zu züchten. Für den Ansatz solcher Zellkulturen werden z. B. Subkutan-Gewebe menschlicher Haut oder Gewebestücke anderer menschlicher Organe (Lunge, Leber etc.) ohne weitere Behandlung in Kultur genommen, indem man das Gewebestück z. B. zwischen zwei Deckgläsern in ein flüssiges Nährmedium bringt. Normalerweise wachsen dann Fibroblasten (Bindegewebszellen) aus dem Gewebestück heraus und vermehren sich mitotisch. Offenbar sind Fibroblasten — die in praktisch allen Organen vorkommen —

die sich in vitro am leichtesten vermehrende Zellart. Die Züchtung der *spezifischen* Zellen (Parenchymzellen) differenzierter Gewebe oder die von Tumoren ist extrem schwierig und verlangt Spezialtechniken, wie z. B. die Implantation von Tumorzellen in Tiere, die als Zwischenwirte fungieren.

Das flüssige Nährmedium für die Gewinnung solcher Zellkulturen muß alle für diese Zellen essentiellen Aminosäuren, Vitamine und Salze enthalten, außerdem aber noch fötales Serum (meist vom Kalb), das als einen der entscheidenden Bestandteile das „Fetuin" (ein Glycoprotein) enthält.

Zum Überimpfen einer Fibroblastenkultur werden die Zellen zuerst mit Trypsin behandelt, um sie voneinander und vom Glas zu trennen, dann abzentrifugiert und schließlich in neuem Medium in flachen Glasschalen resuspendiert. Die Zellen heften sich dann am Boden der Glasschalen an und vermehren sich bis zur Bildung einer zusammenhängenden Zellschicht, in der die Teilungsrate stark reduziert wird (Kontakthemmung). Unter günstigen Kulturbedingungen beträgt der Zellteilungszyklus etwa 24 Stunden.

Von technischen Schwierigkeiten abgesehen unterscheidet sich eine solche Kultur von einer Bakterienkultur aber vor allem in folgendem Punkt: Somatische Zellen höherer Organismen besitzen nur eine beschränkte Potenz zur konsekutiven Zellteilung. Nach 60—80 Zellgenerationen erschöpft sich die Teilungsfähigkeit, wenn die Kultur vom Gewebe eines Kleinkindes hergeleitet wurde. Mit zunehmendem Alter des Spenders sinkt die erreichbare Generationszahl, bis schließlich bei Zellen von älteren Personen völlige Teilungsunfähigkeit beobachtet wird. Besonders interessant ist, daß bei bestimmten genetisch bedingten „Progerien" (Greisenhaftigkeit bei Kindern) die Zellen nur sehr wenige Teilungen durchlaufen können[1].

Auch Fibroblasten von Mäusen und anderen kleinen, kurzlebigen Nagern haben nur die Potenz für wenige Zellgenerationen, doch treten bei Zellkulturen dieser Tiere (nicht bei menschlichen Fibroblasten!) fast am Ende dieser Degenerationsphase plötzlich wenige Zellen auf, die aus noch ungeklärten Gründen eine neue Teilungsfähigkeit gewonnen haben. Untersucht man die mitotischen Metaphasen solcher dann unbegrenzt replikationsfähiger Zell-Linien, so zeigt sich eine breite Streuung der Chromosomenzahlen, d. h. es lassen sich mannigfaltige Aneuploidien beobachten. Oft werden solche „heteronukleären" Zell-Stämme über eine tetraploide Zwischenform (Endomitose oder Zell- und Kernverschmelzung) erreicht.

Permanente menschliche Zell-Linien sind zumeist von Tumor-Geweben abgeleitet und ebenfalls immer heteronukleär. Die weitaus bekannteste Kultur menschlicher Zellen, die in vielen Labors benutzt wird und dadurch die Vergleichbarkeit von Resultaten gewährleistet, ist die sogenannte HeLa-Kultur. Diese geht zurück auf das Tumor-Gewebe einer Patientin, Henrietta Lachs, einer amerikanischen Mulattin, die in den fünfziger Jahren an den Folgen dieses Tumors starb. Es steht außer Frage, daß diese Zell-Linie viele Jahrzehnte — ja vielleicht Jahrhunderte — länger leben wird als die Patientin.

Der Nutzen von Zellkulturen ist vielseitig. Zunächst kann geprüft werden, wie weit die Resultate der Molekularbiologie, die zumeist an Bakterien gewonnen wurden, auf höhere Organismen übertragbar sind.

Weiter sind solche Zellen als Wirte tierischer Viren unentbehrlich. Ganz ähnlich wie Phagen auf einem Bakterienrasen, können Viren zu Löchern in einem Rasen aus tierischen Zellen führen. Diese von DULBECCO eingeführte Technik bildet die Grundlage der modernen, quantitativen Virologie.

Auch die Untersuchung biochemischer und immunologischer Besonderheiten von Individuen können an deren Zellkulturen durchgeführt werden. Im nächsten Paragraphen werden Beispiele für solche Untersuchungen gegeben. Die begrenzte Teilungsfähigkeit von Zellkulturen ist weniger hinderlich als man glauben könnte, da eine einmal gewonnene Kultur jahrelang in flüssigem Stickstoff aufbewahrt und immer wieder als Stammkultur für neue Ansätze benutzt werden kann.

Schließlich können mit Hilfe solcher Zellkulturen menschliche Gene bestimmten Chromosomen zugeordnet werden. Hier sind von großer Bedeutung die

Interspezies-Hybriden

Es ist möglich, in Kultur gehaltene Somazellen verschiedener Spezies zur Verschmelzung bringen[2]. Solche (auch spontan auftretenden) Zellfusionen können in großer Anzahl induziert werden durch Behandlung der Parentalzellen mit ultraviolett-inaktivierten Sendai-Viren (ein Parainfluenza-Virus) oder auch durch Lysolecithin. In jedem Fall entsteht erst eine Hybridzelle (z. B. Mensch-Maus, Mensch-Huhn, Ratte-Hamster) mit zwei verschiedenen Kernen, die dann — nach einer synchronen Mitose — Kernfusion zeigen. Eine solche Zell-Linie beginnt demzufolge immer mit den addierten Chromosomensätzen beider Partner. Sehr bald jedoch werden nach Zellteilungen Tochterzellen gefunden, denen erst einzelne, später immer mehr Chromosomen fehlen. Interessanterweise betrifft der Verlust, je nach Hybridpaarung, vorwiegend oder ausschließlich nur die Chromosomen einer Spezies.

In der Kombination Maus-Mensch gehen mit hoher Rate ausschließlich menschliche Chromosomen verloren, so daß nach etwa 100 Generationen in manchen Zellen nur Mäuse-Chromosomen verblieben sind. Benutzt man z. B. eine Maus-Linie mit einem Defekt in dem Gen für Thymidin-Kinase und kultiviert die Hybrid-Zellen in einem Medium, das die Funktion dieses Enzyms voraussetzt, so kann nur die von einem Gen auf einem *menschlichen* Chromosom codierte Thymidin-Kinase die Hybridzelle teilungsfähig halten. Nach vielen Zellteilungen besitzen dann alle Zellen nur noch *ein* menschliches Chromosom, der Gruppe E. Dieses muß Träger des Gens für Thymidin-Kinase des Menschen sein.

Unter glücklichen Umständen kann sogar ein Chromosomenabschnitt angegeben werden, dann nämlich, wenn — wie dies im Fall der Thymidin-Kinase geschah — ein teilungsfähiger Zellklon beobachtet wird, der nur noch ein *Stück* des kritischen Chromosoms an ein Maus-Chromosom transloziert zeigt. Durch mühsame Kleinarbeit kann man im Prinzip mit diesem Verfahren viele menschliche Gene kartieren[3].

Es ist auch gelungen, selektive Bedingungen zu schaffen, in denen nur fusionierte Zellen gedeihen können, da den Parentalstämmen je ein lebensnotwendiges Enzym fehlt, wobei in den hybriden Zell-Linien intergene Komplementation zu beobachten ist.

Auch für Regulationsfragen sind Zellhybriden von Bedeutung. Fusioniert man z. B. eine Leberzelle, in der durch Hydrocortison die Produktion des Enzyms

Tyrosin-Amino-Transferase induzierbar ist, mit einem nicht induzierbaren Fibroblasten, so ist auch in der Hybridzelle die Induzierbarkeit verschwunden. Während des Chromosomenverlustes solcher Hybridzellen tauchen dann aber Klone auf, die die Induzierbarkeit zurückgewonnen haben. In ähnlicher Weise kann die fehlende Kontakthemmung maligner Zellen durch Hybridisierung studiert werden.

Einer der interessantesten Befunde der Hybridisierungstechnik aber bleibt weiterhin die Tatsache, daß Zellhybridisierung überhaupt möglich ist, selbst zwischen so verschiedenen Partnern wie z. B. Maus- und Huhnzellen. Offenbar sind die intrazellulären Regelmechanismen, die die Signale zur DNA-Synthese und zur Zellteilung geben, bei allen hybridisierbaren Arten im wesentlichen dieselben, da sie von allen Chromosomen wahrgenommen werden können. Die Inkompatibilität zwischen Eizellen einer Art und Sperma einer nicht nahe verwandten Art beruht deswegen offenbar auf zusätzlichen Barrieren während des Befruchtungsvorganges und nicht auf einer Inkompatibilität der artverschiedenen Zellkerne per se.

Literatur zu § 12/5:
[1] MARTIN, G. M. et al.: Lab. Invest. **23**, 86 (1970).
[2] Reviews über Zellhybridisierung: EPHRUSSI, B. and M. C. WEISS: Sci. Amer., April 1969. MIGEON, B. R. and B. CHILDS: Progr. Med. Gen. **7**, 1 (1970).
[3] MCKUSICK, V. A.: Sci. Amer., April 1971.

12/5   Pränatale Diagnose genetischer Defekte

Von den Patienten in Kinderkliniken sind heute vermutlich etwa die Hälfte mit Krankheiten behaftet, die zumindest genetische Komponenten enthalten. Etwa jeder 50. Mensch wird mit deutlichen genetischen Defekten geboren. Die Tragik, die solche Nachkommen in viele Familien bringen, wird aber in Zukunft durch die Fortschritte der Wissenschaft seltener und seltener werden.

Dabei wird vermutlich die phänotypische Korrektur genetischer Defekte (z. B. durch Chirurgie bei einem Wolfsrachen oder durch Diät bei Phenylketonurie) geringere Bedeutung haben als die pränatale Diagnose, die bei positivem Resultat eine Unterbrechung der Schwangerschaft nahelegt. (In vielen Staaten ist ein Abort unter solchen Umständen, d.h. bei „genetischer Indikation", legal. Auch in der Bundesrepublik ist 1972 eine entsprechende Gesetzgebung in Vorbereitung.)

Die Technik der Amniocentese (s. Tafel 10) erlaubt es, in der 14. bis 16. Woche der Schwangerschaft Zellen der wachsenden Frucht zu gewinnen, die frei in der Amnionflüssigkeit schwimmen. Dem Fruchtwasser (zu diesem Zeitpunkt ca. 200 ml) werden dabei transabdominal (geringste Infektionsgefahr) etwa 10—20 ml entnommen, dann die darin befindlichen Zellen durch Zentrifugation angereichert.

Schon der Überstand nach Zentrifugation, also die zellfreie Amnionflüssigkeit, kann Aufschluß über bestimmte Eigenschaften des Föten geben. So wurde die ganze Technik der Amniocentese ursprünglich entwickelt zur vorgeburtlichen Erkennung Rhesus-positiver Föten von Rhesus-negativen Schwangeren (vgl. § 12/2). Die Menge von Abbauprodukten des Hämoglobins in der Amnionflüssigkeit zeigt in solcher Situation den Grad der Gefährdung des Föten an.

Ein Beispiel für die pränatale Erkennung eines Erbdefektes aus der Amnion-flüssigkeit ist die HURLERsche Krankheit. Diese Mukopolysaccharidose beruht auf einem autosomalen rezessiven Enzymdefekt, der bereits wenige Wochen nach der Geburt eine Fülle verschiedener Schäden verursacht, die fast immer in wenigen Jahren zum Tode des betroffenen Kindes führen. Aber schon vor der Geburt ist ein homozygot defekter Fötus diagnostizierbar an der hohen Konzentration von Heparansulfat, das in die Amnionflüssigkeit ausgeschieden wird.

Weit wichtiger ist jedoch die Untersuchung der fötalen Zellen selbst. Diese werden nach der Zentrifugation in Kultur genommen (vgl. § 12/4). Von den ver-schiedenartigen Zellen wachsen dabei aus technischen Gründen meist nur wenige zu Zellklonen heran. Diese können dann nach ca. 2—3 Wochen zytologisch auf ihren Chromosomensatz geprüft werden, wobei z. B. Trisomie 21 oder größere Chromosomen-Aberrationen eindeutig erkennbar sind.

Während diese zytologische Untersuchung in einem Arbeitsvorgang alle wesent-lichen Abweichungen der Chromosomen erkennen läßt, müssen für die auch diagnostizierbaren *biochemischen* Defekte des Föten sehr verschiedene Techniken eingesetzt werden. Drei Verfahren sollen als Beispiele diskutiert werden:

▶ 1. Das LESCH-NYHAN-Syndrom ist zurückzuführen auf einen Defekt des En-zyms Hypoxanthin-Guanin-Phosphoribosyl-Transferase (HGPRT), das im Nucleo-tid-Stoffwechsel bestimmter Gehirnzellen (Basalganglien) eine lebenswichtige Rolle spielt. Das entsprechende Gen ist auf dem X-Chromosom lokalisiert. Die Krankheit führt zu schweren Gehirnschäden und zu Selbstverletzung durch Zer-beißen von Lippen und Fingern.

Bietet man in Kultur genommenen Amnion-Zellen radioaktives Hypoxanthin oder Guanin an, so werden nur normale Zellen mit funktionsfähiger HGPRT die Radioaktivität in neu synthetisierte RNA und DNA inkorporieren, was durch Autoradiographie von Zellen sichtbar gemacht wird. Bei Zellen von LESCH-NYHAN-Föten bleibt diese Inkorporation aus[1]. Bei heterozygoten (weiblichen) Föten zeigt wegen der X-Chromosom-Inaktivierung (vgl. § 10/12,5) nur die Hälfte der Am-nionzellen einen Einbau von Radioaktivität.

▶ 2. Xeroderma pigmentosum beruht auf einem autosomalen Defekt von DNA-Reparatur-Enzymen (vgl. § 7/1). Homozygot betroffene Kinder müssen vor jedem Sonnenlicht geschützt werden, da sie sonst schnell an multiplen Hauttumoren zugrunde gehen.

An Zellkulturen läßt sich der homozygote Defekt durch folgende Technik erkennen[2]: Zellen werden nach einer UV-Bestrahlung mit 5-Bromodeoxyuridin inkubiert. Bei der Reparatur-Synthese normaler Zellen wird dann dieses Analog anstelle von Thymidin in die DNA eingebaut. Werden die Zellen anschließend mit Licht der Wellenlänge 313 mμ bestrahlt, dann in Alkali überführt, so finden an Stellen des BU-Einbaus Brüche in der DNA statt, die in einer Sucrose-Zentrifugation an der drastisch reduzierten Sedimentations-Konstante der DNA deutlich werden. Heterozygote Zellen sind dabei nicht von denen homozygot gesunder Individuen zu unterscheiden.

Homozygot defekte Zellen führen jedoch keine DNA-Reparatur durch, bauen also kein BU ein und zeigen so trotz 313 mμ-Bestrahlung und Alkali-Behandlung keine Brüche in der DNA, d. h. auch keine Reduktion von deren Sedimentations-Konstante.

▶ 3. Die Ahorn-Sirup-Krankheit erhielt ihren Namen wegen des charakteristischen Geruchs ihrer Träger, die meist schon wenige Monate nach der Geburt an einer Degeneration des Gehirns sterben. Sie ist selten und beruht auf dem Defekt einer Enzymgruppe, die für den Abbau der Aminosäuren Leucin, Isoleucin und Valin auf der Stufe der α-Ketosäuren wichtig ist.

Zum Aktivitätsnachweis eines der beteiligten Enzyme, einer Decarboxylase, werden gezüchtete Amnionzellen[3] auf sogenannten Mikrotiterplatten, die kleine Vertiefungen enthalten, gebracht. Für den Test gibt man C^{14} markierte α-Ketosäuren in gepufferter Salzlösung auf die Zellen. Dann werden die Vertiefungen mit Filterplättchen abgedeckt, die in NaOH getränkt sind. Nach Bebrütung haben Enzym-aktive Kulturen radioaktives CO_2 abgespalten, das mit der NaOH des Filterscheibchens reagiert. Die in diesen Scheibchen festgehaltene Radioaktivität ist daher ein direktes Maß für die Enzymaktivität der Zellen.

Weitere biochemische Diagnose-Verfahren, bei denen es immer darum geht, mit möglichst wenig Zellmaterial (schnelle Diagnose) die Funktionsfähigkeit eines bestimmten Enzyms zu testen, wurden ausgearbeitet. Unter den bisher etwa 50 an Amnion-Zellkulturen diagnostisch erfaßbaren biochemischen Erbleiden[4] sind die Galactosämie, die Homocystinurie und das TAY-SACHS-Syndrom. Die Gesamtzahl der so pränatal zu erkennenden Enzymdefekte ist in schnellem Steigen begriffen, doch muß man sich klar darüber sein, daß die Diagnose bestimmter Krankheiten jeweils nur in wenigen hochspezialisierten Labors möglich ist.

In welchen Fällen ist eine solche pränatale Diagnose sinnvoll? Sicher muß das Risiko für Mutter und Frucht bei der Amniocentese — wenn auch sehr klein — abgewogen werden gegen das Risiko einer genetisch defekten Geburt. Die amerikanischen Fachleute raten zur Amniocentese bei Wahrscheinlichkeiten von 1% oder mehr für eine Defektgeburt, d.h. in fast allen Fällen, wo ein Elternpaar bereits ein Kind mit einer pränatal diagnostizierbaren Erbkrankheit zur Welt brachte, und prinzipiell bei Müttern, die die Vierzig überschritten haben. In diesem Alter steigt ja die Häufigkeit chromosomaler Defekte steil an.

Wie auf vielen anderen Gebieten stellt hier der wissenschaftliche Fortschritt die Menschheit vor bisher nicht existierende moralische Entscheidungen. Auf der einen Seite können gegen Abortion (aus welchen Gründen auch immer durchgeführt) ethische Bedenken bestehen — auf der anderen Seite ist es schwer mit der Würde des Menschen vereinbar, einer werdenden Mutter gegen ihren Wunsch das Austragen einer Frucht zuzumuten — besonders, wenn man mit Sicherheit weiß, daß diese genetisch zur Idiotie oder anderen Erbleiden verurteilt ist. In Zukunft wird in der Öffentlichkeit in zunehmendem Maße die Problematik solcher neu entstandener Moralfragen diskutiert werden. Sie sollte auch an Schulen und Hochschulen nicht in der Fülle des Fakten-Wissens untergehen.

Literatur zu § 12/5:

[1] FUYIMOTO, W. Y. et al.: Lancet **1968** II, 511.
[2] REGAN, J. D. et al.: Science **174**, 147 (1971).
[3] RÜDIGER, H. W. et al.: Humangenetik **14**, 257 (1972).
[4] FRIEDMANN, T.: Sci. Amer, Nov. 1971; sowie verschiedene Artikel in Intrauterine Diagnosis, Birth Defects, Vol. VII, No. 5, publ. by The National Foundation, April 1971.

12/6 Krebs

Im Grunde ist es nicht verwunderlich, daß krebsartige Zellwucherungen in Organismen gefunden werden — im Gegenteil — es überrascht, wie selten Zellen krebsartig werden. Die eigentliche Ursprungs-Situation einer Zelle ist ja die einprogrammierte Tendenz zur ständigen Autoreduplikation. Im Laufe der Evolution haben sich gerade diejenigen Zellen durchgesetzt, die diese Fähigkeit am besten entwickelt hatten, d. h. solche, die sich durch möglichst wenige Umwelt-Bedingungen an ihrer Vermehrung hindern ließen. Das biologisch Ursprüngliche ist also eine hemmungslose Selbstreplikation.

Bei der Entstehung von Vielzellern muß nun diese schrankenlose „selbstsüchtige" Vermehrung von Zellen gezügelt werden, um eine harmonische Ordnung einer biologischen Einheit auf einem höheren Niveau zu ermöglichen. Die Einzelzelle darf zum Wohle des höheren Ganzen nur im Rahmen eines genetisch festgelegten Programms Teilungen durchlaufen, bis eine bestimmte Größe (und Gestalt) eines Organs erreicht ist. Dann müssen regulatorische Hemmsysteme der Teilungsfreudigkeit entgegenwirken. (Es ist beachtenswert, daß sinngemäß gleichlautende Sätze über die Vermehrung von Menschen im Rahmen der menschlichen Gesellschaft gesagt werden könnten.)

Wen kann es wundern, daß in solchen Hemmsystemen Störungen vielfältiger Art möglich sind! Die plötzlich einsetzende ungezügelte Vermehrung einer Zelle mag sicherlich die verschiedensten molekularen Ursachen haben — ebenso wie ein Auto aus verschiedenen Gründen fahruntüchtig sein kann.

Doch welcher Natur die Störungen auch sein mögen, sie sind — zumindest in vielen Fällen — stabil und werden an beide Tochterzellen weitergegeben. So bilden sich Klone von Zellen, deren Teilungshemmung gestört ist und die man, wenn sie makroskopisch bemerkbar werden, als Tumoren bezeichnet. Es gibt also nicht „den Krebs" schlechthin, sondern ein ganzes Spektrum von Tumorarten je nach Störursache und Typ der Ausgangszelle.

Dementsprechend können praktisch Zellen aller Gewebe Störungen ihrer Teilungshemmung zeigen und zu Tumorzellen werden. Dieser „neoplastische" Zustand zeigt noch viele morphologische und biochemische Eigenschaften der Ausgangszelle, zumeist ist auch die Kontrolle der Mitose nicht völlig aufgehoben. Neoplastische Zellen sprechen z. B. oft noch auf bestimmte Hormone an oder behalten die Fähigkeit, diese zu produzieren. Ist ein Tumor imstande, benachbarte Gewebe zu durchdringen, oder kleine Zellgruppen in den Blutstrom bzw. die Lymphbahn abzugeben, was durch Ansiedlung dieser Zellen — besonders in Lymphknoten, in Lunge, Leber, Gehirn oder Knochenmark — zur Bildung von Sekundärtumoren, sog. Metastasen, führt, so wird er als bösartig, krebsartig oder maligne bezeichnet.

Die Bildung eines sichtbaren Tumors ist jedoch nur die letzte Phase eines sich oft über Jahre hinweg entfaltenden Prozesses zytologischer und histologischer Veränderungen (Abb. 12/4), da selbst maligne Tumorzellen sich oft nur langsam weiterteilen und selbst bei massiver Wucherung die Teilungsrate embryonaler Zellen nicht überschreiten. Man nimmt an, daß viele der neoplastisch veränderten Zellen überhaupt nie zu Tumoren auswachsen, da sie von den immunologischen

Abwehrmechanismen des Organismus als Fremdkörper erkannt und zerstört werden (Abb. 12/4). An dieser Immunabwehr besonders beteiligt sind Makrophagen (spezialisierte Lymphzellen), die bei entsprechender Immunisierung Tumorzellen durch bloßen Membrankontakt abtöten und dann „auffressen" können[1] (Phagozytose).

Obwohl die Ursachen einer neoplastischen Veränderung im einzelnen meist unklar sind, bietet die Molekularbiologie einige prinzipielle Erklärungsmöglichkeiten:

a) Somatische Mutationen im herkömmlichen Sinn. Operator-ähnliche Strukturen z. B. könnten zur Konstitutivität mutieren und sich so der negativen Kontrolle durch Repressoren entziehen, die auf die zur Zellteilung nötigen Operonen wirken.

b) Transdeterminationen. Wie bei den in § 10/12 besprochenen Zell-Linien von Gewebeanlagen bei Drosophila, könnte der an sich stabile Regelzustand umschlagen, in diesem Fall in einen schlechter funktionierenden Zustand.

c) Infektiös-symbiotische Situationen. Ähnlich der Lysogenisierung eines Bakteriums durch einen temperenten Phagen könnte die Zelle eines höheren Organismus durch ein infizierendes Virus verändert und dadurch in ihrer Wachstumshemmung geschwächt werden.

Gerade in den letzten Jahren ist die Möglichkeit einer Virus-Deutung von Tumoren besonders in den Vordergrund gerückt. Das erste Tumor-Virus (oder oncogene Virus) wurde 1911 von ROUS beschrieben. Es induziert in Küken die Bildung von charakteristischen Tumoren (Rous-Sarkome), kann aber auch Fibroblasten in Zellkultur infizieren. Die so „transformierten"* Zellen haben — auch als Zellkultur — die Fähigkeit zur Kontakthemmung eingebüßt. Ähnliche Viren sind heute als Tumor-Erreger bei Schlangen, Mäusen, Affen (und vermutlich auch beim Menschen) bekannt.

Neben diesen RNA-Tumor-Viren (einzelsträngige RNA-Genome) sind auch einfach gebaute DNA-Tumor-Viren bekannt, z. B. das für Mäuse oncogene sehr kleine Polyoma-Virus oder das ihm ähnliche SV 40-Virus, das Tumoren in Affen erzeugt. Die ringförmige DNA solcher Viren (Länge 1,6 μ, d. h. nur $1/11$ der Länge des λ-Genoms, vgl. Tafel 21) wird offenbar — wie bei der Lysogenisierung von Bakterien — in die Chromosomen geeigneter Wirtszellen eingebaut und als „Provirus" an die Tochterzellen weitergegeben.

Obwohl nämlich eigentliche Virus-Partikel in den „transformierten" Zellen nicht nachweisbar sind, zeigen Hybridisierungsversuche (vgl. § 6/9) mit DNA solcher Zellen die Existenz von Basensequenzen, die der von Virus-DNA entsprechen. Obwohl also die Beziehung von Tumor-Charakter der Zellen und Einbau des Provirus einwandfrei erwiesen ist, entzieht sich der molekulare Mechanismus bisher unserem Verständnis.

Auch RNA-Tumor-Viren können ihr Genom stabil mit dem der Wirtszelle verkoppeln. Dies wurde verständlich, als 1970 entdeckt wurde[2], daß diese Virus-Partikel ein spezielles Enzym enthalten, die sogenannte „RNA-directed DNA-

---

* Unverständlicher- und irreführenderweise wird die Veränderung erblicher Eigenschaften von Zellen höherer Organismen durch Virus-Infektion als „Transformation" bezeichnet, obwohl das molekulare Geschehen sicher nicht dem der Transformation von Bakterien analog ist.

Polymerase", auch „reverse Transcriptase" genannt. Dieses Enzym stellt nach Infektion der Wirtszelle eine (doppelsträngige) DNA-Kopie der Virus-RNA her, die dann in ein Chromosom integriert werden kann (mit RNA ist das nicht möglich!). Aus bisher unverstandenen Gründen wird dabei jedoch offenbar nur etwa ein Zehntel des RNA-Genoms in DNA übertragen[3].

Das in vitro mit diesem Enzym hergestellte DNA-Stück zeigt seine der RNA entsprechende Basensequenz in Hybridisierungsversuchen. Das analoge Experiment mit in vivo erzeugter DNA ist bisher noch nicht eindeutig gelungen[3]. Es ist aber zu erwarten, daß in Kürze schon viel mehr Einzelheiten dieses Geschehens bekannt werden, da speziell in den USA ein Großangriff auf den Krebs begonnen hat, der fast wöchentlich neue wichtige Resultate liefert.

Ein RNA-Tumor-Virus mit eigener reverser Transcriptase ist z. B. der lange bekannte „Milchfaktor", der bei der Maus Mamma-Tumoren erzeugt und der **nur durch Säugung übertragen** wird. Durch diese Art seiner Übertragung[4] täuscht das (nach seinem Entdecker benannte) BITTNER-Virus einen völlig matroklinen Erbgang für das Merkmal dieses Tumors vor.

Vor kurzem wurde auch die Milch stillender Frauen, in deren Stammbaum Fälle von Brustkrebs (der häufigste Krebs der Frau) vorkamen, auf das Vor-

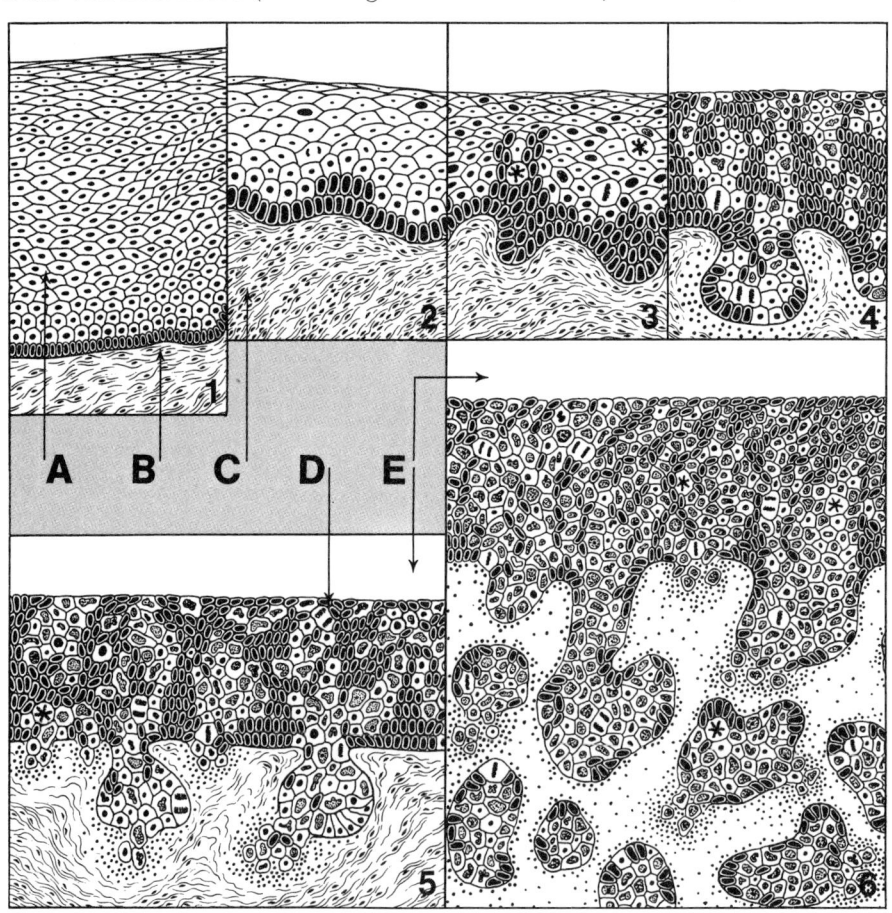

handensein ähnlicher RNA-Viren untersucht. Tatsächlich wurden in etwa zwei Dritteln dieser Fälle Virus-ähnliche Partikel isoliert und in ihnen ein Molekül einsträngiger RNA (Größe etwa 60s bis 70s) und reverse Transcriptase nachgewiesen[5].

Da in den letzten Jahren so viele falsche Sensations-Meldungen über Krebs in der Presse erschienen, kommentierte SPIEGELMAN in einem Presse-Interview[6] diese Partikel mit äußerster Vorsicht: "They are particles which are indistinguishable from others which we call viruses (Gelächter). That's caution. You are free to call them what you like, but I have my colleagues to worry about ...".

Weiter befragt, ob er vielleicht Müttern gänzlich vom Stillen ihrer Babies abraten würde, antwortete SPIEGELMAN:

Nein, sicher nicht. Nur wenn eine Frau Brustkrebs in der Familie hat und ihre Milch Virus-Partikel enthält, ... würde ich ihr raten, nicht zu stillen.

Leider ist die Technik der Erkennung dieser Viren recht umständlich und 1972 weit davon entfernt, ein medizinisches Routine-Diagnose-Verfahren zu sein, doch sind schon in einem Jahrzehnt grundlegende Wandlungen zu erhoffen.

Auch bei einem menschlichen Muskelkrebs konnte ein Virus als möglicher Erreger aufgedeckt werden. In Tumor-Geweben und auch in davon abgeleiteten

---

Abb. 12,4.
Sechs Phasen einer Krebs-Entwicklung, dargestellt am Beispiel des Cervix-(Uterus-Mund-)Carcinoms.

1: Normalzustand des Schleimhaut-Epithels: Unterste Schicht (C) ist Bindegewebe (mit Fibroblasten), darüber eine Lage von Basalzellen (B). Diese teilen sich und geben Tochterzellen in die obere Schicht (A) der absterbenden und schließlich in die Vaginalhöhle (Außenwelt, E) abfallenden Epithelzellen.

2: Erste Veränderung: Basalzellen türmen sich, einige Zellen im — hier altersbedingt dünneren — Epithelial-Gewebe über der Basalschicht zeigen Mitosen (D).

3: Basalschicht ufert aus, Mitosen im übrigen Epithel häufig.

4: Carcinom in situ. Basalzellen haben das ganze Epithel durchdrungen, überall Mitosen. Die normale Ordnung ist zerstört, noch ist aber das Bindegewebe nicht einbezogen.

5: Beginn des Eindringens ins Bindegewebe. Lymphozyten (schwarze Punkte) versuchen dort die Krebszellen abzuwehren. Bis zu diesem Stadium läßt sich das Krebsgewebe ohne weitere Folgen leicht chirurgisch entfernen. Dazu ist jedoch eine Früherkennung nötig.

Jede Frau über 30 sollte sich daher *mindestens* einmal im Jahr der einfachen und schmerzlosen Untersuchung unterziehen (Abstrich von Epithelzellen mit anschließender cytologischer Analyse). [Die Krankenkassen tragen eine Krebs-Vorsorgeuntersuchung pro Jahr.]

6: Das wuchernde Epithelgewebe durchbricht die Basalschicht und wächst ungeordnet in das Bindegewebe, wo Lymphozyten eine (allerdings ungenügende) Abwehr versuchen. Kommen solche Zellklümpchen in die Blut- oder Lymph-Bahn, so führen sie zu Metastasen in anderen Geweben. Der Tod als Folge des Krebses ist dann kaum abzuwenden.

(Abb. aus: K. KNÖRR, F. K. BELLER, CH. LAURITZEN: Lehrbuch der Gynäkologie, S. 263 und 334—336. Berlin-Heidelberg-New York: Springer 1972)

Zellkulturen dieses Tumors waren zwar keine Viren nachzuweisen. Wurden jedoch Tumor-Zellen in Kultur in Katzen-Embryos injiziert, so erzeugten sie Sekundär-tumoren, von denen einige ein bisher unbekanntes Tumor-Virus produzierten. Die Tumor-Zellen wurden offenbar erst im Katzen-Embryo zur Virus-Produktion angeregt.

Weitere krebsartige Erkrankungen des Menschen, die möglicherweise von Viren verursacht werden, sind die HODGKINsche Krankheit (ein Lymphzellen-Krebs), die Leukämie (Krebs weißer Blutkörperchen) und das Cervix-(Gebär-mutter-Mund-)-Carcinom (die zweithäufigste Krebserkrankung der Frau, vgl. Abb. 12,4).

Im letzten Falle wird das Herpes-Virus II verdächtigt, das beim Mann nur eine harmlose Infektion der Schleimhaut (Fieberbläschen ähnlich) an der Eichel des Penis hervorruft. Es ist nötig zu betonen, daß die **Übertragungs-Wahrschein-lichkeit dieser Viren weit unter der bei anderen Infektionskrankheiten liegt.**

Es ist praktisch unmöglich, bei irgendeinem Krebstyp die kausale Beteiligung virusartiger Elemente auszuschließen, da Viren ja prinzipiell als Proviren, d. h. latent, in irgendeinem Genom vorhanden sein können, auch wenn sie nicht nach-weisbar sind, besonders weil diese Viren vielleicht schon früh im Laufe der Evolution in ein Genom eingebaut sein könnten und wahrscheinlich die meisten ihrer Gene eingebüßt haben (defekte Proviren), so daß sie gar nicht mehr im-stande wären, sich selbständig als Partikel zu vermehren. (Hier wird natürlich, ähnlich wie in § 5/8, der Virus-Begriff selbst fragwürdig!)

Auf der anderen Seite ist es sicher schwierig, zwingend nachzuweisen, daß ein Virus der eigentliche Erzeuger eines Tumors ist, da im Prinzip die Möglichkeit bestünde, daß gerade Tumorzellen die einzigen brauchbaren Wirte für bestimmte Viren wären und diese deswegen in Tumoren, aber in keinem anderen Gewebe, zu finden wären.

Die Erzeugung von Krebs durch chemische Substanzen (Carcinogene) könnte vielleicht auf der Induktion defektiver Proviren beruhen, ähnlich wie viele lyso-gene Bakterienstämme durch chemische Agenzien (u. a. gewisse Carcinogene!) zur Lyse induziert werden können.

Nachdem die klassischen Infektionskrankheiten in industrialisierten Ländern praktisch überwunden sind, bleibt der Krebs, der besonders die Altersgruppen über 50 betrifft (verringerte Immunabwehr?) ein vorrangiges Gesundheitsproblem. Eine wirksame Therapie für Krebserkrankungen wird jedoch erst dann möglich sein, wenn ihre molekular-genetischen Grundlagen — die vielleicht von Krebstyp zu Krebstyp völlig verschieden sind — von uns besser durchschaut werden.

Literatur zu § 12/6:

[1] EVANS, R. and P. ALEXANDER: Nature (Lond.) **236**, 168 (1972).
[2] TEMIN, H. M. and S. MIZUTANI: Nature (Lond.) **226**, 1211 (1970).
  BALTIMORE, D.: Nature (Lond.) **226**, 1209 (1970).
[3] TEMIN, H. M.: Sci. Amer., February 1972.
[4] BITTNER, J. J.: Science 84, 162 (1932).
[5] SCHLOM, J. and S. SPIEGELMAN: Science **175**, 542 (1972).
[6] Bericht über eine Presse-Konferenz: Science **174**, 679 (1971).
  Review über Tumor-Viren: GREEN, M.: Ann. Rev. Biochem. **39**, 701 (1970).

12/7   Zwillinge

Familienstammbaum-Analysen und Zwillingsforschung gehören zu den Hauptstützen der Humangenetik. Schon eine oberflächliche Betrachtung läßt zwei Arten von Zwillingen erkennen: äußerst ähnliche und wenig ähnliche. Embryologie und Genetik haben gezeigt, daß

eineiige Zwillinge (EZ) aus *einer* Eizelle und *einem* Spermafaden durch Trennung des frühen Keimes in zwei Keime entstehen. Ihr Erbgut ist daher identisch (stets gleiches Geschlecht) (vgl. Tafel 32).

Zweieiige Zwillinge (ZZ) entstehen aus zwei Eizellen und zwei Spermafäden. Sie ähneln sich wie andere Geschwister.

Die Häufigkeit von Zwillingsgeburten ist in Deutschland etwa 1:86, in den USA 1:88, davon sind rund $1/4$ eineiig. In Japan gibt es weniger Zwillings-geburten, doch sind darunter mehr eineiig, so daß die Wahrscheinlichkeit der Keimteilung etwa gleich hoch in beiden Populationen ist. Eine französische Statistik zeigt, daß die Wahrscheinlichkeit für EZ relativ unabhängig vom Alter der Mutter ist, die Wahrscheinlichkeit für ZZ jedoch bis zu etwa 37 Jahren ansteigt und dann wieder absinkt. Die Wahrscheinlichkeit für Drillingsgeburten ist etwa $1/7000$ ($=1/84^2$), die für Vierlinge $1/780000$ ($=1/92^3$). Offenbar erfolgt die Bildung eines weiteren Keims in allen Fällen mit etwa konstanter Wahrscheinlichkeit. Seit einigen Jahren ist häufiger von Schwangerschaften mit multiplen (bis zu acht, allerdings nicht lebensfähigen) Foeten berichtet worden. Dies ist zurückzuführen auf eine unzulänglich dosierte Hormon-Behandlung bei Sterilität der Frau.

Eineiige Zwillinge kommen auch bei anderen Säugern vor. Für Rinder-zwillinge gibt es spezielle Versuchsstationen, auf denen Futtereinflüsse und dergleichen untersucht werden. Auch bei Rindern zeigen EZ erstaunliche Übereinstimmung in Fellscheckung, Schlafstellung usw. Es ist interessant, daß Rinderzwillinge auf der Weide meist beieinander bleiben.

Beim Gürteltier (Dasypus) werden immer vier (bei manchen Arten acht) Junge geworfen. Diese entstehen nicht aus den Produkten der ersten Zellteilungen der Zygote, sondern aus einer späteren Aufteilung des schon großen Zellverbandes. Bei EZ des Menschen ist die kritische Phase für eine Keimteilung noch unbekannt.

Die Einteilung von menschlichen Zwillingen in EZ und ZZ stützt sich auf eine Reihe qualitativer und quantitativer Merkmale. Schon bei der Geburt kann erfahrungsgemäß aus einem gemeinsamen Chorion (Zottenhaut des Mutterkuchens) auf EZ geschlossen werden. Es sollen jedoch zuweilen auch EZ in getrennten Chorien geboren werden. Für die spätere Untersuchung sind die Blutgruppen (vgl. § 12/2) und andere Polymorphismen (vgl. § 12/3) wie z.B. beim Schmecken von Phenylthiocarbamid die wichtigsten Merkmale. Für jedes solche Merkmal kann eine Wahrscheinlichkeit für zufällige geschwisterliche Gleichheit errechnet werden.

Fingerabdrücke, in der Kriminalistik zur Ermittlung der Identität benutzt, zeigen manchmal bei EZ derartige Übereinstimmung, daß sich z. B. rechte Zeigefinger der Zwillinge ähnlicher sind als rechter und linker derselben Person.

Die Hirnströme eines Menschen können durch empfindliche Geräte aufgezeichnet werden (Elektroencephalogramm = EEG). Jedes Individuum zeigt ein charakteristisches Ruhediagramm. Die Hirnableitungen von EZ sind dabei nur soweit verschieden wie wiederholte Messungen der gleichen Person, die von ZZ dagegen können sich beachtlich unterscheiden.

Gewebetransplantationen (am einfachsten Haut) sind zwischen verschiedenen Körperstellen einer Person möglich. Sie mißlingen jedoch selbst zwischen nahen Verwandten, d. h. zwischen Geschwistern oder Eltern und Kindern. Das transplantierte Gewebe wird nach einiger Zeit abgestoßen (Antikörperbildung gegen das Fremdprotein). Die hierin zum Ausdruck kommende Individualität des Einzelwesens hat nur eine Ausnahme: Transplantationen sind möglich zwischen eineiigen Zwillingen.

An quantitativen Merkmalen wird z. B. die Augenfarbe berücksichtigt. Man untersucht zunächst eine große Zahl gewöhnlicher Geschwister und stellt deren Iris-Pigment-Unterschied fest. Für Zwillinge kann daraus die Wahrscheinlichkeit berechnet werden, daß der Übereinstimmungsgrad zufällig ist. Ohrformen, Nasenformen, Sommersprossen, Haarfarbe, Augenbrauen, Körpermaße usw. werden in ähnlicher Weise verglichen.

Man erhält so aus qualitativen und quantitativen Merkmalen eine Gesamtwahrscheinlichkeit für zufällige Übereinstimmung. Voraussetzung einer solchen Rechnung ist, daß die steuernden Gene nicht gekoppelt sind. Diese Bedingung ist speziell für polygene Merkmale oft nicht kontrollierbar. Eine analoge Reihe von Merkmalen wird auch bei der Vaterschaftsbestimmung untersucht. Wesentlich ist, daß in all diesen Untersuchungen im Einzelfall zwar mit Sicherheit *Nicht*-Verwandtschaft bzw. Zweieiigkeit ermittelt werden kann, nämlich dann, wenn alternativ genetisch kontrollierte Merkmale — z. B. Blutgruppen — „discordant", d. h. verschieden in den untersuchten Individuen sind. Andererseits verbleibt bei „concordantem" Ergebnis eine Wahrscheinlichkeit für zufällige Übereinstimmung. Dieser Zweifel besteht jedoch nicht mehr für Ergebnisse, die aus einer großen Gruppe von EZ gewonnen werden, da höchstens wenige Mitglieder der Gruppe falsch klassifiziert sein können.

Als weitere summarische Kontrolle wird das Geschlecht von Zwillingen angeführt. Entstünden alle Zwillinge aus getrennten Befruchtungen, so sollten aus Gründen des Zufalls Zwillinge gleichen Geschlechts ebenso häufig sein wie solche verschiedenen Geschlechts. Die überzählige Häufigkeit von gleichgeschlechtigen ist ein Maß für die Häufigkeit von eineiigen Zwillingen und stimmt gut mit dem Ergebnis der Merkmalsanalyse überein (Differenzmethode, WEINBERG 1902). Dennoch ist hierbei Vorsicht geboten, da in der individuellen Situation eines Konzeptionsgeschehens Bevorzugung eines Spermientyps vorliegen könnte.

Eine Aufgabe der Zwillingsforschung liegt in der Untersuchung der Erblichkeit bzw. erblichen Anfälligkeit des Menschen gegen bestimmte Krankheiten. Weiter läßt der Übereinstimmungsgrad von Merkmalen die Einflüsse von Erbgut und Umwelt bei der Ausbildung dieser Merkmale gegeneinander abwiegen. Im allgemeinen werden hierzu nach Möglichkeit drei Gruppen gegenübergestellt:

ZZ aus gleicher Umwelt

EZ aus gleicher Umwelt

EZ aus verschiedener Umwelt.

Insgesamt sind von der letzten Gruppe allerdings nicht mehr als 150 Fälle bekannt.

Man ermittelt die Häufigkeit von concordanten Fällen gegenüber den discordanten (nur ein Zwilling betroffen). Als Beispiel zeigt die folgende Tabelle 12,5 das Auftreten einiger Krankheiten.

Tabelle 12,5. Korrelation im Auftreten von Krankheiten bei Zwillingen aus gleicher Umwelt (zusammengestellt aus Daten verschiedener Autoren)

	EZ		ZZ (gleichgeschlechtlich)	
	concordant %	discordant %	concordant %	discordant %
Keuchhusten	96	4	94	6
Blinddarmentzündung . .	29	71	16	84
Tuberkulose	69	31	25	75
Diabetes	84	16	37	63
Gleiche Art von Tumoren	59	41	24	76

Aus solchen Daten gewinnt man die Erkenntnis, daß in jedem Fall ein geringerer oder größerer Einfluß des Erbguts vorliegt. (Beachte, daß ja auch ZZ in vielen Genen übereinstimmen und daß ein korrekter Vergleich gegen eine *zufällige* Übereinstimmung von Nicht-Geschwister-Individuen geführt werden müßte.) Auf der anderen Seite wird deutlich, daß für die meisten Merkmale beachtliche Umwelteinflüsse bestehen bzw. die Penetranz der Merkmalsausbildung unvollkommen ist.

Besonders umstritten ist die Frage nach den erblichen Komponenten *geistiger* Eigenschaften. Einerseits wachsen EZ nur äußerst selten in intellektuell sehr verschiedener Umwelt auf, andererseits ist die Einführung einer Maßeinheit für psychische Merkmale problematisch. Unter diesem Vorbehalt glauben die meisten Fachleute, daß die genetische Konstitution für die Entwicklung geistiger Fähigkeiten einen weiten Spielraum zuläßt, innerhalb dessen Grenzen die Erziehung wirken kann, daß jedoch intellektuelle Spitzenleistung neben optimaler Ausbildung eine günstige genetische Konstellation verlangt.

Das Problem ist vergleichbar mit der Frage, ob die Motor-Konstruktion oder die Treibstoffart wichtiger für die Maximalgeschwindigkeit eines Autos wäre. Ist eine der beiden Komponenten fest vorgegeben, so führt die Variation der anderen zu unterschiedlichen Resultaten, doch wäre eine Aussage, der Motor sei zu 60%, der Treibstoff zu 40% entscheidend, eine sinnlose Aussage. Entsprechendes gilt für die immer wieder aus politischen Vorurteilen dieser oder jener Seite vorgebrachten analogen Äußerungen zur Vererbung von Intelligenz und anderer psychischer Eigenschaften des Menschen. Wir kommen auf die Wechselbeziehungen von genetischer und intellektueller Information in § 12/9 zurück.

12/8   Vorurteile, Erblast und Eugenik

Wissenschaft kann beschrieben werden als die Überwindung von Vorurteilen durch Experiment und Logik. Das Vorurteil ist der stärkste Hemmschuh wissenschaftlicher Entwicklung. Ein solches Hemmnis wirkt sich besonders auf Gebieten aus, die in soziologische und damit politische Bereiche übergreifen. Die Geschichte der Genetik zeigt Beispiele dieser Erfahrung. Sie beginnt mit dem Widerstand der Kirchen gegen die Idee der Evolution und reicht bis zur paradoxen Situation, daß in der stalinistischen Ära in der Sowjetunion eine — wie sie sich selbst bezeichnete — materialistische Philosophie die evidente Kontrolle biologischer Merkmale durch molekulare, d. h. in Materie niedergelegte Information leugnete.

Zu welch schauerlichen Konsequenzen politische Irrlehren unter Berufung auf genetische Erkenntnisse führen können, mußte die Welt durch das Regime des Nationalsozialismus erfahren.

In der Tierzucht sind volkstümliche Ammenmärchen wie das von Hundezüchtern aus kommerziellen Gründen gepflegte, daß der erste Wurf einer Hündin späteren Würfen überlegen sei oder daß eine einmal von einem andersrassigen Hund gedeckte Hündin zeitlebens als Zuchttier unbrauchbar sei, bedenklicherweise immer noch nicht ganz überwunden.

Auch die vielgepriesene „Reinrassigkeit" ist mehr als fragwürdig. Das Streben nach Reinrassigkeit erklärt sich aus der jahrhundertealten züchterischen Bemühung, für gewisse — meist quantitative — Merkmale auszulesen. Hatte man dieses Ziel für ein bestimmtes Merkmal erreicht und eine für die beteiligten Gene „reine Linie" gewonnen, blieb dieses Merkmal stabil. Der damit zweifellos erreichte Gewinn konnte durchaus von anderen biologisch negativen Effekten begleitet sein, denn die Zuchtprodukte wurden ja durch die Hand des Menschen vor einer Wettbewerbssituation mit Wildformen geschützt.

An den Beispielen der Sichelzellen-Hämoglobine des Menschen und der Heterosis des Mais (§ 11/2) wird deutlich, daß in Wildpopulationen für viele Gene Heterozygotie vorliegt und daß diese oft positiv zu bewerten ist. Die Heterosiszüchtung ist gewissermaßen die Umkehr des Prinzips der Züchtung von reinen Linien.

Wildarten aller Organismen sind durch Selektion ihrer Umwelt angepaßt. Mutationen führen zumeist zu defekten Genen und stellen infolgedessen praktisch immer eine Verschlechterung des vorhandenen Genbestands dar. Da jedoch ungünstige Mutationen durch Selektion wieder eliminiert werden, besteht in der Population ein Gleichgewicht, in dem Zufluß und Abfluß solcher negativen Allele sich die Waage halten, was eine Anreicherung der Defekte verhindert.

Dieses Grundprinzip der Natur wird dort ausgeschaltet, wo der Mensch eingreift. Züchtung von Pflanzen und Tieren ist auf menschliche Interessen ausgerichtet, und die natürliche Selektion für die vitalste Allelkombination wird ersetzt durch züchterische Selektion für die ertragreichste oder sonstwie nützlichste Allelkombination. Ein Beispiel ist die Züchtung kernloser Apfelsinen, deren Sterilität in sexueller Vermehrung sicher kein biologisch günstiges Merkmal ist.

Die Ausschaltung natürlicher Selektion durch den Menschen erstreckt sich auch auf den Menschen selbst. Während in vorgeschichtlicher Zeit kurzsichtige Individuen benachteiligt waren und der Selektion zum Opfer fielen, kompensiert die Brille heute diesen Effekt. Das Insulin gestattet auch Trägern erblicher Diabetes, ihr defektes Allel fortzupflanzen. Empfindlichkeit gegen Infektionskrankheiten wird therapeutisch ausgeglichen, ein Wolfsrachen wird chirurgisch korrigiert und eine früher hoffnungslose genetische Krankheit wie die Phenylketonurie kann heute rechtzeitig entdeckt und durch eine geeignete Diät kompensiert werden.

Ein derartiger Fortschritt der Medizin erfüllt manchen Biologen mit Sorge, da er zwangsläufig eine langsame Degeneration der menschlichen Erbinformation zur Folge haben muß. Qualitativ ist dieses Argument sicher richtig, doch kann man sich durch ein bißchen Rechnen leicht davon überzeugen, daß es hunderte von Generationen dauern wird, bis aus diesem medizinischen Schutz für defekte Allele ein ernstes Problem für die Menschheit würde. Da wir andererseits auf eine Wissenschaftsperiode von erst 20 Generationen zurückblicken, ist zu erwarten, daß in 100 Generationen Lösungen des Problems gefunden sind. In jedem Fall kann die populationsgenetische Degeneration nicht als Argument gegen eine medizinische Hilfe bei Erbdefekten ins Feld geführt werden.

Ernster zu nehmen ist die Gefahr einer Steigerung unserer Mutationsraten durch die Entwicklung neuer Technologien. Dabei ist die Strahlenbedrohung des Erbguts offenbar relativ gering, da der Mensch (und andere Säuger) physiologisch so strahlenempfindlich sind, daß ihr Tod eintritt bevor eine größere Zahl von strahlen-induzierten Mutationen beobachtet werden kann. Auch die mögliche chemische Mutagenität von Arzneien, die nur wenigen oder nur älteren Patienten verabreicht werden, sollte nicht zu großer Sorge Anlaß geben. Der Sektor, der wirklich der vollen Aufmerksamkeit bedarf, ist die mögliche Mutagenität von chemischen Substanzen, denen große Teile der Bevölkerung über viele Jahre hinweg ausgesetzt sind.

Leider sind die Methoden der Mutagenitätsprüfung noch ungenügend entwickelt, speziell Punktmutationen sind schwer erfaßbar. In höheren Organismen fehlen hierfür nämlich noch Techniken mit genügender Empfindlichkeit. Die leicht zu erhaltenden Daten an Mikroorganismen geben zwar gute Hinweise zur besonderen Vorsicht, sind aber nicht in jedem Fall auf den Menschen zu übertragen, da dessen Stoffwechsel (wie man aus der Krebsforschung weiß) harmlose Substanzen in mutagene umbauen und umgekehrt auch eigentlich mutagene Substanzen durch schnellen Abbau unschädlich machen kann.

Man könnte aber denken, daß schon eine kleine Vermehrung der Defektallele durch Mutagenität in der Bevölkerung sichtbar werden sollte an einer gesteigerten Zahl von Mißgeburten. Dies ist nicht der Fall und auch nicht zu erwarten, da z.Zt. noch andere Effekte in entgegengesetzter Richtung wirken:

Einer davon ist der Rückgang von (oft ungewollten) Schwangerschaften älterer Frauen durch die zunehmende Bedeutung der Anti-Baby-Pille. Da gerade diese Geburten einen hohen Anteil an Chromosomen-Aberrationen zeigen würden, wirkt sich dies in einer deutlichen Reduktion der Gesamthäufigkeit solcher Defekt-Geburten aus.

Zweitens muß berücksichtigt werden, daß vor allem in ländlichen Gegenden (durch genetic drift) lokal überdurchschnittliche Häufigkeiten einzelner Defektallele vorliegen. Die derzeitige stärkere Durchmischung der Bevölkerung führt zu einer gegenüber früher verkleinerten Wahrscheinlichkeit für Ehen unter entfernten Verwandten. Hierdurch sinkt die Häufigkeit des Zusammentreffens gleicher Defektallele und damit deren Sichtbarwerden an einem homozygoten Individuum.

Es wäre wichtig zu wissen, wie groß die Erblast („genetic load") von rezessiven Defektallelen in der menschlichen Population ist. Außer den homozygot letal wirkenden Defekten sollten dabei auch die „subletalen" berücksichtigt werden, d.h. solche, die homozygot zu einer reduzierten Fortpflanzungsfähigkeit führen. Liegen z.B. *vier* solcher bei Homozygotie um 25% reduzierender Allele vor, so können diese vier ungünstigen Allele zusammen *einem* „Letal-Äquivalent" gleichgesetzt werden. Ein Letal-Äquivalent ist also entweder ein homozygot direkt letal wirkendes Allel oder die Zusammenfassung mehrerer subletaler Allele.

Aus der gesteigerten Häufigkeit von Defekt-Geburten aus Verwandten-Ehen hat man grob die Zahl der Letal-Äquivalente des durchschnittlichen Menschen abgeschätzt und dabei einen Wert von 3 bis 5 gefunden. Das Resultat dieser recht primitiven Methode mag aber noch beachtlich von der Wirklichkeit entfernt sein.

Sicher ist aber wohl, daß kaum ein Mensch ganz frei von solchen Defekt-Allelen ist und daß niemanden ein Verschulden trifft, wenn durch einen unglücklichen Zufall in einem Kind homozygot Defekt-Allele zusammenkommen oder chromosomale Aberrationen entstanden sind. Leider findet man oft Schuldkomplexe bei den betroffenen Eltern und Verständnislosigkeit bei Außenstehenden, was dazu führt, daß die unglücklichen Kinder als Makel betrachtet und daher verschwiegen und vor den Augen der Öffentlichkeit versteckt werden.

Diese Haltung ist auch heute noch verbreitet, obwohl nur noch wenig über „eugenische" Maßnahmen diskutiert wird. Darunter versteht man alle Vorhaben, die die Erblast der Bevölkerung reduzieren sollten, entweder durch verstärkte Verbreitung normaler Allele (positive Eugenik) oder durch Verhinderung der Weitergabe defekter Allele (negative Eugenik). Von allen denkbaren Maßnahmen ist natürlich die genetische Beratung möglichst in Verbindung mit Amniocentese die wichtigste, auch wenn sie vorrangig nicht populations-eugenische Ziele verfolgt, sondern nur einzelnen Familien helfen soll, gesunde Kinder zur Welt zu bringen.

Wissenschaftlich und politisch problematisch werden eugenische Vorschläge, wenn sie davon ausgehen, daß nicht nur funktionsfähige und defekte, sondern auch „wünschenswerte" und „weniger wünschenswerte" Allele existieren. Man kommt dann schnell zu bedrückenden Zukunftsvisionen, wie z.B. einer staatlich geplanten Klonierung, d.h. vegetativen Vermehrung bestimmter soziologisch angeblich wichtiger Individuen.

Die Diskussion der ethischen Grundlage solcher Vorstellungen verlangt sicher zumindest ebensoviel Aufmerksamkeit wie die biologisch-technischen Möglichkeiten ihrer Realisierung.

12/9   Genetische und intellektuelle Information

In Kapitel 6 wurde dargelegt, daß das Wesen der Vererbung darin besteht, genetische Information in Form von Nucleotidsequenzen von Generation zu Generation weiterzugeben. Diese Informationsweitergabe gilt für die gesamte belebte Natur, vom Bakteriophagen bis zum Menschen. Sie beruht auf der Autoreduplikation von Nucleinsäuren.

Evolution wird ermöglicht durch Mutation, d. h. sprunghafte Veränderung dieser Information, und durch Rekombination und Selektion der geeigneten Zusammenstellung von Teilinformationen. Individuell *erworbene* Fähigkeiten können dabei nicht das Erbgut beeinflussen und verbessern, sondern nur die Überlebenschance eines Individuums mit einem Erbgut, das diesen Erwerb von Fähigkeiten ermöglichte.

Im Gegensatz zu allen anderen Lebewesen besitzt der Mensch eine zweite zusätzliche Art der Informationsübertragung. Diese ist nicht an die Nucleinsäuren der Gameten gebunden, sondern durch die Fähigkeit des Gehirns bedingt, Information zu speichern und wieder abzugeben, die im Laufe des Individualdaseins an den Menschen herangetragen wird. Man weiß heute noch nicht, in welcher Weise diese nicht-genetische Information gespeichert wird. Aber wir wissen, daß auch diese Information auf dem Wege der Sprache durch Erziehung und Unterricht von Individuum zu Individuum und von einer Generation auf die nächste übertragen wird. Deutlicher noch als beim Erbgut ist sie kollektiver Besitz einer Population.

Während alle anderen Lebewesen allein das Produkt ihrer *genetischen* Information sind, ist der Mensch durch zwei Arten von Information geformt. Seine genetische Information bestimmt den biologischen Aspekt, d. h. Morphologie, Stoffwechsel usw. und legt zugleich die materielle Grundlage für das Speichersystem der zweiten Informationsart, der *intellektuellen* Information. Diese bestimmt weitgehend seine geistigen und charakterlichen Eigenschaften. Die Existenz dieses doppelten Informationssystems erklärt die Schwierigkeiten beim Abwägen des Einflusses von Umwelt und Erbgut im intellektuellen Bereich. Beide Informationssysteme des Menschen bilden eine untrennbare Einheit.

Die intellektuelle Information durchläuft eine weit schnellere Evolution als die genetische Information, da sie im Gegensatz zu dieser die erworbenen Individualfortschritte an die nächste Generation weitergeben kann. Mehr noch, die intellektuelle Information ist sozusagen ,,infektiös‘‘, d. h. sie verbreitet sich durch Kontakt (Kommunikation) auf eine große Zahl anderer Individuen und ist nicht auf direkte Nachkommen des Ersterwerbers beschränkt (vgl. Abb. 5,25).

Während die genetische Information im wesentlichen unbeeinflußt durch Umwelt bleibt, ist die Umwelt für die intellektuelle Information der entscheidende Übertragungsmechanismus.

Information und Informationsübertragung gehören also zum Wesen allen lebendigen Daseins. Hierbei zeichnet sich der Mensch dadurch vor allen anderen Lebewesen aus, daß ihm zwei Arten von Information zur Verfügung stehen, die verschiedenen Fortpflanzungsgesetzen unterliegen.

Um Mißverständnisse zu vermeiden, sei betont, daß natürlich auch hier keine
scharfe Grenze zwischen dem Menschen einerseits und den höheren Tieren andererseits besteht. Bei vielen höheren Tieren läßt sich eine Art Schulung der Nachkommen durch die Eltern beobachten. Dies sind Anfänge einer Übertragung
von intellektueller Information.

Noch ist wissenschaftlich nicht entschieden, ob sich der Mensch nur an einer
Stelle der Erde aus affenähnlichen Vorfahren entwickelte und sich später Rassen-
unterschiede abzweigten oder ob bereits etwas verschiedene Urmenschenrassen
an verschiedenen Stellen der Erde entstanden. Wie dem auch sei, vor rund einer
Million Jahren waren frühe Menschenrassen über ganz Afrika und Eurasien verbreitet.

Sie besaßen genetische Information zur Ausbildung eines hochentwickelten
Gehirns und damit die Grundlage zur Ansammlung intellektueller Information.
Diese befand sich jedoch erst in ihren allerersten Anfängen. Der damalige
Mensch stand noch gänzlich unter den Gesetzen der biologischen Selektion.
Während jedoch bis zu diesem Punkt der Evolution lediglich für geeignete
körperliche Beschaffenheit und günstige Instinkte selektiert wurde, brachte das
Auftreten der intellektuellen Information eine neue Möglichkeit der Selektion.

Diejenigen Horden früher Menschen, die das System der intellektuellen Informationsübertragung am besten entwickelt hatten, die also als Gruppe am
besten kooperierten, die die Erfahrung über klimatische Schwierigkeiten und
Hungersnöte am besten weitergaben und so Vorsorge gegen zukünftige Gefahren
für die Horde trafen, hatten die größte Überlebensaussicht. Durch Umwelt
und Kämpfe in großem und kleinem Maßstab unter den Horden wurde so für
das System der besseren intellektuellen Informationsübertragung selektiert. Diese
Selektion wirkte zugleich auf die genetische Information insofern, als dasjenige
Erbgut ausgelesen wurde, das die Ausbildung des besten Gehirns ermöglichte.
So kam es zu einer parallelen Steigerung der menschlichen Gehirnkapazität
einerseits und der Ansammlung einer schnell wachsenden intellektuellen Information andererseits.

Die Parallele zwischen genetischer und intellektueller Information läßt sich
weiterführen. So wie die Sexualität die Möglichkeit bot, positive Merkmale
verschiedener Elternindividuen in einem Nachkommen zu vereinen, führte auch
das Zusammentreffen intellektueller Information aus zwei verschiedenen Populationen zu einer Addition der Einzelkenntnisse und damit zu einer Gruppe, die
beiden Vorläufern überlegen war.

Kontakte zwischen verschiedenen Kulturkreisen brachten Populationen hervor, die vermehrte intellektuelle Information besaßen. Zumindest in frühen
Stadien der Menschheitsentwicklung wurde wahrscheinlich diese Addition der
intellektuellen Information noch unterstützt durch die Rekombination genetischer Faktoren, die zur Ausbildung besserer Gehirne beitrugen. Es ist hier
ebenso unmöglich, den Einfluß beider Informationssysteme gegeneinander abzu-
wiegen wie bei der Frage nach der Vererbung von Intelligenz.

Vielleicht sind derartige Gruppenverschmelzungen mit folgenden Sätzen der
Bibel gemeint: „Da sich aber die Menschen begannen zu mehren auf Erden

und ihnen Töchter geboren wurden, da sahen die Kinder Gottes nach den Töchtern der Menschen, wie sie schön waren, und nahmen sie zu Weibern ... da die Kinder Gottes zu den Töchtern der Menschen eingingen und sie ihnen Kinder gebaren, wurden daraus Gewaltige in der Welt und berühmte Männer." (1. Buch Moses 6, 1—4.)

Zusammenfassung des Kapitels

Für die Humangenetik ist der Begriff der Population von großer Bedeutung. Im Vordergrund stehen dabei die Häufigkeiten von Allelen und deren Veränderung durch Selektion und Zufallsprozesse (genetic drift). Etwa ein Drittel aller menschlichen Gene kommen in mehr als einem funktionstüchtigen Allel vor (Beispiel: Blutgruppen). Die ungeheure Zahl von Kombinationsmöglichkeiten dieser Allele ist die Basis der Individualität und wird zur Vaterschafts- und Zwillings-Diagnose benutzt. Eineiige Zwillinge sind besonders wichtig für die Untersuchung des relativen Einflusses von Umwelt und Erbgut auf die Merkmalsausprägung.

Jeder Mensch hat heterozygot einige Defektallele, die bei Homozygotie zu Erbleiden führen. Andere genetische Schäden liegen auf dem X-Chromosom oder resultieren aus fehlerhafter Meiose (Chromosomen-Aberrationen). Ein neuer Weg zu genetisch gesunden Kindern ist die pränatale Diagnose an Amnionzellen. Zellkulturen sind hierfür, aber auch für Virologie, für das Problem des Alterns und für vielseitige Grundlagenforschung von wachsender Bedeutung.

Die darauf aufbauenden schnellen Fortschritte der Tumor-Virologie geben Hoffnung, in absehbarer Zeit auch den Krebs — eine Folge regulatorischer Störung im Hemmungsmechanismus des Zellwachstums — unter Kontrolle zu bringen.

Dagegen herrschen im Grenzgebiet von Genetik und Soziologie immer noch weitverbreitete Vorurteile, an deren Überwindung gearbeitet werden muß, da sie leicht zu Fehlverhalten des Einzelnen und zu politischen Auswüchsen führen.

Der Mensch besitzt neben der genetischen auch intellektuelle Information, die anderen Übertragungsgesetzen folgt. In allen Fragen geistiger, charakterlicher und kultureller Eigenschaften ist diese zweite, auf Kommunikation, nicht auf Vererbung beruhende Information von größer Wichtigkeit. Auch sie unterliegt einer Evolution.

Weitergehende Literatur zu Kapitel 12:

Li, C. C.: Population Genetics. Chicago: Chicago Univ. Press 1955.

Stern, C.: Principles of Human Genetics. San Francisco: Freeman, 2. Aufl. 1960.
    Deutsche Ausgabe bei Musterschmidt Verlag, Göttingen.

Vogel, F.: Lehrbuch der allgemeinen Humangenetik. Berlin-Göttingen-Heidelberg: Springer 1961.

Lerner, I. M.: Heredity, Evolution and Society. San Francisco: Freeman 1968.

Lenz, W.: Medizinische Genetik, 2. Aufl. Stuttgart: Thieme 1970.

Emery, A. E. H.: Elements of Medical Genetics, 2nd ed. Edinburgh and London, E. & S. Livingstone, 1971.

Sachverzeichnis

H. Seuánez

The Phylogeny of Human Chromosomes

1979. 49 figures, 10 tables. Approx. 200 pages
DM 38,–
ISBN 3-540-09303-6

Contents: The Origin of Man: Man, the Most Intelligent Ape. The Fossil Record and the Emergence of Modern Man. Man and His Classification. The Theorie of Evolution, Genes, and Chromosomes. – Cytotaxonomy and the Evolution of Man and the Great Apes: The Chromosomes of Man and the Great Apes. The Inference of Interspecific Homology. Chromosome Heteromorphisms in Man and the Great Apes as a Source of Chromosome Variation Within Species. Chromosome Rearrangement and the Phylogeny of the Hominidae. Chromosome Variation Versus Chromosome Fixation. – Comparative Gene Mapping and Molecular Cytogenetics. A New Approach to Cytotaxonomy: Composition of the Human Genome. Evolution of Non-Repetitive DNA Sequences in Man and the Great Apes. Evolution of Structural Gene Sequences. Comparative Gene Mapping in Man and Other Primates. Evolution of Repetitive DNA Sequences in Man and Other Primates. The Chromosome Distribution of Homologous Sequences to the Four Human Satellite DNAs in the Hominidae. DNA Composition of Constitutive Heterochromatin in the Chromosome Complement of Man and the Great Apes. The Chromosomal Distribution of Ribsomal Genes in Man and the Great Apes. Late DNA Replicating Patterns in the Chromosomes of Man and the Great Apes. Evolution of Genome Size in Man and the Great Apes.

W. K. Silvers

The Coat Colors of Mice: A Model for Mammalian Gene Action and Interaction

1979. Approx. 50 figures. Approx. 320 pages
ISBN 3-540-90367-4
In preparation

Contents: Introduction. – The Agouti and Extension Series of Alleles, Umbrous and Sable. – The b-Locus and c (Albino) Series of Alleles. – Dilute and Leaden, the p-Locus, Ruby-Eye and Ruby-Eye-2. – Grey-lethal, Grizzled, Mocha, Pallid, Muted, Misty and Pearl. – Beige, Silver, Greying with Age and Other Determinants. – The Pigment Patterns of Allophenic Mice and Their Significance. – X-linked Determinants. – White Spotting: Piebald, Lethal Spotting and Belted. – Dominant Spotting, Patch and Rump-White. – Steel, Flexed-Tailed, Splotch and Varitint-Waddler. – Microphthalmia and Other Considerations.

W. Klingmüller

Genmanipulation und Gentherapie

1976. 184 Abbildungen. VIII, 345 Seiten
DM 38,–
ISBN 3-540-07903-3

Inhaltsübersicht: Struktur und Funktion des genetischen Materials. – Gezielte Mutagenese. – Verfahren zur Gewinnung von Genen. – Transformation bei Pro- und Eukaryonten. – Resistenzfaktoren, Plasmide und die gezielte Vereinigung von Genen. – Übertragung von Prokaryonten-Genen auf Eukaryonten mit Hilfe von Bakteriophagen. – Das Problem der heterologen Ablesung. – Das nif-Operon und die biologische Stickstoffixierung. – Künstliche Hybridisierung bei höheren Pflanzen. – Künstliche Hybridisierung bei tierischen und menschlichen Zellen. – Nutzung animaler Viren für die Gentherapie. – Genmanipulation und Gentherapie im Brennpunkt des öffentlichen Interesses.

R. Dawkins

Das egoistische Gen

Übersetzt aus dem Englischen von
K. de Sousa Ferreira
1978. X, 246 Seiten
DM 19,80
ISBN 3-540-08649-8

Inhaltsübersicht: Warum gibt es Menschen? – Die Replikatoren. – Die unsterblichen Spiralen. – Die Genmaschine. – Aggression: Die egoistische Maschine und die Stabilität. – Genverwandtschaft. – Familienplanung. – Der Krieg der Generationen. – Der Krieg der Geschlechter. – Kratz mir meinen Rücken, dann reite ich auf deinem! – Meme, die neuen Replikatoren.

E. Mayr

Evolution und die Vielfalt des Lebens

Übersetzt aus dem Englischen von
K. de Sousa Ferreira
1979. 12 Abbildungen, 1 Tabelle. IX, 275 Seiten
DM 39,80
ISNM 3-540-09068-1

Inhaltsübersicht: Die Evolution lebender Systeme. – Zufal oder Planmäßigkeit: Das Paradoxon der Evolution. – Typologisches Denken kontra Populationsdenken. – Selektion und die gerichtete Evolution. – Geschlechtliche und natürliche Auslese. – Die Unterschiede zwischen kosmischer und organischer Evolution. – Umweltveränderung und Speziation. – Das Wesen der Darwinschen Revolution. – Darwin und die natürliche Auslese. – Ursache und Wirkung in der Biologie. – Teleologisch und teleonomisch: eine neue Analyse. – Die biologische Bedeutung der Art. – Verhaltensprogramme und evolutionäre Strategien.

Preisänderungen vorbehalten

G. Drews

Mikrobiologisches Praktikum

3., neubearbeitete Auflage. 1976.
47 Abbildungen. XI, 232 Seiten
DM 26,40
ISBN 3-540-07829-0

U. Winkler, W. Rüger, W. Wackernagel

Bakterien-, Phagen- und Molekulargenetik

1972. 15 Abbildungen. XI, 285 Seiten
(Praktikum der Genetik, Band 1)
DM 16,80
ISBN 3-540-05988-1

H. Kindl, G. Wöber

Biochemie der Pflanzen

Ein Lehrbuch

1975. 271 Abbildungen. X, 364 Seiten
DM 78,–
ISBN 3-540-06880-5

Preisänderungen vorbehalten

H. Mohr, P. Schopfer

Lehrbuch der Pflanzenphysiologie

3., völlig neubearbeitete und erweiterte
Auflage. 1978. 639 Abbildungen,
35 Tabellen. IX, 608 Seiten
Gebunden DM 78,–
ISBN 3-540-08739-7

P. Schopfer

Experimente zur Pflanzenphysiologie

Eine Einführung

Nachdruck. 1976. 40 Abbildungen.
416 Seiten
DM 25,–
ISBN 3-540-07736-7

P. v. Sengbusch

Einführung in die Allgemeine Biologie

2., neubearbeitete und erweiterte Auf-
lage. 1977. 328 Abbildungen.
VIII, 527 Seiten
DM 48,–
ISBN 3-540-08163-1

Springer-Verlag
Berlin
Heidelberg
New York